ENCHIRIDION
SYMBOLORUM

HENR. DENZINGER et CLEM. BANNWART S.J.

ENCHIRIDION
SYMBOLORUM

DEFINITIONUM et DECLARATIONUM

DE REBUS FIDEI ET MORUM

EDITIO DECIMA QUARTA ET QUINTA

QUAM PARAVIT

IOANNES BAPT. UMBERG S.J. 1875 —

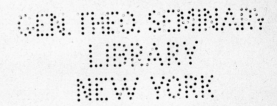
FRIBURGI BRISGOVIAE MCMXXII
HERDER & Co.
TYPOGRAPHI EDITORES PONTIFICII
BEROLINI, CAROLSRUHAE, COLONIAE, MONACHII, VINDOBONAE, LONDINI
S. LUDOVICI MO.

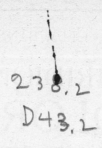
Imprimi potest

Coloniae, die 4 Ianuarii 1922

Bern. Bley S. J.
Praep. Prov. Germ. Inf.

Imprimatur

Friburgi Brisgoviae, die 1 Februarii 1922

Dr. **Mutz**, Vic. Gen.

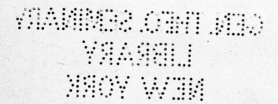

EX PRAEFATIONE AUCTORIS
AD EDITIONES PRIORES (1854 sqq).

AUDITORIBUS EDITOR.

Inter multa, quae temporum iniqua conditio scholis catho
licis intulit mala, id potissimum studiis theologicis nocet,
quod a multis positiva, ut dicunt, credendi agendique docu
menta, publica Ecclesiae auctoritate sancita, vel ignorentur
vel negligantur nimiumque proprio ingenio indulgeatur. Quo
fit, ut sanctissimae fidissimaeque doctrinae ecclesiasticae loco
ridicula et absurda hominum, qui *semper discunt, nunquam vero
ad scientiam veritatis perveniunt* [2 Tim 3, 7], commenta vendi-
tentur. Nos autem, dilectissimi auditores, id pro certo habeamus,
Ecclesiae praescripta firmissimum illud esse fundamentum,
cui omnis de divinis rebus speculatio nostra superstruenda,
regiam illam viam, in qua nobis iugiter proficiendum, a qua
tamen nunquam, neque ad dexteram neque ad sinistram,
recedendum est, nisi velimus a christiana fide ad paganam
opinandi licentiam deficere, et damnatum illud a Sancta Sede
principium statuere: «rationem principem normam ac unicum
medium esse, quo homo assequi possit supernaturalium veritatum cognitionem» [1]. Hinc est, quod vobis symbola de-
finitionesque Conciliorum atque Pontificum brevi compendio
collectas offeramus, ut fines a Patribus statutos facilius noscatis,
certa mente confidentes, vos eo magis in intellectu veritatis,
quantum scilicet huius vitae conditio sinit, profecturos, quo
maiore fidei pietate a magistra Ecclesia discere studueritis.

Non negamus, in seligendis documentis quandoque ambi-
guos nos haesisse, ne prolixi nimis essemus, neve quaedam
negligeremus, quae vel ad integrum, quantum fieri poterat,
doctrinae ecclesiasticae conspectum exhibendum, vel ut
temporum necessitatibus consuleretur, conferre videbantur.
Quo factum est, ut quaedam etiam admitterentur, quae de-

---

[1] GREGORII XVI Breve adversus Georgium Hermes [v. n. 1619].

finitivae auctoritatis non sunt (v. g. Concilium Carisiacense
et Valentinum), nulla tamen, quae cordatus quisque et
Ecclesiae addictus religiose non suscipiat, vel quae mundi
catholici iudicio momentum non habeant.

Ex editionibus ante Conc. VATICANUM institutis:

Sunt quidem multi, qui Sacrae Sedis dogmaticas Constitutiones
parvi pendant eo obtentu, quod Summi Pontificis infallibilitas definita nondum fuerit. Qua de re longius agere, modo nostri instituti non est; id tantum animadvertimus, supremum tamen Romani
Pontificis in universa Ecclesia magisterium a Conciliis duobus oecumenicis, LUGDUNENSI II et FLORENTINO, fuisse definitum [1], et
ipsos Gallicanos eiusmodi praerogativam plane agnoscere [2], atque oboedientiam etiam internam Constitutionibus Pontificis dogmaticis saltem
provisorie, deberi, incunctanter admittere. Animadvertimus praeterea,
nullam esse Romanorum Pontificum definitionem, quae ab Ecclesia
universali vel expresse vel tacite suscepta non fuerit, adeoque liberum
omnino non esse, quovis quaesito colore ea vel oppugnare vel
etiam negligere. Nos vero, ut breviter dicamus, certissimis sacrae
Scripturae et traditionis documentis innixi, absque ulla dubii haesitatione et sine ulla diffidentiae restrictione tenebimus, Romanum
Pontificem vere, ut ait FLORENTINUM Concilium, omnium Christianorum patrem ac doctorem exsistere. Rati inde potissimum oriri
haereses et schismata, quod ad unitatis ecclesiasticae fontem atque
radicem non recurratur, Romanum Pontificem illam petram esse con-
fitebimur, supra quam Christi Ecclesia aedificata est... [etc. ut infra].

Post definitionem factam auctor substituit sequentia:

Deo revelante et Ecclesia proponente, firmiter credimus
et veraciter confitemur Romanum Pontificem illam petram esse,
supra quam Christi Ecclesia aedificata est, et ex qua
firmitatem illam inconcussam trahit, qua portas inferi iugiter
victrix superat, erroremque et peccatum a se in aevum pro-
pulsat. Cum veneranda antiquitate profitebimur, beatum
Petrum per suos successores loqui atque Patris coelestis revelatione edoctum, fratres suos iugiter confirmare.

Neque inde minor Constitutionis cuiusque est auctoritas, quod
propositiones quaedam in globo, ut dicunt, ea prohibeantur.
Nam nihilosecius omnes damnantur et singulae, neque censuras
evaderet, qui vel unam ex iis quocunque modo sustineret [3].

Id etiam probe teneatis, propositionem, quae pro vera
vi definitionis habenda est, illam praecise esse, quae dam-

---

[1] Cf. professionem fidei Tridentinam et propositionem 12 Pisto-
riensem [n. 1000 1512].

[2] Cf. hac de re Petrum Ballerinium, De vi ac ratione primatus c. 14.

[3] Cf. MARTINI V interrogationem 11 de erroribus Wicleff et Huss
[v. n. 661].

natae contradictoria est. . . . Multae etiam sunt propositiones,
quae, si ad verba sola respicias, sensum sanum admittant,
in sensu tamen auctoris, in quo damnantur, perversae sunt
atque reiciendae. Qui sensus igitur vel ex dogmatum historia
vel ex systematis damnati nexu desumendus erit. . . .

Haec igitur meditare, o homo Dei, in his esto; *formam
habe sanorum verborum* [2 Tim 1, 13]. *Ne transgrediaris terminos
antiquos, quos posuerunt patres tui* [Prv 22, 28]. *Devita profanas
vocum novitates et oppositiones falsi nominis scientiae* [1 Tim 6, 20].
Depositum custodi, fidem serva, ut detur tibi corona iustitiae
[cf. ib. et 2 Tim 4, 7].

Henricus Denzinger.

EX PRAEFATIONE
AD EDITIONEM DECIMAM.

Notissimum Doctoris Henrici Denzinger opus, quod
ante plus quam quinquaginta annos (1854) editum est, iam
decimum prelum subiit. Qua opportuna occasione usus
B. Herder bibliopola, in cuius possessionem paulo ante
venerat, in aptiorem formam illud redigi statuit. Iam a
septima editione post mortem scriptoris († 19. Iunii 1883)
instituta Dr. Ignatius Stahl documentis quibusdam re-
centibus aliisque antiquioribus in modum supplementi annexis
atque variis erroribus sublatis hoc Enchiridium emendare
studuerat. Sed cum hic quoque vir optime meritus e vita
discessisset, bibliopola supra laudatus huius libri curam praesenti editori commisit.

Hanc igitur editionem decimam quamvis non solum auctam,
sed etiam penitus recognitam atque multis in locis mutatam
esse facile inspicienti lectori appareat, quarundam tamen
mutationum mentionem facere oportet et reddere rationem.

Ac primum quidem in ipso titulo libri vocabulum «de-
clarationum» adiectum est, ne forte omnia documenta hoc
libro contenta ad proprie dictas fidei «definitiones» referri
viderentur.

Sed praecipua cura editoris impensa est, ut documentorum
textus quam maxime genuinus et certus exhiberetur. Hinc
omnia et singula documenta ad unum cum fontibus ad calcem
paginarum indicatis comparata et, cum opus erat, ad normam
illius fontis, qui primo loco citatur, collatis aliis, emendata
sunt. Generatim enim pro unoquoque textu ex fontibus
magis notis plures nominantur, quorum unus alterve Theologiae studiosis in cuiusvis fere Universitatis vel Academiae

bibliotheca praesto erit, ut, qui volet, contextum facile invenire possit.

Deinde praeter documenta hucusque in supplemento addita multo plura textui inserta sunt, quae partim variis «recensionibus» desiderabantur, partim ad argumenta dogmatica formanda vel ad doctrinam catholicam recte intelligendam utilia esse videbantur. — E contrario nonnulla ex antea traditis, cum vel incertae originis et auctoritatis vel minoris momenti essent, in hac editione omissa sunt. Sic v. g. longae illae de matrimoniis mixtis explicationes, quibus eaedem fere res aut aliis verbis aut pro variis regionibus repetebantur, pro fine huius libri (praeprimis dogmatici) cum redundare tum pro studio rei profundiore sufficere visa non sunt. Sed circa istiusmodi additamenta et omissiones diverso .modo iudicari posse ultra conceditur. — Conspectus Symboli Apostolici omnino novus et Theologiae studiosis, quod sperari licet, vetere utilior substitutus est.

Alterum deinde studium editoris eo maxime dirigebatur, ut liber ex auctoris expressa intentione «ad auditorum usum» destinatus huic usui practico paulo magis accommodaretur. Quem in finem exterior textuum dispositio varias subiit mutationes, quarum praecipuae hae sunt:

1. Documentorum ingens multitudo secundum ordinem chronologicum, quantum fieri potuit, accuratius disposita est, quod ut magis eluceret atque memoriae legentium infigeretur, catalogus Romanorum Pontificum interpositus est instar scalae, per quam a primis temporibus ad nostram aetatem series textuum deducitur.

2. Hic ordo novus, ut valeret, et variae omissiones atque additamenta, quae textui rectius interponuntur neque affiguntur supplemento, postulabant, ne iidem ac antea numeri marginales retinerentur. Verum ut numeri pristini in libris dogmaticis adhuc citati facile etiam in hac editione inveniantur, in extremo libro «Clavis Concordantiarum» invenitur atque initio cuiusvis documenti et fere sexto cuique numero novo etiam prior apponitur.

3. Tituli documentorum per totum librum eodem modo dispositi brevissimis verbis praecipuam materiam illis contentam indicant; deinde sub ipso titulo et ad calcem eorum et indoles et aetas et fontes describuntur.

4. Textus Scripturae sacrae *italicis litteris* exhibentur, citantur eorum loci et, si ad verbum cum Vulgata (vel LXX) concordant, «*signis citationis*» distinguuntur.

5. Ut argumenta, quae quis conquirat, facilius et quasi primo intuitu inveniri possint neque tamen totum textum capitis legi sit opus, plerumque verba quaedam, quibus doctrinae tenor vel partes capitis insinuentur, interpositis spatiis (Sperrdruck) efferuntur.

6. Ut deinde studium quaestionum dogmaticarum facilius sit, pro gravioribus tractatibus ab uno loco, ubi fusius de ea re agitur, in in-

teriore margine refertur ad reliquas libri partes, quibus eadem doctrina docetur; ac simul ab his variis partibus dispersis eodem modo ad locum illum priorem studiosus lector remittitur. Sic fit, ut quando quis e. g. documentum quodcunque de Trinitate prae oculis habeat, per numerum in margine interiore positum [39] ad alia similia mediante hoc numero recta via dirigatur.

7. In capitibus paginarum ad sinistram invenitur, quo tempore decreta duabus illis paginis contenta edita sint, ad dexteram autem materiae ibidem tractatae indicantur.

8. Decreta et Responsa Pontificum et Congregationum Pontificiarum abbreviata sunt. Ex illis brevitatis causa solum loci afferuntur, qui ipsam rem attingunt, cum decretorum initia et in fine formulae illae verbosae omittantur, quae materiae supervacaneae sunt.

9. Documenta ex Corpore iuris canonici deprompta allegantur secundum novum citandi modum, qui Theologiae studiosis, praesertim tironibus, utilior est et facilior.

10. In novo Indice systematico doctrinae apologeticae et dogmaticae in documentis Enchiridii occurrentes sub forma magis perspicua proponuntur.

11. Praeterea Index alphabeticus nominum et rerum, qui a multis iure desiderabatur, annexus est.

12. In his Indicibus et in numeris marginis interioris ii textus, qui doctrinam aliquam *negative* (v. g. errorem alicuius haeretici) repraesentant, *italicis typis,* et qui in ea materia maioris momenti sunt, typis crassioribus designantur.

Quaecunque in ipso textu explicationis causa interpolanda esse videbantur, uncis acutis [—] inclusa sunt.

Hafniae (in Dania) in festo ss. Nominis Iesu, 19 Ianuarii 1908.

Clemens Bannwart S. J.

PRAEFATIO AD EDITIONEM DECIMAM QUARTAM ET QUINTAM.

Quemadmodum decimae tertiae, ita huius quoque editionis geminae curam P. Clemens Bannwart, aliis distentus curis, infrascripto suo quondam in huius operis decima editione, vel potius compositione, cooperatori commisit. Et ego quidem, ne modus hoc Enchiridion numeris allegandi confundatur neve eius pretium cum studiorum detrimento excrescat, optimum duxi, eodem quo priores editiones ab optime merito praecessore factae sunt consilio opus producere, documenta videlicet recentia ordine chronologico adicere, antiquiora ab aliquibus desiderata per modum appendicis inde a numero 3001 subnectere.

Locis tamen propriis remitto ad ea documenta, quae sive
in hac appendice [siglo «App.»] sive in Enchiridio fontium
historiae ecclesiasticae antiquae, ed. secunda et tertia, auctore
Conr. Kirch S. J. (Friburgi Brisg. 1914) [siglo «K»], sive
in Enchiridio patristico, ed. tertia, auctore M. J. Rouët
de Journel S. J. (Friburgi Brisg. 1920) [siglo «R»] exhibentur, et in Indice systematico indico [siglo «C»] canones
Codicis Iuris Canonici, quem in omnium lectorum manibus
esse tuto supponere licet.

«Clavem Concordantiarum» inter numeros marginales editionis decimae et priorum omittendam et eius loco indicem
scripturisticum addendum esse censui.

Textus e Concilii Tridentini sessionibus III—VII, XXI—XXII
deprompti adaptati sunt novissimae editioni a cl. Steph. Ehses
(Concilium Tridentinum ..., edidit Societas Goerresiana ...,
Friburgi Brisg. 1901 sqq, tom. IV V VIII) paratae.

Prosequi dignetur divina bonitas hoc opus etiam in posterum
suo favore *in aedificationem corporis Christi* (Eph 4, 12), ut
sedulo inde probent hauriantque theologicam doctrinam,
qui vere cum Christi sponsa, Ecclesia sancta, catholica et
apostolica, sentire gestiunt.

Valkenburg in Hollandia, die 1 Ianuarii 1922.

Ioannes Bapt. Umberg S. J.

INDEX CHRONOLOGICUS
DOCUMENTORUM ET MATERIARUM.

[1] Vide pag. 284, notam 3.

Conc. VATICANUM 1869—1870 (oecum. XX).

LEO XIII 1878—1903.

APPENDIX.

INDEX SIGLORUM

quae pro fontibus saepe citandis adhibentur.

Cst = **Coustant**, Petrus, O.S.B., **Epistolae Romanorum Pontificum** a S. Clemente I usque ad Innocentium III. Tomus I unicus. Parisiis 1721.

CTr = **Concilium Tridentinum**. Diariorum, Actorum, Epistularum, Tractatuum Nova Collectio. Edidit **Societas Goerresiana** promovendis inter Germanos Catholicos Litterarum Studiis. Friburgi Brisgoviae 1901 (tomus I) sqq.

DCh = **Denifle**, Henricus, O. Pr., **Chartularium** Universitatis Parisiensis. Parisiis 1889 (tomus I) sqq.

DuPl = **Du Plessis** d'Argentré, Caroli, **Collectio Iudiciorum** de novis erroribus, qui ab initio XII saeculi ... usque ad a. 1713 in Ecclesia proscripti sunt et notati. 3 voll. geminata. Lutetiae Parisiorum 1755 sqq.

H = **Hahn** (Aug. und) G. L., **Bibliothek der Symbole und Glaubensregeln der alten Kirche. 3. Aufl.** Breslau 1897.

Hfl = **Hefele**, Carl Joseph von (Hergenröther-Knöpfler), **Conziliengeschichte. 9 Bände.** Freiburg 1873 (Band I) sqq.

Hrd = **Harduini**, P. Ioannis, S.J., **Conciliorum Collectio regia** maxima (Labbei et Cossartii) sive: Acta Conciliorum et Epistolae Decretales ac Constitutiones Summorum Pontificum. Parisiis 1715 (tomus I) sqq.

Hrt = **Hurter**, H., S. J., **Nomenclator** litterarius Theologiae catholicae. Ed. 3. Oeniponte 1903.

Jf = **Jaffé**, Philippus, **Regesta** Pontificum Romanorum a condita Ecclesia ad a. p. Chr. n. 1198. Ed altera (Wattenbach). 2 tomi Lipsiae 1885 1888.

K = **Kattenbusch**, Ferdinand, Das apostolische Symbol. 2 Bände. Leipzig 1894 1900.

KAnt = **Künstle**, Karl, **Antipriscilliana**. Freiburg 1905.

KBdS = **Künstle**, Karl, **Eine Bibliothek der Symbole** und theologischer Traktate zur Bekämpfung des Priscillianismus ... [Ehrhard-Kirsch, Forschungen I, 4]. Mainz 1900.

MBR = **Magnum Bullarium Romanum** a beato Leone Magno usque ad Benedictum XIV, Laertii Cherubini, ed. novissima cum Continuatione, Luxemburgi [potius: Genevae, cf. **Scherer**, Handbuch des Kirchenrechts I, Graz 1886, 293 n. 11] 1727 (1742) (tomus I) sqq.

ML, MG = **Migne**, J.-P., **Patrologiae** Cursus completus. Series prima Latina Parisiis 1844 (tomus I) sqq. Series **Graeca**. Parisiis 1857 (tomus I) sqq.

MGh = **Monumenta Germaniae historica** edidit Societas aperiendis fontibus rerum Germanicarum medii aevi. — Legum Sectio III: Concilia. Hannoverae 1904.

Msi = **Mansi**, Ioann. Dominici, **Sacrorum Conciliorum** nova et amplissima collectio. Tomus I. Florentiae 1759 sqq (postea Parisiis, Lipsiae).

MThCc = **Migne**, J.-P., **Theologiae** Cursus completus. [Parisiis] 1853 (tomus I) sqq.

Pth   = Potthast, Aug., Regesta Romanorum Pontificum
            inde ab a. p. Chr. 1198 [v. Jf] ad a 1304. 2 voll. Bero-
            lini 1874 1875
Rcht   = Richter, Aemil. Ludov., Canones et Decreta Concilii
            Tridentini ex editione Romana anni 1834 repetiti....
            Lipsiae 1853.
RskRP   = Roskovány, Aug. de, Romanus Pontifex tamquam
            Primas Ecclesiae et Princeps Civilis e monumentis omnium
            saeculorum demonstratus.   Nistriae et Comaromii 1867
            (tomus 1) sqq.
RskMm   = Roskovány, Aug. de, De Matrimoniis mixtis;
            typis Lycei episcopalis [Agriensis?] 1842 (tomus II) [cf. eius-
            dem auctoris: Matrimonium in Ecclesia catholica. Pestini
            1870 sqq].
Th   = Thiel, Andreas, Epistolae Romanorum Ponti-
            ficum ... a S. Hilaro usque ad Pelagium II [cf. Cst].
            Tomus I unicus.   Brunsbergae 1868.
Viva   = Viva, Domin., S.J., Damnatarum Thesium theo-
            logica Trutina.   Patavii 1756 (tomus I, p 1, ed. 15) et
            Beneventi 1753 (tomus II, p. 4, ed. 5).
Z   = Zahn, Theodor, Geschichte des neutestamentlichen
            Kanons.   2 Bände.   Erlangen 1888.

SYMBOLUM APOSTOLICUM[1].

Symboli Apostolici forma occidentalis antiquior.

[Romana (R) nuncupata.]

FONTES.

A. Elementa *saltem alicuius Symboli vel* **regulam fidei vel**   **1**[4]
interrogationes in baptismo usitatas exhibent[2]:

S. Iustinus M., † 167*, conversus Ephesi*, bis* diutius Romae
commoratus est. — *Apol. I et II; Dial. c. Tryph.*[3] — Duplex forma,
occidentalis et orientalis, cum aliqua probabilitate conici potest[4];
quare etiam infra [n. 12] conferetur.

S Irenaeus, † 202, episc. Lugdunensis. — *Adv. haer. 1, 10, 1; 3, 4,
1 et 2; 16, 5* (qui sunt loci praecipui)[5]. — Praebet elementa
symboli R fere omnia tamquam fidem, quam Ecclesia ab apostolis
eorumque discipulis accepit (1, 10, 1). — Cf. opusculum recenter
inventum (versione Armeniaca): Εἰς ἐπίδειξιν τοῦ ἀποστολικοῦ
κηρύγματος c. 3 et 6[6].

Tertullianus, † post 225 (240*), presb. (?) Carthaginiensis. — *De
praescr. haer. 13*[7]; *De virg. vel. 1*[8]; *De carne Chr. 20*[9]; *Adv.
Prax. 2*[10]. — Regulam fidei dicit ecclesiam Carthaginiensem a
Romana accepisse (De praescr. haer. 36) et communem esse ecclesiis
apostolicis (l. c. 21); symboli forma aliquatenus certa fuit.

Origenes, † 254, presb. Alexandrinus. — *De princip. 1, praef. 4 et 5*[11].
— Regulam fidei symbolo similem habet.

Canones Hippolyti, temporis incerti (al. 200—235, al. ca. 500)[12]. —
Continent interrogationes.   [Continuantur FONTES p. 4.]

---

[1] Praeter opera in notis citata plerumque adhibita sunt ea, quae
de Symbolo Apostolico ediderunt Kattenbusch et Hahn [v. K et H
in Indice Siglorum]; Cl. Blume S. J., Das Apostolische Glaubensbekenntnis, Freiburg 1893; Suitbert Baeumer O. S. B., Das Apostolische
Glaubensbekenntnis, Mainz 1893. — Quae asterisco (*) notantur, saltem
ut probabilia asseruntur.

[2] Antiquissimum Symboli fragmentum esse 1 Cor 15, 3—5 probare studet
A. Seeberg, Der Katechismus der Urchristenheit, Leipzig 1903, 45 sqq.
— Cf. etiam Baeumer l. c. 158 sqq.   [3] MG 6, 328.

[4] Cf. A. L. Feder S. J., Justins des Märtyrers Lehre von Jesus
Christus, Freiburg 1906, 264 sqq.   [5] MG 7, 549 A 855 B 924 B.

[6] Karpet Ter-Mekerttschian und Erwand Ter-Minassiantz, Des hl. Ire-
näus Schrift zum Erweise der apostolischen Verkündigung (Texte und
Untersuchungen, Harnack-Schmidt XXXI, 1), Leipzig 1907.

[7] ML 2, 26 B.   [8] ML 2, 888 B.   [9] ML 2, 785 B.
[10] ML 2, 156 B.   [11] MG 11, 117 A.
[12] Achelis, Die ältesten Quellen des oriental. Kirchenrechts I 38
(Texte und Untersuchungen, Gebhardt-Harnack VI), Leipzig 1891.

TEXTUS.

2 *Sec.* **Rufinum** (forma Romana).

1. Credo in Deo Patre omnipotente *(al:* Deum Patrem omnipotentem *etc.)*
2. et in Christo Iesu, unico filio eius, Domino nostro
3. qui natus est de Spiritu Sancto ex Maria Virgine

4a. crucifixus sub Pontio Pilato et sepultus
b.
5. tertia die resurrexit a mortuis
6a. ascendit ad coelos

b. sedet ad dexteram Patris
7. inde venturus est iudicare vivos et mortuos
8. et in Spiritu Sancto
9a. sanctam Ecclesiam
b.
10a.
b. remissionem peccatorum
11. carnis resurrectionem.
12.

Sec. **Psalterium Aethelstani.** 39
148
782

1. Πιστεύω εἰς Θεὸν πατέρα παντοκράτορα

2 καὶ εἰς Χριστὸν Ἰησοῦν, υἱὸν αὐτοῦ, τὸν κύριον ἡμῶν
3. τὸν γεννηθέντα ἐκ πνεύματος ἁγίου καὶ Μαρίας τῆς παρθένου
4a. τὸν ἐπὶ Ποντίου Πιλάτου σταυρωθέντα καὶ ταφέντα
b.
5. τῇ τρίτῃ ἡμέρᾳ ἀναστάντα ἐκ νεκρῶν
6a. ἀναβάντα εἰς τοὺς οὐρανούς
b. καθήμενον ἐν δεξιᾷ τοῦ πατρός
7. ὅθεν ἔρχεται κρῖναι ζῶντας καὶ νεκρούς
8. καὶ εἰς πνεῦμα ἅγιον
9a. ἁγί[αν ἐκκλησίαν]
b.
10a.
b. ἄφεσιν ἁμαρτιῶν
11. σαρκὸς ἀνάστασιν.
Ἀμήν.
12.

COLLATIO [1].

3 1. *add:* uno (*vel* unum) *Tert Or Prisc Phoeb*
om: Patre (πατέρα) *Tert Marcell**
om: omnipotente *Or*
add: ἀγένητον, ἀόρατον,

κτιστὴν τῶν πάντων *Iren**
add: mundi creatore *Tert Or*
add: invisibili et impassibili *Ruf Aq**
add: universorum crea-

---

[1] In his collationibus earum tantum fit mentio lectionum, quae pro consideratione theologica in quaestionem venire possunt.

torem, regem saeculorum, immortalem et invisibilem *Aug* Fulg*

add: ingenitum invisibilem incomprehensibilem immutabilem bonum et iustum coeli et terrae creatorem *Nicet (?)*

2. *om:* uno (ἕνα) *Iust Iren* (εἰς ἕνα Χριστόν) *Tert Or CanHipp Marcell Nicet (?) Faust*

add: uno *Prisc*

add: μονογενῆ *Marcell Phoeb (?)*

om: Filium eius *Prisc*

om: unicum *Nicet Aug Faust*

om: Filium eius unicum *Prisc (?)*

om: Domino nostro *Tert CanHipp*

add: Deo et *Martin Ild Eth et B*

add: ante omnem creaturam natus ex Patre — per quem omnia facta sunt *Or*

3. *om:* ἐκ πνεύματος ἁγίου *Iust Iren*

4a. *loco* crucifixus] *pon:* passus *Iren Or*

add: passus *Phoeb (?) Nicet Martin Eth et B Moz*

om: sub Pontio Pilato *Or Faust Fulg (?)*

add: mortuus *CanHipp Phoeb (?)*

om: sepultus (ταφέντα) *Or* CanHipp*

4b. descendit ad inferos (inferna) *RufAq Martin Ild Eth et B*

5. *om:* tertia die *Iren Or*

add: vivus *Martin Ild Eth et B*

6a.

6b. *om totum articulum Iust Or Fulg (?)*

add: dei ... omnipotentis *Prisc Faust Ild Eth et B Moz*

7. *om:* Iust Or

8. *invertit ordinem articulorum 8 et 9a Prisc*

9a. *insin:* Iust Tert

om: Iren Or CanHipp Phoeb

add: catholicam *Swains (?) Aug (?) Nicet* Faust Martin Ild Eth et B Moz*

ponit post 12: Fulg (per sanctam Ecclesiam)

9b. communionem sanctorum *Nicet Faust* Moz*

10a. baptismum salutare *Prisc*

10b. *insin:* Iust Iren Tert

om: Or CanHipp

add: omnium *Martin Eth et B Moz*

11. *insin:* Iust Tert

om: CanHipp

add: huius *Phoeb RufAq Nicet (?) Moz*

12. *add:* vitam aeternam *Iren Or Nicet Aug Chrysol* Faust Fulg Martin Ild Eth et B Moz*

insin: Iust Tert

1 *

FONTES (Continuatio, cf. p. 1).

4   B. **Certam formam** *Symboli exhibent:*

Psalterium Aethelstani (graece), in tertia parte, scripta saec. 9 (ineunte?) [1]. — Symbolum est temporis incerti, perantiquum*, fuit in usu liturgico*.

Codex Laudianus (E actuum, lat.) [2]. — Symbolum est temporis incerti, scriptum saec. 7*.

Codex Swainson (lat.) [3]. — Symbolum est temporis incerti, scriptum saec. 8.

Marcellus Ancyranus, saec. 4 episc. Ancyrae in Galatia Asiae min. — *Epist. ad IULIUM Papam* scr. anno 337* (apud Epiphan., Haer. 72) [4].

Priscillianus, † 285*, vixit Abilae [Avila] in Hispania. — *Lib. ad DAMASUM tract. II.* [5]

Phoebadius, † post 392, episc. Anginnensis [Agen] in Aquitania secunda [Guyenne]. — *De fide orthodoxa contra Arianos* in fine [6]; liber est genuinus* (al. adscribunt **Gregorio Baetico**, † post 392 episc. Eliberitano [Elvira-Granada]).

Rufinus, † 410, presb. Aquileiensis. — *Expositio in Symbolum* (al. *Commentarius in Symbolum apostolorum*) [7]. — Inde colligitur forma Symboli et ecclesiae R o m a n a e et ecclesiae A q u i l e i e n s i s.

Nicetas Romatianensis*, scr. 380*—420*, Romatiana [Remesiana] in Dacia* [8]. — *Explanatio Symboli habita ad competentes* [9].

S. Augustinus, † 430, episc. Hipponensis. — *De fide et Symbolo* [10]; *serm. 212—214 in traditione Symboli* [11]; *serm. 215 in redditione Symboli* [12].

S. Petrus Chrysologus, † ante 458, episc. Ravennensis. — *Serm. 57—62* [13].

S. Maximus, med. saec. 5 episc. Taurinensis. — *Hom. 83 de expositione Symboli* [14].

Faustus Reiensis, † post 485, Reii [Riez] in Gallia. — *Duae homiliae de Symbolo* [15].

S. Fulgentius Ruspensis, † 533 [Ruspe in Africa]. — *Liber 10 contra Fabianum Arianum* [16].

---

[1] CspQ III 5.   [2] CspQ III 162.
[3] Swainson, The Nicene and Apostles' Creeds, London 1875, 161.
[4] MG 42, 385 D.
[5] Ed. Schepss (CSEL XVIII, Vindob. 1889) 34. Cf. etiam KAnt 20 sqq.
[6] Apud ML 20, 49 B «Libellus fidei».   [7] ML 21, 335 B.
[8] Cf. J. P. Kirsch, Die Lehre von der Gemeinschaft der Heiligen im christlichen Altertum (Forschungen zur christlichen Litteratur- und Dogmengeschichte, A. Ehrhard und J. P. Kirsch I, 1), Mainz 1900. — Kattenbusch (K I 122 sqq) suspicatur Nicetam fuisse Gallum.
[9] ML 52, 865 D.   [10] ML 40, 181.   [11] ML 38, 1058.
[12] ML 38, 1072. — Fontes praecipui; serm. 215 est genuinus*; censent plures cum Caspari, sermone 215 exhiberi Symbolum H i p p o n e n s e, in reliquis tradi Symbolum M e d i o l a n e n s e.   [13] ML 52, 357 A.
[14] ML 57, 433 A.   [15] CspQ II 200.   [16] ML 65, 822.

S. Martinus, † 580, episc. Bracarensis [1] [Braga in Hispania (nunc Lusitania)]. — *De correctione rusticorum* [2].

Tractatus Symboli in Missali et Sacramentario ad usum ecclesiae cuiusdam Florentinae praebet Symbolum Florentinum* saeculi 7*; manuscr. saec. 12 [3].

Ildefonsus, † 669, archiep. Toletanus. — *Liber de cognitione baptismi c.* 35 [4].

Etherius, saec. 8 episc. Uxamensis [Osmo], et **Beatus** (Bieco), saec. 8 presb. Asturicus [Astorga Hispaniae]. — *Etherii episcopi Uxamensis et Beati presbyteri adv. Elipandum archiep. Toletanum libri duo,* scr. anno 785 [5].

Liturgia mozarabica temporis incerti [6]

Symboli Apostolici forma occidentalis recentior.

[Textus receptus occidentalis (T) nuncupatus.]

FONTES.

Caesarius Arelatensis, † 543, Primas Galliae [Arles]. — *Sermo 244* 5 ex sermonibus Ps.-Augustini; est Caesarii, quantum usque nunc diiudicari potest [7]. — Elementa Symboli clare habentur, formula ad verbulum accurari nequit.

Sacramentarium Gallicanum [8], saec. 7, compositum in Gallia* (al. Missale Vesontiense [Besançon], Missale Bobbiense [Bobbio]); continet duas formulas et Symbolum ad modum interrogationum — (respicitur forma prima).

Missale Gallicanum, saec. 7 exeuntis vel 8 ineuntis [9].

S. Pirminus, natus in Hibernia*, † 753, episc. Meldensis (?), abbas monast. Augiensis [Reichenau in Alemannia]. — Dicta abbatis Pirmini de singulis libris canonicis scarapsus [10].

Codex Augiensis CXCV, saec. 8 fortasse [11]. — Symbolum scriptum a monacho quodam Hiberno (?).

Ordo vel brevis Explanatio de catechizandis rudibus, ca 850—950* [12].

Ordo Romanus, temporis incerti [13]. — Exhibet formam consuetam.

---

[1] Concilio Bracarensi II (I) 561 [cf. n. 231 sqq] intererat ut episcopus Dumensis [Dumio].
[2] Ed. Caspari, Christiania 1883. — Cf. K I 153.
[3] CspANQ 290.   [4] ML 96, 127 B.   [5] ML 96, 906 D.
[6] ML 85, 395 A.   [7] ML 39, 2194.
[8] Mabillon, Museum Italicum I, Parisiis 1687, 312.
[9] Mabillon, De liturgia Gallicana III, Parisiis 1685, 339.
[10] ML 89, 1034 C; cf. Caspari, Kirchenhistorische Anecdota, Christ. 1883, 151.   [11] CspQ III 512.   [12] CspANQ 282.
[13] Hittorp, De divinis catholicae ecclesiae officiis, Coloniae 1568.

TEXTUS.

1a. Credo in Deum Patrem omnipotentem
   b. creatorem coeli et terrae   [nostrum
2. et in Iesum Christum, Filium eius unicum, Dominum
3. qui conceptus est de Spiritu Sancto, natus ex
    Maria Virgine   [sepultus
4a. passus sub Pontio Pilato, crucifixus, mortuus et
   b. descendit ad inferna (inferos)
5. tertia die resurrexit a mortuis
6a. ascendit ad coelos
   b. sedet ad dexteram Dei Patris omnipotentis
7. inde venturus est iudicare vivos et mortuos
8. credo in Spiritum Sanctum
9a. sanctam Ecclesiam catholicam
   b. sanctorum communionem
10. remissionem peccatorum
11. carnis resurrectionem
12. et vitam aeternam.

COLLATIO.

7 1a.	**6b.** *om:* dei *Caes*
1b. *om: Caes Explan*	*om:* omnipotentis *Caes*
2. *loco:* unicum Dominum	**7.**
nostrum] *pon:* unigeni-	**8.**
tum sempiternum *Sacr*	**9a.** *om:* catholicam *CAug*
Miss	**9b.**
3.	**10.** *invertit ordinem arti-*
4a.	*culorum 10 et 11 Caes*
4b.	**11.**
5.	**12.**
6a.	

Symboli Apostolici forma orientalis.

FONTES.

8 S. Iustinus M., cf. supra [n. 1].

Constitutiones Apostolicae Copticae c. 46 [1]. — Symbolum in baptismo recitandum articulos alio ordine componit; supponi videtur
iam a Dionysio Alexandrino († 265), redactum est in hanc formam
ante 325*.   [Continuantur FONTES p. 10.]

---

[1] Ed. De Lagarde, Aegyptiaca (1883) 256.

1a. Πιστεύομεν εἰς ἕνα Θεὸν πατέρα παντοκράτορα
b. ποιητὴν οὐρανοῦ καὶ γῆς
c. ὁρατῶν τε πάντων καὶ ἀοράτων

2a. καὶ εἰς ἕνα κύριον Ἰησοῦν Χριστὸν τὸν υἱὸν τοῦ Θεοῦ τὸν μονογενῆ
b. τὸν ἐκ τοῦ πατρὸς γεννηθέντα
c. Θεὸν ἀληθινόν
d. πρὸ πάντων τῶν αἰώνων
e. δι' οὗ τὰ πάντα ἐγένετο

3a. (τὸν διὰ τὴν ἡμετέραν σωτηρίαν)
b. σαρκωθέντα (ἐκ πνεύματος ἁγίου καὶ Μαρίας τῆς παρθένου) καὶ ἐνανθρωπήσαντα

4a. σταυρωθέντα (ἐπὶ Ποντίου Πιλάτου) καὶ ταφέντα
b.

5a. ἀναστάντα τῇ τρίτῃ ἡμέρᾳ
b. (κατὰ τὰς γραφάς)

6a. καὶ ἀνελθόντα εἰς τοὺς οὐρανούς
b. καὶ καθίσαντα ἐκ δεξιῶν τοῦ πατρός

7a. καὶ ἐρχόμενον ἐν δόξῃ κρῖναι ζῶντας καὶ νεκρούς
b. οὗ τῆς βασιλείας οὐκ ἔσται τέλος

8a. καὶ εἰς ἓν ἅγιον πνεῦμα τὸν παράκλητον
b.
c.
d.
e. τὸ λαλῆσαν ἐν τοῖς προφήταις

9a [2]. καὶ εἰς μίαν ἁγίαν [καθολικὴν] ἐκκλησίαν
b.

10a. καὶ εἰς ἓν βάπτισμα μετανοίας
b. εἰς ἄφεσιν ἁμαρτιῶν

11. καὶ εἰς σαρκὸς ἀνάστασιν

12. καὶ εἰς ζωὴν αἰώνιον.

---

[1] Quae uncis rotundis (—) includuntur, probabiliter ad formam S. Cyrilli addenda, quae acutis [—] notantur, probabiliter omittenda sunt [cf. K I 237 sq].
[2] In Catechesibus articuli 9a et 10a b collocantur ordine inverso, in ipso Symbolo probabiliter ordine recto.

COLLATIO.

(C = Symbolum Nicaeno-Constantinopolitanum [v. n. 86]
quod vocatur, in collatione adicitur, quo facilius lectiones variantes formae orientalis comparari possint cum C universaliter recepto.)

10 **1a.** *add:* ἀληθινὸν μόνον *Copt* μόνον ἀληθινόν *ConstAp*

    b. *om: Copt*

    c. *om:* Iust *(?) Copt*

   2a. *add:* [τὸν κύριον] ἡμῶν καὶ τὸν σωτῆρα ἡμῶν *Copt*
      add: τὸν πρωτότοκον πάσης κτίσεως *ConstAp*

    b. *om:* Iust *(?)*
      add: οὐ κτισθέντα *ConstAp*

    c. *om:* Iust *Copt ConstAp*
      loco Θεὸν ἀληθινόν] *pon:* τουτέστιν ἐκ τῆς οὐσίας
       τοῦ πατρός, φῶς ἐκ φωτός, Θεὸν ἀληθινὸν ἐκ Θεοῦ
       ἀληθινοῦ, γεννηθέντα οὐ ποιηθέντα, ὁμούσιον τῷ πατρί
       Epiph (C pon: φῶς ἐκ φωτός *usque* οὐ ποιηθέντα)

    d. *insin:* Iust
      om: Copt
      ponit ante art. 2c Epiph (C)
      add: τά τε ἐν τοῖς οὐρανοῖς καὶ τὰ ἐν τῇ γῇ *Epiph*

    e. *insin:* Iust
      om: Copt

   3a. *eius loco pon:* τὸν ἐπ' ἐσχάτων τῶν ἡμερῶν κατελ-
      θόντα ἐξ οὐρανῶν *ConstAp*
      eius loco pon: τὸν δι' ἡμᾶς τοὺς ἀνθρώπους καὶ διὰ
      τὴν ἡμετέραν σωτηρίαν κατελθόντα ἐκ τῶν οὐρανῶν
      Epiph (C)

    b. *loco* σαρκωθέντα] *pon:* γεννηθέντα Iust
      om: σαρκωθέντα *Copt*
      om: ἐκ πνεύματος ἁγίου Iust *ConstAp*
      om: ἐνανθρωπήσαντα Iust
      loco ἐνανθρ.] *pon:* πολιτευσάμενον ὁσίως κατὰ τοὺς
      νόμους τοῦ Θεοῦ καὶ πατρὸς αὐτοῦ *ConstAp*
      add: διὰ θαύματος .. δι' ἑνότητος ἀκαταλήπτου ..
      ἄνευ σπέρματος ἀνδρός *Copt*

   4a. *add:* ὑπὲρ ἡμῶν *Copt Epiph ConstAp (C)*
      add: καὶ παθόντα *Epiph (C)*
      loco καὶ ταφέντα] *pon:* καὶ ἀποθανόντα Iust *ConstAp*

loco καὶ ταφέντα] *pon:* ἀπέθανεν ἑκὼν διὰ τὴν κοινὴν
ἡμῶν σωτηρίαν *Copt*

b. ἀπέλυσε τοὺς δεσμίους *Copt (sed ponit hunc artic.*
post 5a)

5a.

b. *om:* Iust Copt ConstAp

6a.

b. *om:* Iust
add: τοῦ ἀγαθοῦ τοῦ ἐν ὑψίστοις *Copt*

7a. *add:* κατὰ τὴν ἑαυτοῦ ἀπόδειξιν καὶ βασιλείαν *Copt*
add: ἐπὶ συντελείᾳ τοῦ αἰῶνος *ConstAp*

b. *insin:* Iust

8a. *om:* παράκλητον *Copt Epiph (C)*   11

b. τὸν κύριον καὶ ζωοποιόν *Epiph (C)*
τὸ ἀγαθὸν καὶ ζωοποιόν, ὃ καθαρίζει τὰ πάντα *Copt*

c. τὸ ἐκ τοῦ πατρὸς ἐκπορευόμενον *Epiph (C)*

d. τὸ σὺν πατρὶ καὶ υἱῷ συνπροσκυνούμενον καὶ συνδοξαζόμενον *Epiph (C)*

e. *om:* Iust Copt
eius loco pon: τὸ ἐνεργῆσαν ἐν πᾶσι τοῖς ἀπ' αἰῶνος
ἁγίοις, ὕστερον δὲ ἀποσταλὲν καὶ τοῖς ἀποστόλοις
παρὰ τοῦ πατρὸς κατὰ τὴν ἐπαγγελίαν τοῦ σωτῆρος
ἡμῶν Ἰησοῦ Χριστοῦ καὶ μετὰ τοὺς ἀποστόλους
δὲ πᾶσι τοῖς πιστεύουσιν ἐν τῇ ἁγίᾳ καθολικῇ
ἐκκλησίᾳ *(cfr art. 9a) ConstAp*

9a. *insin:* Iust
add: καὶ ἀποστολικήν *Copt Epiph (C)*

b. *om omnes*

10a. *insin:* Iust
om: ConstAp *(ponit:* βαπτίζομαι καὶ εἰς τὸ πνεῦμα
τὸ ἅγιον κτλ)
om: μετανοίας *Copt Epiph (C)*

b. *insin:* Iust
om: Copt

11. *insin:* Iust Copt
add: καὶ εἰς βασιλείαν οὐρανῶν *ConstAp*

12. *insin:* Iust

NOTA. *Praeter additamenta in collatione notata* Copt *alia habet, prae-*
cipue: Πιστεύω .. εἰς τὴν τριάδα ὁμοούσιον, μίαν θεότητα, ἓν κράτος,
μίαν βασιλείαν, μίαν πίστιν.

FONTES (Continuatio, cf. p. 6).

12 **s. Cyrillus,** † 386, Hierosolymitanus episc. — *Catecheses 6—18,*
habitae ante 350 (351) [1]. Prodit Symbolum usitatum ante 325 [2];
eius textus ab aliis aliter construitur.

S. Epiphanius, † 403, episc. Salaminus (Cypr.). — *Ancoratus,* scr.
ca. 374; continet in fine duas formulas, quarum brevior (ἡ ἁγία
πίστις τῆς καθολικῆς ἐκκλησίας) hic respicitur [3] [longiorem v. n.
13 sq]; Symbolum censetur «Ancorato» antiquius esse.

Constitutiones Apostolorum VII 41, saec. 5 ineuntis* [4]. — Symbolum quoad partes plurimas est Luciani Martyris* († 312); exhibet formam Syro-palaestinensem*.

Symbolum Epiphanii [5] (forma longior). ·

[Catechumenis in Oriente propositum.]

13 Πιστεύομεν εἰς ἕνα Θεόν,
πατέρα παντοκράτορα, πάν-
των ἀοράτων τε καὶ ὁρατῶν
ποιητήν· καὶ εἰς ἕνα κύριον
Ἰησοῦν Χριστόν, τὸν υἱὸν
τοῦ Θεοῦ, γεννηθέντα ἐκ
Θεοῦ πατρὸς μονογενῆ, τουτέστιν ἐκ τῆς οὐσίας τοῦ
πατρός, Θεὸν ἐκ Θεοῦ, φῶς
ἐκ φωτός, Θεὸν ἀληθινὸν ἐκ
Θεοῦ ἀληθινοῦ, γεννηθέντα
οὐ ποιηθέντα, ὁμοούσιον τῷ
πατρί, δι' οὗ τὰ πάντα ἐγένετο, τά τε ἐν τοῖς οὐρανοῖς
καὶ τὰ ἐν τῇ γῇ, ὁρατά τε
καὶ ἀόρατα, τὸν δι' ἡμᾶς
τοὺς ἀνθρώπους καὶ διὰ τὴν
ἡμετέραν σωτηρίαν κατελ-
θόντα καὶ σαρκωθέντα, τουτέστι γεννηθέντα τελείως ἐκ
τῆς ἁγίας Μαρίας τῆς ἀειπαρ-

Credimus in unum Deum 39
Patrem omnipotentem, 148 782
omnium invisibilium visi-
biliumque factorem, et in
unum Dominum Iesum Chri-
stum Filium Dei, genitum
a Deo Patre, unigenitum,
hoc est, e Patris substantia,
Deum de Deo, lumen de
lumine, Deum verum de
Deo vero, genitum, non
factum, consubstantialem
Patri, per quem omnia facta
sunt, tam quae coelis quam
quae terra continentur, visibilia et invisibilia. — Qui
propter nos homines et
propter nostram salutem
descendit, et incarnatus est,
hoc est, ex Maria semper
virgine per Spiritum Sanc-

[1] MG 33, 535 sqq.
[2] Macarius Hieros., antecessor S. Cyrilli, quoad capita saltem idem
Symbolum habuisse videtur.
[3] MG 43, 232 C.
[4] Al. saec. 4 medii; continet certe antiquiora. MG 1, 1041 C. Funk,
Didascalia et Constitutiones Apostolorum I, Paderborn 1905, 445.
[5] MG 43, 234 sq; coll. H 135 sq. — Hoc Symbolum a tota Ecclesia
adversus oriundas identidem haereses baptizandis praescribi S. Epiphanius in opere «Ancoratus» [v. n. 12] testatur.

θένου διὰ πνεύματος ἁγίου, ἐνανθρωπήσαντα, τουτέστι τέλειον ἄνθρωπον λαβόντα, ψυχὴν καὶ σῶμα καὶ νοῦν καὶ πάντα, εἴ τι ἐστὶν ἄνθρωπος, χωρὶς ἁμαρτίας, οὐκ ἀπὸ σπέρματος ἀνδρὸς οὐδὲ ἐν ἀνθρώπῳ, ἀλλ' εἰς ἑαυτὸν σάρκα ἀναπλάσαντα εἰς μίαν ἁγίαν ἑνότητα· οὐ καθάπερ ἐν προφήταις ἐνέπνευσέ τε καὶ ἐλάλησε καὶ ἐνήργησεν, ἀλλὰ τελείως ἐνανθρωπήσαντα («ὁ γὰρ λόγος σὰρξ ἐγένετο», οὐ τροπὴν ὑποστὰς οὐδὲ μεταβαλὼν τὴν ἑαυτοῦ θεότητα εἰς ἀνθρωπότητα), εἰς μίαν συνενώσαντα ἑαυτοῦ ἁγίαν τελειότητά τε καὶ θεότητα (εἷς γάρ ἐστι κύριος Ἰησοῦς Χριστὸς καὶ οὐ δύο, ὁ αὐτὸς θεός, ὁ αὐτὸς κύριος, ὁ αὐτὸς βασιλεύς), παθόντα δὲ τὸν αὐτὸν ἐν σαρκί, καὶ ἀναστάντα καὶ ἀνελθόντα εἰς τοὺς οὐρανοὺς ἐν αὐτῷ τῷ σώματι, ἐνδόξως καθίσαντα ἐν δεξιᾷ τοῦ πατρός, ἐρχόμενον ἐν αὐτῷ τῷ σώματι ἐν δόξῃ κρῖναι ζῶντας καὶ νεκρούς· οὗ τῆς βασιλείας οὐκ ἔσται τέλος· — καὶ εἰς τὸ ἅγιον πνεῦμα πιστεύομεν, τὸ λαλῆσαν ἐν νόμῳ καὶ κηρῦξαν ἐν τοῖς προφήταις καὶ καταβὰν ἐπὶ τὸν Ἰορδάνην, λαλοῦν ἐν ἀποστόλοις, οἰκοῦν ἐν ἁγίοις· οὕτως δὲ πιστεύομεν ἐν αὐ-

tum perfecte genitus, homo factus est, id est, perfectum assumpsit hominem, animam et corpus et mentem et omne quidquid homo est, excepto peccato, non e virili satu, nec ita ut in homine dumtaxat inesset, sed in seipsum effectam illam carnem transtulit, et in unam ac sanctam singularitatem coniunxit, non ad eum modum quo prophetis aspiravit et in illis locutus est, effecitque quidpiam, sed homo perfectus esse voluit: «*Verbum* quippe *caro factum est*» [Io 1, 14]; neque aut mutationem ullam est expertum, aut divinitatem suam in naturam convertit hominis, sed in unam sanctam perfectionem divinitatemque copulavit; unus est enim Dominus Iesus Christus, non duo; idem Deus, idem Dominus, idemque rex. Qui passus est in carne, et resurrexit, et coelum cum eodem corpore conscendit; et ad dexteram Patris gloriose consedit; et cum eodem corpore venturus est cum gloria iudicare vivos et mortuos; cuius regni non erit finis. — Credimus et in Spiritum Sanctum, qui locutus est

τῷ, ὅτι ἐστὶ πνεῦμα ἅγιον,
πνεῦμα Θεοῦ, πνεῦμα τέλειον,
πνεῦμα παράκλητον, ἄκτι-
στον, ἐκ τοῦ πατρὸς ἐκπο-
ρευόμενον καὶ ἐκ τοῦ υἱοῦ
λαμβανόμενον καὶ πιστευ-
όμενον.

14 Πιστεύομεν εἰς μίαν καθολικὴν καὶ ἀποστολικὴν
ἐκκλησίαν, καὶ εἰς ἓν βάπτισμα μετανοίας, καὶ εἰς
ἀνάστασιν νεκρῶν καὶ κρίσιν
δικαίαν ψυχῶν καὶ σωμάτων,
καὶ εἰς βασιλείαν οὐρανῶν,
καὶ εἰς ζωὴν αἰώνιον. Τοὺς
δὲ λέγοντας, ὅτι ἦν ποτε,
ὅτε οὐκ ἦν ὁ υἱὸς ἢ τὸ
πνεῦμα τὸ ἅγιον, ἢ ὅτι
ἐξ οὐκ ὄντων ἐγένετο ἢ ἐξ
ἑτέρας ὑποστάσεως ἢ οὐσίας,
φάσκοντας εἶναι τρεπτὸν ἢ
ἀλλοιωτὸν τὸν υἱὸν τοῦ Θεοῦ
ἢ τὸ ἅγιον πνεῦμα, τούτους
ἀναθεματίζει ἡ καθολικὴ καὶ
ἀποστολικὴ ἐκκλησία, ἡ μήτηρ
ὑμῶν τε καὶ ἡμῶν· καὶ πάλιν
ἀναθεματίζομεν τοὺς μὴ ὁμο-
λογοῦντας ἀνάστασιν νεκρῶν
καὶ πάσας τὰς αἱρέσεις τὰς
μὴ ἐκ ταύτης τῆς ὀρθῆς
πίστεως οὔσας.

in lege, et per prophetas
praedicavit, et ad Iordanem
descendit, in apostolis locutus est, et in sanctis habitat.
Ita porro nos in ipsum credimus: Spiritum esse sanctum, Spiritum Dei, Spiritum
perfectum, Spiritum Para-
cletum, increatum, a Patre
procedentem, accipientem
a Filio, in quem credimus.
Praeterea credimus in
unam catholicam et apostolicam Ecclesiam, et in 1821
unum poenitentiae baptis-
mum, et in resurrectionem
mortuorum, ac iustum ani-
marum corporumque iudi-
cium, et in regnum caelo-
rum et in vitam aeternam.
Eos vero qui dicunt fuisse
aliquando cum non
esset Filius aut Spiri-
tus Sanctus, aut e nihilo
esse factum, vel ex altera
hypostasi aut substantia;
quique conversioni aut mu-
tationi obnoxium esse di-
cunt Dei Filium aut Spiritum Sanctum, hos omnes
anathemate damnat catho-
lica et apostolica Ecclesia,
mater vestra ac nostra. Condemnamus etiam illos qui
mortuorum resurrectionem
minime confitentur, necnon
et haereses omnes, quae
huic sanctae fidei minime
consentaneae sunt.

SYMBOLA ANTIPRISCILLIANA.

Formula «Fides Damasi» nuncupata [1].

[Auctoris et temporis incerti, forsan saec. 4 exeuntis.]

39
782 Credimus in unum Deum Patrem omnipotentem et **15**
in unum Dominum nostrum Iesum Christum Filium Dei
et in (unum) Spiritum Sanctum Deum. Non tres Deos,
sed Patrem et Filium et Spiritum Sanctum unum Deum
colimus et confitemur: non sic unum Deum, quasi
solitarium, nec eundem, qui ipse sibi Pater sit, ipse
et Filius, sed Patrem esse qui genuit, et Filium esse
qui genitus sit, Spiritum vero Sanctum non genitum
neque ingenitum, non creatum neque factum, sed de
Patre et Filio procedentem, Patri et Filio coaeternum et
coaequalem et cooperatorem, quia scriptum est: «*Verbo
Domini coeli firmati sunt*» (id est, a Filio Dei), «*et
spiritu oris eius omnis virtus eorum*» [Ps 32, 6], et alibi:
*Emitte spiritum tuum et creabuntur et renovabis faciem
terrae* [Ps 103, 30]. Ideoque in nomine Patris et Filii et
Spiritus Sancti unum confitemur Deum, quia nomen est
potestatis deus, non proprietatis. Proprium nomen est
Patri Pater, et proprium nomen est Filio Filius, et proprium nomen est Spiritui Sancto Spiritus Sanctus. Et
in hac Trinitate unum Deum credimus, quia ex uno
Patre, quod est unius cum Patre naturae uniusque substantiae et unius potestatis. Pater Filium genuit, non
voluntate, nec necessitate, sed natura.

148 Filius ultimo tempore ad nos salvandos et ad im- **16**
plendas scripturas descendit a Patre, qui nunquam desiit

---

[1] KAnt 47 sqq; KBdS 10 et 43 sqq; H 275 sq   cf. Cst, Appendix
101 B sq. — Hoc Symbolum nomen suum inde habere censet Künstle
[KAnt 54], quod forsan e Concilio Caesaraugustano (380) [Zaragoza Hisp.]
approbationis causa ad DAMASUM Papam missum ab eoque receptum sit.

esse cum Patre, et conceptus est de Spiritu Sancto et
natus ex Maria Virgine, carnem, animam et sensum,
hoc est perfectum suscepit hominem, nec amisit, quod
erat, sed coepit esse, quod non erat; ita tamen, ut perfectus in suis sit et verus in nostris. Nam qui Deus
erat, homo natus est, et qui homo natus est, operatur
ut Deus; et qui operatur ut Deus, ut homo moritur;
et qui ut homo moritur, ut Deus resurgit. Qui devicto
mortis imperio cum ea carne, qua natus et passus et
mortuus fuerat, resurrexit tertia die, ascendit ad Patrem
sedetque ad dextram eius in gloria, quam semper habuit
habetque. In huius morte et sanguine credimus emun-
datos nos ab eo resuscitandos die novissima in hac 287
carne, qua nunc vivimus, et habemus spem nos consecuturos ab ipso aut vitam aeternam praemium boni
meriti aut poenam pro peccatis aeterni supplicii. Haec
lege, haec retine, huic fidei animam tuam subiuga. A
Christo Domino et vitam consequeris et praemium.

Formula «Clemens Trinitas» [1].

[Auctoris et temporis incerti, saec. 4—5 (?).]

17 Clemens Trinitas, una divinitas. Pater itaque et Filius 39
et Spiritus Sanctus, unus fons, una substantia, una virtus,
una potestas est. Patrem Deum, et Filium Deum, et
Spiritum Sanctum Deum, non tres deos esse dicimus,
sed unum piissime confitemur. Nam tres manentes
personas unam esse substantiam catholica atque
apostolica profitemur voce. Itaque Pater et Filius et
Spiritus Sanctus, et *tres unum sunt* [cf. 1 Io 5, 7]. Nec
tres confusi, nec divisi, nec distincti, sed coniuncti,
uniti substantia, sed discreti nominibus, coniuncti natura,
distincti personis, aequales divinitate, consimiles maiestate,
concordes trinitate, participes claritate. Qui ita unum
sunt, ut tres quoque non dubitemus; ita tres sunt, ut
separari a se non posse fateamur.

18 Hoc enim fidei nostrae secundum evangelicam et apo- 14b
stolicam doctrinam principale est, Dominum nostrum

---

[1] KAnt 65 sqq (cf. KBdS 12 et 147 sq) hanc singularem formulam
ex Cod. Augiensi [Reichenau] tradit eamque fundamentum esse putat
illius Symboli, quod «Athanasianum» vocatur [v. n. 39 sq].

Iesum Christum et Dei Filium a Patre nec honoris confusione, nec virtutis potestate, nec substantia divinitatis,
nec intervallo temporis separare. Et ideo si quis Filium,
qui sicut vere Deus, ita vere homo absque peccato
dumtaxat, unde humanitate aliquid vel deitate minus
dicit habuisse, profanus et alienus ab Ecclesia catholica
atque apostolica iudicandus est.

Formula «Libellus in modum Symboli» [1].

[Pastoris episcopi Gallaeciae, ca. med. saec. 5 (?).]

39 Credimus in unum Deum verum, Patrem et Filium **19**
et Spiritum Sanctum, visibilium et invisibilium [(113)]
factorem, per quem creata sunt omnia in coelo et in
terra, unum Deum et unam esse divinae substantiae
Trinitatem: Patrem autem non esse ipsum Filium, sed
habere Filium, qui Pater non sit; Filium non esse Patrem,
sed Filium Dei de Patre esse natum; Spiritum quoque
esse Paracletum, qui nec Pater sit ipse, nec Filius, sed
a Patre Filioque procedens. Est ergo ingenitus Pater,
genitus Filius, non genitus Paracletus, sed a
Patre Filioque procedens. Pater est, cuius vox
haec est audita de coelis: *Hic est Filius meus, in quo*
bene complacui, ipsum audite [Mt 17, 5; 2 Petr 1, 17; cf. Mt 3, 17].
Filius est qui ait: Ego *a Patre exivi, et* a Deo
veni in hunc mundum [cf. Io 16, 28]. Paracletus Spiritus

---

[1] KAnt 43 sqq; KBdS 8 sq et 31 sqq; H 209 sqq; ap. Msi III 1003 A;
Hrd I 993 A; cf. Hfl II 306 sqq. — Haec formula seu regula fidei olim
tamquam «Symbolum Concilii Toletani I» exhibebatur et Concilium
ipsum (praeeuntibus Quesnel et Hefele) anno 447 habitum putabatur.
Künstle [Antiprisc. 30 sqq] illud Concilium omnino numquam exstitisse
contendit. Formulam ipsam dicit esse illum libellum, de quo scribit
Gennadius († ca. 490) in «Libro de scriptoribus ecclesiasticis», cap. 76
[ML 58, 1103 A]: «Pastor episcopus composuit libellum in modum
symboli parvum totam pene ecclesiasticam credulitatem per sententias continentem. In quo inter ceteras dissensionum pravitates, quas
praetermissis auctorum vocabulis anathematizat, Pri-
scillianos cum ipso auctoris nomine damnat.» His verbis textum
hunc indicari iam insinuaverant Kattenbusch (K I 158) et Morin (Revue
Bénédictine 1893, 385 sqq); idque satis probabile videtur, praesertim cum
aliud eius aetatis documentum, quod aeque accurate verbis Gennadii
correspondeat, hucusque nusquam innotuerit. — Similis errorum elenchus
in «Statutis ecclesiae antiquis» [falso pro actis Conc. Carthag. IV habitis;
cf. notam ad n. 150] in forma interrogationum, quae episcopis ordinandis
proponi debeant, invenitur [ML 56, 879 A sq].

est, de quo Filius ait: *Nisi abiero ego* ad Patrem, *Paracletus non veniet ad vos* [Io 16, 7]. Hanc Trinitatem
personis distinctam, substantia unitam, virtute et potestate et maiestate indivisibilem, indifferentem; praeter
hanc nullam credimus divinam esse naturam, vel angeli
vel spiritus vel virtutis alicuius, quae Deus esse credatur.

20   Hunc igitur Filium Dei, Deum natum a Patre ante 148
omne omnino principium, sanctificasse uterum Mariae
Virginis, atque ex ea verum hominem sine virili generatum semine suscepisse, duabus dumtaxat naturis,
id est, deitatis et carnis, in unam convenientibus omnino
personam, id est, Dominum nostrum Iesum Christum;
nec imaginarium corpus aut phantasmatis alicuius in eo
fuisse, sed solidum atque verum; hunc et esuriisse et
sitiisse et doluisse et flevisse et omnes corporis iniurias
pertulisse; postremo a Iudaeis crucifixum, mortuum et
sepultum, et tertia die resurrexisse, conversatum postmodum cum discipulis suis, quadragesima die post resurrectionem ad coelum ascendisse; hunc filium hominis
etiam Dei Filium, Deum omnis creaturae appellari. Re-287
surrectionem vero futuram manere credimus omnis
carnis, animam autem hominis non divinam esse substantiam, vel Dei partem, sed creaturam dicimus divina
voluntate creatam.

21   1. Si quis dixerit aut crediderit, a Deo omnipotente
(114) mundum hunc factum non fuisse, atque eius omnia
instrumenta, anathema sit.

22   2. Si quis dixerit atque crediderit, Deum Patrem
eundem esse Filium vel Paracletum, A. S.

23   3. Si quis dixerit vel crediderit, Dei Filium eundem
esse Patrem vel Paracletum, A. S.

24   4. Si quis dixerit vel crediderit, Paracletum vel
Patrem esse vel Filium, A. S.

25   5. Si quis dixerit vel crediderit, carnem tantum sine
(118) anima a Filio Dei fuisse susceptam, A. S.

26   6(a). Si quis dixerit vel crediderit, Christum innascibilem esse, A. S. [1]

---

[1] Codex Augiensis (Künstle) addit: (6b) Si quis dixerit vel crediderit,
deitatem innascibilem esse, A. S.

7. Si quis dixerit vel crediderit, deitatem Christi con-27 vertibilem fuisse aut passibilem, A. S.

348 8. Si quis dixerit vel crediderit, alterum Deum 28 esse priscae Legis, alterum Evangeliorum, A. S.

9. Si quis dixerit vel crediderit, ab altero Deo mundum 29 factum fuisse, et non ab eo, de quo scriptum est: *In principio fecit Deus coelum et terram* [cf. Gn 1, 1], A. S.

287 10. Si quis dixerit vel crediderit, corpora humana 30 non resurgere post mortem, A. S. (123)

480 11. Si quis dixerit vel crediderit, animam huma-31 nam Dei portionem, vel Dei esse substantiam, A. S.

783 12. Si quis dixerit vel crediderit, alias scripturas 32 praeter quas Ecclesia catholica recipit in auctoritate habendas vel esse venerandas, A. S.

13. Si quis dixerit vel crediderit, deitatis et carnis 33 unam in Christo esse naturam, A. S.

14. Si quis dixerit vel crediderit, esse aliquid, quod 34 se extra divinam Trinitatem possit extendere, A. S.

15. Si quis astrologiae vel mathematicis aestimat 35 esse credendum, A. S. (128)

969 16. Si quis dixerit vel crediderit, coniugia hominum, 36 quae secundum legem divinam licet habere, execrabilia esse, A. S.

17. Si quis dixerit vel crediderit, carnes avium seu pe-37 cudum, quae ad escam datae sunt, non tantum pro castigatione corporum abstinendas, sed execrandas esse, A. S.

18. Si quis in erroribus Priscilliani sectam sequitur 38 vel profitetur, aut aliud in salubri baptismo contra sedem Sancti PETRI faciat, A. S.

Symbolum «Quicunque» (quod vocatur **Athanasianum**) [1].

2
6

[Regula fidei incerti auctoris, orta probabiliter saec. 5.]

9
13
15 Quicunque vult salvus esse, ante omnia opus est, ut 39
17 teneat catholicam fidem, quam nisi quisque integram in- (135)
19 violatamque servaverit, absque dubio in aeternum peribit.

---

[1] KAnt 232 sq; H 174 sqq; ML 88, 585 A sq; Msi II 1354 B sq. (Breviar. Rom.: Dom. ad Prim.) — Hanc fidei professionem non esse opus Athanasii constat. Textus latinus videtur esse primus; sed sunt versiones etiam graecae. Vetustis quibusdam codicibus ANASTASIO (II) tribuitur hoc symbolum, quod «Fides ANASTASII» et «Symbolum

— Fides autem catholica haec est, ut unum Deum in [48] [51] Trinitate, et Trinitatem in unitate veneremur; neque [54] confundentes personas, neque substantiam separantes; [58] [83] alia est enim persona Patris, alia Filii, alia (et) Spiritus [86] [201] Sancti; sed Patris et Filii et Spiritus Sancti una est [213] divinitas, aequalis gloria, coaeterna maiestas. Qualis [231] [254] Pater, talis Filius, talis (et) Spiritus Sanctus; increatus [275] [294] Pater, increatus Filius, increatus (et) Spiritus Sanctus; [296] immensus Pater, immensus Filius, immensus (et) Spiritus [343] [368] Sanctus; aeternus Pater, aeternus Filius, aeternus (et) [389] [420] Spiritus Sanctus: et tamen non tres aeterni, sed unus [428] aeternus; sicut non tres increati, nec tres immensi, sed [431] [460] unus increatus, et unus immensus; similiter omnipotens [691] [703] Pater, omnipotens Filius, omnipotens (et) Spiritus Sanctus: [993] et tamen non tres omnipotentes, sed unus omnipotens; [994] [1084] ita Deus Pater, Deus Filius, Deus (et) Spiritus Sanctus: [1595] [1915] et tamen non tres dii, sed unus est Deus; ita Dominus Pater, Dominus Filius, Dominus (et) Spiritus Sanctus: et tamen non tres domini, sed unus est Dominus; quia sicut singillatim unamquamque personam Deum et [ac] Dominum confiteri christiana veritate compellimur, ita tres deos aut dominos dicere catholica religione prohibemur. Pater a nullo est factus nec creatus nec genitus. Filius a Patre solo est, non factus, nec creatus, sed genitus. Spiritus Sanctus a Patre et Filio, non factus nec creatus nec genitus, sed procedens. Unus ergo Pater, non tres Patres; unus Filius, non tres Filii; unus Spiritus Sanctus, non tres Spiritus Sancti; et in hac Trinitate nihil prius aut posterius, nihil maius aut minus, sed totae tres personae coaeternae sibi

---

ANASTASII» inscribitur. Künstle («Antipriscilliana» p. 204 sqq) originem huius Symboli antipriscillianam [et hispanicam] demonstrare conatus est. Sed nuperrime Henricus Brewer reiecit argumenta quibus hic confirmat opinionem suam, et ostendit ipse, ut videtur, solidis rationibus auctorem Symboli «Athanasiani» esse S. Ambrosium Mediolanensem episcopum. [Das sog. Athanasianische Glaubensbekenntnis ein Werk des hl. Ambrosius, in «Forschungen zur christl. Literatur- und Dogmengeschichte» tom. 9, fasc. 2. Paderb. 1909.] — De facto hoc «Symbolum» postea tantam in utraque Ecclesia, et occidentali et orientali, nactum est auctoritatem, ut in usum liturgicum receptum et tamquam vera fidei definitio habendum sit. — Verba, quae uncis [acutis] includuntur, textum liturgicum designant; quae vero (rotundis), in eodem desunt.

sunt et coaequales, ita ut per omnia, sicut iam supra
dictum est, et unitas in Trinitate, et Trinitas in unitate
veneranda sit. Qui vult ergo salvus esse, ita de Trinitate sentiat.

148 Sed necessarium est ad aeternam salutem, ut incar- 40
nationem quoque Domini nostri Iesu Christi fideliter[137]
credat. Est ergo fides recta, ut credamus et confiteamur,
quia Dominus noster Iesus Christus Dei Filius, Deus et
homo est. Deus est ex substantia Patris ante saecula
genitus, et homo est ex substantia matris in saeculo
natus: perfectus Deus, perfectus homo, ex anima rationali et humana carne subsistens, aequalis Patri secundum
divinitatem, minor Patre secundum humanitatem. Qui
licet Deus sit et homo, non duo tamen, sed unus est
Christus, unus autem non conversione Divinitatis
in carnem, sed assumptione humanitatis in Deum,
unus omnino non confusione substantiae, sed unitate
personae. Nam sicut anima rationalis et caro unus est
homo, ita Deus et homo unus est Christus. Qui passus
est pro salute nostra, descendit ad inferos, tertia die
resurrexit a mortuis, ascendit ad coelos, sedet ad dexteram Dei Patris omnipotentis, inde venturus [est] iudicare vivos et mortuos; ad cuius adventum omnes
287 homines resurgere habent cum corporibus suis et
reddituri sunt de factis propriis rationem: et qui bona
egerunt, ibunt in vitam aeternam, qui vero mala, in
1821 ignem aeternum. — Haec est fides catholica, quam nisi
quisque fideliter firmiterque crediderit, salvus esse non
poterit.

Anathematismos Conc. Bracarensis 561 v. n. 231 sqq.
Symbolum Concil. «Toletani XI» v. n. 275 sqq.

DOCUMENTA
ROMANORUM PONTIFICUM ET CONCILIORUM.

S. PETRUS APOSTOLUS (?)—67(?),
sub cuius nomine exstant duae epistolae canonicae.

S. LINUS 67(?)—79(?).   S. (ANA)CLETUS 79(?)—90(?).

S. CLEMENS I 90(?)—99(?).
De primatu Romani Pontificis [1].

[Ex epistola «Διὰ τὰς αἰφνιδίους» ad Corinthios.]

41 (1) Διὰ τὰς αἰφνιδίους καὶ ἐπαλλήλους γενομένας ἡμῖν συμφορὰς καὶ περιπτώσεις, ἀδελφοί, βράδιον νομίζομεν ἐπιστροφὴν πεποιῆσθαι περὶ τῶν ἐπιζητουμένων παρ' ὑμῖν πραγμάτων, ἀγαπητοί, τῆς τε . . μιαρᾶς καὶ ἀνοσίου στάσεως, ἣν ὀλίγα πρόσωπα προπετῆ καὶ αὐθάδη ὑπάρχοντα εἰς τοσοῦτον ἀπονοίας ἐξέκαυσαν, ὥστε τὸ σεμνὸν καὶ περιβόητον . . . ὄνομα ὑμῶν μεγάλως βλασφημηθῆναι . . . (7) ὑμᾶς νουθετοῦντες ἐπιστέλλομεν. . .

Propter subitas ac sibi 1826 invicem succedentes calamitates et casus adversos, qui nobis acciderunt, tardius, fratres, nosmetipsos convertisse existimamus ad res, quae desiderantur apud vos, dilecti, et ad seditionem impiam ac detestandam, . quam pauci homines temerarii et audaces in tantum insolentiae accenderunt, ut honorificum et illustre nomen vestrum . . . vehementer blasphemaretur. . . ut vos officii vestri admoneamus, scribimus. . . .

---

[1] Funk, Patres apost. I 60 sqq; Jf 9; Cst 9 sqq; MG 1, 205 A sqq; Msi I 171 A sqq.

(57) Ὑμεῖς οὖν οἱ τὴν καταβολὴν τῆς στάσεως ποιήσαντες ὑποτάγητε τοῖς πρεσβυτέροις καὶ παιδεύθητε εἰς μετάνοιαν. . . .

(59) Ἐὰν δέ τινες ἀπειθήσωσι τοῖς ὑπ' αὐτοῦ δι' ἡμῶν εἰρημένοις, γινωσκέτωσαν, ὅτι παραπτώσει καὶ κινδύνῳ οὐ μικρῷ ἑαυτοὺς ἐνδήσουσιν· ἡμεῖς δὲ ἀθῷοι ἐσόμεθα ἀπὸ ταύτης τῆς ἁμαρτίας. . . .

(63) Χαρὰν (γὰρ) καὶ ἀγαλλίασιν ἡμῖν παρέξετε, ἐὰν ὑπήκοοι γενόμενοι τοῖς ὑφ' ἡμῶν γεγραμμένοις διὰ τοῦ ἁγίου πνεύματος ἐκκόψητε τὴν ἀθέμιτον τοῦ ζήλους ὑμῶν ὀργὴν κατὰ τὴν ἔντευξιν, ἣν ἐποιησάμεθα περὶ εἰρήνης καὶ ὁμονοίας ἐν τῆδε τῆ ἐπιστολῆ.

Vos igitur, qui seditionis fundamenta iecistis, in oboedientia subditi estote presbyteris et correctionem suscipite in poenitentiam. . . .

Sin autem quidam non obtemperaverint iis, quae ille [Christus] per nos dixit, cognoscant, offensioni et periculo non parvo sese implicaturos esse; nos autem innocentes erimus ab hoc peccato. . . .

Gaudium (enim) et laetitiam nobis praestabitis, si, oboedientes facti iis, quae scripsimus per Spiritum Sanctum, resecetis illegitimum zeli vestri studium secundum exhortationem, quam de pace ac concordia fecimus in hac epistola.

De hierarchia et statu laicali [1].

[Ex eadem epistola ad Corinthios.]

45
89
150
305
360
960
3001

(40) Τοῖς (γὰρ) νομίμοις τοῦ δεσπότου ἀκολουθοῦντες οὐ διαμαρτάνουσιν. Τῷ γὰρ ἀρχιερεῖ ἴδιαι λειτουργίαι δεδομέναι εἰσί, καὶ τοῖς ἱερεῦσιν ἴδιος ὁ τόπος προστέτακται, καὶ λευίταις ἴδιαι διακονίαι ἐπίκεινται· ὁ λαϊκὸς ἄνθρωπος τοῖς λαϊκοῖς προστάγμασιν δέδεται.

(41) Ἕκαστος ἡμῶν [Cst: ὑμῶν], ἀδελφοί, ἐν τῷ ἰδίῳ

Domini (enim) mandata 42 sequentes non aberrant. Summo quippe sacerdoti sua munera tributa sunt, sacerdotibus locus proprius adsignatus est, et levitis sua ministeria incumbunt. Homo laicus praeceptis laicis constringitur.

Unusquisque nostrum [vestrum], fratres, in suo ordine

[1] Funk l. c. 110 sq; Cst 28 E.

τάγματι εὐχαριστείτω τῷ Θεῷ
ἐν ἀγαθῇ συνειδήσει ὑπάρχων,
μὴ παρεκβαίνων τὸν ὡρισμέ-
νον τῆς λειτουργίας αὐτοῦ
κανόνα, ἐν σεμνότητι. . . .

(42) Οἱ ἀπόστολοι ἡμῖν
εὐηγγελίσθησαν ἀπὸ τοῦ κυρίου Ἰησοῦ Χριστοῦ, Ἰησοῦς
ὁ Χριστὸς ἀπὸ τοῦ Θεοῦ
ἐξεπέμφθη. . . . Κατὰ χώρας
οὖν καὶ πόλεις κηρύσσοντες
καθίστανον τὰς ἀπαρχὰς
αὐτῶν δοκιμάσαντες τῷ πνεύματι, εἰς ἐπισκόπους καὶ
διακόνους τῶν μελλόντων
πιστεύειν.

cum bona conscientia praescriptam ministerii sui regulam non transgrediens,
honeste Deo gratias agat....

Apostoli nobis evan-
gelii praedicatores facti sunt
a Domino Iesu Christo; Iesus Christus missus est a
Deo.... Per regiones igitur
et urbes verbum praedi-
cantes primitias earum spiritu cum probassent, con-
stituerunt episcopos
et diaconos eorum qui
credituri erant.

S. CALLISTUS I 217—222.

De absolutione peccatorum [2].

[Fragmentum ex Tertulliani «De Pudicitia» c. 1.]

43   «Audio etiam edictum esse propositum et quidem 894
(1778) peremptorium.   Pontifex scilicet Maximus, quod est
episcopus episcoporum, edicit: Ego et moechiae et
fornicationis delicta poenitentia functis dimitto.» [3]

---

[1] Tempore VICTORIS primatus Romani Pontificis ab omnibus
agnoscebatur. Nam cum in controversia de Paschate celebrando
VICTOR ecclesias Asiae excommunicare vellet, nimiae quidem severitatis eum accusabant (ut Irenaeus), sed nemo episcopus nec ius eius nec
auctoritatem impugnabat. Cf. Eusebius, Historia eccl. 5, 24 [MG 20,
493 sqq; Schwartz-Mommsen, Euseb. II 1, 491 sqq.]
[2] CSEL XX 1, 220 (Tertull. Opp., ed. Reifferscheid et Wissowa
[1890]); Jf 79; ML 2, 981 A.
[3] Haec verba olim a multis S. ZEPHYRINO adscribebantur.

S. CORNELIUS I 251—253.

De primatu Romani Pontificis [1].

[Ex ep. (6) «Quantam sollicitudinem» ad Cyprianum Episc. Carthag., 252.]

1826 «Nos CORNELIUM episcopum sanctissimae Ecclesiae 44 catholicae, electum a Deo omnipotente et Christo Do- (1779) mino nostro scimus; nos errorem nostrum confitemur; imposturam passi sumus; circumventi sumus perfidia et loquacitate captiosa; nam tametsi videbamur quasi quandam communicationem cum schismatico et haeretico homine habuisse, cor tamen nostrum semper in Ecclesia fuit; nec enim ignoramus, unum Deum esse et unum Christum esse Dominum, quem confessi sumus, unum Sanctum Spiritum, unum episcopum in catholica Ecclesia esse debere.»

De consignatione ad tradendum Spiritum Sanctum v. K n. 256, R n. 547; de Trinitate v. R n. 546.

De hierarchia ecclesiastica [2].

[Ex ep. «Ἵνα δὲ γνῷς» ad Fabium Episc. Antiochenum, a. 251.]

42 Ὁ ἐκδικητὴς οὖν τοῦ εὐ-
960 αγγελίου οὐκ ἠπίστατο ἕνα ἐπίσκοπον δεῖν εἶναι ἐν καθολικῇ ἐκκλησίᾳ· ἐν ᾗ οὐκ ἠγνόει (πῶς γάρ;) πρεσβυτέρους εἶναι τεσσαράκοντα ἕξ, διακόνους ἑπτά, ὑποδιακόνους ἑπτά, ἀκολύθους δύο καὶ τεσσαράκοντα, ἐξορκιστὰς δὲ καὶ ἀναγνώστας ἅμα πυλωροῖς δύο καὶ πεντήκοντα, χήρας σὺν θλιβομένοις ὑπὲρ τὰς χιλίας πεντακοσίας.

Ille ergo evangelii vindex 45 [Novatianus] ignorabat, unum episcopum esse oportere in Ecclesia catholica [urbis Romae], in qua non ei latebat (quomodo enim latere posset?) presbyteros esse quadraginta sex, diaconos septem, subdiaconos septem, acolythos duos et quadraginta, exorcistas autem et lectores cum ostiariis quinquaginta duos, viduas cum thlibomenis [egenis] plus mille quingentas.

---

[1] Jf 111; Cst 137 B; ML 3, 721 A sq; Msi I 831 C. Haec fidei professio a schismaticis Maximo, Urbano, Sidonio aliisque CORNELIO oblata et ab ipso acceptata est.

[2] Cst 149 B sq; Jf 106 c. Add.; ML 3, 741 A sq et MG 20, 622; Msi I 821 A sq.

S. LUCIUS I 253—254.

S. STEPHANUS I 254—257.

De baptismo haereticorum [1].

[Fragm. ep. ad Cyprianum, ex huius ep. (74) ad Firmilianum.]

46 (1) ... «Si qui ergo a quacumque haeresi venient ad 857
(14) vos, nihil innovetur nisi quod traditum est,
ut manus illis imponatur in poenitentiam, cum ipsi
haeretici proprie alterutrum ad se venientes non baptizent, sed communicent tantum.»

[Fragm. ep. STEPHANI ex ep. (75) Firmiliani ad Cyprianum.]

47 (18) «Sed in multum, inquit [STEPHANUS], . proficit
nomen Christi ad fidem et baptismi sanctificationem, ut
quicumque et ubicumque in nomine Christi baptizatus
fuerit, consequatur statim gratiam Christi.» [2]

S. XYSTUS (SIXTUS) II 258.

S. DIONYSIUS 259—268.

De Trinitate et Incarnatione [3].

[Fragmentum ex ep. (2) contra Tritheistas et Sabellianos, ca. 260.]

48 (1) Ἑξῆς δ' ἂν εἰκότως | Iam vero aequum fuerit 39
(1782) λέγοιμι καὶ πρὸς διαιροῦντας | disputare adversus eos, qui
καὶ κατατέμνοντας καὶ ἀναι- | monarchiam, quae augustis-

---

[1] CSEL III 2, 799 et 822 (Cypr. Opp., ed. Hartel); Jf 125; ML
3, 1128 B sq et 1169 C sq.
[2] In eadem ep. (75) Firmilianus haec testatur:
(8) ... «STEPHANUS et qui illi consentiunt contendunt dimissio-
nem peccatorum et secundam nativitatem in haereticorum baptisma
posse procedere ... (9) non putant quaerendum esse, quis sit
ille qui baptizaverit, eo quod qui baptizatus sit, gratiam consequi
potuerit invocata Trinitate nominum Patris et Filii et Spiritus Sancti»
[CSEL III 2, 815; ML 3, 1161 B sq]. Et paulo post Firmilianus cum
indignatione ait:
(17) ... «STEPHANUS, qui sic de episcopatus sui loco gloriatur
et se successionem PETRI tenere contendit, super quem fundamenta
Ecclesiae collocata sunt ... nullo adversus haereticos zelo ex-
citatur, concedens illis non modicam, sed maximam gratiae
potestatem, ut dicat eos et asseveret per baptismi sacramentum
sordes veteris hominis abluere, antiqua mortis peccata donare, regeneratione coelesti filios Dei facere, ad aeternam vitam divini lavacri
sanctificatione reparare» [CSEL III 2, 821; ML 3, 1169 A].
[3] Cst 273 sqq; Jf 136; MG 25, 462 C sqq; Msi I 1011 A sqq.

ροῦντας τὸ σεμνότατον κή-
ρυγμα τῆς ἐκκλησίας τοῦ
Θεοῦ, τὴν μοναρχίαν εἰς
τρεῖς δυνάμεις τινὰς καὶ με-
μερισμένας ὑποστάσεις καὶ
θεότητας τρεῖς˙ πέπυσμαι
γὰρ εἶναί τινας τῶν παρ᾽
ὑμῖν κατηχούντων καὶ διδασ-
κόντων τὸν θεῖον λόγον,
ταύτης ὑφηγητὰς τῆς φρο-
νήσεως˙ οἳ κατὰ διάμετρον,
ὡς ἔπος εἰπεῖν, ἀντίκεινται
τῇ Σαβελλίου γνώμη˙ ὁ μὲν
γὰρ βλασφημεῖ αὐτὸν τὸν
υἱὸν εἶναι λέγων τὸν πατέρα,
καὶ ἔμπαλιν˙ οἱ δὲ τρεῖς
θεοὺς τρόπον τινὰ κηρύττου-
σιν, εἰς τρεῖς ὑποστάσεις
ξένας ἀλλήλων παντάπασι
κεχωρισμένας διαιροῦντες
τὴν ἁγίαν μονάδα˙ ἡνῶσθαι
γὰρ ἀνάγκη τῷ Θεῷ τῶν
ὅλων τὸν θεῖον λόγον, ἐμ-
φιλοχωρεῖν δὲ τῷ Θεῷ καὶ
ἐνδιαιτᾶσθαι δεῖ τὸ ἅγιον
πνεῦμα˙ ἤδη καὶ τὴν θείαν
τριάδα εἰς ἕνα, ὥσπερ
εἰς κορυφήν τινα, τὸν
Θεὸν τῶν ὅλων τὸν πολυ-
κράτορα λέγω, συγκεφαλαι-
οῦσθαί τε καὶ συνάγεσθαι
πᾶσα ἀνάγκη. Μαρκίωνος
γὰρ τοῦ ματαιόφρονος δί-
δαγμα, εἰς τρεῖς ἀρχὰς τῆς
μοναρχίας τομὴν καὶ διαί-
ρεσιν, παίδευμα ὂν διαβολι-
κόν, οὐχὶ δὲ τῶν ὄντως
μαθητῶν τοῦ Χριστοῦ καὶ
τῶν ἀρεσκομένων τοῖς τοῦ
σωτῆρος μαθήμασιν. Οὗτοι

sima est Ecclesiae Dei praedicatio, in tres quasdam
virtutes ac separatas hy-
postases tresque deitates
dividentes ac discindentes
destruunt. Audivi enim
quosdam, qui apud vos di-
vinum verbum praedicant
et docent, huius opinionis
magistros esse, qui quidem
e diametro, ut ita loquar,
Sabellii opinioni adversantur. Hic enim blasphemat,
ipsum Filium dicens esse
Patrem, et vicissim: illi vero
tres deos quodammodo
praedicant, dum sanctam
unitatem in tres diversas
hypostases ab invicem om-
nino separatas dividunt. Necesse est enim divinum Verbum Deo universorum esse
unitum, et Spiritum Sanc-
tum in Deo manere et in-
habitare: adeoque divinam
Trinitatem in unum,
quasi in quendam ver-
ticem, hoc est in Deum
universorum omnipotentem
reduci atque colligi. In-
sipientis enim Marcionis
doctrina, quae in tria principia monarchiam secat et
dividit, diabolica sane est,
non autem verorum Christi
discipulorum vel eorum
quibus Salvatoris disciplina
placet. Hi enim probe no-
runt Trinitatem quidem in
divina Scriptura praedicari,

γὰρ τριάδα μὲν κηρυττομένην
ὑπὸ τῆς θείας γραφῆς σα-
φῶς ἐπίστανται, τρεῖς δὲ
θεοὺς οὔτε παλαιὰν οὔτε και-
νὴν διαθήκην κηρύττουσαν.

49　(2) Οὐ μεῖον δ' ἄν τις
(1784) καταμέμφοιτο καὶ τοὺς ποίημα τὸν υἱὸν εἶναι δοξά-
ζοντας, καὶ γεγονέναι τὸν
κύριον ὥσπερ ἕν τι ὄντως
γενομένων νομίζοντας, τῶν
θείων λογίων γέννησιν
αὐτῷ τὴν ἁρμόττουσαν καὶ
πρέπουσαν, ἀλλ' οὐχὶ πλά-
σιν τινὰ καὶ ποίησιν προσ-
μαρτυρόντων. Βλάσφημον
οὖν οὐ τὸ τυχόν, μέγιστον
μὲν οὖν, χειροποίητον τρόπον τινὰ λέγειν τὸν κύριον.
εἰ γὰρ γέγονεν υἱός, ἦν
ὅτε οὐκ ἦν· ἀεὶ δὲ ἦν, εἴ
γε ἐν τῷ πατρί ἐστιν, ὡς
αὐτός φησιν, καὶ εἰ λόγος
καὶ σοφία καὶ δύναμις ὁ
Χριστός, ταῦτα γὰρ εἶναι τὸν
Χριστὸν αἱ θεῖαι λέγουσι γρα-
φαί, ὥσπερ ἐπίστασθε, ταῦτα
δὲ δυνάμεις οὖσαι τοῦ Θεοῦ
τυγχάνουσιν. Εἰ τοίνυν γέγονεν ὁ υἱός, ἦν ὅτε οὐκ
ἦν ταῦτα· ἦν ἄρα καιρός,
ὅτε χωρὶς τούτων ἦν ὁ Θεός·
ἀτοπώτατον δὲ τοῦτο.

50　Καὶ τί ἂν ἐπὶ πλέον περὶ
τούτων πρὸς ὑμᾶς διαλεγοί-
μην, πρὸς ἄνδρας πνευματο-
φόρους καὶ σαφῶς ἐπιστα-
μένους τὰς ἀτοπίας τὰς ἐκ
τοῦ ποίημα λέγειν τὸν υἱὸν

tres autem esse deos ne-
que in Veteri neque in Novo
Testamento doceri.

Sed neque minus cul-148
pandi sunt, qui Filium
opus esse existimant, et
Dominum factum esse si-
cut unum eorum quae vere
facta sunt arbitrantur: cum
illum genitum esse, ut
congruit ac decet, non conditum aut factum, divina
eloquia testantur. Non levis igitur, sed maxima est
impietas, Dominum aliquo
modo manufactum dicere.
Nam si factus est Filius,
erat tempus quando
non erat: atqui fuit sem-
per, si utique est, ut ipse
declarat, in Patre [cf. Io 14,
10 sq]. Et si Christus verbum, sapientia et virtus est
— haec enim Christum esse
divinae docent litterae, ut
ipsi nostis — haec sane virtutes Dei sunt. Quocirca
si factus est Filius, fuit tempus quando haec non erant:
adeoque fuit tempus, quo
sine his erat Deus: quod
perabsurdum est.

Sed quid pluribus de his
apud vos disseram, viros
Spiritu plenos, et apprime
intelligentes, quae sequuntur absurda ex illa sententia,
quae Filium factum asserit?

ἀνακυπτούσας; Αἷς μοι δο-
κοῦσι μὴ προσεσχηκέναι τὸν
νοῦν οἱ καθηγησάμενοι τῆς
δόξης ταύτης, καὶ διὰ τοῦτο
κομιδῇ τοῦ ἀληθοῦς διημαρ-
τηκέναι, ἑτέρως ἢ βούλεται
ταύτῃ ἡ θεία καὶ προφητικὴ
γραφὴ τὸ «κύριος ἔκτισέ
με ἀρχὴν ὁδῶν αὐτοῦ» ἐκ-
δεξάμενοι. Οὐ μία γὰρ ἡ
τοῦ ἔκτισεν, ὡς ἴστε, ση-
μασία. Ἔκτισε γὰρ ἐνταῦθα
ἀκουστέον ἀντὶ τοῦ ἐπέστησε
τοῖς ὑπ' αὐτοῦ γεγονόσιν
ἔργοις, γεγονόσι δὲ δι' αὐτοῦ
τοῦ υἱοῦ. Οὐχὶ δέ γε τὸ
ἔκτισε νῦν λέγοιτ' ἂν
ἐπὶ τοῦ ἐποίησε. Δια-
φέρει γὰρ τοῦ ποιῆσαι τὸ
κτίσαι. «Οὐκ αὐτὸς οὗτός
σου πατὴρ ἐκτήσατό σε, καὶ
ἐποίησέ σε καὶ ἔκτισέ σε;»
τῇ ἐν τῷ δευτερονομίῳ με-
γάλῃ ᾠδῇ ὁ Μωσῆς φησιν.
Πρὸς οὓς καὶ εἴποι ἄν
τις· Ὦ ῥιψοκίνδυνοι ἄνθρω-
ποι, ποίημα «ὁ πρωτότο-
κος πάσης κτίσεως», «ὁ ἐκ
γαστρὸς πρὸ ἑωσφόρου γεν-
νηθείς», ὁ εἰπὼν ὡς σοφία,
«πρὸ δὲ πάντων βουνῶν
γεννᾷ με»; Καὶ πολλαχοῦ δὲ
τῶν θείων λογίων γ ε γ ε ν ν ῆ-
σ θ α ι, ἀλλ' ο ὐ γ ε γ ο ν έ-
ν α ι τὸν υἱὸν λεγόμενον
εὕροι τις ἄν. Ὑφ' ὧν κατα-
φανῶς ἐλέγχονται τὰ ψεύ-
δη περὶ τῆς τοῦ κυρίου
γεννήσεως ὑπολαμβάνοντες,
οἱ ποίησιν αὐτοῦ τὴν θείαν

Ad haec minime attendisse
mihi videntur opinionis huius
duces, et idcirco a veritate
prorsus aberrasse, qui aliter,
quam quod sibi vult divina et
prophetica Scriptura, explicant illud «*Dominus creavit me principium viarum
suarum*» [Prv 8, 22: LXX]. Non
enim una est, ut scitis, verbi
creavit significatio. Nam
hoc in loco creavit idem
est, quod praefecit operibus
ab ipso factis, factis, inquam, per ipsum Filium. At
hic creavit non perinde
intelligendum est at-
que fecit. Facere enim et
creare inter se differunt.
«*Nonne ipse ille pater tuus
possedit te, et fecit te, et
creavit te?*» [Dt 32, 6: LXX]
ait Moyses in magno Deuteronomii carmine. Sic etiam
illos recte quis possit co-
arguere: O praecipites te-
merariique homines, ergone
facta res est «*primogenitus
omnis creaturae*» [Col 1, 15],
«*ex utero ante luciferum
genitus*» [Ps 109, 3: LXX], qui
ut Sapientia dicit, «*ante omnes colles gignit me*» [Prv 8,
25: LXX]? Denique multis
in locis divinorum eloquio-
rum eum genitum dici, at
nusquam factum Filium,
quis legerit. Ex quibus
aperte convincuntur falsa de
Domini generatione opinari,

καὶ ἄρρητον γέννησιν λέγειν
τολμῶντες.

51   (3) Οὔτ᾽ οὖν καταμερίζειν
χρὴ εἰς τρεῖς θεότητας τὴν
θαυμαστὴν καὶ θείαν μονάδα,
οὔτε ποιήσει κωλύειν τὸ
ἀξίωμα καὶ τὸ ὑπερβάλλον
μέγεθος τοῦ κυρίου. Ἀλλὰ
πεπιστευκέναι εἰς Θεὸν
πατέρα παντοκράτορα,
καὶ εἰς Χριστὸν Ἰησοῦν
τὸν υἱὸν αὐτοῦ, καὶ εἰς τὸ
ἅγιον πνεῦμα, ἡνῶσθαι
δὲ τῷ Θεῷ τῶν ὅλων τὸν
λόγον. «Ἐγὼ γάρ, φησι, καὶ
ὁ πατὴρ ἕν ἐσμεν»· καὶ «ἐγὼ
ἐν τῷ πατρί, καὶ ὁ πατὴρ
ἐν ἐμοί». Οὕτω γὰρ ἂν καὶ
ἡ θεία τρίας καὶ τὸ ἅγιον
κήρυγμα τῆς μοναρχίας δια-
σώζοιτο.

qui divinam atque inexpli
cabilem eius generationem
factionem audent dicere.

Neque igitur admirabilis 39
et divina unitas in tres di-
vinitates est separanda, neque factionis vocabulo dignitas ac summa magnitudo
Domini est diminuenda: sed
credendum est in Deum
Patrem omnipotentem
et in Christum Iesum
eius Filium, et in Spiri-
tum Sanctum: Verbum
autem Deo universorum
esse unitum. Quippe
Ego, inquit, *et Pater unum
sumus»* [Io 10, 30], et: *«Ego
in Patre, et Pater in me
est»* [Io 14, 10]. Ita scilicet
divina Trinitas et sancta
monarchiae praedicatio integra servabitur.

S. FELIX I 269—274.

De Incarnatione[1].

[Fragm. ex ep. ad episcopum et clerum Alexandrinum, ca. 270.]

52   De Verbi autem Incarna-
(1780) tione et fide credimus in
Dominum nostrum Iesum
Christum ex Virgine Maria
natum, quod ipse est sem-
piternus Dei Filius et Ver-

Περὶ δὲ τῆς σαρκώσεως 148
τοῦ λόγου καὶ τῆς πίστεως,
πιστεύομεν εἰς τὸν κύριον
ἡμῶν Ἰησοῦν Χριστόν, τὸν
ἐκ τῆς παρθένου Μαρίας
γεννηθέντα, ὅτι αὐτός ἐστιν

---

[1] Cst 297 B; Jf 140 c. Add.; ML 5, 155 A; MG 76, 343 A; Msi I 1114 A.
— Quamvis genuinitas huius epistolae (fortasse ab Apollinaristis confectae)
non sit extra dubium [cf. CspANQ 117 sqq], textum hunc tamen ex-
pungendum non censuimus, cum a S. Cyrillo et ipso Conc. EPHESINO
tamquam orthodoxae fidei formula receptus sit [cf. Cst 294 sqq].

bum, non autem homo a Deo assumptus, ut alius sit ab illo; neque enim hominem assumpsit Dei Filius, ut alius ab eo existat, sed cum perfectus Deus esset, factus est simul et homo perfectus ex Virgine incarnatus.

ὁ τοῦ Θεοῦ ἀΐδιος υἱὸς καὶ λόγος, καὶ οὐκ ἄνθρωπος ὑπὸ Θεοῦ ἀναληφθείς, ἵν' ἕτερος ᾖ παρ' ἐκεῖνον. Οὐδὲ γὰρ ἄνθρωπον ἀνέλαβεν ὁ τοῦ Θεοῦ υἱός, ἵνα ᾖ ἕτερος παρ' αὐτόν· ἀλλὰ Θεὸς ὢν τέλειος, γέγονεν ἅμα καὶ τέλειος ἄνθρωπος, σαρκωθεὶς ἐκ παρθένου.

S. EUTYCHIANUS 275—283.
S. CAIUS 283—296.
S. MARCELLINUS 296—304.

S. MARCELLUS 308—309.
S. EUSEBIUS 309 (vel 310).
S. MILTIADES 311—314.

Conc. ILLIBERITANUM 306 (?) v. App. n. 3001 sq.

S. SILVESTER I 314—335.

Conc. ARELATENSE[1] *314.*

Plenarium (contra Donatistas).

De baptismo haereticorum [2].

857 Can. 8. De Afris, quod propria lege sua utuntur, ut 53 rebaptizent, placuit, ut si ad Ecclesiam aliquis de haeresi [16] venerit, interrogent eum symbolum, et si perviderint eum in Patre et Filio et Spiritu Sancto esse baptizatum, manus ei tantum imponatur, ut accipiat Spiritum Sanctum. Quodsi interrogatus non responderit hanc Trinitatem, baptizetur.

Can. 15, Ut diacones non offerant v. K n. 373.   53*

Conc. NICAENUM I 325.

Oecumenicum I (contra Arianos).

Symbolum Nicaenum [3].

39   Πιστεύομεν εἰς ἕνα Θεὸν
148 πατέρα παντοκράτορα, πάν-
782 των ὁρατῶν τε καὶ ἀοράτων
     ποιητήν· καὶ εἰς ἕνα κύριον

[Versio Hilarii Pictav.] Cre- 54 dimus in unum Deum Pa- [17] trem omnipotentem, omnium visibilium et invisibi-

---

[1] Arles Galliae.   [2] Msi II 472 A; Hrd I 265 A; Hfl I 209.
[3] H 160 sqq; coll. Hfl I 314; ML 10, 536 A; Msi II 666 C sq (cf. V 688); Hrd I 946 E 311 (1244); cf. KBdS 146; Bar(Th) ad 325 n. 73 sqq (4, 127 b sqq).

Ἰησοῦν Χριστὸν τὸν υἱὸν τοῦ Θεοῦ, γεννηθέντα ἐκ τοῦ πατρὸς μονογενῆ, τουτέστιν ἐκ τῆς οὐσίας τοῦ πατρός, Θεὸν ἐκ Θεοῦ, φῶς ἐκ φωτός, Θεὸν ἀληθινὸν ἐκ Θεοῦ ἀληθινοῦ, γεννηθέντα, οὐ ποιηθέντα, ὁμοούσιον τῷ πατρί, δι' οὗ τὰ πάντα ἐγένετο, τά τε ἐν τῷ οὐρανῷ, καὶ τὰ ἐν τῇ γῇ [al. ἐπὶ τῆς γῆς]· τὸν δι' ἡμᾶς τοὺς ἀνθρώπους καὶ διὰ τὴν ἡμετέραν σωτηρίαν κατελθόντα, καὶ σαρκωθέντα, ἐνανθρωπήσαντα, παθόντα καὶ ἀναστάντα τῇ τρίτῃ ἡμέρᾳ, ἀνελθόντα εἰς οὐρανούς, καὶ ἐρχόμενον κρῖναι ζῶντας καὶ νεκρούς. Καὶ εἰς τὸ ἅγιον πνεῦμα. Τοὺς δὲ λέγοντας· ἦν ποτε ὅτε οὐκ ἦν, καὶ πρὶν γεννηθῆναι οὐκ ἦν, καὶ ὅτι ἐξ οὐκ ὄντων ἐγένετο, ἢ ἐξ ἑτέρας ὑποστάσεως ἢ οὐσίας φάσκοντας εἶναι ἢ κτιστὸν ἢ τρεπτὸν ἢ ἀλλοιωτὸν τὸν υἱὸν τοῦ Θεοῦ, ἀναθεματίζει ἡ καθολικὴ [al. καὶ ἀποστολικὴ] ἐκκλησία.

lium factorem. Et in unum Dominum nostrum Iesum Christum Filium Dei, natum ex Patre unigenitum, hoc est de substantia Patris, Deum ex Deo, lumen ex lumine, Deum verum de Deo vero, natum, non factum, unius substantiae cum Patre, quod Graece dicunt homousion, per quem omnia facta sunt, quae in coelo et in terra, qui [deest: propter nos homines et] propter nostram salutem descendit, incarnatus est et homo factus est et passus est, et resurrexit tertia die et ascendit in coelos, venturus iudicare vivos et mortuos. Et in Spiritum Sanctum. Eos autem, qui dicunt: erat, quando non erat, et antequam nasceretur, non erat, et quod de non exstantibus factus est, vel ex alia substantia aut essentia, dicentes, [deest: creatum vel] convertibilem et demutabilem Deum [Filium Dei], hos anathematizat catholica Ecclesia.

De baptismo haereticorum et moribundorum viatico [1].

55   η'. Περὶ τῶν ὀνομαζόντων
(19) μὲν ἑαυτοὺς Καθαρούς ποτε, προσερχομένων δὲ τῇ καθολικῇ καὶ ἀποστολικῇ ἐκκλη-

[Versio Dionysii Exig.] Can. 8. 857
De his, qui se nominant Catharos [*Novatiani*], id est mundos, si aliquando vene-

---

[1] Hrd I 326 D sq 331 C 330 B (cf. 431 E 437 A 434 E sq); coll. Hfl I 407 427 417; Msi II 671 B (cf. 896) 675 B 673 D sq (cf. 900).

σία, ἔδοξε τῇ ἁγίᾳ καὶ με-
γάλῃ συνόδῳ, ὥστε χειρο-
θετουμένους αὐτοὺς μέ-
νειν οὕτως ἐν τῷ κλήρῳ·
πρὸ πάντων δὲ τοῦτο ὁμο-
λογῆσαι αὐτοὺς ἐγγράφως
προσήκει, ὅτι συνθήσονται
καὶ ἀκολουθήσουσι τοῖς τῆς
καθολικῆς καὶ ἀποστολικῆς
ἐκκλησίας δόγμασιν· τουτέστι
καὶ διγάμοις κοινωνεῖν καὶ
τοῖς ἐν τῷ διωγμῷ παρα-
πεπτωκόσιν. . . .

ιθ'. Περὶ τῶν Παυλιανισάν-
των, εἶτα προσφυγόντων τῇ
καθολικῇ ἐκκλησίᾳ, ὅρος ἐκτέ-
θειται, ἀναβαπτίζεσθαι
αὐτοὺς ἐξάπαντος· εἰ δέ
τινες ἐν τῷ παρεληλυθότι
χρόνῳ ἐν τῷ κλήρῳ ἐξητάσ-
θησαν, εἰ μὲν ἄμεμπτοι καὶ
ἀνεπίληπτοι φανεῖεν, ἀνα-
βαπτισθέντες χειροτονείσθω-
σαν ὑπὸ τοῦ τῆς καθολικῆς
ἐκκλησίας ἐπισκόπου. . . .

894 ιγ'. Περὶ δὲ τῶν ἐξοδευ-
όντων ὁ παλαιὸς καὶ κανο-
νικὸς νόμος φυλαχθήσεται
καὶ νῦν, ὥστε εἴ τις ἐξ-
οδεύοι, τοῦ τελευταίου
καὶ ἀναγκαιοτάτου ἐφο-
δίου μὴ ἀποστερεῖσθαι. . . .
Καθόλου δὲ καὶ περὶ παν-
τὸς οὕτινος ἐξοδεύοντος,
αἰτοῦντος τοῦ μετασχεῖν εὐ-
χαριστίας ὁ ἐπίσκοπος μετὰ
δοκιμασίας ἐπιδότω [al. μετα-
διδότω τῆς προσφορᾶς].

rint ad Ecclesiam catholicam, placuit sancto et magno Concilio, ut impositionem manus accipientes,
sic in clero permaneant.
Haec autem prae omnibus
eos scriptis convenit profiteri, quod catholicae et
apostolicae Ecclesiae dogmata suscipiant et sequantur; id est, et bigamis se
communicare et his qui in
persecutione prolapsi sunt....

Can. 19. De Paulianistis 56
ad Ecclesiam catholicam
confugientibus definitio prolata est, ut baptizentur
omnimodis. Si qui autem
de his praeterito tempore
fuerint in clero, si quidem
immaculati et irreprehensi-
biles apparuerint, baptizati
ordinentur ab episcopo Ecclesiae catholicae. . . .

Can. 13. De his, qui ad 57
exitum veniunt, etiam nunc
lex antiqua regularisque
servabitur; ita ut, si quis
egreditur e corpore, ultimo
et maxime necessario
viatico minime privetur....
Generaliter autem omni cuilibet in exitu posito et poscenti sibi communionis gratiam tribui, episcopus probabiliter ex oblatione dare
debebit.

Epistulam synodalem ad Aegyptios de errore Arii et de ordinationibus 57 *
a Melitio factis v. K n. 410 sq.

S. MARCUS 336.

S. IULIUS I 337—352

v. App. n. 3003 et 3004 sq.

S. LIBERIUS 352—366.

(21)   De baptismo haereticorum v. SIRICIUS [n. 88].

S. DAMASUS I 366—384.

Conc. ROMANUM (IV) 380.

De Trinitate et Incarnatione [1].

[Anathematismi DAMASI [2] — emissi in Synodo Romana IV (V?),
a. 380 (382?)].

58   Post (hoc) Concilium NICAENUM, quod in urbe Roma 39
(22) concilium congregatum est a catholicis episcopis, ad-
diderunt [3] de Spiritu Sancto. Et quia postea is error
inolevit, ut quidam ore sacrilego auderent dicere, Spiritum Sanctum factum esse per Filium:

59   1. Anathematizamus eos, qui non tota libertate pro-
clamant, eum cum Patre et Filio unius potestatis esse
atque substantiae.

60   2. Anathematizamus quoque eos, qui Sabellii sequuntur
(24) errorem, eundem dicentes Patrem esse quem Filium.

61   3. Anathematizamus Arium atque Eunomium, qui
pari impietate, licet sermone dissimili, Filium et Spiritum Sanctum asserunt esse creaturas.

62   4. Anathematizamus Macedonianos, qui de Arii stirpe 148
venientes, non perfidiam mutavere, sed nomen.

63   5. Anathematizamus Photinum, qui Ebionis haeresim
instaurans, Dominum Iesum Christum tantum ex Maria
confitetur.

64   6. Anathematizamus eos, qui duos Filios asserunt,
unum ante saecula, et alterum post assumptionem carnis
ex Virgine.

---

[1] Cst 511 A sqq (cf. 518); coll. H 272 sqq; Jf 235 c. Add.; ML 13,
358 B sq et 56, 686 B sqq; Msi III 481 D sqq (cf. 486 C sqq); Hrd I
802 B sq.

[2] Adv. Macedonianos, Apollinaristas aliosque haereticos, et ad componendum Schisma Antiochenum; suscepti, ut videtur, a Conc. CON-
STANTIN. I; laudantur pro lege a COELESTINO I [ML 53, 290 A]
et VIGILIO [ML 69, 176 B; Jf 937].

[3] scl. episcopi Romae congregati [cf. ML 56, 687 nota a].

7. Anathematizamus eos, qui pro hominis anima ra- 65
tionabili et intelligibili dicunt Dei Verbum in humana [29]
carne versatum, cum ipse Filius sit Verbum Dei, et non
pro anima rationabili et intelligibili in suo corpore fuerit,
sed nostram, id est rationabilem et intelligibilem, sine
peccato animam susceperit atque salvaverit.

8. Anathematizamus eos, qui Verbum Filium Dei ex- 66
tensione aut collectione et a Patre separatum, insubstan-
tivum et finem habiturum esse contendunt.

9. Eos quoque, qui de ecclesiis ad ecclesias migra- 67
verunt, tamdiu a communione nostra habemus alienos,
quamdiu ad eas redierint civitates, in quibus primum
sunt constituti. Quodsi alius alio transmigrante in loco
viventis est ordinatus, tamdiu vacet sacerdotii dignitate
qui suam deseruit civitatem, quamdiu successor eius
quiescat in Domino.

10. Si quis non dixerit, semper Patrem, semper Filium 68
et semper Spiritum Sanctum esse, A. S.

11. Si quis non dixerit Filium natum de Patre, id 69
est de divina substantia ipsius, A. S.

12. Si quis non dixerit Verbum Domini Filium Dei 70
Deum sicut Deum Patrem eius et omnia posse et omnia [34]
nosse et Patri aequalem, A. S.

13. Si quis dixerit, quod in carne constitutus Filius 71
Dei, cum esset in terra, in coelis cum Patre non
erat, A. S.

14. Si quis dixerit, quod in passione crucis dolorem 72
sustinebat Filius Dei Deus, et non caro cum anima, quia
induerat *formam servi,* quam sibi *acceperat* [cf. Phil 2, 7],
sicut ait Scriptura, A. S.

15. Si quis non dixerit, quod in carne, quam as- 73
sumpsit, sedet ad dexteram Patris, in qua venturus est
iudicare vivos et mortuos, A. S.

16. Si quis non dixerit, Spiritum Sanctum de 74
Patre esse vere ac proprie, sicut Filius, de divina substantia et Deum verum, A. S.

17. Si quis non dixerit, omnia posse Spiritum Sanc- 75
tum, omnia nosse et ubique esse, sicut Filium et Pa- [39]
trem, A. S.

76   18. Si quis dixerit Spiritum Sanctum facturam, aut
per Filium factum, A. S.

77   19. Si quis non dixerit, omnia per Filium et Spi-
(40) ritum Sanctum Patrem fecisse, id est visibilia et invisibilia, A. S.

78   20. Si quis non dixerit, Patris et Filii et Spiritus
Sancti unam divinitatem, potestatem, maiestatem, potentiam, unam gloriam, dominationem, unum regnum, atque unam voluntatem ac veritatem, A. S.

79   21. Si quis tres personas non dixerit veras Patris
et Filii et Spiritus Sancti aequales, semper viventes,
omnia continentes visibilia et invisibilia, omnia potentes,
omnia iudicantes, omnia vivificantes, omnia facientes,
omnia quae sunt salvanda salvantes, A. S.

80   22. Si quis non dixerit adorandum Spiritum Sanctum
(43) ab omni creatura sicut Filium et Patrem, A. S.

81   23. Si quis de Patre et Filio bene senserit, de Spiritu
autem Sancto non recte habuerit, haereticus est. Quod
omnes haeretici de Filio Dei et Spiritu Sancto male sentientes, in perfidia Iudaeorum et gentilium inveniuntur.

82   24. Quod si quis patiatur, Deum Patrem dicens et
Deum Filium eius et Deum Spiritum Sanctum deos dici
et non Deum propter unam divinitatem et potentiam,
quam credimus esse et scimus Patris et Filii et Spiritus
Sancti: Deum [?] subtrahens autem Filium aut Spiritum
Sanctum, ita solum existimet esse Deum Patrem, dici
aut credi unum Deum, A. S. Nomen namque deorum
et angelis et sanctis omnibus a Deo est impositum et
donatum: de Patre autem et Filio et Spiritu Sancto
propter unam aequalem divinitatem, non nomen deorum,
sed Dei nobis ostenditur atque indicatur: ut credamus,
quia in Patre et Filio et Spiritu Sancto solum baptizamur
et non in archangelorum nominibus aut angelorum, quomodo haeretici, aut Iudaei, aut etiam gentiles dementes
faciunt. Haec ergo est salus christianorum, ut credentes
Trinitati, id est Patri et Filio et Spiritui Sancto, in ea
veram solamque unam divinitatem et potentiam ac maiestatem et substantiam eandem sine dubio credamus, ut
aeternam attingere mereamur ad vitam.

De Spiritu Sancto [1].

[Ex actis Synodi Romanae, a. 382.]

39
460   Dictum est, prius agendum de Spiritu septiformi, qui 83
in Christo requiescit, Spiritus sapientiae: *Christus
Dei virtus et Dei sapientia* [1 Cor 1, 24]. Spiritus intellectus: «*Intellectum tibi dabo, et instruam te in via
hac, qua gradieris*» [Ps 31, 8]. Spiritus consilii: *Et
vocabitur magni consilii angelus* [Is 9, 6: LXX]. Spiritus
virtutis (ut supra dictum est): *Christus Dei virtus et
Dei sapientia* [1 Cor 1, 24]. Spiritus scientiae propter
eminentiam scientiae Iesu Christi, ut ait Apostolus
[Eph 3, 19]. Spiritus veritatis: *Et ego vita et veritas*
[Io 14, 6]. Spiritus timoris: «*Initium sapientiae timor
Domini*» [Ps 110, 10] . . . [*sequitur explicatio variorum nominum
Christi:* Dominus, Verbum, Caro, Pastor *etc.*]. . . . Spiritus (enim)
Sanctus non est Patris tantummodo Spiritus, sed Patris
et Filii. Scriptum est enim: *Si quis dilexerit mundum,
non est Spiritus Patris in illo* [1 Io 2, 15; Rom 8, 9]. Item
scriptum est: *Qui autem Spiritum Christi non habet,
hic non est eius* [Rom 8, 9]. Nominato itaque Patre et
Filio intelligitur Spiritus, de quo ipse Filius in evangelio
dicit: *Spiritus, qui a Patre procedit* [Io 15, 26], et *Ille
de meo accipiet et annuntiabit vobis* [Io 16, 14].

De canone s. Scripturae [2].

[Ex iisdem actis Synodi Romanae.]

783   Item dictum est: Nunc vero de Scripturis divinis 84
agendum est, quid universalis catholica Ecclesia teneat
et quid vitare debeat.
Incipit ordo Veteris Testamenti. Genesis liber unus,
Exodus l. 1, Leviticus l. 1, Numeri l. 1, Deuteronomium
l. 1, Iesu Nave l. 1, Iudicum l. 1, Ruth l. 1, Regum

---

[1] ML 19, 787 B sqq; Jf 251 c. Add. 700; cf. ML 59, 157 A sqq,
Hrd I 775 D sqq; Z II 259 sqq. — Haec et quae sequuntur de canone
Scripturae, prima pars est documenti celeberrimi «*De libris recipiendis
vel non recipiendis*», quod «Decretum GELASII» [v. n. 162 sqq] nuncu-
patur. Eam a DAMASO conceptam et editam, a GELASIO vero repe-
titam esse, ostendit imprimis Andr. Thiel [Epp. Rom. PP. 44 sqq].
Cf. ML 19, 787 sqq (56, 172 C; 59, 157); Hrd I 775 D sq.
[2] ML 19, 790 B sqq (cf. 59, 157 A sqq); Msi VIII 145 C sqq.

ll. 4, Paralipomenon ll. 2, Psalterium l. 1, Salomonis ll. 3,
Proverbiorum l. 1, Ecclesiastes l. 1, Cantica Canticorum
l. 1, item Sapientiae l. 1, Ecclesiasticus l. 1.

Incipit ordo Prophetarum.   Esaiae l. 1, Hieremiae l. 1
cum uno Baruch, item cum lamentationibus suis, Eze-
chielis l. 1, Danielis l. 1, Ioel l. 1, Abdiae l. 1, Oseae
l. 1, Amos l. 1, Michaeas l. 1, Ionae l. 1, Nahum l. 1,
Abbacuc l. 1, Sophoniae l. 1, Aggaei l. 1, Zachariae
l. 1, Malachiae l. 1.

Item ordo historiarum.   Iob l. 1, Tobiae l. 1, Iudith
l. 1, Hester l. 1, Esdrae l. 1, Machabaeorum ll. 2.

*Item ordo scripturarum Novi Testamenti, quas sancta
et catholica suscipit Ecclesia.*   Evangelium secundum
Matthaeum l. 1, secundum Marcum l. 1, secundum
Lucam l. 1, secundum Ioannem l. 1.

Epistolae Pauli numero quatuordecim.   Ad Romanos
una, ad Corinthios duae, ad Ephesios una, ad Thessalonicenses duae, ad Galatas una, ad Philippenses una,
ad Colossenses una, ad Timotheum duae, ad Titum
una, ad Philemonem una, ad Hebraeos una.

Item Apocalypsis Ioannis Apostoli liber unus.   Actus
Apostolorum l. 1.

Item epistolae canonicae numero septem.   Petri Apo-
stoli epistolae duae, Iacobi Apostoli ep. 1, Ioannis
Apostoli ep. 1, alterius Ioannis presbyteri ep. 2, Iudae
Zelotes ep. 1 [v. n. 162 sqq] [1].

Conc. CONSTANTINOPOLITANUM I 381.

Oecumenicum II (contra Macedonianos etc.).

Damnatio haereticorum [2].

85 α'. Μὴ ἀθετεῖσθαι τὴν
(46) πίστιν τῶν πατέρων τῶν
τριακοσίων δεκαοκτώ, τῶν

Can. 1. [Versio Dionysii Exig.]
Fidem non violandam
Patrum trecentorum decem

---

[1] Quidam etiam eam partem «Decreti Gelasiani», quae de Primatu
et Sedibus Patriarchalibus agit, DAMASO attribuunt [v. n. 163]; cf.
Zahn et Thiel ll. cc.
[2] Msi III gr. 557 E, lat. 566 D coll. IIfl II 14; Hrd I 809 A.

ἐν Νικαίᾳ τῆς Βιθυνίας συν-
ελθόντων· ἀλλὰ μένειν ἐκεί-
νην κυρίαν, καὶ ἀναθεματισ-
θῆναι πᾶσαν αἵρεσιν· καὶ
ἰδικῶς τὴν τῶν Εὐνομιανῶν,
εἴτουν Ἀνομοίων· καὶ τὴν
τῶν Ἀρειανῶν, εἴτουν Εὐ-
δοξιανῶν· καὶ τὴν τῶν Ἡμι-
αρειανῶν, ἤγουν Πνευματο-
μάχων· καὶ τὴν τῶν Σαβελ-
λιανῶν, Μαρκελλιανῶν καὶ
τὴν τῶν Φωτεινιανῶν καὶ
τὴν τῶν Ἀπολιναριστῶν.

et octo, qui apud Nicaeam
Bithyniae convenerunt; sed
manere eam firmam et sta-
bilem. Anathematizandam
omnem haeresim, et spe-
cialiter Eunomianorum vel
Anomianorum, et Ariano-
rum vel Eudoxianorum, et
Macedonianorum vel Spi-
ritui Sancto resistentium,
et Sabellianorum, et Mar-
cellianorum, et Photiniano-
rum, et Apollinariorum.

Symbolum Nicaeno-Constantinopolitanum [1].

39
148
460
782

Πιστεύομεν εἰς ἕνα Θεὸν
πατέρα παντοκράτορα ποι-
ητὴν οὐρανοῦ καὶ γῆς, ὁρατῶν τε πάντων καὶ ἀοράτων.
Καὶ εἰς ἕνα κύριον Ἰησοῦν
Χριστόν, τὸν υἱὸν τοῦ Θεοῦ
τὸν μονογενῆ, τὸν ἐκ τοῦ
πατρὸς γεννηθέντα πρὸ πάντων τῶν αἰώνων, φῶς ἐκ
φωτός, Θεὸν ἀληθινὸν ἐκ
Θεοῦ ἀληθινοῦ, γεννηθέντα
οὐ ποιηθέντα, ὁμοούσιον τῷ
πατρί, δι' οὗ τὰ πάντα ἐγέ-
νετο· τὸν δι' ἡμᾶς τοὺς ἀνθρώπους καὶ διὰ τὴν ἡμετέραν σωτηρίαν κατελθόντα ἐκ
τῶν οὐρανῶν καὶ σαρκω-
θέντα ἐκ πνεύματος ἁγίου

[Versio Dionysii Exig.] Cre- **86**
dimus [Credo] in unum Deum **(47)**
Patrem omnipotentem,
factorem coeli et terrae, visibilium omnium et invisibilium. Et in unum Do-
minum Iesum Christum,
Filium Dei, natum ex
Patre [Filium Dei unigenitum. Et
ex Patre natum] ante omnia
saecula. [Deum de Deo, lumen
de lumine] Deum verum de
Deo vero. Natum [Genitum],
non factum, consubstantialem Patri, per quem omnia
facta sunt. Qui propter nos
homines et salutem nostram
[et propter nostram salutem] de-

---

¹ Msi III 565 A coll. Hfl II 10 sq et H 165 sq; Missale Romanum;
Hrd I 813 B; ML 48, 772 A; cf. KBdS 146 sq; Bar(Th) ad 381
n. 29 (5, 461 b). — Hoc symbolum post Synodorum EPHESINAE
et CHALCEDONENSIS decreta, ne aliud componeretur [v. n. 125],
in Ecclesiae Orientalis usum liturgicum transiit, quod multo serius
in Occidente factum est. — Quae uncis inclusa sunt, textum liturgicum
exhibent.

καὶ Μαρίας τῆς παρθένου,
καὶ ἐνανθρωπήσαντα, σταυ-
ρωθέντα τε ὑπὲρ ἡμῶν ἐπὶ
Ποντίου Πιλάτου καὶ πα-
θόντα καὶ ταφέντα καὶ ἀναστάντα τῇ τρίτῃ ἡμέρᾳ κατὰ
τὰς γραφάς, καὶ ἀνελθόντα
εἰς τοὺς οὐρανούς, καὶ καθε-
ζόμενον ἐκ δεξιῶν τοῦ πα-
τρός, καὶ πάλιν ἐρχόμενον
μετὰ δόξης κρῖναι ζῶντας
καὶ νεκρούς· οὗ τῆς βασι-
λείας οὐκ ἔσται τέλος. Καὶ
εἰς τὸ πνεῦμα τὸ ἅγιον,
τὸ κύριον, τὸ ζωοποιόν, τὸ
ἐκ τοῦ πατρὸς ἐκπορευό-
μενον, τὸ σὺν πατρὶ καὶ
υἱῷ συμπροσκυνούμενον, καὶ
συνδοξαζόμενον, τὸ λαλῆσαν
διὰ τῶν προφητῶν. Εἰς μίαν
ἁγίαν, καθολικὴν καὶ ἀποστολικὴν ἐκκλησίαν. Ὁμολογοῦ-
μεν ἓν βάπτισμα εἰς ἄφεσιν
ἁμαρτιῶν. Προσδοκῶμεν ἀνάστασιν νεκρῶν, καὶ ζωὴν τοῦ
μέλλοντος αἰῶνος. Ἀμήν.

scendit de coelis. Et incarnatus est de Spiritu Sancto
ex Maria Virgine, et humanatus [homo factus] est. Et
crucifixus est [Crucifixus etiam]
pro nobis sub Pontio Pilato,
[passus] et sepultus est. Et
resurrexit tertia die, [secun-
dum Scripturas. Et] ascendit in
coelum, sedet ad dexteram
Patris, [et] iterum venturus
[est] cum gloria iudicare
vivos et mortuos: cuius
regni non erit finis. Et
in Spiritum Sanctum,
Dominum et vivificantem,
ex Patre procedentem [qui
ex Patre Filioque [1] procedit, qui] cum Patre et
Filio adorandum [simul ad-
oratur] et conglorificandum
[-atur], qui locutus est
per sanctos Prophetas [per
Prophetas]. Et unam sanctam
catholicam et apostolicam
Ecclesiam. Confitemur [Con-
fiteor] unum baptisma in re-

missionem peccatorum. Exspectamus [Et exspecto] resurrectionem mortuorum, et vitam futuri [venturi] saeculi
Amen.

---

[1] Additamentum «Filioque» in Hispania primum factum est. Hinc
in Galliam, deinde in Germaniam mos iste transiit, ut patet ex liturgia
Gallicana Monei saeculi V ineuntis, Synodo Foroiuliensi 791, Franco-
furtensi 794, Aquisgranensi 809, quae a LEONE III petiit, ut ab Ecclesia Romana reciperetur. Id tamen LEO, non quod dogma reiceret,
sed quod aliquid traditae formae addere vereretur [cf. n. 125 148 159],
recusavit. Postmodum vero, cum S. Henricus a BENEDICTO VIII,
ut symbolum Romae inter missarum solemnia decantaretur, impetravit,
et additamentum receptum est. Quod denique in Synodis oecumenicis,
LUGDUNENSI II [n. 460] et FLORENTINA [n. 691] a Latinis simul
et Graecis admissum est.

S. SIRICIUS 384—398.

De primatu Romani Pontificis [1].

[Ex ep. (1) «Directa ad decessorem» ad Himerium Episc.
Tarraconensem, 10. Febr. 385.]

1826   ... Consultationi tuae responsum competens non ne-87
gamus, quia officii nostri consideratione non est nobis
dissimulare, non est tacere libertas, quibus m a i o r
c u n c t i s christianae religionis z e l u s i n c u m b i t. Por-
tamus onera omnium, qui gravantur; quin immo haec
portat in nobis beatus apostolus PETRUS, qui nos in
omnibus, ut confidimus, administrationis suae protegit
et tuetur heredes.

De baptismo haereticorum [2].

[Ex eadem epistola ad Himerium.]

857   (1) Prima itaque paginae tuae fronte signasti, bapti-88
zatos ab impiis Arianis plurimos ad fidem catholicam (21)
festinare et quosdam de fratribus nostris eosdem d e n u o
b a p t i z a r e velle: quod non licet, cum hoc fieri et Apostolus vetet [cf. Eph 4, 5; Hebr 6, 4 sqq(?)] et canones contradicant et post cassatum Ariminense Concilium missa ad
provincias a venerandae memoriae praedecessore meo
LIBERIO generalia decreta prohibeant. Quos nos cum
Novatianis aliisque haereticis, sicut est in Synodo constitutum, per invocationem s o l a m septiformis Spiritus
episcopalis manus impositione catholicorum conventui
sociamus, quod etiam totus Oriens Occidensque custodit;
a quo tramite vos quoque posthac minime convenit
deviare, si non vultis a nostro collegio synodali sententia separari [3].

(7) De relapsis in voluptates ante mortem demum sublevandis v. K n. 657. 88*

---

[1] Cst 624; Jf 255 c. Add.; ML 13, 1132 C; Msi III 655 D; Hrd
I 847 C.   [2] Cst 624 C sq.

[3] Post haec demum celeberrima illa de r e b a p t i s m o controversia
ad finem tendit [v. n. 46 sq 53 55]. Concilium Carthaginense I sub Grato
a. 348 s. 349, can. 1 rebaptismum prohibuit, Laodicenum a. 364 (?) can. 7
et 8 Cataphrygas rebaptizandos, Novatianos vero et Quartodecimanos
chrismate tantum unguendos statuit (v. K n. 521 sq); Arelatense II a. 453 (?)
can. 16 Photoniacos vel Paulianistas baptizare iussit (v. K n. 878).
Exstat etiam hac de re Synodi CONSTANTINOPOLITANAE I a. 381
canon (7), qui tamen medio saeculo V ortus esse videtur.

De coelibatu clericorum [1].

[Ex eadem epistola ad Himerium.]

89 (7) Veniamus nunc ad sacratissimos **ordines cleri-** 42
corum, quos in venerandae religionis iniuriam ita per
vestras provincias calcatos atque confusos . . . reperimus,
ut Ieremiae nobis voce dicendum sit: *Quis dabit capiti
meo aquam, aut oculis meis fontem lacrimarum? et
flebo populum hunc die ac nocte* [Ier 9, 1]. . . . Plurimos
enim **sacerdotes Christi** atque levitas, post longa
consecrationis suae tempora, tam de coniugibus propriis,
quam etiam de turpi coitu sobolem didicimus procreasse,
et crimen suum hac praescriptione defendere, quia in
Veteri Testamento sacerdotibus ac ministris generandi
facultas legitur attributa.

Dicat mihi nunc, quisquis ille est sectator libidinum:
. . . cur [Dominus] eos, quibus committebantur sancta sanctorum, praemonet dicens: *Sancti estote, quia et ego
sanctus sum Dominus Deus vester* [Lv 20, 7; 1 Petr 1, 16]? cur
etiam **procul a suis domibus**, anno vicis suae, in
templo habitare iussi sunt sacerdotes? hac videlicet ratione, ne vel cum uxoribus possent carnale exercere
commercium, ut conscientiae integritate fulgentes, ac-
ceptabile Deo munus offerrent. . . .

Unde et Dominus Iesus, cum nos suo illustrasset adventu, in Evangelio protestatur, quia *Legem venerit
implere, non solvere* [Mt 5, 17]. Et ideo Ecclesiae, cuius
sponsus est, formam castitatis voluit splendore radiare,
ut in die iudicii, cum rursus advenerit, *sine macula et
ruga* [Eph 5, 27] eam possit, sicut per Apostolum suum
instituit, reperire. Quarum sanctionum omnes **sacerdotes atque levitae insolubili lege constringi-
mur**, ut a die ordinationis nostrae, sobrietati ac
pudicitiae et corda nostra mancipemus et corpora, dummodo per omnia Deo nostro in his, quae cotidie offerimus, sacrificiis placeamus. *«Qui autem in carne
sunt*, dicente electionis vase, *Deo placere non possunt»*
[Rom 8, 8].

---

[1] Cst 629 D sqq. — Notandum est in hoc documento coelibatum non
inst: institui, sed diu exstitisse supponi.

. . . Ii vero, qui illiciti privilegii excusatione
nituntur, ut sibi asserant veteri hoc lege concessum,
noverint se ab omni ecclesiastico honore, quo indigne
usi sunt, Apostolicae Sedis auctoritate deiectos nec unquam posse veneranda attrectare mysteria, quibus se
ipsi, dum obscoenis cupiditatibus inhiant, privaverunt.
Et quia exempla praesentia cavere nos praemonent in
futurum: quilibet episcopus, presbyter atque diaconus, quod non optamus deinceps, fuerit talis inventus, iam nunc sibi omnem per nos indulgentiae aditum
intelligat obseratum: quia ferro necesse est excidantur
vulnera, quae fomentorum non senserint medicinam.

De ordinationibus monachorum [1].

[Ex eadem epistola ad Himerium.]

957   (13) Monachos quoque, quos tamen morum gravitas 90
et vitae ac fidei institutio sancta commendat, clericorum
officiis aggregari et optamus et volumus . . . [cf. n. 1581].

De virginitate B. M. V. [2]

[Ex ep. (9) «Accepi litteras vestras» ad Anysium Episc.
Thessalonicensem, 392].

2
13
16
20
54
86
113
144
202
256
282
290
993
1314
3029

(3) Sane non possumus negare de Mariae filiis 91
iure reprehensum, meritoque vestram sanctitatem ab- (1781)
horruisse, quod ex eodem utero virginali, ex quo secundum carnem Christus natus est, alius partus effusus
sit.   Neque enim elegisset Dominus Iesus nasci per
virginem, si eam iudicasset tam incontinentem fore,
ut illud genitale Dominici corporis, illam aulam regis
aeterni concubitus humani semine coinquinaret.   Qui
enim hoc adstruit, nihil aliud nisi perfidiam Iudaicam
adstruit, qui dicunt eum non potuisse nasci ex virgine.
Nam si hanc accipiant a sacerdotibus auctoritatem, ut
videatur Maria partus fudisse plurimos, maiore studio
veritatem fidei expugnare contendunt.

---

[1] Cst 635.
[2] Cst 681 B sq; Jf 261; ML 13, 1177 B; Msi III 675 A; Hrd I
859 C sq. — Agitur de errore Bonosi.

Conc. CARTHAGINENSE (III) 397.

De canone s. Scripturae[1].

92
(49) Can. 36 (vel al. 47). *[Placuit,]* ut praeter scripturas 783 canonicas nihil in ecclesia legatur sub nomine divinarum scripturarum. Sunt autem canonicae scripturae: Genesis, Exodus, Leviticus, Numeri, Deuteronomium, Iesus Nave, Iudicum, Ruth, Reg(nor)um libri quatuor, Paralipomenon libri duo, Iob, Psalterium Davidicum, Salomonis libri quinque, duodecim libri Prophetarum, Esaias, Hieremias, Daniel, Ezechiel, Tobias, Iudith, Esther, Esdrae libri duo, Machabaeorum libri duo. Novi autem Testamenti: Evangeliorum libri quatuor, Actus Apostolorum liber unus, Pauli Apostoli epistolae tredecim, eiusdem ad Hebraeos una, Petri duae, Ioannis tres[2], Iacobi una, Iudae una, Apocalypsis Ioannis. Ita ut de confirmando isto canone transmarina Ecclesia consulatur. Liceat etiam legi passiones martyrum, cum anniversarii dies eorum celebrantur.

S. ANASTASIUS I 398—401.

De orthodoxia LIBERII Papae[3].

[Ex ep. «Dat mihi plurimum» ad Venerium Episc. Mediolanensem, ca. 400.]

93   Dat mihi plurimum illud in Christi amore gaudium, 1832 quod divinitatis studio, alacritate succensa, integram fidem Apostolis traditam locatamque a maioribus toto orbe victrix retinebat Italia. Ipso quippe sub tempore, quo divae memoriae Constantius orbem victor obtinuit, nec potuit sordes suas immittere aliqua subreptione factio Ariana Deo nostro, ut credimus, providente, ne illa sancta fides et impolluta in aliquo vitio blasphemiae maledicorum hominum contaminaretur: haec scilicet ipsa, quae a sanctis viris et in requie sanctorum iam collocatis episcopis, tractata fuerat vel definita in Synodi conventu NICAENAE; pro qua exilium li-

---

[1] ML 56, 428 A sq (cf. 871); Msi III 924 A; Hrd I 968 A; cf. Hfl II 68; Z II 251. — Cf. Z II 251 sq.   [2] Cf. Decr. DAMASI [n. 84].
[3] Pitra, Analecta novissima Spicilegii Solesmensis (1885) I 463 sq (cf. 20 sqq); Jf 281 c. Add. (cf. Cst p. XIII).

benter tulerunt, qui sancti tunc episcopi sunt pro-
bati: hoc est Dionysius inde Dei servus, divina instructione compositus; vel eius sancti exemplo, sanctae
recordationis Ecclesiae Romanae LIBERIUS
episcopus, Eusebius quoque a Vercellis, Hilarius de
Galliis; ut de plerisque taceam, quorum potuerit in
arbitrio residere cruci potius affigi, quam Deum Christum
(quod Ariana cogebat haeresis) blasphemarent, aut Filium Dei, Deum Christum dicerent creaturam Domini [1].

Conc. Toletanum a. 400, *De ministro chrismatis et chrismationis* 93*
(*can. 20*), *v. K n. 712.*

S. INNOCENTIUS I 401–417 [2].

De baptismo haereticorum [3].

[Ex ep. (2) «Etsi tibi» ad Victricium Episc. Rotomagensem, 15. Febr. 404.]

857   (8) Ut venientes a Novatianis vel Montensibus per 94
manus tantum impositionem suscipiantur, quia **quamvis** (62)
ab haereticis, tamen in Christi nomine sunt baptizati.

De reconciliatione in articulo mortis [4].

[Ex ep «Consulenti tibi» ad Exuperium Episc. Tolosanum, 20. Febr. 405.]

894   (2) . . . Quaesitum est, quid de his observari oporteat, 95
qui post baptismum omni tempore incontinentiae voluptatibus dediti, in extremo fine vitae suae poenitentiam simul et reconciliationem communionis exposcunt....
De his observatio prior durior, posterior interveniente
misericordia inclinatior. Nam consuetudo prior tenuit,
ut concederetur poenitentia, sed communio negaretur.
Nam cum illis temporibus crebrae persecutiones essent,
ne communionis concessa facilitas homines de reconciliatione securos non revocaret a lapsu, merito negata communio est, concessâ poenitentiâ, ne totum penitus negaretur: et duriorem remissionem fecit temporis ratio.
Sed postquam Dominus noster pacem ecclesiis suis

[1] Sequitur damnatio errorum Origenis.
[2] Auctoritates INNOCENTII I et ZOSIMI de peccato originali et
gratia habes in ep. COELESTINI [n. 130 sqq], ZOSIMI etiam in App.
n. 3025.
[3] Cst 752 A; Jf 286 c. Add.; ML 20, 475 B; Msi III 1034 D.
[4] Cst 792 B sq; Jf 293 c. Add.; ML 20, 498 B sq; Msi III 1039 C sq.

reddidit, iam depulso terrore communionem dari
abeuntibus placuit, et propter Domini misericordiam
quasi viaticum profecturis, et ne Novatiani haeretici
negantis veniam asperitatem et duritiam sequi videamur.
Tribuetur ergo cum poenitentia extrema communio: ut
homines huiusmodi vel in extremis suis permittente
Salvatore nostro a perpetuo exitio vindicentur [v. n. 1583].

95 * *De reconciliatione extra mortis periculum v. K n. 727.*

De canone s. Scripturae et de libris apocryphis ¹.

[Ex eadem epistola ad Exuperium]

96 (7) Qui vero libri recipiantur in canone, brevis an-783
:59) nexus ostendit. Haec sunt, quae desiderata moneri voce
voluisti: Moysi libri V, id est, Genesis, Exodi, Levitici,
Numeri, Deuteronomii et Iesu Nave, Iudicum I, Regnorum
libri IV, simul et Ruth, Prophetarum libri XVI, Salomonis
libri V, Psalterium. Item historiarum, Iob liber I, Tobi
liber I, Esther I, Iudith I, Machabaeorum II, Esdrae II,
Paralipomenon libri II. Item Novi Testamenti: Evangeliorum libri IV, Pauli Apostoli epistolae XIV, epistolae
Ioannis III [cf. n. 84 92], epistolae Petri II, epistola Iudae,
epistola Iacobi, Actus Apostolorum, Apocalypsis Ioannis.

Cetera autem, quae sub nomine Mathiae sive Iacobi
minoris, vel sub nomine Petri et Ioannis, quae a quodam
Leucio scripta sunt (vel sub nomine Andreae, quae a
Nexocharide et Leonida philosophis) vel sub nomine
Thomae, et si qua sunt alia, non solum repudianda,
verum etiam noveris esse damnanda.

De baptismo Paulianistarum ².

[Ex ep. (17) «Magna me gratulatio» ad Rufum et alios episc.
Macedoniae, 13. Dec. 414.]

97 *Ex canone Nicaeno* [n. 56] *baptizandos quidem esse Pau-*857
(63) *lianistas ad Ecclesiam venientes, non vero Novatianos:*
(5) . . . Quod idcirco distinctum esse ipsis duabus haeresibus, ratio manifesta declarat, quia Paulianistae
in nomine Patris et Filii et Spiritus Sancti

---

¹ Cst 795 B sq; ML 20, 501 A sq; Msi III 1040 E sq.
² Cst 836 BC; Jf 303; ML 20, 533 B; Msi III 1061 E.

minime baptizant, et Novatiani iisdem nominibus
tremendis venerandisque baptizant, nec apud istos de
unitate potestatis divinae, hoc est Patris et Filii et
Spiritus Sancti, quaestio aliquando commota est.

De ministro confirmationis [1].

[Ex ep. (25) «Si instituta ecclesiastica» ad Decentium Episc.
Eugubinum, 19. Martii 416.]

871   (3) De consignandis vero infantibus manifestum est, 98
non ab alio quam ab episcopo fieri licere. [60]
Nam presbyteri, licet secundi sint sacerdotes, pontificatus
tamen apicem non habent. Hoc autem pontificium solis
deberi episcopis, ut vel consignent, vel Paracletum Spiritum tradant, non solum consuetudo ecclesiastica demonstrat, verum et illa lectio Actuum Apostolorum,
quae asserit Petrum et Ioannem esse directos, qui iam
baptizatis traderent Spiritum Sanctum [cf. Act 8, 14—17].
Nam presbyteris sive extra episcopum, sive praesente
episcopo cum baptizant, chrismate baptizatos ungere
licet; sed quod ab episcopo fuerit consecratum, non
tamen frontem ex eodem oleo signare, quod solis
debetur episcopis, cum tradunt Spiritum Paracletum.
Verba vero dicere non possum, ne magis prodere vi-
dear, quam ad consultationem respondere.

De ministro extremae unctionis [2].

[Ex eadem epistola ad Decentium.]

907   (8) Sane quoniam de hoc sicut de caeteris consulere 99
voluit dilectio tua, adiecit etiam filius meus Coelestinus [61]
diaconus in epistola sua, esse a tua dilectione positum
illud, quod in beati Apostoli Iacobi epistola conscriptum
est: *Si infirmus aliquis in vobis est, vocet presbyteros,*
et orent super eum, ungentes eum oleo in nomine Do-
mini: et oratio fidei salvabit laborantem, et suscitabit
illum Dominus, et si peccatum fecit, remittet ei [Iac 5, 14 sq].
Quod non est dubium de fidelibus aegrotantibus accipi
vel intelligi debere, qui sancto oleo chrismatis per-

---

[1] Cst 858 A sq; Jf 311 c. Add.; ML 20, 554 B sq; Msi III 1029 B.
[2] Cst 862 B sqq; ML 20, 559 B sq; Msi III 1030 E.

ungi possunt, quod ab episcopo confectum, non
solum sacerdotibus, sed et omnibus uti Christianis licet
in sua aut in suorum necessitate ungendum. Caeterum
illud superfluum esse videmus adiectum, ut de episcopo
ambigatur quod presbyteris licere non dubium
est. Nam idcirco presbyteris dictum est, quia episcopi
occupationibus aliis impediti ad omnes languidos ire
non possunt. Caeterum si episcopus aut potest aut
dignum ducit aliquem a se visitandum, et benedicere
et tangere chrismate sine cunctatione potest, cuius est
chrisma conficere. Nam poenitentibus istud infundi non
potest, quia genus est sacramenti. Nam quibus reliqua
sacramenta negantur, quomodo unum genus putatur
posse concedi?

De primatu et infallibilitate Romani Pontificis [1].

[Ex ep. (29) «In requirendis» ad episcopos Africanos, 27. Ian. 417.]

100   (1) In requirendis Dei rebus . . . antiquae traditionis [1826] [1832]
exempla servantes . . . vestrae religionis vigorem . . .
vera ratione firmastis, qui ad nostrum referendum
approbastis esse iudicium, scientes, quid Apostolicae
Sedi, cum omnes hoc loco positi ipsum sequi desidere-
mus Apostolum, debeatur, a quo ipse episcopatus et
tota auctoritas nominis huius emersit. Quem sequentes
tam mala damnare novimus quam probare laudanda.
Vel id vero, quod patrum instituta sacerdotali officio
custodientes non censetis esse calcanda, quod illi non
humana, sed divina decrevere sententia, ut quidquid,
quamvis de disiunctis remotisque provinciis ageretur,
non prius ducerent finiendum, nisi ad huius
Sedis notitiam perveniret, ut tota huius auctoritate, iusta quae fuerit pronuntiatio firmaretur, indeque
sumerent ceterae ecclesiae (velut de natali suo fonte
aquae cunctae procederent et per diversas totius mundi
regiones puri latices capitis incorrupti manarent), quid prae-
cipere [deberent], quos abluere, quos veluti caeno inemun-
dabili sordidatos mundis digna corporibus unda vitaret.

100*   *Alia de eadem re INNOCENTII I rescripta v. K n. 720—726.*

---

[1] Cst 888 C sq; Jf 321; ML 20, 582 C sq; Msi III 1071 D.

S. ZOSIMUS 417—418.

Conc. MILEVITANUM II 416, ab INNOCENTIO I [1],

et **Conc. CARTHAGINENSE (XVI) 418, a ZOSIMO**

approbatum (contra Pelagianos).

De peccato originali et gratia [2].

793   Can. 1.   Placuit omnibus episcopis . . . in sancta 101
Synodo Carthaginensis ecclesiae constitutis: Ut quicun- (65)
que dixerit, Adam primum hominem mortalem factum,
ita, ut, sive peccaret, sive non peccaret, moreretur in
corpore, hoc est de corpore exiret non peccati merito,
sed necessitate naturae, A. S.

Can. 2.   Item placuit, ut quicunque parvulos re- 102
centes ab uteris matrum baptizandos negat, aut dicit
in remissionem quidem peccatorum eos baptizari, sed
787 nihil ex Adam trahere originalis peccati, quod
lavacro regenerationis expietur, unde sit consequens, ut
in eis forma baptismatis «in remissionem peccatorum»
non vera, sed falsa intelligatur, A. S.   Quoniam non
aliter intelligendum est quod ait Apostolus: «*Per unum
hominem peccatum intravit in mundum (et per peccatum
mors), et ita in omnes homines pertransiit, in quo omnes
peccaverunt*» [cf. Rom 5, 12], nisi quemadmodum Ecclesia
catholica ubique diffusa semper intellexit.   Propter hanc
enim regulam fidei etiam parvuli, qui nihil peccatorum in se ipsis adhuc committere potuerunt, ideo in
peccatorum remissionem veraciter baptizantur, ut in
eis regeneratione mundetur, quod generatione
traxerunt [3].

---

[1] Cf. Cst 888 sqq; Msi III 1071; Jf 321; ML 20, 582 B [v. n. 100].

[2] Hrd I 926 E sqq coll. H 213 sqq; cf. Hrd I 1217 D sqq; ML 56,
486 B sqq; Msi III 811 A sqq (IV 326 C sqq); cf. Bar(Th) ad 418
n. 1 sqq (7, 106 a sqq).

[3] *Additur hic in quodam codice:*

Can. 3. Item placuit, ut si quis dicit, ideo dixisse Dominum: «*In
domo Patris mei mansiones multae sunt*» [Io 14, 2], ut intelligatur, quia
in regno coelorum erit aliquis medius aut ullus alicubi locus, ubi beati
vivant parvuli, qui sine baptismo ex hac vita migrarunt, sine quo in
regnum coelorum, quod est vita aeterna, intrare non possunt, A. S.
Nam cum Dominus dicat: *Nisi quis renatus fuerit ex aqua et Spiritu*

103 Can. 3. Item placuit, ut quicunque dixerit, gratiam
(67) Dei, qua iustificatur homo per Iesum Christum Dominum nostrum, ad solam remissionem peccatorum valere, quae iam commissa sunt, non etiam ad
adiutorium, ut non committantur, A. S.

104 Can. 4. Item, quisquis dixerit, eandem gratiam
Dei per Iesum Christum Dominum nostrum propter
hoc tantum nos adiuvare ad non peccandum, quia per
ipsam nobis revelatur et aperitur intelligentia mandatorum, ut sciamus, quid appetere, quid vitare debeamus, non autem per illam nobis praestari, ut quod
faciendum cognoverimus, etiam facere diligamus atque
valeamus, A. S. Cum enim dicat Apostolus: «*Scientia
inflat, charitas vero aedificat*» [1 Cor 8, 1], valde impium
est, ut credamus, ad eam, quae inflat, nos habere gratiam Christi, et ad eam, quae aedificat, non habere, cum
sit utrumque donum Dei, et scire quid facere debeamus, et diligere ut faciamus, ut aedificante charitate
scientia nos non possit inflare. Sicut autem de Deo
scriptum est: «*Qui docet hominem scientiam*» [Ps 93, 10],
ita etiam scriptum est: «*Charitas ex Deo est*» [1 Io 4, 7].

105 Can. 5. Item placuit, ut quicunque dixerit, ideo
(69) nobis gratiam iustificationis dari, ut, quod facere per
liberum iubemur arbitrium, facilius possimus implere
per gratiam, tamquam et si gratia non daretur, non
quidem facile, sed tamen possimus etiam sine illa implere divina mandata, A. S. De fructibus enim mandatorum Dominus loquebatur, ubi non ait: *sine me* difficilius *potestis facere,* sed ait: «*Sine me nihil potestis
facere*» [Io 15, 5].

106 Can. 6. Item placuit, quod ait S. Ioannes Apostolus:
*Si dixerimus, quia peccatum non habemus, nos ipsos
seducimus, et veritas in nobis non est* [1 Io 1, 8]: quisquis
sic accipiendum putaverit, ut dicat propter humilitatem oportere dici, nos habere peccatum, non quia
vere ita est, A. S. Sequitur enim Apostolus et ad-

Sancto, non intrabit in regnum coelorum [Io 3, 5], quis catholicus dubitet participem fore diaboli eum, qui coheres esse non meruit Christi?
Qui enim dextra caret, sinistram procul dubio partem incurret [Hrd I
927 B nota].

iungit: *Si autem confessi fuerimus peccata nostra, fidelis est et iustus, qui remittat nobis peccata et mundet nos ab omni iniquitate* [1 Io 1, 9]. Ubi satis apparet, hoc non tantum humiliter, sed etiam veraciter dici. Poterat enim Apostolus dicere: Si dixerimus: non habemus peccatum, nos ipsos extollimus, et humilitas in nobis non est. Sed cum ait: nos ipsos decipimus, et veritas in nobis non est: satis ostendit eum, qui se dixerit non habere peccatum, non verum loqui, sed falsum.

Can. 7. Item placuit, ut quicunque dixerit, in ora-107 tione dominica ideo dicere san c t os: *«Dimitte nobis* (71) *debita nostra»* [Mt 6, 12], ut non pro seipsis hoc dicant, quia non est eis iam necessaria ista petitio, sed pro aliis qui sunt in suo populo peccatores; et ideo non dicere unumquemque sanctorum: Dimitte mihi debita mea, sed: Dimitte nobis debita nostra; ut hoc pro aliis potius, quam pro se, iustus petere intelligatur, A. S. Sanctus enim et iustus erat Apostolus Iacobus, cum dicebat: *«In multis enim offendimus omnes»* [Iac 3, 2]. Nam quare additum est «omnes», nisi ut ista sententia conveniret et Psalmo, ubi legitur: *Ne intres in iudicium cum servo tuo, quia non iustificabitur in conspectu tuo omnis vivens* [Ps 142, 2]. Et in oratione sapientissimi Salomonis: *Non est homo qui non peccavit* [Eccle 7, 21]. Et in libro sancti Iob: *In manu omnis hominis signat, ut sciat omnis homo infirmitatem suam* [Jb 37, 7]. Unde etiam Daniel sanctus et iustus, cum in oratione pluraliter diceret: *«peccavimus, iniquitatem fecimus»* [Dn 9, 5 15], et caetera quae ibi veraciter et humiliter confitetur: ne putaretur, quemadmodum quidam sentiunt, hoc non de suis, sed de populi sui potius dixisse peccatis, postea dixit: *«Cum . . . orarem et confiterer peccata mea et peccata populi mei»* [Dn 9, 20] Domino Deo meo, noluit dicere: peccata nostra, sed peccata populi sui dixit et sua, quoniam futuros istos, qui tam male intelligerent, tanquam propheta praevidit.

Can. 8. Item placuit, ut quicunque ipsa verba do-108 minicae orationis, ubi dicimus: *«dimitte nobis debita nostra»* [Mt 6, 12], ita volunt a sanctis dici, ut humiliter, non veraciter hoc dicatur, A. S. Quis enim ferat orantem et non hominibus, sed ipsi Domino mentientem, qui labiis sibi dicit dimitti velle, et corde dicit, quae sibi dimittantur, debita non habere?

De primatu et infallibilitate Romani Pontificis [1].

[Ex ep. (12) «Quamvis Patrum traditio» ad episcopos Africanos, 21. Mart. 418.]

109   Quamvis Patrum traditio Apostolicae Sedi auctoritatem 1826 tantam tribuerit, ut de eius iudicio disceptare nullus 1832 auderet, idque per canones semper regulasque servaverit, et currens adhuc suis legibus ecclesiastica disciplina PETRI nomini, a quo ipsa quoque descendit, reverentiam quam debet exsolvat: ... cum ergo tantae auctoritatis PETRUS caput sit et sequentia omnium maiorum studia firmaverit, ut tam humanis quam divinis legibus ... firmetur Romana Ecclesia, cuius locum nos regere, ipsius quoque potestatem nominis obtinere non latet vos, sed nostis, fratres carissimi, et quemadmodum sacerdotes scire debetis: tamen cum tantum nobis esset auctoritatis, ut nullus de nostra possit retractare sententia, nihil egimus, quod non ad vestram notitiam nostris ultro litteris referremus ... non quia, quid deberet fieri, nesciremus, aut faceremus aliquid, quod contra utilitatem Ecclesiae veniens displiceret. ...

109*   *De peccato originali ex ep. „Tractatoria"*
v. App. n. 3025.

S. BONIFACIUS I 418—422.

De primatu et infallibilitate Romani Pontificis [2].

[Ex ep. (13) «Retro maioribus tuis» ad Rufum Episc. Thessaliae, 11 Mart. 422]

110   (2) ... Ad Synodum [Corinthi] ... talia scripta di- 1826 reximus, quibus universi fratres intelligant, ... de no- 1832 stro non esse iudicio retractandum. Nunquam enim licuit de eo rursus, quod semel statutum est ab Apostolica Sede, tractari.

---

[1] Cst 974 B sq; Jf 342; ML 20, 676 A sq; Msi IV 366 D sq; Bar(Th) ad 418 n. 4 (7, 107 a).
[2] Cst 1035 C; Jf 363; ML 20, 776 A; Msi VIII 754 E sq.

S. COELESTINUS I 422—432.

De reconciliatione in articulo mortis [1].

[Ex ep. (4) «Cuperemus quidem» ad episcopos provinciarum Viennensis et Narbonensis, 26. Iulii 428.]

894   (2) Agnovimus poenitentiam morientibus de-**111** negari nec illorum desideriis annui, qui obitus sui tempore hoc animae suae cupiunt remedio subveniri. Horremus, fateor, tantae impietatis aliquem reperiri, ut de Dei pietate desperet, quasi non possit ad se quovis tempore concurrenti succurrere et periclitantem sub onere peccatorum hominem pondere, quo se ille expediri desiderat, liberare. Quid hoc, rogo, aliud est, quam morienti mortem addere, eiusque animam sua crudelitate, ne absoluta esse possit, occidere? Cum Deus ad subveniendum paratissimus, invitans ad poenitentiam sic promittat: *Peccator,* inquit, *quacunque die conversus fuerit, peccata eius non imputabuntur ei* [cf. Ez 33, 16]. . . . Cum ergo sit Dominus cordis inspector, quovis tempore non est deneganda poenitentia postulanti. . . .

Conc. EPHESINUM 431.

Oecumenicum III (contra Nestorianos).

De primatu Romani Pontificis [2].

[Ex oratione Philippi Legati Romani Pontificis in actione III.]

1826
1832 Οὐδενὶ ἀμφίβολόν ἐστιν, μᾶλλον δὲ πᾶσι τοῖς αἰῶσιν ἐγνώσθη, ὅτι ὁ ἅγιος καὶ μακαριώτατος Πέτρος, ὁ ἔξαρχος καὶ κεφαλὴ τῶν ἀποστόλων, ὁ κίων τῆς πίστεως, ὁ θεμέλιος τῆς καθολικῆς ἐκκλησίας, ἀπὸ τοῦ κυρίου ἡμῶν Ἰησοῦ Χριστοῦ τοῦ

Nulli dubium, imo sae-**112** culis omnibus notum est, quod sanctus beatissimusque PETRUS Apostolorum princeps et caput, fideique columna, et Ecclesiae catholicae fundamentum, a Domino nostro Iesu Christo, salvatore humani generis ac

---

[1] Cst 1067 C sq; Jf 369; ML 50, 431 B; Msi IV, 465 B.
[2] Msi IV 1295 B sq; Hrd I 1477 B; Hfl II 200 sq.

σωτῆρος, καὶ λυτρωτοῦ τοῦ
γένους τοῦ ἀνθρωπίνου τ ὰ ς
κλεῖς τῆς βασιλείας ἐδέ-
ξατο καὶ αὐτῷ δέδοται ἐξ-
ουσία τοῦ δεσμεῖν καὶ λύειν
ἁμαρτίας· ὅστις ἕως τοῦ
νῦν καὶ ἀεὶ ἐν τοῖς αὐ-
τοῦ διαδόχοις καὶ ζῇ,
καὶ δικάζει.

redemptore, claves regni
accepit, solvendique ac ligandi peccata potestas ipsi
data est: qui ad hoc us-
que tempus et semper
in suis successoribus
vivit, et iudicium ex-
ercet [v. n. 1824].

Anathematismi Cyrilli[1] (contra Nestorium)[2].

113 α′. Εἴ τις οὐχ ὁμολογεῖ,
(73) Θεὸν εἶναι κατὰ ἀλήθειαν τὸν
Ἐμμανουήλ, καὶ διὰ τοῦτο
θεοτόκον τὴν ἁγίαν παρ-
θένον· γεγέννηκε γὰρ σαρ-
κικῶς σάρκα γεγονότα τὸν
ἐκ Θεοῦ λόγον· ἀνάθεμα
ἔστω.

[Versio Marii Mercat.] Can. 1. 13
148
Si quis non confitetur, De- 202
um esse veraciter Emma- 214
218
nuel, et propterea Dei 227
genitricem sanctam vir- 256
290
ginem: peperit enim secun- 993
dum carnem carnem factum 1316
Dei Verbum, anathema sit.

114 β′. Εἴ τις οὐχ ὁμολογεῖ,
σαρκὶ κ α θ’ ὑπόστασιν
ἡνῶσθαι τὸν ἐκ Θεοῦ πατρὸς
λόγον, ἕνα τε εἶναι Χριστὸν
μετὰ τῆς ἰδίας σαρκός, τὸν
αὐτὸν δηλονότι Θεὸν ὁμοῦ
καὶ ἄνθρωπον· ἀνάθεμα ἔστω.

Can. 2. Si quis non con- 148
fitetur, carni secundum
subsistentiam[3] unitum
Dei Patris Verbum, unum-
que esse Christum cum propria carne, eundem scilicet
Deum simul et hominem,
A. S.

115 γ′. Εἴ τις ἐπὶ τοῦ ἑνὸς
Χριστοῦ διαιρεῖ τὰς ὑποστάσεις, μετὰ τὴν ἕνωσιν, μόνῃ
συνάπτων αὐτὰς συναφείᾳ

Can. 3. Si quis in uno
Christo dividit substantias
post unitionem, sola eas
connexione coniungens ea

---

[1] Anathematismos istos, qui additi sunt epistolae, quam S. Cyrillus
et synodus Alexandrina a. 430 ad Nestorium dederant, Conc. V [CON-
STANTPL. II] tamquam partem «gestorum», quae Ephesi acta sunt»
retulit et collaudavit [Msi IX 327 C sq].
[2] ML 48, 840 A sqq; Msi IV 1081 D sqq (gr.); coll. H 312 sqq; Hrd
I 1291 E sqq; cf. Hfl II 170 sqq; Bar(Th) ad 439 n. 50 sqq (7, 323 sqq).
[3] Versio antiqua Dionysii Exig. [Hrd I 129 E] hic can. 2 et 3 vocem
ὑπόστασιν per *substantiam* reddidit; idem habetur Conc. V CON-
STANTPL. can. 13. — Unio hypostatica substantialis vel essentialis
dicitur in quantum istae voces *Nestorianorum* accidentali unioni opponuntur. Est sane unio ista substantiarum, sed per subsistentiam.

τῇ κατὰ τὴν ἀξίαν, ἤγουν αὐθεντίᾳ ἢ δυναστείᾳ, καὶ οὐχὶ δὴ μᾶλλον συνόδῳ τῇ καθ' ἕνωσιν φυσικήν· ἀνάθεμα ἔστω.

δ'. Εἴ τις προσώποις δυσὶν ἤγουν ὑποστάσεσι, τάς τε ἐν τοῖς εὐαγγελικοῖς καὶ ἀποστολικοῖς συγγράμμασι διανέμει φωνάς, ἢ ἐπὶ Χριστῷ παρὰ τῶν ἁγίων λεγομένας, ἢ παρ' αὐτοῦ περὶ ἑαυτοῦ· καὶ τὰς μὲν ὡς ἀνθρώπῳ παρὰ τὸν ἐκ Θεοῦ λόγον ἰδικῶς νοουμένῳ προσάπτει, τὰς δὲ ὡς θεοπρεπεῖς μόνῳ τῷ ἐκ Θεοῦ πατρὸς λόγῳ· ἀνάθεμα ἔστω.

ε'. Εἴ τις τολμᾷ λέγειν θεοφόρον ἄνθρωπον τὸν Χριστόν, καὶ οὐχὶ δὴ μᾶλλον Θεὸν εἶναι κατὰ ἀλήθειαν, ὡς υἱὸν ἕνα καὶ φύσει, καθὸ γέγονε σὰρξ ὁ λόγος καὶ κεκοινώνηκε παραπλησίως ἡμῖν αἵματος καὶ σαρκός· ἀνάθεμα ἔστω.

ς'. Εἴ τις τολμᾷ λέγειν, Θεὸν ἢ δεσπότην εἶναι τοῦ Χριστοῦ τὸν ἐκ Θεοῦ πατρὸς λόγον καὶ οὐχὶ δὴ μᾶλλον τὸν αὐτὸν ὁμολογεῖ Θεὸν ὁμοῦ τε καὶ ἄνθρωπον, ὡς γεγονότος σαρκὸς τοῦ λόγου κατὰ τὰς γραφάς· ἀνάθεμα ἔστω.

quae secundum dignitatem est, vel etiam auctoritatem et potestatem, ac non potius conventu, qui per unitatem factus est naturalem, A. S.

Can. 4. Si quis personis duabus vel subsistentiis eas voces, quae in Apostolicis scriptis continentur et Evangelicis, dividit, vel quae de Christo a sanctis dicuntur, vel ab ipso etiam de seipso, et has quidem velut homini, qui praeter Dei verbum specialiter intelligatur, aptaverit, illas autem tanquam dignas Deo soli Dei Patris Verbo deputaverit, A. S. — 116 (76)

Can. 5. Si quis audeat dicere, Christum hominem Theophorum, id est Deum ferentem, ac non potius Deum esse veraciter dixerit, tanquam filium per naturam, secundum quod Verbum factum est caro, et communicavit similiter ut nos carni et sanguini, A. S. — 117

Can. 6. Si quis dicit, Deum esse vel dominum Christi, Dei Patris Verbum, et non magis eundem ipsum confitetur Deum simul et hominem, propterea quod Verbum caro factum est, secundum Scripturas, A. S. — 118

119   ζ'. Εἴ τίς φησιν, ὡς ἄν-
(79) θρωπον ἐνηργῆσθαι παρὰ
τοῦ Θεοῦ λόγου τὸν Ἰησοῦν,
καὶ τὴν τοῦ μονογενοῦς εὐ-
δοξίαν περιῆφθαι, ὡς ἕτερον
παρ' αὐτὸν ὑπάρχοντα· ἀνάθεμα ἔστω.

120   η'. Εἴ τις τολμᾷ λέγειν,
τὸν ἀναληφθέντα ἄνθρωπον
συμπροσκυνεῖσθαι δεῖν τῷ
Θεῷ λόγῳ, καὶ συνδοξάζεσ-
θαι, καὶ συγχρηματίζειν
Θεόν, ὡς ἕτερον ἐν ἑτέρῳ·
τὸ γὰρ «σὺν» ἀεὶ προστι-
θέμενον, τοῦτο νοεῖν ἀναγ-
κάζει· καὶ οὐχὶ δὴ μᾶλλον
μιᾷ προσκυνήσει τιμᾷ
τὸν Ἐμμανουὴλ καὶ μίαν
αὐτῷ τὴν δοξολογίαν ἀνα-
πέμπει, καθὸ γέγονε σὰρξ ὁ
λόγος· ἀνάθεμα ἔστω.

121   θ'. Εἴ τίς φησι, τὸν ἕνα
κύριον Ἰησοῦν Χριστὸν δε-
δοξάσθαι παρὰ τοῦ πνεύμα-
τος, ὡς ἀλλοτρίᾳ δυνά-
μει τῇ δι' αὐτοῦ χρώμενον,
καὶ παρ' αὐτοῦ λαβόντα τὸ
ἐνεργεῖν δύνασθαι κατὰ πνευ-
μάτων ἀκαθάρτων, καὶ τὸ
πληροῦν εἰς ἀνθρώπους τὰς
θεοσημείας, καὶ οὐχὶ δὴ μᾶλλον ἴδιον αὐτοῦ τὸ πνεῦμά
φησιν, δι' οὗ καὶ ἐνήργηκε
τὰς θεοσημείας· ἀνάθεμα
ἔστω.

122   ι'. Ἀρχιερέα καὶ ἀπόστολον τῆς ὁμολογίας ἡμῶν
γεγενῆσθαι Χριστόν, ἡ θεία
λέγει γραφή, προσκεκομικέ-
ναι τε ὑπὲρ ἡμῶν ἑαυτὸν

Can. 7. Si quis velut
hominem Iesum opera-
tione Dei Verbi dicit ad-
iutum, et ei unigeniti gloriam tanquam alteri prae-
ter ipsum existenti tribuit,
A. S.

Can. 8. Si quis audet
dicere assumptum hominem
coadorandum Deo Verbo,
et conglorificandum et
connuncupandum Deum,
tanquam alterum cum altero
(nam «con» syllaba semper
adiecta hoc cogit intelligi)
ac non potius una suppli-
catione veneratur Em-
manuel, unamque ei glori-
ficationem dependit, iuxta
quod *Verbum caro factum
est* [Io 1, 14], A. S.

Can. 9. Si quis unum
Dominum (nostrum) Iesum
Christum glorificatum dicit
a Spiritu Sancto, tamquam
qui aliena virtute per
eum usus fuerit, et ab eo
acceperit efficaciam contra
immundos spiritus, et posse
in hominibus divina signa
facere, ac non potius proprium eius Spiritum dicit
per quem divina signa com-
plevit, A. S.

Can. 10. *Pontificem
et Apostolum confessionis
nostrae* [Hebr 3, 1] factum esse
Christum, divina Scriptura
commemorat. *Obtulit* au-

εἰς ὀσμὴν εὐωδίας τῷ θεῷ καὶ πατρί· εἴ τις τοίνυν ἀρχιερέα καὶ ἀπόστολον ἡμῶν γεγεννῆσθαί φησιν οὐκ αὐτὸν τὸν ἐκ Θεοῦ λόγον, ὅτε γέγονε σὰρξ καὶ καθ᾽ ἡμᾶς ἄνθρωπος, ἀλλ᾽ ὡς ἕτερον παρ᾽ αὐτὸν ἰδικῶς ἄνθρωπον ἐκ γυναικός· ἢ εἴ τις λέγει, καὶ ὑπὲρ ἑαυ- 286 τοῦ προσενεγκεῖν αὐ- 711 τὸν τὴν προσφοράν, καὶ οὐχὶ δὴ μᾶλλον ὑπὲρ μόνων ἡμῶν· οὐ γὰρ ἂν ἐδεήθη προσφορᾶς ὁ μὴ εἰδὼς ἁμαρτίαν· ἀνάθεμα ἔστω.

ια΄. Εἴ τις οὐχ ὁμολογεῖ τὴν τοῦ κυρίου σάρκα ζωοποιὸν εἶναι, καὶ ἰδίαν αὐτοῦ τοῦ ἐκ Θεοῦ πατρὸς λόγου, ἀλλ᾽ ὡς ἑτέρου τινὸς παρ᾽ αὐτὸν συνημμένου μὲν αὐτῷ κατὰ τὴν ἀξίαν ἤγουν ὡς μόνην θείαν ἐνοίκησιν ἐσχηκότος· καὶ οὐχὶ δὴ μᾶλλον ζωοποιόν, ὡς ἔφημεν, ὅτι γέγονεν ἰδία τοῦ λόγου, τοῦ τὰ πάντα ζωογονεῖν ἰσχύοντος· ἀνάθεμα ἔστω.

ιβ΄. Εἴ τις οὐχ ὁμολογεῖ τὸν τοῦ Θεοῦ λόγον παθόντα σαρκί, καὶ ἐσταυρωμένον σαρκί, καὶ θανάτου γευσάμενον σαρκί, γεγονότα τε πρωτότοκον ἐκ τῶν νεκρῶν, καθὸ ζωή τέ ἐστι καὶ ζωοποιὸς ὡς Θεός· ἀνάθεμα ἔστω.

tem *semetipsum pro nobis in odorem suavitatis Deo* [Eph 5, 2] et Patri. Si quis ergo Pontificem et Apostolum nostrum dicit factum non ipsum Dei Verbum, quando caro factum est et iuxta nos homo, sed velut alterum praeter ipsum specialiter hominem ex muliere, aut si quis dicit, et pro se obtulisse semetipsum oblationem, et non potius pro nobis solis (non enim eguit oblatione, qui peccatum omnino nescivit), A. S.

Can. 11. Si quis non 123 confitetur, carnem Domini (83) vivificatricem esse, et propriam ipsius Verbi Dei Patris, sed velut alterius praeter ipsum, coniuncti eidem per dignitatem, aut quasi divinam habentis habitationem, ac non potius ut diximus vivificatricem esse, quia facta est propria Verbi cuncta vivificare praevalentis, A. S.

Can. 12. Si quis non 124 confitetur, Dei Verbum passum carne, et crucifixum carne, et mortem carne gustasse, factumque *primogenitum ex mortuis* [Col 1, 18], secundum quod vita est et vivificator ut Deus, A. S.

De fide et traditione servanda [1].

125 ... ὥρισεν ἡ ἁγία σύνοδος, ἑτέραν πίστιν μηδενὶ ἐξεῖναι προσφέρειν ἤγουν συγγράφειν ἢ συντιθέναι παρὰ τὴν ὁρισθεῖσαν παρὰ τῶν ἁγίων πατέρων τῶν ἐν τῇ Νικαέων συνελθόντων σὺν ἁγίῳ πνεύματι. ...

... εἰ φωραθεῖέν τινες εἴτε ἐπίσκοποι εἴτε κληρικοί, φρονοῦντες ἢ διδάσκοντες τὰ ἐν τῇ προσκομισθείσῃ ἐκθέσει παρὰ Χαρισίου πρεσβυτέρου περὶ τῆς ἐνανθρωπίσεως τοῦ μονογενοῦς υἱοῦ τοῦ Θεοῦ, ἤγουν τὰ μιαρὰ καὶ διεστραμμένα Νεστορίου δόγματα ... ὑποκείσθωσαν τῇ ἀποφάσει τῆς ἁγίας ταύτης καὶ οἰκουμενικῆς συνόδου. ...

... Statuit sancta Syn-159 odus, alteram fidem nemini licere proferre, aut conscribere aut componere, praeter definitam a sanctis Patribus, qui in Nicaea cum Spiritu Sancto congregati fuerunt. ...

... Si qui inventi fuerint vel episcopi, vel clerici, vel laici, sive sentire, sive docere ea quae continentur in oblata expositione a Charisio presbytero de unigeniti Filii Dei incarnatione; sive scelerata et perversa Nestorii dogmata...: subiaceant sententiae sanctae huius et universalis Synodi. ...

Damnatio Pelagianorum [2].

126 α'. Εἴ τις μητροπολίτης (85) τῆς ἐπαρχίας ἀποστατήσας τῆς ἁγίας, καὶ οἰκουμενικῆς συνόδου ... τὰ Κελεστίου ἐφρόνησεν, ἢ φρονήσῃ, οὗτος κατὰ τῶν τῆς ἐπαρχίας ἐπισκόπων διαπράττεσθαί τι οὐδαμῶς δύναται, πάσης ἐκκλησιαστικῆς κοινωνίας ἐντεῦθεν ἤδη ὑπὸ τῆς συνόδου ἐκβεβλημένος καὶ ἀνενέργητος ὑπάρχων. ...

Can. 1. Si quispiam metropolita provinciae, derelicta sancta et oecumenica Synodo ... cum Caelestio sensit, aut sentiet, ipse nihil amplius poterit agere adversus provinciae episcopos: ut qui iam inde a Synodo totius ecclesiasticae communionis expers sit factus et prorsus inutilis. ...

---

[1] Msi IV 1362 D sqq; Hrd I 1526 D; cf. Hfl II 207.
[2] Msi IV 1471 C sqq; Hrd I 1621 D; cf. Hfl II 205 sqq.

δ′. Εἰ δέ τινες ἀποστατήσαιεν τῶν κληρικῶν, καὶ τολμήσαιεν ἢ κατ᾽ ἰδίαν, ἢ δημοσίᾳ τὰ Νεστορίου ἢ τὰ Κελεστίου φρονῆσαι, καὶ τούτους εἶναι καθῃρημένους, ὑπὸ τῆς ἁγίας συνόδου δεδικαίωται.

Can. 4. Si qui autem 127 clericorum defecerint, et (85) ausi fuerint vel privatim vel publice, quae sunt Nestorii aut Caelestii sapere, sancitum est a sancta Synodo istos quoque depositos esse.

De auctoritate S. Augustini [1].

[Ex ep. (21) «Apostolici verba praecepti» ad episcopos Galliarum, 15(?) Maii 431.]

1320   Cap. 2. Augustinum sanctae recordationis virum 128 pro vita sua atque meritis in nostra communione semper (86) habuimus, nec unquam hunc sinistrae suspicionis saltem rumor adspersit: quem tantae scientiae olim fuisse meminimus, ut inter magistros optimos etiam ante a meis semper decessoribus haberetur [2].

De gratia Dei «Indiculus» seu «praeteritorum Sedis Apostolicae episcoporum auctoritates» [3].

[Eidem epistolae a collectoribus canonum additae.]

793   Cap. 3. Quia nonnulli, qui catholico nomine glo-129 riantur, in damnatis haereticorum sensibus seu pravitate (87) sive imperitia demorantes, piissimis disputatoribus obviare praesumunt, et cum Pelagium atque Coelestium anathematizare non dubitent, magistris tamen nostris, tamquam necessarium modum excesserint, obloquuntur, eaque tantummodo sequi et probare profitentur, quae

---

[1] Cst 1187 C sqq; Jf 381 c. Add.; ML 50, 530 A; Msi IV 455 E sqq; Hrd I 1254 B sqq.

[2] Eodem modo commendatur S. Augustini auctoritas a BONIFACIO II in epistola ad Patres Arausicanos, atque inter Patres, qui de gratia recte scripserunt, recensetur. Nota tamen, quae c. 13 huius epistulae dicuntur, et dictum S. HORMISDAE ad Possessorem [v. App. n. 3027] et propositionem 30 ab ALEXANDRO VIII damnatam [v. n. 1320]; denique ipsius Augustini verba De dono perseverantiae cap. 21: «Neminem velim sic amplecti mea, ut me sequatur nisi in iis, in quibus me non errare perspexerit: nam propterea nunc facio libros, in quibus opuscula mea retractanda suscepi, ut nec me ipsum in omnibus me secutum fuisse demonstrem» [ML 45, 1027 sq].

[3] Videntur esse Romae brevi post COELESTINUM I collectae et circa a. 500 ut Sedis Apostolicae doctrina genuina universim agnitae.

sacratissima Beati Apostoli sedes PETRI contra inimicos
gratiae Dei per ministerium praesulum suorum sanxit
et docuit, necessarium fuit diligenter inquirere, quid
rectores Romanae Ecclesiae de haeresi, quae
eorum temporibus exorta fuerat, iudicarint, et contra
nocentissimos liberi arbitrii defensores quid de gratia
Dei sentiendum esse censuerint; ita ut etiam
Africanorum conciliorum quasdam sententias iungeremus,
quas utique suas fecerunt apostolici antistites, cum pro-
barunt. Ut ergo plenius qui in aliquo dubitant, in-
struantur, constitutiones Sanctorum Patrum compendioso
manifestamus indiculo, quo si quis non nimium est
contentiosus, agnoscat omnium disputationum connexio-
nem ex hac subditarum auctoritatum brevitate pendere,
nullamque sibi contradictionis superesse rationem, si
cum catholicis credat et dicat.

130 Cap. 4. In praevaricatione Adae omnes homines
(88) naturalem possibilitatem et innocentiam perdidisse, et neminem de profundo illius ruinae per liberum
arbitrium posse consurgere, nisi eum gratia Dei mise-
rantis erexerit, pronuntiante beatae memoriae INNO-
CENTIO Papa atque dicente in epistola ad Carthaginense
concilium: «Liberum enim arbitrium olim ille perpessus,
dum suis inconsultius utitur bonis, cadens in praevaricationis profunda demersus est, et nihil, quemadmodum
exinde surgere posset, invenit; suaque in aeternum libertate deceptus, huius ruinae iacuisset oppressu, nisi eum
post Christi pro sua gratia relevasset adventus, qui per
novae regenerationis purificationem omne praeteritum
vitium sui baptismatis lavacro purgavit.»

131 Cap. 5. Neminem esse per semetipsum bonum, nisi participationem sui ille donet, qui solus est
bonus. Quod in eisdem scriptis eiusdem pontificis sententia protestatur dicens: «Numquid nos de eorum posthac rectum mentibus aestimemus, qui sibi se putant
debere, quod boni sunt, nec illum considerant, cuius
quotidie gratiam consequuntur, qui sine illo tantum se
assequi posse confidunt?»

132 Cap. 6. Neminem etiam baptismatis gratia reno-
vatum idoneum esse ad superandas diaboli insidias

et ad vincendas carnis concupiscentias, nisi per quotidianum adiutorium Dei perseverantiam bonae conversationis acceperit. Quod eiusdem antistitis in eisdem paginis doctrina confirmat, dicens: «Nam quamvis hominem redemisset a praeteritis ille peccatis, tamen sciens iterum posse peccare, ad reparationem sibi, quemadmodum posset illum et post ista corrigere, multa servavit, quotidiana praestans illi remedia, quibus nisi freti confisique nitamur, nullatenus humanos vincere poterimus errores. Necesse est enim, ut quo auxiliante vincimus, eo iterum non adiuvante vincamur.»

Cap. 7. Quod nemo, nisi per Christum, libero 133 bene utatur arbitrio, idem magister in epistola ad (91) Milevitanum concilium data praedicat dicens: «Adverte tandem, o pravissimarum mentium perversa doctrina, quod primum hominem ita libertas ipsa decepit, ut dum indulgentius frenis eius utitur, in praevaricationem praesumtione conciderit. Nec ex hac potuit erui, nisi ei providentia regenerationis statum pristinae libertatis Christi Domini reformasset adventus.»

Cap. 8. Quod omnia studia et omnia opera ac merita 134 Sanctorum ad Dei gloriam laudemque referenda sint; quia nemo aliunde ei placet, nisi ex eo, quod ipse donaverit. In quam nos sententiam dirigit beatae recordationis papae ZOSIMI regularis auctoritas, cum scribens ad totius orbis episcopos ait: «Nos autem instinctu Dei (omnia enim bona ad auctorem suum referenda sunt, unde nascuntur) ad fratrum et coepiscoporum nostrorum conscientiam universa retulimus.» Hunc autem sermonem sincerissimae veritatis luce radiantem tanto Afri episcopi honore venerati sunt, ut ita ad eundem virum scriberent: «Illud vero, quod in litteris, quas ad universas provincias curasti esse mittendas, posuisti dicens: ,Nos tamen instinctu Dei, etc.', sic accepimus dictum, ut illos, qui contra Dei adiutorium extollunt humani arbitrii libertatem, districto gladio veritatis velut cursim transiens amputares. Quid enim tam libero fecistis arbitrio, quam quod universa in nostrae humilitatis conscientiam retulistis. Et tamen instinctu Dei factum esse fideliter sapienterque vidistis, veraciter fidenterque dixistis. Ideo utique, quia *praeparatur voluntas a Domino* [Prv 8, 35: LXX], et ut boni aliquid agant, paternis inspirationibus suorum ipse tangit corda filiorum. *Quotquot enim Spiritu Dei aguntur, hi filii Dei sunt* [Rom 8, 14]; ut nec nostrum deesse sentiamus arbitrium, et in bonis quibusque voluntatis humanae singulis motibus magis illius valere non dubitemus auxilium.»

135 Cap. 9. Quod ita Deus in cordibus hominum atque (93) in ipso libero operetur arbitrio, ut sancta cogitatio, pium consilium omnisque motus bonae voluntatis ex Deo sit, quia per illum aliquid boni possumus, *sine quo nihil possumus* [Io 15, 5]. Ad hanc enim nos professionem idem doctor ZOSIMUS instituit, qui cum ad totius orbis episcopos de divinae gratiae opitulatione loqueretur: «Quod ergo, ait, tempus intervenit, quo eius non egeamus auxilio? In omnibus igitur actibus, causis, cogitationibus, motibus adiutor et protector orandus est. Superbum est enim, ut quidquam sibi humana natura praesumat, clamante Apostolo: *Non est nobis colluctatio adversus carnem et sanguinem, sed contra principes et potestates aëris huius, contra spiritalia nequitiae in coelestibus* [Eph 6, 12]. Et sicut ipse iterum dicit: *Infelix ego homo, quis me liberabit de corpore mortis huius? Gratia Dei per Iesum Christum Dominum nostrum* [Rom 7, 24 sq]. Et iterum: *Gratia Dei sum id quod sum, et gratia eius in me vacua non fuit; sed plus illis omnibus laboravi: non ego autem, sed gratia Dei mecum* [1 Cor 15, 10].»

136 Cap. 10. Illud etiam, quod intra Carthaginensis synodi (94) decreta constitutum est, quasi proprium Apostolicae Sedis amplectimur, quod scilicet tertio capitulo definitum est: «Ut quicunque dixerit gratiam Dei, qua iustificamur per Iesum Christum Dominum nostrum, ad solam remissionem peccatorum valere, quae iam commissa sunt, non etiam ad adiutorium, ut non committantur, A. S.» [v. n. 103.]

137 Et iterum quarto capitulo: «Ut quisquis dixerit gratiam Dei per Iesum Christum propter hoc tantum nos adiuvare ad non peccandum, quia per ipsam nobis re-

velatur et aperitur intelligentia mandatorum, ut sciamus,
quid appetere et quid vitare debeamus, non autem per
illam nobis praestari, ut quod faciendum cognovimus, etiam facere diligamus atque valeamus, A. S.
Cum enim dicat Apostolus: *Scientia inflat, charitas
vero aedificat* [1 Cor 8, 1]: valde impium est, ut credamus,
ad eam, quae inflat, nos habere gratiam Christi, et
ad eam, quae aedificat, non habere, cum sit utrumque donum Dei, et scire, quid facere debeamus, et
diligere, ut faciamus; ut aedificante charitate, scientia
non possit inflare. Sicut autem de Deo scriptum est:
Qui docet hominem scientiam [Ps 93, 10]: ita scriptum est
etiam: *Charitas ex Deo est* [1 Io 4, 7; v. n. 104].»

Item quinto capitulo: «Ut quisquis dixerit, ideo nobis 138
gratiam iustificationis dari, ut, quod facere per liberum
iubemur arbitrium, facilius possimus implere per gratiam, tanquam et, si gratia non daretur, non quidem
facile, sed tamen possimus etiam sine illa implere divina mandata, A. S. De fructibus enim mandatorum Dominus loquebatur, ubi non ait, *Sine me difficilius potestis facere:* sed ait: *Sine me nihil potestis
facere* [Io 15, 5; v. n. 105].»

Cap. 11. Praeter has autem beatissimae et Aposto- 139
licae Sedis inviolabiles sanctiones, quibus nos piissimi (95)
Patres, pestiferae novitatis elatione deiecta, et bonae
voluntatis exordia et incrementa probabilium studiorum,
et in eis usque in finem perseverantiam ad Christi gratiam referre docuerunt, obsecrationum quoque sacerdo-
talium sacramenta respiciamus, quae ab Apostolis tradita
in toto mundo atque in omni Ecclesia catholica uniformiter celebrantur, ut legem credendi lex statuat supplicandi. Cum enim sanctarum plebium
praesules mandata sibimet legatione fungantur, apud
divinam clementiam humani generis agunt causam, et
tota secum Ecclesia congemiscente, postulant et pre-
cantur, ut infidelibus donetur fides, ut idololatrae ab
impietatis suae liberentur erroribus, ut Iudaeis ablato
cordis velamine lux veritatis appareat, ut haeretici catholicae fidei perceptione resipiscant, ut schismatici spiritum
redivivae charitatis accipiant, ut lapsis poenitentiae re-

media conferantur, ut denique catechumenis ad regenerationis sacramenta perductis coelestis misericordiae aula
reseretur.   Haec autem non perfunctorie neque inaniter
a Domino peti, rerum ipsarum monstrat effectus: quando-
quidem ex omni errorum genere plurimos Deus dignatur
attrahere, quos *erutos de potestate tenebrarum trans-
ferat in regnum Filii charitatis suae* [Col 1, 13], et *ex
vasis irae* faciat *vasa misericordiae* [Rom 9, 22 sq].   Quod
adeo totum divini operis esse sentitur, ut haec
efficienti Deo gratiarum semper actio laudisque confessio
pro illuminatione talium vel correctione referatur.

140   Cap. 12. Illud etiam, quod circa baptizandos in uni-
(96) verso mundo sancta Ecclesia uniformiter agit, non otioso
contemplamur intuitu.   Cum sive parvuli sive iuvenes
ad regenerationis veniunt sacramentum, non prius fontem
vitae adeunt, quam exorcismis et exsufflationibus
clericorum spiritus ab eis immundus abigatur; ut tunc
vere appareat, quomodo *princeps mundi huius mittatur
foras* [Io 12, 31], et quomodo *prius alligetur fortis* [Mt 12, 29],
deinceps et *vasa* eius *diripiantur* [Mc 3, 27], in possessionem
translata victoris, qui *captivam ducit captivitatem* [Eph 4, 8],
et *dat dona hominibus* [Ps 67, 19].

141   His ergo ecclesiasticis regulis et ex divina sumptis
auctoritate documentis, ita adiuvante Domino confirmati
sumus, ut omnium bonorum affectuum atque
operum et omnium studiorum omniumque virtutum,
quibus ab initio fidei ad Deum tenditur, Deum 1791
profiteamur auctorem, et non dubitemus, ab ipsius
gratia omnia hominis merita praeveniri, per quem fit,
ut aliquid boni et *velle* incipiamus et *facere* [Phil 2, 13].
Quo utique auxilio et munere Dei non aufertur
liberum arbitrium, sed liberatur, ut de tenebroso
lucidum, de pravo rectum, de languido sanum, de im-
prudente sit providum.   Tanta enim est erga omnes
homines bonitas Dei, ut nostra velit esse merita, quae
sunt ipsius dona, et pro his, quae largitus est, aeterna
praemia sit donaturus.   Agit quippe in nobis, ut, quod
vult, et velimus et agamus, nec otiosa in nobis esse
patitur, quae exercenda, non negligenda, donavit, ut et
nos cooperatores simus gratiae Dei.   Ac si quid in

nobis ex nostra viderimus remissione languescere, ad
illum sollicite recurramus, *qui sanat omnes languores
nostros et redimit de interitu vitam nostram* [Ps 102, 3 4],
et cui quotidie dicimus: *Ne inducas nos in tentationem,
sed libera nos a malo* [Mt 6, 13].

Cap. 13. Profundiores vero difficilioresque 142
partes incurrentium quaestionum, quas latius pertractarunt, (97)
qui haereticis restiterunt, sicut non audemus contemnere,
ita non necesse habemus adstruere, quia ad confitendum
gratiam Dei, cuius operi ac dignationi nihil penitus sub-
trahendum est, satis sufficere credimus, quidquid secundum praedictas regulas Apostolicae Sedis nos scripta
docuerunt: ut prorsus non opinemur catholicum, quod
apparuerit praefixis sententiis esse contrarium.

S. SIXTUS III 432—440.

S. LEO I M. 440—461.

De Incarnatione [1] (contra Eutychen) [2].

[Ex ep (28) dogmatica «Lectis dilectionis tuae» ad Flavianum Cstplt.
Patriarcham, 13. Iunii 449.]

(2) . . . *v. R n. 2182.*

148   (3) Salva igitur proprietate utriusque naturae 143
et substantiae et in unam coeunte personam, sus- (132)
cepta est a maiestate humilitas, a virtute infirmitas,
ab aeternitate mortalitas, et ad resolvendum conditionis
nostrae debitum natura inviolabilis naturae est unita
passibili: ut, quod nostris remediis congruebat, *unus*
atque idem *mediator Dei et hominum, homo Iesus
Christus* [1 Tim 2, 5] et mori posset ex uno, et mori non
posset ex altero. In integra ergo veri hominis perfectaque natura verus natus est Deus, totus in suis, totus
in nostris . . .

(4) Ingreditur ergo haec mundi infima Filius Dei, 144
de coelesti sede descendens et a paterna gloria non
recedens, novo ordine, nova nativitate generatus. Novo
ordine: quia invisibilis in suis, visibilis factus

---

[1] Hanc epistolam Patres Concilii IV (CHALCED.) susceperunt
clamantes PETRUM per LEONEM locutum esse [Hrd II 305 E].
[2] ML 54, 763 A sqq; Jf 423; Hfl II 356 Nota; Msi V 1371 D sqq;
Hrd II 291 E sqq; BR(T) App. (I) 29 a sq.

est in nostris, incomprehensibilis voluit comprehendi;
ante tempora manens esse coepit ex tempore; universitatis Dominus servilem formam obumbrata maiestatis
suae immensitate suscepit; impassibilis Deus non de-
dignatus est homo esse passibilis et immortalis mortis
legibus subiacere. Nova autem nativitate generatus,
quia inviolata virginitas concupiscentiam nescivit, 91
carnis materiam ministravit. Assumpta est de matre
Domini natura, non culpa; nec in Domino Iesu Christo,
ex utero virginis genito, quia nativitas est mirabilis, ideo
nostri est natura dissimilis. Qui enim verus est Deus,
idem verus est homo, et nullum est in hac unitate
mendacium, dum invicem sunt et humilitas hominis et
altitudo Deitatis. Sicut enim Deus non mutatur miseratione, ita homo non consumitur dignitate. Agit enim
utraque forma cum alterius communione quod proprium
est; Verbo scilicet operante quod Verbi est, et carne
exequente quod carnis est. Unum horum coruscat
miraculis, aliud succumbit iniuriis. Et sicut Verbum ab
aequalitate paternae gloriae non recedit, ita caro naturam
nostri generis non relinquit. [Plura v. R n. 2183 sq 2188.]

144* *De matrimonio ut sacramento [Eph 5, 32] v. R n. 2189; — de creatione*
animae et peccato originali v. R n. 2181.

De confessione secreta [1].

[Ex ep «Magna indign.» ad univ. episc. per Campan. etc , 6. Mart. 459.]

145 (2) Illam etiam contra apostolicam regulam 894
praesumptionem, quam nuper agnovi a quibusdam illicita usurpatione committi, modis omnibus constituo sub-
moveri. De poenitentia scilicet, quae a fidelibus postu-
latur, ne de singulorum peccatorum genere libello scripta
professio publice recitetur, cum reatus conscientiarum
sufficiat solis sacerdotibus indicari confessione
secreta. Quamvis enim plenitudo fidei videatur esse
laudabilis, quae propter Dei timorem apud homines
erubescere non veretur, tamen quia non omnium huiusmodi sunt peccata, ut ea, qui poenitentiam poscunt,
non timeant publicare, removeatur tam improbabilis consuetudo. . . . Sufficit enim illa confessio, quae primum

---

[1] ML 54, 1210 C sq; Jf 545; Msi VI 410 C sq; BR(T) I 80a.

Deo offertur, tum etiam sacerdoti, qui pro delictis poenitentium precator accedit. Tunc enim demum plures
ad poenitentiam poterunt provocari, si populi auribus
non publicetur conscientia confitentis.

De sacramento Poenitentiae [1].

[Ex ep. (108) «Sollicitudinis quidem tuae» ad Theodorum Episc.
Foroiuliensem, 11. Iunii 452.]

(2) Multiplex misericordia Dei ita lapsibus subvenit hu- 146
manis, ut non solum per baptismi gratiam, sed etiam per
poenitentiae medicinam spes vitae repararetur aeternae,
ut qui regenerationis dona violassent, proprio se iudicio
condemnantes, ad remissionem criminum pervenirent:
sic divinae bonitatis praesidiis ordinatis, ut indulgentia
Dei nisi supplicationibus sacerdotum nequeat
obtineri. «*Mediator* enim *Dei et hominum, homo
Christus Iesus*» [1 Tim 2, 5] hanc praepositis Ecclesiae tradidit potestatem, ut et confitentibus actionem poenitentiae darent, et eosdem salubri satisfactione purgatos
ad communionem sacramentorum per ianuam reconciliationis admitterent. . . .

(5) Oportet unumquemque Christianum conscientiae suae habere 147
iudicium, ne converti ad Deum de die in diem differat, et illius
temporis angustias eligat, quo vix inveniat spatium vel confessio poenitentis vel reconciliatio sacerdotis. Verum, ut dixi, etiam talium necessi-
tati ita auxiliandum est, ut et actio illis poenitentiae et communionis
gratia, si eam etiam amisso vocis officio per indicia integri
sensus postulant, non negetur. At si aliqua vi aegritudinis ita fuerint
aggravati, ut, quod paulo ante poscebant, sub praesentia sacerdotis
significare non valeant, testimonia eis fidelium circumstantium prodesse
debebunt, ut simul et poenitentiae et reconciliationis beneficium con-
sequantur; servata tamen regula canonum paternorum circa eorum
personas, qui in Deum a fide discedendo peccaverunt.

Conc. CHALCEDONENSE 451.

Oecumenicum IV (contra Monophysitas).

Definitio de duabus naturis Christi [2].

2
13
16
18
20
Ἑπόμενοι τοίνυν τοῖς | [Versio Rustici.] Sequentes 148
ἁγίοις πατράσιν, ἕνα καὶ τὸν | igitur sanctos Patres, unum [(134)]

---

[1] ML 54, 1011 B sqq.; Jf 485; Msi VI 209 A sq.; BR(T) App. I 102 b sqq.
[2] Msi VII 115 B sq.; coll. Hfl II 471 sq.; Hrd II 455 B sq.; cf. Bar(Th)
ad 451 n. 32 sqq (8, 104 sqq).

Denzinger, Enchiridion.   5

αὐτὸν ὁμολογεῖν υἱὸν τὸν
κύριον ἡμῶν Ἰησοῦν Χρι-
στὸν συμφώνως ἅπαντες
ἐκδιδάσκομεν, τέλειον τὸν
αὐτὸν ἐν θεότητι, καὶ τέ-
λειον τὸν αὐτὸν ἐν ἀν-
θρωπότητι, Θεὸν ἀληθῶς,
καὶ ἄνθρωπον ἀληθῶς τὸν
αὐτὸν ἐκ ψυχῆς λογικῆς καὶ
σώματος, ὁμοούσιον τῷ πα-
τρὶ κατὰ τὴν θεότητα, καὶ
ὁμοούσιον ἡμῖν τὸν αὐτὸν
κατὰ τὴν ἀνθρωπότητα, κατὰ
πάντα ὅμοιον ἡμῖν χωρὶς
ἁμαρτίας· πρὸ αἰώνων μὲν
ἐκ τοῦ πατρὸς γεννηθέντα
κατὰ τὴν θεότητα, ἐπ᾽ ἐσ-
χάτων δὲ τῶν ἡμερῶν τὸν
αὐτὸν δι᾽ ἡμᾶς καὶ διὰ τὴν
ἡμετέραν σωτηρίαν ἐκ Μα-
ρίας τῆς παρθένου τῆς θεοτόκου κατὰ τὴν ἀνθρωπό-
τητα· ἕνα καὶ τὸν αὐτὸν Χριστὸν υἱὸν κύριον μονογενῆ
ἐν δύο φύσεσιν¹ ἀσυγχύ-
τως, ἀτρέπτως, ἀδιαιρέτως,
ἀχωρίστως γνωριζόμενον,
οὐδαμοῦ τῆς τῶν φύσεων
διαφορᾶς ἀνῃρημένης διὰ τὴν
ἕνωσιν, σωζομένης δὲ
μᾶλλον τῆς ἰδιότητος
ἑκατέρας φύσεως, καὶ
εἰς ἓν πρόσωπον καὶ μίαν
ὑπόστασιν συντρεχούσης,
οὐκ εἰς δύο πρόσωπα μερι-
ζόμενον ἢ διαιρούμενον, ἀλλ᾽

eundemque confiteri Filium ⁴⁰
₄₉
et dominum nostrum Iesum ₅₂
Christum consonanter om- ⁵⁴
₆₂
nes docemus, eundemque ⁸⁶
₁₁₄
perfectum in deitate, ₁₄₃
et eundem perfectum in ¹⁶⁸
₂₀₁
humanitate, Deum verum ²⁰⁴
₂₁₄
et hominem verum, eundem ₂₃₃
ex anima rationali et cor- ²⁴⁸
₂₅₀
pore, consubstantialem Pa- ₂₅₁
₂₅₃
tri secundum deitatem, con- ₂₇₆
substantialem nobis eun- ²⁸²
₂₈₈
dem secundum humanita- ₂₈₉
₂₉₅
tem, *per omnia nobis simi-* ₂₉₉
lem absque peccato [cf. Hebr ³⁰⁷
₃₀₉
4, 15]; ante saecula quidem ³¹¹
₃₂₇
de Patre genitum secundum ₃₇₁
deitatem, in novissimis au- ³⁹²
₃₉₃
tem diebus eundem propter ⁴²²
₄₂₉
nos et propter nostram salu- ₄₆₂
tem ex Maria virgine Dei ⁴⁸⁰
₄₉₄
genitrice secundum humani- ₅₁₁
tatem: unum eundemque ⁷⁰⁸
₉₉₃
Christum Filium Dominum ⁹⁹⁴
₁₆₅₅
unigenitum, in duabus ²⁰²⁷
₂₀₆₄
naturis inconfuse, im- ₃₀₀₇
mutabiliter, indivise, inseparabiliter agnoscendum, nusquam sublata differentia naturarum propter unitionem
magisque salva proprie-
tate utriusque naturae,
et in unam personam at-
que subsistentiam concur-
rente, non in duas personas
partitum aut divisum, sed

---

¹ Ita legendum est, non autem ἐκ δύο φύσεων, ut textus Graecus
hodiernus habet, quod optime ostendunt Petavius l. 3 de Inc., c. 6
n. 11 et Hfl II 470 nota 1.

ἕνα καὶ τὸν αὐτὸν υἱὸν μονογενῆ Θεὸν λόγον, κύριον
Ἰησοῦν Χριστόν, καθάπερ
ἄνωθεν οἱ προφῆται περὶ
αὐτοῦ καὶ αὐτὸς ἡμᾶς ὁ κύριος Ἰησοῦς Χριστὸς ἐξεπαίδευσε, καὶ τὸ τῶν πατέρων
ἡμῶν παραδέδωκε σύμβολον.

Τούτων τοίνυν μετὰ πάσης
πανταχόθεν ἀκριβείας τε καὶ
ἐμμελείας παρ' ἡμῶν δια-
τυπωθέντων, ὥρισεν ἡ ἁγία
καὶ οἰκουμενικὴ σύνοδος,
ἑτέραν πίστιν μηδενὶ
ἐξεῖναι προφέρειν, ἢ γοῦν
συγγράφειν ἢ συντιθέναι ἢ
φρονεῖν ἢ διδάσκειν ἑτέρους.

unum eundemque Filium
et unigenitum Deum Ver-
bum Dominum Iesum Chri-
stum: sicut ante Prophetae
de eo et ipse nos Iesus
Christus (Dominus) erudivit,
et Patrum nobis symbolum
tradidit.

His igitur cum omni undi-
que exacta cura et diligentia a nobis dispositis, definivit sancta et universalis
Synodus, alteram fidem
nulli licere proferre
aut conscribere vel com-
ponere aut sentire aut alios
docere.

De primatu Romani Pontificis [1].

[Ex ep. Synodi «Repletum est gaudio» ad LEONEM Papam,
initio Nov. 451.]

1826 Εἰ γὰρ ὅπου εἰσὶ δύο ἢ
τρεῖς συνηγμένοι εἰς τὸ αὐτοῦ ὄνομα, ἐκεῖ ἔφη εἶναι
ἐν μέσῳ αὐτῶν· πόσην περὶ
πεντακοσίους εἴκοσιν ἱερέας
τὴν οἰκείωσιν ἐπεδείκνυτο,
οἳ καὶ πατρίδος καὶ πόνου
τῆς εἰς αὐτὸν ὁμολογίας τὴν
γνῶσιν προέθηκαν· ὧν σὺ
μέν, ὡς κεφαλὴ μελῶν, ἡγε-
μόνευες ἐν τοῖς τὴν σύνταξιν
ἐπέχουσιν, τὴν εὔνοιαν ἐπι-
δεικνύμενος.

[Versio antiquior.] Si enim 149
*ubi sunt duo aut tres con-
gregati in nomine ipsius, ibi
ait se esse in medio eorum*
[cf. Mt 18, 20]; quantam circa
quingentos viginti sacerdotes familiaritatem monstra-
bit, qui et patriae et labori
circa eum scientiam confessionis praeposuerunt, quibus
tu tanquam caput membris
praepositus eras per eos qui
tuam continent vicem, rectum consilium demonstrans?

Ipsius S. LEONIS I dicta de primatu Romani Pontificis v. K n. 891—901. 149*

---

[1] ML 54, 952 B (textus Graec.) 959 C (textus Lat.); cf. Hrd II 655 sq;
Msi VI 147 sqq 155; Hfl II 545 sqq.

De ordinationibus clericorum [1].

[Ex «Statutis Ecclesiae antiquis» sive «Statutis antiquis Orientis».]

150   Can. 2 (90). Episcopus cum ordinatur, duo episcopi
(50)   (ex-)ponant et teneant Evangeliorum codicem super caput
eius, et uno super eum fundente benedictionem reliqui
omnes episcopi, qui adsunt, manibus suis caput eius
tangant.

151   Can. 3 (91). Presbyter cum ordinatur, episcopo bene-
dicente et manus super caput eius tenente, etiam omnes
presbyteri, qui praesentes sunt, manus suas iuxta manus
episcopi super caput illius teneant.

152   Can. 4 (92). Diaconus cum ordinatur, solus episcopus, qui eum benedicit, manus suas super caput eius
ponat: quia non ad sacerdotium, sed ad ministerium
consecratur.

153   Can. 5 (93). Subdiaconus cum ordinatur, quia manus
impositionem non accipit, patenam de manu episcopi
accipiat vacuam, et vacuum calicem. De manu vero
archidiaconi accipiat urceolum cum aqua et manile, et
manutergium.

154   Can. 6 (94). Acolythus cum ordinatur, ab episcopo
quidem doceatur, qualiter se in officio suo agere debeat:
ab archidiacono accipiat cereoforaleum cum cereis, ut
sciat se ad accendenda ecclesiae luminaria mancipandum.
Accipiat et urceolum vacuum ad suggerendum vinum
in eucharistia sanguinis Christi.

155   Can. 7 (95). Exorcista cum ordinatur, accipiat de
(55)   manu episcopi libellum, in quo scripti sunt exorcismi,
dicente sibi episcopo: *Accipe et commenda memoriae,
et habeto potestatem imponendi manum super energu-
menum sive baptizatum sive catechumenum.*

---

[1] ML 56, 887 C sq (Ball. Append. Opp. Leon. I); Msi III 951 A sq
(Hrd I 979). — Hi canones olim falso adscribebantur Concilio cuidam
CARTHAGINENSI IV (398), quod nunquam habitum esse nunc pro
certo habetur. Orti esse videntur post coeptas Pelagianorum et Monophy-
sitarum haereses, sed ante finem saeculi sexti. Quidam illorum auctorem
habent Caesarium Episc. Arelatensem (502—542). Revera citantur
tanquam «Instituta seniorum» in actis Concilii Arelatensis II,
quod sub finem quinti vel initio sexti saeculi habitum est. [Cf. Hfl II
68 sqq; Maassen, Geschichte der Quellen und der Litteratur des cano-
nischen Rechts I 382 sqq.]

Can. 8 (96). Lector cum ordinatur, faciat de illo 156
verbum episcopus ad plebem, indicans eius fidem ac
vitam atque ingenium. Post haec spectante plebe tradat
ei codicem, de quo lecturus est, dicens ad eum: *Accipe
et esto verbi Dei relator, habiturus, fideliter et utiliter
si impleveris officium, partem cum his, qui verbum Dei
ministraverunt.*

Can. 9 (97). Ostiarius cum ordinatur, postquam ab 157
archidiacono instructus fuerit, qualiter in domo Dei debeat conversari, ad suggestionem archidiaconi tradat ei
episcopus claves ecclesiae de altario, dicens: *Sic age,
quasi redditurus Deo rationem pro his rebus, quae istis
clavibus recluduntur.*

Can. 10 (98). Psalmista, id est cantor, potest absque 158
scientia episcopi, sola iussione presbyteri, officium suscipere cantandi, dicente sibi presbytero: *Vide ut quod
ore cantas, corde credas: et quod corde credis, operibus comprobes.*

[Sequuntur ordinationes pro consecrandis virginibus, viduis;   158*
can. 101 de matrimonio v. K n. 952.]

S. HILARUS 461—468.

S. SIMPLICIUS 468—483.

De servanda fide tradita [1].

[Ex ep. «Quantum presbyterorum» ad Acacium Episc. Constplt.,
9. Ian. 476.]

125   (2) Quia sanctae memoriae praedecessorum no- 159
164
173 strorum exstante doctrina, contra quam ne-
270
308 fas est disputare, quisquis recte sapere videtur novis
336 assertionibus non indiget edoceri, sed plana atque per-
349
442 fecta sunt omnia, quibus potest vel deceptus ab hae-
786 reticis erudiri, vel in vinea Domini plantandus institui;
1792
implorata fide clementissimi principis vocem faciendae
synodi fac respui. . . . (3) Hortor (ergo), frater carissime,
ut modis omnibus faciendae synodi perversorum conatibus
resistatur, quae non alias semper indicta est, nisi cum

---

[1] Th 178 sq; Jf 572; ML 58, 41 B sq; Msi VII 977 D sq; BR(T)
App. I 207 b sq.

aliquid in pravis sensibus novum aut in assertione dogmatum emersit ambiguum: ut in commune tractantibus,
si quae esset obscuritas, sacerdotalis delibera-
tionis illuminaret auctoritas; sicut primum Arii
ac deinde Nestorii, postremum Dioscori atque Euty-
chetis fieri coegit impietas. Et — quod misericordia
Christi Dei nostri Salvatoris avertat — intimandum est,
abominabile, contra sententias totius orbis Domini sacerdotum et principum utriusque [scl. orbis] rectorum damnatos restituere. . . .

De immutabilitate doctrinae christianae [1].

[Ex ep. «Cuperem quidem» ad Basiliscum August., 10. Ian 476.]

160   (5) . . . Quae de Scripturarum fonte purissimo sincera 1832
perspicuaque manarunt, nullis agitari nebulosae versutiae poterunt argumentis. Perstat enim in successoribus suis haec et eadem apostolicae norma
doctrinae, cui Dominus curam totius ovilis iniunxit
[Io 21, 15 sqq], cui se usque in finem saeculi minime
defuturum, cui portas inferi nunquam praevalituras esse
promisit, cuius sententia quae ligarentur in terris,
solvi testatus est non posse nec in coelo [Mt 16, 18 sqq].
(6) . . . *Quisquis aliud,* sicut praedixit Apostolus, *praeterquam quod accepimus, seminare molitur, anathema sit*
[Gal 1, 8 sq].   Nullus ad aures vestras perniciosis mentibus
subripiendi pandatur accessus, nulla retractandi quidpiam
de veteribus constitutionibus fiducia concedatur: quia,
sicut saepius iterandum est, quod apostolicis manibus cum
Ecclesiae universalis assensu acie meruit evangelicae falcis
abscidi, vigorem sumere non potest renascendi, nec in dominicae vitis fructivam valet redire propaginem, quod igni
deputatum constat aeterno. Sic haeresum denique ma-
chinamenta cunctarum ecclesiasticis prostrata decretis nunquam sinuntur oppugnationis elisae reparare certamina. . . .

Conc. *ARELATENSE a. 475 (?) de gratia et prae-*
destinatione v. App. n. 3026.

FELIX II (III) 483—492.

---

[1] Th 182; Jf 573; ML 58, 40 A; Msi VII 975 A; BR(T) App. I 210 b sq.

S. GELASIUS I 492—496.

De erroribus semel damnatis non rursus tractandis [1].

[Ex ep. «Licet inter varias» ad Honorium Episc. Dalmatiae,
28. Iulii 493(?).]

1821 (1) . . . Nuntiatum nobis est (enim), in regionibus 161
Dalmatiarum quosdam recidiva Pelagianae pestis zizania
seminasse, tantumque illic eorum praevalere blasphemiam,
ut simplices quosque mortiferi furoris insinuatione decipiant. . . . [Sed] praestante Domino adest fidei catholicae pura veritas concordibus universorum Patrum deprompta sententiis. . . . (2) . . . Numquidnam licet nobis
a venerandis Patribus damnata dissolvere, et ab
illis excisa nefaria dogmata retractare? Quid
est ergo, quod magnopere praecavemus, ne cuiuslibet
haeresis semel deiecta pernicies ad examen denuo venire
contendat, si quae antiquitus a nostris maioribus cognita,
discussa, refutata sunt, restauranda nitamur? Nonne ipsi
nos, quod absit, et quod nunquam patietur Ecclesia,
adversariis veritatis universis contra nos resurgendi pro-
ponimus exemplum? Ubi est, quod scriptum est: *Ter-*
minos patrum tuorum non transgredieris [Prv 22, 28] et:
Interroga patres tuos et annuntiabunt tibi, et seniores
tuos et dicent tibi [Dt 32, 7]? Quid ergo tendimus ultra
definita maiorum, aut cur nobis non suffici[un]t? Si
quid ignorantes discere cupiamus, qualiter ab orthodoxis
patribus et senioribus singula quaeque vel vitanda praecepta sunt, vel aptanda catholicae veritati, cur non his
probantur esse decreta? Numquid aut sapientiores illis
sumus, aut poterimus firma stabilitate constare, si ea
quae ab illis constituta sunt, subruamus? . . .

De canone s. Scripturae [2].

[Ex ep. 42 seu «Decretali de recipiendis et non recipiendis libris», a. 495.]

788 *Praemitti solet in quibusdam Cdd. Decreto GELASII* 162
proprio enumeratio librorum canonicorum similis illi,

---

[1] Th 321 sq; Jf 625 c. Add.; ML 59, 31 A; Msi VIII 20 E sq; BR(T)
App. I 277b sq.
[2] ML 59, 157 A; Jf 700 c. Add.; cf. Th 44 sqq; Z II 261 sqq.
— Primam partem huius celeberrimi «Decreti Gelasiani», quam cum

quam sub DAMASO posuimus [n. 84]. *Tamen inter alia hoc loco iam non legitur:* Ioannis Apostoli epistola una, alterius Ioannis presbyteri epistolae duae, *sed:* Ioannis Apostoli epistolae tres [cf. n. 84 92 96].

Deinde sequitur:

De primatu Rom. Pont. et Sedibus Patriarchalibus [1].

[Ex eadem epistola seu «Decretali», a. 495.]

163 (1) Post (has omnes) propheticas et evangelicas atque 1826
(140) apostolicas (quas superius deprompsimus) scripturas, quibus Ecclesia catholica per gratiam Dei fundata est, etiam illud intimandum putavimus, quod, quamvis universae per orbem catholicae diffusae Ecclesiae unus thalamus Christi sit, sancta tamen Romana Ecclesia nullis synodicis constitutis ceteris ecclesiis praelata est, sed evangelica voce Domini et Salvatoris primatum obtinuit: *Tu es Petrus,* inquiens, *et super hanc petram aedificabo Ecclesiam meam, et portae inferi non praevalebunt adversus eam, et tibi dabo claves regni coelorum, et quaecunque ligaveris super terram, erunt ligata et in coelo, et quaecunque solveris super terram, erunt soluta et in coelis* [Mt 16, 18 sq]. Addita est etiam societas beatissimi Pauli Apostoli, vasis electionis, qui non diverso, sicut haeretici garriunt, sed uno tempore, uno eodemque die gloriosa morte cum Petro in urbe Roma sub Caesare Nerone agonizans coronatus est; et pariter supradictam sanctam Romanam Ecclesiam Christo Domino consecrarunt aliisque omnibus urbibus in universo mundo sua praesentia atque venerando triumpho praetulerunt.

Est ergo prima PETRI Apostoli sedes, Ro- 436
mana Ecclesia, *non habens maculam, neque rugam, nec aliquid huiusmodi* [Eph 5, 27]. Secunda autem sedes apud Alexandriam beati PETRI nomine a Marco eius

---

Thiel et aliis DAMASO attribuimus, v. n. 83 sq. Postea vero idem Decretum cum paucis additamentis pro temporis ratione necessariis instauratum est ab HORMISDA [n. 173 sqq] (Th 49).

[1] Th 454 sqq; ML 59, 159 B sq; Msi VIII 147 B sqq; BR(T) I 122 sqq. — Sunt, qui etiam hanc partem «Decreti Gelasiani» DAMASO attribui velint [n. 83 sqq; cf. Bar(Th) ad 382 n. 19 (5, 492 b)].

discipulo et evangelista consecrata est. . . . Tertia vero
sedes apud Antiochiam eiusdem beatissimi PETRI Apostoli habetur honorabilis. . . .

De auctoritate Conciliorum et Patrum[1].

[Ex eadem epistola seu «Decretali».]

159 (2) Et quamvis *aliud fundamentum nullus possit* 164
*ponere praeter id, quod positum est, qui est Christus
Iesus* [cf. 1 Cor 3, 11], tamen ad aedificationem sancta id
est Romana Ecclesia post illas Veteris vel Novi Testamenti, quas regulariter suscipimus, etiam has suscipi non
prohibet scripturas, id est: Sanctam Synodum N i c a e -
n a m . . . E p h e s i n a m . . . C h a l c e d o n e n s e m. . . .

(3) Item opuscula beati Caecilii Cypriani . . . [*et eodem* 165
modo allegantur opuscula Gregorii Naz., Basilii, Athanasii, Ioannis (Chrys.),
Theophili, Cyrilli Al., Hilarii, Ambrosii, Augustini, Hieronymi, Prosperi].
Item epistolam beati LEONIS Papae ad Flavianum
[dogmaticam, v. n. 143 sq] . . .; de cuius textu quispiam si usque ad unum iota disputaverit, et non eam in omnibus
venerabiliter receperit, A. S.

Item opuscula atque tractatus omnium orthodoxorum
P a t r u m, qui in nullo a sanctae Ecclesiae Romanae
consortio deviarunt . . . legendos decernit.

Item d e c r e t a l e s epistolas, quas beatissimi Papae . . .
dederunt, venerabiliter suscipiendas esse.

Item g e s t a s a n c t o r u m m a r t y r u m . . . [quae] singulari cautela, . . . quia et eorum, qui conscripsere,
nomina penitus ignorantur . . . ne vel levis subsannandi
oriretur occasio, in sancta Romana Ecclesia non leguntur.
Nos tamen cum praedicta ecclesia et omnes martyres
et eorum gloriosos agones, qui Deo magis, quam hominibus noti sunt, omni devotione veneramur.

Item v i t a s Patrum, Pauli, Antonii, Hilarionis et
omnium eremitarum, quas tamen vir beatissimus Hieronymus descripsit, cum omni honore suscipimus.

[Enumerantur denique et laudantur plura alia scripta, cum addito tamen:]
Sed . . . beati Pauli Apostoli praecedat sententia: «*Omnia . . . probate, quod bonum est, tenete*» [1 Thess 5, 21].

---

[1] Th 456 sqq; ML 59, 159 sqq.

Cetera, quae ab haereticis sive schismaticis conscripta
vel praedicata sunt, nullatenus recipit catholica et apostolica Romana Ecclesia. E quibus pauca . . . credimus
esse subdenda.

De apocryphis «qui non recipiuntur»[1].

[Ex eadem epistola seu «Decretali».]

166   (4) *[Post longam apocryphorum seriem exhibitam sic concluditur De-* 783
cretum Gelasianum:] Haec et his similia, quae . . . omnes
haeresiarchae eorumque discipuli sive schismatici
docuerunt vel conscripserunt, . . . non solum repudiata, verum etiam ab omni Romana catholica et
apostolica Ecclesia eliminata atque cum suis auctoribus
auctorumque sequacibus sub anathematis insolubili vinculo in aeternum confitemur esse damnata.

De remissione peccatorum[2].

[Ex GELASII Tomo «Ne forte» de anathematis vinculo, ca. 495.]

167   (5) Dixit Dominus, quod *in Spiritum Sanctum pec-* 894
cantibus nec hic esset nec in futuro saeculo remittendum
[Mt 12,32]. Quantos autem cognoscimus in Spiritum Sanctum delinquentes, sicut haereticos diversos . . . ad fidem
catholicam revertentes, et hic remissionem suae per-
cepisse blasphemiae, et in futurum spem sumpsisse indulgentiae consequendae? Nec ideo non vera est Domini sententia, aut putabitur esse ullatenus resoluta, cum
circa tales, si hoc esse permaneant, nunquam omnino
solvenda persistat, effectis autem non talibus non irrogata.
Sicut etiam est consequenter et illud beati Ioannis Apostoli: *Est peccatum ad mortem: non dico, ut oretur pro*
eo; et est peccatum non ad mortem: dico, ut oretur pro
eo [1 Io 5, 16 17]. Est peccatum ad mortem in eodem
peccato manentibus; est peccatum non ad mortem ab eodem peccato recedentibus. Nullum est
quippe peccatum, pro quo aut non oret Ecclesia re-

---

[1] Th 469 sqq. — Habes hic primum quasi *«Indicem librorum pro-*
hibitorum».

[2] Th 562; Jf 701; ML 59, 105 A; Msi VIII 90 C sq.

mittendo, aut quod, data sibi divinitus potestate, de-
sistentibus ab eodem non possit absolvere, vel poenitentibus relaxare, cui dicitur: *Quaecunque dimiseritis
super terram* . . . [cf. Io 20, 23]; «*quaecunque solveritis super
terram, erunt soluta et in coelo*» [Mt 18, 18].   In *quibuscunque* o m n i a sunt, quantacunque sint, et qualiacunque
sint, veraci nihilominus eorum manente sententia, qua
nunquam solvendus esse denuntiatur in eorum tenore
consistens, non etiam ab hoc eodem post recedens.

De duabus naturis Christi [1].

[Ex GELASII Tomo «Necessarium» de duab. nat. in Chr., (492—)496.]

148   (3) Cum, inquam, haec de Domini nostri conceptione, 168
quae licet nullatenus valeat explicari, pie tamen hac
confessione credenda sit, *Eutychiani* dicunt unam esse
naturam i. e. divinam, ac *Nestorius* nihilominus memorat
singularem i. e. humanam: si c o n t r a E u t y c h i a n o s
duae a nobis asserendae sunt, quia unam depromunt,
consequens est, ut etiam_ c o n t r a N e s t o r i u m unam
dicentem non unam, sed duas potius ab exordio sui
unitas exstitisse procul dubio praedicemus: contra *Eutychen,* qui unam i. e. solam divinam conatur asserere,
humanam competenter addentes, ut duas, ex quibus
illud sacramentum singulare constat, illic permanere
monstremus; contra *Nestorium* vero, qui similiter unam
dicit i. e. humanam, divinam nihilominus subrogantes:
ut pari modo duas contra eius *unam* in huius mysterii
plenitudine primordialibus suae unitionis effectibus exstitisse veraci finitione teneamus, atque utrosque diverso
modo *singulas* garrientes, non eorum quemquam de
una tantummodo, sed ambos de duarum naturarum,
humanae scl. et divinae, a sui principio sine confusione
qualibet atque defectu unita proprietate permanente
vincamus.

(4) Quamvis enim unus atque idem sit Dominus Ie-
sus Christus, et t o t u s D e u s h o m o et t o t u s h o m o
D e u s, et quidquid est humanitatis, Deus homo suum

---

[1] Th 532 sq; Jf 670.

faciat, et quidquid est Dei, homo Deus habeat: tamen
ut hoc permaneat sacramentum nec possit ex aliqua
parte dissolvi, sic totus homo permanet esse
quod Deus est, [ut?] totus Deus permaneat esse,
quidquid homo est. . . .[1]

S. ANASTASIUS II 496—498.

De ordinationibus schismaticorum[2].

[Ex ep. (1) «Exordium Pontificatus mei» ad Anastasium Augustum, 496.]

169 (7) Secundum Ecclesiae catholicae consuetudinem 957
sacratissimum serenitatis tuae pectus agnoscat, quod
nullum de his, vel quos baptizavit Acacius *[episcopus schism.]*,
vel quos Sacerdotes sive Levitas secundum canones
ordinavit, ulla eos ex nomine Acacii portio laesionis
attingat, quo forsitan per iniquum tradita sacramenti
gratia minus firma videatur. . . . Nam si visibilis solis
istius radii, cum per loca foetidissima transeunt, nulla
contactus inquinatione maculantur, multo magis illius,
qui istum visibilem fecit, virtus nulla ministri indignitate constringitur. . . .

(8) Ideo ergo et hic . . . male bona ministrando
sibi tantum nocuit. Nam inviolabile sacramentum,
quod per illum datum est, aliis perfectionem suae virtutis obtinuit.

De origine animarum et peccato originali[3].

[Ex ep. «Bonum atque iucundum» ad episcopos Galliae, 23. Aug. 498.]

170 (1) . . . *[Putant haeretici quidam in Gallia]* hoc rationabili se 480
assertione suadere, quod humano generi parentes, ut ex
materiali faece tradunt corpora, ita etiam vitalis
animae spiritum tribuant. . . . Quomodo (ergo)
contra divinam sententiam carnali nimis intellectu animam ad Dei imaginem factam putant hominum per-
mixtione diffundi atque insinuari, cum ab illo, qui ab

---

[1] Totum tractatum vide apud Thiel, qui deinde multa subnectit
«Testimonia veterum de duab. nat. in Christo» p. 544 sqq.
[2] Th 620 sq; Jf 744 c. Add.; Msi VIII 190 E sq; CIC Decr. I, 19, 8:
Frdbg I 63; Rcht I 56.
[3] Th 634 sqq; Jf 751 c. Add.; BR(T) App. I 342 b sqq.

initio hoc fecit, actio ipsa hodieque non desinat, sicut ipse dixit: *Pater meus adhuc operatur, et ego operor* [cf. Io 5, 17]? Cum et illud debeant intelligere quod scriptum est: «*Qui vivit in aeternum, creavit omnia simul*» [Eccli 18, 1]. Si igitur, antequam Scriptura per species singulas in singulis quibusque creaturis ordinem rationemque disponeret, potentialiter, quod negari non potest, et causaliter in opere pertinente ad creanda omnia simul, a quibus consummatis in die septimo requievit, nunc autem visibiliter in opere pertinente ad temporum cursum usque nunc operatur: sanae igitur doctrinae acquiescant, quod ille indat animas, qui *vocat ea quae non sunt, tanquam sint* [cf. Rom 4, 17].

787   (4) ... Qua putant fortasse pie ac bene se dicere, ut animas merito dicant a parentibus tradi, cum sint peccatis implicitae, hac ab ipsis sapienti debent separatione discerni: quod ab illis nihil aliud potest tradi, quam quod ab ipsorum mala praesumptione commissum est, id est, culpa poenaque peccati, quam per traducem [1] secuta progenies evidenter ostendit, ut pravi homines distortique nascantur. In quo solo utique Deus nullam communionem habere perspicue cernitur, qui ne in hanc necessitatem calamitatis inciderent, genito mortis terrore prohibuit atque praedixit. Itaque per traducem quod a parentibus traditur evidenter apparet, et quid ab initio usque ad finem vel operatus sit Deus vel operetur ostenditur.

S. SYMMACHUS 498—514.

S. HORMISDAS 514—523.

De infallibilitate Romani Pontificis [2].

[«Libellus professionis fidei» additus epistolae «Inter ea quae» ad episcopos Hispaniae, 2. Apr. 517.]

1832   Prima salus est rectae fidei regulam custodire et a 171 constitutis Patrum nullatenus deviare. Et quia non [141]

---

[1] Patet huius vocis suppositionem hic aliam esse atque illam qua «Traducianistae» eam usurpant.

[2] Th 795 sq; Jf 788; ML 63, 460 A; Msi VIII 467 E sq; BR(T) App. I 393 b sq. — Haec fidei regula episcopis, qui Acacii schismatis

potest Domini nostri Iesu Christi praetermitti sententia
dicentis: «*Tu es Petrus et super hanc petram aedificabo
ecclesiam meam*» etc. [Mt 16, 18]. Haec, quae dicta sunt,
rerum probantur effectibus, quia i n S e d e A p o s t o l i c a
c i t r a m a c u l a m s e m p e r e s t c a t h o l i c a s e r v a t a
r e l i g i o. De qua spe et fide minime separari cupientes
et Patrum sequentes constituta, anathematizamus omnes
haereses, praecipue Nestorium haereticum, qui quondam
Constantinopolitanae fuit urbis episcopus, damnatum in
Concilio EPHESINO a beato COELESTINO Papa urbis
Romae et ab venerabili viro Cyrillo Alexandrinae civitatis antistite. Similiter anathematizantes et Eutychen
et Dioscorum Alexandrinum in sancta Synodo, quam
sequimur et amplectimur, CHALCEDONENSI damnatos,
quae secuta s. Concilium NICAENUM fidem apostolicam
praedicavit, detestamur et Timotheum parricidam, Aelurum
cognomento, discipulum quoque ipsius et sequacem in
omnibus Petrum Alexandrinum. Condemnamus etiam
et anathematizamus Acacium Constantinopolitanum quondam episcopum ab Apostolica Sede damnatum, eorum
complicem et sequacem, vel qui in eorum communionis
societate permanserint: quia Acacius quorum se com-
munioni miscuit, ipsorum similem iure meruit in damnatione sententiam. Petrum nihilominus Antiochenum
damnamus cum sequacibus suis et omnium suprascrip-
torum.

172   Suscipimus autem et probamus epistolas beati LEONIS
Papae universas, quas de Christiana religione conscripsit,
sicut praediximus, sequentes in omnibus Apostolicam
Sedem, et praedicantes eius omnia constituta. Et ideo
spero, ut in una communione vobiscum, quam S e d e s
A p o s t o l i c a praedicat, esse merear, in q u a e s t i n-

---

participes fuerant, proposita, ab omnibus Orientis episcopis, ab imperatore Iustiniano, patriarchisque Constantinopolitanis Epiphanio, Ioanne
et Menna, denique in VIII Synodo oecumenica (CONSTPLT. IV)
act. 1 a Patribus Graecis et Latinis subscripta est [cf. n. 1833 et Bar(Th)
ad 869 n. 19 (15, 153 a sq)]. «Libellus» iste sub iisdem fere verbis
occurrit in variis epistolis illius aetatis. Formula supra posita ea est,
quam HORMISDAS episcopis Hispaniae proposuit pro recipiendis in
communionem Ecclesiae clericis orientalibus. Fere concordat cum ea,
quam Ioannes Patriarcha Constplt. HORMISDAE transmisit subscriptam. [CSEL 35, 608 sqq; cf. ib. 338 340 520 800].

tegra et verax Christianae religionis et perfecta
soliditas: promittens in sequenti tempore sequestratos
a communione Ecclesiae catholicae, id est non consen-
tientes Sedi Apostolicae, eorum nomina inter sacra non
recitanda esse mysteria. Quodsi in aliquo a professione
mea deviare tentavero, his, quos damnavi, complicem me
mea sententia esse profiteor. Hanc autem professionem
meam ego manu mea subscripsi, et tibi HORMISDAE
sancto ac venerabili Papae urbis Romae direxi.

De canone, primatu, conciliis, apocryphis [1].

[Ex ep. 125 seu «Decretali . . . de Scripturis divinis», a. 520.]

159
783
Praeter ea, quae in Decretali GELASII [n. 162] *ha-* 173
bentur, hic post Synodum EPHESINAM *inseritur etiam*
CONSTANTINOPOLITANA (I); *dein additur:* Sed
et si qua sunt Concilia a sanctis Patribus hactenus instituta, post istorum q u a t t u o r auctoritatem et custodienda et recipienda decrevimus.

De auctoritate S. Augustini v. App. n. 3027.

S. IOHANNES I 523—526.   S. FELIX III (IV) 526—530.

BONIFACIUS II 530—532.

Conc. ARAUSICANUM II 529 [2]

c o n f i r m a t u m a BONIFACIO II (contra S e m i p e l a g i a n o s).

De peccato originali, gratia, praedestinatione [3].

787   Can. 1. Si quis per offen-am praevaricationis Adae 174
non totum, id est secundum c o r p u s e t a n i m a m, in (144)
deterius dicit hominem commutatum, sed animae liber-

---

[1] Th 932; Jf 862; ML 69, 166. Hoc «Decretum HORMISDAE»
repetitionem esse et adaptationem Decreti D a m a s o - G e l a s i a n i (162 sqq)
ostendit Th 51; cf. Z II 259 sqq.

[2] Orange Galliae. — Hoc Concilio iam tempore FELICIS III habito
C a e s a r i u s A r e l a t e n s i s, qui illi praesederat, Papam, ut illud confirmaret, per intercessionem Bonifacii clerici rogare voluit. Sed FELICE
interim mortuo idem BONIFACIUS eius successor Concilium ARAUS.
confirmavit in ep. «Per filium nostrum», 25. Ian. 531 [Jf 881; cf. Hfl II 737;
Bar(Th) ad 529 n. 1 sqq (9, 375 sqq)].

[3] Msi VIII 712 B sqq; coll. Hfl II 726 sqq; et H 221 sqq; Hrd II
1098 A sqq; ML 45 (Aug. X), 1785 sqq. — Multa, quae in hoc Concilio
statuuntur, fere verbotenus ex libris S. A u g u s t i n i desumpta sunt [cf.
Hfl II 725 sqq].

tate illaesa durante, corpus tantummodo corruptioni cre
dit obnoxium, Pelagii errore deceptus adversatur Scrip
turae dicenti: «*Anima, quae peccaverit, ipsa morietur*»
[Ez 18, 20]; et: «*Nescitis, quoniam, cui exhibetis vos servos
ad oboediendum, servi estis eius, cui oboeditis?*» [Rom 6, 16];
et: *A quo quis superatur, eius et servus addicitur* [2 Petr 2, 19].

175 Can. 2. Si quis soli Adae praevaricationem
(145) suam, non et eius propagini asserit nocuisse, aut certe
mortem tantum corporis, quae poena peccati est, non
autem et peccatum, quod mors est animae, per unum
hominem in omne genus humanum transiisse testatur, iniustitiam Deo dabit, contradicens Apostolo dicenti:
«*Per unum hominem peccatum intravit in mundum, et
per peccatum mors, et ita in omnes homines mors pertransiit, in quo omnes peccaverunt*» [Rom 5, 12].

176 Can. 3. Si quis ad invocationem humanam gratiam
Dei dicit posse conferri, non autem ipsam gratiam
facere, ut invocetur a nobis, contradicit Isaiae Prophetae,
vel Apostolo idem dicenti: «*Inventus sum a non quaerentibus me, palam apparui his, qui me non interroga-
bant*» [Rom 10, 20; cf. Is 65, 1].

177 Can. 4. Si quis, ut a peccato purgemur, voluntatem
nostram Deum exspectare contendit, non autem ut etiam
purgari velimus, per Spiritus Sancti infusionem
et operationem in nos fieri confitetur, resistit ipsi Spiritui
Sancto per Salomonem dicenti: «*Praeparatur voluntas
a Domino*» [Prv 8, 35: LXX], et Apostolo salubriter prae-
dicanti: «*Deus est, qui operatur in vobis et velle et
perficere pro bona voluntate*» [Phil 2, 13].

178 Can. 5. Si quis sicut augmentum, ita etiam initium 179i
fidei ipsumque credulitatis affectum, quo in eum credimus, qui iustificat impium, et ad (re)generationem sacri
baptismatis pervenimus, non per gratiae donum,
id est per inspirationem Spiritus Sancti corrigentem
voluntatem nostram ab infidelitate ad fidem, ab impietate
ad pietatem, sed naturaliter nobis inesse dicit, Apostolicis dogmatibus adversarius approbatur, beato Paulo
dicente: *Confidimus, quia qui coepit in nobis bonum
opus, perficiet usque in diem Domini nostri Iesu Christi*
[Phil 1, 6], et illud: *Vobis datum est pro Christo non*

solum, ut in eum credatis, sed etiam ut pro illo patia-
mini [Phil 1, 29], et: *Gratia salvi facti estis per fidem,*
et hoc non ex vobis: Dei enim donum est [Eph 2, 8].
Qui enim fidem, qua in Deum credimus, dicunt esse
naturalem, omnes eos, qui ab Ecclesia Christi alieni
sunt, quodammodo fideles esse definiunt.

Can. 6. Si quis sine gratia Dei credentibus, volenti- 179
bus, desiderantibus, conantibus, laborantibus, vigilantibus, (149)
studentibus, petentibus, quaerentibus, pulsantibus nobis
misericordiam dicit conferri divinitus, non autem u t
c r e d a m u s, velimus, vel haec omnia, s i c u t o p o r t e t,
agere valeamus, per infusionem et inspirationem Sancti
Spiritus in nobis fieri confitetur, et aut humilitati, aut
oboedientiae humanae subiungit gratiae adiutorium, nec,
ut oboedientes et humiles simus, i p s i u s g r a t i a e d o n u m
e s s e consentit, resistit Apostolo dicenti: *Quid habes,*
quod non accepisti? [1 Cor 4, 7], et: *Gratia Dei sum id,*
quod sum [1 Cor 15, 10].

Can. 7. Si quis per naturae vigorem bonum aliquid, 180
quod ad salutem pertinet vitae aeternae, c o g i t a r e,
ut e x p e d i t, a u t e l i g e r e, sive salutari [*al.* salvari], id
est evangelicae praedicationi consentire posse confirmat
absque illuminatione et inspiratione Spiritus Sancti, qui
dat omnibus suavitatem in consentiendo et credendo
veritati, haeretico fallitur spiritu, non intelligens vocem
Dei in Evangelio dicentis: «*Sine me nihil potestis facere*»
[Io 15, 5], et illud Apostoli: *Non quod idonei simus cogitare*
aliquid a nobis, quasi ex nobis, sed sufficientia nostra
ex Deo est [2 Cor 3, 5].

Can. 8. Si quis a l i o s m i s e r i c o r d i a, alios vero 181
1027 p e r l i b e r u m a r b i t r i u m, quod in omnibus, qui de
praevaricatione primi hominis nati sunt, constat esse
v i t i a t u m, ad gratiam baptismi posse venire contendit,
a recta fide probatur alienus. Is enim n o n [1] o m n i u m
liberum arbitrium per peccatum primi hominis asserit
infirmatum, aut certe ita laesum putat, ut tamen quidam
valeant sine revelatione Dei mysterium salutis aeternae

---

[1] Cf Hfl II 729 nota 1.

per semetipsos posse conquirere. Quod quam sit contrarium, (ipse) Dominus probat, qui non aliquos, sed
neminem ad se posse venire testatur, nisi *quem Pater
attraxerit* [Io 6, 44], sicut et PETRO dicit: «*Beatus es
Simon Bar-Jona, quia caro et sanguis non revelavit
tibi, sed Pater meus, qui in coelis est*» [Mt 16, 17]; et
Apostolus: *Nemo potest dicere Dominum Iesum (Christum) nisi in Spiritu Sancto* [1 Cor 12, 3].

182 Can. 9. Divini est muneris, cum et recte cogitamus,
(152) et pedes nostros a falsitate et iniustitia continemus;
quoties enim bona agimus, Deus in nobis atque
nobiscum, ut operemur, operatur.

183 Can. 10. Adiutorium Dei etiam renatis ac sanctis [al. sanatis] semper est implorandum, ut ad finem
bonum pervenire, vel in bono possint opere perdurare.

184 Can. 11. Nemo quidquam Domino recte voverit, nisi
ab ipso acceperit quod voveret, sicut legitur: *Quae
de manu tua accepimus, damus tibi* [1 Par 29, 14].

185 Can. 12. Tales nos amat Deus, quales futuri sumus
(155) ipsius dono, non quales sumus nostro merito.   134

186 Can. 13. Arbitrium voluntatis in primo homine 1027
infirmatum, nisi per gratiam baptismi non potest
reparari: quod amissum, nisi a quo potuit dari, non
potest reddi. Unde Veritas ipsa dicit: *Si vos Filius
liberav(er)it, tunc vere liberi eritis* [Io 8, 36].

187 Can. 14. Nullus miser de quacunque miseria liberatur, nisi qui Dei misericordia praevenitur, sicut
dicit Psalmista: *Cito anticipent nos misericordiae tuae,
Domine* [Ps 78, 8], et illud: «*Deus meus, misericordia eius
praeveniet me*» [Ps 58, 11].

188 Can. 15. Ab eo, quod formavit Deus, mutatus
est Adam, sed in peius per iniquitatem suam. Ab
eo, quod operata est iniquitas, mutatur fidelis, sed
in melius per gratiam Dei. Illa ergo mutatio fuit prae-
varicatoris primi, haec secundum Psalmistam *mutatio
est dextrae Excelsi* [Ps 76, 11].

189 Can. 16. Nemo ex eo, quod videtur habere, glorietur, tanquam non acceperit: aut ideo se putet accepisse,
quia littera extrinsecus vel ut legeretur, apparuit,

vel ut audiretur, sonuit. Nam sicut Apostolus dicit:
Si per legem iustitia, ergo Christus gratis mortuus est
[Gal 2, 21]: *«ascendens in altum captivam duxit captivitatem, dedit dona hominibus»* [Eph 4, 8; cf. Ps 67, 19]. Inde
habet, quicunque habet; quisquis autem se inde habere
negat, aut vere non habet, aut id, *quod habet, aufertur
ab eo* [Mt 25, 29].

Can. 17. Fortitudinem Gentilium mundana cupiditas, 190
fortitudinem autem Christianorum Dei *charitas* facit, (160)
quae *«diffusa est in cordibus nostris»*, non per voluntatis arbitrium, quod est a [in] nobis, sed *«per Spiritum
Sanctum, qui datus est nobis»* [Rom 5, 5].

809 Can. 18. Nullis meritis gratiam p r a e venientibus 191
debetur m e r c e s bonis operibus, si fiant: sed gratia,
quae non debetur, praecedit, ut fiant.

Can. 19. Natura humana, etiamsi in illa i n t e g r i- 192
t a t e, in qua est condita, permaneret, nullo modo se
ipsam, creatore suo non adiuvante, servaret: unde cum
sine Dei gratia salutem non possit custodire, quam accepit, quomodo sine Dei gratia poterit reparare, quod
perdidit?

Can. 20. Multa Deus facit in homine bona, quae 193
n o n f a c i t h o m o. Nulla vero facit homo bona, quae
non D e u s p r a e s t a t, ut faciat homo.

Can. 21. Sicut iis, qui volentes in l e g e iustificari, 194
et a gratia exciderunt, verissime dicit Apostolus: *Si ex
lege iustitia est, ergo Christus gratis mortuus est*
[Gal 2, 21]: sic (et) iis, qui g r a t i a m, quam commendat
et percipit fides Christi, p u t a n t e s s e n a t u r a m, verissime dicitur: Si per naturam iustitia est, *ergo Christus gratis mortuus est*. Iam hic enim erat lex, et non
iustificabat: iam hic erat et natura, et non ·iustificabat.
Ideo Christus non gratis mortuus est, ut et lex per
illum impleretur, qui dixit: *Non veni legem solvere,
sed adimplere* [Mt 5, 17]: et (ut) natura per Adam perdita
per illum repararetur, qui dixit, venisse se *quaerere et
salvare, quod perierat* [Lc 19, 10].

Can. 22. Nemo habet de suo nisi mendacium et 195
peccatum. Si quid autem habet homo veritatis atque (165)

6 *

iustitiae, ab illo fonte est, quem debemus sitire in hac
eremo, ut ex eo quasi guttis quibusdam irrorati non
deficiamus in via.

196   Can. 23. Suam voluntatem homines faciunt, non Dei,
(166) quando id agunt, quod Deo displicet; quando autem
id faciunt, quod volunt, ut divinae serviant voluntati,
quamvis volentes agant quod agunt, illius tamen voluntas
est, a quo et praeparatur et iubetur quod volunt.

197   Can. 24. Ita sunt in *vite palmites*, ut viti nihil conferant, sed inde accipiant unde vivant: sic quippe vitis
est in palmitibus, ut vitale alimentum subministret iis,
non sumat ab iis. Ac per hoc et manentem in se habere Christum, et *manere* in Christo, discipulis prodest
utrumque, non Christo. Nam praeciso palmite, potest
de viva radice alius pullulare, qui autem praecisus est,
sine radice non potest vivere [Io 15, 5 sqq].

198   Can. 25. Prorsus donum Dei est diligere
Deum. Ipse ut diligeretur dedit, qui non dilectus diligit. Displicentes amati sumus, ut fieret in nobis unde
placeremus. *Diffundit* enim *charitatem in cordibus
nostris Spiritus* [Rom 5, 5] Patris et Filii, quem cum Patre
amamus et Filio.

199   Ac sic secundum supra scriptas sanctarum Scripturarum sententias, vel antiquorum Patrum definitiones,
hoc Deo propitiante et praedicare debemus et credere,
quod per peccatum primi hominis ita inclinatum et attenuatum fuerit liberum arbitrium,
ut nullus postea aut diligere Deum sicut
oportuit, aut credere in Deum, aut operari
propter Deum quod bonum est, possit, nisi
eum gratia misericordiae divinae praevenerit.
Unde et Abel iusto et Noe et Abrahae et Isaac et
Iacob, et omni antiquorum Patrum multitudini illam
praeclaram fidem, quam in ipsorum laude praedicat
Apostolus Paulus [Hebr 11], non per bonum naturae, quod
prius in Adam datum fuerat, sed per gratiam Dei credimus fuisse collatam: quam gratiam etiam post adventum Domini omnibus, qui baptizari desiderant,
non in libero arbitrio haberi, sed Christi novimus simul
et credimus largitate conferri, secundum illud, quod

saepe iam dictum est et quod praedicat Paulus Apostolus: «*Vobis datum est pro Christo, non solum, ut in
eum credatis, sed etiam, ut pro illo patiamini*» [Phil 1,29];
et illud: *Deus, qui coepit in vobis bonum opus, perficiet
usque in diem Domini nostri Iesu Christi* [Phil 1,6]; et
illud: *Gratia salvi facti estis per fidem, et hoc non
ex vobis: Dei enim donum est* [Eph 2,8]; et quod de
se ipso ait Apostolus: *Misericordiam consecutus sum,
ut fidelis essem* [1 Cor 7, 25; 1 Tim 1, 13]. Non dixit, quia
eram, sed ut essem. Et illud: *Quid habes, quod non
accepisti?* [1 Cor 4, 7.] Et illud: *Omne datum bonum,
et omne donum perfectum desursum est, descendens a
Patre luminum* [Iac 1, 17]. Et illud: *Nemo habet quidquam, nisi illi datum fuerit desuper* [Io 3, 27]. Innumera-
bilia sunt sanctarum Scripturarum testimonia, quae possunt ad probandam gratiam proferri, sed brevitatis studio
praetermissa sunt, quia et revera, cui pauca non sufficiunt, plura non proderunt.

805   Hoc etiam secundum fidem catholicam credimus, quod 200
accepta per baptismum gratia omnes baptizati Christo (169)
auxiliante et cooperante, quae ad salutem animae pertinent, possint et debeant, si fideliter laborare voluerint
322 adimplere. Aliquos vero ad malum divina potestate
praedestinatos esse, non solum non credimus, sed
etiam, si sunt, qui tantum malum credere velint, cum
omni detestatione illis anathema dicimus. Hoc etiam
salubriter profitemur et credimus, quod in omni opere
bono non nos incipimus, et postea per Dei misericordiam
adiuvamur, sed ipse nobis nullis praecedenti-
bus bonis meritis et fidem et amorem sui
prius inspirat, ut et baptismi sacramenta fideliter
requiramus, et post baptismum cum ipsius adiutorio ea,
quae sibi sunt placita, implere possimus. Unde manifestissime credendum est, quod et illius latronis, quem
Dominus ad paradisi patriam revocavit [Lc 23, 43], et Cornelii centurionis, ad quem angelus Domini missus est
[Act 10, 3], et Zachaei, qui ipsum Dominum suscipere
meruit [Luc 19, 6], illa tam admirabilis fides non fuit de
natura, sed divinae largitatis donum.

IOHANNES II 533—535.

Circa: «Unus de Trinitate passus est»[1].

[Ex ep. (3) «Olim quidem» ad Senatores Constantinopolitanos, Mart. 534.]

201 Iustinianus (siquidem) imperator filius noster, ut eius 148
(142) epistolae tenore cognovistis, de his tribus quaestionibus
orta certamina fuisse signavit, utrum unus ex Trinitate Christus et Deus noster dici possit: hoc est una
de tribus personis Sanctae Trinitatis sancta persona. An
Deus Christus carne pertulerit impassibili deitate. An
proprie et veraciter mater Domini Dei nostri Christi
Maria semper virgo debeat appellari. Probavimus in
his catholicam imperatoris fidem, et ita esse propheticis
et apostolicis vel Patrum exemplis evidenter ostendimus.
Unum enim ex Sancta Trinitate Christum esse, hoc est
unam de tribus Sanctae Trinitatis personis sanctam esse
personam sive subsistentiam, quam graeci ὑπόστασιν
dicunt, in his exemplis evidenter ostendimus [allegantur
testimonia varia, ut Gn 3, 22; 1 Cor 8, 6; Symbolum Nicaenum; Procli
epistola ad orientales etc.]; Deum vero carne passum his nihilominus roboremus exemplis [Dt 28, 66; Io 14, 6; Zach 12, 10;
Act 3, 15; 20, 28; 1 Cor 2, 8; Cyrilli anath. 12, LEO ad Flavianum etc.].

202   Gloriosam vero Sanctam semper virginem Mariam proprie et veraciter Dei genitricem matremque Dei 113
Verbi ex ea incarnati ab hominibus catholicis confiteri
recte esse docemus.   Proprie et veraciter et idem ipse
ultimis temporibus incarnatus, ex sancta et gloriosa
Virgine matre nasci dignatus est.   Propterea ergo, quia
proprie et veraciter Dei Filius ex ea incarnatus est, ideo
proprie et veraciter matrem Dei ex ea incarnati et

---

[1] Msi VIII 803 E sqq; Jf 885; Hrd II 1150 C sqq; ML 66, 20 C
sqq; BR(T) App. I 496 a sqq. — Monachi quidam Scythae Constan-
tinopoli propositionem enuntiaverunt: Unum de Trinitate passum
esse. Quo factum est, ut in Monophysiticae haereseos suspicionem
venirent, et ad tuendam propriam orthodoxiam Romam ad HORMIS-
DAM pontificem proficiscerentur. Qui hac de re iudicium non tulit,
Scytharum tamen petulantiam aegre se ferre in epistola 70 ad Possessorem ostendit. Cum vero alii monachi, Acoemetae nempe Constanti-
nopolitani, eandem propositionem pravo sensu impugnarent, IOANNES II
epistolam Iustiniani imperatoris, qua hos Nestorianae haereseos incu-
sabat, approbavit et in altera ad senatores Constantinopolitanos directa
hac de re decrevit ut supra.

nati esse confitemur, et ne Dominus Iesus per honorificentiam vel gratiam Dei nomen accepisse credatur, sicut Nestorius sentit insulsus: veraciter autem ideo, ne phantasma aut aliquo modo non veram sumpsisse carnem credatur ex virgine, sicut asseruit impius Eutyches.

S. AGAPETUS I 535—536.   S. SILVERIUS 536—(537)540.

VIGILIUS (537)540—555.

Canones adversus Origenem [1].

[Ex Iustiniani Imperatoris «Libro adversus Origenem», 543.]

480 Εἴ τις λέγει ἢ ἔχει προϋπάρχειν τὰς τῶν ἀνθρώπων ψυχάς, οἷα πρώην νόας οὔσας καὶ ἁγίας δυνάμεις· κόρον δὲ λαβούσας τῆς θείας θεωρίας, καὶ πρὸς τὸ χεῖρον τραπείσας, καὶ διὰ τοῦτο ἀποψυγείσας μὲν τῆς τοῦ Θεοῦ ἀγάπης, ἐντεῦθεν δὲ ψυχὰς ὀνομασθείσας, καὶ τιμωρίας χάριν εἰς σώματα καταπεμφθείσας, ἀνάθεμα ἔστω.

Can. 1. Si quis dicit aut 203 sentit, praeexsistere hominum animas, utpote quae antea mentes fuerint et sanctae virtutes, satietatemque cepisse divinae contemplationis, et in deterius conversas esse, atque idcirco refrixisse a Dei caritate, et inde ψυχάς, Graece, id est, animas esse nuncupatas, demissasque esse in corpora supplicii causa: anathema sit.

148 Εἴ τις λέγει ἢ ἔχει, τὴν τοῦ Κυρίου ψυχὴν προϋπάρχειν, καὶ ἡνωμένην γεγενῆσθαι τῷ Θεῷ λόγῳ πρὸ τῆς ἐκ παρθένου σαρκώσεώς τε καὶ γεννήσεως, ἀνάθεμα ἔστω.

Can. 2. Si quis dicit aut 204 sentit, Domini animam prius exstitisse, atque unitam fuisse Deo Verbo ante incarnationem et generationem ex virgine, A. S.

---

[1] Msi IX 533 A sq; Hrd III 279 C. — Hos canones, quos σύνοδος ἐνδημοῦσα sub Menna Patriarcha a. 543 edidit, Summus Pontifex VIGILIUS, Patriarchae omnes, plurimi Episcopi subscriptione confirmarunt, ut haberent vim declarationis totius Ecclesiae docentis. [Cf. Fr. Diekamp, Die origenistischen Streitigkeiten im 6. Jahrhundert und das 5. allg. Konzil, Münster 1899, 46 sqq.] — Omissi sunt canones anni 553, prioribus huius libri editionibus inserti, qui ratione doctrinae minoris momenti videntur esse, etsi hi quoque a posterioribus Conciliis universalibus saepe laudati sunt.

205   Εἴ τις λέγει ἢ ἔχει, πρῶτον
πεπλάσθαι τὸ σῶμα τοῦ
Κυρίου ἡμῶν Ἰησοῦ Χρι-
στοῦ ἐν τῇ μήτρᾳ τῆς ἁγίας
παρθένου, καὶ μετὰ ταῦτα
ἑνωθῆναι αὐτῷ τὸν Θεὸν
λόγον, καὶ τὴν ψυχὴν
ὡς προϋπάρξασαν, ἀνάθεμα
ἔστω.

Can. 3. Si quis dicit aut
sentit, primum formatum
esse corpus Domini no-
stri Iesu Christi in utero
beatae Virginis, ac postea
unitum ei esse Deum Ver-
bum, et animam, utpote
quae ante fuisset, A. S.

206   Εἴ τις λέγει ἢ ἔχει, πᾶσι
τοῖς ἐπουρανίοις τάγμασιν
ἐξομοιωθῆναι τὸν τοῦ Θεοῦ
λόγον, γενόμενον τοῖς Χε-
ρουβὶμ Χερουβίμ, καὶ τοῖς
Σεραφὶμ Σεραφίμ, καὶ πάσαις
ἁπλῶς ταῖς ἄνω δυνάμε-
σιν ἐξομοιωθέντα, ἀνά-
θεμα ἔστω.

Can. 4. Si quis dicit aut
sentit, omnibus coelestibus
ordinibus assimilatum esse
Deum Verbum, cherubim-
que factum esse ipsis che-
rubim, et seraphim ipsis
seraphim, ac omnibus plane
supernis virtutibus
similem esse factum, A. S.

207   Εἴ τις λέγει ἢ ἔχει, ἐν
τῇ ἀναστάσει σφαιροειδῆ
τὰ τῶν ἀνθρώπων ἐγείρε-
σθαι σώματα, καὶ οὐχ ὁμο-
λογεῖ ὀρθίους ἡμᾶς ἐγείρε-
σθαι, ἀνάθεμα ἔστω.

Can. 5. Si quis dicit aut 287
sentit, in resurrectione
corpora hominum orbicu-
lata suscitari, nec confitetur nos suscitari rectos,
A. S.

208   Εἴ τις λέγει, οὐρανὸν καὶ
ἥλιον καὶ σελήνην καὶ ἀστέ-
ρας καὶ ὕδατα τὰ ὑπεράνω
τῶν οὐρανῶν ἐμψύχους
καὶ ὑλικὰς εἶναί τινας δυνάμεις, ἀνάθεμα ἔστω.

Can. 6. Si quis dicit coelum, et solem, et lunam,
et stellas, et aquas, quae
super coelos sunt, ani-
matas et materiales esse
quasdam virtutes, A. S.

209   Εἴ τις λέγει ἢ ἔχει, ὅτι
ὁ δεσπότης Χριστὸς ἐν τῷ
μέλλοντι αἰῶνι σταυρωθή-
σεται ὑπὲρ δαιμόνων,
καθὰ καὶ ὑπὲρ ἀνθρώπων,
ἀνάθεμα ἔστω.

Can. 7. Si quis dicit aut
sentit, Dominum Christum
in futuro saeculo cruci-
fixum iri pro daemo-
nibus, sicuti et pro ho-
minibus, A. S.

210   Εἴ τις λέγει ἢ ἔχει, ἢ
πεπερασμένην εἶναι τὴν
τοῦ Θεοῦ δύναμιν, καὶ το-

Can. 8. Si quis dicit aut
sentit, vel finitam esse
Dei potestatem, vel eum

σαῦτα αὐτὸν δημιουργῆσαι, ὅσον περιδράξασθαι, ἀνάθεμα ἔστω.

693 Εἴ τις λέγει ἢ ἔχει, πρόσκαιρον εἶναι τὴν τῶν δαιμόνων, καὶ ἀσεβῶν ἀνθρώπων κόλασιν, καὶ τέλος κατά τινα χρόνον αὐτὴν ἕξειν, ἤγουν ἀποκατάστασιν γενέσθαι δαιμόνων, ἢ ἀσεβῶν ἀνθρώπων, ἀνάθεμα ἔστω.

tanta fecisse, quanta comprehendere potuit, A. S.

Can. 9. Si quis dicit aut sentit, ad tempus esse daemonum et impiorum hominum supplicium, eiusque finem aliquando futurum, sive restitutionem et redintegrationem fore daemonum aut impiorum hominum, A. S. — 211

Conc. CONSTANTINOPOLITANUM II 553.

Oecumenicum V (de tribus Capitulis).

De traditione ecclesiastica [1].

Confitemur fidem tenere et praedicare ab initio donatam a magno Deo et Salvatore nostro Iesu Christo sanctis apostolis et ab illis in universo mundo praedicatam; quam et sancti Patres confessi sunt, et explanaverunt, et sanctis ecclesiis tradiderunt, et maxime qui in sanctis quattuor Synodis convenerunt; quos per omnia et in omnibus sequimur, et suscipimus. Omnia vero, quae non consonant his, quae definita sunt ab iisdem quattuor sanctis Conciliis pro recta fide, . . aliena pietatis iudicantes, condemnamus et anathematizamus. — 212

Anathematismi de tribus Capitulis [2].

[Partim identici cum «Homologia» Imperatoris, a. 551.]

39 α'. Εἴ τις οὐχ ὁμολογεῖ πατρὸς καὶ υἱοῦ καὶ ἁγίου πνεύματος μίαν φύσιν ἤτοι οὐσίαν, μίαν τε δύναμιν, καὶ

Can. 1. Si quis non confitetur Patris, et Filii, et Spiritus Sancti unam naturam sive substantiam, — 213 (172)

---

[1] Msi IX 201 B; Hrd III 70 D sq; cf. Bar(Th) ad 553 n. 20 sqq (10, 87 sqq).
[2] Msi IX 375 D sqq; coll. Hfl II 892 sqq; Hrd III 193 D sqq.

ἐξουσίαν, τριάδα ὁμοούσιον, μίαν θεότητα ἐν τρισὶν ὑποστάσεσιν ἤγουν προσώποις προσκυνουμένην· ὁ τοιοῦτος ἀνάθεμα ἔστω. Εἷς γὰρ Θεὸς καὶ πατήρ, ἐξ οὗ τὰ πάντα, καὶ εἷς κύριος Ἰησοῦς Χριστός, δι' οὗ τὰ πάντα, καὶ ἓν πνεῦμα ἅγιον, ἐν ᾧ τὰ πάντα.

et unam virtutem et potestatem, trinitatem consubstantialem, unam deitatem in tribus subsistentiis sive personis adorandam, talis anathema sit. Unus enim Deus et Pater, ex quo omnia; et unus Dominus Iesus Christus, per quem omnia; et unus Spiritus Sanctus, in quo omnia.

214 β'. Εἴ τις οὐχ ὁμολογεῖ,
(173) τοῦ Θεοῦ λόγου εἶναι τὰς δύο γεννήσεις, τήν τε πρὸ αἰώνων ἐκ τοῦ πατρός, ἀχρόνως καὶ ἀσωμάτως, τήν τε ἐπ' ἐσχάτων τῶν ἡμερῶν, τοῦ αὐτοῦ κατελθόντος ἐκ τῶν οὐρανῶν, καὶ σαρκωθέντος ἐκ τῆς ἁγίας ἐνδόξου θεοτόκου καὶ ἀειπαρθένου Μαρίας, καὶ γεννηθέντος ἐξ αὐτῆς· ὁ τοιοῦτος ἀνάθεμα ἔστω.

Can. 2. Si quis non con- 148 fitetur Dei Verbi duas esse nativitates, unam quidem ante saecula ex patre sine tempore incorporaliter, alteram vero in ultimis diebus eiusdem ipsius qui de coelis descendit, et incarnatus de sancta gloriosa Dei Genitrice et semper Virgine Maria, natus est ex ipsa, talis A. S.

215 γ'. Εἴ τις λέγει, ἄλλον εἶναι τοῦ Θεοῦ λόγον τὸν θαυματουργήσαντα, καὶ ἄλλον τὸν Χριστὸν τὸν παθόντα, ἢ τὸν Θεὸν λόγον συνεῖναι λέγει τῷ Χριστῷ γενομένῳ ἐκ γυναικός, ἢ ἐν αὐτῷ εἶναι ὡς ἄλλον ἐν ἄλλῳ, ἀλλ' οὐχ ἕνα, καὶ τὸν αὐτὸν κύριον ἡμῶν Ἰησοῦν Χριστόν, τὸν τοῦ Θεοῦ λόγον, σαρκωθέντα καὶ ἐνανθρωπήσαντα, καὶ τοῦ αὐτοῦ τά τε θαύματα καὶ τὰ πάθη, ἅπερ ἑκουσίως ὑπέμεινε σαρκί· ὁ τοιοῦτος ἀνάθεμα ἔστω.

Can. 3. Si quis dicit, alium esse Deum Verbum qui miracula fecit, et alium Christum qui passus est, vel Deum Verbum cum Christo esse nascente de muliere, vel in ipso esse ut alterum in altero, et non unum eundemque Dominum nostrum Iesum Christum, Dei Verbum incarnatum et hominem factum, et eiusdem ipsius miracula, et passiones quas voluntarie carne sustinuit, talis A. S.

δ'. Εἴ τις λέγει, κατὰ χάριν, ἢ κατὰ ἐνέργειαν, ἢ κατὰ ἰσοτιμίαν ἢ κατὰ αὐθεντίαν, ἢ ἀναφοράν, ἢ σχέσιν, ἢ δύναμιν τὴν ἕνωσιν τοῦ Θεοῦ λόγου πρὸς ἄνθρωπον γεγενῆσθαι· ἢ κατὰ εὐδοκίαν, ὡς ἀρεσθέντος τοῦ Θεοῦ λόγου τοῦ ἀνθρώπου, ἀπὸ τοῦ εὖ καὶ καλῶς δόξαι αὐτῷ περὶ αὐτοῦ, καθὼς Θεόδωρος μαινόμενος λέγει· ἢ κατὰ ὁμωνυμίαν, καθ' ἦν οἱ Νεστοριανοὶ τὸν Θεὸν λόγον Ἰησοῦν καὶ Χριστὸν καλοῦντες, καὶ τὸν ἄνθρωπον κεχωρισμένως Χριστὸν καὶ υἱὸν ὀνομάζοντες, καὶ δύο πρόσωπα προφανῶς λέγοντες, κατὰ μόνην τὴν προσηγορίαν, καὶ τιμὴν καὶ ἀξίαν, καὶ προσκύνησιν, καὶ ἐν πρόσωπον, καὶ ἕνα Χριστὸν ὑποκρίνονται λέγειν· ἀλλ' οὐχ ὁμολογεῖ τὴν ἕνωσιν τοῦ Θεοῦ λόγου πρὸς σάρκα ἐμψυχομένην ψυχῇ λογικῇ καὶ νοερᾷ, κατὰ σύνθεσιν ἤγουν καθ' ὑπόστασιν γεγενῆσθαι, καθὼς οἱ ἅγιοι πατέρες ἐδίδαξαν· καὶ διὰ τοῦτο μίαν αὐτοῦ τὴν ὑπόστασιν, ὅ ἐστιν ὁ κύριος Ἰησοῦς Χριστός, εἷς τῆς ἁγίας τριάδος· ὁ τοιοῦτος ἀνάθεμα ἔστω. Πολυτρόπως γὰρ νοουμένης τῆς ἑνώσεως, οἱ μὲν τῇ ἀσεβείᾳ Ἀπολλιναρίου καὶ Εὐτυχοῦς ἀκολουθοῦντες, τῷ ἀφανισμῷ τῶν συνελθόντων προ-

Can. 4. Si quis dicit, 216 secundum gratiam, vel se- (175) cundum operationem, vel secundum dignitatem, vel secundum aequalitatem honoris, vel secundum auctoritatem, aut relationem, aut affectum, aut virtutem, unitionem Dei Verbi ad hominem factam esse, vel secundum bonam voluntatem, quasi quod placuit Deo Verbo homo, eo quod bene visum est ei de ipso, sicut Theodorus [insaniens] dicit: vel secundum homonymiam, per quam Nestoriani Deum Verbum Filium et Christum vocantes, et hominem separatim Christum et Filium nominantes, et duas personas evidenter dicentes, per solam nominationem, et honorem, et dignitatem, et adorationem, unam personam, unum Filium, et unum Christum confingunt dicere: sed non confitetur unitatem Dei Verbi ad carnem animatam anima rationabili et intellectuali, secundum compositionem sive secundum subsistentiam factam esse, sicut sancti Patres docuerunt, et ideo unam eius subsistentiam compositam, qui est Dominus (noster) Iesus Christus, unus de Sancta Trinitate, talis A. S. Cum enim multis modis

κείμενοι, τὴν κατὰ σύγχυσιν
τὴν ἕνωσιν πρεσβεύουσιν.
Οἱ δὲ τὰ Θεοδώρου καὶ
Νεστορίου φρονοῦντες, τῇ
διαιρέσει χαίροντες, σχετικὴν
τὴν ἕνωσιν ἐπεισάγουσιν· ἡ
μέντοι ἁγία τοῦ Θεοῦ ἐκ-
κλησία ἑκατέρας αἱρέσεως
τὴν ἀσέβειαν ἀποβαλλομένη
τὴν ἕνωσιν τοῦ Θεοῦ λόγου
πρὸς τὴν σάρκα κατὰ σύν-
θεσιν ὁμολογεῖ· ὅπερ ἐστὶ
καθ᾽ ὑπόστασιν. Ἡ γὰρ
κατὰ σύνθεσιν ἕνωσις, ἐπὶ
τοῦ κατὰ Χριστὸν μυστη-
ρίου, οὐ μόνον ἀσύγχυτα
τὰ συνελθόντα διαφυλάττει,
ἀλλ᾽ οὐδὲ διαίρεσιν ἐπιδέ-
χεται.

217 ε´. Εἴ τις τὴν μίαν ὑπό-
(176) στασιν τοῦ κυρίου ἡμῶν Ἰησοῦ Χριστοῦ οὕτως ἐκλαμ-
βάνει, ὡς ἐπιδεχομένην πολ-
λῶν ὑποστάσεων σημασίαν,
καὶ διὰ τούτου εἰσάγειν ἐπιχειρεῖ ἐπὶ τοῦ κατὰ Χριστὸν
μυστηρίου δύο ὑποστάσεις,
ἤτοι δύο πρόσωπα, καὶ τῶν
παρ᾽ αὐτοῦ εἰσαγομένων δύο
προσώπων, ἓν πρόσωπον
λέγει κατὰ ἀξίαν, καὶ τιμήν,
καὶ προσκύνησιν, καθάπερ
Θεόδωρος καὶ Νεστόριος μαι-
νόμενοι συνεγράψαντο· καὶ
συκοφαντεῖ τὴν ἁγίαν ἐν
Χαλκηδόνι σύνοδον, ὡς κατὰ
ταύτην τὴν ἀσεβῆ ἔννοιαν
χρησαμένην τῷ τῆς μιᾶς

unitas intelligitur, qui impietatem Apollinarii et Eu-
tychetis sequuntur, interemptionem eorum quae con-
venerunt colentes, unitionem secundum confusionem
dicunt. Theodori autem et
Nestorii sequaces, divisione
gaudentes affectualem unitatem introducunt. Sancta
Dei Ecclesia utriusque perfidiae impietatem reiciens,
unitionem Dei Verbi ad
carnem secundum composi-
tionem confitetur, quod est
secundum subsistentiam.
Unitio enim per compositionem in mysterio Christi non
solum inconfuse ea, quae
convenerunt, conservat, sed
nec divisionem suscipit.

Can. 5. Si quis unam
subsistentiam Domini no-
stri Iesu Christi sic intelligit, tanquam suscipientem
plurimarum subsistentiarum
significationem, et per hoc
introducere conatur in mysterio Christi duas subsisten-
tias, seu duas personas, et
duarum personarum quas
introducit, unam personam
dicit secundum dignitatem,
et honorem, et adorationem,
sicut Theodorus et Nestorius
insanientes conscripserunt,
et calumniantur sanctam
CHALCEDONENSEM Sy-
nodum tanquam secundum
istum impium intellectum

ὑποστάσεως ῥήματι· ἀλλὰ
μὴ ὁμολογεῖ τὸν τοῦ Θεοῦ
λόγον σαρκὶ καθ' ὑπόστα-
σιν ἑνωθῆναι, καὶ διὰ
τοῦτο μίαν αὐτοῦ τὴν ὑπό-
στασιν, ἤτοι ἓν πρόσω-
πον· οὕτως τε καὶ τὴν ἁγίαν
ἐν Χαλκηδόνι σύνοδον μίαν
ὑπόστασιν τοῦ κυρίου ἡμῶν
Ἰησοῦ Χριστοῦ ὁμολογῆσαι·
ὁ τοιοῦτος ἀνάθεμα ἔστω.
Οὔτε γὰρ προσθήκην προσ-
ώπου, ἤγουν ὑποστάσεως
ἐπεδέξατο ἡ ἁγία τριὰς καὶ
σαρκωθέντος τοῦ ἑνὸς τῆς
ἁγίας τριάδος Θεοῦ λόγου.

ϛʹ. Εἴ τις καταχρηστικῶς,
113 ἀλλ' οὐκ ἀληθῶς θεοτόκον
λέγει τὴν ἁγίαν ἔνδοξον ἀει-
πάρθενον Μαρίαν· ἢ κατὰ
ἀναφοράν, ὡς ἀνθρώπου
ψιλοῦ γεννηθέντος, ἀλλ' οὐχὶ
τοῦ Θεοῦ λόγου σαρκωθέν-
τος (καὶ τῆς) ἐξ αὐτῆς, ἀνα-
φερομένης δὲ κατ' ἐκείνου
τῆς τοῦ ἀνθρώπου γεννή-
σεως ἐπὶ τὸν Θεὸν λόγον
ὡς συνόντα τῷ ἀνθρώπῳ
γενομένῳ· καὶ συκοφαντεῖ
τὴν ἁγίαν ἐν Χαλκηδόνι σύνοδον, ὡς κατὰ ταύτην τὴν
ἀσεβῆ ἐπινοηθεῖσαν παρὰ
Θεοδώρου ἔννοιαν θεοτόκον
τὴν παρθένον εἰποῦσαν· ἢ
εἴ τις ἀνθρωποτόκον αὐτὴν
καλεῖ ἢ χριστοτόκον, ὡς τοῦ
Χριστοῦ μὴ ὄντος Θεοῦ·
ἀλλὰ μὴ κυρίως, καὶ κατὰ
ἀλήθειαν θεοτόκον αὐτὴν
ὁμολογεῖ, διὰ τὸ τὸν πρὸ

unius subsistentiae utentem
vocabulo, sed non confitetur
Dei Verbum carni secun-
dum subsistentiam uni-
tum esse, et propter hoc
unam eius subsistentiam, seu
unam personam, et sic
et sanctum CHALCEDO-
NENSE Concilium unam
subsistentiam Domini nostri
Iesu Christi confessum esse,
talis A. S. Nec enim adiectio-
nem personae vel subsistentiae suscepit sancta Trinitas ex incarnato uno de
sancta Trinitate Deo Verbo.

Can. 6. Si quis abusive 218
et non vere Dei geni- (177)
tricem dicit sanctam glo-
riosam semper Virginem
Mariam, vel secundum relationem, quasi homine puro
nato, sed non Deo Verbo
incarnato et nato ex ipsa,
referenda autem, sicut illi
dicunt, hominis nativitate
ad Deum Verbum, eo quod
cum homine erat nascente,
et calumniatur sanctam
CHALCEDONENSEM Sy-
nodum, tanquam secundum
istum impium intellectum,
quem Theodorus exsecran-
dus adinvenit, Dei geni-
tricem Virginem dicentem,
vel qui hominis genitricem
vocat, aut Christotocon, id
est, Christi genitricem, tanquam si Christus Deus non
esset, et non proprie et

τῶν αἰώνων ἐκ τοῦ πατρὸς
γεννηθέντα Θεὸν λόγον ἐπ'
ἐσχάτων τῶν ἡμερῶν ἐξ αὐ-
τῆς σαρκωθῆναι, οὕτω τε
εὐσεβῶς καὶ τὴν ἁγίαν ἐν
Χαλκηδόνι σύνοδον θεοτόκον
αὐτὴν ὁμολογῆσαι, ὁ τοιοῦτος ἀνάθεμα ἔστω.

219   ζ'. Εἴ τις ἐν δύο φύσεσι
(178) λέγων, μὴ ὡς ἐν θεότητι
καὶ ἀνθρωπότητι τὸν ἕνα
κύριον ἡμῶν Ἰησοῦν Χριστὸν
γνωρίζεσθαι ὁμολογεῖ, ἵνα
διὰ τούτου σημάνῃ τὴν διαφορὰν τῶν φύσεων, ἐξ ὧν
ἀσυγχύτως ἡ ἄφραστος ἕνω-
σις γέγονεν· οὔτε τοῦ λό-
γου εἰς τὴν τῆς σαρκὸς μετα-
ποιηθέντος φύσιν, οὔτε τῆς
σαρκὸς πρὸς τὴν τοῦ λόγου
φύσιν μεταχωρησάσης (μέ-
νει γὰρ ἑκάτερον, ὅπερ ἐστὶ
τῇ φύσει, καὶ γενομένης τῆς
ἑνώσεως καθ' ὑπόστασιν),
ἀλλ' ἐπὶ διαιρέσει τῇ ἀνὰ
μέρος, τὴν τοιαύτην λαμ-
βάνει φωνὴν ἐπὶ τοῦ κατὰ
Χριστὸν μυστηρίου· ἢ τὸν
ἀριθμὸν τῶν φύσεων ὁμο-
λογῶν ἐπὶ τοῦ αὐτοῦ ἑνὸς
κυρίου ἡμῶν Ἰησοῦ τοῦ Θεοῦ
λόγου σαρκωθέντος, μὴ τῇ
θεωρίᾳ μόνῃ τὴν διαφορὰν
τούτων λαμβάνει, ἐξ ὧν καὶ
συνετέθη, οὐκ ἀναιρουμένην
διὰ τὴν ἕνωσιν (εἷς γὰρ ἐξ
ἀμφοῖν, καὶ δι' ἑνὸς ἀμφό-
τερα), ἀλλ' ἐπὶ τούτῳ κέ-
χρηται τῷ ἀριθμῷ, ὡς κε-

vere Dei genitricem ipsam
confitetur, eo quod ipse
qui ante saecula ex Patre
natus est Deus Verbum, in
ultimis diebus ex ipsa incarnatus et natus est, et sic
pie et sanctam CHALCE-
DONENSEM Synodum eam
esse confessam, talis A. S.

Can. 7. Si quis in dua-
bus naturis dicens, non
ut in deitate et humanitate,
unum Dominum nostrum
Iesum Christum cognosci
confitetur, ut per hoc significet differentiam naturarum, in quibus inconfuse
ineffabilis unitio facta est,
neque Deo Verbo in carnis
naturam transmutato, ne-
que carne in Verbi naturam
transducta (manet enim
utrumque hoc quod est
natura, etiam facta unitate
secundum subsistentiam),
sed pro divisione per partem, talem excipit vocem
in mysterio Christi, vel
numerum naturarum con-
fitendo in eodem Domino
nostro Iesu Christo Deo
Verbo incarnato, non intellectu tantummodo differentiam excipit earum, ex quibus et compositus est, non
interemptam propter uni-
tatem (unus enim ex utro-
que, et per unum utraque),
sed in hoc numero utitur,
ut separatim unaquaque

χωρισμένας καὶ ἰδιοϋποστά-
τους ἔχει τὰς φύσεις, ὁ
τοιοῦτος ἀνάθεμα ἔστω.

η΄. Εἴ τις ἐκ δύο φύσεων
θεότητος καὶ ἀνθρωπότητος
ὁμολογῶν τὴν ἕνωσιν γεγε-
νῆσθαι, ἢ μίαν φύσιν τοῦ
Θεοῦ λόγου σεσαρκωμένην
λέγων, μὴ οὕτως αὐτὰ λαμ-
βάνῃ καθάπερ καὶ οἱ ἅγιοι
πατέρες ἐδίδαξαν, ὅτι ἐκ τῆς
θείας φύσεως καὶ τῆς ἀν-
θρωπίνης, τῆς ἑνώσεως καθ᾽
ὑπόστασιν γενομένης, εἷς
Χριστὸς ἀπετελέσθη· ἀλλ᾽ ἐκ
τῶν τοιούτων φωνῶν μίαν
φύσιν, ἤτοι οὐσίαν θεότητος
καὶ σαρκὸς τοῦ Χριστοῦ εἰσάγειν ἐπιχειρεῖ, ὁ τοιοῦτος
ἀνάθεμα ἔστω. Καθ᾽ ὑπό-
στασιν γὰρ λέγοντες τὸν
μονογενῆ λόγον ἡνῶσθαι,
οὐκ ἀνάχυσίν τινα τὴν εἰς
ἀλλήλους τῶν φύσεων πε-
πρᾶχθαι φαμέν· μενούσης
δὲ μᾶλλον ἑκατέρας ὅπερ
ἐστίν, ἡνῶσθαι σαρκὶ νο-
οῦμεν τὸν λόγον. Διὸ καὶ
εἷς ἐστιν ὁ Χριστός, Θεὸς
καὶ ἄνθρωπος, ὁ αὐτὸς ὁμοούσιος τῷ πατρὶ κατὰ τὴν
θεότητα, καὶ ὁμοούσιος ἡμῖν
ὁ αὐτὸς κατὰ τὴν ἀνθρω-
πότητα· ἐπίσης γὰρ καὶ τοὺς
ἀνὰ μέρος διαιροῦντας, ἤτοι
τέμνοντας, καὶ τοὺς συγχέ-
οντας τὸ τῆς θείας οἰκονο-
μίας μυστήριον τοῦ Χριστοῦ,
ἀποστρέφεται καὶ ἀναθεμα-
τίζει ἡ τοῦ Θεοῦ ἐκκλησία.

natura suam habente sub-
sistentiam, talis A. S.

Can. 8. Si quis ex dua- 220
bus naturis deitatis et hu- (179)
manitatis confitens unitatem
factam esse, vel unam na-
turam Dei Verbi incarnatam
dicens, non sic ea excipit
sicut Patres docuerunt, quod
ex divina natura et hu-
mana, unitione secundum
subsistentiam facta, unus
Christus effectus est, sed
ex talibus vocibus unam
naturam sive substantiam
deitatis et carnis Christi
introducere conatur, talis
A. S. Secundum subsisten-
tiam enim dicentes uni-
genitum Deum Verbum car-
ni unitum esse, non con-
fusionem aliquam naturarum
in se invicem factam esse
dicimus, sed magis per-
manentè utraque hoc quod
est, unitum esse carni Deum
Verbum intelligimus. Propter quod et unus est Christus, Deus et homo, idem
ipse consubstantialis Patri
secundum deitatem, et consubstantialis nobis idem ipse
secundum humanitatem.
Aequaliter enim et eos qui
per partem dividunt vel incidunt, et eos qui confundunt
divinae dispensationis mysterium Christi, reicit et
anathematizat Dei Ecclesia.

221   θ'. Εἴ τις προσκυνεῖσθαι
(180) ἐν δυσὶ φύσεσι λέγει τὸν
Χριστόν, ἐξ οὗ δύο προσ-
κυνήσεις εἰσάγονται, ἰδία τῷ
Θεῷ λόγῳ, καὶ ἰδία τῷ ἀν-
θρώπῳ· ἢ εἴ τις ἐπὶ ἀναι-
ρέσει τῆς σαρκός, ἢ ἐπὶ συγ-
χύσει τῆς θεότητος καὶ τῆς
ἀνθρωπότητος, ἢ μίαν φύσιν
ἤγουν οὐσίαν τῶν συνελθόντων τερατευόμενος, οὕτω
προσκυνεῖ τὸν Χριστόν, ἀλλ'
οὐχὶ μιᾷ προσκυνήσει τὸν
Θεὸν λόγον σαρκωθέντα μετὰ
τῆς ἰδίας αὐτοῦ σαρκὸς προσκυνεῖ, καθάπερ ἡ τοῦ Θεοῦ
ἐκκλησία παρέλαβεν ἐξ ἀρχῆς,
ὁ τοιοῦτος ἀνάθεμα ἔστω.

222   ι'. Εἴ τις οὐχ ὁμολογεῖ,
τὸν ἐσταυρωμένον σαρκὶ κύριον ἡμῶν Ἰησοῦν Χριστὸν
εἶναι Θεὸν ἀληθινὸν καὶ κύριον τῆς δόξης καὶ ἕνα τῆς
ἁγίας τριάδος· ὁ τοιοῦτος
ἀνάθεμα ἔστω.

223   ια'. Εἴ τις μὴ ἀναθεματίζει Ἄρειον, Εὐνόμιον, Μα-
κεδόνιον, Ἀπολλινάριον, Νεστόριον, Εὐτυχέα καὶ Ὠρι-
γένην, μετὰ τῶν ἀσεβῶν
αὐτῶν συγγραμμάτων, καὶ
τοὺς ἄλλους πάντας αἱρετι-
κούς, τοὺς κατακριθέντας
ὑπὸ τῆς ἁγίας καθολικῆς καὶ
ἀποστολικῆς ἐκκλησίας καὶ
τῶν προειρημένων ἁγίων
τεττάρων συνόδων, καὶ τοὺς
τὰ ὅμοια τῶν προειρημένων
αἱρετικῶν φρονήσαντας ἢ
φρονοῦντας, καὶ μέχρι τέ-

Can. 9. Si quis in dua-
bus naturis adorari dicit
Christum, ex quo duas ad-
orationes introducunt, separatim Deo Verbo, et se-
paratim homini: vel si quis
ad interemptionem carnis
vel ad confusionem deitatis
et humanitatis, unam naturam sive substantiam eorum
quae convenerunt intro-
ducens, sic Christum ad-
orat, sed non una ad-
oratione Deum Verbum
incarnatum cum propria
ipsius carne adorat, sicut
ab initio Dei Ecclesiae traditum est, talis A. S.

Can. 10. Si quis non
confitetur Dominum no-
strum Iesum Christum, qui
crucifixus est carne, Deum
esse verum, et Dominum
gloriae, et unum de Sancta
Trinitate, talis A. S.

Can. 11. Si quis non ana-
thematizat Arium, Euno-
mium, Macedonium, Apol-
linarium, Nestorium, Eu-
tychen, Origenem cum im-
piis eorum conscriptis, et
alios omnes haereticos qui
condemnati et anathemati-
zati sunt a sancta catholica
et apostolica Ecclesia, et
a praedictis sanctis quattuor
Conciliis, et eos qui similia
praedictis haereticis sapuerunt vel sapiunt, et usque
ad mortem in sua impietate

λους τῇ οἰκείᾳ ἀσεβείᾳ ἐμμείναντας· ὁ τοιοῦτος ἀνάθεμα ἔστω.

ιβ'. Εἴ τις ἀντιποιεῖται Θεοδώρου τοῦ ἀσεβοῦς τοῦ Μοψουεστίας, τοῦ εἰπόντος, ἄλλον εἶναι τὸν Θεὸν λόγον, καὶ ἄλλον τὸν Χριστὸν ὑπὸ παθῶν ψυχῆς καὶ τῶν τῆς σαρκὸς ἐπιθυμιῶν ἐνοχλούμενον, καὶ τῶν χειρόνων κατὰ μικρὸν χωριζόμενον, καὶ οὕτως ἐκ προκοπῆς ἔργων βελτιωθέντα καὶ ἐκ πολιτείας ἄμωμον καταστάντα, ὡς ψίλον ἄνθρωπον βαπτισθῆναι εἰς ὄνομα πατρὸς καὶ υἱοῦ καὶ ἁγίου πνεύματος, καὶ διὰ τοῦ βαπτίσματος τὴν χάριν τοῦ ἁγίου πνεύματος λαβεῖν, καὶ υἱοθεσίας ἀξιωθῆναι· καὶ κατ' ἰσότητα βασιλικῆς εἰκόνος εἰς πρόσωπον τοῦ Θεοῦ λόγου προσκυνεῖσθαι· καὶ μετὰ τὴν ἀνάστασιν ἄτρεπτον ταῖς ἐννοίαις καὶ ἀναμάρτητον παντελῶς γενέσθαι. Καὶ πάλιν εἰρηκότος τοῦ αὐτοῦ ἀσεβοῦς Θεοδώρου, τὴν ἕνωσιν τοῦ Θεοῦ λόγου πρὸς τὸν Χριστὸν τοιαύτην γεγενῆσθαι, οἵαν ὁ ἀπόστολος ἐπὶ ἀνδρὸς καὶ γυναικός· ἔσονται οἱ δύο εἰς σάρκα μίαν. Καὶ πρὸς ταῖς ἄλλαις ἀναριθμήτοις αὐτοῦ βλασφημίαις, τολμήσαντος εἰπεῖν, ὅτι μετὰ τὴν ἀνάστασιν ἐμφυσήσας ὁ κύριος τοῖς μαθηταῖς καὶ

Can. 12. Si quis de-224 fendit impium Theodorum [(183)] Mopsuestenum, qui dixit alium esse Deum Verbum, et alium Christum a passionibus animae et desideriis carnis molestias patientem, et a deterioribus paulatim recedentem, et sic ex profectu operum melioratum, et a conversatione immaculatum factum, et tanquam purum hominem baptizatum esse in nomine Patris, et Filii, et Spiritus Sancti, et per baptisma Sancti Spiritus gratiam accepisse, et filiationem meruisse, et ad similitudinem imperialis imaginis in persona Dei Verbi a d o r a r i, et post resurrectionem immutabilem cogitationibus et impeccabilem omnino factum fuisse. Et iterum dixit idem impius Theodorus, talem factam esse unitionem Dei Verbi ad Christum, qualem dixit Apostolus de viro et muliere: «*Erunt duo in carne una*» [Eph 5, 31]. Et super alias innumerabiles blasphemias ausus est dicere, quod post resurrectionem cum insufflasset Dominus discipulis, et dixisset: «*Accipite Spiritus Sanctum*»

εἰπών· λάβετε πνεῦμα ἅγιον,
οὐ δέδωκεν αὐτοῖς πνεῦμα
ἅγιον, ἀλλὰ σχήματι μό-
νον ἐνεφύσησε. Οὗτος δὲ
καὶ τὴν ὁμολογίαν τοῦ Θωμᾶ
τὴν ἐπὶ τῇ ψηλαφήσει τῶν
χειρῶν καὶ τῆς πλευρᾶς τοῦ
κυρίου, μετὰ τὴν ἀνάστασιν,
τὸ, ὁ κύριός μου, καὶ ὁ Θεός
μου, εἶπε, μὴ εἰρῆσθαι περὶ
τοῦ Χριστοῦ παρὰ τοῦ Θω-
μᾶ, ἀλλ' ἐπὶ τῷ παραδόξῳ
τῆς ἀναστάσεως ἐκπλαγέντα
τὸν Θωμᾶν ὑμνῆσαι τὸν
Θεὸν ἐγείραντα τὸν Χρι-
στόν.

225   Τὸ δὲ χεῖρον, καὶ ἐν τῇ
τῶν πράξεων τῶν ἀποστό-
λων γενομένῃ παρ' αὐτοῦ
δῆθεν ἑρμηνείᾳ συγκρίνων
ὁ αὐτὸς Θεόδωρος τὸν Χρι-
στὸν Πλάτωνι, καὶ Μανι-
χαίῳ, καὶ Ἐπικούρῳ, καὶ
Μαρκίωνι, λέγει, ὅτι, ὥσπερ
ἐκείνων ἕκαστος εὑράμενος
οἰκεῖον δόγμα, τοὺς αὐτῷ
μαθητεύσαντας πεποίηκε καλεῖσθαι Πλατωνικοὺς καὶ Μα-
νιχαίους καὶ Ἐπικουρείους
καὶ Μαρκιωνιστάς, τὸν ὅμοιον
τρόπον καὶ τοῦ Χριστοῦ εὑ-
ραμένου δόγμα, ἐξ αὐτοῦ
Χριστιανοὺς καλεῖσθαι. Εἴ
τις τοίνυν ἀντιποιεῖται τοῦ
εἰρημένου ἀσεβεστάτου Θεοδώρου, καὶ τῶν ἀσεβῶν αὐ-
τοῦ συγγραμμάτων, ἐν οἷς
τάς τε εἰρημένας καὶ ἄλλας
ἀναριθμήτους βλασφημίας

[Io 20, 22], non dedit eis Spiritum Sanctum, sed figu-
ratim tantummodo insuf-
flavit. Iste enim et con-
fessionem, quam fecit Thomas cum palpasset manus
et latus Domini post re-
surrectionem, dicens: «Dominus meus et Deus meus»
[Io 20, 28], inquit non esse dictam a Thoma de Christo.
(Nec enim dicit Theodorus
Deum esse Christum,) sed
ad miraculum resurrectionis
stupefactum Thomam glori-
ficasse Deum, qui Christum
resuscitavit.

Et, quod peius est, etiam
in interpretatione, quam in
Actus Apostolorum scripsit
Theodorus, similem fecit
Christum Platoni, et Mani-
chaeo, et Epicuro, et Mar-
cioni, dicens: Quod sicut
illorum unusquisque ex dogmate, quod invenit, suos
discipulos fecit vocari Pla-
tonicos et Manichaeos et
Epicureos et Marcionistas:
simili modo et cum Chri-
stus dogma invenisset, ex
ipso Christianos vocari. Si
quis igitur defendit praedictum impium Theodorum,
et impia eius conscripta,
in quibus tam praedictas,
quam alias innumerabiles
blasphemias effudit contra
magnum Deum et Salva-
torem Iesum Christum, et

ἐξέχει, κατὰ τοῦ μεγάλου
Θεοῦ καὶ σωτῆρος ἡμῶν Ἰη-
σοῦ Χριστοῦ· ἀλλὰ μὴ ἀνα-
θεματίζει αὐτόν, καὶ τὰ ἀσεβῆ
αὐτοῦ συγγράμματα, καὶ πάντας τοὺς δεχομένους, ἢ καὶ
ἐνδικοῦντας αὐτόν, ἢ λέγοντας ὀρθοδόξως αὐτὸν ἐκθέ-
σθαι, καὶ τοὺς γράψαντας
ὑπὲρ αὐτοῦ καὶ τῶν ἀσεβῶν
αὐτοῦ συγγραμμάτων, καὶ
τοὺς τὰ ὅμοια φρονοῦντας, ἢ
φρονήσαντας πώποτε, καὶ μέχρι τέλους ἐμμείναντας τῇ τοιαύτῃ αἱρέσει, ἀνάθεμα ἔστω.

ιγ΄. Εἴ τις ἀντιποιεῖται τῶν
ἀσεβῶν συγγραμμάτων Θεο-
δωρίτου, τῶν κατὰ τῆς ἀληθοῦς πίστεως, καὶ τῆς ἐν
Ἐφέσῳ πρώτης καὶ ἁγίας
συνόδου καὶ τοῦ ἐν ἁγίοις
Κυρίλλου, καὶ τῶν δώδεκα
αὐτοῦ κεφαλαίων, καὶ πάν-
των ὧν συνεγράψατο ὑπὲρ
Θεοδώρου καὶ Νεστορίου τῶν
δυσσεβῶν, καὶ ὑπὲρ ἄλλων
τῶν τὰ αὐτὰ τοῖς προειρημέ-
νοις Θεοδώρῳ καὶ Νεστορίῳ
φρονούντων, καὶ δεχομένων
αὐτούς, καὶ τὴν αὐτῶν ἀσέβειαν, καὶ δι᾽ αὐτῶν ἀσεβεῖς
καλεῖ τοὺς τῆς ἐκκλησίας
διδασκάλους, τοὺς καθ᾽ ὑπόστασιν τὴν ἕνωσιν τοῦ Θεοῦ
λόγου φρονοῦντας, καὶ εἴπερ
οὐκ ἀναθεματίζει τὰ εἰρημένα
ἀσεβῆ συγγράμματα, καὶ τοὺς
τὰ ὅμοια τούτοις φρονήσαντας ἢ φρονοῦντας, καὶ πάντας δὲ τοὺς γράψαντας κατὰ

non anathematizat eum, et
impia eius conscripta, et
omnes qui suscipiunt vel
defendunt eum, et dicunt
orthodoxe eum exposuisse,
et qui scripserunt pro eo,
et eadem illi sapuerunt, vel
scribunt pro eo, vel impiis
eius conscriptis, et eos qui
similia illi sapiunt, vel aliquando sapuerunt, et usque
ad mortem permanserunt
vel permanent in tali im-
pietate, talis A. S.

Can. 13. Si quis de- 226
fendit impia Theodoriti con- (184)
scripta, quae contra rectam
fidem et contra primam
EPHESINAM sanctam Sy-
nodum, et Sanctum Cyrillum
et duodecim eius capitula
exposuit, et omnia quae
conscripsit pro Theodoro
et Nestorio impiis, et pro
aliis qui eadem praedictis
Theodoro et Nestorio sa-
puerunt, defendens eos et
eorum impietatem, et propter hoc impios vocans doctores Ecclesiae, qui unitatem secundum subsisten-
tiam Dei Verbi ad carnem
confitentur, et non anathematizat ea, et eos qui similia eis sapuerunt, vel
sapiunt, insuper autem et
omnes qui scripserunt contra rectam fidem, et Sanctum Cyrillum et duodecim

τῆς ὀρθῆς πίστεως, ἢ τοῦ
ἐν ἁγίοις Κυρίλλου καὶ τῶν
δώδεκα αὐτοῦ κεφαλαίων,
καὶ ἐν τῇ τοιαύτῃ ἀσεβείᾳ
τελευτήσαντας· ὁ τοιοῦτος
ἀνάθεμα ἔστω.

227   ιδ'. Εἴ τις ἀντιποιεῖται τῆς
(185) ἐπιστολῆς τῆς λεγομένης παρὰ Ἴβα γεγράφθαι πρὸς Μά-
ρην τὸν Πέρσην, τῆς ἀρ-
νουμένης μὲν τὸν Θεὸν λόγον
ἐκ τῆς ἁγίας θεοτόκου καὶ
ἀειπαρθένου Μαρίας σαρκω-
θέντα, ἄνθρωπον γεγενῆσθαι·
λεγούσης δὲ ψιλὸν ἄνθρωπον
ἐξ αὐτῆς γενηθῆναι, ὃν ναὸν
ἀποκαλεῖ· ὡς ἄλλον εἶναι
τὸν Θεὸν λόγον, καὶ ἄλλον
τὸν ἄνθρωπον· καὶ τὸν ἐν
ἁγίοις Κύριλλον τὴν ὀρθὴν
τῶν χριστιανῶν πίστιν κη-
ρύξαντα διαβαλλούσης ὡς
αἱρετικόν, καὶ ὁμοίως Ἀπολ-
λιναρίῳ τῷ δυσσεβεῖ γρά-
ψαντα· καὶ μεμφομένης τὴν
ἐν Ἐφέσῳ πρώτην ἁγίαν
σύνοδον, ὡς χωρὶς Ζητήσεως
Νεστόριον καθελοῦσα· καὶ
τὰ δώδεκα κεφάλαια τοῦ ἐν
ἁγίοις Κυρίλλου ἀσεβῆ καὶ
ἐναντία τῇ ὀρθῇ πίστει ἀπο-
καλεῖ ἡ αὐτὴ ἀσεβὴς ἐπι-
στολή, καὶ ἐκδικεῖ Θεόδωρον
καὶ Νεστόριον καὶ τὰ ἀσεβῆ
αὐτῶν δόγματα καὶ συγ-
γράμματα· εἴ τις τοίνυν τῆς
εἰρημένης ἐπιστολῆς ἀντι-
ποιεῖται, καὶ μὴ ἀναθεματίζει
αὐτήν, καὶ τοὺς ἀντιποιου-
μένους αὐτῆς, καὶ λέγοντας,

eius capitula, usque ad
mortem in tali impietate
permanserunt, talis A. S.

Can. 14. Si quis de-
fendit epistolam, quam dicitur Ibas ad Marin Per-
sam haereticum scripsisse,
quae abnegat quidem Deum
Verbum de sancta Dei ge-
nitrice semper virgine Maria
incarnatum, hominem fac-
tum esse, dicit autem pu-
rum hominem ex ipsa natum
esse, quem templum vocat,
ut alius sit Deus Verbum,
et alius homo, et Sanctum
Cyrillum, qui rectam fidem
Christianorum praedicavit,
tanquam haereticum et si-
militer Apollinario impio
scripsisse criminatur, et in-
culpat primam EPHESI-
NAM sanctam Synodum
tanquam sine examinatione
et quaestione Nestorium
condemnantem, et duo-
decim capitula Sancti Cy-
rilli impia et contraria rectae fidei vocat eadem impia
epistola, et defendit Theodorum et Nestorium, et
impia eorum dogmata et
conscripta. Si quis igitur
memoratam impiam episto-
lam defendit, et non ana-
thematizat eam, et defen-
sores eius, et eos, qui dicunt

αὐτὴν ὀρθὴν εἶναι, ἢ μέρος
αὐτῆς, καὶ γράψαντας καὶ
γράφοντας ὑπὲρ αὐτῆς, ἢ
τῶν περιεχομένων αὐτῇ ἀσε-
βειῶν, καὶ τολμῶντας ταύτην
ἐκδικεῖν ἢ τὰς περιεχομένας
αὐτῇ ἀσεβείας ὀνόματι τῶν
ἁγίων πατέρων, ἢ τῆς ἁγίας ἐν
Χαλκηδόνι συνόδου, καὶ τούτοις μέχρι τέλους ἐμμείναν-
τας· ὁ τοιοῦτος ἀνάθεμα ἔστω.

Τούτων τοίνυν οὕτως ὁμο-
λογηθέντων, ἃ καὶ παρελά-
βομεν ἐκ τῆς θείας γραφῆς,
καὶ τῆς τῶν ἁγίων πατέρων
διδασκαλίας, καὶ τῶν ὁρι-
σθέντων περὶ τῆς μιᾶς καὶ
τῆς αὐτῆς πίστεως παρὰ
τῶν προειρημένων ἁγίων
τεσσάρων συνόδων, γενο-
μένης δὲ καὶ παρ' ἡμῶν τῆς
ἐπὶ τοῖς αἱρετικοῖς, καὶ τῆς
αὐτῶν ἀσεβείας, πρόσγε καὶ
τῆς τῶν ἐκδικησάντων ἢ
ἐκδικούντων τὰ εἰρημένα τρία
κεφάλαια, καὶ ἐναπομεινάν-
των ἢ ἀπομενόντων τῇ οἰ-
κείᾳ πλάνῃ, κατακρίσεως, εἴ
τις ἐπιχειρήσοι ἐναντία τοῖς
παρ' ἡμῶν εὐσεβῶς διατυ-
ποθεῖσι παραδοῦναι, ἢ δι-
δάξαι, ἢ γράψαι, εἰ μὲν ἐπίσκοπος εἴη, ἢ ἐν κλήρῳ
ἀναφερόμενος, ὁ τοιοῦτος
ἀλλότρια ἱερέων καὶ τῆς ἐκκλησιαστικῆς καταστάσεως
πράττων, γυμνωθήσεται τῆς
ἐπισκοπῆς, ἢ τοῦ κλήρου, εἰ
δὲ μοναχός, ἢ λαικός, ἀνα-
θεματισθήσεται.

eam rectam esse, vel partem
eius, et eos, qui scripserunt
vel scribunt pro ea, vel
pro impietate quae in ea
continetur, et praesumunt
eam defendere vel insertam
ei impietatem nomine sanctorum Patrum vel sancti
CHALCEDONENSIS Con-
cilii, et in his usque ad mortem permanent, talis A. S.

Cum igitur haec ita recte 228
confessi sumus, quae tra- (186)
dita nobis sunt tam a di-
vinis Scripturis, quam a
sanctorum Patrum doctrina,
et ab his quae definita sunt
de una eademque fide a
praedictis sanctis quattuor
Conciliis, facta autem
a nobis et condemnatione
contra haereticos et eorum
impietatem, nec non etiam
contra eos, qui defenderunt
vel defendunt praedicta impia tria capitula, et permanserunt in suo errore, vel
qui permanent: si quis conatus fuerit contra haec, quae
pie disposuimus, vel tradere
vel docere vel scribere, si
quidem episcopus vel cle-
ricus sit, iste tanquam aliena
a sacerdotibus et statu ecclesiastico faciens, denuda-
bitur episcopatu vel cleri-
catu: si autem monachus
vel laicus sit, anathemati-
zabitur.

PELAGIUS I 556—561.

De „fide Pelagii" v. App. n. 3028.

De forma baptismi[1].

[Ex ep. «Admonemus ut» ad Gaudentium Episc. Volaterranum, ca. 560.]

229   Multi sunt, qui in nomine Christi solummodo una 857 etiam mersione se asserunt baptizari. Evangelicum vero praeceptum ipso Deo Domino et Salvatore nostro Iesu Christo tradente nos admonet, in nomine Trinitatis, trina etiam mersione sanctum baptisma unicuique tribuere, dicente Domino nostro Iesu Christo discipulis suis: *Ite baptizate omnes gentes in nomine Patris et Filii et Spiritus Sancti* [Mt 28, 19].

Si revera hi de haereticis, qui in locis dilectioni tuae vicinis commorari dicuntur, solummodo se in nomine Domini baptizatos fuisse forsitan confitentur, sine cuiusquam dubitationis ambiguo eos ad catholicam fidem venientes Sanctae Trinitatis nomine baptizabis. Sin vero... manifesta confessione claruerit, quod in nomine Trinitatis fuerint baptizati, sola reconciliationis gratia impensa catholicae fidei sociare maturabis, ut ... nihil aliter, quam quod evangelica iubet auctoritas, ... videatur effectum.

De primatu Romani Pontificis[2].

[Ex ep. (26) «Adeone te» ad episcopum quendam (Iohannem?), ca. 560.]

230   Adeone te in summo sacerdotii gradu positum catholicae fefellit veritas matris, ut non statim schismaticum te conspiceres, cum a sedibus apostolicis recessisses? Adeone populis ad praedicandum positus non legeras super Apostolorum principem a Christo Deo nostro Ecclesiam esse fundatam, ut *portae adversus ipsam inferi praevalere* non possent? [Cf. Mt 16, 18.] Quod si legeras, ubinam praeter ipsum esse credebas Ecclesiam, in quo uno omnes scilicet apostolicae sedes sunt? Quibus pariter sicut illi, qui *claves* acceperat, *ligandi solvendique* potestas indulta est? [Cf. Mt 16, 19.] Sed idcirco uni

---

[1] CIC Decr. III, 4, 82 et 30: Frdbg I 1389 et 1370; Rcht I 1212 et 1196; Jf 980.
[2] [Ex Coll. Brit.] Löwenfeld, Epistolae Pontificum Romanorum ineditae, Lipsiae 1885, n. 28 p. 15 sq; Jf 998 c. Add.

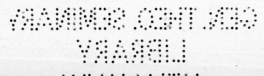

primum, quod daturus erat, etiam (in) omnibus dedit,
ut, secundum beati Cypriani martyris id ipsum ex-
ponentis sententiam, una esse monstretur Ecclesia. Quo
ergo tu, carissime iam in Christo, ab ista divisa errabas,
vel quam salutis tuae tenebas spem?

(IOHANNES III 561—574.)

Conc. Bracarense[1] *II (I) 561.*

Anathematismi contra haereticos praesertim
Priscillianistas[2].

39   1. Si quis Patrem et Filium et Spiritum Sanctum 231
non confitetur tres personas unius substantiae
et virtutis ac potestatis, sicut catholica et apostolica
Ecclesia docet, sed unam tantum ac solitariam dicit esse
personam, ita ut ipse sit Pater, qui Filius, ipse etiam
sit Paraclytus Spiritus, sicut Sabellius et Priscillianus
dixerunt, anathema sit.

   2. Si quis extra Sanctam Trinitatem alia nescio 232
quae divinitatis nomina introducit, dicens, quod in ipsa
divinitate sit trinitas trinitatis, sicut Gnostici et Priscillianus dixerunt, A. S.

148   3. Si quis dicit Filium Dei Dominum nostrum, ante- 233
quam ex Virgine nasceretur, non fuisse, sicut Paulus
Samosatenus et Photinus et Priscillianus dixerunt, A. S.

   4. Si quis natalem Christi secundum carnem non vere 234
honorat, sed honorare se simulat, ieiunans in eodem die
et in Dominico, quia Christum in hominis natura natum
esse non credit, sicut Cerdon, Marcion, Manichaeus et
Priscillianus, A. S.

480   5. Si quis animas humanas vel angelos ex Dei credit 235
substantia exstitisse, sicut Manichaeus et Priscillianus
dixerunt, A. S.

---

[1] Braga in Hispania (nunc in Lusitania).
[2] Msi IX 774 C sqq; coll. KAnt 36 sqq et H 230 sqq; Hrd III
348 B sqq; Hfl III 15 sqq. — De regulis fidei ecclesiae hispanicae
earumque connexione cum hoc concilio vide KAnt 25 sqq et 36 sqq.
— Eisdem fere verbis et ordine errores ab hoc concilio reiecti damnati erant in epistola **LEONIS** Magni ad Turibium Episc. Asturi-
censem» [Astorga in Hispania. Jf 412; ML 54, 680 sqq; Msi V 1290 sqq
(cf. n. 21 sqq)].

236   6. Si quis animas humanas dicit prius in coelesti habi-
tatione peccasse et pro hoc in corpora humana in terra
deiectas, sicut Priscillianus dixit, A. S.

237   7. Si quis dicit, d i a b o l u m non fuisse prius bonum *383*
angelum a Deo factum nec Dei opificium fuisse naturam *427* *1261*
eius, sed dicit eum ex tenebris emersisse nec aliquem *1923*
sui habere auctorem, sed ipsum esse principium atque
substantiam mali, sicut Manichaeus et Priscillianus dixerunt, A. S.

238   8. Si quis credit, quia aliquantas in mundo creaturas
diabolus fecerit et tonitrua et fulgura et tempestates et
siccitates ipse diabolus sua auctoritate faciat, sicut Priscillianus dixit, A. S.

239   9. Si quis animas humanas fatali signo [*al.* animas et corpora humana fatalibus stellis] credit adstringi, sicut pagani et
Priscillianus dixerunt, A. S.

240   10. Si qui duodecim signa vel sidera, quae mathe-
matici observare solent, per singula animae vel corporis
membra dissipata credunt et nominibus Patriarcharum
adscripta dicunt, sicut Priscillianus dixit, A. S.

241   11. Si quis c o n i u g i a humana damnat et procrea- *969*
tionem nascentium perhorrescit, sicut Manichaeus et
Priscillianus dixerunt, A. S.

242   12. Si quis plasmationem humani c o r p o r i s diaboli
dicit esse figmentum et conceptiones in uteris matrum
operibus dicit daemonum figurari, propter quod et r e-
s u r r e c t i o n e m carnis non credit, sicut Manichaeus et *287*
Priscillianus dixerunt, A. S.

243   13. Si quis dicit creationem universae carnis non opificium Dei, sed malignorum esse angelorum, sicut Priscillianus dixit, A. S.

244   14. Si quis immundos putat c i b o s carnium, quas
Deus in usu hominum dedit, et, non propter afflictionem
corporis sui, sed quasi immunditiam putarit, ita abstineat
ab eis, ut nec olera cocta cum carnibus pergustet, sicut
Manichaeus et Priscillianus dixerunt, A. S.

[15. et 16. *disciplinam ecclesiasticam unice respiciunt.*]

245   17. Si quis S c r i p t u r a s, quas Priscillianus secundum *783*
suum depravavit errorem, vel tractatus Dictinii, quos ipse
Dictinius, antequam converteretur, scripsit, vel quaecun-

que haereticorum scripta sub nomine Patriarcharum, Prophetarum vel Apostolorum suo errori consona
confinxerunt, legit et impia eorum figmata sequitur aut
defendit, A. S.

BENEDICTUS I 575—579.

PELAGIUS II 579—590.

De uni(ci)tate Ecclesiae [1].

[Ex ep. (1) «Quod ad dilectionem» ad episcopos schismaticos Istriae,
ca. 585.]

1821   Nostis (enim) in evangelio Dominum proclamantem: 246
*Simon, Simon, ecce satanas expetivit vos, ut cribraret
sicut triticum: ego autem rogavi pro te Patrem, ut non
deficiat fides tua; et tu conversus confirma fratres tuos*
[Lc 22, 31 sq].

Considerate, carissimi, quia Veritas mentiri non potuit
nec fides PETRI in aeternum quassari poterit vel mutari: nam cum omnes discipulos diabolus ad excribrandum
poscerit, pro solo PETRO se Dominus rogasse
testatur et ab eo voluit ceteros confirmari: cui etiam
pro maiori dilectione, quam prae ceteris Domino ex-
hibebat, *pascendarum ovium* sollicitudo commissa est
[cf. Io 21, 15 sqq]: cui et *claves regni coelorum* tradidit; et
super quem *Ecclesiam suam aedificaturum* esse promisit *nec portas inferi adversus eam praevalere* testatus
est [Mt 16, 16 sqq]. Sed quia inimicus humani generis usque in finem saeculi non quiescit in Domini Ecclesiam
bono semini *superseminare zizania* [Mt 13, 25]: ideoque
ne forte quisquam maligno studio aliqua de fidei nostrae
integritate diaboli instigatione fingere praesumpserit et
argumentari, et ex hoc vestri fortasse videantur animi
perturbari, necessarium iudicavimus per praesentem epistolam nostram, et ad viscera vos matris Ecclesiae ut
reverti debeatis, cum lacrimis exhortari, et de fidei
nostrae integritate vobis satisfactionem mittere. . . . Considerate (ergo), quia quicunque in pace et unitate
Ecclesiae non fuerit, Dominum habere non
poterit [Gal 3, 7]. . . .

---

[1] Msi IX 892 A sq; Jf 1054; ML 72, 707 B sqq; Hrd III 414 E sqq.

[Confirmata dein fide Synodorum NICAENAE, CONSTANTINOP. I,
EPHESINAE I, *et praecipue* CHALCEDONENSIS, *necnon* epistolae
dogmaticae LEONIS *ad Flavianum, sic pergit:]*

Si quis autem contra hanc fidem aut sapit aut credit
aut docere praesumit, secundum eorundem Patrum sententiam damnatum atque anathematizatum se esse cognoscat. . . .

De necessitate unionis cum Ecclesia [1].

[Ex ep. (2) «Dilectionis vestrae» ad episcopos schismaticos Istriae, ca. 585.]

247   . . . Nolite (ergo) amore iactantiae, quae superbiae 1821
semper est proxima, in obstinationis vitio permanere:
quando in die iudicii nullus vestrum excusare se valet. . .
Ubi namque sit Ecclesia constituta, licet ipsius Domini
voce in sancto evangelio sit apertum, quid tamen beatus
Augustinus eiusdem dominicae memor sententiae de-
finierit, audiamus. In his namque, ait, esse Dei Ecclesiam constitutam, qui sedibus apostolicis per
successionem praesulum praesidere noscuntur. Et quicunque ab earundem sedium se communione
vel auctoritate suspenderit, esse in schismate demonstratur. Et post alia: Positus foris, etiamsi pro Christi
nomine mortuus fueris, inter membra Christi [non numera-
beris]. Patere pro Christo, haerens corpori, pugna pro
capite. Sed et beatus Cyprianus . . . inter alia sic dicit:
Exordium ab unitate proficiscitur: et primatus PE-
TRO datur, ut una Christi Ecclesia et cathedra monstretur: et pastores sunt omnes, sed
grex unus ostenditur, qui ab apostolis unanimi consensione pascatur. Et post pauca: Hanc Ecclesiae
unitatem qui non tenet, tenere se fidem credit? Qui
cathedram PETRI, super quam Ecclesia fundata est,
deserit et resistit, in Ecclesia se esse confidit? Item
post alia: Ad pacis praemium pervenire non possunt,
quia pacem domini discordiae furore ruperunt. . . . Cum
Deo manere non possunt, qui esse in Ecclesia Dei unani-
miter noluerunt: ardeant licet flammis et ignibus traditi, vel obiecti bestiis animas suas ponant: non erit

---

[1] Msi IX 897 D sqq; Jf 1055; ML 72, 712 D sqq; Hrd III 419 B sqq.

illa fidei corona, sed poena perfidiae: nec religiosae
virtutis exitus gloriosus, sed desperationis interitus: occidi talis potest, coronari non potest. . . . Peius schismatis crimen est, quam quod hi, qui sacrificaverunt,
qui tamen in poenitentia criminis constituti Dominum
plebis satisfactionibus deprecantur. Hic Ecclesia quaeritur et rogatur, illic Ecclesiae repugnatur. Hic potest
necessitas fuisse, illic voluntas tenetur in scelere. Hic
qui lapsus est, sibi tantum nocuit; illic qui haeresim
vel schisma facere conatur, multos secum trahendo decipit. Hic animae unius est damnum, illic periculum
plurimorum. Certe se peccasse hic intelligit et plangit,
ille tumens in peccato suo, et ipsis sibi delictis placens,
a matre filios segregat, oves a pastore sollicitat, Dei
sacramenta disturbat, et cum lapsus semel peccaverit,
ille quotidie peccat. Postremo lapsus martyrium postmodum consecutus potest regni promissa percipere:
ille si extra Ecclesiam fuerit occisus, ad Ecclesiae non potest praemia pervenire. . .

S. GREGORIUS I M. 590—604.

De scientia Christi (contra Agnoëtas)[1].

[Ex ep. «Sicut aqua frigida» ad Eulogium Patriarch. Alex., Aug. 600.]

148 De eo (vero), quod scriptum est: *Quia diem et horam* 248
neque Filius, neque angeli sciunt [cf. Mc 13, 32], omnino
recte vestra sanctitas sensît, quoniam non ad eundem
filium, iuxta hoc quod caput est, sed iuxta corpus eius,
quod sumus nos, est certissime referendum. . . . Dicit
quoque [Augustinus] . . . quod de eodem filio possit intelligi, quia Deus omnipotens aliquando more loquitur
humano, sicut ad Abraham dicit: *Nunc cognovi, quia*
times Deum [cf. Gn 22, 12]. Non quia se Deus tunc timeri
cognoverit, sed quia tunc eundem Abraham fecit agnoscere, quia Deum timeret. Sicut enim nos diem laetum
dicimus, non quod ipse dies laetus sit, sed quia nos
laetos facit, ita et omnipotens Filius nescire se dicit
diem quem nesciri facit, non quod ipse nesciat, sed

---

[1] ML 77, 1097 A sq; Jf 1790.

quia hunc sciri minime permittat. Unde et Pater
solus dicitur scire, quia consubstantialis ei Filius, ex eius natura qua est super angelos, habet ut
hoc sciat, quod angeli ignorant. ... Itaque scientiam,
quam ex humanitatis natura non habuit, ex qua cum
angelis creatura fuit, hanc se cum angelis, qui creaturae
sunt, habere denegavit. Diem ergo et horam iudicii
scit Deus et homo; sed ideo, quia Deus est homo. Res
autem valde manifesta est, quia quisquis Nestoria-
nus non est, Agnoita esse nullatenus potest.
Nam qui ipsam Dei Sapientiam fatetur incarnatam, qua
mente valet dicere esse aliquid, quod Dei Sapientia
ignoret? Scriptum est: «*In principio erat Verbum, et
Verbum erat apud Deum, et Deus erat Verbum* . . .
Omnia per ipsum facta sunt» [Io 1, 13]. Si omnia, procul dubio etiam dies iudicii et hora. Quis ergo ita de-
sipiat, ut dicere praesumat, quia Verbum Patris fecit,
quod ignorat? Scriptum quoque est: «*Sciens Iesus, quia
omnia dedit ei Pater in manus*» [cf. Io 13, 3]. Si omnia,
profecto et diem iudicii et horam. Quis ergo ita stultus
est, ut dicat, quia accepit Filius in manibus, quod nescit?

De baptismo et ordinibus haereticorum [1].

[Ex ep. «Quia charitati» ad episcopos Hiberniae, 22. Iunii 601.]

249   Ab antiqua Patrum institutione didicimus, ut, qui (-libet) 857
apud haeresim in Trinitatis nomine baptizantur, cum ⁹⁵⁷
ad sanctam Ecclesiam redeunt, aut unctione chrismatis, aut impositione manus, aut sola professione fidei ad sinum matris Ecclesiae revocentur ... quia
sanctum baptisma, quod sunt apud haereticos consecuti,
tunc in eis vires emundationis recipit, cum ... fidei sanctae
et universalis Ecclesiae visceribus fuerint uniti. — Hi vero
haeretici, qui in Trinitatis nomine minime baptizantur,
... cum ad sanctam Ecclesiam veniunt, baptizantur,
quia baptisma non fuit, quod in errore positi in sanctae
Trinitatis nomine minime perceperunt. Nec potest hoc
ipsum iteratum dici baptisma, quod, sicut dictum est,
in Trinitatis nomine non erat datum.

---

[1] ML 177, 1205 A sqq; Jf 1844; CIC Decr. III, 4, 44 et 84: Frdbg I 1380 1390.

Quicunque [ergo] a perverso errore Nestorii revertuntur, . . . absque ulla dubitatione eos sanctitas vestra, servatis eis propriis ordinibus, in suo coetu recipiat, ut, dum . . . per mansuetudinem nullam eis contrarietatem vel difficultatem de propriis suis ordinibus facitis, eos ab antiqui hostis ore rapiatis.

De tempore unionis hypostaticae [1].

[Ex eadem epistola ad episcopos Hiberniae]

148 Non (autem) prius in utero Virginis caro concepta 250 est, et postmodum divinitas venit in carnem; sed mox, ut Verbum venit in uterum, mox Verbum, servata propriae virtute naturae factum est caro. . . . Nec ante conceptus et postmodum unctus est; sed hoc ipsum de Spiritu Sancto ex carne Virginis concipi a Sancto Spiritu ungi fuit.

De cultu imaginum v. K n. 1054 sqq; — de auctoritate quattuor conciliorum 250*
v. R n. 2291; — de chrismatione ib. n. 2294; — de baptismi ritu ib. n. 2292,
effectu ib. n. 2298; de matrimonii indissolubilitate ib. n. 2297.

SABINIANUS 604—606. S. BONIFACIUS IV 608—615.
BONIFACIUS III 607. S. DEUSDEDIT 615—618.
BONIFACIUS V 619—625.

HONORIUS I 625—638.

De duabus voluntatibus et operationibus in Christo [2].

[Ex ep. (1) «Scripta fraternitatis vestrae» ad Sergium,
Patriarch. Constantplt., a. 634.]

148 . . . Duce Deo perveniemus usque ad mensuram rectae 251 fidei, quam apostoli veritatis Scripturarum sanctarum funiculo extenderunt: Confitentes Dominum Iesum Christum, mediatorem Dei et hominum, operatum divina media humanitate Verbo Dei naturaliter [*gr.* hypostatice] unita, eundemque operatum humana ineffabiliter atque singulariter assumpta carne [*gr.* in-] discrete, inconfuse atque inconvertibiliter plena divinitate . . . ut nimirum

---

[1] ML 77, 1207 D sq.
[2] Msi XI 538 D sq et 579 D sqq; Jf 2018 et 2024 c. Add.; Hrd III 1319 B sqq et 1351 E sqq; ML 80, 471 B sqq et 475 A. — Plura ex hac ep. v. K n. 1057—1064.

stupenda mente mirabiliter manentibus utrarumque naturarum differentiis cognoscatur [caro passibilis divinitati] uniri. . . .
Unde et unam voluntatem fatemur Domini nostri Iesu
Christi, quia profecto a divinitate assumpta est nostra
natura, non culpa; illa profecto, quae ante peccatum
creata est, non quae post praevaricationem vitiata. Christus enim . . . sine peccato conceptus de Spiritu Sancto,
etiam absque peccato est partus de sancta et immaculata Virgine Dei genitrice, nullum experiens contagium
vitiatae naturae. . . . Nam lex alia in membris, aut
voluntas diversa non fuit vel contraria Salva-
tori, quia super legem natus est humanae condicionis. . . .
Quia Dominus Iesus Christus, Filius ac Verbum Dei,
per quem facta sunt omnia, ipse sit unus operator
divinitatis atque humanitatis, plenae sunt sacrae litterae
luculentius demonstrantes. Utrum autem propter opera
divinitatis et humanitatis, una an geminae operationes
debeant derivatae dici vel intelligi, ad nos ista pertinere
non debent; relinquentes ea grammaticis, qui solent
parvulis exquisita derivando nomina venditare. Nos
enim non unam operationem vel duas Dominum Iesum Christum eiusque Sanctum Spiritum sacris litteris
percepimus, sed multiformiter cognovimus operatum.

[Ex ep. (2) «Scripta dilectissimi filii» ad eundem Sergium.]

252   . . . Quantum ad dogma ecclesiasticum pertinet, quae
tenere vel praedicare debemus propter simplicitatem
hominum et amputandas inextricabiles quaestionum ambages . . . non unam vel duas operationes in mediatore
Dei et hominum definire, sed utrasque naturas in
uno Christo unitate naturali copulatas, cum alterius
communicatione operantes atque operatrices confiteri debemus, et divinam quidem, quae Dei sunt
operantem, et humanam, quae carnis sunt exsequentem:
non divise, neque confuse, aut convertibiliter, Dei naturam in hominem et humanam in Deum conversam
edocentes: sed naturarum differentias integras
confitentes. . . . Auferentes ergo . . . scandalum no-
vellae adinventionis, non nos oportet unam vel duas
operationes definientes praedicare; sed pro una, quam

quidam dicunt, operatione oportet nos u n u m o p e r a-
t o r e m Christum Dominum in utrisque naturis veridice
confiteri: et pro duabus operationibus, ablato geminae
operationis vocabulo, ipsas potius duas naturas, i. e.
divinitatis et carnis assumptae, in una persona unigeniti
Dei Patris inconfuse, indivise, atque inconvertibiliter
nobiscum propria operantes.

[Plura ex hac ep. v. K 1065—1069.]

SEVERINUS 640.

IOHANNES IV 640—642.

De sensu verborum **HONORII** circa duas voluntates [1].

[Ex ep. «Dominus qui dixit» ad Constantinum Imperatorem, 641.]

148
1832
. . . Unus et solus est sine peccato mediator Dei et 253
hominum homo Christus Iesus, qui in mortuis liber conceptus et natus est. In dispensatione itaque sanctae
carnis suae d u a s n u n q u a m h a b u i t c o n t r a r i a s
voluntates nec repugnavit voluntati mentis eius voluntas
carnis ipsius. . . . Unde scientes, quod nullum in eo,
cum nasceretur et conversaretur, esset omnino peccatum, decenter dicimus et veraciter confitemur, u n a m
voluntatem in sanctae ipsius dispensationis humanitate,
et n o n d u a s c o n t r a r i a s mentis et carnis praedicamus, secundum quod quidam haeretici velut in puro
homine delirare noscuntur. — Secundum hunc igitur
modum (iam dictus) decessor noster [HONORIUS] (prae-
nominato) Sergio Patriarchae percontanti scripsisse dignoscitur, quia in Salvatore nostro duae voluntates c o n-
t r a r i a e, i. e. in membris ipsius, penitus non consistunt,
quoniam nihil vitii traxit ex praevaricatione primi hominis. . . . Hoc fieri solet, ut scl. ubi est vulnus, ibi
medicinale occurrat auxilium. Nam et beatus Apostolus
hoc saepe fecisse dignoscitur, se secundum auditorum
consuetudinem praeparans; et aliquando quidem de
suprema natura docens, de humana penitus tacet, aliquando vero de humana dispensatione disputans, mysterium divinitatis eius non tangit. . . . Praedictus efgo

---

[1] Msi X 684 A sqq; Jf 2042; Hrd III 611 D sqq; ML 80, 604 B sqq.

decessor meus de mysterio incarnationis Christi dicebat,
non fuisse in eo, sicut in nobis peccatoribus, mentis
et carnis contrarias voluntates: quod quidam
ad proprium sensum convertentes, 'divinitatis eius et
humanitatis unam eum voluntatem docuisse suspicati
sunt; quod veritati omnimodo est contrarium. . . .

THEODORUS I 642—649.

S. MARTINUS I 649— 653(655).

Conc. LATERANENSE 649.

(Contra Monotheletas.)

De Trinitate, Incarnatione etc. [1]

254   Can. 1.   Si quis secundum sanctos Patres non con-39
(202) fitetur proprie et veraciter Patrem, et Filium, et Spiritum Sanctum, Trinitatem in unitate, et unitatem
in Trinitate, hoc est, unum Deum in tribus subsistentiis
consubstantialibus et aequalis gloriae, unam eandemque
trium deitatem, naturam, substantiam, virtutem, potentiam, regnum, imperium, voluntatem, operationem in-
conditam, sine initio, incomprehensibilem, immutabilem,
creatricem omnium et protectricem, condemnatus sit.

255   Can. 2.   Si quis secundum sanctos Patres non confitetur proprie et secundum veritatem ipsum unum sanctae et consubstantialis et venerandae Trinitatis Deum
Verbum e coelo descendisse, et incarnatum ex 148
Spiritu Sancto et Maria semper Virgine, et hominem
factum, crucifixum carne, propter nos sponte passum
sepultumque, et resurrexisse tertia die, et ascendisse in
coelos, atque sedentem in dextera Patris, et venturum
iterum cum gloria paterna cum assumpta ab eo atque
animata intellectualiter carne eius, iudicare vivos et mortuos, condemnatus sit.

256   Can. 3.   Si quis secundum sanctos Patres non confitetur proprie et secundum veritatem Dei genitricem 113

---

[1] Hrd III 922 A sqq; Msi X 1151 A sqq; coll. Hfl III 223 sqq et H
238 sqq; cf. Bar(Th) ad 649 n. 2 sqq (11, 388 sqq). Can.: n. 22 sq (11,
392 sqq). — Hi canones suscipiuntur ab AGATHONE cum omnibus
synodis Occidentis in epistola ad imperatores, occasione Synodi VI
oecumenicae (CONSTPLT. III) data.

Sanctam semperque Virginem et immaculatam Mariam,
utpote ipsum Deum Verbum specialiter et veraciter, qui
a Deo Patre ante omnia saecula natus est, in ultimis
saeculorum absque semine concepisse ex Spiritu Sancto,
et incorruptibiliter eam [eum?] genuisse, indissolubili permanente et post partum eiusdem virginitate, condemnatus sit.

Can. 4. Si quis secundum sanctos Patres non con- 257
fitetur proprie et secundum veritatem ipsius et unius [205]
Domini nostri et Dei Iesu Christi duas nativitates,
tam ante saecula ex Deo et Patre incorporaliter et
sempiternaliter, quamque de sancta Virgine semper Dei
genitrice Maria corporaliter in ultimis saeculorum, atque
unum eundemque Dominum nostrum et Deum Ie-
sum Christum consubstantialem Deo et Patri secundum
deitatem et consubstantialem homini et matri secundum
humanitatem, atque eundem passibilem carne, et
impassibilem deitate, circumscriptum corpore, in-
circumscriptum deitate, eundem inconditum et conditum,
terrenum et coelestem, visibilem et intelligibilem, capa-
bilem et incapabilem: ut toto homine eodemque et Deo
totus homo reformaretur, qui sub peccato cecidit, condemnatus sit.

Can. 5. Si quis secundum sanctos Patres non con- 258
fitetur proprie et secundum veritatem unam naturam
Dei Verbi incarnatam, per hoc quod incarnata dicitur
nostra substantia perfecte in Christo Deo et indiminute, absque tantummodo peccato significata, condemnatus sit.

Can. 6. Si quis secundum sanctos Patres non con- 259
fitetur proprie et secundum veritatem, ex duabus et in
duabus naturis substantialiter unitis inconfuse et indivise
unum eundemque esse Dominum et Deum Iesum
Christum, condemnatus sit.

Can. 7. Si quis secundum sanctos Patres non con- 260
fitetur proprie et secundum veritatem substantialem [208]
differentiam naturarum inconfuse et indivise in eo
salvatam, condemnatus sit.

Can. 8. Si quis secundum sanctos Patres non con- 261
fitetur proprie et secundum veritatem naturarum sub-

stantialem unitionem indivise et inconfuse in eo cognitam, condemnatus sit.

262 Can. 9. Si quis secundum sanctos Patres non con-
(210) fitetur proprie et secundum veritatem naturales proprietates deitatis eius et humanitatis indiminute in
eo et sine deminoratione salvatas, condemnatus sit.

263 Can. 10. Si quis secundum sanctos Patres non confitetur proprie et secundum veritatem duas unius eiusdemque Christi Dei nostri voluntates cohaerenter unitas,
divinam et humanam, ex hoc quod per utramque eius
naturam voluntarius naturaliter idem consistit nostrae
salutis [operator], condemnatus sit.

264 Can. 11. Si quis secundum sanctos Patres non confitetur proprie et secundum veritatem duas unius eiusdemque Christi Dei nostri operationes cohaerenter unitas,
divinam et humanam, ab eo quod per utramque eius
naturam operator naturaliter idem exsistit nostrae salutis,
condemnatus sit.

265 Can. 12. Si quis secundum scelerosos haereticos
(213) unam Christi Dei nostri voluntatem confitetur et
unam operationem, in peremptionem sanctorum Patrum confessionis, et abnegationem eiusdem Salvatoris
nostri dispensationis, condemnatus sit.

266 Can. 13. Si quis secundum scelerosos haereticos in
Christo Deo in unitate substantialiter salvatis et a sanctis
Patribus nostris pie praedicatis duabus voluntati-
bus et duabus operationibus, divina et humana,
contra doctrinam Patrum, et unam voluntatem atque
unam operationem confitetur, condemnatus sit.

267 Can. 14. Si quis secundum scelerosos haereticos cum
una voluntate et una operatione, quae ab haereticis impie confitetur, et duas voluntates pariterque et
operationes, hoc est, divinam et humanam, quae in ipso
Christo Deo in unitate salvantur, et a sanctis Patribus
orthodoxe in ipso praedicantur, denegat et respuit, condemnatus sit.

268 Can. 15. Si quis secundum scelerosos haereticos
deivirilem operationem, quod Graeci dicunt θεαν-
δρικήν, unam operationem insipienter suscipit, non autem

duplicem esse confitetur secundum sánctos Patres, hoc
est divinam et humanam, aut ipsam deivirilis, quae posita est, novam vocabuli dictionem unius esse designa-
tivam, sed non utriusque mirificae et gloriosae unitionis
demonstrativam, condemnatus sit.

Can. 16. Si quis secundum scelerosos haereticos in 269
peremptione salvatis in Christo Deo essentialiter in uni- (217)
tione, et (a) sanctis Patribus pie praedicatis duabus vo-
luntatibus et duabus operationibus, hoc est, divina
et humana, dissensiones et divisiones insipienter
mysterio dispensationis eius innectit, et propterea evangelicas et apostolicas de. eodem Salvatore voces non
uni eidemque personae et essentialiter tribuit eidem ipsi
Domino et Deo nostro Iesu Christo secundum beatum
Cyrillum, ut ostendatur Deus esse et homo idem naturaliter, condemnatus sit.

159 Can. 17. Si quis secundum sanctos Patres non con- 270
fitetur proprie et secundum veritatem omnia, quae tradita sunt et praedicata sanctae catholicae et apostolicae
Dei Ecclesiae, perindeque a sanctis Patribus et venerandis universalibus quinque Conciliis usque ad
unum apicem verbo et mente, condemnatus sit.

Can. 18. Si quis secundum sanctos Patres consonanter 271
nobis pariterque fide non respuit et anathematizat anima (219)
et ore omnes, quos respuit et anathematizat, nefandissi-
mos haereticos cum omnibus impiis eorum conscriptis
usque ad unum apicem sancta Dei Ecclesia catholica
et apostolica, hoc est, sanctae et universales quinque
Synodi et consonanter omnes probabiles Ecclesiae Patres, id est, Sabellium, Arium, Eunomium, Macedonium,
Apollinarem, Polemonem, Eutychen, Dioscurum, Timotheum Aelurum, Severum, Theodosium, Colluthum,
Themistium, Paulum Samosatenum, Diodorum, Theodorum, Nestorium, Theodulum Persam, Origenem, Didy-
mum, Evagrium, et compendiose omnes reliquos
haereticos, qui a catholica Ecclesia reprobati atque
abiecti sunt, quorum dogmata diabolicae operationis
sunt genimina, et eos, qui similia cum his usque ad
finem obstinate sapuerunt, aut sapiunt, vel sapere sperantur, cum quibus merito, utpote similes eis parique

8 *

errore praeditos : ex quibus dogmatizare noscuntur proprioque errori vitam suam determinantes, hoc est, Theodorum quondam episcopum Pharanitanum, Cyrum Alexandrinum, Sergium Constantinopolitanum, vel eius
successores Pyrrhum et Paulum in sua perfidia permanentes, et omnia impia illorum conscripta, et eos,
qui similia cum illis usque in finem obstinate sapuerunt,
aut sapiunt, vel sapere sperantur, hoc est, u n a m v o-
l u n t a t e m et u n a m o p e r a t i o n e m deitatis et humanitatis Christi, et super haec impiissimam Ecthesim,
quae persuasione eiusdem Sergii facta est ab Heraclio
quondam imperatore adversus orthodoxam fidem, unam
Christi Dei voluntatem, et unam ex concinnatione de-
finientem operationem venerari; sed et omnia, quae pro
ea impie ab eis scripta vel acta sunt, et illos, qui eam
suscipiunt, vel aliquid de his, quae pro ea scripta vel
acta sunt, et cum illis denuo scelerosum Typum, qui
ex suasione praedicti Pauli nuper factus est a serenis-
simo principe Constantino imperatore contra catholicam
Ecclesiam, utpote d u a s n a t u r a l e s v o l u n t a t e s et
o p e r a t i o n e s, divinam et humanam, quae a sanctis
Patribus in ipso Christo Deo vero et Salvatore nostro
pie praedicantur, cum una voluntate et operatione, quae
ab haereticis impie in eo veneratur, pariter denegare
et taciturnitate constringi promulgantem, et propterea
cum sanctis Patribus et scelerosos haereticos ab omni
reprehensione et condemnatione iniuste liberari definien-
tem, in amputationem catholicae Ecclesiae definitionum
seu regulae.

272   Si quis igitur, iuxta quod dictum est, consonanter
(219) nobis omnia haec impiissima haereseos illorum dogmata,
et ea, quae pro illis aut in definitione eorum a quolibet
impie conscripta sunt, et denominatos haereticos, Theodorum dicimus, Cyrum et Sergium, Pyrrhum et Paulum
non respuit et anathematizat, utpote catholicae Ecclesiae
rebelles exsistentes : aut si quis aliquem de his, qui ab
illis vel similibus eorum in scripto vel sine scripto quocunque modo vel loco aut tempore temere depositi
sunt aut condemnati, utpote similia eis minime credentem, sed sanctorum Patrum nobiscum confitentem doc-

trinam, uti condemnatum habet aut omnino depositum,
sed non arbitratur huiusmodi quicunque fuerit, hoc est,
sive episcopus, aut presbyter, vel diaconus, sive alterius
cuiuscunque ecclesiastici ordinis, aut monachus, vel
laicus, pium et orthodoxum et catholicae Ecclesiae pro-
pugnatorem, atque in ipso firmius consolidatum, in quo
vocatus est a Domino ordine, illos autem impios atque
detestabilia eorum pro hoc iudicia, vel sententias vacuas
et invalidas atque infirmas, magis autem profanas et
exsecrabiles vel reprobabiles arbitratur, huiusmodi condemnatus sit.

Can. 19. Si quis ea, quae scelerosi haeretici sapiunt, 273
indubitanter professus atque intelligens, per inanem pro- (220)
terviam dicit haec pietatis esse dogmata, quae tradiderunt ab initio speculatores et ministri verbi, hoc
est dicere, sanctae et universales quinque Synodi, ca-
lumnians utique ipsos sanctos Patres et memoratas sanctas quinque Synodos, in deceptione simplicium, vel susceptione suae profanae perfidiae, huiusmodi condemnatus sit.

Can. 20. Si quis secundum scelerosos haereticos quo- 274
cunque modo, aut verbo, aut tempore, aut loco terminos removens illicite, quos posuerunt firmius sancti
catholicae Ecclesiae Patres, id est, sanctae et universales quinque Synodi, novitates temere ex-
quirere, et fidei alterius expositiones, aut libellos, aut
epistolas, aut conscripta, aut subscriptiones, aut testimonia falsa, aut synodos, aut gesta monumentorum,
aut ordinationes vacuas ecclesiasticae regulae incognitas,
aut loci servaturas incongruas et irrationabiles, et compendiose, si quid aliud impiissimis haereticis consuetum
est agere, per diabolicam operationem tortuose et
callide agit contra pias orthodoxorum catholicae Ecclesiae, hoc est dicere, paternas eius et synodales prae-
dicationes, ad eversionem sincerissimae in Dominum
Deum nostrum confessionis, et usque in finem sine
poenitentia permanet haec impie agens, huiusmodi in
saecula saeculorum condemnatus sit, et dicat omnis
populus, fiat, fiat.

S. EUGENIUS I 654(655)—657.   S. VITALIANUS 657—672.

(ADEODATUS 672—676.)

Conc. TOLETANUM XI 675 [1].

Symbolum fidei (praesertim de Trinitate et Incarnatione) [2].

[«Expositio fidei» contra Priscillianistas.]

275   Confitemur et credimus sanctam atque ineffabilem 39
(222) Trinitatem, Patrem et Filium et Spiritum Sanctum, [782]
unum Deum naturaliter esse unius substantiae, unius
naturae, unius quoque maiestatis atque virtutis. — Et
Patrem quidem non genitum, non creatum, sed ingenitum profitemur. Ipse enim a nullo originem ducit,
ex quo et Filius nativitatem et Spiritus Sanctus processionem accepit.   Fons ergo ipse et origo est totius
divinitatis, ipse quoque Pater essentiae suae, qui de
ineffabili substantia Filium [al.: Pater, essentia quidem ineffabilis, substantiae suae Filium] ineffabiliter genuit nec tamen
aliud quam ipse est, genuit: Deus Deum, lux lucem;
ab ipso est ergo *omnis paternitas in coelo et in terra* 148
276 [Eph 3, 15]. — Filium quoque de substantia Patris sine
initio ante saecula natum, nec tamen factum esse fatemur: quia nec Pater sine Filio, nec Filius aliquando
exstitit sine Patre.   Et tamen non sicut Filius de Patre,
ita Pater de Filio, quia non Pater a Filio, sed Filius
a Patre generationem accepit.   Filius ergo Deus de
Patre, Pater autem Deus, sed non de Filio; Pater quidem
Filii, non Deus de Filio: ille autem Filius Patris et Deus
de Patre.   Aequalis tamen per omnia Filius Deo Patri:
quia nec nasci coepit aliquando, nec desiit.   Hic etiam
unius cum Patre substantiae creditur, propter quod et
ὁμοούσιος Patri dicitur, hoc est eiusdem cum Patre sub·
stantiae; ὅμος enim graece unum, οὐσία vero substantia

---

[1] Hoc symbolum a theologo quodam ignoto saeculi quinti compositum et ab hoc Concilio receptum esse censet KAnt 73 sqq [cf.
n. 15 sqq].
[2] Msi XI 132 E sqq; coll. H 242 sqq et KAnt 74 sqq; Hrd III 1020
A sqq; ML 12, 959 A sqq; cf. Hil III 114 sqq; Bar(Th) ad 675 n. 1 sqq
(11, 588 sqq).

dicitur, quod utrumque coniunctum sonat, una substantia. Nec enim de nihilo, neque de aliqua alia substantia, sed de Patris utero, id est, de substantia eiusdem Filius genitus vel natus esse credendus est. Sempiternus ergo Pater, sempiternus et Filius. Quod si semper
Pater fuit, semper habuit Filium, cui Pater esset: et
ob hoc Filium de Patre natum sine initio confitemur.
Nec eundem Filium Dei, pro eo, quod de Patre sit
genitus, desectae naturae portiunculam nominamus; sed
perfectum Patrem perfectum Filium sine diminutione,
sine desectione genuisse asserimus, quia solius divinitatis est inaequalem Filium non habere. Hic etiam
Filius Dei natura est Filius, non adoptione[1], quem
Deus Pater nec voluntate nec necessitate genuisse credendus est; quia nec ulla in Deo necessitas cadit [*al.* capit],
nec voluntas sapientiam praevenit. — Spiritum quo- 277
que Sanctum, qui est tertia in Trinitate persona, unum (224)
atque aequalem cum Deo Patre et Filio credimus esse
Deum, unius substantiae, unius quoque naturae: non
tamen genitum vel creatum, sed ab utrisque procedentem,
amborum esse Spiritum. Hic etiam Spiritus Sanctus
nec ingenitus nec genitus creditur: ne aut si ingenitum
dixerimus, duos Patres dicamus, aut si genitum, duos
Filios praedicare monstremur. Qui tamen nec Patris
tantum, sed simul Patris et Filii Spiritus dicitur. Nec
enim de Patre procedit in Filium, vel de Filio procedit
ad sanctificandam creaturam, sed simul ab utrisque pro-
cessisse monstratur; quia caritas sive sanctitas amborum
esse agnoscitur. Hic igitur Spiritus Sanctus missus
ab utrisque sicut Filius a Patre creditur; sed minor a
Patre et Filio non habetur, sicut Filius propter assumptam
carnem minorem se Patre et Spiritu Sancto esse testatur.

Haec est Sanctae Trinitatis relata narratio: quae 278
non triplex, sed trina et dici et credi debet. Nec recte
dici potest, ut in uno Deo sit Trinitas, sed unus Deus
Trinitas. In relativis vero personarum nominibus Pater
ad Filium, Filius ad Patrem, Sanctus Spiritus ad utros-

---

[1] Hoc effertur contra *Bonosianos,* qui Filium Dei secundum divinam
naturam filium adoptivum tantum affirmabant, cum *Adoptiani* posteriores
id de natura humana dicerent.

que refertur, in eo quod cum relative tres personae
dicantur, una tamen natura vel substantia creditur.   Nec
sicut tres personas, ita tres substantias praedicamus, sed
unam substantiam, tres autem personas.   Quod enim
Pater est, non ad se, sed ad Filium est; et quod
Filius est, non ad se, sed ad Patrem est; similiter et
Spiritus Sanctus non ad se, sed ad Patrem et Filium
relative refertur: in eo quod Spiritus Patris et Filii praedicatur. — Item cum dicimus «Deus», non ad aliquid
dicitur, sicut Pater ad Filium vel Filius ad Patrem vel
Spiritus Sanctus ad Patrem et Filium, sed ad se spe-
279 cialiter dicitur Deus.   Nam et si de singulis personis
(226) interrogemur, Deum necesse est fateamur.   Deus ergo
Pater, Deus Filius, Deus Spiritus Sanctus singulariter
dicitur: nec tamen tres dii, sed unus est Deus.   Item
et Pater omnipotens et Filius omnipotens et Spiritus
Sanctus omnipotens singulariter dicitur: nec tamen tres
omnipotentes, sed unus omnipotens, sicut et unum lumen,
unumque principium praedicatur.   Singulariter ergo, et
unaquaeque persona plenus Deus et totae tres personae
unus Deus confitetur et creditur: una illis vel indivisa
atque aequalis Deitas, maiestas sive potestas, nec mi-
noratur in singulis, nec augetur in tribus; quia nec
minus aliquid habet, cum unaquaeque persona Deus
singulariter dicitur, nec amplius, cum totae tres personae unus Deus enuntiantur. — Haec ergo Sancta Trinitas, quae unus et verus est Deus, nec recedit a numero,
280 nec capitur numero. — In relatione enim personarum
(227) numerus cernitur; in divinitatis vero substantia, quid
numeratum sit, non comprehenditur.   Ergo in hoc solum
numerum insinuant, quod ad invicem sunt; et in hoc
numero carent, quod ad se sunt.   Nam ita huic Sanctae
Trinitati unum naturale convenit nomen, ut in tribus
personis non possit esse plurale.   Ob hoc ergo credimus illud in sacris litteris dictum: «*Magnus Dominus
noster et magna virtus eius et sapientiae eius non est
numerus*» [Ps 146, 5].   Nec quia tres has personas esse
diximus unum Deum, eundem esse Patrem, quem Filium, vel eum esse Filium, qui est Pater, aut eum, qui
Spiritus Sanctus est, vel Patrem vel Filium dicere po-

terimus. Non enim ipse est Pater qui Filius, nec ipse
Filius qui Pater, nec Spiritus Sanctus ipse qui est vel
Pater vel Filius; cum tamen ipsum sit Pater quod Filius,
ipsum Filius quod Pater, ipsum Pater et Filius quod
Spiritus Sanctus: id est, natura unus Deus. Cum enim
dicimus non ipsum esse Patrem quem Filium, ad personarum distinctionem refertur. Cum autem dicimus
ipsum esse Patrem quod Filium, ipsum Filium quod
Patrem, ipsum Spiritum Sanctum quod Patrem et Filium,
ad naturam, qua Deus est, vel substantiam pertinere
monstratur, quia substantia unum sunt: personas
enim distinguimus, non deitatem separamus. —
Trinitatem igitur in personarum distinctione agnoscimus; 281
unitatem propter naturam vel substantiam profitemur. (227)
Tria ergo ista unum sunt, natura scilicet, non persona.
Nec tamen tres istae personae separabiles aestimandae
sunt, cum nulla ante aliam, nulla post aliam, nulla sine
alia vel exstitisse, vel quidpiam operasse aliquando credatur. Inseparabiles enim inveniuntur et in eo, quod
sunt, et in eo, quod faciunt: quia inter generantem
Patrem et generatum Filium vel procedentem Spiritum
Sanctum nullum fuisse credimus temporis inter-
vallum, quo aut genitor genitum aliquando praecederet,
aut genitus genitori deesset, aut procedens Spiritus
Patre vel Filio posterior appareret. Ob hoc ergo inseparabilis et inconfusa haec Trinitas a nobis et praedicatur et creditur. Tres igitur personae istae dicuntur,
iuxta quod maiores definiunt, ut agnoscantur, non ut
separentur. Nam si attendamus illud, quod Scriptura
Sancta dicit de Sapientia: *Splendor est lucis aeternae*
[Sap 7, 26]: sicut splendorem luci videmus inseparabiliter
inhaerere, sic confitemur, Filium a Patre separari non
posse. Tres ergo illas unius atque inseparabilis naturae
personas sicut non confundimus, ita separabiles nullatenus praedicamus. Quando quidem ita nobis hoc (228)
dignata est ipsa Trinitas evidenter ostendere, ut etiam
in his nominibus, quibus voluit sigillatim personas
agnosci, unam sine altera non permittat intelligi: nec
enim Pater absque Filio cognoscitur, nec sine Patre
Filius invenitur. Relatio quippe ipsa vocabuli per-

sonalis personas separari vetat, quas etiam, dum
non simul nominat, simul insinuat. Nemo autem audire
potest unumquodque istorum nominum, in quo non intelligere cogatur et alterum. Cum igitur haec tria sint
unum et unum tria, est tamen unicuique personae
manens sua proprietas. Pater enim aeternitatem
habet sine nativitate, Filius aeternitatem cum nativitate,
Spiritus vero Sanctus processionem sine nativitate cum
aeternitate.

282 De his tribus personis solam Filii personam pro 148
(229) liberatione humani generis hominem verum sine
peccato de sancta et immaculata Maria Virgine credimus assumpsisse, de qua novo ordine novaque nativitate est genitus; novo ordine, quia invisibilis divinitate,
visibilis monstratur in carne; nova autem nativitate est
genitus, quia intacta virginitas et virilem coitum 91
nescivit et foecundatam per Spiritum Sanctum carnis [144]
materiam ministravit. Qui partus Virginis nec ratione
colligitur, nec exemplo monstratur; quod si ratione
colligitur, non est mirabile; si exemplo monstratur, non
erit singulare. Nec tamen Spiritus Sanctus Pater esse
credendus est Filii, pro eo quod Maria eodem Sancto
Spiritu obumbrante concepit: ne duos patres Filii videa-
283 mur asserere, quod utique nefas est dici. — In quo
mirabili conceptu, aedificante sibi Sapientia domum,
«Verbum caro factum est et habitavit in nobis» [Io 1, 14].
Nec tamen Verbum ipsum ita in carne conversum atque
mutatum est, ut desisteret Deus esse, qui homo esse
voluisset; sed ita *Verbum caro factum est,* ut non tantum ibi sit Verbum Dei et hominis caro, sed etiam
rationalis hominis anima; atque hoc totum et Deus
dicatur propter Deum et homo propter hominem. In
quo Dei Filio duas credimus esse naturas; unam
divinitatis, alteram humanitatis, quas ita in se una
Christi persona univit, ut nec divinitas ab humanitate,
nec humanitas a divinitate possit aliquando seiungi. Unde
perfectus Deus, perfectus et homo in unitate personae
unius est Christus; nec tamen, quia duas diximus in
Filio esse naturas, duas causabimus in eo esse personas;
ne Trinitati, quod absit, accedere videatur quaternitas.

Deus enim Verbum non accepit personam hominis, sed
naturam, et in aeternam personam divinitatis temporalem
accepit substantiam carnis. — Item unius substantiae 284
credimus esse Patrem et Filium et Spiritum Sanctum, [(231)]
non tamen dicimus, ut huius Trinitatis unitatem Maria
Virgo genuerit, sed tantummodo Filium, qui solus naturam nostram in unitate personae suae assumpsit. Incarnationem quoque huius Filii Dei tota Trinitas
operasse credenda est, quia inseparabilia sunt
opera Trinitatis. Solus tamen Filius *formam servi
accepit* [cf. Phil 2, 7] in singularitate personae, non in unitate divinae naturae, in id quod est proprium Filii, non
quod commune Trinitati: quae forma illi ad unitatem
personae coaptata est, adeo ut Filius Dei et Filius
hominis unus sit Christus, id est, Christus in his duabus
naturis, tribus exstat substantiis: Verbi, quod ad solius
Dei essentiam referendum est, corporis et animae, quod
ad verum hominem pertinet.

Habet igitur in se geminam substantiam divinitatis 285
suae et humanitatis nostrae. Hic tamen per hoc quod
de Deo Patre sine initio prodiit, natus tantum, nam
neque factus, neque praedestinatus accipitur;
per hoc tamen quod de Maria Virgine natus est, et
natus et factus et praedestinatus esse credendus est.
Ambae tamen in illo generationes mirabiles, quia et de
Patre sine matre ante saecula est genitus, et in fine
saeculorum de matre sine patre est generatus; qui tamen
secundum quod Deus est, creavit Mariam, secundum
quod homo, creatus est a Maria: ipse et pater matris
Mariae et filius. Item per hoc quod Deus, est aequalis
Patri; per hoc quod homo, minor est Patre. Item
et maior et minor seipso esse credendus est: in forma
enim Dei etiam ipse Filius seipso maior est, propter
humanitatem assumptam, qua divinitas maior est; in
forma autem servi seipso minor est, id est, humanitate, quae minor divinitate accipitur. Nam sicut per
assumptam carnem non tantum a Patre, sed a seipso
minor accipitur, ita secundum divinitatem coaequalis
est Patri, et ipse et Pater maior est homine, quem sola
Filii persona assumpsit. Item in eo, quod quaeritur,

utrum posset Filius sic aequalis et minor esse Spiritu
Sancto, sicut Patri nunc aequalis, nunc minor Patre
creditur esse, respondemus: Secundum formam Dei
aequalis est Patri et Spiritui Sancto, secundum formam
servi minor est et a Patre et a Spiritu Sancto: quia
nec Spiritus Sanctus nec Deus Pater, sed sola Filii
persona suscepit carnem, per quam minor esse
creditur illis personis duabus. Item hic Filius a Deo
Patre et Spiritu Sancto inseparabiliter discretus creditur
esse persona, ab homine autem assumpta [*al.* assumpto]
natura. Item cum homine exstat persona; cum Patre
vero et Spiritu Sancto natura divinitatis sive substantia.
Missus tamen Filius non solum a Patre, sed a Spiritu
Sancto missus esse credendus est: in eo quod ipse per
prophetam dicit: *Et nunc Dominus misit me et Spiritus
eius* [Is 48,16]. A seipso quoque missus accipitur: pro
eo quod inseparabilis non solum voluntas, sed operatio
totius Trinitatis agnoscitur. Hic enim, qui ante saecula
unigenitus est vocatus, temporaliter primogenitus factus
est: unigenitus propter deitatis substantiam, primogenitus
propter assumptae carnis naturam.

286   In qua suscepti hominis forma iuxta evangelicam veri-122
(233) tatem sine peccato conceptus, sine peccato natus,
sine peccato mortuus creditur, qui solus pro nobis
peccatum est factus [2 Cor 5, 21], id est, sacrificium pro peccatis nostris. Et tamen passionem ipsam, salva divinitate
sua, pro delictis nostris sustinuit, mortique adiudicatus
et cruci veram carnis mortem excepit, tertio quoque die
virtute propria sua suscitatus a sepulchro surrexit.

287   Hoc ergo exemplo capitis nostri confitemur veram 2
fieri [*al.* vera fide] resurrectionem carnis omnium mor- 6
                                                          9
tuorum. Nec in aërea vel qualibet alia carne (ut qui- 16
                                                       20
dam delirant) surrecturos nos credimus, sed in ista, qua 30
                                                         40
vivimus, consistimus et movemur. Peracto huius sanctae 54
resurrectionis exemplo idem Dominus noster atque Sal- 86
                                                       207
vator paternam ascendendo sedem repetiit, de qua nun- 242
                                                        347
quam per divinitatem discessit. Illic ad dexteram Patris 427
sedens, exspectatur in finem saeculorum iudex omnium 994
vivorum et mortuorum. Inde cum sanctis Angelis et
hominibus veniet ad faciendum iudicium, reddere uni-

cuique mercedis propriae debitum, *prout quisque gesserit* in corpore positus *sive bonum, sive malum* [2 Cor 5, 10].
1821 Ecclesiam sanctam catholicam pretio sui sanguinis comparatam cum eo credimus in perpetuum regnaturam.
857 Intra cuius gremium constituti unum baptisma credimus et confitemur in remissionem omnium peccatorum. Sub qua fide et resurrectionem mortuorum veraciter credimus et futuri saeculi gaudia exspectamus. Hoc tantum orandum nobis est et petendum, ut, cum peracto finitoque iudicio tradiderit Filius regnum Deo (et) Patri, participes nos efficiat regni sui, ut per hanc fidem, qua illi inhaesimus, cum illo sine fine regnemus. — Haec est confessionis nostrae fides exposita, per quam omnium haereticorum dogma perimitur, per quam fidelium corda mundantur, per quam etiam ad Deum gloriose ascenditur in saecula saeculorum. Amen.

DONUS 676—678.

S. AGATHO 678—681.

Conc. Romanum 680.

De unione hypostatica [1].

[Ex ep. dogmatica AGATHONIS et Romanae Synodi «Omnium bonorum spes» ad Imperatores [2].]

148 Unum (quippe) eundemque Dominum nostrum 288 Iesum Christum, Filium Dei unigenitum, ex duabus et (235) in duabus substantiis inconfuse, incommutabiliter, indivise, inseparabiliter subsistere cognoscimus, nusquam sublata differentia naturarum propter unitionem, sed potius salva proprietate utriusque naturae et in unam personam unamque subsistentiam concurrente, non in dualitatem personarum dispertitum vel diversum,

---

[1] Msi XI 290 E sq; Jf 2110; Hrd III 1119 D sq; ML 87, 1221 B; cf. Hfl III 252 sq.

[2] Hanc epistolam Patres Synodi VI (CONSTPLT. III) susceperunt clamantes, PETRUM per AGATHONEM locutum esse. «Summus nobiscum concertabat Apostolorum princeps; illius enim imitatorem et sedis successorem habuimus fautorem et divini sacramenti illustrantem per litteras. Confessionem tibi [Constantino] a Deo scriptam illa Romana antiqua civitas obtulit . . . et per AGATHONEM PETRUS loquebatur.» [Hrd III 1422 E sq.]

neque in unam compositam naturam confusum: sed
unum eundemque Filium unigenitum, Deum Verbum,
Dominum nostrum Iesum Christum, neque alium in alio,
neque alium et alium, sed eundem ipsum in duabus
naturis, id est, in deitate et humanitate, et post sub-
sistentialem adunationem cognoscimus: quia neque Verbum in carnis naturam conversum est, neque caro in
Verbi naturam transformata est: permansit enim utrumque, quod naturaliter erat: differentiam quippe aduna-
tarum in eo naturarum sola contemplatione discernimus,
ex quibus inconfuse, inseparabiliter et incommutabiliter
est compositus: unus enim ex utrisque et per unum
utraque, quia simul sunt et altitudo deitatis et humilitas
carnis, servante utraque natura etiam post adunationem
sine defectu proprietatem suam, et «operante utraque forma cum alterius communione quod
proprium habet: Verbo operante quod Verbi est,
et carne exsequente quod carnis est: quorum unum
coruscat miraculis, aliud succumbit iniuriis.» [1] Unde
consequenter, sicut duas naturas, sive substantias, id
est deitatem et humanitatem, inconfuse, indivise, incommutabiliter eum habere veraciter confitemur, ita quoque et duas naturales voluntates et duas naturales operationes habere, utpote perfectum Deum et
perfectum hominem, unum eundemque ipsum Dominum
Iesum Christum pietatis nos regula instruit, quia hoc
nos apostolica atque evangelica traditio, sanctorumque
Patrum magisterium, quos sancta apostolica atque catholica Ecclesia et venerabiles Synodi suscipiunt, instituisse
monstratur.

Conc. CONSTANTINOPOLITANUM III 680—681.

Oecumenicum VI (contra Monotheletas).

Definitio de duabus voluntatibus Christi [2].

289
(236)

"Ητις παροῦσα ἁγία καὶ
οἰκουμενικὴ σύνοδος πιστῶς

Quae praesens sancta et 148
universalis Synodus fideliter

---

[1] LEONIS Papae ep. dogmat. ad Flavianum [v. n. 144].
[2] Msi XI 635 C sqq; Hrd III 1397 E sqq; cf. Hfl III 283 sqq; Bar (Th)
ad 680 n. 41 sqq (12, 11 sqq). — Vide Ep. LEONIS II. Msi XI 725 sqq.

δεξαμένη καὶ ὑπτίαις χερσὶν
ἀσπασαμένη τήν τε τοῦ ἁγιω-
τάτου καὶ μακαριωτάτου πά-
πα τῆς πρεσβυτέρας Ῥώμης
Ἀγάθωνος γενομένην ἀνα-
φορὰν πρὸς τὸν εὐσεβέστα-
τον καὶ πιστότατον ἡμῶν
βασιλέα Κωνσταντῖνον, τὴν
ἀποβαλλομένην ὀνομαστὶ
τοὺς κηρύξαντας καὶ διδά-
ξαντας, ὡς προδεδήλωται,
ἓν θέλημα καὶ μίαν ἐνέρ-
γειαν ἐπὶ τῆς ἐνσάρκου οἰ-
κονομίας Χριστοῦ τοῦ ἀλη-
θινοῦ Θεοῦ ἡμῶν· ὡσαύτως
δὲ προσηκαμένη καὶ τὴν ἐκ
τῆς ὑπὸ τὸν αὐτὸν ἁγιώτα-
τον πάπαν ἱερᾶς συνόδου
τῶν ἑκατὸν εἴκοσι πέντε θεο-
φιλῶν ἐπισκόπων ἑτέραν
συνοδικὴν ἀναφορὰν πρὸς
τὴν αὐτοῦ θεόσοφον γαλη-
νότητα, οἷά τε συμφωνούσας
τῇ τε ἁγίᾳ ἐν Χαλκηδόνι συνόδῳ καὶ τῷ τόμῳ τοῦ παν-
ιέρου καὶ μακαριωτάτου πά-
πα τῆς αὐτῆς πρεσβυτέρας
Ῥώμης Λέοντος, τῷ στα-
λέντι πρὸς Φλαυιανόν, τὸν
ἐν ἁγίοις· ὃν καὶ στήλην
ὀρθοδοξίας ἡ τοιαύτη σύν-
οδος ἀπεκάλεσεν.

Ἔτι μὴν καὶ ταῖς συνοδι-
καῖς ἐπιστολαῖς ταῖς γρα-
φείσαις παρὰ τοῦ μακαρίου
Κυρίλλου κατὰ Νεστορίου
τοῦ δυσσεβοῦς πρὸς τοὺς
τῆς ἀνατολῆς ἐπισκόπους·

suscipiens et expansis manibus amplectens tam sugge-
stionem, quae a sanctissimo
ac beatissimo AGATHONE
Papa antiquae Romae facta
est ad Constantinum, piis-
simum atque fidelissimum
nostrum imperatorem, quae
nominatim abiecit eos, qui
docuerunt vel praedicave-
runt, sicut superius dictum
est, unam voluntatem
et unam operationem in
incarnationis dispensatione
Domini nostri Iesu Christi
veri Dei nostri, adaeque
amplexa est et alteram
synodalem suggestionem,
quae missa est a sacro
Concilio, quod est sub eodem sanctissimo Papa cen-
tum viginti quinque Deo
amabilium episcoporum, ad
eius a Deo instructam tran-
quillitatem, utpote conso-
nantes sancto CHALCE-
DONENSI Concilio et tomo
sacerrimi ac beatissimi Papae eiusdem antiquae Ro-
mae LEONIS, qui directus
est ad Sanctum Flavianum
[v. n. 143 sq], quem et titulum
rectae fidei huiusmodi Synodus appellavit.

Ad haec et synodicis 290
epistolis, quae scriptae sunt [(237)]
a beato Cyrillo adversus impium Nestorium et ad orientales episcopos; assecuti
quoque sancta quinque uni-

έπομένη τε ταῖς τε ἁγίαις
καὶ οἰκουμενικαῖς πέντε συνόδοις, καὶ τοῖς ἁγίοις καὶ
ἐγκρίτοις πατράσι καὶ συμφώνως ὁρίζουσα ὁμολογεῖν
τὸν κύριον ἡμῶν Ἰησοῦν
Χριστόν, τὸν ἀληθινὸν Θεὸν
ἡμῶν, τὸν ἕνα τῆς ἁγίας
ὁμοουσίου καὶ ζωαρχικῆς
Τριάδος, τ έ λ ε ι ο ν ἐ ν θ ε ό-
τ η τ ι, καὶ τ έ λ ε ι ο ν τ ὸ ν α ὐ-
τ ὸ ν ἐ ν ἀ ν θ ρ ω π ό τ η τ ι,
Θεὸν ἀληθῶς, καὶ ἄνθρωπον
ἀληθῶς, αὐτὸν ἐκ ψυχῆς λογικῆς καὶ σώματος· ὁμοού-
σιον τῷ πατρὶ κατὰ τὴν
θεότητα, καὶ ὁμοούσιον ἡμῖν
τὸν αὐτὸν κατὰ τὴν ἀνθρω-
πότητα· κατὰ πάντα ὅμοιον
ἡμῖν χωρὶς ἁμαρτίας· τὸν
πρὸ αἰώνων μὲν ἐκ τοῦ πα-
τρὸς γεννηθέντα κατὰ τὴν
θεότητα, ἐπ' ἐσχάτων δὲ τῶν
ἡμερῶν τὸν αὐτὸν δι' ἡμᾶς
καὶ διὰ τὴν ἡμετέραν σω-
τηρίαν ἐκ πνεύματος ἁγίου
καὶ Μαρίας τῆς παρθένου,
τῆς κυρίως καὶ κατὰ ἀλή-
θειαν θ ε ο τ ό κ ο υ, κατὰ τὴν
ἀνθρωπότητα· ἕνα καὶ τὸν
αὐτὸν Χριστὸν υἱὸν κύριον
μονογενῆ ἐν δύο φύσεσιν
ἀ σ υ γ χ ύ τ ω ς, ἀτρέπτως,
ἀχωρίστως, ἀδιαιρέτως γνωριζόμενον, οὐδαμοῦ τῆς τῶν
φύσεων διαφορᾶς ἀνηρη-
μένης διὰ τὴν ἕνωσιν, σω-
ζομένης δὲ μᾶλλον τῆς ἰδιότητος ἑκατέρας φύσεως, καὶ
εἰς ἓν πρόσωπον, καὶ μίαν

versalia Concilia et sanctos
atque probabiles Patres, con-
sonanterque confiteri de-
finientes Dominum nostrum
Iesum Christum verum De-
um nostrum, unum de sancta
et consubstantiali et vitae
originem praebente Trini-
tate, perfectum in dei-
tate, et perfectum eun-
dem in humanitate, De-
um vere et hominem vere,
eundem ex anima rationali
et corpore; consubstantialem Patri secundum dei-
tatem, et consubstantialem
nobis secundum humani-
tatem, *per omnia similem
nobis absque peccato* [Hebr
4, 15], ante saecula quidem
ex Patre genitum secundum
deitatem, in ultimis diebus
autem eundem propter nos
et propter nostram salutem
de Spiritu Sancto et Maria
Virgine proprie et veraciter
Dei genitrice secundum 113
humanitatem, unum eun-
demque Christum Filium
Dei unigenitum in duabus
naturis inconfuse, in-
convertibiliter, inseparabiliter, indivise cognoscendum,
nusquam exstincta harum
naturarum differentia propter unitionem, salvataque
magis proprietate utriusque
naturae, et in unam per-
sonam, et in unam sub-
sistentiam concurrente, non

ὑπόστασιν συντρεχούσης·
οὐκ εἰς δύο πρόσωπα μερι-
ζόμενον ἢ διαιρούμενον, ἀλλ᾽
ἕνα καὶ τὸν αὐτὸν υἱὸν μονογενῆ Θεοῦ λόγον κύριον
Ἰησοῦν Χριστόν, καθάπερ
ἄνωθεν οἱ προφῆται περὶ
αὐτοῦ, καὶ αὐτὸς ἡμᾶς Ἰη-
σοῦς ὁ Χριστὸς ἐξεπαίδευσε,
καὶ τὸ. τῶν ἁγίων πατέρων
ἡμῖν παραδέδωκε σύμβολον.

Καὶ δύο φυσικὰς θελήσεις
ἤτοι θελήματα ἐν αὐτῷ, καὶ
δύο φυσικὰς ἐνεργείας ἀδιαιρέτως, ἀτρέπτως, ἀμερί-
στως, ἀσυγχύτως κατὰ τὴν
τῶν ἁγίων πατέρων διδασκα-
λίαν ὡσαύτως κηρύττομεν·
καὶ δύο μὲν φυσικὰ θε-
λήματα οὐκ ὑπεναντία,
μὴ γένοιτο, καθὼς οἱ ἀσεβεῖς
ἔφησαν αἱρετικοί, ἀλλ᾽ ἑπό-
μενον τὸ ἀνθρώπινον αὐτοῦ
θέλημα, καὶ μὴ ἀντιπίπτον,
ἢ ἀντιπαλαῖον, μᾶλλον μὲν
οὖν καὶ ὑποτασσόμενον τῷ
θείῳ αὐτοῦ καὶ πανσθενεῖ
θελήματι· ἔδει γὰρ τὸ τῆς
σαρκὸς θέλημα κινηθῆναι,
ὑποταγῆναι δὲ τῷ θελήματι
τῷ θεϊκῷ κατὰ τὸν πάν-
σοφον Ἀθανάσιον· ὥσπερ
γὰρ ἡ αὐτοῦ σάρξ, σὰρξ τοῦ
Θεοῦ λόγου λέγεται καὶ ἔστιν,
οὕτω καὶ τὸ φυσικὸν τῆς
σαρκὸς αὐτοῦ θέλημα ἴδιον
τοῦ Θεοῦ λόγου λέγεται καὶ
ἔστι, καθά φησιν αὐτός· ὅτι
καταβέβηκα ἐκ τοῦ οὐρανοῦ,
οὐχ ἵνα ποιῶ τὸ θέλημα τὸ

in duas personas partitum
vel divisum, sed unum eundemque unigenitum Filium
Dei Verbum Dominum Ie-
sum Christum, iuxta quod
olim Prophetae de eo et
ipse nos Dominus Iesus
Christus erudivit, et sanctorum Patrum nobis tradidit
symbolum. [Conc. CHALC.,
v. n. 148.]

Et duas naturales volun- 291
tates in eo, et duas natu- (238)
rales operationes indivise,
inconvertibiliter, inseparabiliter, inconfuse secundum
sanctorum Patrum doctri-
nam adaeque praedicamus;
et duas naturales vo-
luntates non contra-
rias, absit, iuxta quod
impii asseruerunt haeretici,
sed sequentem eius huma-
nam voluntatem et non re-
sistentem vel reluctantem,
sed potius et subiectam
divinae eius atque omni-
potenti voluntati. Oportebat
enim carnis voluntatem moveri, subici vero voluntati
divinae, iuxta sapientissimum Athanasium. Sicut
enim eius caro caro Dei
Verbi dicitur et est, ita et
naturalis carnis eius voluntas propria Dei Verbi dicitur et est, sicut ipse ait:
Quia descendi de coelo, non
ut faciam voluntatem meam,
sed eius qui misit me Pa-

ἐμόν, ἀλλὰ τὸ θέλημα τοῦ πέμψαντός με πατρός, ἴδιον λέγων θέλημα αὐτοῦ τὸ τῆς σαρκός, ἐπεὶ καὶ ἡ σὰρξ ἰδία αὐτοῦ γέγονεν· ὃν γὰρ τρόπον ἡ παναγία καὶ ἄμωμος ἐψυχωμένη αὐτοῦ σὰρξ θεωθεῖσα οὐκ ἀνηρέθη, ἀλλ' ἐν τῷ ἰδίῳ αὐτῆς ὅρῳ τε καὶ λόγῳ διέμεινεν, οὕτω καὶ τὸ ἀνθρώπινον αὐτοῦ θέλημα θεωθὲν οὐκ ἀνηρέθη, σέσωσται δὲ μᾶλλον, κατὰ τὸν θεολόγον Γρηγόριον λέγοντα· τὸ γὰρ ἐκείνου θέλειν, τοῦ κατὰ τὸν σωτῆρα νοουμένου, οὐδὲ ὑπεναντίον Θεῷ, θεωθὲν ὅλον.

292 Δύο δὲ φυσικὰς ἐνερ-
(238) γείας ἀδιαιρέτως, ἀτρέπτως, ἀμερίστως, ἀσυγχύτως ἐν αὐτῷ τῷ κυρίῳ ἡμῶν Ἰησοῦ Χριστῷ τῷ ἀληθινῷ θεῷ ἡμῶν δοξάζομεν, τουτέστι θείαν ἐνέργειαν καὶ ἀνθρωπίνην ἐνέργειαν κατὰ τὸν θεηγόρον Λέοντα τρανέστατα φάσκοντα· ἐνεργεῖ γὰρ ἑκατέρα μορφὴ μετὰ τῆς θατέρου κοινωνίας ὅπερ ἴδιον ἔσχηκε, τοῦ μὲν λόγου κατεργαζομένου τοῦτο ὅπερ ἐστὶ τοῦ λόγου, τοῦ δὲ σώματος ἐκτελοῦντος ἅπερ ἐστὶ τοῦ σώματος. Οὐ γὰρ δήπου μίαν δώσομεν φυσικὴν τὴν ἐνέργειαν Θεοῦ καὶ ποιήματος, ἵνα μήτε τὸ ποιηθὲν εἰς τὴν θείαν ἀναγάγωμεν οὐσίαν, μήτε μὴν τῆς θείας

tris [Io 6, 38], suam propriam dicens voluntatem, quae erat carnis eius. Nam et caro propria eius facta est. Quemadmodum enim sanctissima atque immaculata animata eius caro deificata non est perempta, sed in proprio sui statu et ratione permansit: ita et humana eius voluntas deificata non est perempta, salvata est autem magis, secundum deiloquum Gregorium dicentem: «Nam illius velle, quod in Salvatore intelligitur, non est contrarium Deo, deificatum totum.»

Duas vero naturales operationes indivise, inconvertibiliter, inconfuse, inseparabiliter in eodem Domino nostro Iesu Christo vero Deo nostro glorificamus, hoc est, divinam operationem et humanam operationem, secundum divinum praedicatorem LEONEM apertissime asserentem: «Agit enim utraque forma cum alterius communione quod proprium est, Verbo scilicet operante quod Verbi est, et carne exsequente quod carnis est» [v. n. 144]. Nec enim in quoquam unam dabimus naturalem operationem Dei et creaturae, ut neque quod creatum est, in divinam educamus essen-

φύσεως τὸ ἐξαίρετον εἰς τὸν
τοῖς γενητοῖς πρέποντα κατ-
αγάγωμεν τόπον· ἑνὸς γὰρ
καὶ τοῦ αὐτοῦ τά τε θαύ-
ματα καὶ τὰ πάθη γινώσκομεν
κατ᾽ ἄλλο καὶ ἄλλο τῶν,
ἐξ ὧν ἐστι, φύσεων, καὶ ἐν
αἷς τὸ εἶναι ἔχει, ὡς ὁ θεσ-
πέσιος ἔφησε Κύριλλος· πάν-
τοθεν γοῦν τὸ ἀσύγχυτον
καὶ ἀδιαίρετον φυλάττοντες,
συντόμῳ φωνῇ τὸ πᾶν ἐξ-
αγγέλλομεν· ἕνα τῆς ἁγίας
Τριάδος καὶ μετὰ σάρκωσιν
τὸν κύριον ἡμῶν Ἰησοῦν
Χριστὸν τὸν ἀληθινὸν Θεὸν
ἡμῶν εἶναι πιστεύοντες, φα-
μὲν δύο αὐτοῦ τὰς φύσεις
ἐν τῇ μιᾷ αὐτοῦ διαλαμπού-
σας ὑποστάσει, ἐν ᾗ τά τε
θαύματα, καὶ τὰ παθήματα
δι᾽ ὅλης αὐτοῦ τῆς οἰκονο-
μικῆς ἀναστροφῆς, οὐ κατὰ
φαντασίαν, ἀλλὰ ἀληθῶς
ἐπεδείξατο, τῆς φυσικῆς
ἐν αὐτῇ τῇ μιᾷ ὑποστά-
σει διαφορᾶς γνωριζο-
μένης τῷ μετὰ τῆς θατέρου
κοινωνίας ἑκατέραν φύσιν
θέλειν τε καὶ ἐνεργεῖν τὰ
ἴδια· καθ᾽ ὃν δὴ λόγον καὶ
δύο φυσικὰ θελήματά τε καὶ
ἐνεργείας δοξάζομεν πρὸς
σωτηρίαν τοῦ ἀνθρωπίνου
γένους καταλλήλως συν-
τρέχοντα.

tiam, neque quod eximium
est divinae naturae, ad com-
petentem creaturis locum
deiciamus. Unius enim
eiusdemque tam mira-
cula quamque passiones
cognoscimus, secundum
aliud et aliud earum,
ex quibus est, naturarum
et in quibus habet esse,
sicut admirabilis inquit Cyrillus. Undique igitur in-
confusum atque indivisum
conservantes, brevi voce
cuncta proferimus: unum
sanctae Trinitatis et post
incarnationem Dominum no-
strum Iesum Christum ve-
rum Deum nostrum esse
credentes, asserimus, duas
eius esse naturas in una
eius radiantes subsistentia,
in qua tam miracula quam-
que passiones per omnem
sui dispensativam conver-
sationem, non per phanta-
siam, sed veraciter de-
monstravit, ob naturalem
differentiam in eadem
una subsistentia co-
gnoscendam, dum cum al-
terius communione utraque
natura indivise et inconfuse
propria vellet atque operaretur: iuxta quam rationem
et duas naturales volun-
tates et operationes con-
fitemur, ad salutem humani
generis convenienter in eo
concurrentes.

293 Τούτων τοίνυν μετὰ πάσης
(239) πανταχόθεν ἀκριβείας τε καὶ
ἐμμελείας παρ' ἡμῶν δια-
τυπωθέντων, ὁρίζομεν ἑτέ-
ραν πίστιν μηδενὶ ἐξεῖναι
προφέρειν, ἤγουν συγγρά-
φειν ἢ συντιθέναι ἢ φρο-
νεῖν ἢ διδάσκειν ἑτέρως·
τοὺς δὲ τολμῶντας ἢ συν-
τιθέναι πίστιν ἑτέραν ἢ προ-
κομίζειν ἢ διδάσκειν, ἢ παρα-
διδόναι ἕτερον σύμβολον τοῖς
ἐθέλουσιν ἐπιστρέφειν εἰς
ἐπίγνωσιν τῆς ἀληθείας ἐξ
Ἑλληνισμοῦ ἢ ἐξ Ἰουδαϊσμοῦ,
ἢ γοῦν ἐξ αἱρέσεως οἵας οὖν,
ἢ καινοφωνίαν, ἤτοι λέξεως
ἐφαίρεσιν πρὸς ἀνατροπὴν
εἰσάγειν τῶν νυνὶ παρ' ἡμῶν
διορισθέντων· τούτους, εἰ
μὲν ἐπίσκοποι εἶεν, ἢ κληρικοί, ἀλλοτρίους εἶναι τοὺς
ἐπισκόπους τῆς ἐπισκοπῆς
καὶ τοὺς κληρικοὺς τοῦ κλή-
ρου· εἰ δὲ μονάζοντες εἶεν
ἢ λαϊκοί, ἀναθεματίζεσθαι
αὐτούς.

His igitur cum omni undi-
que cautela atque diligentia
a nobis formatis, definimus,
aliam fidem nulli licere
proferre aut conscribere
componereve aut sapere
vel etiam aliter docere.
Qui vero praesumpserint
fidem alteram componere
vel proferre vel docere, vel
tradere aliud symbolum volentibus converti ad agnitionem veritatis ex Gentilitate vel Iudaismo aut ex
qualibet haeresi: aut qui
novitatem vocis, vel ser-
monis adinventionem ad
subversionem eorum, quae
nunc a nobis determinata
sunt, introducere: hos, siquidem episcopi fuerint aut
clerici, alienos esse, episcopos quidem ab episco-
patu, clericos vero a clero:
sin autem monachi fuerint
vel laici, etiam anathema-
tizari eos.

S. LEO II 682—683.   IOHANNES V 685—686.
S. BENEDICTUS II 684—685.   CONON 686—687.

(S. SERGIUS I 687—701.)

Conc. Toletanum XV 688.

Protestatio de Trinitate et Incarnatione [1].

[Ex «Libro responsionis» seu «Apologia» Iuliani Archiep. Tolet.]

294 . . . Invenimus, quod in libro illo responsionis fidei [39]
(240) nostrae, quem per Petrum regionarium Romanae Eccle-

---

[1] Msi XII 10 E sqq; Hrd III 1761 B sqq; cf. Hfl III 324 sq; Bar(Th) ad
688 n. 1 sqq (12, 96 sqq). — Patres Hispani concilii Toletani XIV opus

siae miseramus, id primum capitulum iam dicto Papae
[BENEDICTO] incaute visum fuisset a nobis positum, ubi
nos secundum divinam essentiam diximus: Voluntas
genuit voluntatem, sicut et sapientia sapientiam:
quod vir ille in incuriosa lectionis transcursione prae-
teriens existimavit, haec ipsa nomina iuxta relativum,
aut secundum comparationem humanae mentis nos
posuisse: et ideo ipsa renotatione sua ita nos admonere
iussus est, dicens: Naturali ordine cognoscimus, quia
verbum ex mente originem ducit, sicut ratio et voluntas,
et converti non possunt, ut dicatur: quia sicut verbum
et voluntas de mente procedit, ita et mens de verbo
aut voluntate; et ex ista comparatione visum est Romano Pontifici, voluntatem ex voluntate non posse dici.
Nos autem non secundum hanc comparationem humanae
mentis, nec secundum relativum, sed secundum essentiam
diximus: Voluntas ex voluntate, sicut et sapientia ex sapientia. Hoc enim est Deo esse, quod velle: hoc velle, quod
sapere. Quod tamen de homine dici non potest. Aliud
quippe est homini id, quod est sine velle, et aliud velle
etiam sine sapere. In Deo autem non est ita, quia
simplex ita natura est, et ideo hoc est illi esse, quod
velle, quod sapere. . . .

148   Ad secundum quoque retractandum capitulum trans- 295
euntes, quo idem Papa incaute nos dixisse putavit, (241)
tres substantias in Christo Dei Filio profiteri:
sicut nos non pudebit, quae sunt vera defendere, ita
forsitan quosdam pudebit, quae vera sunt ignorare.
Quis enim nesciat, unumquemque hominem duabus
constare substantiis, animae scilicet et corporis? . . .
Quapropter natura divina humanae sociata naturae
possunt et tres propriae et duae propriae appellari
substantiae. . . .

---

quoddam S. Iuliani susceperant, in quo propositiones istae occurrebant:
Voluntas genuit voluntatem, sicut et sapientia sapientiam, et tres
esse in Christo substantias. Has aegre se ferre per nuntium indicavit BENEDICTUS II. Cum vero S. Iulianus sensum suum ex-
posuisset, eo sensu orthodoxas esse agnovit SERGIUS I. In synodo
igitur Toletana XV et XVI mentem suam iterato exposuerunt Patres
Hispani.

Conc. Toletanum XVI 693.

Professio fidei de Trinitate [1].

296 ... Huius voluntatis sanctae vocabulum, quamvis per [39]
(242) comparativam similitudinem Trinitatis, qua dicitur memoria, intelligentia, et voluntas, ad personam Sancti
referatur Spiritus: secundum hoc autem, quod ad se
dicitur, substantialiter praedicatur. Nam voluntas Pater,
voluntas Filius, voluntas Spiritus Sanctus: quemadmodum
Deus est Pater, Deus est Filius, Deus est Spiritus Sanctus: et multa alia similia, quae secundum substantiam
dici ab his, qui catholicae fidei cultores exsistunt, nulla
ratione ambigitur. Et sicut est catholicum dici: Deum
de Deo, lumen de lumine, lucem de luce, ita verae
fidei est proba assertio, voluntatem dici de voluntate,
sicut sapientiam de sapientia, essentiam de essentia, et
veluti Deus Pater genuit Filium Deum, ita Pater voluntas
genuit Filium voluntatem. Itaque quamquam secundum
essentiam Pater voluntas, Filius voluntas et Spiritus
Sanctus voluntas, non tamen secundum relativum unus
esse credendus est, quoniam alius est Pater, qui refertur
ad Filium, alius Filius, qui refertur ad Patrem, alius Spiritus Sanctus, qui pro eo quod de Patre Filioque procedit,
ad Patrem Filiumque refertur: non aliud, sed alius:
quia quibus est unum esse in Deitatis natura, his est in
personarum distinctione specialis proprietas....

IOHANNES VI 701—705.   CONSTANTINUS I 708—715.
IOHANNES VII 705—707.   S. GREGORIUS II 715—731.
SISINNIUS 708.   S. GREGORIUS III 731—741.

S. ZACHARIAS 741—752.

De forma et ministro baptismi [2].

[Ex ep. (10 resp. 11) «Sacris liminibus» ad Bonifacium Archiep.
Mogunt., 1. Maii 748.]

297 ... Quicunque sine invocatione Trinitatis lotus fuisset, [85]
sacramentum regenerationis non haberet ...; perfectus

---

[1] Msi XII 67 B; Hrd III 1792 B; cf. Hfl III 350; [Bar(Th) ad 693
n. 1 sqq (12, 135 sq)].
[2] Msi XII 339 D sq; Jf 2286 c. Add.; Hrd III 1910 C; ML 89, 943 D sq.

non est, nisi fuerit in nomine Patris et Filii et
Spiritus Sancti baptizatus . . .; si evangelicis quis
verbis, invocata Trinitate, iuxta regulam a Domino positam . . . mersus esset . . ., sacramentum sine dubio
haberet: et ita fortiter verbis evangelicis fuisset consecratum baptisma: ut, quamvis sceleratissimus
quisque haereticus vel schismaticus, aut latro, aut fur,
sive adulter, hoc homini petenti ministraret, tamen
Christi esset baptisma verbis evangelicis consecratum:
et e contra, licet minister iustus fuerit, si Trinitatem
iuxta regulam a Domino positam in lavacro non dixisset,
verum baptisma non esset, quod dedit.

(STEPHANUS II 752.) S. PAULUS I 757—767.
S. STEPHANUS III 752—757. STEPHANUS IV 768—772.

HADRIANUS I 772—795.

De primatu Romani Pontificis [1].

[Ex ep. «Pastoralibus. curis» ad Patres Conc. NICAENI II, a. 785.

1826 . . . Pseudosyllogus ille,
qui sine Apostolica
Sede . . . factus est ad-
versus venerabilium Patrum
traditionem contra divinas
imagines, anathematizetur
praesentibus apocrisiariis
nostris . . . et Domini nostri
Iesu Christi sermo com-
pleatur, quia: «*portae inferi non praevalebunt ad-
versus eam*» [Mt 16, 18]; et
rursus: «*Tu es Petrus* . . .»
[Mt 16, 18—19]. Cuius sedes in
omnem terrarum orbem
primatum tenens refulget,
et caput omnium eccle-
siarum Dei consistit.

Ψευδοσύλλογος ἐκεῖνος, ὁ 298
γενόμενος χωρὶς τοῦ ἀπο-
στολικοῦ θρόνου . . . ἐξ
ἐναντίας τῆς τῶν σεπτοτά-
των πατέρων παραδόσεως
κατὰ τῶν θείων εἰκόνων,
ἀναθεματισθῇ παρόντων τῶν
ἀποκρισιαρίων ἡμῶν . . . καὶ
τοῦ κυρίου ἡμῶν Ἰησοῦ Χριστοῦ ὁ λόγος πληρωθῇ, ὅτι
«πύλαι ᾅδου οὐ κατισχύσου-
σιν αὐτῆς»· καὶ πάλιν: «Σὺ
εἶ Πέτρος. . . .» Οὗ ὁ θρό-
νος εἰς πᾶσαν τὴν οἰκου-
μένην πρωτεύων διαλάμ-
πει, καὶ κεφαλὴ πασῶν
τῶν ἐκκλησιῶν τοῦ Θεοῦ
ὑπάρχει.

---

[1] Msi XII 1081 D; Jf 2449 c. Add.; Hrd IV 102 B; cf. Hfl III 448 sqq.
— Haec versio Graeca lecta est in Concilio NICAENO II.

De erroribus Adoptianorum [1].

[Ex ep. «Institutio universalis» ad episcopos Hispaniae, a. 785.]

299
(250) . . . Porro et de partibus vestris pervenit ad nos lugu- 148
bre capitulum, quod quidam episcopi ibidem degentes,
videlicet Eliphandus et Ascarius cum aliis eorum con-
sentaneis, Filium Dei adoptivum confiteri non erubescunt, quod nullus quamlibet haeresiarcha talem blasphemiam ausus est oblatrare, nisi perfidus ille Nestorius,
qui purum hominem Dei confessus est Filium. . . .

De praedestinatione et variis abusibus Hispanorum [2].

[Ex eadem epistola ad episcopos Hispaniae.]

300
(251) Illud autem, quod alii ex ipsis dicunt, quod prae- 805
destinatio ad vitam sive ad mortem in Dei sit potestate et non nostra; isti dicunt: «Ut quid conamur
vivere, quod in Dei est potestate?»; alii iterum dicunt:
«Ut quid rogamus Deum, ne vincamur tentatione, quod
in nostra est potestate, quasi libertate arbitrii? Revera
enim nullam rationem reddere vel accipere valent, ignorantes beati Fulgentii . . . [verba adv. Pelagianum quendam:]
«Opera ergo misericordiae ac iustitiae praeparavit Deus
in aeternitate incommutabilitatis suae . . . praeparavit
ergo iustificandis hominibus merita; praeparavit iisdem
glorificandis et praemia; malis vero non praeparavit
voluntates malas aut opera mala, sed praeparavit
eis iusta et aeterna supplicia.   Haec est aeterna prae-
destinatio futurorum operum Dei, quam, sicut nobis
apostolica doctrina semper insinuari cognoscimus, sic
etiam fiducialiter praedicamus. . . .»

301
Porro, dilectissimi, diversa capitula, quae ex illis audivimus partibus, id est: quod multi dicentes se catholicos esse, communem vitam gerentes cum Iudaeis et

---

[1] MGh Epp. III 637; Jf 2479; Msi XII 815 D sq; ML 98, 376 A;
cf. Hfl III 661.
[2] MGh Epp. III 642 sq; Jf 2479; ML 98, 383 B sqq; Msi XII 811 et
813. — Hic textus occurrit etiam verbotenus idem in alia ep. «Audientes orthodoxam», in qua Egilas laudatur. Hanc exhibet ML 98, 336
sqq; Jf 2445; Msi vero partem priorem huius textus in epistola una,
posteriorem in altera tantum habet.

non baptizatis paganis, tam in escis quamque in potu
seu in diversis erroribus nihil pollui se inquiunt: et
illud, quod inhibitum est, ut nulli liceat iugum ducere
cum infidelibus; ipsi enim filias suas cum alio bene-
dicent, et sic populo gentili tradentur; et quod sine
examinatione praefati presbyteri, ut praesint, ordinantur;
et alius quoque immanis invaluit error perniciosus, ut,
etiam vivente viro, mulieres sibi in conubio sortiantur
ipsi pseudosacerdotes, simulque et de libertate arbitrii,
et alia multa, sicut de illis audivimus partibus, quae
longum est dici. . . .

Conc. NICAENUM II 787.

Oecumenicum VII (contra Iconoclastas).

Definitio de sacris imaginibus et traditione [1].

ACTIO VII.

984 . . . Τὴν βασιλικὴν ὥσπερ
ἐρχόμενοι τρίβον, ἐπακολου-
θοῦντες τῇ θεηγόρῳ διδασ-
καλίᾳ τῶν ἁγίων πατέρων
ἡμῶν, καὶ τῇ παραδόσει τῆς
καθολικῆς ἐκκλησίας· τοῦ γὰρ
ἐν αὐτῇ οἰκήσαντος ἁγίου
πνεύματος εἶναι ταύτην γι-
νώσκομεν· ὁρίζομεν σὺν ἀκρι-
βείᾳ πάσῃ καὶ ἐμμελείᾳ, παραπλησίως τῷ τύπῳ τοῦ τιμίου
καὶ ζωοποιοῦ σταυροῦ ἀνα-
τίθεσθαι τὰς σεπτὰς καὶ
ἁγίας εἰκόνας, τὰς ἐκ
χρωμάτων καὶ ψηφῖδος καὶ
ἑτέρας ὕλης ἐπιτηδείως ἐχού-
σης, ἐν ταῖς ἁγίαις τοῦ Θεοῦ
ἐκκλησίαις, ἐν ἱεροῖς σκεύεσι
καὶ ἐσθῆσι, τοίχοις τε καὶ
σανίσιν, οἴκοις τε καὶ ὁδοῖς·

. . . Regiae quasi continuati 302
semitae, sequentesque divi- (243)
nitus inspiratum sanctorum
Patrum nostrorum magi-
sterium, et catholicae traditionem Ecclesiae (nam
Spiritus Sancti hanc esse novimus, qui nimirum in ipsa
inhabitat), definimus in omni
certitudine ac diligentia,
sicut figuram pretiosae ac
vivificae crucis, ita venerabiles ac sanctas ima-
gines proponendas tam
quae de coloribus et tes-
sellis, quam quae ex alia
materia congruenter in sanctis Dei ecclesiis, et sacris
vasis et vestibus, et in pa-
rietibus ac tabulis, domibus

---

[1] Msi XIII 378 C sqq; Hrd IV 455 A sq; cf. Hfl III 472 sqq; Bar(Th)
ad 787 n. 1 sqq (13, 195 sqq).

τῆς τε τοῦ κυρίου καὶ Θεοῦ
καὶ σωτῆρος ἡμῶν Ἰησοῦ
Χριστοῦ εἰκόνος, καὶ τῆς
ἀχράντου δεσποίνης ἡμῶν
τῆς ἁγίας Θεοτόκου, τιμίων
τε ἀγγέλων, καὶ πάντων
ἁγίων καὶ ὁσίων ἀνδρῶν.
(244) Ὅσῳ γὰρ συνεχῶς δι᾽ εἰκο-
νικῆς ἀνατυπώσεως ὁρῶν-
ται, τοσοῦτον καὶ οἱ ταύτας
θεώμενοι διανίστανται πρὸς
τὴν τῶν πρωτοτύπων μνή-
μην τε καὶ ἐπιπόθησιν, καὶ
ταύταις ἀσπασμὰν καὶ τι-
μητικὴν προσκύνησιν
ἀπονέμειν, οὐ μὴν τὴν κατὰ
πίστιν ἡμῶν ἀληθινὴν λα-
τρείαν, ἣ πρέπει μόνῃ
τῇ θείᾳ φύσει· ἀλλ᾽ ὃν
τρόπον τῷ τύπῳ τοῦ τιμίου
καὶ ζωοποιοῦ σταυροῦ καὶ
τοῖς ἁγίοις εὐαγγελίοις, καὶ
τοῖς λοιποῖς ἱεροῖς ἀναθή-
μασι, καὶ θυμιασμάτων καὶ
φώτων προσαγωγὴν πρὸς
τὴν τούτων τιμὴν ποιεῖσθαι,
καθὼς καὶ τοῖς ἀρχαίοις εὐσεβῶς εἴθισται. Ἡ γὰρ
τῆς εἰκόνος τιμὴ ἐπὶ τὸ
πρωτότυπον διαβαίνει·
καὶ ὁ προσκυνῶν τὴν εἰ-
κόνα προσκυνεῖ ἐν αὐτῇ
τοῦ ἐγγραφομένου τὴν ὑπό-
στασιν.

303   Οὕτω γὰρ κρατύνεται ἡ
(245) τῶν ἁγίων πα..τέρων ἡμῶν
διδασκαλία, εἴτουν παράδοσις
τῆς καθολικῆς ἐκκλησίας, τῆς
ἀπὸ περάτων εἰς πέρατα

et viis: tam videlicet imaginem Domini Dei et Sal-
vatoris nostri Iesu Christi,
quam intemeratae dominae
nostrae sanctae Dei geni-
tricis, honorabiliumque angelorum, et omnium sanctorum simul et almorum vi-
rorum.   Quanto enim fre-
quentius per imaginalem formationem videntur, tanto,
qui has contemplantur, ala-
crius eriguntur ad primi-
tivorum earum memoriam
et desiderium, ad osculum
et ad honorariam his
adorationem tribuendam,
non tamen ad veram
latriam, quae secundum
fidem est, quaeque solam
divinam naturam decet,
impartiendam: ita ut istis,
sicuti figurae pretiosae ac
vivificae crucis, et sanctis
evangeliis, et reliquis sacris
monumentis, incensorum et
luminum oblatio ad harum
honorem efficiendum ex-
hibeatur, quemadmodum et
antiquis piae consuetudinis
erat.   Imaginis enim
honor ad primitivum
transit: et qui adorat
imaginem, adorat in ea
depicti subsistentiam.

Sic enim robur obtinet
sanctorum Patrum nostro-
rum doctrina, id est, tra- 159
ditio sanctae catholicae
Ecclesiae, quae a finibus

δεξαμένης τὸ εὐαγγέλιον·
οὕτω τῷ ἐν Χριστῷ λαλή-
σαντι Παύλῳ καὶ πάσῃ τῇ
θείᾳ ἀποστολικῇ ὁμηγύρει
καὶ πατρικῇ ἁγιότητι ἐξακο-
λουθοῦμεν κρατοῦντες τὰς
παραδόσεις, ἃς παρειλήφα-
μεν· οὕτω τοὺς ἐπινικίους
τῇ ἐκκλησίᾳ προφητικῶς κατ-
επάδομεν ὕμνους· Χαῖρε
σφόδρα, θύγατερ Σιών, κή-
ρυσσε, θύγατερ Ἱερουσαλήμ·
τέρπου καὶ εὐφραίνου ἐξ
ὅλης τῆς καρδίας σου· πε-
ριεῖλε κύριος ἐκ σοῦ τὰ
ἀδικήματα τῶν ἀντικειμένων
σοι, λελύτρωσαι ἐκ χειρὸς
ἐχθρῶν σου· κύριος βασιλεὺς
ἐν μέσῳ σου· οὐκ ὄψει κακὰ
οὐκέτι καὶ εἰρήνη ἐπὶ σοὶ
εἰς τὸν αἰῶνα χρόνον.

Τοὺς οὖν τολμῶντας ἑτέ-
ρως φρονεῖν ἢ διδάσκειν ἢ
κατὰ τοὺς ἐναγεῖς αἱρετικοὺς
τὰς ἐκκλησιαστικὰς παρα-
δόσεις ἀθετεῖν, καὶ καινοτο-
μίαν τινὰ ἐπινοεῖν, ἢ ἀπο-
βάλλεσθαί τι ἐκ τῶν ἀνα-
τεθειμένων τῇ ἐκκλησίᾳ, εὐ-
αγγέλιον, ἢ τύπον τοῦ
σταυροῦ, ἢ εἰκονικὴν
ἀναζωγράφησιν, ἢ ἅγιον
λείψανον μάρτυρος· ἢ ἐπι-
νοεῖν σκολιῶς καὶ πανούργως
πρὸς τὸ ἀνατρέψαι ἕν τι
τῶν ἐνθέσμων παραδόσεων
τῆς καθολικῆς ἐκκλησίας· ἔτι
γε μὴν ὡς κοινοῖς χρῆσθαι
τοῖς ἱεροῖς κειμηλίοις ἢ τοῖς

usque ad fines terrae suscepit evangelium. Sic Paulum, qui in Christo locutus
est [2 Cor 2, 17], et omnem
divinum apostolicum coe-
tum et paternam sancti-
tatem exsequimur *tenentes
traditiones* [2 Thess 2, 14], quas
accepimus. Sic triumphales
Ecclesiae prophetice cani-
mus hymnos: *Gaude satis
filia Sion, praedica filia
Ierusalem: iucundare et
laetare ex toto corde tuo.
Abstulit Dominus a te in-
iustitias adversantium tibi:
redemit te de manu ini-
micorum tuorum. Domi-
nus rex in medio tui: non
videbis mala ultra* [Soph 3,
14 sq: LXX] et pax in te in
tempus aeternum.

Eos ergo, qui audent 304
aliter sapere aut docere aut (245)
secundum scelestos haere-
ticos ecclesiasticas traditiones spernere et novitatem
quamlibet excogitare, vel
proicere aliquid ex his,
quae sunt Ecclesiae depu-
tata, sive evangelium,
sive figuram crucis, sive
imaginalem picturam,
sive sanctas reliquias
martyris; aut excogitare
prave aut astute ad sub-
vertendum quidquam ex
legitimis traditionibus Ecclesiae catholicae; vel etiam
quasi communibus uti sacris

εὐαγέσι μοναστηρίοις· ἐπισκόπους μὲν ὄντας ἢ κλη-
ρικοὺς καθαιρεῖσθαι προσ-
τάσσομεν, μονάζοντας δὲ ἢ
λαϊκοὺς τῆς κοινωνίας ἀφο-
ρίζεσθαι.

vasis aut venerabilibus mo-
nasteriis: si quidem epi-
scopi aut clerici fuerint, deponi praecipimus; monachos
autem vel laicos a commu-
nione segregari.

De sacris electionibus [1].

ACTIO VIII.

305 Πᾶσαν ψῆφον γινομένην
(246) παρὰ ἀρχόντων ἐπισκόπου ἢ πρεσβυτέρου ἢ δια-
κόνου ἄκυρον μένειν κατὰ
τὸν κανόνα τὸν λέγοντα· Εἴ
τις ἐπίσκοπος κοσμικοῖς ἄρ-
χουσι χρησάμενος, δι᾽ αὐτῶν
ἐγκρατὴς ἐκκλησίας γένηται,
καθαιρείσθω καὶ ἀφοριζέσθω
καὶ οἱ κοινωνοῦντες αὐτῷ
πάντες. Δεῖ γὰρ τὸν μέλ-
λοντα προβιβάζεσθαι εἰς ἐπι-
σκοπὴν ὑπὸ ἐπισκόπων
ψηφίζεσθαι, καθὼς παρὰ
τῶν ἁγίων πατέρων τῶν ἐν
Νικαίᾳ ὥρισται ἐν τῷ κα-
νόνι τῷ λέγοντι· Ἐπίσκοπον
προσήκει μάλιστα μὲν ὑπὸ
πάντων τῶν ἐν τῇ ἐπαρχίᾳ
καθίστασθαι. Εἰ δὲ δυσχερὲς
εἴη τὸ τοιοῦτον, ἢ διὰ κατ-
επείγουσαν ἀνάγκην, ἢ διὰ
μῆκος ὁδοῦ, ἐξ ἅπαντος τρεῖς
ἐπὶ τὸ αὐτὸ συναγομένους,
συμψήφων γινομένων καὶ
τῶν ἀπόντων καὶ συντιθε-
μένων διὰ γραμμάτων, τότε
τὴν χειροτονίαν ποιεῖσθαι,

Can. 3. Omnis electio 42
a principibus facta epi- 339
scopi aut presbyteri aut 1750
diaconi irrita maneat
secundum regulam [Can.
apost. 30], quae dicit: Si
quis episcopus saecularibus
potestatibus usus, eccle-
siam per ipsos obtineat,
deponatur, et segregentur
omnes, qui illi communi-
cant. Oportet enim, ut,
qui provehendus est in episcopum, ab episcopis
eligatur, quemadmodum
a sanctis Patribus, qui apud
Nicaeam convenerunt, in
regula [Can. 4] definitum est,
quae dicit: Episcopum convenit maxime quidem ab
omnibus, qui sunt in pro-
vincia, episcopis ordinari.
Si autem hoc difficile fuerit, aut propter instantem
necessitatem, aut propter
itineris longitudinem, tribus tamen omnimodis in
idipsum convenientibus, et

---

[1] Msi XIII 419 D sqq; Hrd IV 487 C sq; cf. Hfl III 476; cf. CIC
Decr. 63, 7: Frdbg I 237; Rcht I 203.

τὸ δὲ κῦρος τῶν γινομένων διδόσθαι καθ᾽ ἑκάστην ἐπαρχίαν τῷ μητροπολίτῃ.

aliis per litteras consentientibus, tunc consecratio fiat. Firmitas autem eorum, quae geruntur, per unamquamque provinciam metropolitano tribuatur antistiti.

De imaginibus, humanitate Christi, traditione [1].

ACTIO VIII.

984 Πιστεύοντες εἰς ἕνα Θεὸν ἐν Τριάδι ἀνυμνούμενον τὰς τιμίας αὐτοῦ εἰκόνας ἀσπαζόμεθα· οἱ μὴ οὕτως ἔχοντες ἀνάθεμα ἔστωσαν. . . .

. . . Credentes in unum 306 Deum, in Trinitate collaudatum, honorabiles eius imagines salutamus. Qui sic non habent, anathema sint.... (247)

148 Εἴ τις Χριστὸν τὸν Θεὸν ἡμῶν περιγραπτὸν οὐχ ὁμολογεῖ κατὰ τὸ ἀνθρώπινον, ἀνάθεμα ἔστω. . . .

Si quis Christum Deum 307 nostrum circumscriptum non confitetur secundum humanitatem, anathema....

159 Εἴ τις πᾶσαν παράδοσιν ἐκκλησιαστικὴν ἔγγραφον ἢ ἄγραφον ἀθετεῖ, ἀνάθεμα ἔστω. . . .

Si quis omnem eccle-308 siasticam traditionem sive scriptam sive non scriptam reicit, anathema. . . .

De erroribus Adoptianorum [2].

[Ex ep. HADRIANI «Si tamen licet» ad episcopos Galliae et Hispaniae, 793.]

148 Materia (autem) causalis perfidiae inter cetera re-309 icienda de adoptione Iesu Christi Filii Dei secundum (257) carnem falsis argumentationibus digesta, perfidorum verborum ibi stramina incomposito calamo legebantur. Hoc catholica Ecclesia nunquam credidit, nunquam docuit, nunquam male credentibus assensum praebuit. . . .

. . . Adoptivum eum Filium, quasi purum hominem, 310 calamitati(s) humanae subiectum et, quod pudet dicere, servum eum, impii et ingrati tantis beneficiis, liberatorem nostrum non pertimescitis venenosa fauce susur-

---

[1] Msi XIII 415 AC; Hrd IV 483 CE.
[2] MGh Legum Sectio III, II 1, 123 126; Jf 2482; Msi XIII 865 D 869 A; Hrd IV 866 B 869 B; cf. Hfl III 685 sq.

rare. . . . Cur non veremini, queruli detractatores, Deo
odibiles, illum servum nuncupare, qui vos de servitute
diaboli liberavit? . . . Nam etsi in umbra prophetiae
dictus est *servus* [cf. Is 42, 1 sqq] propter servilis formae
conditionem, quam sumpsit ex Virgine, . . . hoc nos . . .
intelligimus et secundum historiam de sancto Iob et
allegorice de Christo dictum. . . .

Conc. FRANCOFORDENSE 794[1].

De Christo Filio Dei naturali, non adoptivo[2].

[Ex epistola synodica episcoporum Franciae ad Hispanos.]

311 . . . Invenimus enim in libelli vestri principio scriptum,[148]
(254) quod posuistis vos: «Confitemur et credimus Deum
Dei Filium ante omnia tempora sine initio ex Patre
genitum, coaeternum et consubstantialem, non adoptione, sed genere.» Item post pauca eodem loco
legebatur: «Confitemur et credimus eum *factum ex
muliere, factum sub lege* [cf. Gal 4, 4], non genere esse
Filium Dei, sed adoptione, non natura, sed gratia.» Ecce
serpens inter pomifera paradisi latitans ligna, ut incautos
quosque decipiat. . . .

312 Quod etiam et in sequentibus adiunxistis, in professione Nicaeni symboli non invenimus dictum, in Christo
duas naturas et tres substantias, et homo deificus
et Deus humanatus. Quid est natura hominis, nisi
anima et corpus? vel quid est inter naturam et substantiam, ut tres substantias necesse sit nobis dicere, et
non magis simpliciter, sicut sancti Patres dixerunt, confiteri Dominum nostrum Iesum Christum Deum verum
et verum hominem in una persona? Mansit vero persona Filii in sancta Trinitate, cui personae humana
accessit natura, ut esset una persona, Deus et homo,

---

[1] Frankfurt Germaniae.
[2] MGh Legum Sectio III, II 1, 144 149 150 152 165; Msi XIII 884 E
890 B sqq 909 C; Hrd IV 883 D sqq 888 D sqq 904 C; cf. Hfl III 678 sqq;
Bar(Th) ad 794 n. 1 sqq (13, 274 a sqq). — Haeresis Adoptianorum, in
Hispania orta, iam a. 792 in conc. Ratisbonensi Karolo rege praesi-
dente reiecta est, deinde in hoc conc. Frankfordensi ab eodem rege
convocato et mense Iunio anni 794 coram legatis Apostolicae Sedis
celebrato iterum damnata est.

non homo deificus et humanatus Deus, sed Deus homo
et homo Deus: propter unitatem personae unus Dei
Filius, et idem hominis Filius, perfectus Deus, perfectus
homo.... Consuetudo ecclesiastica solet in Christo duas
substantias nominare, Dei videlicet et hominis. . . .

Si ergo Deus verus est, qui de Virgine natus est, 313
quomodo tunc potest adoptivus esse vel servus? Deum (256)
enim nequaquam audetis confiteri servum vel adoptivum: et si eum propheta servum nominasset, non
tamen ex conditione servitutis, sed ex humilitatis oboedientia, qua *factus* est Patri *oboediens usque ad mortem*
[Phil 2, 8].

[Ex «Capitulari».]

(1) . . . In primordio capitulorum exortum est de impia 314
ac nefanda haeresi Eliphandi, Toletanae sedis episcopi, (253)
et Felicis, Orgellitanae, eorumque sequacibus, qui male
sentientes in Dei Filio asserebant adoptionem: quam
omnes qui supra sanctissimi Patres et respuentes una
voce contradixerunt atque hanc haeresim funditus a
sancta Ecclesia eradicandam statuerunt.

Conc. FOROIULIENSE 796 v. App. n. 3007.

(S. LEO III 795—816.)

*De fide Nicephori in B. M. V. virginitatem perpetuam
v. App. n. 3029.*

STEPHANUS V 816—817.   VALENTINUS 827.
S. PASCHALIS I 817—824.   GREGORIUS IV 828—844.
EUGENIUS II 824—827.   SERGIUS II 844—847.

(S. LEO IV 847–855.)

Conc. Ticinense 850 [1].

De sacramento extremae unctionis [2].

907   (8) Illud quoque salutare sacramentum, quod 315
commendat Iacobus Apostolus dicens: «*Infirmatur
quis . . . remittetur ei*» [Iac 5, 14 sq], solerti praedicatione
populis innotescendum est: magnum sane ac valde
appetendum mysterium, per quod, si fideliter poscitur, et
peccata remittuntur, et consequenter corporalis
salus restituitur.... Hoc tamen sciendum, quia, si is,
qui infirmatur, publicae poenitentiae mancipatus est, non

---

[1] Pavia.   [2] Msi XIV 932 E sq; Hrd V 27 A; cf. Hfl IV 177.

potest huius mysterii consequi medicinam, nisi prius reconciliatione percepta communionem corporis et sanguinis Christi meruerit.   Cui enim reliqua sacramenta
interdicta sunt, hoc uno nulla ratione uti conceditur.

Conc. Carisiacense I 853[1].

(Contra Gottschalk et Praedestinatianos.)

De redemptione et gratia[2].

316   Cap. 1. Deus omnipotens hominem sine peccato rec- 793
(279) tum cum libero arbitrio condidit, et in paradiso posuit, 805
quem in sanctitate iustitiae permanere voluit.   Homo
libero arbitrio male utens peccavit et cecidit, et factus
est massa perditionis totius humani generis.   Deus
autem bonus et iustus elegit ex eadem massa perditionis secundum praescientiam suam quos per gratiam
praedestinavit [Rom 8, 29 sqq; Eph 1, 11] ad vitam, et vitam illis praedestinavit aeternam: ceteros autem, quos
iustitiae iudicio in massa perditionis reliquit, perituros
praescivit, sed non ut perirent praedestinavit;
poenam autem illis, quia iustus est, praedestinavit aeternam.   Ac per hoc unam Dei praedestinationem
tantummodo dicimus, quae aut ad donum pertinet gratiae
aut ad retributionem iustitiae.

317   Cap. 2. Libertatem arbitrii in primo homine
perdidimus, quam per Christum Dominum nostrum rece-
pimus: et habemus liberum arbitrium ad bonum, prae-
ventum et adiutum gratia, et habemus liberum arbitrium
ad malum, desertum gratia.   Liberum autem habemus
arbitrium, quia gratia liberatum et gratia de corrupto
sanatum.

318   Cap. 3. Deus omnipotens *omnes homines* sine excep- 322
tione *vult salvos fieri* [1 Tim 2, 4], licet non omnes salventur.
Quod autem quidam salvantur, salvantis est donum:
quod autem quidam pereunt, pereuntium est meritum.

319   Cap. 4. Christus Iesus D. N., sicut nullus homo 79..
est, fuit vel erit, cuius natura in illo assumpta non

---

¹ Chiersy in Gallia.
² Msi XIV 920 D sqq; Hrd V 18 C sqq; Hfl IV 187; ML 125, 49
(129) sqq (Hincmari epistola ad Carolum Regem).

fuerit, ita nullus est, fuit vel erit homo, pro quo
passus non fuerit; licet non omnes passionis eius
mysterio redimantur. Quod vero omnes passionis eius
mysterio non redimuntur, non respicit ad magnitudinem
et pretii copiositatem, sed ad infidelium et ad non credentium ea fide, *quae per dilectionem operatur* [Gal 5, 6],
respicit partem; quia poculum humanae salutis, quod
confectum est infirmitate nostra, et virtute divina, habet
quidem in se, ut omnibus prosit: sed si non bibitur,
non medetur.

Conc. Valentinum III 855[1].

(Contra Ioannem Scotum.)

De praedestinatione[2].

805   Can. 1. Quia doctorem gentium in fide et veritate 320
fideliter commonentem oboedienterque audimus: «*O Timo-* (283)
thee, depositum custodi, devitans profanas vocum novi-
tates et oppositiones falsi nominis scientiae, quam qui-
dam promittentes circa fidem exciderunt» [1 Tim 6, 20 sq];
et iterum: *Profana autem et inaniloquia devita: multum*
enim proficiunt ad impietatem, et sermo eorum ut
cancer serpit [2 Tim 2, 16 sq]; et iterum: «*Stultas autem*
et sine disciplina quaestiones devita, sciens quia gene-
rant lites: servum autem Domini non oportet litigare»
[2 Tim 2, 23 sq]; et iterum: «*Nihil per contentionem, neque*
per inanem gloriam» [Phil 2, 3]: paci, quantum Deus dederit, et caritati studere cupientes, attendentes pium
eiusdem Apostoli consilium: «*Solliciti servare unitatem*
spiritus in vinculo pacis» [Eph 4, 3], novitates vocum et

---

[1] Valence in Gallia.
[2] Msi XV 3 A sqq; Hrd V 88 E sqq; Hfl IV 193 sqq; cf. ML 125,
49 sqq; Bar(Th) ad 855 n. 1 sqq (14, 422 a sqq). — Canones isti a
Tullensi synodo I apud Saponarias a. 859 suscepti sunt atque iterati.
Non est negandum, eos contra capitula Carisiaca directos fuisse. Cum
vero tota differentia inde exorta esset, quod diverso sensu duas vel
unam praedestinationem dicendum esse putarent Patres utriusque concilii, quodque Valentini Hincmarum, Carisiaci conventus praesidem,
Ioannis Scoti erroribus favere putarent, mox detecto errore, in synodo
Lingonensi 859 iidem episcopi, qui Valentinae interfuerant, ex canone 4
Valentino notam capitulis Carisiacis inustam expunxerunt, quam nos
uncis [—] in textu inclusimus, et ambae partes in Tullensi concilio II
apud Tusiacum a. 860 convenientes concordiam inierunt et epistolam
synodalem ab Hincmaro conscriptam susceperunt.

praesumptivas garrulitates, unde potius inter fratres
contentionum et scandalorum fomes excitari potest,
quam aedificatio ulla timoris Dei succrescere, cum studio
omni devitamus. Indubitanter autem doctoribus pie et
recte tractantibus verbum veritatis, ipsisque sacrae
Scripturae lucidissimis expositoribus, id est Cypriano,
Hilario, Ambrosio, Hieronymo, Augustino, ceterisque
in catholica pietate quiescentibus, reverenter auditum et
obtemperanter intellectum submittimus, et pro viribus,
quae ad salutem nostram scripserunt, amplectimur. Nam
de praescientia Dei, et de praedestinatione,
et de quaestionibus aliis, in quibus fratrum animi non
parum scandalizati probantur, illud tantum firmissime
tenendum esse credimus, quod ex maternis Ecclesiae
visceribus nos hausisse gaudemus.

321   Can. 2. Deum praescire et praescisse aeterna-
(284) liter et bona, quae boni erant facturi, et mala, quae
mali sunt gesturi, quia vocem Scripturae dicentis habemus: «*Deus aeterne, qui absconditorum es cognitor, qui
nosti omnia antequam fiant*» [Dn 13, 42], fideliter tenemus,
et placet tenere, bonos praescisse omnino per gratiam
suam bonos futuros, et per eandem gratiam aeterna
praemia accepturos: malos praescisse per propriam malitiam malos futuros, et per suam iustitiam aeterna ultione
damnandos: ut secundum Psalmistam: *Quia potestas Dei
est, et Domini misericordia, ut reddat unicuique secundum opera sua* [Ps 61, 12 sq], et sicut apostolica doctrina
se habet: *His quidem, qui secundum patientiam boni
operis gloriam et honorem et incorruptionem quaerunt,
vitam aeternam: his autem, qui* [sunt] *ex contentione, et
qui non acquiescunt veritati, credunt autem iniquitati, ira
et indignatio, tribulatio et angustia in omnem animam
hominis operantis malum* [Rom 2, 7 sqq]. In eodem sensu
idem alibi: *In revelatione,* inquit, *Domini nostri Iesu
Christi de coelo cum angelis virtutis eius, in igne flam-
mae dantis vindictam his, qui non noverunt Deum, et
qui non oboediunt evangelio Domini nostri Iesu Christi,
qui poenas dabunt in interitu aeternas, . . . cum venerit glorificari in Sanctis suis et admirabilis fieri in
omnibus, qui crediderunt* [2 Thess 1, 7 sqq]. Nec prorsus

ulli malo praescientiam Dei imposuisse necessitatem, ut aliud esse non posset, sed quod ille
futurus erat ex propria voluntate, sicuti Deus, qui
novit omnia antequam fiant, praescivit ex sua omnipotenti et incommutabili maiestate. Nec ex praeiudicio
eius aliquem, sed ex merito propriae iniquitatis
credimus condemnari. Nec ipsos malos ideo perire,
quia boni esse non potuerunt; sed quia boni esse noluerunt, suoque vitio in massa damnationis vel merito originali vel etiam actuali permanserunt.

Can. 3. Sed et de praedestinatione Dei placuit, 322
et fideliter placuit, iuxta auctoritatem apostolicam, quae [(285)]
dicit: *An non habet potestatem figulus luti ex eadem
massa facere aliud vas in honorem, aliud vero in
contumeliam?* [Rom 9, 21] ubi et statim subiungit: *Quod
si volens Deus ostendere iram et notam facere potentiam
suam, sustinuit in multa patientia vasa irae aptata* sive
praeparata *in interitum, ut ostenderet divitias gratiae
suae in vasa misericordiae, quae praeparavit in gloriam* [Rom 9, 22 sq]: fidenter fatemur praedestinationem
electorum ad vitam, et praedestinationem impiorum ad
mortem: in electione tamen salvandorum misericordiam Dei praecedere meritum bonum: in
damnatione autem periturorum meritum malum praecedere iustum Dei iudicium. Praedestinatione
autem Deum ea tantum statuisse, quae ipse vel gratuita
misericordia vel iusto iudicio facturus erat secundum
Scripturam dicentem: *Qui fecit, quae futura sunt*
[Is 45, 11: LXX]: in malis vero ipsorum malitiam praescivisse, quia ex ipsis est, non praedestinasse, quia ex
illo non est. Poenam sane malum meritum eorum
sequentem, uti Deum, qui omnia prospicit, praescivisse
et praedestinasse, quia iustus est, apud quem est, ut
sanctus Augustinus ait, de omnibus omnino rebus tam
fixa sententia quam certa praescientia. Ad hoc siquidem
facit Sapientis dictum: «*Parata sunt derisoribus iudicia, et mallei percutientes stultorum corporibus*» [Prv 19, 29].
De hac immobilitate praescientiae et praedestinationis
Dei, per quam apud eum futura iam facta sunt, etiam
apud Ecclesiasten bene intelligitur dictum: *Cognovi,*

10 *

*quod omnia opera, quae fecit Deus, perseverent in per-
petuum. Non possumus his addere nec auferre, quae
fecit Deus, ut timeatur* [Eccle 3,14]. Verum aliquos a d
malum praedestinatos esse divina potestate, videlicet ut quasi aliud esse non possint, non solum non
credimus, sed etiam si sunt, qui tantum mali credere
velint, cum omni detestatione, sicut Arausica synodus,
illis anathema dicimus [v. n. 200].

323   Can. 4. Item de redemptione sanguinis Christi,³¹⁷
(286) propter nimium errorem, qui de hac causa exortus est,
ita ut quidam, sicut eorum scripta indicant, etiam
pro illis impiis, qui a mundi exordio usque ad
passionem Domini in sua impietate mortui aeterna
damnatione puniti sunt, effusum eum definiant,
contra illud propheticum: *«Ero mors tua, o mors, mor-
sus tuus ero, inferne»* [Os 13,14]: illud nobis simpliciter et
fideliter tenendum ac docendum placet iuxta evangelicam et apostolicam veritatem, quod pro illis hoc
datum pretium teneamus, de quibus ipse Dominus noster
dicit: *Sicut Moyses exaltavit serpentem in deserto, ita
exaltari oportet Filium hominis, ut omnis, qui credit
in ipso* [ipsum], *non pereat, sed habeat vitam aeternam.
Sic enim Deus dilexit mundum, ut Filium suum unigenitum daret: ut omnis, qui credit in eum, non pereat,
sed habeat vitam aeternam* [Io 3,14 sqq], et Apostolus:
«Christus, inquit, *semel oblatus est ad multorum ex-
haurienda peccata»* [Hebr 9,28]. Porro capitula—[quattuor,
quae a concilio fratrum nostrorum minus prospecte suscepta sunt, propter inutilitatem vel etiam noxietatem,
et errorem contrarium veritati: sed et alia]—XIX syllo-
gismis ineptissime conclusa et, licet iactetur, nulla saeculari litteratura nitentia, in quibus commentum diaboli
potius quam argumentum aliquod fidei deprehenditur,
a pio auditu fidelium penitus explodimus, et ut talia et
similia caveantur per omnia, auctoritate Spiritus Sancti
interdicimus: novarum etiam rerum introductores, ne
districtius feriantur, castigandos esse censemus.

324   Can. 5. Item firmissime tenendum credimus, quod
omnis multitudo fidelium *ex aqua et Spiritu Sancto*
[Io 3, 5] regenerata, ac per hoc veraciter Ecclesiae incor-

porata, et iuxta doctrinam apostolicam in morte Christi
baptizata, in eius sanguine sit a peccatis suis abluta:
quia nec in eis potuit esse vera regeneratio, nisi fieret
et vera redemptio: cum in Ecclesiae sacramentis nihil
sit cassum, nihil ludificatorium, sed prorsus totum verum,
et ipsa sui veritate ac sinceritate subnixum. Ex ipsa
tamen multitudine fidelium et redemptorum alios
salvari aeterna salute, quia per gratiam Dei in
redemptione sua fideliter permanent, ipsius Domini sui
vocem in corde ferentes: «*Qui ... perseveraverit usque
in finem, hic salvus erit*» [Mt 10, 22 et 24, 13]: alios, quia
noluerunt permanere in salute fidei, quam initio
acceperunt, redemptionisque gratiam potius irritam facere
prava doctrina vel vita, quam servare elegerunt, ad
plenitudinem salutis et ad perceptionem aeternae
beatitudinis nullo modo pervenire. In utroque
siquidem doctrinam pii Doctoris habemus: «*Quicunque
baptizati sumus in Christo Iesu, in morte ipsius baptizati sumus*» [Rom 6, 3], et: *Omnes qui in Christo baptizati
estis, Christum induistis* [Gal 3, 27], et iterum: «*Accedamus
cum vero corde in plenitudine fidei, aspersi corda a
conscientia mala, et abluti corpus aqua munda teneamus
spei nostrae confessionem indeclinabilem*» [Hebr 10, 22 sq],
et iterum: «*Voluntarie ... peccantibus nobis post acceptam
notitiam veritatis iam non relinquitur pro peccatis
hostia*» [Hebr 10, 26], et iterum: «*Irritam quis faciens
legem Moysis, sine ulla miseratione duobus vel tribus
testibus moritur. Quanto magis putatis deteriora mereri
supplicia, qui Filium Dei conculcaverit, et sanguinem
testamenti pollutum duxerit, in quo sanctificatus est, et
Spiritui gratiae contumeliam fecerit?*» [Hebr 10, 28 sq.]

Can. 6. Item de gratia, per quam salvantur credentes, 325
et sine qua rationalis creatura nunquam beate vixit, et (288)
de libero arbitrio per peccatum in primo homine
infirmato, sed per gratiam Domini Iesu fidelibus eius
redintegrato et sanato, idipsum constantissimi et fide
plena fatemur, quod sanctissimi Patres auctoritate sacrarum Scripturarum nobis tenendum reliquerunt, quod Afri-
cana [n. 101 sq], quod Arausica [n. 174 sqq] synodus professa est, quod beatissimi Pontifices Apostolicae Sedis

catholica fide tenuerunt: sed et de n a t u r a et g r a t i a,
in aliam partem nullo modo declinare praesumentes.
Ineptas autem quaestiunculas, et aniles pene fabulas,
Scotorumque pultes puritati fidei nauseam inferentes,
quae periculosissimis et gravissimis temporibus, ad cumulum laborum nostrorum, usque ad scissionem caritatis
miserabiliter et lacrimabiliter succreverunt, ne mentes
christianae inde *corrumpantur et excidant a simplicitate*
et castitate fidei, *quae est in Christo* [2 Cor 11, 3] Iesu,
penitus respuimus, et ut fraterna caritas cavendo a talibus auditum castiget, Domini Christi amore monemus.
Recordetur fraternitas malis mundi gravissimis se urgeri,
messe nimia iniquorum, et paleis levium hominum se
durissime suffocari. Haec vincere ferveat, haec corrigere
laboret, et superfluis coetum pie dolentium et gemen-
tium non oneret: sed potius certa et vera fide, quod
a sanctis Patribus de his et similibus sufficienter pro-
secutum est, amplectatur. . . .

BENEDICTUS III 855—858.

S. NICOLAUS I 858—867.

Conc. Romanum 862 vel 863.

De primatu, passione Christi, baptismo [1].

326 Cap. 5. Si quis dogmata, mandata, interdicta, sanc- 1826
(259) tiones vel decreta pro catholica fide, pro ecclesiastica
disciplina, pro correctione fidelium, pro emendatione
sceleratorum vel interdictione imminentium vel futurorum
malorum a S e d i s A p o s t o l i c a e p r a e s i d e salubriter
promulgata contempserit, anathema sit.

327 Cap. 7. Veraciter quidem credendum est et omni- 148
modis profitendum, quia Dominus noster Iesus Christus
Deus et Dei Filius p a s s i o n e m c r u c i s t a n t u m m o d o
s e c u n d u m c a r n e m sustinuit, deitate autem impassibilis mansit, ut apostolica docet auctoritas et sanctorum
Patrum luculentissime doctrina ostendit.

328 Cap. 8. Hi autem, qui aiunt, quia redemptor noster
Iesus Christus et Dei Filius passionem crucis secundum

---

[1] Msi XV 652 E 658 sq; Jf 2692; Hrd V 574 E; cf. Hfl IV 260.

deitatem sustinuit, quoniam impium est et catholicis
mentibus exsecrabile, anathema sint.

857   Cap. 9. Omnibus enim, qui dicunt, quod hi, qui 329
sacrosancti fonte baptismatis credentes in Patrem et (262)
Filium Sanctumque Spiritum renascuntur, non aequaliter originali abluantur delicto, anathema sit.

De immunitate et independentia Ecclesiae [1].

[Ex ep. (8) «Proposueramus quidem» ad Michaelem Imperatorem, a. 865.]

1821   ... Neque ab Augusto, neque ab omni clero, neque 330
a regibus, neque a populo iudex iudicabitur [2] ... Pri- (270)
ma sedes non iudicabitur a quoquam [3] ...
[v. n. 352 sqq].

   ... Ubinam legistis, imperatores antecessores 331
vestros in synodalibus conventibus interfuisse, (265)
nisi forsitan in quibus de fide tractatum est, quae universalis est, quae omnium communis est, quae non solum
ad clericos, verum etiam ad laicos et ad omnes omnino
pertinet Christianos? ... Quanto magis ad potioris (266)
auctoritatis iudicium tenditur querimonia, tanto adhuc
amplius maius culmen petendum est, quousque gradatim
perveniatur ad eam Sedem, cuius causa aut a se, negotiorum meritis exigentibus, in melius commutatur, aut
solius Dei sine quaestione reservatur arbitrio.

   Porro si nos non audieritis, restat, ut sitis apud nos 332
necessario, quales Dominus noster Iesus Christus hos (267)
haberi praecepit, qui Ecclesiam Dei audire contempserint,
praesertim cum Ecclesiae Romanae privilegia,
Christi ore in B. PETRO firmata, in Ecclesia ipsa disposita, antiquitus observata et a sanctis universalibus
Synodis celebrata atque a cuncta Ecclesia iugiter venerata, nullatenus possint minui, nullatenus infringi, nullatenus commutari, quoniam fundamentum, quod Deus
posuit, humanus non valet amovere conatus, et quod
Deus statuit, firmum validumque consistit. ... Ista igitur
privilegia huic sanctae Ecclesiae a Christo donata,

---

[1] Msi XV 196 D sqq; cf. Jf 2796 c. Add.; Hrd V 154 C sqq; ML
119, 938 D sqq; cf. Hfl IV 334 sq.
[2] Haec tanquam verba S. SILVESTRI allegantur.
[3] Ex actis Synodi apocryphae Sinuessanae [cf. Hfl I 143 sqq].

a Synodis non donata, sed iam solummodo celebrata
et venerata. . . .

333   Quoniam, cum secundum canones, ubi est maior aucto-
(268) ritas, iudicium inferiorum sit deferendum, ad dissol-
vendum scilicet vel ad roborandum: patet profecto
Sedis Apostolicae, cuius auctoritate maior
non est, iudicium a nemine fore retractandum, neque
cuiquam de eius liceat iudicare iudicio. Siquidem ad illam
de qualibet mundi parte canones appellari voluerunt;
ab illa autem nemo sit appellare permissus. . . .
Non negamus, eiusdem Sedis sententiam posse in melius
commutari; cum aut sibi subreptum aliquid fuerit, aut
ipsa pro consideratione aetatum vel temporum seu gravium necessitatum dispensatorie quiddam ordinare de-
(269) creverit. . . . Vos autem, quaesumus, nolite praeiudicium
Dei Ecclesiae irrogare: illa quippe nullum imperio vestro
praeiudicium infert, cum magis pro stabilitate ipsius
aeternam divinitatem exoret et pro incolumitate vestra
et perpetua salute iugi devotione precetur. Nolite, quae
sua sunt, usurpare: nolite, quae ipsi soli commissa sunt,
velle surripere, scientes, quia tanto nimirum a sacris
debet omnis mundanarum rerum administrator esse
remotus, quanto quemlibet ex catalogo clericorum et
militantium Deo nullis convenit negotiis saecularibus
implicari. Denique hi, quibus tantum humanis rebus
et non divinis praeesse permissum est, quomodo de
his, per quos divina ministrantur, iudicare praesumant,
penitus ignoramus. Fuerunt haec ante adventum Christi,
ut quidam typice reges simul et sacerdotes exsisterent;
quod sanctum Melchisedech fuisse sacra prodit
historia, quodque in membris suis diabolus imitatus,
utpote qui semper, quae divino cultui conveniunt, sibimet tyrannico spiritu vindicare contendit, ut pagani
imperatores iidem et maximi pontifices dicerentur. Sed
cum ad verum ventum est eundem regem atque pontificem, ultra sibi nec imperator iura pontificatus arripuit,
nec pontifex nomen imperatorium usurpavit. Quoniam
idem «*mediator Dei et hominum homo Christus Iesus*»
[1 Tim 2, 5] sic actibus propriis et dignitatibus distinctis,
officia potestatis utriusque discrevit, propria volens medi-

cinali humilitate sursum efferri, non humana superbia
rursus in inferna demergi, ut et christiani imperatores
pro aeterna vita pontificibus indigerent, et
pontifices pro cursu temporalium tantummodo
rerum imperialibus legibus uterentur: quatenus
spiritalis actio carnalibus distaret incursibus.

De forma matrimonii et baptismi [1].

[Ex responsis NICOLAI I ad consulta Bulgarorum, Nov. 866.]

969   Cap. 3. . . . Sufficiat secundum leges solus eorum 334
consensus, de quorum coniunctionibus agitur: qui (263)
consensus, si solus in nuptiis forte defuerit, cetera
omnia, etiam cum ipso coitu celebrata, frustrantur. . . .

Cap. 15, de ministro et forma baptismi, v. App. n. 3030.

857   Cap. 104. A quodam Iudaeo, nescitis, utrum Chri- 335
stiano an pagano, multos in patria vestra baptizatos
asseritis, et quid de his sit agendum consulitis. Hi profecto, si in nomine Sanctae Trinitatis vel tantum
in nomine Christi, sicut in Actibus apostolorum legimus
[cf. Act 2, 38 et 19, 5], baptizati sunt (unum quippe idemque
est, ut Sanctus exponit Ambrosius), constat eos non
esse denuo baptizandos. . . .

HADRIANUS II 867—872.
Conc. CONSTANTINOPOLITANUM IV 869—870.

Oecumenicum VIII (contra Photium).

Canones contra Photium [2].

In I actione lecta et subscripta est regula fidei HORMISDAE [v. n. 171 sq].

[Textus Anastasii:] Can. 1.   α′. Τὴν εὐθεῖαν καὶ βασι- 336
Per aequam et regiam di-   λικὴν ὁδὸν τῆς θείας δικαιο- (272)

---

[1] Msi XV 403 B 432 C; Jf 2812 (c. Add.); Hrd V 355 A 383 E;
ML 119, 980 C et 1014 D; cf. Hfl IV 347 sqq.

[2] Msi XVI 160 A sqq (lat.) 397 D sqq (gr.); ML 129, 150 B sqq;
Hrd V 899 A sqq 1097 D sqq; cf. Hfl IV 417 sqq; Bar(Th) ad 869
n. 11 sqq (15, 151 a sqq). — Canonum sequentium duplex forma habetur,
altera Graeca brevior canonesque pauciores exhibens, altera ex versione
Anastasii bibliothecarii, qui Graecos falsationis accusat et ex authen-
ticis actis, in archivo Romanae ecclesiae asservatis, se transtulisse affirmat. Mirum tamen est ea, quae Romano Pontifici favent, in Graeco
adesse, quae Constantinopolitano antistiti, deesse.

vinae iustitiae viam inoffense
incedere volentes, veluti
quasdam lampades semper
lucentes et illuminantes
gressus nostros, qui secundum Deum sunt, sanctorum
Patrum definitiones et sensus retinere debemus. Quapropter et has ut secunda
eloquia secundum magnum
et sapientissimum Diony-
sium arbitrantes et existi-
mantes, etiam de eis cum
divino David promptissime
canamus: *Mandatum Do-*
mini lucidum illuminans
oculos [Ps 18, 9], et: *Lucerna*
pedibus meis lux [lex] tua et
lumen semitis meis [Ps 118,
105], et cum Proverbiatore
dicimus: *Mandatum tuum*
lucidum et lex tua lux
[Prv 6, 23]:

σύνης ἀπροσκόπως βαθίζειν
ἐθέλοντες, οἷόν τινας πυρ-
σοὺς ἀειλαμπεῖς τοὺς τῶν
ἁγίων πατέρων ὅρους κρατεῖν
ὀφείλομεν· τοιγαροῦν τοὺς
ἐν τῇ καθολικῇ καὶ ἀποστολικῇ ἐκκλησίᾳ παραδοθέντας
θεσμοὺς παρά τε τῶν ἁγίων
καὶ πανευφήμων ἀποστόλων,
παρά τε ὀρθοδόξων συνόδων
οἰκουμενικῶν τε καὶ τοπικῶν
ἢ καὶ πρός τινος θεηγόρου
πατρὸς διδασκάλου τῆς ἐκ-
κλησίας τηρεῖν καὶ φυλάττειν
ὁμολογοῦμεν· κρατεῖν γὰρ
τὰς παραδόσεις, ἃς παρελά-
βομεν εἴτε διὰ λόγου, εἴτε
δι' ἐπιστολῶν τῶν προ-
γενεστέρως διαλαμψάντων
ἁγίων, παρεγγυᾷ διαρρήδην
Παῦλος ὁ μέγας ἀπόστολος.

et cum magna voce cum Isaia clamamus ad
Dominum Deum, quia: *Lux praecepta tua sunt super*
terram [Is 60, 19 sq (?)]. Luci enim veraciter assimilatae sunt
divinorum canonum hortationes et dehortationes, secundum quod discernitur melius a peiore et expediens
atque proficuum ab eo, quod non expedire, sed et
obesse dignoscitur. Igitur regulas, quae sanctae[15]
catholicae et apostolicae Ecclesiae tam a
sanctis famosissimis Apostolis quam ab orthodoxorum
universalibus necnon et localibus Conciliis vel etiam a
quolibet deiloquo Patre ac magistro Ecclesiae traditae
sunt, servare ac custodire profitemur; his et
propriam vitam et mores regentes et omnem sacerdotii
catalogum, sed et omnes, qui Christiano censentur vocabulo, poenis et damnationibus et e diverso receptio-
nibus ac iustificationibus, quae per illas prolatae sunt et
definitae, subici canonice decernentes; *tenere* quippe
traditiones, quas accepimus *sive per sermonem sive per*

epistolam [2 Thess 2, 14] Sanctorum, qui antea fulserunt, Paulus admonet aperte, magnus Apostolus.

984 Can. 3. Sacram imaginem Domini nostri Iesu Christi et omnium liberatoris et salvatoris, aequo honore cum libro sanctorum Evangeliorum adorari decernimus. Sicut enim per syllabarum eloquia, quae in libro feruntur, salutem consequemur omnes, ita per colorum imaginariam operationem et sapientes et idiotae cuncti ex eo, quod in promptu est, perfruuntur utilitate; quae enim in syllabis sermo, haec et scriptura, quae in coloribus est, praedicat et commendat; et dignum est, ut secundum congruentiam rationis et antiquissimam traditionem propter honorem, quia ad principalia ipsa referuntur, etiam derivative iconae honorentur et adorentur aeque ut sanctorum sacer Evangeliorum liber atque typus pretiosae crucis. Si quis ergo non adorat iconam Salvatoris Christi, non videat formam eius, *quando*

γ′. Τὴν ἱερὰν εἰκόνα τοῦ 337 κυρίου ἡμῶν Ἰησοῦ Χριστοῦ (273) ὁμοτίμως τῇ βίβλῳ τῶν ἁγίων εὐαγγελίων προσκυνεῖσθαι θεσπίζομεν. Ὥσπερ γὰρ διὰ τῶν ἐμφερομένων ἐν αὐτῇ συλλαβῶν τῆς σωτηρίας ἐπιτυγχάνουσιν ἅπαντες, οὕτω διὰ τῆς τῶν χρωμάτων εἰκονουργίας καὶ σοφοὶ καὶ ἰδιῶται πάντες τῆς ὠφελείας ἐκ τοῦ προχείρου παραπολαύουσιν· ἅπερ γὰρ ὁ ἐν συλλαβῇ λόγος, ταῦτα καὶ ἡ ἐν χρώμασι γραφὴ καταγγέλλει τε καὶ παρίστησιν. Εἴ τις οὖν οὐ προσκυνεῖ τὴν εἰκόνα τοῦ σωτῆρος Χριστοῦ, μὴ ἴδῃ ἐν τῇ δευτέρᾳ παρουσίᾳ τὴν τούτου μορφήν. Ὁμοίως δὲ καὶ τὴν εἰκόνα τῆς ἀχράντου μητρὸς αὐτοῦ καὶ τὰς εἰκόνας τῶν ἁγίων ἀγγέλων, καθὼς αὐτοὺς χαρακτηρίζει διὰ τῶν λογίων ἡ ἁγία γραφὴ καὶ προσέτι τῶν ἁγίων πάντων καὶ τιμῶμεν καὶ προσκυνοῦμεν· καὶ οἱ μὴ οὕτως ἔχοντες ἀνάθεμα ἔστωσαν.

veniet in gloria paterna *glorificari et glorificare Sanctos suos* [2 Thess 1, 10]; sed alienus sit a communione ipsius et claritate: similiter autem et imaginem intemeratae matris eius et Dei genitricis Mariae; insuper et iconas sanctorum Angelorum depingimus, quemadmodum eos figurat verbis divina Scriptura; sed et laudabilissimorum Apostolorum, Prophetarum, martyrum et sanc-

torum virorum, simul et omnium Sanctorum, et
honoramus et adoramus. Et qui sic se non habent,
anathema sint a Patre et Filio et Spiritu Sancto.

338   Can. 11. Veteri et Novo
(274) Testamento unam animam
rationabilem et intellectualem habere hominem do-
cente et omnibus deiloquis
Patribus et magistris Ecclesiae eandem opinionem as-
severantibus: in tantum impietatis quidam, malorum in-
ventionibus dantes operam,
devenerunt, ut duas eum
habere animas impudenter
dogmatizare et quibusdam
irrationabilibus conatibus
per *sapientiam, quae stulta
facta est* [1 Cor 1, 20], propriam haeresim confirmare
pertentent. Itaque sancta
haec et universalis Synodus
veluti quoddam pessimum
zizanium nunc germinantem

ι'. (10) Τῆς παλαιᾶς τε 48(
καὶ καινῆς διαθήκης μίαν
ψυχὴν λογικήν τε καὶ νο-
ερὰν διδασκούσης ἔχειν τὸν
ἄνθρωπον, καὶ πάντων τῶν
θεηγόρων πατέρων καὶ διδα-
σκάλων τῆς ἐκκλησίας τὴν αὐτὴν δόξαν κατεμπεδούντων,
εἰσί τινες οἱ δύο ψυχὰς ἔχειν
αὐτὸν δοξάζοντες, καί τισιν
ἀσυλλογίστοις ἐπιχειρήμασι
τὴν ἰδίαν κρατύνουσιν αἵρε-
σιν· ἡ τοίνυν ἁγία καὶ οἰκουμενικὴ αὕτη σύνοδος τοὺς
τῆς τοιαύτης ἀσεβείας γεν-
νήτορας καὶ τοὺς ὁμοφρο-
νοῦντας αὐτοῖς ἀναθεματίζει
μεγαλοφώνως· εἰ δέ τις τὰ
ἐναντία τοῦ λοιποῦ τολμήσει
λέγειν, ἀνάθεμα ἔστω.

nequam opinionem evellere festinans, immo vero *venti-
labrum in manu* [Mt 3, 12; Lc 3, 17] veritatis portans et igni
inexstinguibili transmittere omnem paleam et *aream
Christi mundam exhibere* [Mt 3, 12; Lc 3, 17] volens, talis impietatis inventores et patratores et his similia sentientes
magna voce anathematizat et definit atque promulgat,
neminem prorsus habere vel servare quoquo modo statuta
huius impietatis auctorum. Si autem quis contraria gerere
praesumpserit huic sanctae et magnae Synodo, anathema
sit et a fide atque cultura Christianorum alienus.

339   Can. 12. Apostolicis et synodicis canonibus p r o m o- 30(
tiones et consecrationes episcoporum et po-
tentia et praeceptione principum factas penitus inter-
dicentibus, concordantes definimus et sententiam nos
quoque proferimus, ut, si quis episcopus per versutiam
vel tyrannidem principum huiusmodi dignitatis conse-

crationem susceperit, deponatur omnimodis, utpote qui
non ex voluntate Dei et ritu ac decreto ecclesiastico,
sed ex voluntate carnalis sensus ex hominibus et per
homines Dei domum possidere voluit vel consensit.

Ex can. 17. lat. . . . Illud
autem tanquam perosum
quiddam ab auribus nostris
repulimus, quod a quibus-
dam imperitis dicitur, non
posse synodum absque
principali praesentia
celebrari: cum nusquam
sacri canones convenire saeculares principes in Con-
ciliis sanxerint, sed solos
antistites. Unde nec interfuisse illos synodis, exceptis
Conciliis universalibus, invenimus: neque enim fas
est, saeculares principes
spectatores fieri rerum, quae
sacerdotibus Dei nonnun-
quam eveniunt. . . .

ιβ'. (12) Ἦλθεν εἰς τὰς 340
ἡμῶν ἀκοάς, τὸ μὴ δύνασθαι (276)
ἄνευ ἀρχοντικῆς παρουσίας
σύνοδον γενέσθαι. Οὐδαμοῦ
δὲ οἱ θεῖοι κανόνες συνέρχε-
σθαι κοσμικοὺς ἄρχοντας ἐν
ταῖς συνόδοις νομοθετοῦσιν,
ἀλλὰ μόνους τοὺς ἐπισκό-
πους· ὅθεν οὐδὲ πλὴν τῶν
οἰκουμενικῶν συνόδων τὴν
παρουσίαν αὐτῶν γεγενημέ-
νην εὑρίσκομεν. Οὐδὲ γὰρ
θεμιτόν ἐστι γίνεσθαι θεατὰς
τοὺς κοσμικοὺς ἄρχοντας
τῶν τοῖς ἱερεῦσι τοῦ Θεοῦ
συμβαινόντων πραγμάτων.

Can. 21. Dominicum sermonem, quem Christus sanc- 341
tis Apostolis et discipulis suis dixit, quia: *Qui vos
recipit, me recipit* [Mt 10,40]; «*et qui vos spernit, me spernit*» [Lc 10,16], ad omnes etiam, qui post eos secundum
ipsos facti sunt Summi Pontifices et pastorum principes
in Ecclesia catholica dictum esse credentes, definimus,
neminem prorsus mundi potentium quemquam eorum,
qui patriarchalibus sedibus praesunt, inhonorare
aut movere a proprio throno tentare, sed omni reverentia et honore dignos iudicare; praecipue quidem sanctissimum Papam senioris Romae, deinceps autem
Constantinopoleos patriarcham, deinde vero Alexandriae
ac Antiochiae atque Hierosolymorum; sed nec alium
quemcunque conscriptiones contra sanctissimum Papam
senioris Romae ac verba complicare et componere sub
occasione quasi diffamatorum quorundam criminum;
quod et nuper Photius fecit et multo ante Dioscorus.

Quisquis autem tanta iactantia et audacia usus fuerit, ut secundum Photium vel Dioscorum in scriptis vel sine scriptis iniurias quasdam contra sedem PETRI, Apostolorum principis, moveat, aequalem et eandem quam illi condemnationem recipiat. Si vero quis aliqua saeculi potestate fruens vel potens, pellere tentaverit praefatum Apostolicae cathedrae Papam aut aliorum patriarcharum quemquam, anathema sit. Porro si Synodus universalis fuerit congregata, et facta fuerit etiam de sancta Romanorum Ecclesia quaevis ambiguitas et controversia, oportet venerabiliter et cum convenienti reverentia de proposita quaestione sciscitari et solutionem accipere, aut proficere, aut profectum facere, non tamen audacter sententiam dicere contra Summos senioris Romae Pontifices.

ιγ΄. (13) Εἴ τις τοσαύτη τόλμη χρήσαιτο, ὥστε κατὰ τὸν Φώτιον καὶ Διόσκορον ἐγγράφως ἢ ἀγράφως παροινίας τινὰς κατὰ τῆς καθέδρας Πέτρου, τοῦ κορυφαίου τῶν ἀποστόλων, κινεῖν, τὴν αὐτὴν ἐκείνοις δεχέσθω κατάκρισιν· εἰ δὲ συγκροτηθείσης συνόδου οἰκουμενικῆς γένηταί τις καὶ περὶ τῆς ἐκκλησίας τῶν Ῥωμαίων ἀμφιβολία, ἔξεστιν εὐλαβῶς καὶ μετὰ τῆς προσηκούσης αἰδοῦς διαπυνθάνεσθαι περὶ τοῦ προκειμένου ζητήματος καὶ δέχεσθαι τὴν λύσιν καὶ ἢ ὠφελεῖσθαι, ἢ ὠφελεῖν, μὴ μέντοι θρασέως ἀποφέρεσθαι κατὰ τῶν τῆς πρεσβυτέρας Ῥώμης ἱεραρχῶν.

IOHANNES VIII 872—882.
MARINUS I 882—884.
S. HADRIANUS III 884—885.
STEPHANUS VI 885—891.
FORMOSUS 891—896.
BONIFACIUS VI 896.
STEPHANUS VII 896—897.
ROMANUS 897.
THEODORUS II 897.
IOHANNES IX 898—900.
BENEDICTUS IV 900—903.
LEO V 903.
SERGIUS III 904—911.
ANASTASIUS III 911—913.
LANDO 913—914.

IOHANNES X 914—928.
LEO VI 928.
STEPHANUS VIII 929—931.
IOHANNES XI 931—935.
LEO VII 936—939.
STEPHANUS IX 939—942.
MARINUS II 942—946.
AGAPETUS II 946—955.
IOHANNES XII 955—964.
LEO VIII 963—965.
BENEDICTUS V 964 († 966).
IOHANNES XIII 965—972.
BENEDICTUS VI 973—974.
BENEDICTUS VII 974—983.
IOHANNES XIV 983—984.

IOHANNES XV 985—996.

Conc. Romanum 993.

(Pro Canonisatione Sancti Udalrici.)

De cultu Sanctorum [1].

984   ... Communi consilio decrevimus, memoriam illius, 342
id est Sancti Udalrici Episcopi, affectu piissimo, devotione fidelissima venerandam: quoniam sic adoramus
et colimus reliquias martyrum et confessorum,
ut eum, cuius martyres et confessores sunt,
adoremus; honoramus servos, ut honor redundet
in dominum; qui dixit: *Qui vos recipit, me recipit*
[Mt 10, 40]: ac proinde nos qui fiduciam nostrae iustitiae non
habemus, illorum precibus et meritis apud clementissi-
mum Deum iugiter adiuvcmur, quia divina saluberrima
praecepta, et sanctorum canonum ac venerabilium Patrum
instabant efficaciter documenta omnium ecclesiarum pio
considerationis intuitu, immo apostolici moderaminis anisu,
utilitatum commoditatem atque firmitatis perficere integritatem, quatenus memoria Udalrici iam praefati venerabilis episcopi divino cultui dicata exsistat, et in laudibus
Dei devotissime persolvendis semper valeat proficere.

GREGORIUS V 996—999.	IOHANNES XIX 1024—1032.
SILVESTER II 999—1003.	BENEDICTUS IX 1032—1044.
IOHANNES XVII 1003.	SILVESTER III 1045.
IOHANNES XVIII 1004—1009.	GREGORIUS VI 1045—1046.
SERGIUS IV 1009—1012.	CLEMENS II 1046—1047.
BENEDICTUS VIII 1012—1024.	DAMASUS II 1048.

S. LEO IX 1049—1054.

Symbolum fidei [2].

[Ex ep. «Congratulamur vehementer» ad Petrum Episc. Antiochenum,
13. Apr. 1053.]

39   Firmiter (enim) credo Sanctam Trinitatem, Patrem 343
782 et Filium et Spiritum Sanctum, unum Deum omnipo-   (292)
tentem esse, totamque in Trinitate deitatem coessentialem
et consubstantialem, coaeternam et coomnipotentem,

---

[1] Msi XIX 170 E sq; cf. Jf 2945; Hrd VI, I 727 sq; Hfl IV 642;
Bar(Th) ad 993 n. 1 sqq (16, 313).
[2] Msi XIX 662 B sqq; cf. Jf 4297 c Add.; ML 143, 771 C sqq; Hrd
VI, I 953 C sqq. — Articuli huius Symboli fere conveniunt cum inter-

uniusque voluntatis, potestatis et maiestatis: creatorem omnium creaturarum, ex quo omnia, per quem omnia, in quo omnia [Rom 11,36], quae sunt in coelo et in terra, visibilia et invisibilia. Credo etiam singulas quasque in Sancta Trinitate personas unum Deum verum, plenum et perfectum.

344   Credo quoque ipsum Dei Patris Filium, Verbum 148
(293) Dei aeternaliter natum ante omnia tempora de Patre, consubstantialem, coomnipotentem et coaequalem Patri per omnia in divinitate, temporaliter natum de Spiritu Sancto ex Maria semper virgine, cum anima rationali: duas habentem nativitates, unam ex Patre aeternam, alteram ex matre temporalem: duas voluntates et operationes habentem: Deum verum et hominem verum: proprium in utraque natura atque perfectum: non commixtionem atque divisionem passum, non adoptivum, neque phantasticum: unicum et unum Deum, Filium Dei in duabus naturis, sed in unius personae singularitate: impassibilem et immortalem divinitate, sed in humanitate pro nobis et pro nostra salute passum vera carnis passione et sepultum, ac resurrexisse a mortuis die tertia vera carnis resurrectione: propter quam confirmandam cum discipulis, nulla indigentia cibi, sed sola voluntate et potestate, comedisse: die quadragesimo post resurrectionem cum carne, qua surrexit, et anima ascendisse in coelum et sedere in dextera Patris, inde decimo die misisse Spiritum Sanctum, et inde, sicut ascendit, venturum iudicare vivos et mortuos, et redditurum unicuique secundum opera sua.

345   Credo etiam Spiritum Sanctum, plenum et perfectum 460
verumque Deum, a Patre et Filio procedentem, coaequalem et coessentialem et coomnipotentem et coaeternum per omnia Patri et Filio, per prophetas locutum.

346   Hanc sanctam et individuam Trinitatem non tres Deos, sed in tribus personis et in una natura sive essentia unum Deum omnipotentem, aeternum, invisibilem et incommutabilem ita credo et confiteor, ut Patrem ingenitum, Filium unigenitum, Spiritum Sanctum nec genitum nec ingenitum, sed a Patre et Filio procedentem, veraciter praedicem.

---

rogationibus, quae secundum «Statuta ecclesiae antiqua» [cf. n. 150 not.] episcopis consecrandis proponi solent. — Ipsum canonem vide apud ML 56, 879 B sqq [cf. etiam Symbolum Palaeologi n. 461 sqq].

821   Credo sanctam, catholicam et apostolicam, unam esse 347
veram Ecclesiam, in qua unus datur baptismus et (295)
vera omnium remissio peccatorum. Credo etiam veram
287 resurrectionem eiusdem carnis, quam nunc gesto,
et vitam aeternam.

28   Credo etiam Novi et Veteris Testamenti, legis et 348
421 Prophetarum et Apostolorum unum esse auctorem, Deum
805 et Dominum omnipotentem. Deum praedestinasse
solummodo bona, praescivisse autem bona malaque.
793 Gratiam Dei praevenire et subsequi hominem credo
et profiteor, ita tamen, ut liberum arbitrium rationali
480 creaturae non denegem. Animam non esse partem
Dei, sed ex nihilo creatam, et absque baptismate ori-
787 ginali peccato obnoxiam, credo et praedico.

Porro anathematizo omnem haeresim extollentem se ad- 349
versus sanctam Ecclesiam catholicam, pariterque eum,
783 quicunque aliquas scripturas praeter eas, quas catholica Ecclesia recipit, in auctoritate habendas esse cre-
159 diderit vel veneratus fuerit. Quattuor Concilia omnimode recipio et velut quattuor evangelia veneror: quia
per quattuor partes mundi universalis Ecclesia, in his
tanquam in quadro lapide, fundata consistit [1]. . . . Pari
modo recipio et veneror reliqua tria Concilia. . . . Quidquid supradicta septem sancta et universalia Concilia
senserunt et collaudaverunt, et sentio et collaudo, et
quoscunque anathematizaverunt, anathematizo. . . .

De primatu Romani Pontificis [2].

[Ex ep. «In terra pax hominibus» ad Michaelem Cerularium et Leonem
Acridanum, 2. Sept. 1053.]

1826   Cap. 5. . . . Dicimini Apostolicam et Latinam Eccle- 350
siam nova praesumptione atque incredibili audacia nec (289)
auditam nec convictam palam damnasse, pro eo maxime, quod de azymis audeat commemorationem Dominicae passionis celebrare. Ecce incauta reprehensio
vestra, ecce non bona gloriatio vestra, quando ponitis

---

[1] Cf. S. GREGORII M. Epist. l. 1 ep. 25 [ML 77, 478].
[2] Msi XIX 638 B sqq; cf. Jf 4302; ML 143, 747 C sqq; Hrd VI, I
929 E sqq; cf. Hfl IV 768 sqq.

in coelum os vestrum, cum lingua vestra, transiens in
terra, humanis argumentationibus et coniecturis antiquam
fidem confodere ac subvertere moliatur. . . .

351   Cap. 7. . . . Sancta Ecclesia super petram, id est
(290) Christum, et super PETRUM vel Cepham, filium Ioannis,
qui prius Simon dicebatur, aedificata, quia inferi portis,
disputationibus scilicet haereticorum, quae vanos ad interitum introducunt, nullatenus foret superanda; sic
pollicetur ipsa Veritas, per quam sunt vera, quaecunque
sunt vera: «*Portae inferi non praevalebunt adversus
eam*» [Mt 16, 18]. Cuius promissionis effectum se precibus
impetrasse a Patre idem Filius protestatur, dicendo ad
Petrum: «*Simon, ecce Satanas*» etc. [Lc 22, 31]. Erit ergo
quisquam tantae dementiae, qui orationem illius, cuius
velle est posse, audeat in aliquo vacuam putare? Nonne
a Sede principis Apostolorum, Romana videlicet Ecclesia, tam per eundem PETRUM, quam
per successores suos, reprobata et convicta atque ex-
pugnata sunt omnium haereticorum commenta, et fratrum corda in fide PETRI, quae hactenus nec defecit,
nec usque in finem deficiet, sunt confirmata?

352   Cap. 11. . . . Praeiudicium faciendo summae Sedi,
de qua nec iudicium licet facere cuiquam hominum, anathema accepistis ab universis Patribus omnium
venerabilium Conciliorum. . . .

353   Cap. 32. . . . Sicut cardo immobilis permanens ducit
et reducit ostium, sic PETRUS et sui successores liberum
de omni Ecclesia habent iudicium, cum nemo debeat
eorum dimovere statum, quia summa Sedes a nemine iudicatur. . . . [v. n. 329 sqq.]

VICTOR II 1055—1057.   STEPHANUS X 1057—1058.

NICOLAUS II 1059—1061.

Conc. Romanum 1059 (vel 1061).

De ordinationibus simoniacis [1].

354   *Dominus Papa NICOLAUS synodo in basilica Con-* 957
stantiniana praesidens dixit: Erga simoniacos nullam

---

[1] Msi XIX 899 B; cf. Jf post 4398; Hrd VI, I 1063 D; Hfl IV 825
et CIC Decr. II, 1, 1, 110: Frdbg I 401; Bar(Th) ad 1059 n. 34 (17, 150 b).

misericordiam in dignitate servanda habendam esse
decernimus; sed iuxta canonum sanctiones et decreta sanctorum Patrum eos omnino damnamus, ac
deponendos esse apostolica auctoritate sancimus.
De iis autem, qui non per pecuniam, sed
gratis sunt a simoniacis ordinati, quia quaestio
a longo tempore est diutius ventilata, omnem modum
[al. nodum] dubietatis absolvimus: ita ut super hoc capitulo neminem deinceps ambigere permittamus. . . .
Ita tamen auctoritate sanctorum Apostolorum PETRI
et Pauli omnimodis interdicimus, ne aliquando aliquis
successorum nostrorum ex hac nostra permissione regulam sibi vel alicui assumat, vel praefigat: quia hoc
non auctoritas antiquorum Patrum iubendo aut conce-
dendo promulgavit, sed temporis nimia necessitas
permittendum a nobis extorsit. . . .

ALEXANDER II 1061—1073.

S. GREGORIUS VII 1073—1085.

Conc. Romanum (VI) 1079.

(Contra Berengarium.)

De ss. Eucharistia [1].

[Ius iurandum a Berengario praestitum.]

874   Ego Berengarius corde credo et ore confiteor, panem 355
et vinum, quae ponuntur in altari, per mysterium sacrae (298)
orationis et verba nostri Redemptoris substantialiter
converti in veram et propriam ac vivificatricem carnem
et sanguinem Iesu Christi Domini nostri et post consecrationem esse verum Christi corpus, quod natum
est de Virgine et quod pro salute mundi oblatum
in cruce pependit, et quod sedet ad dexteram Patris,

---

[1] Msi XX 524 D; cf. Jf post 5102; ML 148, 811; Hrd VI, I 1585 B;
cf. Hfl V 129; Bar(Th) ad 1079 n. 3 (17, 453 b sq). — Berengarius
damnatus est a S. LEONE IX in concilio Romano 1050, et Vercellensi
1050; a VICTORE II in Florentina synodo 1055; a NICOLAO II in
Romana 1059; a S. GREGORIO VII in duobus conciliis Romanis 1078
et 1079. In hac postrema hanc formulam subscribere compulsus est,
postquam pluries vel iudices delusit vel ad vomitum rediit.

et verum sanguinem Christi, qui de latere eius effusus est, non tantum per signum et virtutem Sacramenti, sed in proprietate naturae et veritate substantiae, sicut in hoc brevi continetur et ego legi et vos intelligitis. Sic credo, nec contra hanc fidem ulterius docebo. Sic me Deus adiuvet et haec sancta Dei Evangelia.

VICTOR III 1087.

URBANUS II 1088—1099.

Conc. Beneventanum 1091.

De diaconatus indole sacramentali [1].

356   **Can. 1.**   Nullus deinceps in episcopum eligatur, nisi 957 qui in sacris ordinibus religiose vivens inventus est. Sacros autem ordines dicimus diaconatum ac pres-byteratum. Hos siquidem solos primitiva legitur Ecclesia habuisse; super his solum praeceptum habemus Apostoli.

PASCHALIS II 1099—1118.

Conc. Lateranense 1102.

(Contra Henricum IV.)

De oboedientia Ecclesiae debita [2].

[Formula praescripta omnibus metropolitanis Ecclesiae occidentalis.]

357   Anathematizo omnem haeresim et praecipue eam, quae (299) statum praesentis Ecclesiae perturbat, quae docet et adstruit: anathema contemnendum et Ecclesiae ligamenta spernenda esse. Promitto autem oboedientiam Apo-stolicae Sedis Pontifici Domino PASCHALI eiusque suc-cessoribus sub testimonio Christi et Ecclesiae, affirmans quod affirmat, damnans quod damnat sancta et uni-versalis Ecclesia.

---

[1] Msi XX 738 E; Jf post 5444; cf. CIC Decr. I, 60, 4: Frdbg I 227; Rcht I 195.
[2] Msi XX 1147 C; Hrd VI, II 1863 A; Bar(Th) ad 1102 n. 2 (18, 130 b); cf. Hfl V 266 sqq.

Conc. Guastallense 1106 ¹.

De ordinationibus haereticis et simoniacis ².

364
957

Per multos iam annos regni Theutonici latitudo ab 358
Apostolicae Sedis unitate divisa est. In quo nimirum (300)
schismate tantum periculum factum est, ut, quod cum
dolore dicimus, vix pauci sacerdotes aut clerici catholici in tanta terrarum latitudine reperiantur. Tot ergo
filiis in hac strage iacentibus, christianae pacis necessitas exigit, ut super hoc materna Ecclesiae viscera
aperiantur. Patrum ergo nostrorum exemplis et scripturis
instructi, qui diversis temporibus Novatianos, Donatistas
et alios haereticos in suis ordinibus susceperunt: praefati
regni episcopos in schismate ordinatos, nisi aut in-
vasores aut simoniaci aut criminosi comprobentur, in officio
episcopali suscipimus. Id ipsum de clericis cuiuscunque
ordinis constituimus, quos vita scientiaque commendat.

GELASIUS II 1118—1119.

CALLISTUS II 1119—1124.

Conc. LATERANENSE I 1123.

Oecumenicum IX (de investituris).

De simonia, coelibatu, investitura, incestu ³.

364

Can. 1. Sanctorum Patrum exempla sequentes et 359
officii nostri debito innovantes, ordinari quemquam (301)

---

¹ Guastalla Longobardiae. — Sequens decretum non in conc.
Lateran. 1116, ut in prioribus editionibus [sec. Msi XXI 152] legebatur,
sed in hoc Guastallensi editum est [cf. Hfl V 285 et 335; Bar(Th) ad
1106 n. 27 sqq (18, 170 b sqq)]. — Gravis saeculo X exorta fuerat controversia, utrum ordinationes haereticorum et simoniacorum
validae essent necne, eo quod antiquiorum quidam eas irritas
(quoad usum nempe) statuissent. Sed iam CLEMENS II in Romana
synodo 1047 poenas simoniace ordinatis infligens validitatem ordinationum agnoverat. Quod decretum LEO IX in Romana synodo 1049
confirmavit, haereticorumque ordinationes validas esse per transennam
declaravit. NICOLAUS vero II in Romana synodo 1059 eos, qui hactenus a
simoniacis gratis fuerant ordinati, in gradu remanere permisit [v. n. 354].
Idem URBANUS II in Placentina 1094 de iis statuit, qui nescii a
simoniacis fuissent ordinati, et de iis, qui a schismaticis, quos tamen vita
et scientia commendarent. Denique PASCHALIS II sequentia statuit,
post quae omnino sopita est controversia.
² Msi XX 1209 E sq; Jf post 6094; Hrd VI, II 1883 (primo) A;
Bar(Th) ad 1106 n. 29 (18, 171 a).
³ Msi XXI 282 A sqq; Hrd VI, II 1111 C sqq; cf. Hfl V 379 sqq;
Bar(Th) ad 1122 n. 1 sqq (18, 343 a sqq).

per pecuniam in Ecclesia Dei vel promoveri, auctoritate Sedis Apostolicae modis omnibus prohibemus.
Si quis vero in Ecclesia ordinationem vel promotionem
taliter acquisierit, prorsus careat dignitate [1].

360
(302)
Can. 3. Presbyteris, diaconibus vel sub-42
diaconibus concubinarum et uxorum contubernia
penitus interdicimus et aliarum mulierum cohabitationem, praeter quas Synodus Nicaena propter solas
necessitudinum causas habitare permisit, videlicet matrem,
sororem, amitam, vel materteram, aut alias huiusmodi,
de quibus nulla valeat iuste suspicio oriri [2] [v. n. 3001].

361   Can. 4. Praeterea iuxta beatissimi STEPHANI Papae 1821
sanctionem statuimus, ut laici, quamvis religiosi sint,
nullam tamen de ecclesiasticis rebus aliquid
disponendi habeant facultatem: sed secundum
Apostolorum canones omnium negotiorum ecclesiasticorum curam episcopus habeat et ea velut Deo con-
templante dispenset. Si quis ergo principum aut laicorum aliorum dispensationem vel donationem rerum
sive possessionum ecclesiasticarum sibi vindicaverit, ut
sacrilegus iudicetur [3].

---

[1] Haec contra haeresim simoniacam, quae ideo haeresis voca-
batur, quia simoniaci illi non solum contra legem peccabant, sed et
licitam esse illam pro ordinibus pecuniae solutionem contendebant,
adeoque ipsam morum regulam impetebant, vel ab ea non esse prohibita dicebant, quae ipsi tamen adversabantur. Contra hanc pestem
sequentibus decretis Pontifices et Concilia pugnaverunt: CHALCEDON.
can. 2; CLEMENS II in Rom. synodo; LEO IX in Rom. I, Remen.,
Mogunt.; NICOLAUS II in Rom.; ALEXANDER II in Rom.; GRE-
GORIUS VII in Rom. I II V; URBANUS II in Troian., Placentin., Rom.,
Claromontan., Nemausen.; CALLISTUS II in Tolosan., Remen., Synodi
oecumenicae LAT. I hoc can. 1; LAT. II can. 1 et 2; LAT. III can.
7 et 15; LAT. IV can. 63. Quibus decretis ordinationes et promotiones
quaecunque simoniacae et redemptiones altarium prohibentur.
[2] Haec contra haeresim Nicolaitarum, hoc est clericorum in-
continentium, qui in tantum pro haereticis habebantur, in quantum non
solum ecclesiasticam legem coelibatus infringebant et concubinatum
exercebant, sed illam etiam observatu impossibilem atque moribus
nocivam traducebant. Huc pertinent etiam haec decreta: LEO IX in
syn. Moguntin., Rom. II; GREGORIUS VII in Rom. I II V; UR-
BANUS II in Troian. et Claromontana; CALLISTUS II in Remen.;
LAT. I oec. hoc can. 3; LAT. II can. 6 7 8, quod coniugia maiorum
clericorum et regularium irrita declarat; LAT. III can. 11.
[3] Hoc et sequenti can. 10 finita est longissima de investituris
pugna, quae in tantum huc pertinet, in quantum etiam de principio
agitur, utrum potestas magisterii et ministerii ecclesiastici a civili

969 Can. 5. Coniunctiones consanguineorum 362
fieri prohibemus: quoniam eas et divinae et saeculi (304)
prohibent leges. Leges enim divinae hoc agentes et
eos, qui ex eis prodeunt, non solum eiciunt, sed male-
dictos appellant; leges vero saeculi infames tales (eos)
vocant et ab hereditate repellunt. Nos itaque, Patres
nostros sequentes, infamia eos notamus et infames esse
censemus [1].

305 Can. 10. Nullus in episcopum, nisi canonice 363
electum ad consecrandum manus mittat. Quodsi praesumpserit, et consecratus et consecrator absque recupera-
tionis spe deponatur.

HONORIUS II 1124—1130.

INNOCENTIUS II 1130—1143.
Conc. LATERANENSE II 1139.

Oecumenicum X (contra Pseudo-Pontifices).

De simonia, usura, falsis poenitentiis, sacramentis [2].

358 Can. 2. Si quis praebendam, vel prioratum, seu 364
359
400 decanatum, aut honorem, vel promotionem aliquam (306)
1195 ecclesiasticam, seu quodlibet sacramentum ecclesiasticum, utpote chrisma vel oleum sanctum, consecrationes altarium vel ecclesiarum, interveniente ex-

---

fluat necne, et utrum a magistratu civili proprio iure conferri queat
necne. Huc pertinent porro: GREGORIUS VII in syn. Rom. II V
VII etc.; VICTOR II in syn. Apuliae et Calabriae; URBANUS II in
Troian., Claromontan., Rom.; PASCHALIS II in Guastallen., Trecen.,
Benevent., Lat. a. 1110, Viennen., Lat. a. 1116; CALLISTUS II in
Remen.; LAT. II can. 25; III can. 14.

[1] Haec contra haeresim Incestuosorum. Ita vocabantur illi,
qui propinquorum coniunctiones illicitas non esse contendebant atque
gradus consanguinitatis ad iuris civilis normam numerabant. Contra
hos legem atque doctrinam canonicam defendunt: LEO IX in Rom. I
et Remen.; NICOLAUS II in Rom.; ALEXANDER II in Rom. 1063,
praesertim vero in Rom. 1065, in qua decretalem edidit, quae causa 35,
q. 5, c. 2 habetur; URBANUS II in syn. Troian.; LAT. oec. II can. 17:
«Coniunctiones consanguineorum omnino fieri prohibemus: huiusmodi
namque incestum, qui fere, stimulante humani generis inimico, in usum
versus est, sanctorum Patrum instituta et sacrosancta Dei detestatur
Ecclesia.» LAT. vero IV gradus prohibitos ad numerum quaternarium
reduxit.

[2] Msi XXI 526 C sqq; Hrd VI, II 1208 B sqq; cf. Hfl V 440 sqq;
Bar(Th) ad 1139 n. 4 sq (18, 566 a sqq).

secrabili ardore avaritiae per pecuniam acquisivit:
honore male acquisito careat, et emptor atque venditor
et interventor nota infamiae percellantur. Et nec pro
pastu, nec sub obtentu alicuius consuetudinis ante vel
post a quoquam aliquid exigatur, vel ipse dare praesumat: quoniam simoniacum est; sed libere et absque
imminutione aliqua, collata sibi dignitate atque beneficio perfruatur [1].

365   Can. 13.   Porro detestabilem et probrosam, divinis 1475
(307) et humanis legibus per Scripturam in Veteri et in Novo
Testamento abdicatam, illam, inquam, insatiabilem
foeneratorum rapacitatem damnamus, et ab omni
ecclesiastica consolatione sequestramus, praecipientes,
ut nullus archiepiscopus, nullus episcopus vel cuiuslibet
ordinis abbas, seu quivis in ordine et clero, nisi cum
summa cautela usurarios recipere praesumat, sed in tota
vita infames habeantur et, nisi resipuerint, christiana
sepultura priventur [2].

366   Can. 22.   Sane quia inter cetera unum est, quod 894
sanctam maxime perturbat Ecclesiam, falsa videlicet
poenitentia, confratres nostros et presbyteros admonemus,
ne falsis poenitentiis laicorum animas decipi et in
infernum pertrahi patiantur.   Falsam autem poenitentiam
esse constat, cum spretis pluribus, de uno solo poenitentia agitur: aut cum sic agitur de uno, ut non disce-

---

[1] Ut nihil pro oleo sacro, chrismate, visitatione et unctione infirmorum, exsequiis, sepultura, baptismo, eucharistia, benedictione nubentium
aliisque sacramentis et benedictionibus exigeretur, statuerunt LEO IX
in Remen. syn.; URBANUS II in Placentin.; CALLISTUS II in Tolosana et Remen.; LAT. II can. 2 et 24; LAT. IV can. 66. Quod intelligendum est de iis, qui ad modum venditionis rei ipsius sacrae
aliquid exigunt, vel ut provisionem ad evitandum simoniae periculum.
[2] Cf. LEO IX in Remen. syn.; LAT. III can. 25; GREGORIUS X
in LUGD. II oec. [CIC VI, 5, 5, 1 et 2: Frdbg II 1081 sq]. Multi videntur
hanc Concilii sanctionem pro positiva tantum prohibitione habuisse.
Hinc ALEXANDER III [CIC Decr. V, 19, 4: Frdbg II 812 sq] declarat,
non posse in recipienda ad usuram pecunia dispensationem fieri,
neque etiam ut pauperes, qui Saracenorum captivitate tenentur, per
eandem possint pecuniam liberari, sicut Scriptura sacra prohibet pro
alterius vita mentiri.   Ibid. c. 4 reicit quorundam exceptionem, illas
tantum usuras esse restituendas, quae post LATERANENSIS II
decretum fuerint receptae.   Denique c. 9 ipsos heredes filios vel ex-
traneos ad restitutionem teneri statuit.   Multis etiam decretis INNO-
CENTIUS III (in eodem titulo) decretorum istorum observationem urget.

datur ab alio. Unde scriptum est: *Qui totam legem observaverit, offendat autem in uno, factus est omnium reus* [Iac 2, 10]: scilicet quantum ad vitam aeternam. Sicut enim, si peccatis esset omnibus involutus, ita si in uno tantum maneat, aeternae vitae ianuam non intrabit. Falsa etiam fit poenitentia, cum poenitens ab officio vel curiali vel negotiali non recedit, quod sine peccato agi nulla ratione praevalet; aut si odium in corde gestetur, aut si offenso cuilibet non satisfiat, aut si offendenti offensus non indulgeat, aut si arma quis contra iustitiam gerat[1].

844 Can. 23. Eos autem, qui religiositatis spe-367 ciem simulantes, Domini corporis et sanguinis sacra- (300) mentum, baptisma puerorum, sacerdotium et ceteros ecclesiasticos ordines et legitimarum damnant foedera nuptiarum, tanquam haereticos ab Ecclesia Dei pellimus et damnamus et per potestates exteras coerceri praecipimus. Defensores quoque ipsorum eiusdem damnationis vinculo innodamus[2].

Conc. Senonense 1140[3].

Errores Petri Abaelard[4].

39 1. Quod Pater sit plena potentia, Filius quaedam potentia, 368 Spiritus Sanctus nulla potentia. (310)

460 2. Quod Spiritus Sanctus non sit de substantia Patris, 369 aut Filii.

3. Quod Spiritus Sanctus sit anima mundi. 370

---

[1] De falsa poenitentia iam decreta emiserant GREGORIUS VII in syn. Rom. V can. 5 et Rom. VII can. 5, et URBANUS II in Troian. can. 16, ex quo postremo canone Lateranensis ad verbum desumptus est. GREGORIUS hic recensitis illud addit: «qui bona alterius iniuste detinet» vel «qui bona aliena diripuit et ea, cum possit, reddere vel emendare noluerit».

[2] Iste canon est contra Petrum de Bruis et Arnaldum de Brixia et ad verbum desumptus est ex concilio Tolosano a. 1119 coram CALLISTO II habito.

[3] Sens in Gallia.

[4] Msi XXI 568 C; Gotti, Veritas rel. christ. II 352 b sqq; Hrd VI, II 1224 E; Hfl V 476; cf. Bar(Th) ad 1140 n. 7 sq (18, 583 a sqq). — Petrus Abaelard (Baiolardus), natus 1079 in oppido Pallet, factus monachus S. Dionysii docuit Parisiis. Errores eius iam 1121 in concilio Suessionensi damnati a S. Bernardo collecti et in conc. Senonensi propositi et reiecti sunt. Mortuus est 21. April. 1142.

371   4. Quod Christus non assumpsit carnem, ut nos a 148
(313) iugo diaboli liberaret.

372   5. Quod nec Deus et homo, neque haec persona, quae
Christus est, sit tertia persona in Trinitate.

373   6. Quod liberum arbitrium per se sufficit ad aliquod 102
bonum.

374   7. Quod ea solummodo possit Deus facere vel dimittere,
vel eo modo tantum, vel eo tempore, quo facit et non alio.

375   8. Quod Deus nec debeat nec possit mala impedire.

376   9. Quod non contraximus culpam ex Adam, sed 787
poenam tantum.

377   10. Quod non peccaverunt, qui Christum ignorantes cruci-
(319) fixerunt, et quod non culpae adscribendum est, quidquid fit
per ignorantiam.

378   11. Quod in Christo non fuerit spiritus timoris Domini.

379   12. Quod potestas ligandi atque solvendi Apostolis tantum
data sit, non successoribus.

380   13. Quod propter opera nec melior nec peior efficiatur
homo.

381   14. Quod ad Patrem, qui ab animo non est, proprie vel
specialiter attineat operatio, non etiam sapientia et benignitas.

382   15. Quod etiam castus timor excludatur a futura vita.

383   16. Quod diabolus immittat suggestionem per operationem 237
(325) lapidum vel herbarum.

384   17. Quod adventus in fine saeculi possit attribui Patri.

385   18. Quod anima Christi per se non descendit ad inferos,
sed per potentiam tantum.

386   19. Quod nec opus nec voluntas neque concupiscentia
(328) neque delectatio, cum movet eam, peccatum sit, nec debemus
velle eam exstinguere.

[Ex ep. INNOC. II «Testante Apostolo» ad Henricum Episc. Senon.,
16. Iulii 1141 [1].]

387   Nos itaque, qui in cathedra Sancti PETRI, cui a
(328) Domino dictum est: «*Et tu aliquando conversus confirma fratres tuos*» [Lc 22, 32], licet indigni, residere con-
spicimur, communicato fratrum nostrorum episcoporum
cardinalium consilio, destinata nobis a vestra discretione
capitula et universa ipsius Petri [Abaelard] dogmata sanctorum canonum auctoritate cum suo auctore damnavi-

---

[1] Msi XXI 565 B; Jf 8148; ML 179, 517 A.

mus, eique tanquam haeretico perpetuum silentium imposuimus. Universos quoque erroris sui sectatores et defensores a fidelium consortio sequestrandos et excommunicationis vinculo innodandos esse censemus.

De baptismo flaminis (presbyteri non baptizati) [1].

[Ex ep. «Apostolicam Sedem» ad episc. Cremonensem, temp. incerti.]

857
957
    Inquisitioni tuae taliter respondemus: Presbyterum, 388
quem sine unda baptismatis extremum diem clausisse (343)
(litteris tuis) significasti, quia in sanctae matris Ecclesiae fide et Christi nominis confessione perseveravit, ab originali peccato solutum, et coelestis patriae gaudium esse adeptum (ex auctoritate sanctorum Patrum Augustini atque Ambrosii) asserimus incunctanter. Lege (frater) super octavo libro Augustini de civitate Dei, ubi inter cetera legitur: «Baptismus invisibiliter ministratur, quem non contemptus religionis, sed terminus necessitatis excludit.» Librum etiam beati Ambrosii de obitu Valentiniani idem asserentis revolve. Sopitis igitur quaestionibus doctorum Patrum sententias teneas, et in ecclesia tua iuges preces hostiasque Deo offerri iubeas pro presbytero memorato.

COELESTINUS II 1143—1144.   LUCIUS II 1144—1145.

EUGENIUS III 1145—1153.

Conc. Remense 1148 [2].

Professio fidei de Trinitate [3].

39
    1. Credimus et confitemur simplicem naturam divini-389
tatis esse Deum, nec aliquo sensu catholico posse negari, (329)

---

[1] ML 179, 624 D sq; Jf 8272; CIC Decr. Greg. III, 43, 2: Frdbg II
648; Rcht II 623. — Hoc documentum in prioribus Enchiridii editionibus
relatum erat inter Decreta INNOCENTII III, cui etiam in CIC adscribitur. Sed quoniam et Jaffé et Migne ll. cc. illud tanquam epistolam
INNOCENTII II exhibent, hoc loco inserendum videtur.

[2] Reims Galliae.

[3] Msi XXI 712 E sq (725); coll. Hfl V 524; Hrd VI, II 1299 D sq
(1309); ML 185, 617 B sq; Bar(Th) ad 1148 n. 9 (19, 18 b sq). — In
causa Gilberti Porretani, teste Ottone Frisingensi, «Romanus Pontifex
definivit, ne aliqua ratio in theologia inter naturam et per-

quin divinitas sit Deus et Deus divinitas. Si
vero dicitur: Deum sapientia sapientem, magnitudine
magnum, aeternitate aeternum, unitate unum, divinitate
Deum esse, et alia huiusmodi: credimus nonnisi ea sapientia, quae est ipse Deus, sapientem esse; nonnisi ea
magnitudine, quae est ipse Deus, magnum esse; nonnisi ea aeternitate, quae est ipse Deus, aeternum esse;
nonnisi ea unitate, quae est ipse Deus, unum esse;
nonnisi ea divinitate Deum, quae est ipse: id est, seipso
sapientem, magnum, aeternum, unum Deum.

390 **2.** Cum de tribus personis loquimur, Patre, Filio
et Spiritu Sancto, ipsas unum Deum, unam divinam
substantiam esse fatemur. Et e converso cum de uno
Deo, una divina substantia loquimur, ipsum unum Deum,
unam divinam substantiam esse tres personas confitemur.

391 **3.** Credimus (et confitemur) solum Deum Patrem
et Filium et Spiritum Sanctum aeternum esse, nec
aliquas omnino res, sive relationes, sive proprietates,
sive singularitates vel unitates dicantur, et huiusmodi alia,
adesse Deo, quae sint ab aeterno, quae non sint Deus.

392 **4.** Credimus (et confitemur) ipsam divinitatem, sive
substantiam divinam sive naturam dicas, incarnatam
esse, sed in Filio.

ANASTASIUS IV 1153—1154.   HADRIANUS IV 1154—1159.

ALEXANDER III 1159—1181.

Propositio erronea de humanitate Christi [1].

[Damnata in ep. «Cum Christus» ad Willelmum Archiepisc. Remensem,
18. Febr. 1177.]

393 Cum Christus perfectus Deus perfectus sit homo, 148
(330) mirum est, qua temeritate quisquam audet dicere, quod
«Christus non sit aliquid secundum quod

---

sonam divideret, neve Deus divina essentia diceretur ex sensu
ablativi tantum, sed etiam nominativi». Hoc symbolum emissum est
in concilio. — In eodem concilio damnati sunt Eon de Stella et
Henricus.
[1] CIC Decr. Greg. V, 7, 7: Frdbg II 779; Rcht II 751; Jf 12785;
Msi XXI 1081 C sq; cf. DuPl I, I 116 b; DCh I n. 9.

homo»[1]. Ne autem tanta possit in Ecclesia Dei abusio suboriri, . . . auctoritate nostra sub anathemate interdicas, ne quis de cetero [id] dicere audeat . . ., quia sicut verus Deus, ita verus est homo ex anima rationali et humana carne subsistens.

De contractu venditionis illicito[2].

[Ex ep. «In civitate tua» ad archiepisc. Ianuensem, temp. incerti.]

475   In civitate tua dicis saepe contingere, quod, cum 394 quidam piper, seu cinnamomum, seu alias merces com- (336) parant, quae tunc ultra quinque libras non valent, et promittunt se illis, a quibus illas merces accipiunt, sex libras statuto termino soluturos. Licet autem contractus huiusmodi ex tali forma non possit censeri nomine usurarum, nihilominus tamen venditores peccatum incurrunt, nisi dubium sit, merces illas plus minusve solutionis tempore valituras: et ideo cives tui saluti suae bene consulerent, si a tali contractu cessarent, cum cogitationes hominum omnipotenti Deo nequeant occultari.

De vinculo matrimonii[3].

[Ex ep. «Ex publico instrumento» ad episc. Brixiensem, temp. incerti.]

969   Sane quod Dominus in Evangelio dicit, non licere 395 viro, nisi ob causam fornicationis uxorem suam dimittere, (335) intelligendum est, secundum interpretationem sacri eloquii, de his, quorum matrimonium carnali copula est consummatum, sine qua matrimonium consummari non potest.

[Ex fragmentis ep. ad archiepisc. Salernitanum, temp. incerti.]

Post consensum legitimum de praesenti, licitum est 396 alteri, altero etiam repugnante, eligere monasterium, (334) sicut Sancti quidam de nuptiis vocati fuerunt, dummodo

---

[1] Haec sententia a Petro Lombardo ita proposita erat, ut ambiguum maneret, utrum illam ipse approbaret necne. Cf. DuPl l. c.
[2] CIC Decr. Greg. V, 19, 6: Frdbg II 813; Rcht II 784; Jf 13965.
[3] CIC Decr. Greg. III, 32, 7: Frdbg II 851; Rcht II 559; Jf 13787; — III, 32, 2: Frdbg II 579; Rcht II 558; Jf 14091; — IV, 4, 3: Frdbg II 681; Rcht II 656.

carnalis commixtio non intervenerit inter eos: et alteri
remanenti, si commonitus continentiam servare noluerit,
licitum est ad secunda vota transire; quia cum non
fuissent una caro simul effecti, satis potest unus ad
Deum transire, et alter in saeculo remanere. . . .

397   Si inter virum et mulierem legitimus consensus . . .
interveniat de praesenti, ita quidem, ut unus alterum in
suo mutuo consensu verbis consuetis expresse recipiat . . .
sive sit iuramentum interpositum sive non, non licet
mulieri alii nubere. Et si nupserit, etiamsi carnalis
copula sit secuta, ab eo separari debet, et, ut ad primum redeat, ecclesiastica districtione compelli. . . .

De forma baptismi [1].

[Ex fragmentis epistolae (ad Pontium Episc. Claromontensem?),
temp. incerti.]

398   Si quis (sane) puerum ter in aqua immerserit in nomine 857
(331) Patris et Filii et Spiritus Sancti, Amen; et non dixerit:
«Ego baptizo te in nomine Patris et Filii et Spiritus
Sancti, Amen», non est puer baptizatus.

399   De quibus dubium est, an baptizati fuerint, bapti-
(332) zantur his verbis praemissis: «Si baptizatus es, non
te baptizo: sed, si nondum baptizatus es, ego te
baptizo etc.»

Conc. LATERANENSE III 1179.

Oecumenicum XI (contra Waldenses et Albigenses).

De simonia [2].

400   Cap. 10. Monachi non pretio recipiantur in 364
(337) monasterio. . . . Si quis autem exactus pro sua receptione
aliquid dederit, ad sacros ordines non ascendat. Is autem
qui acceperit, officii sui privatione mulctetur [3].

---

[1] CIC Decr. Greg. III, 42, 1 et 2: Frdbg II 644; Rcht II 619;
Jf 14200.
[2] Msi XXII 224 E; Jf post 13331; Hrd VI, II 1678 C; cf. Hfl. V
713 sqq; Bar(Th) ad 1179 n. 1 sqq (19, 472 a sqq).
[3] Ita et URBANUS II in syn. Troiana, can. 7.

De haereticis evitandis [1].

Cap. 27. Sicut ait beatus LEO, licet ecclesiastica 401
disciplina, sacerdotali contenta iudicio, cruentas non (338)
efficiat ultiones: catholicorum tamen principum constitutionibus adiuvatur, ut saepe quaerant homines salutare remedium, dum corporale super se metuunt evenire supplicium. Eapropter, quia in Gas-
conia, Albegesio et partibus Tolosanis et aliis locis ita
haereticorum, quos alii Catharos, alii Patarenos, alii
Publicanos, alii aliis nominibus vocant, invaluit damnata
perversitas, ut iam non in occulto, sicut aliqui, nequitiam suam exerceant, sed suum errorem publice
manifestent et ad suum consensum simplices attrahant
et infirmos: eos et defensores et receptatores eorum
anathemati decernimus subiacere, et sub anathemate
prohibemus, ne quis eos in domibus vel in terra sua
tenere vel fovere vel negotiationem cum eis exercere
praesumat [2].

LUCIUS III 1181—1185.

Conc. Veronense 1184.

De sacramentis contra Albigenses [3].

[Ex decreto contra haereticos.]

344 Universos, qui de sacramento corporis et sanguinis 402
Domini nostri Iesu Christi, vel de baptismate, seu de (339)
peccatorum confessione, matrimonio vel reliquis ecclesiasticis sacramentis aliter sentire aut docere non
metuunt, quam sacrosancta Romana Ecclesia
praedicat et observat; et generaliter quoscunque eadem
Romana Ecclesia vel singuli episcopi per dioeceses suas
cum consilio clericorum, vel clerici ipsi, sede vacante, cum
consilio, si oportuerit, vicinorum episcoporum haereticos
iudicaverint, pari vinculo perpetui anathematis innodamus.

---

[1] Msi XXII 231 E sq; Hrd VI, II 1683 D sq.
[2] Porro Concilium bellum sacrum indicit adversus Brabantiones,
Navarros, Baschos etc., qui omnia vastabant neque aetati ulli aut sexui
parcebant.
[3] CIC Decr. Greg. V, 7, 9: Frdbg II 780; Rcht II 752; Jf 15109; Msi
XXII 477 B; Hrd VI, II 1878 E; cf. Hfl V 724 sqq.

URBANUS III 1185—1187.

De usura [1].

[Ex ep. «Consuluit nos» ad presbyterum quendam Brixiensem.]

403
(340) Consuluit nos tua devotio, an ille in iudicio animarum 1475 quasi usurarius debeat iudicari, qui non alias mutuo traditurus, eo proposito mutuam pecuniam credit, ut, licet omni conventione cessante, plus tamen sorte recipiat; et utrum eodem reatu criminis involvatur, qui, ut vulgo dicitur, non aliter parabolam iuramenti concedit, donec, quamvis sine exactione, emolumentum aliquod inde percipiat; et an negotiator poena consimili debeat condemnari, qui merces suas longe maiore pretio distrahit, si ad solutionem faciendam prolixioris temporis dilatio prorogetur, quam si ei in continenti pretium persolvatur. Verum quia, quid in his casibus tenendum sit, ex evangelio Lucae manifeste cognoscitur, in quo dicitur: *Date mutuum, nihil inde sperantes* [cf. Lc 6, 35]: huiusmodi homines pro intentione lucri, quam habent, cum omnis usura et superabundantia prohibeatur in lege, iudicandi sunt male agere, et ad ea, quae taliter sunt accepta, restituenda in animarum iudicio efficaciter inducendi.

GREGORIUS VIII 1187.   CLEMENS III 1187—1191.
COELESTINUS III 1191—1198.

INNOCENTIUS III 1198—1216.

De matrimonii forma sacramentali [2].

[Ex ep. «Cum apud sedem» ad Ymbertum Archiepisc. Arelatensem, 15. Iul. 1198.]

404
(349) Consuluisti nos, utrum mutus et surdus alicui 969 possint matrimonialiter copulari. Ad quod fraternitati tuae taliter respondemus, quod, cum prohibitorium sit edictum de matrimonio contrahendo, ut quicunque non

---

[1] CIC Decr. Greg. V, 19, 10: Frdbg II 814; Rcht II 785; Jf 15726.
[2] CIC Decr. Greg. IV, 1, 23 (cf. 25): Frdbg II 669 sq; Rcht II 645; Pth 329; ML 214, 304 C. — In his decretis INNOCENTII III ut materiae similes una exhiberi possent, ordo chronologicus non stricte servatus est.

prohibetur, per consequentiam admittatur, et sufficiat
ad matrimonium solus consensus illorum, de quorum
quarumque coniunctionibus agitur: videtur, quod, si
talis velit contrahere, sibi non possit vel debeat denegari, cum, quod verbis non potest, signis valeat
declarare.

De vinculo matrimonii [1].

[Ex ep. «Quanto te magis» ad Ugonem Episc. Ferrariensem, 1. Maii 1199.]

Tua fraternitas intimavit, quod altero coniugum ad 405
haeresim transeunte, qui relinquitur, ad secunda vota (350)
desiderat convolare et filios procreare, quod utrum possit
fieri de iure, per tuas nos duxisti litteras consulendos.
Nos igitur consultationi tuae de communi fratrum nostrorum consilio respondentes distinguimus, licet quidam
praedecessor noster sensisse aliter videatur, an ex duobus infidelibus alter ad fidem catholicam convertatur,
vel ex duobus fidelibus alter labatur in haeresim vel
decidat in gentilitatis errorem. Si enim alter infidelium
coniugum ad fidem catholicam convertatur, altero vel
nullo modo, vel saltem non sine blasphemia divini nominis, vel ut eum pertrahat ad mortale peccatum, ei
cohabitare volente: qui relinquitur, ad secunda, si voluerit, vota transibit; et in hoc casu intelligimus, quod
ait Apostolus: *Si infidelis discedit, discedat: frater
enim vel soror non est servituti subiectus in huiusmodi*
[1 Cor 7, 15]. Et canonem etiam, in quo dicitur: Quod
contumelia creatoris solvit ius matrimonii circa eum,
qui relinquitur.

Si vero alter fidelium coniugum vel labatur in 406
haeresim vel transeat ad gentilitatis errorem, non cre- (351)
dimus, quod in hoc casu is, qui relinquitur, vivente
altero possit ad secundas nuptias convolare, licet in hoc
casu maior appareat contumelia creatoris. Nam etsi
matrimonium verum quidem inter infideles exsistat, non
tamen est ratum: inter fideles autem verum quidem
et ratum exsistit: quia sacramentum fidei, quod

---

[1] CIC Decr. Greg. IV, 19, 7: Frdbg II 722 sq; Rcht II 696 sq;
Pth 684; ML 214, 588 D sq.

semel est admissum, nunquam amittitur, sed ratum efficit coniugii sacramentum, ut ipsum in coniugibus illo
durante perduret.

De unitate matrimonii [1].

[Ex ep. «Gaudemus in Domino» ad episc. Tiberiadensem, initio 1201.]

407 Utrum pagani uxores accipientes in secundo
(352) vel tertio vel ulteriore gradu sibi coniunctas
sic coniuncti debeant post conversionem suam insimul
remanere vel ab invicem separari, edoceri per scriptum
apostolicum postulasti. Super quo fraternitati tuae
taliter respondemus, quod, cum sacramentum coniugii
apud fideles et infideles exsistat, quemadmodum ostendit
Apostolus dicens: *Si quis frater infidelem habet uxorem,
et haec consentit habitare cum eo, non illam dimittat*
[1 Cor 7, 12]; et in praemissis gradibus a paganis quoad
eos matrimonium licite sit contractum, qui constitutionibus canonicis non arctantur: *(Quid enim ad nos,* secundum Apostolum eundem, *de his quae foris sunt,
iudicare?* [1 Cor 5, 12]*)* in favorem praesertim christianae
religionis et fidei, a cuius perceptione per uxores se
deseri timentes viri possunt facile revocari: fideles huiusmodi matrimonialiter copulati libere possunt et licite
remanere coniuncti, cum per sacramentum baptismi non
solvantur coniugia, sed crimina dimittantur.

408 Quia vero pagani circa plures insimul feminas
affectum dividunt coniugalem, utrum post conversionem
omnes, vel quam ex omnibus retinere valeant, non immerito dubitatur. Verum absonum hoc videtur et inimicum fidei christianae, cum ab initio una costa in unam
feminam sit conversa: et Scriptura divina testetur, quod
*propter hoc «relinquet homo patrem et matrem et ad-
haerebit uxori suae, et erunt duo in carne una»* [Gn 2, 24;
cf. Mt 19, 5; Eph 5, 31]; non dixit tres vel plures, sed d u o;
nec dixit, adhaerebit uxoribus, sed u x o r i. Nec ulli
unquam licuit insimul plures uxores habere, nisi cui
fuit divina revelatione concessum, quae mos quandoque,

---

[1] CIC Decr. Greg. IV, 19, 8: Frdbg II 723 sq; Rcht II 697 sq;
Pth 1325; ML 216, 1269 C sqq.

interdum etiam fas censetur, per quam sicut Iacob a mendacio, Israelitae a furto, et Samson ab homicidio, sic et Patriarchae et alii viri iusti qui plures leguntur simul habuisse uxores, ab adulterio excusantur. Sane veridica haec sententia probatur etiam de testimonio Veritatis testantis in Evangelio: «*Quicunque dimiserit uxorem suam [, nisi] ob fornicationem, et aliam duxerit, moechatur*» [Mt 19, 9; cf. Mc 10, 11]. Si ergo uxore dimissa duci alia de iure non potest, fortius et ipsa retenta: per quod evidenter apparet, pluralitatem in utroque sexu, cum non ad imparia iudicentur, circa matrimonium reprobandam. Qui autem secundum ritum suum legitimam repudiavit uxorem, cum tale repudium veritas in Evangelio reprobaverit, nunquam ea vivente licite poterit aliam, etiam ad fidem Christi conversus, habere, nisi post conversionem ipsius illa renuat cohabitare cum ipso, aut etiamsi consentiat, non tamen absque contumelia creatoris, vel ut eum pertrahat ad mortale peccatum; in quo casu restitutionem petenti, quamvis de iniusta spoliatione constáret, restitutio negaretur: quia secundum Apostolum *frater aut soror non est in huiusmodi subiectus servituti* [1 Cor 7, 15]. Quod si conversum ad fidem et illa conversa sequatur, antequam propter causas praedictas legitimam ille ducat uxorem, eam recipere compelletur. Quamvis quoque secundum evangelicam veritatem, *qui duxerit dimissam, moechatur* [Mt 19, 9]: non tamen dimissor poterit obicere fornicationem dimissae, pro eo, quod nupsit alii post repudium, nisi alias fuerit fornicata.

De solubilitate matrimonii rati per professionem [1].

[Ex ep. «Ex parte tua» ad Andream Archiep. Lundensem, 12. Ian. 1206.]

Nos nolentes a praedecessorum nostrorum vestigiis in hoc articulo subito declinare, qui respondere consulti, antequam matrimonium sit per carnalem copulam consummatum, licere alteri coniugum, reliquo etiam **409** (354)

---

[1] CIC Decr. Greg. III, 32, 14: Frdbg II 584; Rcht II 562; Pth 2651; ML 215, 774 A.

inconsulto, ad religionem transire, ita quod reliquus extunc legitime poterit alteri copulari: hoc ipsum tibi consulimus observandum.

De effectu baptismi (et charactere) [1].

[Ex ep. «Maiores Ecclesiae causas» ad Ymbertum Archiepisc. Arelatensem, sub finem 1201.]

410   Asserunt (enim), parvulis inutiliter baptisma con- 488
(341) ferri. . . . Absit, ut universi parvuli pereant, quorum 800
quotidie tanta multitudo moritur, quin et ipsis miseri- 857
cors Deus, qui neminem vult perire, aliquod remedium 869
procuraverit ad salutem. Quod opponentes inducunt,
fidem aut caritatem aliasque virtutes parvulis, utpote
non consentientibus, non infundi, a plerisque non conceditur absolute . . . aliis asserentibus, per virtutem
baptismi parvulis quidem culpam remitti, sed gratiam
non conferri; nonnullis vero dicentibus, et dimitti peccatum, et virtutes infundi, habentibus illas quoad
habitum [v. n. 800], non quoad usum, donec perveniant ad
aetatem adultam. . . . Dicimus distinguendum, quod
peccatum est duplex: originale scilicet et actuale:
originale, quod absque consensu contrahitur, et actuale, quod committitur cum consensu. Originale igitur,
quod sine consensu contrahitur, sine consensu per vim
remittitur sacramenti; actuale vero, quod cum consensu
contrahitur, sine consensu minime relaxatur. . . . Poena
originalis peccati est carentia visionis Dei, actualis
vero poena peccati est gehennae perpetuae cruciatus. . . .

411   Inter invitum et invitum, coactum et coactum alii
non absurde distinguunt, quod is, qui terroribus atque
suppliciis violenter attrahitur, et, ne detrimentum incurrat, baptismi suscipit sacramentum, talis quidem sicut
et is, qui ficte ad baptismum accedit, characterem
suscipit christianitatis impressum et ipse tamquam conditionaliter volens, licet absolute non velit, cogendus
est ad observantiam fidei christianae. . . . Ille vero, qui
nunquam consentit, sed penitus contradicit, nec rem

---

[1] CIC Decr. Greg. III, 42, 3: Frdbg II 644 sq; Rcht II 619 sq;
Pth 1479.

nec characterem suscipit sacramenti, quia plus est expresse contradicere, quam minime consentire. . . . D o r -
mientes autem et amentes, si prius quam amentiam
incurrerent aut dormirent, in contradictione persisterent:
quia in eis intelligitur contradictionis propositum perdurare, etsi fuerint sic immersi, characterem non suscipiunt sacramenti; secus autem si prius catechumeni
exstitissent et habuissent propositum baptizandi, unde
tales in necessitatis articulo consuevit Ecclesia baptizare.
Tunc ergo characterem sacramentalis im-
primit operatio, cum obicem voluntatis contrariae non invenit obsistentem.

De materia baptismi [1].

[Ex ep. «**Non** ut apponeres» ad Thoriam Archiepisc. Nidrosiensem,
1. Mart. 1206.]

Postulasti, utrum parvuli sint pro Christianis habendi, 412
quos, in articulo mortis constitutos, propter aquae pe- (315)
nuriam et absentiam sacerdotis, aliquorum simplicitas in
caput ac pectus ac inter scapulas pro baptismo salivae
conspersione linivit. Respondemus, quod cum in baptismo
duo semper, videlicet verbum et elementum, necessario
requirantur, iuxta quod de verbo Veritas ait: *Euntes in
mundum* etc. [Mc 16, 15; cf. Mt 28, 19], eademque dicat de
elemento: *Nisi quis* etc. [Io 3, 5], dubitare non debes, illos
verum non habere baptismum, in quibus non solum
utrumque praedictorum, sed eorum alterum est omissum.

De ministro baptismi [2].

[Ex ep. «Debitum pastoralis officii» ad Bertoldum Episc. Metensem,
28. Aug. 1206.]

Sane . . . intimasti, quod quidam Iudaeus in mortis 413
articulo constitutus, cum inter Iudaeos tantum exsisteret, (344)
in aquam seipsum immersit dicendo: Ego baptizo me
in nomine Patris et Filii et Spiritus Sancti, Amen.

---

[1] CIC Decr. Greg. III, 42, **5**: Frdbg II 647; Rcht II 622; Pth 2696;
ML 215, 813 A.
[2] CIC Decr. Greg. III, 42, 4: Frdbg II 646 sq; Rcht II 621 sq;
Pth 2875; ML 215, 986 A.

Respondemus, quod, cum inter baptizantem et baptizatum debeat esse discretio, sicut ex verbis Domini
colligitur evidenter, dicentis Apostolis: *Ite, baptizate
omnes gentes in nomine* etc. [cf. Mt 28, 19] memoratus Iudaeus est **denuo ab alio baptizandus**, ut ostendatur, quod alius est, qui baptizatur, et alius, qui baptizat.

De forma sacramenti Eucharistiae eiusque elementis [1].

[Ex ep. «Cum Martha circa» ad Ioannem quondam Archiepisc.
Lugdunensem, 29. Nov. 1202.]

414   Quaesivisti (siquidem), quis formae verborum, quam [874]
ipse Christus expressit, cum in corpus et sanguinem
suum panem transsubstantiavit et vinum, illud in c a-
n o n e missae, quo Ecclesia utitur generalis, adiecerit,
quod nullus Evangelistarum legitur expressisse. . . . In
canone missae sermo iste videlicet *«mysterium fidei»*
verbis ipsi(u)s interpositus invenitur. . . . Sane multa
tam de verbis quam de factis dominicis invenimus ab
Evangelistis omissa, quae Apostoli vel supplevisse verbo
vel facto expressisse leguntur. . . . Ex eo autem verbo,
de quo movit tua fraternitas quaestionem, videlicet
«mysterium fidei», munimentum erroris quidam trahere
putaverunt, dicentes in sacramento altaris non esse corporis Christi et sanguinis veritatem, sed imaginem tantum, et speciem et figuram, pro eo, quod Scriptura
interdum commemorat, id, quod in altari suscipitur, esse
sacramentum et mysterium et exemplum. Sed tales
ex eo laqueum erroris incurrunt, quod nec auctoritates
Scripturae convenienter intelligunt, nec sacramenta Dei
suscipiunt reverenter, Scripturas et virtutem Dei pariter
nescientes. . . . Dicitur tamen m y s t e r i u m f i d e i, quoniam et a l i u d i b i c r e d i t u r, q u a m c e r n a t u r, et
aliud cernitur, quam credatur. Cernitur enim species
panis et vini, et creditur veritas carnis et sanguinis
Christi, ac virtus unitatis et caritatis. . . .

415   Distinguendum est tamen subtiliter inter tria, quae
sunt in hoc sacramento discreta, videlicet formam visi-

---

[1] CIC Decr. Greg. III, 41, 6: Frdbg II 637 sq; Rcht II 612 sq;
Pth 1179; ML 214, 1119 A sq; Bar(Th) ad 1202 n. 14 sqq (20, 114 a sq).

bilem, veritatem corporis et virtutem spiritualem. Forma
est panis et vini, veritas carnis et sanguinis, virtus unitatis et caritatis. Primum est sacramentum et non
res. Secundum est sacramentum et res. Tertium
est res et non sacramentum. Sed primum est
sacramentum geminae rei. Secundum autem est sacramentum unius, et alterius res exsistit. Tertium vero est
res gemini sacramenti. Credimus igitur, quod formam
verborum, sicut in canone reperitur, et a Christo Apostoli, et ab ipsis eorum acceperint successores. . . .

De aqua vino admixta in sacrificio Missae [1].

[Ex eadem epistola ad Ioannem, 29. Nov. 1202.]

938   Quaesivisti (etiam), utrum aqua cum vino in 416
sanguinem convertatur. Super hoc autem opi- (346)
niones apud scholasticos variantur. Aliquibus enim
videtur, quod, cum de latere Christi duo praecipua
fluxerint sacramenta, redemptionis in sanguine ac regenerationis in aqua, in illa duo vinum et aqua, quae
commiscentur in calice, divina virtute mutantur. . . .
Alii vero tenent, quod aqua cum vino transsubstantiatur
in sanguinem, cum in vinum transeat mixta vino. . . .
Praeterea potest dici, quod aqua non transit in sanguinem, sed remanet prioris vini accidentibus circum-
fusa. . . . Illud autem est nefarium opinari, quod quidam
dicere praesumpserunt, aquam videlicet in phlegma converti. . . . Verum inter opiniones praedictas illa pro-
babilior iudicatur, quae asserit, aquam cum vino in
sanguinem transmutari.

[Ex ep. «In quadam nostra» ad Ugonem Episc. Ferrariensem,
5. Mart. 1209.]

In quadam nostra decretali epistola asseris te legisse, 417
illud fuisse nefarium opinari, quod quidam dicere prae- (347)
sumpserunt, in sacramento videlicet Eucharistiae aquam

---

[1] CIC Decr. Greg. III, 41, 6: Frdbg II 638 sq; Rcht II 614 sq; ML
214, 1121 C sqq; Bar(Th) ad 1202 n. 17 sqq. — Altera ep.: Decr.
Greg. III, 41, 8: Frdbg II 640 sq; Rcht II 615 sq; ML 216, 16 B sq.

in phlegma converti, nam de latere Christi non
aquam, sed humorem aquaticum mentiuntur exiisse.
Licet autem hoc magnos et authenticos viros sensisse
recenseas, quorum opinionem dictis et scriptis hactenus
es secutus, ex quo tamen nos in contrarium sentimus,
nostrae compelleris sententiae consentire. . . . Nam si
non fuisset aqua, sed phlegma, quod de latere Salvatoris exivit, ille, *qui vidit* et *testimonium* veritati *perhibuit* [cf. Io 19, 35], profecto non aquam, sed phlegma
dixisset. . . . Restat igitur, ut qualiscunque fuerit illa
aqua, sive naturalis, sive miraculosa, sive de novo divina virtute creata sive de componentibus ex parte aliqua
resoluta, procul dubio vera fuit.

De celebratione Missae simulata [1].

[Ex ep. «De homine qui» ad rectores Romanae fraternitatis,
22. Sept. 1208.]

418   Quaesivistis (enim) a nobis, quid de incauto presbytero
(348) videatur, qui cum se sciat in mortali crimine constitutum, missarum solemnia, quae non potest propter
necessitatem quamlibet intermittere, propter sui faci-
noris conscientiam dubitat celebrare . . . peractisque
ceteris circumstantiis missam celebrare se fingit, et
suppressis verbis, quibus conficitur corpus Christi, panem
et vinum tantummodo pure sumit. . . . Cum ergo
falsa sint abicienda remedia, quae veris sunt periculis
graviora: licet is, qui pro sui criminis conscientia re-
putat se indignum, ab huiusmodi sacramento reverenter debeat abstinere ac ideo peccet graviter, si
se ingerat irreverenter ad illud, gravius tamen procul
dubio videtur offendere, qui sic fraudulenter illud praesumpserit simulare; cum ille culpam vitando, dum
facit, in solius misericordis Dei manum incidat, iste
vero culpam faciendo, dum vitat, non solum Deo,
cui non veretur illudere, sed et populo, quem decipit,
se adstringat.

---

[1] CIC Decr. Greg. III, 41, 7: Frdbg II 640; Rcht II 615; Pth 3503;
ML 215, 1463 C sq.

De ministro confirmationis [1].

[Ex ep. «Cum venisset» ad Basilium Archiepisc. Trinovitanum, 25. Febr. 1204.]

871   Per frontis chrismationem manus impositio designatur, 419 quae alio nomine dicitur confirmatio, quia per eam Spiritus Sanctus ad augmentum datur et robur. Unde cum ceteras unctiones simplex sacerdos vel presbyter valeat exhibere, hanc non nisi summus sacerdos i. e. episcopus debet conferre, quia de solis Apostolis legitur quorum vicarii sunt episcopi, quod per manus impositionem Spiritum Sanctum dabant [cf. Act 8, 14 sqq].

Professio fidei Durando de Osca et sociis eius Waldensibus praescripta [2].

[Ex ep. «Eius exemplo» ad archiepisc. Terraconensem, 18. Dec. 1208.]

39   Corde credimus, fide intelligimus, ore confitemur et 420 simplicibus verbis affirmamus: Patrem et Filium et Spi- (366) ritum Sanctum tres personas esse, unum Deum totamque Trinitatem coessentialem et consubstantialem et coaeternalem et omnipotentem et singulas quasque in Trinitate personas plenum Deum, sicut in «Credo in Deum» [v. n. 2], in «Credo in unum Deum» [v. n. 86] et in «Quicunque vult» [v. n. 39] continetur.

Patrem quoque et Filium et Spiritum Sanctum unum 421 Deum, de quo nobis sermo, esse creatorem, factorem, gubernatorem et dispositorem omnium corporalium et spiritualium, visibilium et invisibilium, corde credimus 348 et ore confitemur. Novi et Veteris Testamenti unum eundemque auctorem credimus esse Deum, qui in Trinitate, ut dictum est, permanens, de nihilo

---

[1] CIC Decr. Greg. I, 15, 1 § 7: Frdbg II 133; Rcht II 128; Pth 2138; ML 215, 285 C.

[2] ML 215, 1510 C sqq; Pth 3571. — Occurrit haec formula iterum in ep. «Universis Archiepiscopis et Episc., ad quos litterae istae pervenerint» missa 12. Maii 1210 [ML 216, 274 D] et paululum mutata in alia ep. «Universis . . . etc.» de negotio Waldensium conversorum 14. Ian. 1210 [ML 216, 269 C sqq]. Hac epistola conversio Bernardi Primi aliorumque nuntiatur et praescribitur, ut simili professione haeretici reduces recipiantur in sinum Ecclesiae.

cuncta creavit; Ioannemque Baptistam ab eo missum
esse sanctum et iustum et in utero matris suae Spiritu
Sancto repletum.

422   Incarnationem divinitatis non in Patre, neque in [148]
(368) Spiritu Sancto factam, sed in Filio tantum, corde credimus et ore confitemur; ut qui erat in divinitate Dei
Patris Filius, Deus verus ex Patre, esset in humanitate
hominis filius, homo verus ex matre, veram carnem
habens ex visceribus matris et animam humanam rationabilem, simul utriusque naturae, id est Deus et homo,
una persona, unus Filius, unus Christus, unus Deus
cum Patre et Spiritu Sancto, omnium auctor et rector,
natus ex Virgine Maria vera carnis nativitate; manducavit et bibit, dormivit et fatigatus ex itinere quievit,
passus vera carnis suae passione, mortuus vera corporis
sui morte, et resurrexit vera carnis suae resurrectione
et vera animae ad corpus resumptione; in qua postquam manducavit et bibit, ascendit in coelum, sedet
ad dexteram Patris et in eadem venturus est iudicare
vivos et mortuos.

423   Corde credimus et ore confitemur unam Ecclesiam [1821]
non haereticorum, sed sanctam Romanam, catholicam
et apostolicam, extra quam neminem salvari credimus.

424   Sacramenta quoque, quae in ea celebrantur, in- [844]
aestimabili atque invisibili virtute Spiritus Sancti cooperante, licet a peccatore sacerdote ministrentur,
dum Ecclesia eum recipit, in nullo reprobamus, nec
ecclesiasticis officiis vel benedictionibus ab eo celebratis
detrahimus, sed benevolo animo tanquam a iustissimo
amplectimur, quia non nocet malitia episcopi vel presbyteri neque ad baptismum infantis neque ad Eucharistiam consecrandam nec ad cetera ecclesiastica officia
subditis celebrata. Approbamus ergo baptismum in- [857]
fantium, qui si defuncti fuerint post baptismum, antequam peccata committant, fatemur eos salvari et credimus; et in baptismate omnia peccata, tam illud originale
peccatum contractum, quam illa, quae voluntarie commissa sunt, dimitti credimus. Confirmationem ab [871]
episcopo factam, id est impositionem manuum, sanctam
et venerande esse accipiendam censemus. Sacrificium, [938]

id est panem et vinum [*al.* In sacrificio Eucharistiae, quae ante
consecrationem erant panis et vinum], post consecrationem esse
verum corpus et verum sanguinem Domini nostri Iesu
Christi, firmiter et indubitanter corde puro credimus
et simpliciter verbis fidelibus affirmamus, in quo nihil
a bono maius nec a malo minus perfici credimus sacerdote, quia non in merito consecrantis, sed in verbo
efficitur Creatoris et in virtute Spiritus Sancti. Unde
firmiter credimus et confitemur, quod quantumcunque
quilibet honestus, religiosus, sanctus et prudens sit,
non potest nec debet Eucharistiam consecrare nec
altaris sacrificium conficere, nisi sit presbyter, a vi-
sibili et tangibili episcopo regulariter ordinatus. Ad
quod officium tria sunt, ut credimus, necessaria: scilicet
certa persona, id est, presbyter ab episcopo, ut praediximus, ad illud proprie officium constitutus, et illa
solemnia verba, quae a sanctis Patribus in canone sunt
expressa, et fidelis intentio proferentis; ideoque firmiter credimus et fatemur, quod quicunque sine praecedenti ordinatione episcopali, ut praediximus, credit
et contendit, se posse sacrificium Eucharistiae facere,
haereticus est et perditionis Chore et suorum complicum
est particeps atque consors, et ab omni sancta Romana
894 Ecclesia segregandus. Peccatoribus vere poenitentibus
veniam concedi a Deo credimus, et eis libentissime
907 communicamus. Unctionem infirmorum cum oleo con-
969 secrato veneramur. Coniugia carnalia esse contrahenda,
secundum Apostolum [cf. 1 Cor 7] non negamus, ordinarie
vero contracta disiungere omnino prohibemus. Hominem
quoque cum sua coniuge salvari credimus et fatemur, nec
etiam secunda et ulteriora matrimonia condemnamus.

Carnium perceptionem minime culpamus. Non con-425
demnamus iuramentum, imo credimus puro corde, quod [371]
cum veritate et iudicio et iustitia licitum sit iurare. De
potestate saeculari asserimus, quod sine peccato
mortali potest iudicium sanguinis exercere, dummodo
ad inferendam vindictam non odio, sed iudicio, non
incaute, sed consulte procedat.

Praedicationem necessariam valde et laudabilem esse 426
credimus, tamen ex auctoritate vel licentia Summi Ponti-

ficis vel praelatorum permissione illam credimus exercendam. In omnibus vero locis, ubi manifeste haeretici manent, et Deum et fidem sanctae Romanae
Ecclesiae abdicant et blasphemant, credimus, quod
disputando et exhortando modis omnibus secundum
Deum debeamus illos confundere et eis verbo Dominico,
veluti Christi et Ecclesiae adversariis, fronte usque ad
mortem libera contraire. O r d i n e s vero ecclesiasticos 960
et omne, quod in sancta Romana Ecclesia sancitum
legitur aut canitur, humiliter collaudamus et fideliter
veneramur.

427 D i a b o l u m non per conditionem, sed per arbitrium 237
(373) malum esse factum credimus. Corde credimus et ore
confitemur huius carnis, quam gestamus, et non alterius
r e s u r r e c t i o n e m. I u d i c i u m quoque per Iesum Chri- 287
stum esse futurum et singulos pro iis, quae in hac carne 693
gesserunt, recepturos vel poenas vel praemia, firmiter
credimus et affirmamus. Eleemosynas, sacrificium ceteraque beneficia fidelibus posse prodesse d e f u n c t i s 988
credimus. Remanentes in saeculo et sua possidentes,
eleemosynas et cetera beneficia ex rebus suis agentes,
praecepta Domini servantes salvari fatemur et credimus.
Decimas, primitias et oblationes ex praecepto Domini
credimus clericis persolvendas.

Conc. LATERANENSE IV 1215.

O e c u m e n i c u m XII (contra A l b i g e n s e s, I o a c h i m,
W a l d e n s e s etc.).

De Trinitate, sacramentis, missione canonica etc. [1]

Cap. 1. De fide catholica.

[Definitio contra Albigenses aliosque haereticos.]

428 Firmiter credimus et simpliciter confitemur, quod unus
(355) solus est verus Deus, aeternus, immensus et incommutabilis, incomprehensibilis, omnipotens et ineffabilis, P a t e r
et F i l i u s et S p i r i t u s S a n c t u s: tres quidem per-

---

[1] Msi XXII 982 sqq; Hrd VII 15 sqq; cf. Hfl V 878 sqq; Pth post
5006; Bar(Th) ad 1215 n. 1 sqq (20, 339 a sqq). [CIC Decr. Greg. I, 1,
1: Frdbg II 5 sq; Rcht II 5 sq.]

sonae, sed una essentia, substantia seu natura simplex omnino: Pater a nullo, Filius a Patre solo, ac Spiritus Sanctus pariter ab utroque: absque initio, semper ac sine fine: Pater generans, Filius nascens, et Spiritus Sanctus procedens: consubstantiales et coaequales et co omnipotentes et coaeterni: unum universorum principium: creator omnium visibilium et invisibilium, spiritualium et corporalium: qui sua omnipotenti virtute simul ab initio temporis utramque de nihilo condidit creaturam, spiritualem et corporalem, angelicam videlicet et mundanam: ac deinde humanam, quasi communem ex spiritu et corpore constitutam. Diabolus enim et alii daemones a Deo quidem natura creati sunt boni, sed ipsi per se facti sunt mali. Homo vero diaboli suggestione peccavit. Haec Sancta Trinitas, secundum communem essentiam individua, et secundum personales proprietates discreta, primo per Moysen et sanctos Prophetas, aliosque famulos suos, iuxta ordinatissimam dispositionem temporum doctrinam humano generi tribuit salutarem.

148 Et tandem unigenitus Dei Filius Iesus Christus, 429 a tota Trinitate communiter incarnatus, ex Maria [356] semper Virgine Spiritus Sancti cooperatione conceptus, verus homo factus, ex anima rationali et humana carne compositus, una in duabus naturis persona, viam vitae manifestius demonstravit. Qui cum secundum divinitatem sit immortalis et impassibilis, idem ipse secundum humanitatem factus est passibilis et mortalis: qui(n) etiam pro salute humani generis in ligno crucis passus et mortuus, descendit ad infernos, resurrexit a mortuis et ascendit in coelum: sed descendit in anima, et resurrexit in carne: ascenditque pariter in utroque: venturus in fine saeculi, iudicaturus vivos et mortuos, et reddi-
693 turus singulis secundum opera sua, tam reprobis quam electis: qui omnes cum suis propriis resurgent corporibus, quae nunc gestant, ut recipiant secundum opera sua, sive bona fuerint sive mala: illi cum diabolo poenam perpetuam, et isti cum Christo gloriam sempiternam.

821 Una vero est fidelium universalis Ecclesia, extra 430 quam nullus omnino salvatur, in qua idem ipse sacerdos est sacrificium Iesus Christus, cuius corpus et sanguis

in sacramento altaris sub speciebus panis et vini 874
veraciter continentur, transsubstantiatis pane in corpus,
et vino in sanguinem potestate divina: ut ad perficien-
dum mysterium unitatis accipiamus ipsi de suo, quod
accepit ipse de nostro.   Et hoc utique sacramentum
nemo potest conficere, nisi sacerdos, qui rite fuerit
ordinatus, secundum claves Ecclesiae, quas ipse con-
cessit Apostolis eorumque successoribus Iesus Christus.
Sacramentum vero baptismi (quod ad Dei invoca- 857
tionem et individuae Trinitatis, videlicet Patris, et Filii,
et Spiritus Sancti, consecratur in aqua) tam parvulis,
quam adultis in forma Ecclesiae a quocunque rite collatum proficit ad salutem.   Et si post susceptionem
baptismi quisquam prolapsus fuerit in peccatum, per
veram potest semper poenitentiam reparari.   Non 891
solum autem virgines et continentes, verum etiam coniugati, per rectam fidem et operationem bonam placentes
Deo, ad aeternam merentur beatitudinem pervenire.

Cap. 2. De errore Abbatis Ioachim [1].

431   Damnamus ergo et reprobamus libellum seu tractatum, 39
(358) quem Abbas Ioachim edidit contra Magistrum Petrum
Lombardum, de unitate seu essentia Trinitatis, appellans
ipsum haereticum et insanum pro eo, quod in suis
dixit Sententiis: Quoniam quaedam summa res
est Pater, et Filius, et Spiritus Sanctus, et
illa non est generans, neque genita, neque procedens.
Unde asserit, quod ille non tam Trinitatem, quam
quaternitatem astruebat in Deo, videlicet tres personas, et illam communem essentiam quasi quartam;
manifeste protestans, quod nulla res est, quae sit Pater
et Filius et Spiritus Sanctus; nec est essentia, nec substantia, nec natura: quamvis concedat, quod Pater et
Filius et Spiritus Sanctus sunt una essentia, una substantia unaque natura.   Verum unitatem huiusmodi non
veram et propriam, sed quasi collectivam et similitudi-
nariam esse fatetur, quemadmodum dicuntur multi homines unus populus, et multi fideles una Ecclesia iuxta

---

[1] Msi XXII 982 sqq.

illud : *Multitudinis credentium erat cor unum et anima una* [Act 4, 32]; et : *Qui adhaeret Deo, unus spiritus est cum illo* [1 Cor 6, 17]. Item : *«Qui . . . plantat, et qui rigat, unum sunt»* [1 Cor 3, 8]; et : *Omnes unum corpus sumus in Christo* [Rom 12, 5]. Rursus in libro Regum [Ruth]: *Populus meus et populus tuus unum sunt* [Ruth 1, 16]. Ad hanc autem suam sententiam astruendam illud potissimum verbum inducit, quod Christus de fidelibus inquit in Evangelio : *Volo, Pater, ut sint unum in nobis, sicut et nos unum sumus, ut sint consummati in unum* [Io 17, 22 sq]. Non enim (ut ait) fideles Christi sunt unum, i. e. quaedam una res, quae communis sit omnibus, sed hoc modo sunt unum, id est una Ecclesia, propter catholicae fidei unitatem, et tandem unum regnum, propter unionem indissolubilis caritatis, quemadmodum in canonica Io- annis Apostoli epistola legitur : *Quia tres sunt, qui testimonium dant in coelo, Pater, et Filius, et Spiritus Sanctus : et hi tres unum sunt* [1 Io 5, 7]. Statimque sub- iungitur : *Et tres sunt, qui testimonium dant in terra : Spiritus, aqua et sanguis : et hi tres unum sunt* [1 Io 5, 8]: sicut in quibusdam codicibus invenitur.

Nos autem, sacro approbante Concilio, credimus et confitemur cum Petro Lombardo, quod una quaedam summa res est, incomprehensibilis quidem et ineffabilis, quae veraciter est Pater, et Filius, et Spiritus Sanctus ; tres simul personae, ac sigillatim quaelibet earundem : et ideo in Deo solummodo T r i n i t a s est, n o n q u a- t e r n i t a s ; quia quaelibet trium personarum est illa res, videlicet substantia, essentia seu natura divina : quae sola est universorum principium, praeter quod aliud in- veniri non potest : et illa res non est generans, neque genita, nec procedens, sed est Pater, qui generat, et Filius, qui gignitur, et Spiritus Sanctus, qui procedit : ut distinctiones sint in personis, et unitas in natura Licet igitur a l i u s sit Pater, a l i u s Filius, a l i u s Spi- ritus Sanctus, n o n t a m e n a l i u d : sed id, quod est Pater, est Filius, et Spiritus Sanctus idem omnino ; ut secundum orthodoxam et catholicam fidem consubstan- tiales esse credantur. Pater enim ab aeterno Filium generando, suam substantiam ei dedit, iuxta quod ipse

432

(358)

testatur: *Pater quod dedit mihi, maius omnibus est*
[Io 10, 29].   Ac dici non potest, quod partem substantiae
suae illi dederit, et partem ipse sibi retinuerit, cum
substantia Patris indivisibilis sit, utpote s i m p l e x omnino. Sed nec dici potest, quod Pater in Filium trans-
tulerit suam substantiam generando, quasi sic dederit
eam Filio, quod non retinuerit ipsam sibi; alioquin de-
siisset esse . substantia. Patet ergo, quod sine ulla diminutione Filius nascendo substantiam Patris accepit,
et ita Pater et Filius habent eandem substantiam: et
sic eadem res est Pater et Filius, nec non et Spiritus
Sanctus ab utroque procedens. Cum vero Veritas pro
fidelibus suis orat ad Patrem, *Volo* (inquiens) *ut ipsi
sint unum in nobis, sicut et nos unum sumus* [Io 17, 22]:
hoc nomen «unum» pro fidelibus quidem accipitur, ut
intelligatur unio caritatis in gratia, pro personis vero
divinis, ut attendatur identitatis unitas in natura, quemadmodum alibi Veritas ait: «*Estote . . . perfecti, sicut
et Pater vester coelestis perfectus est*» [Mt 5, 48], ac si
diceret manifestius: *Estote perfecti* perfectione gratiae,
sicut Pater vester coelestis perfectus est perfectione
naturae, utraque videlicet suo modo: quia inter creatorem et creaturam non potest tanta similitudo notari,
quin inter eos maior sit dissimilitudo notanda. Si quis
igitur sententiam vel doctrinam praefati Ioachim in hac
parte defendere vel approbare praesumpserit, tanquam
haereticus ab omnibus confutetur.

433   In nullo tamen propter hoc Florensi monasterio (cuius
(358) ipse Ioachim exstitit institutor) volumus derogari: quoniam ibi et regularis est institutio, et observantia salutaris: maxime, cum ipse Ioachim omnia scripta sua
nobis assignari mandaverit, Apostolicae Sedis iudicio
approbanda seu etiam corrigenda, dictans epistolam,
quam propria manu subscripsit, in qua firmiter confitetur, se illam fidem tenere, quam R o m a n a tenet
E c c l e s i a, quae (disponente Domino) c u n c t o r u m f i d e-
(359) l i u m m a t e r e s t e t m a g i s t r a. Reprobamus etiam
et condemnamus perversissimum dogma impii Almarici,
cuius mentem sic pater mendacii excaecavit, ut eius
doctrina non tam haeretica censenda sit, quam insana.

Cap. 3. De haereticis [Waldensibus] [1].

[Necessitas missionis canonicae.]

Quia vero nonnulli sub *specie pietatis, virtutem eius* 434 (iuxta quod ait Apostolus) *abnegantes* [2 Tim 3, 5], auctori- (360) tatem sibi vindicant praedicandi, cum idem Apostolus dicat: «*Quomodo . . . praedicabunt, nisi mittantur?*» [Rom 10, 15], omnes, qui prohibiti vel non missi, praeter auctoritatem ab Apostolica Sede vel catholico episcopo loci susceptam, publice vel privatim praedicationis officium usurpare praesumpserint, excommunicationis vinculo innodentur: et nisi quantocius resipuerint, alia competenti poena plectantur.

Cap. 4. De superbia Graecorum contra Latinos [2].

Licet Graecos, in diebus nostris ad oboedientiam Sedis 435 Apostolicae revertentes, fovere ac honorare velimus, (361) mores ac ritus eorum, in quantum cum Domino possumus, sustinendo, in his tamen illis deferre nec volumus nec debemus, quae periculum generant animarum et ecclesiasticae derogant honestati. Postquam enim Graecorum ecclesia cum quibusdam complicibus et fautoribus suis ab oboedientia Sedis Apostolicae se subtraxit, in tantum Graeci coeperunt abominari Latinos, quod inter alia, quae in derogationem eorum impie committebant, si quando sacerdotes Latini super eorum celebrassent altaria, non prius ipsi sacrificare volebant in illis, quam ea tanquam per hoc inquinata lavissent; baptizatos etiam a Latinis ipsi Graeci rebaptizare ausu temerario praesumebant: et adhuc, sicut accepimus, quidam hoc agere non verentur. Volentes ergo tantum scandalum ab Ecclesia Dei amovere, sacro suadente Concilio districte praecipimus, ut talia de cetero non praesumant, conformantes se tanquam oboedientiae filii sacrosanctae Romanae Ecclesiae matri suae, ut sit «*unum ovile et unus pastor*» [Io 10, 16]. Si quis autem quid tale praesumpserit, excommunicationis mucrone percussus ab omni officio et beneficio ecclesiastico deponatur.

---

[1] Msi XXII 990 A.   [2] Ib. 990.

Cap. 5. De dignitate Patriarcharum [1].

436
(362)
Antiqua patriarchalium sedium privilegia renovantes, 182
sacra universali Synodo approbante, sancimus, ut post
R o m a n a m Ecclesiam, quae disponente Domino super
omnes alias ordinariae potestatis obtinet principatum,
utpote mater universorum Christi fidelium et magistra,
C o n s t a n t i n o p o l i t a n a primum, A l e x a n d r i n a secundum, A n t i o c h e n a tertium, H i e r o s o l y m i t a n a
quartum locum obtineat.

Cap. 21. De confessione facienda, et non revelanda a sacerdote, et saltem in Pascha communicando [2].

437
(363)
Omnis utriusque sexus fidelis, postquam ad annos
discretionis pervenerit, omnia sua solus peccata s a l t e m 894
s e m e l i n a n n o fideliter c o n f i t e a t u r proprio sacerdoti, 901
et iniunctam sibi poenitentiam pro viribus studeat ad-
implere, suscipiens reverenter ad minus in P a s c h a 874
E u c h a r i s t i a e sacramentum, nisi forte de consilio
proprii sacerdotis ob aliquam rationabilem causam ad
tempus ab eius perceptione duxerit abstinendum: alioquin et vivens ab ingressu ecclesiae arceatur et moriens
christiana careat sepultura. Unde hoc salutare statutum
frequenter in ecclesiis publicetur, ne quisquam ignorantiae
caecitate velamen excusationis assumat. Si quis autem
alieno sacerdoti voluerit iusta de causa sua confiteri
peccata, licentiam prius postulet et obtineat a proprio
sacerdote, cum aliter ille ipsum non possit absolvere
vel ligare. Sacerdos autem sit discretus et cautus, ut
more periti medici *superinfundat vinum et oleum* [cf. Lc
10, 34] vulneribus sauciati, diligenter inquirens et peccatoris circumstantias et peccati, quibus prudenter intelligat, quale debeat ei praebere consilium et cuiusmodi
remedium adhibere, diversis experimentis utendo ad
salvandum aegrotum.

438
Caveat autem omnino, ne v e r b o aut s i g n o aut alio
q u o v i s m o d o a l i q u a t e n u s p r o d a t peccatorem:
sed si prudentiore consilio indiguerit, illud absque ulla

---

[1] Msi XXII 990.   [2] Ib. 1007 E sqq.

expressione personae caute requirat, quoniam qui peccatum in poenitentiali iudicio sibi detectum praesumpserit
revelare, non solum a sacerdotali officio deponendum
decernimus, verum etiam ad agendam perpetuam poenitentiam in arctum monasterium detrudendum.

Cap. 41. De continuatione bonae fidei in omni praescriptione [1].

Quoniam «*omne . . . quod non est ex fide, peccatum* 439
est» [Rom 14, 23], synodali iudicio diffinimus, ut nulla valeat (364)
absque bona fide praescriptio tam canonica quam civilis,
cum generaliter sit omni constitutioni atque consuetudini
derogandum, quae absque mortali peccato non potest
observari. Unde oportet, ut, qui praescribit, in nulla
temporis parte rei habeat conscientiam alienae.

Cap. 62. De reliquiis Sanctorum [2].

984   Cum ex eo, quod quidam Sanctorum reliquias 440
exponunt venales et eas passim ostendunt, christianae (365)
religioni detractum sit saepius: ne in posterum detrahatur, praesenti decreto statuimus, ut antiquae reliquiae
amodo extra capsam nullatenus ostendantur nec exponantur venales. Inventas autem de novo nemo publice
venerari praesumat, nisi prius auctoritate Romani Pontificis fuerint approbatae. . . .

HONORIUS III 1216—1227.

De materia Eucharistiae [3].

[Ex ep. «Perniciosus valde» ad Olaum Archiepisc. Upsalensem,
13. Dec. 1220.]

874   Perniciosus valde, sicut audivimus, in tuis partibus 441
inolevit abusus, videlicet, quod in maiore quanti- (374)
tate de aqua ponitur in sacrificio quam de vino:

---

[1] Msi XXII 1027 A.
[2] Ib. 1049 sq; titulus completus huius cap. est: Ne reliquiae Sanctorum
ostendantur extra capsam; ne novae habeantur in veneratione sine Romana Ecclesia.
[3] CIC Decr. Greg. III, 41, 13. Frdbg II 643; Rcht II 618; Pth 6441.

cum secundum rationabilem consuetudinem Ecclesiae
generalis plus in ipso sit de vino quam de aqua ponendum. Ideoque Fraternitati tuae per apostolica scripta
mandamus, quatenus id non de cetero facias nec in
tua provincia fieri patiaris.

GREGORIUS IX 1227—1241.

De terminologia et traditione theologica servanda [1].

[Ex ep. «Ab Aegyptiis» ad Theologos Parisienses, 7. Iul. 1228.]

442   Tacti dolore cordis intrinsecus *amaritudine repleti sumus*
(379) *abscynthii* [cf. Thr 3, 15], quod, sicut nostris est auribus intimatum,
quidam apud vos, spiritu vanitatis ut uter distenti, p o s i t o s
a P a t r i b u s t e r m i n o s p r o f a n a t r a n s f e r r e s a t a g u n t 159
n o v i t a t e; coelestis paginae intellectum, SS. Patrùm studiis
certis expositionum terminis limitatae, quos transgredi non
solum est temerarium, sed profanum, ad doctrinam philosophicam naturalium inclinando; ad ostentationem scientiae,
non profectum aliquem auditorum; ut sic videantur non
theodidacti seu theologi, sed potius theophanti. Cum enim
theologiam secundum approbatas traditiones Sanctorum ex-
ponere debeant, et non carnalibus armis, *sed Deo potentibus*
destruere omnem altitudinem extollentem se adversus scientiam
Dei, et captivum in obsequium Christi omnem reducere intellectum
[2 Cor 10, 4 sq]: ipsi *doctrinis variis et peregrinis abducti* [Hebr 13, 9]
redigunt caput in caudam, et ancillae cogunt famulari reginam,
videlicet documentis terrenis coeleste, quod est gratiae, tri-
buendo naturae. Profecto, scientiae naturalium plus debito
insistentes, «*ad infirma et egena elementa*» [Gal 4, 9] mundi,
quibus, dum essent *parvuli,* servierunt, reversi et eis denuo
servientes, tanquam imbecilles in Christo, *lacte, non solido*
cibo [Hebr 5, 12 sq] vescuntur, et videntur cor nequaquam *gratia*
stabilisse [Hebr 13, 9]: propter quod, spoliati gratuitis et in suis
naturalibus vulnerati, ad memoriam non reducunt illud Apostoli, quod ipsos legisse credimus iam frequenter: *Profanas*
vocum novitates et falsi nominis scientiae opiniones devita, quam
quidam appetentes exciderunt a fide [1 Tim 6, 20 sq]. O improvidi
et tardi corde in omnibus, quae divinae gràtiae assertores,
Prophetae videlicet, Evangelistae ac Apostoli, sunt locuti,
cum natura per se quicquam ad salutem non possit, nisi

---

[1] DCh I 59. — Bar(Th) ad 1228 n. 20 (20, 555 b sq); Pth 8231;
cf. DuPl I, I 137 b.

gratia sit adiuta. Dicant praesumptores huiusmodi, qui doctrinam naturalium amplexantes verborum folia et non fructus
auditoribus suis apponunt, quorum mentes quasi siliquis pastae
vacuae remanent et inanes, et eorum anima non potest in
crassitudine delectari, eo quod sitibunda et arida aquis Siloë
currentibus cum silentio non potatur: sed eis potius, quae
de torrentibus philosophicis hauriuntur, de quibus dicitur:
Quo plus sunt potae, plus sitiuntur aquae, quia satietatem
non afferunt, sed anxietatem potius et laborem; nonne, dum
ad sensum doctrinae philosophorum ignorantium Deum sacra
eloquia divinitus inspirata extortis expositionibus, immo dis-
tortis inflectunt, *iuxta Dagon arcam foederis collocant* [1 Rg 5, 2]
et adorandam in templo Domini statuunt imaginem Antiochi?
Et dum fidem conantur plus debito ratione adstruere naturali, nonne illam reddunt quodammodo inutilem et inanem? Quoniam fides non habet meritum, cui
humana ratio praebet experimentum. Credit denique intellecta natura, sed fides ex sui virtute gratuita intelligentia credita comprehendit, quae audax et
improba penetrat, quo naturalis nequit attingere intellectus.
Dicant huiusmodi naturalium sectatores, ante quorum oculos
gratia videtur proscripta; quod *Verbum, quod erat in principio
apud Deum, factum est caro et habitavit in nobis* [Io 1], estne
gratiae an naturae? Absit de cetero, ut pulcherrima mulierum a praesumptoribus stibio peruncta oculos coloribus
adulterinis fucetur, et quae a suo sponso *circumamicta varie-
tatibus* [Ps 44, 10] et *ornata monilibus* [Is 61, 10] procedit splendida
ut regina, consutis philosophorum semicinctiis, veste sordida
induatur. Absit, ut *boves foedae* ac confectae macie, quae
nullum dant saturitatis vestigium, speciosas devorent [Gn 41, 18 sqq],
crassasque consumant.

Ne igitur huiusmodi dogma temerarium et perversum ut 443
cancer serpat et inficiat plurimos oporteatque *filios perditos* (379)
plorare Rachelem [Ir 31, 15], praesentium vobis auctoritate mandamus et districte praecipimus, quatenus, praedicta vesania
penitus abdicata, sine fermento mundanae scientiae
doceatis theologicam puritatem, non «*adulterantes
verbum Dei*» [2 Cor 2, 17] philosophorum figmentis, ne circa
altare Dei videamini lucum velle contra praeceptum Domini
plantare, et mellis commixtione sacrificium fermentare doctrinae, *in sinceritatis et veritatis azymis* [1 Cor 5, 8] exhibendum.
Sed contenti terminis a Patribus institutis mentes auditorum
vestrorum fructu coelestis eloquii saginetis, ut foliis verborum
semotis limpidas aquas et puras tendentes ad hoc principa-

liter, ut vel fidem adstruant vel mores informént, *hauriant
de fontibus Salvatoris* [Is 12, 3]: quibus refecti interna crassitudine delectentur[1].

Damnatio haereticorum variorum[2].

[Ex forma anathematis edita 20. Aug. 1229(?).]

444 Excommunicamus et anathematizamus universos hae-
(375) reticos: Catharos, Patarenos, Pauperes de Lugduno,
Passaginos, Iosepinos, Arnaldistas, Speronistas et alios,
quibuscunque nominibus censeantur: facies quidem habentes diversas, sed caudas ad invicem colligatas, quia
de vanitate conveniunt in idipsum. . . .

De materia et forma ordinationis[3].

[Ex ep. ad Olaum Episc. Lundensem, 9. Dec. 1232.]

445 Presbyter et diaconus cum ordinantur, manus im- 957
(376) positionem tactu corporali, ritu ab Apostolis intro-
ducto, recipiunt; quod si omissum fuerit, non est aliquatenus iterandum, sed statuto tempore ad huiusmodi
ordines conferendos, caute supplendum quod per errorem
exstitit praetermissum. Suspensio autem manuum debet
fieri, cum oratio super caput effunditur ordinandi.

De matrimonii condicionati invaliditate[4].

[Ex fragmentis Decretorum n. 104, ca. 1227—1234.]

446 Si conditiones contra substantiam coniugii inseran- 969
(377) tur, puta, si alter dicat alteri: contraho tecum, si generationem prolis evites, vel: donec inveniam aliam honore
vel facultatibus digniorem, aut: si pro quaestu adulteran-
dam te tradas: matrimonialis contractus, quantumcunque
sit favorabilis, caret effectu; licet aliae conditiones
appositae in matrimonio, si turpes aut impossibiles fuerint,
debeant propter eius favorem pro non adiectis haberi.

---

[1] Cf. GREG. IX et IOH. XXII ap. Bar(Th) ad 1231 n. 48 (21, 46a)
et ad 1317 n. 15 (24, 49b sq).
[2] CIC Decr. Greg. V, 7, 15: Frdbg II 789; Rcht II 760; Pth 9675
(cf. 8445); cf. Bar(Th) ad 1229 n. 37 sqq (21, 11a sqq).
[3] CIC Decr. Greg. I, 16, 3: Frdbg II 135; Rcht II 130; Pth 9056.
[4] CIC Decr. Greg. IV, 5, 7: Frdbg II 684; Rcht II 659 sq; Pth 9664;
Msi XXIII 141A.

De materia baptismi [1].

[Ex ep. «Cum, sicut ex» ad Sigurdum Archiepisc. Nidrosiensem[2], 8. Iul. 1241.]

357   Cum, sicut ex tua relatione didicimus, nonnunquam 447 propter aquae penuriam infantes terrae tuae contingat in cerevisia baptizari: tibi tenore praesentium respondemus, quod cum secundum doctrinam evangelicam oporteat ex aqua et Spiritu Sancto renasci, non debent reputari rite baptizati, qui in cerevisia baptizantur.

De usura [3].

[Ex ep. ad fratrem R., in fragm. Decr. n. 69, temp. incerti.]

475   Naviganti vel eunti ad nundinas certam mutuans pe- 448 cuniae quantitatem, eo quod suscipit in se peri- (378) culum, recepturus aliquid ultra sortem, usurarius [non?] est censendus. Ille quoque, qui dat X solidos, ut alio tempore totidem sibi grani, vini et olei mensurae reddantur: quae, licet tunc plus valeant, utrum plus vel minus solutionis tempore fuerint valiturae, verisimiliter dubitatur: non debet ex hoc usurarius reputari. Ratione huius dubii etiam excusatur, qui pannos, granum, vinum, oleum vel alias merces vendit, ut amplius, quam tunc valeant, in certo termino recipiat pro eisdem, si tamen ea tempore contractus non fuerat venditurus.

COELESTINUS IV 1241.

INNOCENTIUS IV 1243—1254.

Conc. LUGDUNENSE I 1245.

Oecumenicum XIII (contra Fredericum II).

Non emisit decreta dogmatica.

---

[1] Bar(Th) ad 1241 n. 42 (21, 241 b); Pth 11048.
[2] Drontheim, Norvegiae.
[3] CIC Decr. Greg. V, 19, 19: Frdbg II 816; Rcht II 787; Pth 9678; Msi XXIII 131 E sq.

ALEXANDER IV 1254—1261.

Errores Guilelmi de Sancto Amore (de Mendicantibus) [1].

[Damnati in Constit. «Romanus Pontifex», 5. Oct. 1256.]

449 (1) Religiosi mendicantes, etsi a Summo Pontifice et
(381) ab episcopo missi sunt, praedicare non possunt, nisi
a plebanis fuerint invitati.

450 (2) ... videtur (tamen), quod salva ecclesiastica Hierarchia
praedicationis officium regularibus viris committi non possit....

451 (3) De Evangelio non possunt vivere.

452 (4) Vivere debent de labore corporis.

453 (5) Periculum est in mendicando, quoniam qui de mendi-
citate vivere volunt, fiunt adulatores, detractores, mendaces
et furès, et a iustitia declinantes.

454 (6) Omnia pro Christo relinquere, et sequi Christum mendicando, non est opus perfectionis. ...

455 (8) Regularibus, quos Ecclesia mendicare permittit, mendicare non licet, cum faciant contra Apostolum et alias
Scripturas. ... Quapropter si etiam confirmatum esset ab
Ecclesia per errorem, nihilominus comperta veritate revocari
deberet. ...

456 (12) Valido mendicanti facienda non est eleemosyna.

457 (13) Mendicans validus graviter delinquit: ergo qui
scienter se ponit in tali statu, videtur, quod non sit in
statu salvandorum. ...

458 (16) Fratres non sunt admittendi in societatem schola-
sticam saecularium magistrorum nisi de ipsorum voluntate.
Nam cum sint in statu perfectionis, tenentur ad consilia.
Consilium autem Domini est Mt 23, 8: «Nolite vocari Rabbi.»
Cum ergo velint docere sollemniter, faciunt, ut vocentur
magistri, et sic vivunt contra Domini consilium, et ita publice
peccant et scandalizant: et sic sunt evitandi. ...

459 (19) Fratribus ab episcopo vel Papa canonice destinatis
confessus non satisfacit statuto «Omnis utriusque
sexus» [de confessione annua v. n. 437]. Nam praeceptum est prae-
latis curam animarum habentibus, quod ipsi cognoscant vultus
pecorum suorum i. e. conscientias subditorum suorum. Constat
autem, quod animos et actus singulorum non potest praelatus
considerare, nisi audiendo confessiones illorum. ... [n. 491 sqq].

---

[1] Gotti, Verit. relig. christ. II 375; Pth 16565; cf. DuPl I, I 168 sqq; DCh I
331 sqq; BR(T) 3, 644 a sqq; MBR 1, 112 a sq; cf. Bar(Th) ad 1256 n. 22 sq
(21, 508 b sq). — Damnatio haec pluries repetita est, v. g. in Const.
Veri solis radiis 17. Oct. 1256, *«Non sine multa cordis amaritudine»*
19, Oct. 1256 et *«Quidam Scripturae sacrae»* 19. Oct. 1256. Cf. DCh II 293.

URBANUS IV 1261—1264.   CLEMENS IV 1265—1268.

GREGORIUS X 1271—1276.
Conc. LUGDUNENSE II 1274.

Oecumenicum XIV (de unione Graecorum).

Constitutio de processione Spiritus Sancti [1].

[«De summa Trinitate et fide catholica.»]

39
83
86
369
463
691
1084

Fideli ac devota professione fatemur, quod Spiritus 460
Sanctus aeternaliter ex Patre et Filio, non tanquam (382)
ex duobus principiis, sed tanquam ex uno principio,
non duabus spirationibus, sed unica spiratione procedit: hoc professa est hactenus, praedicavit et docuit,
hoc firmiter tenet, praedicat, profitetur et docet sacrosancta Romana Ecclesia, mater omnium fidelium et
magistra: hoc habet orthodoxorum Patrum atque Doctorum, Latinorum pariter et Graecorum incommutabilis
et vera sententia.   Sed quia nonnulli propter irrefraga-
bilis praemissae veritatis ignorantiam in errores varios
sunt prolapsi: Nos huiusmodi erroribus viam praecludere
cupientes, sacro approbante Concilio, damnamus et reprobamus, qui negare praesumpserint, aeternaliter
Spiritum Sanctum ex Patre et Filio procedere:
sive etiam temerario ausu asserere, quod Spiritus Sanctus ex Patre et Filio, tanquam ex duobus principiis,
et non tanquam ex uno, procedat.

Professio fidei Michaelis Palaeologi [2].

Credimus sanctam Trinitatem, Patrem et Filium et 461
Spiritum Sanctum, unum Deum omnipotentem totam- (383)
que in Trinitate deitatem coessentialem et consubstan-

---

[1] Msi XXIV 81 B; Pth 20950; Hrd VII 705; cf. Hfl VI 132 sqq;
Bar(Th) ad 1274 n. 1 sqq (22, 321 sqq).
[2] Msi XXIV 70 A sq; Hrd VII 694 C sqq; Hfl VI 139 nota; cf.
Bar(Th) ad 1274 n. 19 (22, 329 a). — Haec fidei professio anno 1267
a CLEMENTE IV Michaeli Palaeologo proposita et ab hoc in Concilio LUGDUN. II GREGORIO X oblata est. Usque ad verba: «Haec
est vera fides» est illa ipsa, quae paucis verbis mutatis per interrogationes
et responsiones emittitur in consecrationibus episcoporum iuxta «Statuta
ecclesiae antiqua» (quae olim falso habebantur pro «decretis concilii
Carthaginensis IV»; cf. n. 150 sqq; n. 343 sqq; ML 56, 879 B sq).

tialem, coaeternam, et coomnipotentem, unius voluntatis,
potestatis et maiestatis, creatorem omnium creaturarum,
a quo omnia, in quo omnia, per quem omnia, quae
sunt in coelo et in terra, visibilia, invisibilia, corporalia
et spiritualia. Credimus singulam quamque in Trinitate
personam unum verum Deum, plenum et perfectum.

462 Credimus ipsum Filium Dei, Verbum Dei, aeter- 148
(384) naliter natum de Patre, consubstantialem, coomnipotentem
et aequalem per omnia Patri in divinitate, temporaliter
natum de Spiritu Sancto et Maria semper Virgine, cum
anima rationali; duas habentem nativitates, unam ex
Patre nativitatem aeternam, alteram ex matre temporalem: Deum verum et hominem verum, proprium in
utraque natura atque perfectum, non adoptivum,
nec phantasticum, sed unum et unicum Filium Dei, in
duabus et ex duabus naturis, divina scilicet et humana,
in unius personae singularitate, impassibilem et immortalem divinitate, sed in humanitate pro nobis et salute
nostra passum vera carnis passione, mortuum et sepultum,
et descendisse ad inferos, ac tertia die resurrexisse a
mortuis vera carnis resurrectione: die quadragesima post
resurrectionem cum carne, qua resurrexit, et anima ascendisse in coelum, et sedere ad dextram Dei Patris, inde
venturum iudicare vivos et mortuos, et redditurum unicuique secundum opera sua, sive bona fuerint sive mala.

463 Credimus et Spiritum Sanctum, plenum et per- 460
fectum verumque Deum ex Patre Filioque procedentem,
coaequalem et consubstantialem et coomnipotentem et
coaeternum per omnia Patri et Filio. Credimus hanc sanctam Trinitatem non tres Deos, sed unicum Deum omnipotentem, aeternum et invisibilem et incommutabilem.

464 Credimus sanctam catholicam et apostolicam unam 1821
esse veram Ecclesiam, in qua unum datur sanctum
baptisma et vera omnium remissio peccatorum. Credimus
etiam veram resurrectionem huius carnis, quam nunc
gestamus, et vitam aeternam. Credimus etiam Novi et
Veteris Testamenti, Legis, ac Prophetarum et Apostolorum, unum esse auctorem Deum ac Dominum omni-
(387) potentem. Haec est vera fides catholica, et hanc in supradictis articulis tenet et praedicat sacrosancta Romana

Ecclesia. Sed propter diversos errores, a quibusdam ex ignorantia et ab aliis ex malitia introductos, dicit et praedicat, eos, qui post baptismum in peccata labuntur, non rebaptizandos, sed per veram poenitentiam suorum con-
693 sequi veniam peccatorum. Quod si vere poenitentes in caritate decesserint, antequam dignis poenitentiae fructibus de commissis satisfecerint et omissis: eorum
983 animas poenis purgatoriis seu catharteriis, sicut nobis frater Ioannes explanavit, post mortem purgari: et ad poenas huiusmodi relevandas prodesse eis fidelium vivorum suffragia, Missarum scilicet sacrificia, orationes et eleemosynas et alia pietatis officia, quae a fidelibus pro aliis fidelibus fieri consueverunt secundum Ecclesiae instituta. Illorum autem animas, qui post sacrum baptisma susceptum nullam omnino peccati maculam incurrerunt, illas etiam, quae post contractam peccati maculam, vel in suis manentes corporibus, vel eisdem exutae, prout superius dictum est, sunt purgatae, mox in coelum recipi. Illorum autem animas, qui in mortali peccato vel cum solo originali decedunt, mox in infernum descendere, poenis tamen disparibus puniendas. Eadem sacrosancta Ecclesia Romana firmiter credit et firmiter asseverat, quod nihilominus in die iudicii omnes homines ante tribunal Christi cum suis corporibus comparebunt, reddituri de propriis factis rationem.

844 Tenet etiam et docet eadem sancta Romana Ecclesia, 465 septem esse ecclesiastica sacramenta, unum scilicet (388) baptisma, de quo dictum est supra; aliud est sacramentum confirmationis, quod per manuum impositionem episcopi conferunt, chrismando renatos; aliud est poenitentia, aliud Eucharistia, aliud sacramentum ordinis, aliud est matrimonium, aliud extrema unctio, quae secundum doctrinam beati Iacobi infirmantibus adhibetur. Sacramentum Eucharistiae ex azymo conficit eadem Romana Ecclesia, tenens et docens, quod in ipso sacramento panis vere transsubstantiatur in corpus et vinum in sanguinem Domini nostri Iesu Christi. De matrimonio vero tenet, quod nec unus vir plures uxores simul, nec una mulier permittitur habere plures viros. Soluto vero legitimo matrimonio per mortem coniugum

alterius, secundas et tertias deinde nuptias successive
licitas esse dicit: si impedimentum canonicum aliud ex
causa aliqua non obsistat.

466   Ipsa quoque sancta Romana Ecclesia summum et 1826
(389) plenum primatum et principatum super universam
Ecclesiam catholicam obtinet; quem se ab ipso Domino
in beato PETRO Apostolorum principe sive vertice,
cuius Romanus Pontifex est successor, cum potestatis
plenitudine recepisse veraciter et humiliter recognoscit.
Et sicut prae ceteris tenetur fidei veritatem defendere:
sic et si quae de fide subortae fuerint quaestiones,
suo debent iudicio definiri. Ad quam potest gravatus
quilibet super negotiis ad ecclesiasticum forum pertinentibus appellare: et in omnibus causis ad examen ecclesiasticum spectantibus ad ipsius potest iudicium recurri:
et eidem omnes ecclesiae sunt subiectae, ipsarum
praelati oboedientiam et reverentiam sibi dant. Ad hanc
autem sic potestatis plenitudo consistit, quod ecclesias
ceteras ad sollicitudinis partem admittit; quarum multas
et patriarchales praecipue diversis privilegiis eadem
Romana Ecclesia honoravit, sua tamen observata praerogativa tum in generalibus Conciliis, tum in aliquibus
aliis semper salva.

INNOCENTIUS V 1276. MARTINUS IV 1281—1285.
HADRIANUS V 1276. HONORIUS IV 1285—1287.
IOHANNES XXI 1276—1277. NICOLAUS IV 1288—1292.
NICOLAUS III 1277—1280. S. COELESTINUS V 1294 († 1295).

BONIFACIUS VIII 1294—1303.

De indulgentiis [1].

[Ex Bulla Iubilaei «Antiquorum habet», 22. Febr. 1300.]

467   Antiquorum habet fida relatio, quod accedentibus 989
ad honorabilem basilicam principis Apostolorum de urbe
concessae sunt magnae remissiones et indulgentiae
peccatorum. Nos . . . huiusmodi remissiones et indulgentias omnes et singulas ratas et gratas habentes, ipsas
auctoritate apostolica confirmamus et approbamus. . . .

---

[1] CIC Extr. comm. V, 9, 1: Frdbg II 1303; Rcht II 1218; Pth 24 917;
BR(T) 4, 156 b; MBR 1, 179 a; Bar(Th) ad 1300 n. 4 (23, 263 b sq).

De unitate et potestate Ecclesiae [1].

[Bulla «Unam sanctam», 18. Nov. 1302.]

1821   Unam sanctam Ecclesiam catholicam et ipsam 468
apostolicam urgente fide credere cogimur et tenere, (1785)
nosque hanc firmiter credimus et simpliciter confitemur,
extra quam nec salus est, nec remissio peccatorum, sponso in Canticis proclamante: *Una est
columba mea, perfecta mea. Una est matri suae, electa
genitrici suae* [Ct 6, 8]; quae unum corpus mysticum
repraesentat, cuius caput Christus, Christi vero Deus.
In qua «*unus Dominus, una fides, unum baptisma*»
[Eph 4, 5]. Una nempe fuit diluvii tempore arca Noe,
unam Ecclesiam praefigurans, quae in uno cubito consummata unum, Noe videlicet, gubernatorem habet et
rectorem, extra quam omnia subsistentia super terram
legimus fuisse deleta.   Hanc autem veneramur et unicam, dicente Domino in Propheta: «*Erue a framea,
Deus, animam meam, et de manu canis unicam meam*»
[Ps 21, 21]. Pro anima enim id est pro se ipso capite
simul oravit et corpore, quod corpus unicam scl. Ecclesiam nominavit, propter sponsi, fidei, sacramentorum
et caritatis Ecclesiae unitatem.   Haec est *tunica* illa
Domini *inconsutilis* [Io 19, 23], quae scissa non fuit, sed
sorte provenit. Igitur Ecclesiae unius et unicae unum
corpus, unum caput, non duo capita quasi mon-
strum, Christus videlicet et Christi vicarius PETRUS,
PETRIque successor, dicente Domino ipsi PETRO:

---

[1] CIC Extr. comm. I, 8, 1: Frdbg II 1245; Rcht II 1159 sq; Pth
25189; Bar(Th) ad 1302 n. 13 (23, 303 sq); cf. Hfl VI 346 sqq. —
Philippus IV, Franciae rex, hac bulla abusus est dicens, Papam potestatem directam super reges habere etiam in puris temporalibus
hac bulla definiri; sed hoc BONIFACIUS nullo modo intendit, qui in
consistorio hac de re habito expresse declaravit, falso impositum sibi
esse «quod nos mandaveramus regi, quod recognosceret regnum a
nobis.   Quadraginta anni sunt, quod nos sumus experti in iure, et
scimus, quod duae sunt potestates ordinatae a Deo; quis ergo debet
credere vel potest, quod tanta fatuitas, tanta insipientia sit vel fuerit
in capite nostro? Dicimus, quod in nullo volumus usurpare iurisdictionem regis; et sic frater noster Portuensis dixit.   Non potest negare rex seu quicunque alter fidelis, quin sit nobis subiectus ratione
peccati». Cf. Du Puy, Histoire du différend etc. 77.

«Pasce oves meas» [Io 21, 17]. Meas, inquit, et generaliter, non singulariter has vel illas: per quod commisisse sibi intelligitur u n i v e r s a s. Si ergo Graeci sive alii se dicant PETRO eiusque successoribus non esse commissos: fateantur necesse se de ovibus Christi non esse, dicente Domino in Ioanne: *unum ovile et unicum esse pastorem* [Io 10, 16].

469
(1788) In hac eiusque potestate duos esse gladios, spiritu- alem videlicet et temporalem, evangelicis dictis in- struimur. . . . Uterque ergo est in potestate Ecclesiae, spiritualis scilicet gladius et materialis. Sed is quidem pro Ecclesia, ille vero ab Ecclesia exercendus. Ille sacerdotis, is manu regum et militum, sed ad nutum et patientiam sacerdotis. Oportet autem gladium esse sub gladio, et t e m p o r a l e m auctoritatem s p i r i t u a l i s u b i c i potestati. . . . Spiritualem et dignitate et no- bilitate terrenam quamlibet praecedere potestatem opor- tet tanto clarius nos fateri, quanto spiritualia temporalia antecellunt. . . . Nam veritate testante, spiritualis po- testas terrenam potestatem instituere habet, et iudicare, si bona non fuerit. . . . Ergo si deviat terrena potestas, iudicabitur a potestate spirituali; sed, si deviat spiritualis minor, a suo superiore; si vero suprema, a solo Deo, n o n a b h o m i n e p o t e r i t i u d i c a r i. Testante Apo- stolo: *Spiritualis homo iudicat omnia, ipse autem a nemine iudicatur* [1 Cor 2, 15]. Est autem haec auctoritas etsi data sit homini, et exerceatur per hominem, non humana, sed potius divina, ore divino PETRO data sibique suisque successoribus in ipso, quem confessus fuerit petra, firmata, dicente Domino ipsi PETRO: *«Quodcunque ligaveris»* etc. [Mt 16, 19]. Quicunque igitur huic potestati a Deo sic ordinatae resistit, Dei ordinationi resistit, nisi duo sicut Manichaeus fingat esse principia, quod falsum et haereticum iudicamus, quia, testante Moyse, non in principiis, sed *in principio coelum Deus creavit et terram* [cf. Gn 1, 1]. Porro s u b e s s e R o m a n o P o n t i f i c i omni humanae creaturae declaramus, dicimus, definimus et pronuntiamus omnino esse d e n e c e s s i t a t e s a l u t i s.

BENEDICTUS XI 1303—1304.

De confessione peccatorum iterata [1].

[Ex Constit. «Inter cunctas sollicitudines», 17. Febr. 1304.]

894   ... Licet ... de necessitate non sit, iterum eadem 470 confiteri peccata: tamen, quia propter erubescentiam, quae magna est poenitentiae pars, ut eorundem peccatorum iteretur confessio, reputamus salubre, districte iniungimus, ut Fratres [Praedicatores et Minores] ipsi confitentes attente moneant, et in suis praedicationibus exhortentur, quod suis sacerdotibus saltem semel confiteantur in anno, asserendo, id ad animarum profectum procul dubio pertinere.

CLEMENS V 1305—1314.

Conc. VIENNENSE 1311—1312.

Oecumenicum XV (Templarii aboliti).

Errores Beguardorum et Beguinarum (de statu perfectionis) [2].

(1) Quod homo in vita praesenti tantum et talem per- 471 fectionis gradum potest acquirere, quod reddetur penitus (399) impeccabilis et amplius in gratia proficere non valebit: nam, ut dicunt, si quis semper posset proficere, posset aliquis Christo perfectior inveniri.

(2) Quod ieiunare non oportet hominem nec orare, post- 472 quam gradum perfectionis huiusmodi fuerit assecutus; quia tunc sensualitas est ita perfecte spiritui et rationi subiecta, quod homo potest libere corpori concedere quidquid placet.

(3) Quod illi, qui sunt in praedicto gradu perfectionis et 473 spiritu libertatis, non sunt humanae subiecti oboedientiae, nec ad aliqua praecepta Ecclesiae obligantur; quia (ut asserunt) ubi spiritus Domini, ibi libertas.

(4) Quod homo potest ita finalem beatitudinem se- 474 cundum omnem gradum perfectionis in praesenti assequi, sicut eam in vita obtinebit beata.

---

[1] CIC Extr. comm. V, 7, 1: Frdbg II 1298 sq; Rcht II 1213   Pth 25370; cf. Bar(Th) ad 1304 n. 21 (23, 355 b).
[2] CIC Clem. V, 3, 3: Frdbg II 1183; Rcht II 1100; Msi XXV 410 A; Hrd VII 1358 E sq; Gotti, Verit. relig. christ. II 382; cf. Hfl VI 544; Bar(Th) ad 1312 n. 17 sq (23, 514 a sqq).

475   (5) Quod quaelibet intellectualis natura in se ipsa natura-
(403) liter est beata, quodque anima non indiget lumine gloriae,
ipsam elevante ad Deum videndum et eo beate fruendum.

476   (6) Quod se in actibus exercere virtutum est hominis
imperfecti, et perfecta anima licentiat a se virtutes.

477   (7) Quod mulieris osculum, cum ad hoc natura non inclinet, est mortale peccatum; actus autem carnalis, cum ad
hoc natura inclinet, peccatum non est, maxime cum tentatur
exercens.

478   (8) Quod in elevatione corporis Iesu Christi non
debent assurgere, nec eidem reverentiam exhibere: asserentes,
quod esset imperfectionis eisdem, si a puritate et altitudine
suae contemplationis tantum descenderent, quod circa ministerium seu sacramentum Eucharistiae aut circa passionem
humanitatis Christi aliqua cogitarent.

De usura [1].

[Ex Constit. «Ex gravi ad nos».]

479   Si quis in illum errorem inciderit, ut pertinaciter affir-   1475
(407) mare praesumat, exercere usuras non esse pecca-
tum, decernimus eum velut haereticum puniendum.

Errores Petri Ioannis Olivi (de incarnatione, anima,   31
baptismo) [2].   148
170
203
[Ex Constit. «De Summa Trinitate et fide catholica».]   235
338
480   Fidei catholicae *fundamento*, *praeter quod*, teste   348
(408) Apostolo, *nemo potest aliud ponere* [1 Cor 3, 11], firmiter 738
inhaerentes, aperte cum sancta matre Ecclesia confitemur, 1655
unigenitum Dei Filium in iis omnibus, in quibus Deus
Pater exsistit, una cum Patre aeternaliter subsistentem,
partes nostrae naturae simul unitas, ex quibus ipse in
se verus Deus exsistens fieret verus homo, humanum
videlicet corpus passibile et animam intellectivam
seu rationalem, ipsum corpus vere per se et

---

[1] CIC Clem. V, 5: Frdbg II 1184; Rcht II 1101; Msi XXV 411 D;
Hrd VII 1360 A; cf Hfl VI 546; Bar(Th) ad 1312 n. 21 (23, 523 b).
[2] CIC Clem. I, 1: Frdbg II 1133 sq; Rcht II 1057 sq; Msi XXV
410 E sq; Hrd VII 1359 C sq; cf. Hfl VI 536 sq; Bar(Th) ad 1312
n. 19 sq (23, 522 a sqq). — Petrus Ioannis Olivi O. Fr. M. natus
1248 in oppido quodam Galliae. Decessit pulcherrima fidei professione
edita 14. Martii 1298 (vel 1297) [Hrt II [3] 404 sqq].

essentialiter informantem, assumpsisse ex tempore in virginali thalamo ad unitatem suae hypostasis et personae. Et quod in hac assumpta natura ipsum Dei Verbum pro omnium operanda salute non solum affigi cruci et in ea mori voluit, sed etiam emisso iam spiritu perforari lancea sustinuit latus suum, ut exinde profluentibus undis aquae et sanguinis formaretur unica et immaculata ac virgo sancta mater Ecclesia, coniux Christi, sicut de latere primi hominis soporati Eva sibi in coniugium est formata, ut sic certae figurae primi et veteris Adae, *qui* secundum Apostolum *est forma futuri* [Rom 5, 14], in nostro novissimo Adam, id est Christo, veritas responderet. Haec est, inquam, veritas, illius praegrandis aquilae vallata testimonio, quam Propheta vidit Ezechiel animalibus ceteris evangelicis transvolantem, beati Ioannis videlicet, Apostoli et Evangelistae, qui sacramenti huius rem gestam narrans et ordinem in Evangelio suo dixit: «*Ad Iesum autem cum venissent, ut viderunt eum iam mortuum, non fregerunt eius crura, sed unus militum lancea latus eius aperuit, et continuo exivit sanguis et aqua; et qui vidit, testimonium perhibuit, et verum est testimonium eius, et ille scit, quia vera dicit, ut [et] vos credatis*» [Io 19, 33 sqq]. Nos igitur ad tam praeclarum testimonium ac sanctorum Patrum et Doctorum communem sententiam apostolicae considerationis, ad quam dumtaxat haec declarare pertinet, aciem convertentes, sacro approbante Concilio, declaramus, praedictum Apostolum et Evangelistam Ioannem rectum in praemissis factae rei ordinem tenuisse, narrando, quod Christo iam mortuo, unus militum lancea latus eius aperuit.

Porro doctrinam omnem seu positionem temere asserentem, aut vertentem in dubium, quod substantia animae rationalis seu intellectivae vere ac per se humani corporis non sit forma, velut erroneam ac veritati catholicae inimicam fidei, praedicto sacro approbante Concilio reprobamus: definientes, ut cunctis nota sit fidei sincerae veritas ac praecludatur universis erroribus aditus, ne subintrent, quod quisquis deinceps asserere, defendere seu tenere pertinaciter praesumpserit, quod

481
(409)

anima rationalis seu intellectiva non sit forma
corporis humani per se et essentialiter, tanquam
haereticus sit censendus.

482 Ad hoc baptisma unicum baptizatos omnes in 857
(410) Christo regenerans est, sicut *unus Deus,* ac *fides unica*
[Eph 4, 5], ab omnibus fideliter confitendum, quod cele-
bratum in aqua in nomine Patris et Filii et Spiritus
Sancti credimus esse tam adultis quam parvulis communiter perfectum remedium ad salutem.

483 Verum quia quantum ad effectum baptismi in parvulis
reperiuntur doctores quidam theologi opiniones contrarias habuisse, quibusdam ex ipsis dicentibus, per virtutem baptismi parvulis quidem culpam remitti, sed
gratiam non conferri, aliis econtra asserentibus, quod
et culpa iisdem in baptismo remittitur, et virtutes
ac informans gratia infunduntur quoad habitum
[v. n. 410], etsi non pro illo tempore quoad usum: Nos
autem attendentes generalem efficaciam mortis Christi,
quae per baptisma applicatur pariter omnibus baptizatis,
opinionem secundam, quae dicit, tam parvulis quam adultis conferri in baptismo informantem gratiam et virtutes,
tanquam probabiliorem, et dictis Sanctorum et doctorum
modernorum theologiae magis consonam et concordem,
sacro approbante Concilio duximus eligendam.

IOHANNES XXII 1316—1334.

Errores Fraticellorum (de Ecclesia et sacramentis)[1].

[Damnati in Constit. «S. Romana atque universalis Eccl.», 1. Ian. 1317.]

484 Praedicti temeritatis atque impietatis filii, ut habet fide 844
(412) digna relatio, ad eam sunt mentis inopiam devoluti, quod ad-182
versus praeclarissimam et saluberrimam christianae fidei veritatem impie sentiunt, sacramenta Ecclesiae veneranda
contemnunt et in gloriosum Ecclesiae Romanae primatum,
cunctis nationibus percellendum, ab ipso conterendi citius
impetu caeci furoris impingunt. . . .

485 (1) Primus itaque error, qui de istorum officina tenebrosa
prorumpit, duas fingit ecclesias, unam carnalem, divitiis

---

[1] DuPl I, I 291 a sq; Gotti, Verit. relig. christ. II 379; cf. CIC Extr.
1OH. XXII, 7: Frdbg II 1213 sq; Rcht II 1128 sq.

pressam, effluentem divitiis [*al.* deliciis], sceleribus maculatam,
cui Romanum praesulem aliosque inferiores praelatos dominari asserunt; aliam spiritualem, frugalitate mundam, virtute
decoram, paupertate succinctam, in qua ipsi soli eorumque
complices continentur, cui etiam ipsi spiritualis vitae merito,
si qua fides est adhibenda mendaciis, principantur. . . .

(2) Secundus error, quo praedictorum insolentium con-486
scientia maculatur, venerabiles Ecclesiae sacerdotes aliosque (414)
ministros sic iurisdictionis et ordinis clamitat auctoritate de-
sertos, ut nec sententias ferre, nec sacramenta conficere, nec
subiectum populum instruere valeant vel docere, illos fingen-
tes omni ecclesiastica potestate privatos, quos a sua perfidia
viderint alienos: quia apud ipsos solos (ut ipsi somniant)
sicut spiritualis vitae sanctitas, sic auctoritas perseverat, in
qua re Donatistarum sequuntur errorem. . . .

(3) Tertius istorum error in Waldensium errore coniurat, 487
quoniam et ii et illi in nullum eventum asserunt fore iurandum,
dogmatizantes mortalis criminis contagione pollui et poena
teneri, quos contigerit i u r a m e n t i religione constringi. . . .

(4) Quarta huiusmodi impiorum blasphemia de praedic-488
torum Waldensium venenato fonte prorumpens, sacerdotes
rite etiam et legitime secundum formam Ecclesiae ordinatos,
quibuslibet tamen criminibus pressos, non posse conficere
vel conferre ecclesiastica sacramenta confingit. . . .

(5) Quintus error sic istorum hominum mentes obcaecat, 489
ut Evangelium Christi in se solis hoc in tempore asserant
esse completum, quod hactenus (ut ipsi somniant) obtectum
fuerat, immo prorsus exstinctum. . . .

Multa sunt alia, quae isti praesumptuosi homines contra 490
coniugii venerabile sacramentum garrire dicuntur, multa, quae
de cursu temporum et fine saeculi somniant, multa, quae de
Antichristi adventu, quae iamiam instare asserunt, flebili vanitate divulgant. Quae omnia, quia partim haeretica, partim insana, partim fabulosa cognoscimus, damnanda potius cum suis
auctoribus, quam stylo prosequenda aut refellenda censemus. . . .

Errores Ioannis de Polliaco (de confessione) [1].

[Recensiti et damnati in Const. «Vas electionis», 21. Iulii 1321.]

894   (1) Quod c o n f e s s i f r a t r i b u s habentibus licentiam 491
generalem audiendi confessiones, tenentur eadem peccata, (420)
quae confessi fuerant, i t e r u m confiteri proprio sacerdoti.

---

[1] DCh II 798; DuPl I, I 301; CIC Extr. comm. V, 3, 2: Frdbg II 1291;
Rcht II 1207; Gotti l. c. II 377 a; Bar(Th) ad 1321 n. 37 (24, 161 a). —

492   (2) Quod stante statuto «Omnis utriusque sexus» edito in
(421) Concilio generali [LATER. IV v. n. 437] Romano Pontifex non
potest facere, quod parochiani non teneantur confiteri omnia
peccata sua semel in anno proprio sacerdoti, quem
dicit esse parochialem curatum; immo nec Deus posset hoc
facere; quia . . . implicat contradictionem.

493   (3) Quod Papa non potest dare generalem potestatem
audiendi confessionem, immo nec Deus, quin confessus habenti
generalem licentiam teneatur eadem iterum confiteri suo proprio sacerdoti, quem dicit esse, ut praemittitur, parochialem
curatum.

De paupertate Christi [1].

[Ex Constit. «Cum inter nonnullos», 13. Nov. 1323.]

494   Cum inter nonnullos viros scholasticos saepe contingat in 148
(419) dubium revocari, utrum pertinaciter affirmare, Redemptorem
nostrum ac Dominum Iesum Christum eiusque Apostolos in
speciali non habuisse aliqua nec in communi etiam, haereticum sit censendum, diversa et adversa etiam sentientibus
circa illud: Nos, huic concertationi finem imponere cupientes,
assertionem huiusmodi pertinacem — cum Scripturae sacrae,
quae in plerisque locis ipsos nonnulla habuisse asserit, contradicat expresse, ipsamque Scripturam sacram, per quam
utique fidei orthodoxae probantur articuli, quoad praemissa
fermentum aperte supponat continere mendacii, ac per consequens, quantum in ea est, eius in totum fidem evacuans,
fidem catholicam reddat, eius probationem adimens, dubiam
et incertam — deinceps erroneam fore censendam et haereticam, de fratrum nostrorum consilio hoc perpetuo declaramus
edicto.   Rursus in posterum pertinaciter affirmare, quod
Redemptori nostro praedicto eiusque Apostolis, iis quae ipsos
habuisse Scriptura sacra testatur, nequaquam ius ipsis utendi
competierit, nec illa vendendi seu donandi ius habuerint aut
ex ipsis alia acquirendi, quae tamen ipsos de praemissis
fecisse Scriptura sacra testatur seu ipsos potuisse facere supponit expresse; cum talis assertio ipsorum usum et gesta

---

Ioannes de Polliaco (Pouilly) scripsit opus «Quodlibeta» universam
fere theologiam complectens; errores suos ipse retractavit. Mortuus
est post a. 1321 [Hrt II [3] 488 sq].

    [1] DuPl I, I 295 b sq; CIC Extr. IOH. XXII 14, 4: Frdbg II 1229 sq;
Rcht II 1143 sq; Bar(Th) ad 1323 n. 61 (24, 332 b). — Quomodo haec
IOHANNIS XXII definitio non obstet constitutioni NICOLAI III
«Exiit qui seminat seminare», vide apud Natalem Alex., Hist. eccl.
saec. XIII et XIV diss. 11 art. 1.

evidenter includat, in praemissis non iusta: quod utique de
usu, gestis seu factis Redemptoris nostri Dei Filii sentire
nefas est, sacrae Scripturae contrarium et doctrinae catholicae inimicum: assertionem ipsam pertinacem, de fratrum
nostrorum consilio, deinceps erroneam fore censendam merito ac haereticam declaramus.

Errores Marsilii Patavini et Ioannis de Ianduno
(de constitutione Ecclesiae) [1].

[Recensiti et damnati in Const. «Licet iuxta doctrinam», 23. Oct. 1327.]

1821   (1) Quod illud, quod de Christo legitur in Evangelio 495
beati Matthaei, quod ipse solvit tributum Caesari, quando sta- (423)
terem, sumptum ex ore piscis [cf. Mt 17, 26], illis qui petebant
didrachma, iussit dari, hoc fecit non condescensive e liberali-
tate sive pietate, sed necessitate coactus.

[Inde concludebat secundum Bullam:]

Quod omnia temporalia Ecclesiae subsunt imperatori, et ea potest accipere velut sua.

(2) Quod beatus Petrus Apostolus non plus auctoritatis 496
habuit, quam alii Apostoli habuerunt, nec aliorum Apostolorum fuit caput.   Item quod Christus nullum caput
dimisit Ecclesiae, nec aliquem vicarium suum fecit.

(3) Quod ad imperatorem spectat, Papam corrigere, in- 497
stituere et destituere ac punire.

(4) Quod omnes sacerdotes, sive sit Papa, sive archi- 498
episcopus, sive sacerdos simplex, sunt ex institutione Christi
auctoritatis et iurisdictionis aequalis.

(5) Quod tota Ecclesia simul iuncta nullum hominem pu- 499
nire potest punitione coactiva, nisi concedat hoc imperator.

Articulos praedictos . . . velut sacrae *Scripturae contrarios* et 500
fidei catholicae inimicos, haereticos, seu *haereticales* et *erroneos,*
necnon et praedictos Marsilium et Ioannem haereticos, immo
haeresiarchas fore manifestos et notorios sententialiter declaramus.

---

[1] DuPl I, I 304 a sq; cf. 397 b; cf. Gotti, Verit. relig. christ. II 385 sqq.
— Marsilius Patavinus, natus a. 1280(?), rector Universitatis Parisiensis erat 1312.   Decessit, Ecclesiae non reconciliatus, ante 10. Apr.
1343. Ioannes de Ianduno cum Marsilio nominatim excommunicatus
est 1327 [Hrt II[3] 529 nota].

Errores Ekardi (de Filio Dei etc.) [1].

[Recensiti et damnati in Const. «In agro dominico», 27. Mart. 1329.]

Interrogatus quandoque, quare Deus mundum non prius produxerit, respondit. . . .

501 (1) Quod Deus non potuit primo producere mundum,
(428) quia res non potest agere, antequam sit; unde quam cito
Deus fuit, tam cito mundum creavit.

502 (2) Item concedi potest mundum fuisse ab aeterno.

503 (3) Item simul et semel, quando Deus fuit, quando Filium
sibi coaeternum per omnia coaequalem Deum genuit, etiam
mundum creavit.

504 (4) Item in omni opere, etiam malo, malo inquam tam
poenae quam culpae, manifestatur et relucet aequaliter
gloria Dei.

505 (5) Item vituperans quempiam vituperio ipso peccato vi-
(432) tuperii laudat Deum, et quo plus vituperat et gravius peccat,
amplius Deum laudat.

506 (6) Item Deum ipsum quis blasphemando Deum laudat.

507 (7) Item quod petens hoc aut hoc malum petit et male,
quia negationem boni et negationem Dei petit, et orat Deum
sibi negari.

508 (8) Qui non intendunt res, nec honores, nec utilitatem,
nec devotionem internam, nec sanctitatem, nec praemium,
nec regnum coelorum, sed omnibus his renuntiaverunt, etiam
quod suum est, in illis hominibus honoratur Deus.

509 (9) Ego nuper cogitavi, utrum ego vellem aliquid recipere
a Deo vel desiderare: ego volo de hoc valde bene deliberare,
quia ubi ego essem accipiens a Deo, ibi essem ego sub eo
vel infra eum, sicut unus famulus vel servus, et ipse sicut
dominus in dando et sic non debemus esse in aeterna vita.

510 (10) Nos transformamur totaliter in Deum et con-
(437) vertimur in eum; simili modo sicut in sacramento panis convertitur in corpus Christi: sic ego convertor in eum, quod
ipse me operatur suum esse unum, non simile; per viventem
Deum verum est, quod ibi nulla est distinctio.

511 (11) Quidquid Deus Pater dedit Filio suo unigenito in 148
humana natura, hoc totum dedit mihi: hic nihil excipio,
nec unionem nec sanctitatem, sed totum dedit mihi sicut sibi.

---

[1] Denifle, Archiv f. Litt. u. KG II (1886) 638 sqq; DuPl I, I 312 a sqq;
Gotti, Verit. relig. christ. II 348 sq. — Ekardus (Eckart) O. Pr., natus
ca. medium saec. 13 Hochheimii Germaniae; docuit Parisiis et Argentorati
[Straßburg]. Errores suos ad Papam delatos iam ante sententiam datam
revocavit. Post eius mortem († 1327) errores damnati sunt [Hrt II³
615 sqq; DCh II 148].

(12) Quidquid dicit sacra Scriptura de Christo, hoc etiam 512
totum verificatur de omni bono et divino homine. (439)

(13) Quidquid proprium est divinae naturae, hoc totum 513
proprium est homini iusto et divino; propter hoc iste homo
operatur quidquid Deus operatur, et creavit una cum Deo
coelum et terram, et est generator Verbi aeterni, et Deus
sine tali homine nesciret quidquam facere.

(14) Bonus homo debet sic conformare voluntatem suam 514
voluntati divinae, quod ipse velit quidquid Deus vult: quia
Deus vult aliquo modo me peccasse, nollem ego, quod
ego peccata non commisissem, et haec est vera poenitentia.

(15) Si homo commisisset mille peccata mortalia, si talis 515
homo esset recte dispositus, non deberet velle se ea non (442)
commisisse.

(16) Deus proprie non praecepit actum exteriorem. 516
(17) Actus exterior non est proprie bonus nec divinus, 517
nec operatur ipsum Deus proprie neque parit.

(18) Afferamus fructum actuum non exteriorum, qui nos 518
bonos non faciunt, sed actuum interiorum, quos Pater in
nobis manens facit et operatur.

(19) Deus animas amat, non opus extra. 519
(20) Quod bonus homo est unigenitus Filius Dei. 520
(21) Homo nobilis est ille unigenitus Filius Dei, quem 521
Pater aeternaliter genuit.

(22) Pater generat me suum Filium et eundem Filium. 522
Quidquid Deus operatur, hoc est unum; propter hoc generat (449)
ipse me suum Filium sine omni distinctione.

(23) Deus est unus omnibus modis et secundum omnem 523
rationem, ita ut in ipso non sit invenire aliquam multitudinem
in intellectu vel extra intellectum; qui enim duo videt vel
distinctionem videt, Deum non videt, Deus enim unus est
extra numerum et supra numerum, nec ponit in unum cum
aliquo. Sequitur: nulla igitur distinctio in ipso Deo
esse potest aut intelligi.

(24) Omnis distinctio est a Deo aliena, neque in natura 524
neque in personis; probatur: quia natura ipsa est una et
hoc unum, et quaelibet persona est una et idipsum unum,
quod natura.

(25) Cum dicitur: *Simon, diligis me plus his?* [Io 21, 15 sq] 525
sensus est, id est plus quam istos, et bene quidem, sed non
perfecte. In primo enim et secundo et plus et minus et
gradus est et ordo, in uno autem nec gradus est nec ordo.
Qui igitur diligit Deum plus quam proximum, bene quidem,
sed nondum perfecte.

526   (26) Omnes creaturae sunt unum purum nihil: non
(453) dico, quod sint quid modicum vel aliquid, sed quod sint
unum purum nihil.

Obiectum praeterea exstitit dicto Ekardo, quod praedicaverat
alios duos articulos sub his verbis:

527   (1) Aliquid est in anima, quod est increatum et in-
creabile, si tota anima esset talis, esset increata et increa-
bilis, et hoc est intellectus.

528   (2) Quod Deus non est bonus neque melior neque op-
timus; ita male dico, quandocunque voco Deum bonum, ac
si ego album vocarem nigrum.

De quibus articulis Bulla deinceps haec habet:

529   ... Nos ... quindecim primos articulos et duos alios ul-
timos tanquam *haereticos,* dictos vero alios undecim tanquam
male sonantes, temerarios, et *suspectos de haeresi,* ac nihilominus libros quoslibet seu opuscula eiusdem Ekardi, praefatos articulos seu eorum aliquem continentes, damnamus
et reprobamus expresse.

BENEDICTUS XII 1334—1342.

De visione Dei beatifica et de novissimis[1].

[Ex Constitutione «Benedictus Deus», 29. Ian. 1336.]

530   Hac in perpetuum valitura constitutione auctoritate 693
(456) apostolica definimus: quod secundum communem Dei
ordinationem animae Sanctorum omnium, qui de
hoc mundo ante Domini nostri Iesu Christi passionem
decesserunt, nec non sanctorum Apostolorum, martyrum,
confessorum, virginum et aliorum fidelium defunctorum
post sacrum ab eis Christi baptisma susceptum, in quibus nihil purgabile fuit, quando decesserunt, nec erit,
quando decedent etiam in futurum, vel si tunc fuerit
aut erit aliquid purgabile in eisdem, cum post mortem
suam fuerint purgatae, ac quod animae puerorum
eodem Christi baptismate renatorum et baptizandorum,
cum fuerint baptizati, ante usum liberi arbitrii decedentium, mox post mortem suam et purgationem praefatam
in illis, qui purgatione huiusmodi indigebant, etiam ante
resumptionem suorum corporum et iudicium generale

---

[1] DuPl I, I 321 b sq; cf. Msi XXV 986 D; BR(T) 4, 346 b; MBR
1, 217 b; Bar(Th) ad 1336 n. 3 (25, 50 b sq).

post ascensionem Salvatoris Domini nostri Iesu Christi
in coelum, fuerunt, sunt et erunt in coelo, coelorum
regno et paradiso coelesti cum Christo, sanctorum Angelorum consortio aggregatae, ac post Domini Iesu Christi
passionem et mortem viderunt et vident divinam essentiam visione intuitiva et etiam faciali, nulla mediante
creatura in ratione obiecti visi se habente, sed divina
essentia immediate se nude, clare et aperte
eis ostendente, quodque sic videntes eadem divina
essentia perfruuntur, necnon quod ex tali visione et
fruitione eorum animae, qui iam decesserunt, sunt vere
beatae et habent vitam et requiem aeternam, et etiam
[animae] illorum, qui postea decedent, eandem divinam
videbunt essentiam ipsaque perfruentur ante iudicium
generale; ac quod visio huiusmodi divinae essentiae
eiusque fruitio actus fidei et spei in eis evacuant,
prout fides et spes propriae theologicae sunt virtutes;
quodque, postquam inchoata fuerit vel erit talis intuitiva
ac facialis visio et fruitio in eisdem, eadem visio et
fruitio sine aliqua intercisione [*al.* intermissione] seu evacua-
tione praedictae visionis et fruitionis continuata exstitit
et continuabitur usque ad finale iudicium et ex tunc
usque in sempiternum.

Definimus insuper, quod secundum Dei ordinationem 531
communem animae decedentium in actuali peccato
mortali mox post mortem suam ad inferna descendunt,
ubi poenis infernalibus crucientur, et quod nihilominus
in die iudicii omnes homines *ante tribunal Christi*
cum suis corporibus comparebunt, reddituri de factis
propriis rationem, «*ut referat unusquisque propria corporis, prout gessit, sive bonum sive malum*» [2 Cor 5, 10].

Errores Armenorum [1].

[Ex libello «Iam dudum» ad Armenos transmisso, a. 1341.]

787   4. Item quod Armeni dicunt et tenent, quod peccatum 532
1024 primorum parentum personale ipsorum tam grave fuit, quod (1793)
omnes eorum filii ex semine eorum propagati usque ad

---

[1] Bar(Th) ad 1341 n. 49 sqq (25, 250 a sqq); cf. Msi XXV 1188 B sqq,
ubi iidem articuli cum responsis concilii Armenorum referuntur.

Christi passionem merito dicti peccati personalis ipsorum
damnati fuerunt et in inferno post mortem detrusi, non
propter hoc, quod ipsi ex Adam aliquod peccatum originale
contraxerint, cum dicant pueros nullum omnino habere
originale peccatum, nec ante Christi passionem nec
post; sed dicta damnatio ante Christi passionem eos seque-
batur ratione gravitatis peccati personalis, quod commiserunt
Adam et Eva, transgrediendo divinum praeceptum eis datum:
sed post Domini passionem, in qua peccatum primorum parentum deletum fuit, pueri, qui nascuntur ex filiis Adam,
non sunt damnationi addicti, nec in inferno ratione dicti
peccati sunt detrudendi, quia Christus totaliter peccatum
primorum parentum delevit in sua passione.

533
(1794)
5. Item quod quidam magister Armenorum vocatus Mechi- 480
triz, qui interpretatur paraclitus, de novo introduxit et docuit,
quod anima humana filii propagatur ab anima patris sui, sicut
corpus a corpore, et angelus etiam unus ab alio; quia cum
anima humana rationalis exsistens, et angelus exsistens intellectualis naturae sint quaedam lumina spiritualia, ex se ipsis
propagant alia lumina spiritualia. . .

534
6. Item dicunt Armeni, quod animae puerorum, qui 693
nascuntur ex christianis parentibus post Christi passionem,
si moriantur antequam baptizentur, vadunt ad paradisum
terrestrem, in quo fuit Adam ante peccatum; animae
vero puerorum, qui nascuntur ex parentibus non christianis
post Christi passionem et moriuntur sine baptismo, vadunt
ad loca, ubi sunt animae parentum ipsorum.

535
(1802)
17. Item quod Armeni communiter tenent, quod in alio 983
saeculo non est purgatorium animarum, quia, ut dicunt,
si christianus confiteatur peccata sua, omnia peccata eius et
poenae peccatorum ei dimittuntur. Nec etiam ipsi orant pro
defunctis, ut eis in alio saeculo peccata dimittantur, sed
generaliter orant pro omnibus mortuis, sicut pro beata Maria,
Apostolis. . . .

536
18. Item quod Armeni credunt et tenent, quod Christus 787
descendit de coelo et incarnatus fuit propter hominum salutem non pro eo, quod filii propagati ex Adam et Eva
post peccatum eorum ex eis contrahant originale peccatum, a quo per Christi incarnationem et mortem salventur,
cum nullum tale peccatum dicant esse in filiis Adae: sed
dicunt quod Christus propter salutem hominum est incarnatus
et passus, quia per suam passionem filii Adam, qui dictam
passionem praecesserunt, fuerunt liberati ab inferno, in quo
erant non ratione originalis peccati quod in eis esset,

sed ratione gravitatis peccati p e r s o n a l i s primorum parentum. Credunt etiam, quod Christus propter salutem puerorum,
qui nati fuerunt post eius passionem, incarnatus fuit et passus,
quia per suam passionem destruxit totaliter infernum. . . .

19. . . . In tantum dicunt [Armeni], quod (dicta) c o n c u p i- 537
s c e n t i a carnis est peccatum et malum, quod parentes etiam (1804)
christiani, quando matrimonialiter concumbunt, committunt
39 peccatum . . . quia a c t u m m a t r i m o n i a l e m dicunt esse
peccatum et etiam matrimonium. . . .

94   40. Alii vero dicunt, quod episcopi et p r e s b y t e r i Arme- 538
norum nihil faciunt ad p e c c a t o r u m r e m i s s i o n em nec (1810)
principaliter nec ministerialiter, sed solus Deus peccata re-
mittit: nec episcopi vel presbyteri adhibentur ad faciendam
dictam peccatorum remissionem, nisi quia ipsi acceperunt
potestatem loquendi a Deo et ideo, cum absolvunt, dicunt:
Deus dimittat tibi peccata tua; vel: *Ego dimitto tibi peccata
tua in terra et Deus dimittat tibi in coelis.*

93   42. Item Armeni dicunt et tenent, quod sola Christi passio 539
44 sine omni alio Dei dono, etiam gratificante, sufficit ad peccatorum remissionem: nec dicunt, quod ad peccatorum remissionem faciendam requiratur g r a t i a D e i g r a t i f i c a n s,
vel iustificans, nec quod in s a c r a m e n t i s novae legis detur
gratia gratificans.

48. Item Armeni dicunt et tenent, quod, si Armeni com- 540
mittant semel quodcunque crimen, quibusdam exceptis, ecclesia eorum potest absolvere eos, quantum ad culpam et poenam de dictis criminibus: sed si aliquis postea committeret
iterum dicta crimina, absolvi non posset per eorum ecclesiam.

69   49. Item dicunt, quod si aliquis . . . accipiat t e r t i a m 541
[u x o r e m], vel quartam et deinceps, non potest absolvi per (1813)
eorum ecclesiam, quia dicunt, quod tale matrimonium forni-
catio est. . . .

57   58. Item quod Armeni dicunt et tenent, quod ad hoc, 542
quod sit b a p t i s m u s verus, ista tria requiruntur, scilicet (1816)
aqua, chrisma . . . et Eucharistia; ita quod, si aliquis bap-
tizaret in aqua aliquem dicendo: *Ego te baptizo in nomine
Patris et Filii et Spiritus Sancti, Amen,* et postea non in-
ungeretur (dicto) chrismate, non esset baptismus. Si etiam
non daretur ei Eucharistiae sacramentum, baptizatus non
esset. . . .

71   64. Item Catholicon minoris Armeniae dicit, quod sacra- 543
mentum c o n f i r m a t i o n i s nihil valet, et si valet aliquid, (1818)
ipse dedit licentiam presbyteris suis, ut idem sacramentum
conferant.

544   67. Item quod Armeni non dicunt, quod post dicta verba 87
(1821) consecrationis panis et vini sit facta transsubstantiatio
panis et vini in verum corpus Christi et sanguinem quod
natum fuit de Virgine Maria et passum et resurrexit; sed
tenent, quod illud sacramentum sit exemplar vel similitudo
aut figura veri corporis et sanguinis Domini: . . . propter
quod ipsi sacramentum Altaris non vocant corpus et sanguinem Domini, sed hostiam vel sacrificium vel communionem. . . .

545   68. Item Armeni dicunt et tenent, quod si presbyter
vel episcopus ordinatus committat fornicationem, etiam
in secreto, perdit potestatem conficiendi et ministrandi
omnia sacramenta. . . .

546   70. Item Armeni non dicunt nec tenent, quod sacramentum Eucharistiae digne susceptum operetur in sus-
cipiente peccatorum remissionem, vel poenarum debitarum
peccato relaxationem, vel quod per ipsum detur gratia Dei
vel eius augmentum: sed . . . corpus Christi intrat in eius
corpus et in ipsum convertitur, sicut alia alimenta convertuntur in alimentato. . . .

547   92. Item quod apud Armenos non sunt nisi tres ordines, 95
(1829) scl. acolythatus, diaconatus et presbyteratus: quos ordines
conferunt episcopi promissa vel accepta pecunia. Et eodem
modo dicti ordines presbyteratus et diaconatus confirmantur,
scl. per manus impositionem, dicendo quaedam verba hoc
solummodo mutato, quod in ordinatione diaconi exprimitur
ordo diaconatus, et in ordinatione presbyteri ordo presbyteratus. Nullus autem episcopus apud eos potest ordinare
alium episcopum nisi solus catholicon. . . .

548   95. Item quod catholicon minoris Armeniae dedit potestatem cuidam presbytero, ut posset ordinare in diaconos,
quos vellet de subiectis. . . .

549   109. Item quod apud Armenos nullus punitur de quo-
(1837) cunque errore, quem teneat . . . [habentur numeri 117; cf. App.
n. 3007 sqq].

CLEMENS VI 1342—1352.

De satisfactione Christi, thesauro Ecclesiae, indulgentiis[1].

[Ex Bulla Iubilaei «Unigenitus Dei Filius», 25. Ian. 1343.]

550   Unigenitus Dei Filius . . . *factus nobis a Deo sapientia,* 98
iustitia, sanctificatio et redemptio [1 Cor 1, 30], *«non per*

---

[1] CIC Extr. comm. V, 9, 2: Frdbg II 1304 sq; Rcht II 1218 sq.

*sanguinem hircorum aut vitulorum, sed per proprium
sanguinem introivit semel in sancta, aeterna redemptione
inventa»* [Hebr 9, 12]. *Non enim corruptibilibus auro et
argento, sed sui ipsius agni incontaminati et immaculati
pretioso sanguine nos redemit* [1 Petr 1, 18 sq], quem in ara
crucis innocens immolatus non guttam sanguinis modicam,
quae tamen propter unionem ad Verbum pro redemptione
totius humani generis suffecisset, sed copiose velut quoddam profluvium noscitur effudisse ita, ut *a planta pedis
usque ad verticem capitis nulla sanitas* [Is 1, 6] inveniretur in ipso. Quantum ergo exinde, ut nec super-
vacua, inanis aut superflua tantae effusionis miseratio
redderetur, thesaurum militanti Ecclesiae acquisivit,
volens suis thesaurizare filiis pius Pater, ut sic sit infinitus thesaurus hominibus, quo qui usi sunt, Dei
amicitiae participes sunt effecti.

Quem quidem thesaurum . . . per beatum PETRUM 551
coeli clavigerum, eiusque successores, suos in terris
vicarios, commisit fidelibus salubriter dispensandum, et
propriis et rationabilibus causis, nunc pro totali, nunc
pro partiali remissione poenae temporali(bu)s pro
peccatis debitae, tam generaliter, quam specialiter (prout
cum Deo expedire cognoscerent), vere poenitentibus et
confessis misericorditer applicandum.

Ad cuius quidem thesauri cumulum beatae Dei Geni- 552
tricis omniumque electorum a primo iusto usque ad
ultimum merita adminiculum praestare noscuntur, de
cuius consumptione seu minutione non est aliquatenus
formidandum, tam propter infinita Christi (ut praedictum est) merita, quam pro eo, quod quanto plures
ex eius applicatione trahuntur ad iustitiam, tanto magis
accrescit ipsorum cumulus meritorum.

Errores (philosophici) Nicolai de Ultricuria [1].

[Damnati et ab ipso publice revocati 1348.]

1. . . . Quod de rebus per apparentia naturalia quasi 553
nulla certitudo potest haberi; illa tamen modica potest [(457)]

---

[1] DCh II 580 sq; DuPl I, I 355 a sq. — Guilelmus tit. Sanctorum
Quattuor Coronatorum presbyter cardinalis a. 1346 ante diem 19. Maii

in brevi haberi tempore, si homines convertant intellectum suum ad res, et non ad intellectum Aristotelis et commentatoris.

554   2. ... quod non potest evidenter evidentia praedicta ex una re inferri vel concludi alia res, vel ex non esse unius non esse alterius.

555   3. ... quod propositiones: Deus est, Deus non est, penitus idem significant, licet alio modo.

556   9. ... quod certitudo evidentiae non habet gradus.

557   10. ... quod de substantia materiali alia ab anima nostra non habemus certitudinem evidentiae.

558   11. ... quod excepta certitudine fidei non erat alia certitudo nisi certitudo primi principii vel quae in primum principium potest resolvi.

559   14. ... quod nescimus evidenter, quod alia a Deo possint esse causa alicuius effectus — quod aliqua causa causet efficienter, quae non sit Deus — quod aliqua causa efficiens naturalis sit vel esse possit.

560   15. ... quod nescimus evidenter, utrum aliquis effectus sit vel esse possit naturaliter productus.

561   17. ... quod nescimus evidenter, quod in aliqua productione concurrat subiectum.

562   21. ... quod quacunque re demonstrata nullus scit evidenter, quin excedat nobilitate omnes alias.

563   22. ... quod quacunque re demonstrata nullus scit evidenter, quin ipsa sit Deus, si per Deum intelligamus ens nobilissimum.

564   25. ... quod aliquis nescit evidenter, quin ista possit rationabiliter concedi: si aliqua res est producta, Deus est productus.

565   26. ... quod non potest evidenter ostendi, quin quaelibet res sit aeterna.

566   30. ... quod istae consequentiae non sunt evidentes: actus intelligendi est: ergo intellectus est. Actus volendi est: igitur voluntas est.

567   31. ... quod non potest evidenter ostendi, quin omnia, quae apparent, sint vera.

---

tanquam Legatus CLEMENTIS VI libros Nicolai de Ultricuria ut *«multa falsa, periculosa, praesumptuosa, suspecta et erronea et haeretica continentes»* comburendos decrevit, et propositiones Nicolai, ex quibus eae, quas supra posuimus, desumptae sunt, iussu et auctoritate Pontificis tanquam *erroneas, falsas, dubias, praesumptuosas et suspectas* revocandas ordinavit: quod Nicolaus praestitit, 1347. Textus hic genuinus, omissis prioribus redactionibus, ex DCh II 576 sqq n. 1124 depromptus est.

32. . . . quod Deus et creatura non sunt aliquid.   568
40. . . . quod quidquid est in universo, est melius ipsum 569 quam non ipsum.
53. . . . quod hoc est primum principium et non aliud: 570 si aliquid est, aliquid est.

De materia et ministro confirmationis [1].

[Ex ep. «Super quibusdam» ad Consolatorem, Catholicon Armenorum, 29. Sept. 1351.]

871   . . . Responsiones dedisti, quae nos inducunt, ut a 571 te sequentia requiramus: Primo de consecratione chrismatis, si credis, quod per nullum sacerdotem, qui non est episcopus, chrisma potest rite et debite consecrari.

Secundo, si credis, quod sacramentum confirmationis 572 per alium quam per episcopum non potest ex officio ordinarie ministrari.

Tertio, si credis, quod solum per Romanum Ponti- 573 ficem, plenitudinem potestatis habentem, possit dispensatio sacramenti confirmationis presbyteris, qui non sunt episcopi, committi.

Quarto, si credis, quod chrismati per quoscunque 574 sacerdotes, qui non sunt episcopi neque a Romano Pontifice super hoc commissionem seu concessionem aliquam receperunt, iterum per episcopum vel episcopos sint chrismandi.

v. App. n. 3008 sqq.

INNOCENTIUS VI 1352—1362.

URBANUS V 1362—1370.

Errores Dionysii Foullechat (de perfectione et paupertate) [2].

[Damnati in Const. «Ex supremae clementiae dono», 23. Dec. 1368.]

(1) Haec benedicta, immo suprabenedicta lex et dulcissima, 575 videlicet lex amoris omnem aufert proprietatem et dominium, (468) — falsa, erronea, haeretica.

---

[1] Bar(Th) ad 1351 n. 12 (25, 506 b sq.)
[2] DuPl I, I 382 b sqq 384 b sq; cf. DCh III 182 sqq; Bar(Th) ad 1368 n. 16 (26, 158 a sq). — Dionysius Foullechat (Soulechat) O. Fr. M., Gallus, Doctor Parisiensis hos errores a. 1363 primo prolatos iteratis postea vicibus (1364 et 1369) publice retractavit [Hurter, Aetas media II [3] 626].

576   (2) Actualis abdicatio cordialis voluntatis et temporalis
potestatis dominii seu auctoritatis statum perfectissimum ostendit et efficit — universaliter intellecta *falsa, erronea, haeretica.*

577   (3) Christum non abdicasse huiusmodi possessionem, et
ius in temporalibus, non habetur ex nova Lege, immo potius
oppositum — *falsa, erronea, haeretica.*

GREGORIUS XI 1370—1378.

Errores Petri de Bonageta et Ioannis de Latone
(de ss. Eucharistia) [1].

[Recensiti et damnati ex mandato Pontificis ab Inquisitoribus,
8. Aug. 1371.]

578   1. Quod si hostia consecrata cadat seu proiciatur in clo- 874
(471) acam, lutum seu aliquem turpem locum, quod, speciebus remanentibus, sub eis esse desinit corpus Christi et
redit substantia panis.

579   2. Quod si hostia consecrata a mure corrodatur seu a
bruto sumatur, quod, remanentibus dictis speciebus, sub eis
desinit esse corpus Christi et redit substantia panis.

580   3. Quod si hostia consecrata a iusto vel a peccatore sumatur, quod dum species dentibus teritur, Christus ad coelum rapitur et in ventrem hominis non traicitur.

URBANUS VI 1378—1389.   INNOCENTIUS VII 1404—1406.
BONIFACIUS IX 1389—1404.   GREGORIUS XII 1406—1415.

MARTINUS V 1417—1431.
Conc. CONSTANTIENSE 1414—1418.

Oecumenicum XVI (contra Wicleff, Hus etc.).

SESSIO VIII (4. Maii 1415).

Errores Ioannis Wicleff [2].

[Damnati in Concilio et per Bullas «Inter cunctas» et «In eminentis»,
22. Febr. 1418.]

581   1. Substantia panis materialis et similiter substantia vini 874
(477) materialis remanent in sacramento altaris.   938

---

[1] DuPl I, I 390 b sq. — Uterque ex Ordine Fratrum Minorum.
[2] Msi XXVII 1207 E sqq (cf. 632, 1215 sqq); coll. Rcht II 131 sq;
Hrd VIII 909 E sqq (cf. 299, 918 sqq); BR(T) 4, 669 b sqq; MBR 1, 290 b sqq;
cf. DuPl I, II 49 a sqq, ubi singulis thesibus additae sunt censurae Theologorum; cf. Hfl VII 116 sqq; Bar(Th) ad 1415 n. 35 (27, 404 a sq).

2. Accidentia panis non manent sine subiecto in eodem 582
sacramento. ₍₄₇₈₎

3. Christus non est in eodem sacramento identice et 583
realiter (in) propria praesentia corporali.

4. Si episcopus vel sacerdos exsistat in peccato mortali, 584
non ordinat, non consecrat, non conficit, non baptizat.

5. Non est fundatum in Evangelio, quod Christus Missam 585
ordinaverit. ₍₄₈₁₎

6. Deus debet oboedire diabolo. 586

894 7. Si homo fuerit debite contritus, omnis confessio 587
exterior est sibi superflua et inutilis.

1826 8. Si Papa sit praescitus et malus, et per consequens 588
membrum diaboli, non habet potestatem super fideles sibi
ab aliquo datam, nisi forte a Caesare.

9. Post URBANUM VI non est aliquis recipiendus in 589
Papam, sed vivendum est more Graecorum sub legibus
propriis.

10. Contra Scripturam sacram est, quod viri ecclesiastici 590
habeant possessiones. ₍₄₈₆₎

11. Nullus praelatus debet aliquem excommunicare, 591
nisi prius sciat eum excommunicatum a Deo: et qui sic ex-
communicat, fit ex hoc haereticus vel excommunicatus.

12. Praelatus excommunicans clericum, qui appellavit ad 592
regem vel ad concilium regni, eo ipso traditor est regis et
regni.

13. Illi, qui dimittunt praedicare sive audire verbum Dei 593
propter excommunicationem hominum, sunt excommunicati,
et in Dei iudicio traditores Christi habebuntur.

14. Licet alicui diacono vel presbytero praedicare verbum 594
Dei absque auctoritate Sedis Apostolicae sive episcopi catholici.

15. Nullus est dominus civilis, nullus est praelatus, 595
nullus est episcopus, dum est in peccato mortali. ₍₄₉₁₎

16. Domini temporales possunt ad arbitrium suum auferre 596
bona temporalia ab Ecclesia, possessionatis habitualiter delinquentibus, id est ex habitu, non solum actu delinquentibus.

17. Populares possunt ad suum arbitrium dominos de- 597
linquentes corrigere.

18. Decimae sunt purae eleemosynae, et possunt paro- 598
chiani propter peccata suorum praelatorum ad libitum suum
eas auferre.

19. Speciales orationes, applicatae uni personae per prae- 599
latos vel religiosos, non plus prosunt eidem, quam generales, ceteris paribus.

600   20. Conferens eleemosynam Fratribus est excommunicatus
(496) eo facto.
601   21. Si aliquis ingreditur r e l i g i o n e m privatam qualemcunque, tam possessionatorum quam mendicantium, redditur
ineptior et inhabilior ad observationem mandatorum Dei.
602   22. Sancti, instituentes religiones privatas, sic instituendo
peccaverunt.
603   23. Religiosi viventes in religionibus privatis non sunt de
religione christiana.
604   24. Fratres tenentur per laborem manuum victum acquirere, et non per mendicitatem.
605   25. Omnes sunt simoniaci, qui se obligant orare pro aliis,
(501) eis in temporalibus subvenientibus.
606   26. Oratio praesciti nulli valet.
607   27. Omnia de necessitate absoluta eveniunt.
608   28. Confirmatio iuvenum, clericorum ordinatio, locorum
consecratio reservantur Papae et episcopis propter cupiditatem lucri temporalis et honoris.
609   29. Universitates, studia, collegia, graduationes, et ma-
gisteria in iisdem sunt vana gentilitate introducta; tantum
prosunt Ecclesiae, sicut diabolus.
610   30. E x c o m m u n i c a t i o Papae vel cuiuscunque praelati
(506) non est timenda, quia est censura antichristi.
611   31. Peccant fundantes claustra, et ingredientes sunt viri
diabolici.
612   32. Ditare clerum est contra regulam Christi.
613   33. SYLVESTER Papa et Constantinus imperator errarunt Ecclesiam dotando.
614   34. Omnes de ordine mendicantium sunt haeretici, et
dantes eis eleemosynas sunt excommunicati.
615   35. Ingredientes religionem aut aliquem ordinem eo ipso
(511) inhabiles sunt ad observanda divina praecepta, et per consequens ad perveniendum ad regnum coelorum, nisi apo-
stataverint ab iisdem.
616   36. Papa cum omnibus clericis suis possessionem habentibus sunt haeretici, eo quod possessiones habent, et con-
sentientes eis, omnes videlicet domini saeculares et ceteri laici.
617   37. E c c l e s i a R o m a n a est synagoga satanae, nec 1826
Papa est proximus et immediatus vicarius Christi et Apostolorum.
618   38. Decretales epistolae sunt apocryphae, et seducunt
a fide Christi, et clerici sunt stulti, qui student eis.
619   39. Imperator et domini saeculares sunt seducti a diabolo, ut Ecclesiam ditarent bonis temporalibus.

40. Electio Papae a Cardinalibus a diabolo est introducta. 620
(516)
41. Non est de necessitate salutis credere, Romanam 621
Ecclesiam esse supremam inter alias ecclesias.

989   42. Fatuum est credere indulgentiis Papae et episco- 622
porum.

43. Iuramenta illicita sunt, quae fiunt ad corroborandos 623
humanos contractus et commercia civilia.

44. Augustinus, Benedictus et Bernardus damnati sunt, 624
nisi poenituerint de hoc, quod habuerunt possessiones et
instituerunt et intraverunt religiones: et sic, a Papa usque
ad ultimum religiosum, omnes sunt haeretici.

45. Omnes religiones indifferenter introductae sunt a 625
diabolo.   (521)

SESSIO XIII (15. Iunii 1415).

Definitio de communione sub una specie [1].

874   Cum in nonnullis mundi partibus quidam temerarie 626
asserere praesumant, populum christianum debere sacrum (585)
Eucharistiae sacramentum sub utraque panis et vini
specie suscipere, et non solum sub specie panis, sed
etiam sub specie vini populum laicum passim communicent, etiam post coenam vel alias non ieiunum, et communicandum esse pertinaciter asserant contra laudabilem
Ecclesiae consuetudinem rationabiliter approbatam, quam
tanquam sacrilegam damnabiliter reprobare conantur:
hinc est, quod hoc praesens Concilium . . . declarat,
decernit et diffinit, quod licet Christus post coenam
instituerit et suis discipulis administraverit sub utraque
specie panis et vini hoc venerabile sacramentum, tamen
hoc non obstante sacrorum canonum auctoritas laudabilis et approbata consuetudo Ecclesiae servavit et servat,
quod huiusmodi sacramentum non debet confici post
coenam, neque a fidelibus recipi non ieiunis, nisi in
casu infirmitatis aut alterius necessitatis a iure vel Ecclesia concesso vel admisso. Et sicut haec consuetudo
ad evitandum aliqua pericula et scandala est rationabiliter introducta: quod licet in primitiva Ecclesia huiusmodi sacramentum reciperetur a fidelibus sub utraque

---

[1] Msi XXVII 727 C; Hrd VIII 381 B; cf. IIfl VII 173 sq; Bar(Th)
ad 1415 n. 25 (27, 397 b sq).

15 *

specie, tamen postea a conficientibus sub utraque et a laicis tantummodo sub specie panis
suscipiatur [*al.* Et similiter, quod licet in primitiva Ecclesia huiusmodi
sacramentum reciperetur a fidelibus sub utraque specie: tamen haec consuetudo ad evitandum aliqua pericula et scandala est rationabiliter introducta, quod a conficientibus sub utraque specie, et a laicis tantummodo
sub specie panis suscipiatur]; cum firmissime credendum sit
et nullatenus dubitandum, integrum Christi corpus
et sanguinem tam sub specie panis, quam sub specie
vini veraciter contineri. . . . Quapropter dicere, quod
hanc consuetudinem aut legem observare sit sacrilegum
aut illicitum, censeri debet erroneum, et pertinaciter
asserentes oppositum praemissorum tanquam haeretici
arcendi sunt et graviter puniendi per dioecesanos locorum seu officiales eorum aut inquisitores haereticae
pravitatis. .

SESSIO XV (6. Iulii 1415).

Errores Ioannis Hus[1].

[Damnati in Concilio et per Bullas supra dictas 1418.]

627   1. Unica est sancta universalis Ecclesia, quae est prae- 805
(522) destinatorum universitas.   1821

628   2. Paulus nunquam fuit membrum diaboli, licet fecit quosdam actus actibus Ecclesiae malignantium consimiles.

629   3. Praesciti non sunt partes Ecclesiae, cum nulla pars eius
finaliter excidet ab ea, eo quod praedestinationis caritas,
quae ipsam ligat, non excidet.

630   4. Duae naturae, divinitas et humanitas, sunt unus Christus[2].

631   5. Praescitus, etsi aliquando est in gratia secundum prae-
(526) sentem iustitiam, tamen nunquam est pars sanctae Ecclesiae;
et praedestinatus semper manet membrum Ecclesiae, licet
aliquando excidat a gratia adventitia, sed non a gratia praedestinationis.

632   6. Sumendo Ecclesiam pro convocatione praedestinatorum,
sive fuerint in gratia, sive non secundum praesentem iustitiam,
isto modo Ecclesia est articulus fidei.

633   7. PETRUS non est nec fuit caput Ecclesiae sanctae
catholicae.

---

[1] Msi XXVII 1209 C sqq (754 A sqq 794 B sqq); coll. Rcht II 133 sq;
Hrd VIII 911 D sqq (410 C sqq 457 C sqq); BR(T) 4, 671 a sqq; MBR
1, 291 a sqq; Bar(Th) ad 1415 n. 41 (27, 409 a sqq); cf. Hfl VII 193 sqq.
— Cf. n. 659 sqq.   [2] Cf. Hfl VII 201.

8. Sacerdotes quomodolibet criminose viventes, sacerdotii 634
polluunt potestatem, et sicut filii infideles sentiunt infideliter (529)
de septem sacramentis Ecclesiae, de clavibus, officiis, censuris,
moribus, caeremoniis, et sacris rebus Ecclesiae, veneratione
reliquiarum, indulgentiis et ordinibus.

9. Papalis dignitas a Caesare inolevit, et Papae perfectio 635
et institutio a Caesaris potentia emanavit.

10. Nullus sine revelatione assereret rationabiliter de se 636
vel alio, quod esset caput Ecclesiae particularis, nec Romanus
Pontifex est caput Romanae Ecclesiae particularis.

11. Non oportet credere, quod iste, quicunque est Ro- 637
manus Pontifex, sit caput cuiuscunque particularis Ecclesiae
sanctae, nisi Deus eum praedestinaverit.

12. Nemo gerit vicem Christi vel PETRI, nisi sequatur eum 638
in moribus: cum nulla alia sequela sit pertinentior, nec aliter
recipiat a Deo procuratoriam potestatem; quia ad illud
officium vicariatus requiritur et morum conformitas et in-
stituentis auctoritas.

13. Papa non est verus et manifestus successor Aposto- 639
lorum principis PETRI, si vivit moribus contrariis PETRO:
et si quaerit avaritiam, tunc est vicarius Iudae Iscarioth. Et
pari evidentia Cardinales non sunt veri et manifesti successores collegii aliorum Apostolorum Christi, nisi vixerint more
Apostolorum, servantes mandata et consilia Domini nostri
Iesu Christi.

14. Doctores ponentes, quod aliquis per censuram ec- 640
clesiasticam emendandus, si corrigi noluerit, saeculari iudicio (535)
est tradendus, pro certo sequuntur in hoc pontifices, scribas
et Pharisaeos, qui Christum non volentem eis oboedire in
omnibus dicentes: «*Nobis non licet interficere quemquam*»
[Io 18, 31], ipsum saeculari iudicio tradiderunt; et tales sunt homi-
cidae graviores quam Pilatus.

15. Oboedientia ecclesiastica est oboedientia secun lum ad- 641
inventionem sacerdotum Ecclesiae praeter expressam auctoritatem Scripturae.

16. Divisio immediata humanorum operum est: quod sunt 642
vel virtuosa vel vitiosa, quia si homo est vitiosus et agit
quidquam, tunc agit vitiose; et si est virtuosus et agit quidquam, tunc agit virtuose; quia sicut vitium, quod crimen
dicitur seu mortale peccatum, inficit universaliter actus hominis vitiosi, sic virtus vivificat omnes actus hominis virtuosi.

17. Sacerdotes Christi viventes secundum legem eius, et 643
habentes Scripturae notitiam et affectum ad aedificandum
populum, debent praedicare non obstante praetensa excom-

municatione. Quod si Papa vel aliquis praelatus mandat sacerdoti sic disposito non praedicare, non debet subditus oboedire.

644   18. Quilibet praedicantis officium de mandato accipit, qui
(539) ad sacerdotium accedit; et illud mandatum debet exsequi, praetensa excommunicatione non obstante.

645   19. Per censuras ecclesiasticas excommunicationis, suspensionis et interdicti ad sui exaltationem clerus populum laicalem sibi suppeditat, avaritiam multiplicat, malitiam protegit, et viam praeparat antichristo. Signum autem evidens est, quod ab antichristo tales procedunt censurae, quas vocant in suis processibus fulminationes, quibus clerus principalissime procedit contra illos, qui denudant nequitiam antichristi, qui clerum pro se maxime usurpabit.

646   20. Si Papa est malus et praesertim, si est praescitus, tunc ut Iudas apostolus est diaboli, fur, et filius perditionis, et non est caput sanctae militantis Ecclesiae, cum nec sit membrum eius.

647   21. Gratia praedestinationis est vinculum, quo corpus Ecclesiae et quodlibet eius membrum iungitur Christo capiti insolubiliter.

648   22. Papa vel praelatus malus et praescitus est aequivoce pastor, et vere fur et latro.

649   23. Papa non debet dici sanctissimus, etiam secundum officium; quia alias rex deberet etiam dici sanctissimus secundum officium, et tortores et praecones dicerentur sancti; immo etiam diabolus deberet dici sanctus, cum sit officiarius Dei.

650   24. Si Papa vivat Christo contrarie, etiamsi ascenderet
(545) per ritam et legitimam electionem secundum constitutionem humanam vulgatam, tamen aliunde ascenderet quam per Christum, dato etiam quod intraret per electionem a Deo principaliter factam; nam Iudas Iscariothes rite et legitime est electus a Deo Christo Iesu ad episcopatum, et tamen ascendit aliunde ad ovile ovium.

651   25. Condemnatio 45 articulorum Ioannis Wicleff, per doctores facta, est irrationabilis et iniqua et male facta: ficta est causa per eos allegata, videlicet ex eo quod nullus eorum sit catholicus, sed quilibet eorum aut est haereticus, aut erroneus, aut scandalosus.

652   26. Non eo ipso, quod electores, vel maior pars eorum consenserint viva voce secundum ritum hominum in personam aliquam, eo ipso illa persona est legitime electa, vel eo ipso est verus et manifestus successor vel vicarius PETRI Apostoli. vel alterius Apostoli in officio ecclesiastico: unde,

sive electores bene vel male elegerint, operibus electi debemus credere: nam eo ipso, quo quis copiosius operatur meritorie ad profectum Ecclesiae, habet a Deo ad hoc copiosius facultatem.

27. Non est scintilla apparentiae, quod oporteat esse 653 unum caput in spiritualibus regens Ecclesiam, quod semper (548) cum Ecclesia ipsa militante conversetur et conservetur.

28. Christus sine talibus monstruosis capitibus per suos 654 veraces discipulos sparsos per orbem terrarum melius suam Ecclesiam regularet.

29. Apostoli et fideles sacerdotes Domini strenue in ne- 655 cessariis ad salutem regularunt Ecclesiam, antequam Papae (549) officium foret introductum: sic facerent, deficiente per summe possibile Papa, usque ad diem iudicii.

30. Nullus est dominus civilis, nullus est praelatus, 656 nullus est episcopus, dum est in peccato mortali.

Interrogationes Wicleffitis et Hussitis proponendae [1].

[Ex Bulla supra dicta «Inter cunctas», 22. Febr. 1418.]

Articuli 1—4, 9 et 10 agunt de communione cum dictis haereticis.

5. Item, utrum credat, teneat et asserat, quod quodlibet 657 Concilium generale, et etiam CONSTANTIENSE, uni- (551) versalem Ecclesiam repraesentet [2].

6. Item, utrum credat, quod illud, quod sacrum Concilium 658 CONSTANTIENSE, universalem Ecclesiam repraesentans, approbavit et approbat in favorem fidei, et ad salutem ani-

---

[1] Msi XXVII 1211 B sqq; Hrd VIII 914 A sqq; BR(T) 4, 673 a sqq; MBR 1, 292 b sqq.

[2] Quae hic de auctoritate Concilii CONSTANTIENSIS dicta sunt, intelligenda esse patet secundum mentem ipsius Sedis Apostolicae, quae nunquam confirmavit omnia illius decreta. Immo sententiam illam: (Synodus Constantiensis) «potestatem a Christo immediate habet, cui quilibet cuiuscunque status vel dignitatis, etiamsi papalis exsistat, oboedire tenetur in his quae pertinent ad fidem» ... in sessione IV et V [Msi XXVII 585 B 590 D] statutam, EUGENIUS IV 4. Sept. 1439 expresse reicit tanquam impiam et scandalosam et 22. Iulii 1446 legatis suis in Germania viventibus haec scripsit: *«Sicut illi [praedecessores nostri] generalia Concilia suis temporibus rite instituta atque canonice celebrata recipere, amplecti et venerari consueverunt, sic generalia Concilia CONSTANTIENSE ac BASILEENSE ab eius initio usque ad translationem per nos factam, absque tamen praeiudicio iuris, dignitatis et praeeminentiae sanctae Sedis Apostolicae, ac potestatis sibi et in eadem canonice sedenti in persona beati PETRI a Christo concessae, cum omni reverentia et devotione suscipimus, amplectimur et veneramur»* [Bar(Th) ad 1446 n. 3 (28, 461 a); cf. Brück (Schmidt), Lehrbuch der Kirchengeschichte. Münster 1906, 438 sq].

marum, quod hoc est ab universis Christi fidelibus approbandum et tenendum: et quod condemnavit et condemnat esse fidei vel bonis moribus contrarium, hoc ab iisdem esse tenendum pro condemnato, credendum et asserendum.

659   7. Item, utrum credat, quod condemnationes Ioannis
(553) Wicleff, Ioannis Hus et Hieronymi de Praga, factae de personis eorum, libris et documentis per sacrum generale CONSTANTIENSE Concilium, fuerint rite et iuste factae, et a quolibet catholico pro talibus tenendae et firmiter asserendae.

660   8. Item, utrum credat, teneat, asserat, Ioannem Wicleff de Anglia, Ioannem Hus de Bohemia et Hieronymum de Praga fuisse haereticos et pro haereticis nominandos ac deputandos, et libros et doctrinas eorum fuisse et esse perversos, propter quos et quas, et eorum pertinacias, per sacrum Concilium CONSTANTIENSE pro haereticis sunt condemnati.

661   11. Item, specialiter litteratus interrogetur, utrum credat, sententiam sacri CONSTANTIENSIS Concilii super quadraginta quinque Ioannis Wicleff, et Ioannis Hus triginta articulis superius descriptis latam, fore veram et catholicam: scilicet, quod supradicti quadraginta quinque articuli Ioannis Wicleff et Ioannis Hus triginta non sunt catholici, sed quidam ex eis sunt notorie haeretici, quidam erronei, alii temerarii et seditiosi, alii piarum aurium offensivi.

662   12. Item, utrum credat et asserat, quod in nullo casu sit licitum iurare.

663   13. Item, utrum credat, quod ad mandatum iudicis iuramentum de veritate dicenda, vel quodlibet aliud ad causam opportunum, etiam pro purificatione infamiae faciendum, sit licitum.

664   14. Item, utrum credat, quod periurium scienter commissum, ex quacunque causa vel occasione, pro conservatione vitae corporalis propriae vel alterius, etiam in favorem fidei, sit mortale peccatum.

665   15. Item, utrum credat, quod deliberato animo contem-
(559) nens ritum Ecclesiae, caerimonias exorcismi et catechismi, aquae baptismatis consecratae, peccet mortaliter.

666   16. Item, utrum credat, quod post consecrationem sacer-874
dotis in sacramento altaris sub velamento panis et vini non sit panis materialis et vinum materiale, sed idem per omnia Christus, qui fuit in cruce passus et sedet ad dexteram Patris.

17. Item, utrum credat et asserat, quod facta consecratione 667
per sacerdotem, sub sola specie panis tantum, et praeter (561)
speciem vini, sit vera caro Christi et sanguis et anima et
deitas et totus Christus, ac idem corpus absolute et sub una-
qualibet illarum specierum singulariter.

18. Item, utrum credat, quod consuetudo communicandi 668
personas laicales sub specie panis tantum, ab Ecclesia universali observata, et per sacrum Concilium Constantiae approbata, sit servanda sic, quod non liceat eam reprobare
aut sine Ecclesiae auctoritate pro libito immutare. Et quod
dicentes pertinaciter oppositum praemissorum, tanquam haeretici vel sapientes haeresim, sint arcendi et puniendi.

844   19. Item, utrum credat, quod christianus contemnens 669
susceptionem s a c r a m e n t o r u m confirmationis, vel extremae unctionis, aut solemnizationis matrimonii, peccet
mortaliter.

20. Item, utrum credat, quod christianus ultra contritionem 670
cordis, habita copia sacerdotis idonei, soli sacerdoti de ne- (564)
cessitate salutis confiteri teneatur, et non laico seu laicis
quantumcunque bonis et devotis.

21. Item, utrum credat, quod sacerdos in casibus sibi per- 671
missis possit peccatorem confessum et contritum a peccatis
absolvere, et sibi poenitentiam iniungere.

22. Item, utrum credat, quod malus sacerdos cum debita 672
materia et forma et cum intentione faciendi quod facit
Ecclesia, vere conficiat, vere absolvat, vere baptizet, vere
conferat alia sacramenta.

23. Item, utrum credat, quod beatus PETRUS fuerit vi- 673
carius Christi, habens potestatem ligandi et solvendi super
terram.

24. Item, utrum credat, quod Papa canonice electus, 674
qui pro tempore fuerit, eius nomine proprio expresso, sit
successor beati PETRI, habens supremam auctoritatem in
Ecclesia Dei.

25. Item, utrum credat, auctoritatem i u r i s d i c t i o n i s 675
P a p a e, archiepiscopi et episcopi in solvendo et ligando esse (569)
m a i o r e m auctoritate simplicis sacerdotis, etiam si curam
animarum habeat.

989   26. Item, utrum credat, quod Papa omnibus Christianis 676
vere contritis et confessis ex causa pia et iusta possit
concedere i n d u l g e n t i a s in remissionem peccatorum,
maxime pia loca visitantibus et ipsis manus suas porri-
gentibus adiutrices.

677   27. Et utrum credat, quod ex tali concessione visitantes
(571) ecclesias ipsas et manus adiutrices eis porrigentes huiusmodi
indulgentias consequi possint.

678   28. Item, utrum credat, quod singuli episcopi suis subditis
secundum limitationem sacrorum canonum huiusmodi indulgentias concedere possint.

679   29. Item, utrum credat et asserat, licitum esse Sanctorum 984
reliquias et imagines a Christi fidelibus venerari.

680   30. Item, utrum credat, religiones ab Ecclesia appro-
(574) batas, a sanctis Patribus rite et rationabiliter introductas.

681   31. Item, utrum credat, quod Papa vel alius praelatus,
propriis nominibus Papae pro tempore expressis, vel ipsorum
vicarii, possint suum subditum ecclesiasticum sive saecularem
propter inoboedientiam sive contumaciam excommunicare,
ita quod talis pro excommunicato sit habendus.

682   32. Item, utrum credat, quod inoboedientia sive contumacia
excommunicatorum crescente, praelati vel eorum vicarii in
spiritualibus habeant potestatem aggravandi et reaggravandi,
interdictum ponendi et brachium saeculare invocandi; et
quod illis censuris per inferiores sit oboediendum.

683   33. Item, utrum credat, quod Papa vel alii praelati et
eorum vicarii in spiritualibus habeant potestatem sacerdotes
et laicos inoboedientes et contumaces excommunicandi, ab
officio, beneficio, ingressu ecclesiae et administratione ecclesiasticorum sacramentorum suspendendi.

684   34. Item, utrum credat, quod liceat personis ecclesiasticis
absque peccato huius mundi habere possessiones et bona
temporalia.

685   35. Item, utrum credat, quod laicis ipsa ab eis auferre
(579) potestate propria non liceat; immo quod sic auferentes, tol-
lentes et invadentes bona ipsa ecclesiastica sint tanquam
sacrilegi puniendi, etiam si male viverent personae ecclesiasticae bona huiusmodi possidentes.

686   36. Item, utrum credat, quod huiusmodi ablatio et invasio,
cuicunque sacerdoti, etiam male viventi, temere vel violenter
facta vel illata, inducat sacrilegium.

687   37. Item, utrum credat, quod liceat laicis utriusque sexus,
viris scilicet et mulieribus, libere praedicare verbum Dei.

688   38. Item, utrum credat, quod singulis sacerdotibus libere
liceat praedicare verbum Dei, ubicunque, quandocunque et
quibuscunque placuerit, etiam si non sint missi.

689   39. Item, utrum credat, quod omnia peccata mortalia, et
specialiter manifesta, sint publice corrigenda et exstirpanda.

Condemnatio propositionis de tyrannicidio [1].

[Sacra Synodus declarat et definit sententiam istam:] «Quilibet 690
tyrannus potest et debet licite et meritorie occidi
per quemcunque vasallum suum vel subditum, etiam
per clanculares insidias, et subtiles blanditias et adu-
lationes, non obstante quocunque praestito iuramento,
seu confoederatione factis cum eo, non exspectata sententia vel mandato iudicis cuiuscunque» . . . erroneam
esse in fide et in moribus, ipsamque tanquam *haere-*
ticam, scandalosam, et ad fraudes, deceptiones, men-
dacia, proditiones, periuria viam dantem reprobat et
condemnat. Declarat insuper, decernit et diffinit, quod
pertinaciter doctrinam hanc perniciosissimam asserentes
sunt haeretici. . . .

EUGENIUS IV 1431—1447.
Conc. FLORENTINUM 1438—1445.

Oecumenicum XVII (Unio cum Graecis, Armenis, Iacobitis).

Decretum pro Graecis [2].

[Ex Bulla «Laetentur coeli», 6. Iulii 1439.]

39   In nomine sanctae Trinitatis, Patris et Filii et Spiritus 691
460 Sancti, hoc sacro universali approbante FLORENTINO (586)
Concilio diffinimus, ut haec fidei veritas ab omnibus
Christianis credatur et suscipiatur, sicque omnes profiteantur, quod Spiritus Sanctus ex Patre et Filio
aeternaliter est, et essentiam suam suumque esse subsistens habet ex Patre simul et Filio, et ex utroque aeternaliter tanquam ab uno principio et unica spiratione
procedit; declarantes, quod id, quod sancti Doctores et
Patres dicunt, ex Patre per Filium procedere Spiritum
Sanctum, ad hanc intelligentiam tendit, ut per hoc significetur, Filium quoque esse secundum Graecos quidem
causam, secundum Latinos vero principium subsistentiae
Spiritus Sancti, sicut et Patrem. Et quoniam omnia,

---

[1] Msi XXVII 765 E sq; Hrd VIII 424 C; Hfl VII 175 sqq.
[2] Msi XXXI 1030 D sq (1696 D sq); Hrd IX 422 B sq (986 B sq);
BR(T) 5, 41 a sq; MBR 1, 335 b sq; Hfl VII 737 (746) sqq; cf. Bar(Th)
ad 1439 n. 1 sqq; n. 8 (28, 282 b sq); cf. MThCc 5, 452 sqq.

quae Patris sunt, Pater ipse unigenito Filio suo gignendo
dedit, praeter esse Patrem, hoc ipsum quod Spiritus
Sanctus procedit ex Filio, ipse Filius a Patre aeternaliter
habet, a quo etiam aeternaliter genitus est. Diffinimus
insuper, explicationem verborum illorum «Filioque»
veritatis declarandae gratia, et imminente tunc necessitate, licite ac rationabiliter Symbolo fuisse appositam.

692   Item, in azymo sive fermentato pane triticeo 874
(587) corpus Christi veraciter confici; sacerdotesque in altero
ips(or)um Domini corpus conficere debere, unumquemque scilicet iuxta suae Ecclesiae sive occidentalis, sive
orientalis consuetudinem.

693   Item, si vere poenitentes in Dei caritate decesserint, 211
antequam dignis poenitentiae fructibus de commissis 427
429
satisfecerint et omissis, eorum animas poenis purga- 464
530
toriis post mortem purgari: et ut a poenis huiusmodi 535
releventur, prodesse eis fidelium vivorum suffragia, Mis- 777
983
sarum scilicet sacrificia, orationes et eleemosynas, et 998
1928
alia pietatis officia, quae a fidelibus pro aliis fidelibus
fieri consueverunt secundum Ecclesiae instituta. Illorum-
que animas, qui post baptisma susceptum nullam omnino
peccati maculam incurrerunt, illas etiam, quae post contractam peccati maculam, vel in suis corporibus, vel
eisdem exutae corporibus, prout superius dictum est,
sunt purgatae, in coelum mox recipi et intueri clare
ipsum Deum trinum et unum, sicuti est, pro meritorum tamen diversitate alium alio perfectius. Illorum autem animas, qui in actuali mortali peccato vel
solo originali decedunt, mox in infernum descendere,
poenis tamen disparibus puniendas [v. n. 464].

694   Item diffinimus, sanctam Apostolicam Sedem, et Ro- 1826
manum Pontificem, in universum orbem tenere primatum, et ipsum Pontificem Romanum successorem esse
beati PETRI principis Apostolorum, et verum Christi
vicarium, totiusque Ecclesiae caput et omnium Christianorum patrem ac doctorem exsistere; et ipsi in beato
PETRO pascendi, regendi ac gubernandi universalem
Ecclesiam a Domino nostro Iesu Christo plenam potestatem traditam esse; quemadmodum etiam in gestis oecumenicorum Conciliorum et in sacris canonibus continetur.

Decretum pro Armenis [1].

[Ex Bulla «Exultate Deo», 22. Nov. 1439.]

844   Quinto, ecclesiasticorum **sacramentorum** veritatem 695
pro ipsorum Armenorum tam praesentium quam futuro- (590)
rum faciliore doctrina sub hac brevissima redigimus
formula. Novae Legis s e p t e m sunt sacramenta: videlicet baptismus, confirmatio, eucharistia, poenitentia, extrema unctio, ordo et matrimonium, quae multum a
sacramentis differunt antiquae Legis. Illa enim non
causabant gratiam, sed eam solum per passionem Christi
dandam esse figurabant: haec vero nostra et c o n-
t i n e n t g r a t i a m, et ipsam digne suscipientibus c o n-
f e r u n t. Horum quinque prima ad spiritualem uniuscuiusque hominis in seipso perfectionem, duo ultima ad
totius Ecclesiae regimen multiplicationemque ordinata
sunt. Per baptismum enim spiritualiter renascimur; per
confirmationem augemur in gratia, et roboramur in fide;
renati autem et roborati nutrimur divina Eucharistiae
alimonia. Quod si per peccatum aegritudinem incurri-
mus animae, per poenitentiam spiritualiter sanamur:
spiritualiter etiam et corporaliter, prout animae expedit,
per extremam unctionem; per ordinem vero Ecclesia
gubernatur et multiplicatur spiritualiter, per matrimonium
corporaliter augetur. Haec omnia sacramenta tribus
perficiuntur, videlicet rebus tanquam m a t e r i a, verbis
tanquam f o r m a, et persona ministri conferentis sacramentum cum i n t e n t i o n e f a c i e n d i, q u o d f a c i t
E c c l e s i a: quorum si aliquod desit, non perficitur

---

[1] Msi XXXI 1054 B sqq; Hrd IX 437 D sqq; BR(T) 5, 48 a sqq;
MBR 1, 355 b sqq; cf. Hfl VII 788 sqq; Bar(Th) ad 1439 n. 12 sqq;
n. 15 (28, 289 a sqq). — Hoc decretum continet Symbolum Nicaenum,
definitionem Chalcedonensem, definitionem Synodi VI (CONSTNPL. III),
decretum de suscipiendis Synodo CHALCEDONENSI et LEONE M.,
instructionem de sacramentis, quam subicimus, Symbolum Athanasianum,
decretum unionis Graecorum et decretum de festis celebrandis. De hac
instructione praemittendum est, eam non esse definitionem de ministro,
materia et forma sacramentorum, ut multi putabant, sed vel instructionem practicam, vel doctrinam a magisterio ordinario propositam.
Ipsum decretum in fine distinguit inter *capitula, declarationes, diffini-
tiones, traditiones, praecepta, statuta, et doctrinam,* quae in ipso continentur. — Instructio haec fere ad litteram desumpta est ex S. Thomae
opusculo «De articulis fidei et Ecclesiae sacramentis».

sacramentum. Inter haec sacramenta tria sunt: baptismus, confirmatio et ordo, quae characterem, id est,
spirituale quoddam signum a ceteris distinctivum, imprimunt in anima indelebile. Unde in eadem persona
non reiterantur. Reliqua vero quattuor characterem non
imprimunt, et reiterationem admittunt.

696   Primum omnium sacramentorum locum tenet sanctum 857
(591) **BAPTISMA,** quod vitae spiritualis ianua est: per ipsum
enim membra Christi ac de corpore efficimur Ecclesiae. Et cum per primum hominem mors introierit in
universos; *nisi ex aqua et Spiritu renascimur, non
possumus,* ut inquit Veritas, *in regnum coelorum introire*
[cf. Io 3, 5]. Materia huius sacramenti est aqua vera et
naturalis: nec refert, frigida sit an calida. Forma
autem est: *Ego te baptizo in nomine Patris et Filii
et Spiritus Sancti.* Non tamen negamus, quin et per
illa verba: *Baptizatur talis servus Christi in nomine
Patris et Filii et Spiritus Sancti,* vel: *Baptizatur manibus meis talis in nomine Patris et Filii et Spiritus
Sancti,* verum perficiatur baptisma; quoniam cum prin-
cipalis causa, ex qua baptismus virtutem habet, sit
Sancta Trinitas, instrumentalis autem sit minister, qui
tradit exterius sacramentum: si exprimitur actus, qui
per ipsum exercetur ministrum, cum Sanctae Trinitatis
invocatione, perficitur sacramentum. Minister huius
sacramenti est sacerdos, cui ex officio competit baptizare. In causa autem necessitatis non solum sacerdos
vel diaconus, sed etiam laicus vel mulier, immo etiam
paganus et haereticus baptizare potest, dummodo formam servet Ecclesiae et facere intendat, quod facit
Ecclesia. Huius sacramenti effectus est remissio
omnis culpae originalis et actualis, omnis quoque poenae,
quae pro ipsa culpa debetur. Propterea baptizatis nulla
pro peccatis praeteritis iniungenda est satisfactio: sed
morientes, antequam culpam aliquam committant, statim
ad regnum coelorum et Dei visionem perveniunt.

697   Secundum sacramentum est **CONFIRMATIO;** cuius 87
(592) materia est chrisma confectum ex oleo, quod nitorem
significat conscientiae, et balsamo, quod odorem significat bonae famae, per episcopum benedicto. Forma

autem est: *Signo te signo crucis, et confirmo te chris-mate salutis, in nomine Patris et Filii et Spiritus Sancti.* Ordinarius minister est episcopus. Et cum ceteras unctiones simplex sacerdos valeat exhibere, hanc non nisi episcopus debet conferre: quia de solis Apostolis legitur, quorum vicem tenent episcopi, quod per manus impositionem Spiritum Sanctum dabant, quemadmodum Actuum Apostolorum lectio manifestat: *Cum enim audissent,* inquit, *Apostoli, qui erant Hieroso-lymis, quia recepisset Samaria verbum Dei, miserunt ad eos Petrum et Ioannem. Qui cum venissent, ora-verunt pro eis, ut acciperent Spiritum Sanctum: non-dum enim in quemquam illorum venerat, sed bapti-zati tantum erant in nomine Domini Iesu. Tunc imponebant manus super illos, et accipiebant Spiritum Sanctum* [Act 8, 14 sqq]. Loco autem illius manus im-positionis datur in Ecclesia confirmatio. Legitur tamen aliquando per Apostolicae Sedis dispensationem ex rationabili et urgente admodum causa simplicem sacer-dotem chrismate per episcopum confecto hoc admini-strasse confirmationis sacramentum. Effectus autem huius sacramenti est, quia in eo datur Spiritus Sanctus ad robur, sicut datus est Apostolis in die Pentecostes, ut videlicet Christianus audacter Christi confiteatur nomen. Ideoque in fronte, ubi verecundiae sedes est, confirman-dus inungitur, ne Christi nomen confiteri erubescat et praecipue crucem eius, quae *Iudaeis quidem* est *scan-dalum, Gentibus autem stultitia* [cf. 1 Cor 1, 23], secundum Apostolum; propter quod signo crucis signatur.

874 Tertium est **EUCHARISTIAE** sacramentum, cuius 698 materia est panis triticeus, et vinum de vite, cui ante (593) consecrationem aqua modicissima admisceri debet. Aqua autem ideo admiscetur, quoniam iuxta testimonia sanc-torum Patrum ac Doctorum Ecclesiae pridem in dis-putatione exhibita creditur, ipsum Dominum in vino aqua permixto hoc instituisse sacramentum. Deinde, quia hoc convenit dominicae passionis repraesentationi. Inquit enim beatus ALEXANDER Papa quintus a beato Petro: «In sacramentorum oblationibus, quae intra Mis-sarum solemnia Domino offeruntur, panis tantum et

vinum aqua permixtum in sacrificium offerantur. Non
enim debet in calicem Domini aut vinum solum aut
aqua sola offerri, sed utrumque permixtum: quia utrumque, id est, sanguis et aqua, ex latere Christi profluxisse
legitur.» Tum etiam, quod convenit ad significandum
huius sacramenti effectum, qui est unio populi christiani ad Christum. Aqua enim populum significat,
secundum illud Apocalypsis: *Aquae multae . . . populi
multi* [cf. Apc 17, 15]. Et IULIUS Papa secundus post
beatum SYLVESTRUM, ait: «Calix Dominicus iuxta
canonum praeceptum vino et aqua permixtus debet
offerri, quia videmus in aqua populum intelligi, in vino
vero ostendi sanguinem Christi. Ergo cum in calice
vinum et aqua miscetur, Christo populus adunatur, et
fidelium plebs ei, in quem credit, copulatur et iungitur.»
Cum ergo tam sancta Romana Ecclesia a beatissimis
Apostolis PETRO et Paulo edocta, quam reliquae omnes
Latinorum Graecorumque ecclesiae, in quibus omnis
sanctitatis et doctrinae lumina claruerunt, ab initio nascentis Ecclesiae sic servaverint et modo servent, in-
conveniens admodum videtur, ut alia quaevis regio ab
hac universali et rationabili discrepet observantia. Decernimus igitur, ut etiam ipsi Armeni se cum universo
orbe christiano conforment: eorumque sacerdotes in
calicis oblatione paululum aquae, prout dictum est, ad-
misceant vino. Forma huius sacramenti sunt verba
Salvatoris, quibus hoc confecit sacramentum: sacerdos
enim in persona Christi loquens hoc conficit sacramentum. Nam ipsorum verborum virtute substantia
panis in corpus Christi, et substantia vini in sanguinem
convertuntur: ita tamen, quod totus Christus continetur
sub specie panis et totus sub specie vini. Sub qualibet
quoque parte hostiae consecratae et vini consecrati,
separatione facta, totus est Christus. Huius sacramenti
effectus, quem in anima operatur digne sumentis,
est adunatio hominis ad Christum. Et quia per gratiam
homo Christo incorporatur et membris eius unitur, consequens est, quod per hoc sacramentum in sumentibus
digne gratia augeatur: omnemque effectum, quem materialis cibus et potus quoad vitam agunt corporalem,

sustentando, augendo, reparando et delectando, sacramentum hoc, quoad vitam operatur spiritualem: in quo, ut inquit URBANUS Papa, gratam Salvatoris nostri recensemus memoriam, a malo retrahimur, confortamur in bono, et ad virtutum et gratiarum proficimus incrementum.

94   Quartum sacramentum est POENITENTIA, cuius 699 quasi materia sunt actus poenitentis, qui in tres (594) distinguuntur partes. Quarum prima est cordis contritio; ad quam pertinet, ut doleat de peccato commisso, cum proposito non peccandi de cetero. Secunda est oris confessio: ad quam pertinet, ut peccator omnia peccata, quorum memoriam habet, suo sacerdoti confiteatur integraliter. Tertia est satisfactio pro peccatis secundum arbitrium sacerdotis, quae quidem praecipue fit per orationem, ieiunium et eleemosynam. Forma huius sacramenti sunt verba absolutionis, quae sacerdos profert, cum dicit: *Ego te absolvo* etc., et minister huius sacramenti est sacerdos habens auctoritatem absolvendi vel ordinariam vel ex commissione superioris. Effectus huius sacramenti est absolutio a peccatis.

07   Quintum sacramentum est EXTREMA UNCTIO, 700 cuius materia est oleum olivae per episcopum bene- (595) dictum. Hoc sacramentum nisi infirmo, de cuius morte timetur, dari non debet: qui in his locis ungendus est: in oculis propter visum, in auribus propter auditum, in naribus propter odoratum, in ore propter gustum vel locutionem, in manibus propter tactum, in pedibus propter gressum, in renibus propter delectationem ibidem vigentem. Forma huius sacramenti est haec: *Per istam sanctam unctionem et suam piissimam misericordiam indulgeat tibi Dominus, quidquid per visum* etc. Et similiter in aliis membris. Minister huius sacramenti est sacerdos. Effectus vero est mentis sanatio et, in quantum autem expedit, ipsius etiam corporis. De hoc sacramento inquit beatus Iacobus Apostolus: *Infirmatur quis in vobis? Inducat presbyteros Ecclesiae, ut orent super eum, ungentes eum oleo in nomine Domini; et oratio fidei salvabit infirmum, et alleviabit eum Dominus; et si in peccatis sit, dimittentur ei* [Iac 5, 14 sq].

701 Sextum sacramentum est ORDINIS, cuius materia 957
(596) est illud, per cuius traditionem confertur ordo[1]: sicut
presbyteratus traditur per calicis cum vino et patenae
cum pane porrectionem. Diaconatus vero per libri
Evangeliorum dationem. Subdiaconatus vero per calicis
vacui cum patena vacua superposita traditionem: et
similiter de aliis per rerum ad ministeria sua pertinentium assignationem. Forma sacerdotii talis est: *Accipe
potestatem offerendi sacrificium in ecclesia pro vivis et
mortuis, in nomine Patris et Filii et Spiritus Sancti.*
Et sic de aliorum ordinum formis, prout in Pontificali
Romano late continetur. Ordinarius minister huius
sacramenti est episcopus. Effectus augmentum gratiae,
ut quis sit idoneus minister.

702 Septimum est sacramentum MATRIMONII, quod 969
(597) est signum coniunctionis Christi et Ecclesiae, secundum
Apostolum dicentem: *Sacramentum hoc magnum est:
ego autem dico in Christo et in Ecclesia* [Eph 5, 32].
Causa efficiens matrimonii regulariter est mutuus
consensus per verba de praesenti expressus. Assignatur
autem triplex bonum matrimonii. Primum est proles
suscipienda et educanda ad cultum Dei. Secundum
est fides, quam unus coniugum alteri servare debet.
Tertium indivisibilitas matrimonii, propter hoc quod

---

[1] De sensu et vi huius partis vide, quae exponit G. M. Card.
van Rossum, De essentia sacramenti Ordinis, Friburgi Brisg. 1914,
154 sqq. De eodem argumento iam egerat BENEDICTUS XIV [De
Synodo l. 8, c. 10, n. 8 sqq (ed. Mechl. II, 223 sqq)]; neque tamen ex
verbis eius clare apparet, cui sententiae ipse adhaerendum esse censeat
[v. ib. n. 11]. — Constat per novem saecula priora semper viguisse
solam manuum impositionem in Ecclesia cum occidentali tum orientali
eamque usque ad hodiernum diem esse materiam unicam apud Graecos,
Coptos, Aethiopes. CLEMENS VIII in Instr. *«Presbyteri Graeci»*,
31. Aug. 1595 [MBR 3, 53 a § 7], iussit, ut Romae semper adesset
episcopus Graecus, qui Graecis alumnis ordines hoc ritu conferret,
idque confirmavit URBANUS VIII in Brevi *«Universalis Ecclesiae»*,
23. Nov. 1624 [MBR 4, 172 a sqq]. BENEDICTUS XIV in Bulla
«Etsi pastoralis», 26. Maii 1742, pro Italo-Graecis data ait: «Episcopi
Graeci in ordinibus conferendis ritum proprium Graecum in Euchologio
descriptum servent» et in Const. *«Demandatam coelitus»*, 24. Dec. 1743,
vetuit ullam fieri innovationem in ritibus Graecorum [cf. BB(M) 1, 342 sqq;
2, 148 sqq; MBR 16, 99 a sqq; 166 b sqq]. Denique LEO XIII in
Bulla *«Orientalium dignitas Ecclesiarum»*, 30. Nov. 1894, hanc Constitutionem BENEDICTI XIV confirmavit [cf. ASS 27 (1894/95), 257;
AL V 303 sqq].

significat indivisibilem coniunctionem Christi et Ecclesiae. Quamvis autem ex causa fornicationis liceat
tori separationem facere, non tamen aliud matrimonium contrahere fas est, cum matrimonii vinculum
legitime contracti perpetuum sit.

Decretum pro Iacobitis [1].

[Ex Bulla «Cantate Domino», 4. Febr. 1441.]

39   Sacrosancta Romana Ecclesia, Domini et Salvatoris 703
nostri voce fundata, firmiter credit, profitetur et prae- (598)
dicat, unum verum Deum omnipotentem, incommutabilem et aeternum, Patrem et Filium et Spiritum
Sanctum, unum in essentia, trinum in personis: Patrem ingenitum, Filium ex Patre genitum, Spiritum
Sanctum ex Patre et Filio procedentem. Patrem non
esse Filium aut Spiritum Sanctum; Filium non esse
Patrem aut Spiritum Sanctum; Spiritum Sanctum non
esse Patrem aut Filium: sed Pater tantum Pater est,
Filius tantum Filius est, Spiritus Sanctus tantum Spiritus Sanctus est. Solus Pater de substantia sua genuit
Filium, solus Filius de solo Patre est genitus, solus
Spiritus Sanctus simul de Patre procedit et Filio. Hae
tres personae sunt unus Deus, et non tres dii:
quia trium est una substantia, una essentia, una natura, una divinitas, una immensitas, una aeternitas,
omniaque sunt unum, ubi non obviat relationis oppositio [2].

Propter hanc unitatem Pater est totus in Filio, totus 704
in Spiritu Sancto; Filius totus est in Patre, totus in
Spiritu Sancto; Spiritus Sanctus totus est in Patre, totus

---

[1] Msi XXXI 1735 D sqq; Hrd IX 1023 A sqq; BR(T) 5, 59 b sqq;
MBR 1, 344 b sqq; cf. Htl VII 794 sqq; cf. Bar(Th) ad 1441 n. 1 sqq
(28, 354 a sqq).
[2] In Concilio FLORENTINO Ioannes, Latinorum theologus, testatus est: «Est vero secundum Doctores tam Graecos quam Latinos sola
relatio, quae multiplicat personas in divinis productionibus, quae
vocatur relatio originis, ad quam duo tantum spectant: a quo alius
et qui ab alio» (Hrd IX 203). Similiter doctissimus Card. Bessarion,
Archiepisc. Nicaenus, Graecorum theologus, in eodem Concilio professus
est: «Quod personalia nomina Trinitatis relativa sunt, nullus ignorat»
(Hrd IX 339).

16*

in Filio. Nullus alium aut praecedit aeternitate, aut
excedit magnitudine, aut superat potestate. Aeternum
quippe et sine initio est, quod Filius de Patre exstitit;
et aeternum ac sine initio est, quod Spiritus Sanctus
de Patre Filioque procedit. Pater quidquid est aut
habet, non habet ab alio, sed ex se; et est principium
sine principio. Filius quidquid est aut habet, habet a
Patre, et est principium de principio. Spiritus Sanctus
quidquid est aut habet, habet a Patre simul et Filio.
Sed Pater et Filius non duo principia Spiritus Sancti,
sed unum principium: sicut Pater et Filius et Spiritus Sanctus non tria principia creaturae, sed unum
principium.

705   Quoscunque ergo adversa et contraria sentientes dam-
(599)   nat, reprobat et anathematizat et a Christi corpore, quod
est Ecclesia, alienos esse denuntiat. Hinc damnat *Sabellium* personas confundentem et ipsarum distinctionem
realem penitus auferentem. Damnat *Arianos, Eunomia-
nos*, *Macedonianos* solum Patrem Deum verum esse
dicentes, Filium autem et Spiritum Sanctum in creaturarum ordine collocantes. Damnat et quoscunque
alios, gradus seu inaequalitatem in Trinitate facientes.

706   Firmissime credit, profitetur et praedicat, unum verum
Deum, Patrem et Filium et Spiritum Sanctum, esse
omnium visibilium et invisibilium creatorem: qui quando
voluit, bonitate sua universas tam spirituales quam cor-
porales condidit creaturas: bonas quidem, quia a summo
bono factae sunt, sed mutabiles, quia de nihilo factae
sunt, nullamque mali asserit esse naturam, quia omnis
natura, in quantum natura est, bona est. Unum atque
eundem Deum Veteris et Novi Testamenti, hoc est, Legis
et Prophetarum atque Evangelii profitetur auctorem:
quoniam eodem Spiritu Sancto inspirante utrius- 783
que Testamenti Sancti locuti sunt: quorum libros suscipit et veneratur, qui titulis sequentibus continentur
[*Sequuntur libri canonis,* cf. n. 784].

707   Praeterea *Manichaeorum* anathematizat insaniam, qui
duo prima principia posuerunt, unum visibilium, aliud
invisibilium; et alium Novi Testamenti Deum, alium
Veteris esse Deum dixerunt.

148   Firmiter credit, profitetur et praedicat, unam ex Trini- 708
tate personam, verum Deum, Dei Filium ex Patre (601)
genitum, Patri consubstantialem et coaeternum, in plenitudine temporis, quam divini consilii inscrutabilis altitudo disposuit, propter salutem humani generis veram
hominis integramque naturam ex immaculato
utero Mariae Virginis assumpsisse et sibi in unitatem
personae copulasse tanta unitate, ut quidquid ibi Dei est,
non sit ab homine separatum; et quidquid est hominis,
non sit a deitate divisum; sitque unus et idem indivisus,
utraque natura in suis proprietatibus permanente,
Deus et homo, Dei Filius et hominis filius, aequalis Patri
secundum divinitatem, minor Patre secundum humanitatem: immortalis et aeternus ex natura divinitatis, passibilis
et temporalis ex conditione assumptae humanitatis.

Firmiter credit, profitetur et praedicat, Dei Filium 709
in assumpta humanitate ex Virgine vere natum, vere
passum, vere mortuum et sepultum, vere ex mortuis
resurrexisse, in coelum ascendisse, sedereque ad dexteram
Patris, et venturum in fine saeculorum ad vivos mortuos-
que iudicandos.

Anathematizat autem, exsecratur et damnat omnem 710
haeresim contraria sapientem. Et primo damnat *Ebio-
nem*, *Cerinthum*, *Marcionem*, *Paulum Samosatenum*,
Photinum omnesque similiter blasphemantes, qui percipere non valentes unionem personalem humanitatis ad
Verbum, Iesum Christum Dominum nostrum verum
Deum esse negaverunt: ipsum purum hominem confitentes, qui divinae gratiae participatione maiore, quam
sanctioris vitae merito suscepisset, divinus homo diceretur. Anathematizat etiam *Manichaeum* cum sectatoribus suis, qui Dei Filium non verum corpus, sed
phantasticum sumpsisse somniantes, humanitatis in Christo
veritatem penitus sustulerunt. Nec non *Valentinum* asserentem Dei Filium nihil de Virgine Matre cepisse,
sed corpus coeleste sumpsisse, atque ita transisse
per uterum Virginis, sicut per aquaeductum defluens
aqua transcurrit. *Arium* etiam, qui asserens corpus
ex Virgine assumptum anima caruisse voluit loco
animae fuisse deitatem. *Apollinarem* quoque, qui in-

telligens, si anima corpus informans negetur in Christo, humanitatem veram ibidem non fuisse, solam posuit animam sensitivam, sed deitatem Verbi vicem rationalis animae tenuisse. Anathematizat etiam *Theodorum Mopsuestenum* atque *Nestorium* asserentes humanitatem Dei Filio unitam esse per gratiam et ob id duas esse in Christo personas, sicut duas fatentur esse naturas, cum intelligere non valerent unionem humanitatis ad Verbum hypostaticam exstitisse et propterea negarent Verbi subsistentiam accepisse. Nam secundum hanc blasphemiam non Verbum caro factum est, sed Verbum per gratiam habitavit in carne: hoc est, non Dei Filius homo factus est, sed magis Dei Filius habitavit in homine. Anathematizat etiam, exsecratur et damnat *Eutychen* archimandritam: qui cum intelligeret iuxta Nestorii blasphemiam veritatem incarnationis excludi, et propterea oportere, quod ita Dei Verbo unita esset humanitas, ut deitatis et humanitatis una esset eademque persona: ac etiam capere non posset, stante pluralitate naturarum, unitatem personae; sicut deitatis et humanitatis in Christo unam posuit esse personam, ita unam asseruit esse naturam: volens ante unionem dualitatem fuisse naturarum, sed in unam naturam in assumptione transiisse: maxima blasphemia et impietate concedens aut humanitatem in deitatem, aut deitatem in humanitatem esse conversam. Anathematizat etiam, exsecratur et damnat *Macarium Antiochenum* omnesque similia sapientes, qui licet vere de naturarum dualitate et personae unitate sentiret, tamen circa Christi operationes enormiter aberravit dicens in Christo utriusque naturae unam fuisse operationem unamque voluntatem. Hos omnes cum haeresibus suis anathematizat sacrosancta Romana Ecclesia, affirmans in Christo duas esse voluntates duasque operationes.

711 Firmiter credit, profitetur et docet, neminem unquam 122
(602) ex viro feminaque conceptum a diaboli dominatione fuisse liberatum, nisi per meritum mediatoris Dei et hominum Iesu Christi Domini nostri: qui sine peccato conceptus, natus et mortuus, humani generis hostem, peccata nostra delendo, solus sua morte pro-

stravit: et regni coelestis introitum, quem primus homo peccato proprio cum omni successione perdiderat, reseravit: quem aliquando venturum omnia Veteris Testamenti sacra, sacrificia, sacramenta, ceremoniae praesignarunt.

Firmiter credit, profitetur et docet, legalia Veteris 712 Testamenti, seu Mosaicae legis, quae dividuntur in (603) ceremonias, sacra, sacrificia, sacramenta, quia significandi alicuius futuri gratia fuerant instituta, licet divino cultui illa aetate congruerent, significato per illa Domino nostro Iesu Christo adveniente cessasse, et Novi Testamenti sacramenta coepisse. Quemcunque etiam post passionem in legalibus spem ponentem et illis velut ad salutem necessariis se subdentem, quasi Christi fides sine illis salvare non posset, peccasse mortaliter. Non tamen negat a Christi passione usque ad promulgatum Evangelium illa potuisse servari, dum tamen minime ad salutem necessaria crederentur, sed post promulgatum Evangelium sine interitu salutis aeternae asserit non posse servari. Omnes ergo post illud tempus circumcisionis et sabbati reliquorumque legalium observatores alienos a Christi fide denuntiat et salutis aeternae minime posse esse participes, nisi aliquando ab iis erroribus resipiscant. Omnibus igitur, qui christiano nomine gloriantur, praecipit omnino, quocunque tempore, vel ante vel post baptismum, a circumcisione cessandum; quoniam sive quis in ea spem ponat, sive non, sine interitu salutis aeternae observari omnino non potest. Circa pueros vero propter periculum mortis, quod potest saepe contingere, cum ipsis non possit alio remedio subveniri, nisi per sacramentum baptismi, per quod eripiuntur a diaboli dominatu et in Dei filios adoptantur, admonet, non esse per quadraginta aut octoginta dies seu aliud tempus iuxta quorundam observantiam sacrum baptisma differendum; sed quamprimum commode fieri potest, debere conferri: ita tamen, quod mortis imminente periculo mox sine ulla dilatione baptizentur, etiam per laicum vel mulierem, in forma Ecclesiae, si desit sacerdos, quemadmodum in decreto Armenorum plenius continetur [n. 696].

713   Firmiter credit, profitetur et praedicat, omnem
(604) creaturam Dei bonam, nihilque reiciendum,
quod cum gratiarum actione percipitur, quia, iuxta
verbum Domini, non quod intrat in os, coinquinat
hominem; illamque Mosaicae legis ciborum mundorum
et immundorum differentiam ad ceremonialia asserit
pertinere, quae surgente Evangelio transierunt et efficacia esse desierunt. Illam etiam Apostolorum prohibitionem «*ab immolatis simulacrorum et sanguine et
suffocato*» [Act 15, 29] dicit illi tempori congruisse, quo
ex Iudaeis atque gentilibus, qui antea diversis ceremoniis moribusque vivebant, una surgebat Ecclesia,
ut cum Iudaeis etiam gentiles aliquid communiter
observarent, et in unum Dei cultum fidemque con-
veniendi praeberetur occasio et dissensionis materia
tolleretur: cum Iudaeis propter antiquam consuetudinem sanguis et suffocatum abominabilia viderentur et
esu immolatitii poterant arbitrari gentiles ad idololatriam
redituros.   Ubi autem eo usque propagata est christiana religio, ut nullus in ea Iudaeus carnalis appareat,
sed omnes ad Ecclesiam transeuntes in eosdem ritus
Evangelii ceremoniasque conveniant, credentes «*omnia
munda mundis*» [Tit 1, 15]: illius apostolicae prohibitionis
causa cessante, etiam cessavit effectus.   Nullam itaque
cibi naturam condemnandam esse denuntiat, quam societas admittit humana: nec inter animalia discernendum
per quemcunque, sive virum sive mulierem, et quocunque genere mortis intereant: quamvis pro salute corporis, pro virtutis exercitio, pro regulari et ecclesiastica
disciplina possint et debeant multa non negata dimitti,
quia, iuxta Apostolum, *omnia licent, sed non omnia
expediunt* [1 Cor 6, 12; 10, 22].

714   Firmiter credit, profitetur et praedicat, nullos intra 182
catholicam Ecclesiam non exsistentes non so-
lum paganos, sed nec Iudaeos aut haereticos atque
schismaticos, aeternae vitae fieri posse participes; sed
in ignem aeternum ituros, «*qui paratus est diabolo et
angelis eius*» [Mt 25, 41], nisi ante finem vitae eidem fuerint aggregati: tantumque valere ecclesiastici corporis
unitatem, ut solum in ea manentibus ad salutem eccle-

siastica sacramenta proficiant, et ieiunia, eleemosynae ac cetera pietatis officia et exercitia militiae christianae praemia aeterna parturiant. Neminemque, quantascunque eleemosynas fecerit, etsi pro Christi nomine sanguinem effuderit, posse salvari, nisi in catholicae Ecclesiae gremio et unitate permanserit.

(Sequuntur Synodi oecumenicae a Romana Ecclesia susceptae decreta pro Graecis et Armenis.)

938   Verum quia in suprascripto decreto Armenorum non 715 est explicata forma verborum, quibus in c o n s e c r a - (606) t i o n e corporis et sanguinis Domini sacrosancta Romana Ecclesia, Apostolorum doctrina et auctoritate firmata, semper uti consueverat, illam praesentibus duximus inserendam. In consecratione corporis hac utitur forma verborum: *Hoc est enim corpus meum;* sanguinis vero: *Hic est enim calix sanguinis mei, novi et aeterni testamenti, mysterium fidei, qui pro vobis et pro multis effundetur in remissionem peccatorum.* Panis vero triticeus, in quo sacramentum conficitur, an eo die, an antea coctus sit, nihil omnino refert: dummodo enim panis substantia maneat, nullatenus dubitandum est, quin post praefata verba consecrationis corporis a sacerdote cum intentione conficiendi prolata, mox in verum Christi corpus transsubstantietur.

Decreta pro Syris, Chaldaeis, Maronitis nil novi continent.

NICOLAUS V 1447—1455.

CALLISTUS III 1455—1458.

De usura et contractu census [1].

[Ex Constit.: «Regimini universalis», 6. Maii 1455.]

1475   . . . Nobis nuper exhibita petitio continebat, quod 716 licet a tanto tempore, cuius contrarii memoria non ex- (607) sistit, in diversis Alemanniae partibus, pro communi ho-

---

[1] CIC Extr. comm. III, 5, 2: Frdbg II 1271 sq; Rcht II 1186. — Haec Constitutio est confirmatio Bullae MARTINI V eadem de materia, quae ibidem est cap. 1: Frdbg II 1269 sqq.

minum utilitate, inter habitatores et incolas partium
earundem talis inoleverit hactenusque observata fuerit . . .
consuetudo, quod ipsi habitatores et incolae, sive illi
ex eis, quibus id pro suis statu et indemnitatibus expedire visum fuerit, super eorum bonis, domibus, agris,
praediis, possessionibus et hereditatibus annuos mar-
carum, florenorum, seu grossorum monetae, in partibus
illis currentis, reditus seu census vendentes, pro singulis
et marcis, florenis sive grossis huiusmodi ab eis, qui
illas vel illos, sive reditus sive census ipsos emerint,
certum competens pretium in numerata pecu-
nia secundum temporis qualitatem, prout ipsi
vendentes et ementes in contractibus super his inter
se firmaverunt, et recipere soliti fuere, illa ex domibus,
terris, agris, praediis, possessionibus et hereditatibus
praedictis, qui in huiusmodi contractibus expressi fuerunt,
praedictorum solutione redituum et censuum efficaciter
obligantes, in illorum vendentium favorem, hoc adiecto,
quod ipsi pro rata, qua huiusmodi per eos receptam
dictis ementibus restituerent in toto vel in parte pecuniam, a solutione redituum seu censuum huiusmodi restitutam pecuniam contingentium liberi forent penitus et
immunes, sed iidem ementes, etiamsi bona, domus,
terrae, agri, possessiones et hereditates huiusmodi
processu temporis ad omnimodae destructionis sive de-
solationis reducerentur opprobrium, pecuniam ipsam
etiam agendo repetere non valerent.   Apud aliquos
tamen haesitationis versatur scrupulus, an huiusmodi
contractus liciti sint censendi. Unde nonnulli illos usurarios fore praetendentes, occasionem quaerunt reditus
et census huiusmodi ab eis debitos non solvendi. . . .
Nos igitur . . . ad omne super his ambiguitatis tollendum dubium, praefatos contractus licitos
iurique conformes et vendentes eosdem ad ipsorum
solutionem censuum et redituum iuxta dictorum contractuum tenores, remoto contradictionis obstaculo, efficaciter teneri, auctoritate apostolica praesentium serie
declaramus.

PIUS II 1458—1464.

De appellatione ad Concilium generale [1].

[Ex Bulla «Exsecrabilis»[2], 18. Ian. 1459.]

826   Exsecrabilis et pristinis temporibus inauditus tempestate 717
nostra inolevit abusus, ut a Romano Pontifice, Iesu (608)
Christi vicario, cui dictum est in persona beati PETRI:
«*Pasce oves meas*» [Io 21, 17], et: «*Quodcunque ligaveris
super terram, erit ligatum et in coelis*» [Mt 16, 19]: nonnulli spiritu rebellionis imbuti, non sanioris cupiditate
iudicii, sed commissi evasione peccati a d f u t u r u m
C o n c i l i u m p r o v o c a r e praesumant.... Volentes igi
tur hoc pestiferum virus a Christi Ecclesia procul pellere
et ovium nobis commissarum saluti consulere, omnemque materiam scandali ab ovili nostri Salvatoris arcere ...
huiusmodi provocationes damnamus et tanquam erroneas
ac detestabiles reprobamus.

Errores Zanini de Solcia v. App. n. 3031.

De sanguine Christi [3].

[Ex Bulla «Ineffabilis summi providentia Patris», 1. Aug. 1464.]

... Auctoritate apostolica tenore praesentium statui- 718
mus et ordinamus, quod nulli Fratrum praedictorum (609)
[Minorum aut Praedicatorum] deinceps liceat de supradicta du-
bietate disputare, praedicare, vel publice aut private
verbum facere, seu aliis suadere, quod videlicet haereticum vel peccatum sit, tenere vel credere s a n g u i n e m
ipsum sacratissimum (ut praemittitur) t r i d u o p a s s i o n i s
eiusdem Domini nostri Iesu Christi ab ipsa divinitate
quomodolibet fuisse vel non fuisse divisum vel separatum, donec super dubietatis huiusmodi decisione quid
tenendum sit, fuerit per nos et Sedem Apostolicam
definitum.

PAULUS II 1464—1471.

---

[1] BR(T) 5, 149 b; MBR 1, 369 b sq.
[2] Haec Bulla confirmata est a Summis Pontificibus SIXTO IV et
IULIO II; deinde p r o h i b i t i o a p p e l l a t i o n i s a S u m m o P o n t i f i c e
a d C o n c i l i u m g e n e r a l e in Bullam «*Coenae*» (art. 2) recepta est.
[3] BR(T) 5, 181a sq; MBR 1, 380b.

SIXTUS IV 1471—1484.

De indulgentia pro defunctis v. App. n. 3032.

Errores Petri de Rivo (de futurorum contingentium veritate)[1].

[Damnati in Bulla «Ad Christi vicarii», 3. Ian. 1474.]

719   (1) Elisabeth Luc. I cum loquitur beatae Mariae Virgini dicens: *Beata quae credidisti, quoniam perficientur in te, quae dicta sunt tibi a Domino* [Lc 1, 45], innuere videtur illas propositiones, scilicet: «*Paries filium et vocabis nomen eius Iesum; hic erit magnus*» etc. [Lc 1, 31 sq] nondum habere veritatem.

720   (2) Item Luc. ult. Christus post resurrectionem dicens: «*Necesse est implere omnia, quae scripta sunt in lege Moysis et Prophetis et Psalmis de me*» [Lc 24, 44] videtur innuisse, quod tales propositiones vacuae erant veritatis.

721   (3) Item ad Hebr. 10, ubi Apostolus inquit: *Umbram habens lex futurorum bonorum* et *non ipsam imaginem rerum* [Hebr 10, 1], innuere videtur, quod propositiones Veteris Legis, quae erant de futuro, nondum habebant determinatam veritatem.

722   (4) Item, quod non sufficit ad veritatem propositionis de futuro, quod res erit, sed requiritur, quod inimpedibiliter erit.

723   (5) Item necesse est dicere alterum duorum, aut quod in articulis fidei de futuro non est praesens et actualis veritas, aut quod significatum eorum per potentiam divinam non potuit impediri.

Damnatae sunt ut «scandalosae et a catholicae fidei semita deviae» *et ab ipso Petro scripto revocatae.*

Errores Petri de Osma (de sacramento poenitentiae)[2].

[Damnati in Bulla «Licet ea», 9. Aug. 1478.]

724   (1) Peccata mortalia, quantum ad culpam et poenam 8⁹
(610) alterius saeculi, delentur per solam cordis contritionem sine ordine ad claves.

725   (2) Confessio de peccatis in specie fu(er)it ex aliquo statuto universalis Ecclesiae, non de iure divino.

---

[1] DuPl I, II 279 b sqq. — Petrus de Rivo, Alostensis, Lovanii docuit ab a. 1460 [Hrt II³ 1034].

[2] DuPl I, II 298 b sqq; Gotti, Verit. rel. christ. II 410 b; cf. Aguirre, Collectio Conc. Hispaniae III 687 a; BR(T) 5, 265 a; MBR 1, 430 b — Petrus Martinez ab urbe natali de Osma dictus Salmanticae docuit. Errores suos retractavit in Synodo provinciali Compluti habita Hrt II³ 1025 sq].

(3) Pravae cogitationes confiteri non debent, sed sola dis- 726
plicentia delentur sine ordine ad claves. (612)

(4) Confessio-debet esse secreta, id est de peccatis se- 727
cretis, non de manifestis.

35   (5) Non sunt absolvendi poenitentes, nisi peracta prius 728
poenitentia eis iniuncta.

42   (6) Papa non potest indulgere alicui vivo poenam pur- 729
gatorii.

32   (7) Ecclesia urbis Romae errare potest. 730

26   (8) Papa non potest dispensare in statutis universalis 731
Ecclesiae.

(9) Sacramentum poenitentiae, quantum ad col- 732
lationem gratiae, sacramentum naturae est, non alicuius institutionis Veteris vel Novi Testamenti.

*De his propositionibus, quae et prouti continentur damnationis
decreto ab Archiepiscopo Toletano lato, dicitur in Bulla:*

. . . Omnes et singulas propositiones praedictas falsas, 733
sanctae catholicae fidei contrarias, erroneas et scandalosas
et ab evangelica veritate penitus alienas, sanctorum quoque
Patrum decretis et aliis apostolicis constitutionibus contrarias
fore ac manifestam haeresim continere . . . declaramus.

De immaculata conceptione B. M. V. [2]

[Ex Constit. «Cum praeexcelsa», 28. Febr. 1476.]

41   Cum praeexcelsa meritorum insignia, quibus regina 734
coelorum, Virgo Dei Genitrix gloriosa, sedibus praelata
aethereis, sideribus quasi stella matutina praerutilat, de-
votae considerationis indagine perscrutamur . . .: dignum, quin potius debitum reputamus, universos Christi
fideles, ut omnipotenti Deo (cuius providentia eiusdem
Virginis humilitatem ab aeterno respiciens, pro recon-
cilianda suo auctori humana natura lapsu primi hominis
aeternae morti obnoxia, eam sui Unigeniti habita-
culum sancti Spiritus praeparatione constituit, ex qua
carnem nostrae mortalitatis pro redemptione populi sui
assumeret, et immaculata Virgo nihilominus post partum
remaneret) de ipsius immaculatae Virginis mira
conceptione gratias et laudes referant, et instituta

---

[1] CIC Extr. comm. III, 12, 1 et 2: Frdbg II 1285 sq; Rcht II
1201 sq.

propterea in Dei Ecclesia missas et alia divina officia
dicant, et illis intersint, indulgentiis et peccatorum
remissionibus invitare, ut exinde fiant eiusdem Virginis
meritis et intercessione divinae gratiae aptiores.

[Ex Constit. «Grave nimis», 4. Sept. 1483.]

735 Sane cum S. Romana Ecclesia de intemeratae semperque Virginis Mariae conceptione publice festum
solemniter celebret, et speciale ac proprium super hoc
officium ordinaverit: nonnulli, ut accepimus, diversorum
ordinum praedicatores in suis sermonibus ad populum
publice per diversas civitates et terras affirmare hactenus non erubuerunt, et quotidie praedicare non cessant,
omnes illos, qui tenent aut asserunt, eandem gloriosam
et immaculatam Dei genitricem absque originalis peccati macula fuisse conceptam,
mortaliter peccare, vel esse haereticos, eiusdem immaculatae conceptionis officium celebrantes, audientes sermones illorum, qui eam sine huiusmodi macula conceptam esse affirmant, peccare graviter. . . . Nos huiusmodi assertiones utpote falsas et erroneas et a veritate
penitus alienas, editosque desuper libros praedictos,
id continentes, quoad hoc auctoritate apostolica tenore
praesentium reprobamus et damnamus; . . . *[sed reprehen-*
duntur etiam ii,] qui ausi fuerint asserere, contrariam opinionem tenentes, videlicet gloriosam Virginem Mariam
cum originali peccato fuisse conceptam, haeresis crimen
vel peccatum incurrere mortale, cum nondum sit a
Romana Ecclesia et Apostolica Sede decisum. . . .

INNOCENTIUS VIII 1484—1492.

Error Ioannis Pici de Mirandula (de fide)[1].

[Damnatus in Bulla «Etsi ex iniuncto nobis», 4. Aug. 1487.]

736 *Prop. ex conclusionibus in Theologia propriis 18.* Dico pro- 179
(619) babiliter et, nisi esset communis modus dicendi theologorum

---

[1] Reicitur haec sententia in Bulla citata: BR(T) 5, 327; de aliis
quibusdam cf. DuPl I, II 320. — Textus ipse invenitur in parvo
libello: «Conclusiones nongentae, in omni genere scientiarum: quas
olim Io. Picus Mirandula Romae disputandas proposuit. . .

in oppositum, firmiter assererem: assero tamen hoc dictum
in se esse probabile, et est, quod sicut nullus opinatur aliquid ita esse, praecise, quia vult sic opinari, ita nullus
credit aliquid esse verum, praecise, quia vult credere
id esse verum.

Corollarium. Non est in potestate libera hominis credere 737
articulum fidei esse verum, quando placet, et credere eum (620)
esse falsum, quando sibi placet.

*Haec propositio notata fuerat ut erronea et haeresim sapiens. Cetera
ex Neoplatonismo et Cabbalistica philosophia sunt desumpta.*

ALEXANDER VI 1492—1503.   PIUS III 1503.
IULIUS II 1503—1513.

LEO X 1513—1521.
Conc. LATERANENSE V 1512—1517.

Oecumenicum XVIII (de reformatione Ecclesiae).

De anima humana (contra Neo-Aristotelicos) [1].

[Ex Bulla «Apostolici Regiminis» (SESSIO VIII), 19. Dec. 1513.]

480 Cum itaque diebus nostris (quod dolenter referimus) 738
zizaniae seminator, antiquus humani generis hostis, (621)
nonnullos perniciosissimos errores, a fidelibus semper
explosos, in agro Domini superseminare et augere sit
ausus, de natura praesertim animae rationalis, quod
videlicet mortalis sit, aut unica in cunctis hominibus; et nonnulli temere philosophantes, secundum
saltem philosophiam verum id esse asseverent; contra
huiusmodi pestem opportuna remedia adhibere cupientes,
hoc sacro approbante Concilio damnamus et reprobamus
omnes asserentes animam intellectivam mortalem esse,

Hucusque paucis visae ac cognitae, non enim habentur in aliis suis
operibus impressae ... 1532.» Textus supra allatus habetur p. 124, sub
titulo: «Conclusiones in theologia numero XXIX secundum opinionem
propriam a communi modo dicendi theologorum satis diversam.» — Thesis
ista invenitur etiam in: «Münchener Staatsbibliothek Inc. s. a. 1464
fol. 14 b». — Ioannes Picus, Comes de Mirandula et Concordia,
natus 24. Febr. 1463, iuvenis 24 annorum theses nongentas ex omni
disciplina in omnibus Europae academiis promulgavit et publicae dis-
putationi proposuit, quae theses in cumulo reprobatae fuerunt. Erroribus
suis tandem revocatis et morbo letali affectus vestem S. Dominici
petiit. Decessit 17. Nov. 1494 [Hrt II [3] 1010 sqq].

[1] Msi XXXII 842 A; Hrd IX 1719 C sq; BR(T) 5, 601 b sq; MBR
1, 542 a sq; Bar(Th) ad 1513 n. 92 (31, 40 a sq); cf. Hfl VIII 585 sq.

aut unicam in cunctis hominibus, et haec in dubium
vertentes: cum illa non solum vere per se et essentialiter humani corporis forma exsistat, sicut in
canone felicis recordationis CLEMENTIS Papae V praedecessoris nostri in (generali) VIENNENSI Concilio
edito continetur [n. 481]; verum et immortalis, et pro
corporum, quibus infunditur, multitudine singulariter
multiplicabilis, et multiplicata, et multiplicanda
sit. . . . Cumque verum vero minime contradicat,
omnem assertionem veritati illuminatae fidei
contrariam omnino falsam esse definimus
[v. n. 1797]; et, ut aliter dogmatizare non liceat, districtius
inhibemus: omnesque huiusmodi erroris assertionibus
inhaerentes veluti damnatissimas haereses seminantes
per omnia ut detestabiles et abominabiles haereticos et
infideles, catholicam fidem labefactantes, vitandos et
puniendos fore decernimus.

De «Montibus pietatis» et usura [1].

[Ex Bulla «Inter multiplices», 28. Apr. (SESSIO X 4. Maii) 1515.]

739 Sacro approbante Concilio, declaramus et definimus, 1475
(624) Montes pietatis (antedictos) per respublicas institutos
et auctoritate Sedis Apostolicae hactenus probatos et
confirmatos, in quibus pro eorum impensis et indemnitate aliquid moderatum ad solas ministrorum impensas
et aliarum rerum ad illorum conservationem, ut praefertur, pertinentium, pro eorum indemnitate dumtaxat,
ultra sortem absque lucro eorundem Montium recipitur,
neque speciem mali praeferre, nec peccandi incentivum
praestare, neque ullo pacto improbari, quin immo meritorium esse ac laudari et probari debere tale mutuum
et minime usurarium putari. . . . Omnes autem religiosos et ecclesiasticas ac saeculares personas, qui
contra praesentis declarationis et sanctionis formam de
cetero praedicare seu disputare verbo vel scriptis ausi
fuerint, excommunicationis latae sententiae poenam,
privilegio quocunque non obstante, incurrere volumus.

---

[1] Msi XXXII 906 D sq; Hrd IX 1747 C; BR(T) 5, 622 b sqq; MBR 1,
554 a sqq; Bar(Th) ad 1515 n. 3 (31, 90 b sq); cf. Hfl VIII 645.

De relatione inter Papam et Concilia [1].

[Ex Bulla «Pastor aeternus» (SESSIO XI), 19. Dec. 1516.]

1826 Nec illud nos movere debet, quod sanctio [pragmatica] 740
ipsa, et in ea contenta, in Basileensi Concilio edita . . . (622)
fuerunt . . ., cum ea omnia post translationem eiusdem Basileensis Concilii a Basileensi conciliabulo facta
exstiterint ac propterea nullum robur habere potuerint,
cum etiam solum Romanum Pontificem pro
tempore exsistentem tanquam auctoritatem super omnia Concilia habentem, Conciliorum indicendorum,
transferendorum ac dissolvendorum plenum ius et potestatem habere, nedum ex sacrae Scripturae testimonio,
dictis sanctorum Patrum ac aliorum Romanorum Pontificum etiam, praedecessorum nostrorum, sacrorumque
canonum decretis, sed propria etiam eorundem Conciliorum confessione manifeste constet. . . .

Errores Martini Luther [2].

[Damnati in Bulla «Exsurge Domine», 15. Iunii 1520.]

844 1. Haeretica sententia est, sed usitata, sacramenta 741
Novae Legis iustificantem gratiam illis dare, qui non ponunt (625)
obicem.

857 2. In puero post baptismum negare remanens pec- 742
catum, est Paulum et Christum simul conculcare.

3. Fomes peccati, etiamsi nullum adsit actuale peccatum, 743
moratur exeuntem a corpore animam ab ingressu coeli.

4. Imperfecta caritas morituri fert secum necessario ma- 744
gnum timorem, qui se solo satis est facere poenam purgatorii,
et impedit introitum regni.

894 5. Tres esse partes poenitentiae: contritionem, con- 745
fessionem et satisfactionem, non est fundatum in sacra Scrip- (629)
tura nec antiquis sanctis christianis doctoribus.

6. Contritio, quae paratur per discussionem, collationem 746
et detestationem peccatorum, qua quis recogitat annos suos
in amaritudine animae suae, ponderando peccatorum gravitatem, multitudinem, foeditatem, amissionem aeternae beati-

---

[1] Msi XXXII 967 C; Hrd IX 1228 D; BR(T) 5, 661 a sq; MBR
1, 570 b sq; Bar(Th) ad 1516 n. 25 (31, 121 a); cf. Hfl VIII 710 sqq.
[2] BR(T) 5, 750 a sqq; MBR 1, 610 b sqq; Msi XXXII 1051 C sqq;
Hrd IX 1893 A sqq; CICRcht II 134 sqq (primo); cf. Bar(Th) ad 1520
n. 53 (31, 272 b sqq).

tudinis, ac aeternae damnationis acquisitionem, haec contritio facit hypocritam, immo magis peccatorem.

747 7. Verissimum est proverbium et omnium doctrina de
(631) contritionibus huc usque data praestantius: de cetero non facere, summa poenitentia: optima poenitentia, nova vita.

748 8. Nullo modo praesumas c o n f i t e r i p e c c a t a v e n i a l i a, 89⁹ sed nec omnia mortalia, quia impossibile est, ut omnia mortalia cognoscas. Unde in primitiva Ecclesia solum manifesta mortalia confitebantur.

749 9. Dum volumus omnia pure confiteri, nihil aliud facimus, quam quod misericordiae Dei nihil volumus relinquere ignoscendum.

750 10. Peccata non sunt ulli remissa, nisi remittente sacer-
(634) dote credat sibi remitti; immo peccatum maneret, nisi remissum crederet: non enim sufficit remissio peccati et gratiae donatio, sed oportet etiam credere esse remissum.

751 11. Nullo modo confidas absolvi propter tuam contritionem, sed propter verbum Christi: *Quodcunque solveris* etc. [Mt 16, 19]. Hinc, inquam, confide, si sacerdotis obtinueris absolutionem, et crede fortiter te absolutum, et absolutus vere eris, quidquid sit de contritione.

752 12. Si per impossibile confessus non esset contritus, aut sacerdos non serio, sed ioco absolveret; si tamen credat se absolutum, verissime est absolutus.

753 13. In sacramento poenitentiae ac remissione culpae non plus facit Papa aut episcopus, quam infimus sacerdos: immo, ubi non est sacerdos, aeque tantum quilibet Christianus, etiamsi mulier aut puer esset.

754 14. Nullus debet sacerdoti respondere, se esse contritum, nec sacerdos requirere.

755 15. Magnus est error eorum, qui ad sacramenta E u c h a- 874
(639) r i s t i a e accedunt huic innixi, quod sint confessi, quod non sint sibi conscii alicuius peccati mortalis, quod praemiserint orationes suas et praeparatoria: omnes illi iudicium sibi manducant et bibunt. Sed si credant et confidant, se gratiam ibi consecuturos, haec sola fides facit eos puros et dignos.

756 16. Consultum videtur, quod Ecclesia in communi Concilio statueret, laicos s u b u t r a q u e s p e c i e communicandos: nec Bohemi communicantes sub utraque specie sunt haeretici, sed schismatici.

757 17. Thesauri Ecclesiae, unde Papa dat i n d u l g e n t i a s, 989⁹ non sunt merita Christi et Sanctorum.

758 18. Indulgentiae sunt piae fraudes fidelium, et remissiones bonorum operum; et sunt de numero eorum, quae licent, et non de numero eorum, quae expediunt.

19. Indulgentiae his, qui veraciter eas consequuntur, non 759
valent ad remissionem poenae pro peccatis actualibus debitae [643]
apud divinam iustitiam.

20. Seducuntur credentes indulgentias esse salutares et 760
ad fructum spiritus utiles.

21. Indulgentiae necessariae sunt solum publicis criminibus, 761
et proprie conceduntur duris solummodo et impatientibus.

22. Sex generibus hominum indulgentiae nec sunt neces- 762
sariae nec utiles: videlicet mortuis seu morituris, infirmis,
legitime impeditis, his, qui non commiserunt crimina, his,
qui crimina commiserunt, sed non publica, his, qui meliora
operantur.

23. Excommunicationes sunt tantum externae poenae 763
nec privant hominem communibus spiritualibus Ecclesiae
orationibus.

24. Docendi sunt Christiani plus diligere excommunica- 764
tionem quam timere.

826 25. Romanus Pontifex, PETRI successor, non est 765
Christi vicarius super omnes totius mundi ecclesias ab ipso [649]
Christo in beato PETRO institutus.

26. Verbum Christi ad PETRUM: *Quodcunque solveris* 766
super terram etc. [Mt 16] extenditur dumtaxat ad ligata ab
ipso PETRO.

27. Certum est, in manu Ecclesiae aut Papae prorsus non 767
esse statuere articulos fidei, immo nec leges morum seu bonorum operum.

28. Si Papa cum magna parte Ecclesiae sic vel sic sen- 768
tiret, nec etiam erraret; adhuc non est peccatum aut haeresis, contrarium sentire, praesertim in re non necessaria ad
salutem, donec fuerit per Concilium universale alterum
reprobatum, alterum approbatum.

29. Via nobis facta est enervandi auctoritatem Con- 769
ciliorum, et libere contradicendi eorum gestis, et iudicandi
eorum decreta, et confidenter confitendi quidquid verum
videtur, sive probatum fuerit, sive reprobatum a quocunque
Concilio.

30. Aliqui articuli Ioannis Hus condemnati in Concilio 770
CONSTANTIENSI sunt christianissimi, verissimi et evangelici, [654]
quos nec universalis Ecclesia posset damnare.

804 31. In omni opere bono iustus peccat. 771

32. Opus bonum optime factum est veniale peccatum. 772

33. Haereticos comburi est contra voluntatem Spiritus. 773

34. Proeliari adversus Turcas est repugnare Deo visitanti 774
iniquitates nostras per illos.

17 *

775   35. Nemo est certus, se non semper peccare mortaliter,
(659) propter occultissimum superbiae vitium.

776   36. Liberum arbitrium post peccatum est res de solo 10
titulo; et dum facit quod in se est, peccat mortaliter.

777   37. Purgatorium non potest probari ex sacra Scriptura, 69¹
quae sit in canone.   98⁴

778   38. Animae in purgatorio non sunt securae de earum salute,
saltem omnes: nec probatum est ullis aut rationibus aut Scripturis, ipsas essę extra statum merendi vel augendae caritatis.

779   39. Animae in purgatorio peccant sine intermissione, quamdiu quaerunt requiem et horrent poenas.

780   40. Animae ex purgatorio liberatae suffragiis viventium
(664) minus beantur, quam si per se satisfecissent.

781   41. Praelati ecclesiastici et principes saeculares non male
facerent, si omnes saccos mendicitatis delerent.

HADRIANUS VI 1522—1523.   CLEMENS VII 1523—1534.

PAULUS III 1534—1549.
Conc. TRIDENTINUM 1545—1563.

Oecumenicum XIX (contra Novatores saec. 16).

SESSIO III (4. Febr. 1546).

Recipitur Symbolum fidei catholicae[1].
                                                          1
                                                          13
782   Haec sacrosancta oecumenica et generalis TRIDEN- 54
TINA Synodus in Spiritu Sancto legitime congregata, 86
in ea praesidentibus ... tribus Apostolicae Sedis Legatis, 27⁵
magnitudinem rerum tractandarum considerans, prae- 34⁸
sertim earum, quae duobus illis capitibus de exstirpandis 206
haeresibus et moribus reformandis continentur, quorum 209
causa praecipue est congregata; ... Symbolum fidei,
quo sancta Romana Ecclesia utitur, tanquam principium illud, in quo omnes, qui fidem Christi profitentur, necessario conveniunt, ac fundamentum firmum et unicum, contra quod *portae inferi nunquam
praevalebunt* [Mt 16, 18], totidem verbis, quibus in omnibus
ecclesiis legitur, exprimendum esse censuit. Quod quidem
eiusmodi est:

   [sequitur Symbolum Nicaeno-Constantinopolitanum, v. n. 86.]

---

   [1] CTr IV 579 sq; Rcht 10; Msi XXXIII 19 B; Hrd X 19 E sq; Bar(Th)
ad 1546 n. 15 sq (33, 124 sqq).

SESSIO IV (8. Apr. 1546).

Recipiuntur libri sacri et traditiones
Apostolorum [1].

32
84
92
96
162
166
173
245
349
706
995
429
567
302
307
530
787
341
979
997
301
061
190
100
110
121
023
Sacrosancta oecumenica et generalis Tridentina Syn-783
odus, in Spiritu Sancto legitime congregata, praesiden- (666)
tibus in ea eisdem tribus Apostolicae Sedis Legatis, hoc
sibi perpetuo ante oculos proponens, ut sublatis erroribus
puritas ipsa Evangelii in Ecclesia conservetur, quod promissum ante per Prophetas in Scripturis sanctis Dominus
noster Iesus Christus Dei Filius proprio ore primum promulgavit, deinde per suos Apostolos tanquam fontem
omnis et salutaris veritatis et morum disciplinae *omni crea-*
turae praedicari [Mt 28, 19 sq; Mc 16, 15] iussit; perspiciens-
que, hanc veritatem et disciplinam contineri in libris
scriptis et sine scripto traditionibus, quae ab
ipsius Christi ore ab Apostolis acceptae, aut ab ipsis Apostolis Spiritu Sancto dictante quasi per manus traditae ad
nos usque pervenerunt, orthodoxorum Patrum exempla
secuta, omnes libros tam Veteris quam Novi
Testamenti, cum utriusque unus Deus sit auctor, nec
non traditiones ipsas, tum ad fidem, tum ad mores
pertinentes, tanquam vel oretenus a Christo, vel a Spiritu
Sancto dictatas et continua successione in Ecclesia catholica conservatas, pari pietatis affectu ac reverentia suscipit
et veneratur. Sacrorum vero librorum indicem huic decreto adscribendum censuit, ne cui dubitatio suboriri
possit, quinam sint, qui ab ipsa Synodo suscipiuntur.

Sunt vero infra scripti.

Testamenti Veteris: 5 Moysis, id est Genesis, 784
Exodus, Leviticus, Numeri, Deuteronomium; Iosuae,
Iudicum, Ruth, 4 Regum, 2 Paralipomenon, Esdrae pri-
mus et secundus, qui dicitur Nehemias, Tobias, Iudith,
Esther, Iob, Psalterium Davidicum 150 psalmorum,
Parabolae, Ecclesiastes, Canticum Canticorum, Sapientia,
Ecclesiasticus, Isaias, Ieremias cum Baruch, Ezechiel,
Daniel, 12 Prophetae minores, id est Osea, Ioel, Amos
Abdias, Ionas, Michaeas, Nahum, Habacuc, Sophonias,

---

[1] CTr V 91; Rcht 11 sq; Msi XXXIII 22 A; Hrd X 22 C sq; Bar(Th)
ad 1546 n. 48 sqq (33, 136 b sqq).

Aggaeus, Zacharias, Malachias; 2 Machabaeorum primus et secundus. Testamenti Novi: 4 Evangelia, se cundum Matthaeum, Marcum, Lucam et Ioannem; Actus Apostolorum a Luca Evangelista conscripti, 14 Epistolae Pauli Apostoli, ad Romanos, 2 ad Corinthios, ad Galatas, ad Ephesios, ad Philippenses, ad Colossenses, 2 ad Thessalonicenses, 2 ad Timotheum, ad Titum, ad Philemonem, ad Hebraeos; Petri Apostoli 2, Ioannis Apostoli 3, Iacobi Apostoli 1, Iudae Apostoli 1, et Apocalypsis Ioannis Apostoli. Si quis autem libros ipsos integros cum omnibus suis partibus, prout in Ecclesia catholica legi consueverunt et in veteri vulgata Latina editione habentur, pro sacris et canonicis non susceperit, et traditiones praedictas sciens et prudens contempserit: A. S. Omnes itaque intelligant, quo ordine et via ipsa Synodus, post iactum fidei confessionis fundamentum sit progressura, et quibus potissimum testimoniis ac praesidiis in confirmandis dogmatibus et instaurandis in Ecclesia moribus, sit usura.

Recipitur vulgata editio Bibliae praescribiturque modus interpretandi Sacram Scripturam etc.[1]

785 (667) Insuper eadem sacrosancta Synodus considerans, non parum utilitatis accedere posse Ecclesiae Dei, si ex omnibus Latinis editionibus, quae circumferuntur sacrorum librorum, quaenam pro authentica habenda sit, innotescat: statuit et declarat, ut haec ipsa vetus et vulgata editio, quae longo tot saeculorum usu in ipsa Ecclesia probata est, in publicis lectionibus, disputationibus, praedicationibus et expositionibus pro authentica habeatur, et quod nemo illam reicere quovis praetextu audeat vel praesumat. 194

786 Praeterea ad coercenda petulantia ingenia decernit, ut nemo, suae prudentiae innixus, in rebus fidei et morum, ad aedificationem doctrinae christianae pertinentium, sacram Scripturam ad suos sensus contorquens, contra eum sensum, quem tenuit et tenet sancta 159 194 218

---

[1] CTr V 91 sq; Rcht 12; Msi XXXIII 22 E sq; Hrd X 23 B sq; Bar(Th) ad 1546 n. 48 sqq (33, 136 b sqq).

mater Ecclesia, cuius est iudicare de vero sensu
et interpretatione Scripturarum sanctarum, aut etiam
contra unanimem consensum Patrum ipsam
Scripturam sacram interpretari audeat, etiamsi huiusmodi interpretationes nullo unquam tempore in lucem
edendae forent. Qui contravenerint, per ordinarios de-
clarentur et poenis a iure statutis puniantur ... *[sequuntur
praecepta de impressione et approbatione librorum, quibus inter alia statuitur:]* ut posthac sacra Scriptura, potissimum vero haec
ipsa vetus et vulgata editio quam emendatis-
sime imprimatur, nullique liceat imprimere vel imprimi facere quosvis libros de rebus sacris sine nomine
auctoris, neque illos in futurum vendere aut etiam
apud se retinere, nisi primum examinati probatique
fuerint ab ordinario. . . .

SESSIO V (17. Iunii 1546).

Decretum super peccato originali[1].

Ut fides nostra catholica, *sine qua impossibile est* 787
placere Deo [Hebr 11, 6], purgatis erroribus in sua sinceri- (669)
tate integra et illibata permaneat, et ne populus christianus *omni vento doctrinae circumferatur* [Eph 4, 14], cum
serpens ille antiquus, humani generis perpetuus hostis,
inter plurima mala, quibus Ecclesia Dei his nostris temporibus perturbatur, etiam de peccato originali eiusque
remedio non solum nova, sed etiam vetera dissidia ex-
citaverit: sacrosancta oecumenica et generalis Tridentina
Synodus in Spiritu Sancto legitime congregata, praesidentibus in ea eisdem tribus Apostolicae Sedis Legatis,
iam ad revocandos errantes et nutantes confirmandos
accedere volens, sacrarum Scripturarum et sanctorum
Patrum ac probatissimorum Conciliorum testimonia et
ipsius Ecclesiae iudicium et consensum secuta haec de
ipso peccato originali statuit, fatetur ac declarat.

1. Si quis non confitetur, primum hominem Adam, 788
cum mandatum Dei in paradiso fuisset transgressus,
statim sanctitatem et iustitiam, in qua constitutus fuerat,

[1] CTr V 238 sqq; Rcht 13 sqq; Msi XXXIII 27 A sqq; Hrd X
27 C sqq; Bar(Th) ad 1546 n. 75 sq (33, 146 a sqq).

amisisse incurrisseque per offensam praevaricationis huiusmodi iram et indignationem Dei atque ideo mortem,
quam antea illi comminatus fuerat Deus, et cum morte
captivitatem sub eius potestate, qui mortis deinde habuit
imperium, hoc est diaboli, totumque Adam per illam
praevaricationis offensam se cun dum corpus et animam in deterius commutatum fuisse: A. S.

789 2. Si quis Adae praevaricationem sibi soli et non
(671) eius propagini asserit nocuisse, acceptam a Deo sanctitatem et iustitiam, quam perdidit, sibi soli et non nobis
etiam eum perdidisse; aut inquinatum illum per inobe-
dientiae peccatum mortem et poenas corporis tantum
in omne genus humanum transfudisse, non autem et
peccatum, quod mors est animae: A. S., cum contradicat Apostolo dicenti: *Per unum hominem peccatum
intravit in mundum, et per peccatum mors, et ita in
omnes homines mors pertransiit, in quo omnes peccaverunt* [Rom 5, 12].

790 3. Si quis hoc Adae peccatum, quod origine unum
est et propagatione, non imitatione transfusum omnibus inest unicuique proprium, vel per humanae
naturae vires, vel per aliud remedium asserit tolli, quam
per meritum unius mediatoris Domini nostri Iesu Christi,
qui nos Deo reconciliavit in sanguine suo, *factus nobis
iustitia, sanctificatio et redemptio* [1 Cor 1, 30]; aut negat,
ipsum Christi Iesu meritum per baptismi sacramentum,
in forma Ecclesiae rite collatum, tam adultis quam parvulis applicari: A. S. Quia *«non est aliud nomen sub
coelo datum hominibus, in quo oporteat nos salvos fieri»*
[Act 4, 12]. Unde illa vox: *Ecce agnus Dei, ecce qui tollit
peccata mundi* [Io 1, 29]. Et illa: *«Quicunque baptizati
estis, Christum induistis»* [Gal 3, 27].

791 4. Si quis parvulos recentes ab uteris matrum
baptizandos negat, etiam si fuerint a baptizatis parentibus orti, aut dicit, in remissionem quidem peccatorum
eos baptizari, sed nihil ex Adam trahere originalis peccati, quod regenerationis lavacro necesse
sit expiari ad vitam aeternam consequendam, unde fit
consequens, ut in eis forma baptismatis in remissionem
peccatorum non vera, sed falsa intelligatur: A. S,

Quoniam non aliter intelligendum est id, quod dicit Apostolus: *Per unum hominem peccatum intravit in mundum, et per peccatum mors, et ita in omnes homines
mors pertransiit, in quo omnes peccaverunt* [Rom 5, 12],
nisi quemadmodum Ecclesia catholica ubique diffusa
semper intellexit. Propter hanc enim regulam fidei ex
traditione Apostolorum etiam parvuli, qui nihil peccatorum in semetipsis adhuc committere potuerunt, ideo
in remissionem peccatorum veraciter baptizantur, ut in
eis regeneratione mundetur, quod generatione
contraxerunt [v. n. 102]. «*Nisi* enim *quis renatus fuerit
ex aqua et Spiritu Sancto, non potest introire in regnum
Dei*» [Io 3, 5]

5. Si quis per Iesu Christi Domini nostri gratiam, 792
quae in baptismate confertur, reatum originalis peccati ⁽⁶⁷⁴⁾
remitti negat, aut etiam asserit, non tolli totum id, quod
veram et propriam peccati rationem habet, sed illud
dicit tantum radi aut non imputari: A. S. In renatis
enim nihil odit Deus, quia *nihil est damnationis iis,*
qui vere *consepulti sunt cum Christo per baptisma in
mortem* [Rom 6, 4], qui *non secundum carnem ambulant*
[Rom 8, 1], sed *veterem hominem* exuentes et *novum, qui
secundum Deum creatus est, induentes* [Eph 4, 22 sqq; Col
3, 9 sq], innocentes, immaculati, puri, innoxii ac Deo dilecti filii effecti sunt, *heredes quidem Dei, coheredes
autem Christi* [Rom 8, 17], ita ut nihil prorsus eos ab ingressu coeli remoretur. Manere autem in baptizatis concupiscentiam vel fomitem, haec sancta Synodus fatetur
et sentit; quae cum ad agonem relicta sit, nocere non
consentientibus et viriliter per Christi Iesu gratiam repugnantibus non valet. Quin immo *qui legitime certa-
verit, coronabitur* [2 Tim 2, 5]. Hanc concupiscentiam, quam
aliquando Apostolus *peccatum* [Rom 6, 12 sqq] appellat, sancta
Synodus declarat, Ecclesiam catholicam nunquam intellexisse, peccatum appellari, quod vere et proprie in
renatis peccatum sit, sed quia ex peccato est et ad peccatum inclinat. Si quis autem contrarium senserit: A. S.

41 6. Declarat tamen haec ipsa sancta Synodus, non
esse suae intentionis, comprehendere in hoc decreto,
ubi de peccato originali agitur, beatam et immacu-

latam Virginem Mariam Dei genitricem, sed ob-
servandas esse constitutiones felicis recordationis SIXTI
Papae IV, sub poenis in eis constitutionibus contentis,
quas innovat [v. n. 734 sqq].

SESSIO VI (13. Ian. 1547).

Decretum de iustificatione[1].

*Cap. 1.   De naturae et legis ad iustificandos homines
imbecillitate.*

793   Primum declarat sancta Synodus, ad iustificationis
(675) doctrinam probe et sincere intelligendam oportere, ut
unusquisque agnoscat et fateatur, quod cum omnes
homines in praevaricatione Adae innocentiam per-
didissent [Rom 5, 12; 1 Cor 15, 22], *facti immundi* [Is 64, 6]
et (ut Apostolus inquit) *«natura filii irae»* [Eph 2, 3], quem
admodum in decreto de peccato originali exposuit, usque adeo *servi erant peccati* [Rom 6, 20] et sub potestate
diaboli ac mortis, ut non modo gentes per vim naturae
[can. 1], sed ne Iudaei quidem per ipsam etiam litteram
Legis Moysi inde liberari aut surgere possent, tametsi
in eis liberum arbitrium minime exstinctum
[can. 5] esset, viribus licet attenuatum et inclinatum.

Cap. 2.   De dispensatione et mysterio adventus Christi.

794   Quo factum est, ut coelestis Pater, *«Pater miseri-*
(676) *cordiarum et Deus totius consolationis»* [2 Cor 1, 3], Christum Iesum [can. 1] Filium suum, et ante Legem et Legis
tempore multis sanctis Patribus declaratum ac promissum
[cf. Gn 49, 10 18], cum venit beata illa *plenitudo temporis*
[Eph 1, 10; Gal 4, 4], ad homines miserit, ut et Iudaeos, qui
sub Lege erant, redimeret, et *gentes, quae non secta-
bantur iustitiam, iustitiam apprehenderent* [Rom 9, 30], atque omnes adoptionem filiorum reciperent. Hunc *proposuit Deus propitiatorem per fidem in sanguine ipsius,
pro peccatis nostris* [Rom 3, 25], *non solum autem pro
nostris, sed etiam pro totius mundi* [1 Io 2, 2].

---

[1] CTr V 792 sqq; Rcht 23 sqq; Msi XXXIII 33 A sqq; Hrd X
33 C sqq; Bar(Th) ad 1547 n. 6 sqq (33, 192 b sqq).

101
129
176
315
348
539
811
100
104
109
109
129
135
151
192
302

Cap. 3. Qui per Christum iustificantur.

Verum etsi ille *pro omnibus mortuus est* [2 Cor 5, 15], 795
non omnes tamen mortis eius beneficium recipiunt, sed [677]
ii dumtaxat, quibus meritum passionis eius communicatur. Nam sicut revera homines, nisi ex semine Adae
propagati nascerentur, non nascerentur iniusti, cum ea
propagatione per ipsum, dum concipiuntur, propriam
iniustitiam contrahant: ita nisi in Christo renasce-
rentur, nunquam iustificarentur [can. 2 et 10], cum ea re-
nascentia per meritum passionis eius gratia, qua
iusti fiunt, illis tribuatur. Pro hoc beneficio Apostolus
gratias nos semper *agere* hortatur Patri, «*qui dignos
nos fecit in partem sortis sanctorum in lumine*» [Col 1, 12],
et *eripuit de potestate tenebrarum, transtulitque in
regnum Filii dilectionis suae, in quo habemus redemptionem et remissionem peccatorum* [Col 1, 13 sq].

Cap. 4. Insinuatur descriptio iustificationis impii, et modus eius in statu gratiae.

Quibus verbis iustificationis impii descriptio insinuatur, 796
ut sit translatio ab eo statu, in quo homo nascitur filius [678]
primi Adae, in statum gratiae et *adoptionis filiorum*
[Rom 8, 15] Dei, per secundum Adam Iesum Christum Salvatorem nostrum; quae quidem translatio post Evangelium promulgatum sine lavacro regenerationis
[can. 5 de bapt.] aut eius voto fieri non potest, sicut
scriptum est: «*Nisi quis renatus fuerit ex aqua et Spiritu Sancto, non potest introire in regnum Dei*» [Io 3, 5].

Cap. 5. De necessitate praeparationis ad iustificationem in adultis, et unde sit.

Declarat praeterea, ipsius iustificationis exordium in 797
adultis a Dei per Christum Iesum praeveniente [679]
gratia [can. 3] sumendum esse, hoc est, ab eius vocatione, qua nullis eorum exsistentibus meritis vocantur,
ut qui per peccata a Deo aversi erant, per eius ex-
citantem atque adiuvantem gratiam ad convertendum
se ad suam ipsorum iustificationem, eidem gratiae libere
[can. 4 et 5] assentiendo et cooperando, disponantur, ita ut

tangente Deo cor hominis per Spiritus Sancti illuminationem neque homo ipse nihil omnino agat, inspirationem
illam recipiens, quippe qui illam et abicere potest, neque
tamen sine gratia Dei movere se ad iustitiam coram
illo libera sua voluntate possit [can. 3]. Unde in sacris
litteris cum dicitur: «*Convertimini ad me, et ego con-
vertar ad vos*» [Zach 1, 3], libertatis nostrae admonemur;
cum respondemus: «*Converte nos, Domine, ad te, et
convertemur*» [Thr 5, 21], Dei nos gratia praeveniri confitemur.

Cap. 6. Modus praeparationis.

798
(680)
Disponuntur autem ad ipsam iustitiam [can. 7 et 9], dum
excitati divina gratia et adiuti, fidem *ex auditu* [Rom 10, 17]
concipientes, libere moventur in Deum, credentes,
vera esse, quae divinitus revelata et promissa sunt [can. 12
ad 14], atque illud in primis, a Deo iustificari impium per
gratiam eius, «*per redemptionem, quae est in Christo
Iesu*» [Rom 3, 24], et dum, peccatores se esse intelligentes,
a divinae iustitiae timore, quo utiliter concutiuntur [can. 8],
ad considerandam Dei misericordiam se convertendo, in
spem eriguntur, fidentes, Deum sibi propter Christum propitium fore, illumque tanquam omnis iustitiae
fontem diligere incipiunt ac propterea moventur adversus peccata per odium aliquod et detestationem [can. 9], hoc est, per eam poenitentiam, quam
ante baptismum agi oportet [Act 2, 38]; denique dum proponunt suscipere baptismum, inchoare novam vitam
et servare divina mandata. De hac dispositione scriptum
est: «*Accedentem ad Deum oportet credere, quia est
et quod inquirentibus se remunerator sit*» [Hebr 11, 6], et
«*Confide, fili, remittuntur tibi peccata tua*» [Mt 9, 2; Mc 2, 5],
et: «*Timor Domini expellit peccatum*» [Eccli 1, 27], et:
«*Poenitentiam agite et baptizetur unusquisque vestrum
in nomine Iesu Christi in remissionem peccatorum
vestrorum, et accipietis donum Spiritus Sancti*» [Act 2, 38],
et: «*Euntes ergo docete omnes gentes, baptizantes eos
in nomine Patris et Filii et Spiritus Sancti, docentes
eos servare quaecunque mandavi vobis*» [Mt 28, 19], denique: «*Praeparate corda vestra Domino*» [1 Rg 7. 3].

Cap. 7. Quid sit iustificatio impii, et quae eius causae.

Hanc dispositionem seu praeparationem iustificatio ipsa 799
consequitur, quae non est sola peccatorum re- (681)
missio [can. 11], sed et sanctificatio et renovatio interioris hominis per voluntariam susceptionem gratiae
et donorum, unde homo ex iniusto fit iustus et ex
inimico amicus, ut sit *heres secundum spem vitae
aeternae* [Tit 3, 7]. Huius iustificationis causae sunt:
finalis quidem gloria Dei et Christi ac vita aeterna;
efficiens vero misericors Deus, qui gratuito *abluit* et
sanctificat [1 Cor 6, 11] *signans* et ungens *Spiritu promissionis Sancto, qui est pignus hereditatis nostrae* [Eph
1, 13 sq]; meritoria autem dilectissimus Unigenitus suus,
Dominus noster Iesus Christus, qui *cum essemus inimici*
[cf. Rom 5, 10], *propter nimiam caritatem, qua dilexit
nos* [Eph 2, 4], sua sanctissima passione in ligno crucis
nobis iustificationem meruit [can. 10], et pro nobis Deo
Patri satisfecit; instrumentalis item sacramentum
baptismi, quod est sacramentum fidei, sine qua nulli
unquam contigit iustificatio. Demum unica formalis
causa est iustitia Dei, non qua ipse iustus est, sed qua
nos iustos facit [can. 10 et 11], qua videlicet ab eo do-
nati renovamur spiritu mentis nostrae, et non modo
reputamur, sed vere iusti nominamur et sumus,
iustitiam in nobis recipientes unusquisque suam, secundum mensuram, quam *Spiritus Sanctus partitur singulis
prout vult* [1 Cor 12, 11], et secundum propriam cuiusque
dispositionem et cooperationem.

Quamquam enim nemo possit esse iustus, nisi cui 800
merita passionis Domini nostri Iesu Christi communi-
cantur, id tamen in hac impii iustificatione fit, dum
eiusdem sanctissimae passionis merito *per Spiritum
Sanctum caritas Dei diffunditur in cordibus* [Rom 5, 5]
410 eorum, qui iustificantur, atque ipsis inhaeret [can. 11].
Unde in ipsa iustificatione cum remissione peccatorum
haec omnia simul infusa accipit homo per Iesum Christum, cui inseritur: fidem, spem et caritatem.
Nam fides, nisi ad eam spes accedat et caritas, neque
unit perfecte cum Christo, neque corporis eius vivum

membrum efficit. Qua ratione verissime dicitur, *fidem sine operibus mortuam* [Iac 2, 17 sqq] et otiosam esse [can. 19], et *in Christo Iesu neque circumcisionem aliquid valere, neque praeputium, sed fidem, quae per caritatem operatur* [Gal 5, 6; 6, 15]. Hanc fidem ante baptismi sacramentum ex Apostolorum traditione Catechumeni ab Ecclesia petunt, cum petunt fidem vitam aeternam praestantem, quam sine spe et caritate fides praestare non potest. Unde et statim verbum Christi audiunt: «*Si vis ad vitam ingredi, serva mandata*» [Mt 19, 17; can. 18—20]. Itaque veram et christianam iustitiam accipientes, eam ceu *primam stolam* [Lc 15, 22] pro illa, quam Adam sua inobedientia sibi et nobis perdidit, per Christum Iesum illis donatam, candidam et immaculatam iubentur statim renati conservare, ut eam perferant ante tribunal Domini nostri Iesu Christi et habeant vitam aeternam.

Cap. 8. Quo modo intelligatur, impium per fidem et gratis iustificari.

801
(683)
Cum vero Apostolus dicit, iustificari hominem *per fidem* [can. 9], et *gratis* [Rom 3, 22 24], ea verba in eo sensu intelligenda sunt, quem perpetuus Ecclesiae catholicae consensus tenuit et expressit, ut scilicet per fidem ideo iustificari dicamur, quia fides est humanae salutis initium, fundamentum et radix omnis iustificationis, *sine qua impossibile est placere Deo* [Hebr 11, 6] et ad filiorum eius consortium pervenire; gratis autem iustificari ideo dicamur, quia nihil eorum, quae iustificationem praecedunt, sive fides, sive opera, ipsam iustificationis gratiam promeretur; «*si* enim *gratia est, iam non ex operibus; alioquin* (ut idem Apostolus inquit) *gratia iam non est gratia*» [Rom 11, 6].

Cap. 9. Contra inanem haereticorum fiduciam.

802
(684)
Quamvis autem necessarium sit credere, neque remitti, neque remissa unquam fuisse peccata, nisi gratis divina misericordia propter Christum: nemini tamen fiduciam et certitudinem remissionis peccatorum suorum iactanti et in ea sola quiescenti peccata dimitti vel dimissa esse dicendum est, cum apud haereticos et schismaticos possit esse, immo nostra tempestate sit et

magna contra Ecclesiam catholicam contentione praedicetur vana haec et ab omni pietate remota fiducia [can. 12].
Sed neque illud asserendum est, oportere eos, qui vere
iustificati sunt, absque ulla omnino dubitatione apud
semetipsos statuere, se esse iustificatos, neminemque a
peccatis absolvi ac iustificari, nisi eum, qui certo credat,
se absolutum et iustificatum esse, atque hac sola fide
absolutionem et iustificationem perfici [can. 14], quasi qui
hoc non credit, de Dei promissis deque mortis et resurrectionis Christi efficacia dubitet. Nam sicut nemo pius de
Dei misericordia, de Christi merito deque sacramentorum
virtute et efficacia dubitare debet: sic quilibet, dum seipsum suamque propriam infirmitatem et indispositionem
respicit, de sua gratia formidare et timere potest
[can. 13], cum nullus scire valeat certitudine fidei, cui non
potest subesse falsum, se gratiam Dei esse consecutum.

Cap. 10. De acceptae iustificationis incremento.

Sic ergo iustificati et *amici Dei* ac *domestici* [Io 15, 15; 803
Eph 2, 19] facti, *euntes de virtute in virtutem* [Ps 83, 8], *re-* (685)
novantur (ut Apostolus inquit) *de die in diem* [2 Cor 4, 16],
hoc est, *mortificando membra carnis* [Col 3, 5] suae et *ex-*
hibendo ea arma iustitiae [Rom 6, 13 19] in sanctificationem
per observationem mandatorum Dei et Ecclesiae: in ipsa
iustitia per Christi gratiam accepta, cooperante fide bonis
operibus, crescunt atque magis iustificantur
[can. 24 et 32], sicut scriptum est: «*Qui iustus est, iusti-*
ficetur adhuc» [Apc 22, 11], et iterum: «*Ne verearis usque*
ad mortem iustificari» [Eccli 18, 22], et rursus: «*Videtis,*
quoniam ex operibus iustificatur homo et non ex fide
tantum» [Iac 2, 24]. Hoc vero iustitiae incrementum petit
sancta Ecclesia, cum orat: *Da nobis, Domine, fidei, spei*
et caritatis augmentum [Dom. 13 post Pent.].

771 **Cap. 11. De observatione mandatorum, deque illius necessitate**
807 **et possibilitate.**
1020
1024
1046 Nemo autem, quantumvis iustificatus, liberum se esse 804
1290 ab observatione mandatorum [can. 20] putare debet; (686)
nemo temeraria illa et a Patribus sub anathemate prohibita voce uti, Dei praecepta homini iustificato ad ob-

servandum esse impossibilia [can. 18 et 22; cf. n. 200]. Nam
Deus impossibilia non iubet, sed iubendo monet, et facere
quod possis, et petere quod non possis, et adiuvat ut
possis; *cuius mandata gravia non sunt* [1 Io 5, 3], cuius
iugum suave est et onus leve [Mt 11, 30]. Qui enim sunt
filii Dei, Christum diligunt; *qui autem diligunt eum* (ut
ipsemet testatur) *servant sermones eius* [Io 14, 23], quod
utique cum divino auxilio praestare possunt. Licet
enim in hac mortali vita quantumvis sancti et iusti in
levia saltem et quotidiana, quae etiam venialia [can. 23]
dicuntur, peccata quandoque cadant, non propterea desinunt esse iusti. Nam iustorum illa vox est et humilis
et verax: «*Dimitte nobis debita nostra*» [Mt 6, 12; cf. n. 107].
Quo fit, ut iusti ipsi eo magis se obligatos ad ambulandum
in via iustitiae sentire debeant, quo *liberati iam a
peccato, servi autem facti Deo* [Rom 6, 22], *sobrie et iuste
et pie viventes* [Tit 2, 12], proficere possunt per Christum
Iesum, per quem *accessum habuerunt in gratiam istam*
[Rom 5, 2]. Deus namque sua gratia semel iustificatos non
deserit, nisi ab eis prius deseratur. Itaque nemo sibi
in sola fide [can. 9 19 20] blandiri debet, putans fide
sola se heredem esse constitutum hereditatemque con-
secuturum, etiamsi Christo non *compatiatur, ut et con-
glorificetur* [Rom 8, 17]. Nam et Christus ipse (ut inquit
Apostolus), «*cum esset Filius Dei, didicit ex iis, quae
passus est, oboedientiam, et consummatus factus est
omnibus obtemperantibus sibi causa salutis aeternae*»
[Hebr 5, 8 sq]. Propterea Apostolus ipse monet iustificatos
dicens: «*Nescitis, quod ii, qui in stadio currunt, omnes
quidem currunt, sed unus accipit bravium? Sic currite,
ut comprehendatis. Ego igitur sic curro, non quasi in
incertum, sic pugno, non quasi aerem verberans, sed
castigo corpus meum et in servitutem redigo, ne forte,
cum aliis praedicaverim, ipse reprobus efficiar*» [1 Cor
9, 24 sqq]. Item princeps Apostolorum PETRUS: «*Satagite,
ut per bona opera certam vestram vocationem et electionem faciatis; haec enim facientes non peccabitis
aliquando*» [2 Petr 1, 10]. Unde constat, eos orthodoxae
religionis doctrinae adversari, qui dicunt, iustum in omni
bono opere saltem venialiter peccare [can. 25], aut (quod

intolerabilius est) poenas aeternas mereri; atque etiam
eos, qui statuunt, in omnibus operibus iustos peccare
[can.31], si in illis suam ipsorum socordiam excitando
et sese ad currendum in stadio cohortando, cum hoc,
ut in primis glorificetur Deus, mercedem quoque in-
tuentur aeternam [can.26], cum scriptum sit: «*Inclinavi
cor meum ad faciendas iustificationes tuas propter retributionem*» [Ps 118, 112], et de Moyse dicat Apostolus,
quod *aspiciebat in remunerationem* [Hebr 11, 26].

200
300   *Cap. 12. Praedestinationis temerariam praesumptionem*
316   *cavendam esse.*
320
322   Nemo quoque, quamdiu in hac mortalitate vivitur, 805
348 de arcano divinae praedestinationis mysterio usque adeo (688)
627 praesumere debet, ut certo statuat, se omnino esse in
206
421 numero praedestinatorum [can.15], quasi verum esset, quod
3026 iustificatus aut amplius peccare non possit [can.23], aut,
si peccaverit, certam sibi resipiscentiam promittere debeat. Nam, nisi ex speciali revelatione, sciri
non potest, quos Deus sibi elegerit [can.16].

Cap. 13. De perseverantiae munere.

Similiter de perseverantiae munere [can.16], de quo 806
scriptum est: «*Qui perseveraverit usque in finem, hic* (689)
salvus erit» [Mt 10, 22; 24, 13] (quod quidem aliunde haberi
non potest, nisi ab eo, qui *potens est eum, qui stat,*
statuere [Rom 14, 4], ut perseveranter stet, et eum, qui
cadit, restituere), nemo sibi certi aliquid absoluta
certitudine polliceatur, tametsi in Dei auxilio
firmissimam spem collocare et reponere omnes debent.
Deus enim, nisi ipsi illius gratiae defuerint, sicut coepit
opus bonum, ita perficiet, *operans velle et perficere*
[Phil 2, 13; can. 22] [1]. Verumtamen *qui se existimant stare,*
videant, ne cadant [1 Cor 10, 12], et *cum timore ac tremore*
salutem suam operentur [Phil 2, 12], in laboribus, in vigiliis,
in eleemosynis, in orationibus et oblationibus, in ieiuniis

---

[1] Cf. Orat. Eccl.: «Actiones nostras, quaesumus Domine, aspirando
praeveni et adiuvando prosequere, ut cuncta nostra oratio et
operatio a te semper incipiat et per te coepta finiatur.»

et castitate [cf. 2 Cor 6, 3 sqq]. Formidare enim debent,
scientes, quod *in spem* [cf. 1 Petr 1, 3] gloriae et nondum in
gloriam renati sunt, de pugna, quae superest cum carne,
cum mundo, cum diabolo, in qua victores esse non
possunt, nisi cum Dei gratia Apostolo obtemperent dicenti: «*Debitores sumus non carni, ut secundum carnem
vivamus. Si enim secundum carnem vixeritis, morie-
mini. Si autem spiritu facta carnis mortificaveritis,
vivetis*» [Rom 8, 12 sq].

Cap. 14. De lapsis et eorum reparatione.

807   Qui vero ab accepta iustificationis gratia per peccatum
(690) exciderunt, rursus iustificari [can. 29] poterunt, cum
excitante Deo per poenitentiae sacramentum merito
Christi amissam gratiam recuperare procuraverint. Hic
enim iustificationis modus est lapsi reparatio, quam
secundam post naufragium deperditae gratiae tabulam
sancti Patres apte nuncuparunt. Etenim pro iis, qui
post baptismum in peccata labuntur, Christus Iesus
sacramentum instituit poenitentiae, cum dixit: «*Accipite
Spiritum Sanctum; quorum remiseritis peccata, remittuntur eis, et quorum retinueritis, retenta sunt*»
[Io 20, 22 23]. Unde docendum est, christiani hominis poenitentiam post lapsum multo aliam esse a baptismali, eaque contineri non modo cessationem a peccatis,
et eorum detestationem, aut «*cor contritum et humi-
liatum*» [Ps 50, 19], verum etiam et eorundem sacramentalem confessionem, saltem in voto et suo tempore
faciendam, et sacerdotalem absolutionem, itemque
satisfactionem per ieiunium, eleemosynas, orationes
et alia pia spiritualis vitae exercitia, non quidem pro
poena aeterna, quae vel sacramento vel sacramenti voto
una cum culpa remittitur, sed pro poena temporali
[can. 30], quae (ut sacrae litterae docent) non tota semper, ut in baptismo fit, dimittitur illis, qui gratiae Dei,
quam acceperunt, ingrati *Spiritum Sanctum contrista-
verunt* [cf. Eph 4, 30] et *templum Dei violare* [1 Cor 3, 17]
non sunt veriti. De qua poenitentia scriptum est:
«*Memor esto, unde excideris, age poenitentiam, et prima
opera fac*» [Apc 2, 5], et iterum: «*Quae secundum Deum*

894

tristitia est, poenitentiam in salutem stabilem operatur»
[2 Cor 7, 10], et rursus: *«Poenitentiam agite»* [Mt 3, 2; 4, 17],
et: *«Facite fructus dignos poenitentiae»* [Mt 3, 8].

Cap. 15. Quolibet mortali peccato amitti gratiam, sed non fidem.

Adversus etiam hominum quorundam callida ingenia, 808
qui *«per dulces sermones et benedictiones seducunt corda* (691)
innocentium» [Rom 16, 18], asserendum est, n o n m o d o
i n f i d e l i t a t e [can. 27], per quam et ipsa fides amittitur,
sed etiam q u o c u n q u e a l i o m o r t a l i peccato, quamvis non amittatur fides [can. 28], acceptam iustificationis
gratiam amitti: divinae legis doctrinam defendendo, quae
a regno Dei non solum infideles excludit, sed et fideles
quoque *fornicarios, adulteros, molles, masculorum con-*
cubitores, fures, avaros, ebriosos, maledicos, rapaces
[1 Cor 6, 9 sq], ceterosque omnes, qui letalia committunt peccata, a quibus cum divinae gratiae adiumento abstinere
possunt et pro quibus a Christi gratia separantur [can. 27].

Cap. 16. De fructu iustificationis, hoc est, de merito bonorum operum, deque ipsius meriti ratione.

Hac igitur ratione iustificatis hominibus, sive acceptam 809
gratiam perpetuo conservaverint, sive amissam recupera- (692)
verint, proponenda sunt Apostoli verba: *Abundate in*
omni opere bono, *«scientes, quod labor vester non est in-*
anis in Domino» [1 Cor 15, 58]. *«Non enim iniustus est Deus,*
ut obliviscatur operis vestri et dilectionis, quam osten-
distis in nomine ipsius» [Hebr 6, 10], et: *«Nolite amittere*
confidentiam vestram, quae magnam habet remunera-
tionem» [Hebr 10, 35]. Atque ideo bene operantibus *usque*
in finem [Mt 10, 22] et in Deo sperantibus p r o p o n e n d a
e s t v i t a a e t e r n a, et tanquam gratia filiis Dei per
Christum Iesum misericorditer promissa, et tanquam
m e r c e s ex ipsius Dei promissione bonis ipsorum operibus et meritis fideliter reddenda [can. 26 et 32]. Haec est
enim illa *corona iustitiae, quam post suum certamen et*
cursum repositam sibi esse aiebat Apostolus, *a iusto*
iudice sibi reddendam, non solum autem sibi, sed et

omnibus, qui diligunt adventum eius [2 Tim 4, 7 sq]. Cum
enim ille ipse Christus Iesus tanquam *caput in membra*
[Eph 4, 15] et tanquam *vitis in palmites* [Io 15, 5] in ipsos
iustificatos iugiter virtutem influat, quae virtus bona
eorum opera semper antecedit, comitatur et subsequi-
tur, et sine qua nullo pacto Deo grata et meritoria
esse possent [can. 2]: nihil ipsis iustificatis amplius deesse
credendum est, quominus plene illis quidem operibus,
quae in Deo sunt facta, divinae legi pro huius vitae
statu satisfecisse et vitam aeternam, suo etiam tempore
(si tamen in gratia decesserint [Apc 14, 13]) consequendam
vere promeruisse censeantur [can. 32] Cum Christus Salvator noster dicat: *Si quis biberit ex aqua, quam ego
dabo ei, non sitiet in aeternum, sed fiet in eo fons
aquae salientis in vitam aeternam* [Io 4, 13 sq]. Ita neque
propria nostra iustitia tanquam ex nobis *propria
statuitur*, neque *ignoratur* aut repudiatur *iustitia Dei*
[Rom 10, 3]; quae enim iustitia nostra dicitur, quia per
eam n o b i s i n h a e r e n t e m iustificamur [can. 10 et 11], illa
eadem Dei est, quia a Deo nobis infunditur per Christi
meritum.

810   Neque vero illud omittendum est, quod, licet bonis
(692) operibus in sacris litteris usque adeo tribuatur, ut etiam
qui uni ex minimis suis potum aquae frigidae dederit,
promittat Christus, *eum non esse sua mercede cariturum*
[Mt 10, 42], et Apostolus testetur, *id quod in praesenti
est momentaneum et leve tribulationis nostrae, supra
modum in sublimitate aeternum gloriae pondus operari
in nobis* [2 Cor 4, 17]: absit tamen, ut christianus homo in
se ipso vel confidat vel *glorietur* et non *in Domino*
[cf. 1 Cor 1, 31; 2 Cor 10, 17], cuius tanta est erga omnes homines
bonitas, ut eorum velit esse merita [can. 32], quae sunt
ipsius dona [v. n. 141]. Et quia *«in multis offendimus
omnes»* [Iac 3, 2; can. 23], unusquisque sicut misericordiam
et bonitatem, ita severitatem et iudicium ante oculos
habere debet, neque se ipsum aliquis, etiam si *nihil sibi
conscius* fuerit, iudicare, quoniam omnis hominum vita non
humano iudicio examinanda et iudicanda est, sed Dei,
qui *«illuminabit abscondita tenebrarum, et manifestabit
consilia cordium, et tunc laus erit unicuique a Deo»*

[1 Cor 4, 4 sq], *qui*, ut scriptum est, *reddet unicuique secundum opera sua* [Rom 2, 6].

Post hanc catholicam de iustificatione doctrinam [can. 33], quam nisi quisque fideliter firmiterque receperit, iustificari non poterit, placuit sanctae Synodo hos canones subiungere, ut omnes sciant, non solum quid tenere et sequi, sed etiam quid vitare et fugere debeant.

CANONES de iustificatione[1].

3 **Can. 1.** Si quis dixerit, hominem suis operibus, quae 811 vel per humanae naturae vires, vel per legis doctrinam (693) fiant, a b s q u e divina per Christum Iesum g r a t i a posse iustificari coram Deo: anathema sit [cf. n. 793 sq].

Can. 2. Si quis dixerit, ad hoc solum divinam gra- 812 tiam per Christum Iesum dari, ut f a c i l i u s homo iuste vivere ac vitam aeternam promereri possit, quasi per liberum arbitrium sine gratia utrumque, sed aegre tamen et difficulter possit: A. S. [cf. n. 795 809].

Can. 3. Si quis dixerit, sine praeveniente Spiritus 813 Sancti i n s p i r a t i o n e atque eius a d i u t o r i o hominem credere, sperare et diligere aut poenitere posse, sicut oportet, ut ei iustificationis gratia conferatur: A. S. [cf. n. 797].

Can. 4. Si quis dixerit, liberum hominis arbitrium 814 a Deo motum et excitatum nihil c o o p e r a r i assentiendo Deo excitanti atque vocanti, quo ad obtinendam iustificationis gratiam se disponat ac praeparet, neque posse d i s s e n t i r e, si velit, sed velut inanime quoddam nihil omnino agere mereque passive se habere: A. S. [cf. n. 797].

7 **Can. 5.** Si quis l i b e r u m hominis a r b i t r i u m post 815 Adae peccatum amissum et exstinctum esse dixerit, aut (697) rem esse de solo titulo, immo titulum sine re, figmentum denique a satana invectum in Ecclesiam: A. S. [cf. n. 793 797].

Can. 6. Si quis dixerit, non esse in potestate ho- 816 minis vias suas malas facere, sed m a l a opera ita ut bona D e u m o p e r a r i, non permissive solum, sed etiam proprie et per se, adeo ut sit proprium eius opus non minus proditio Iudae quam vocatio Pauli: A. S.

---

[1] CTr V 797 sqq; Rcht 30 sqq; Msi XXXIII 40 A sqq; Hrd X 40 B sqq; Bar(Th) ad 1547 n. 14 sqq (33, 195 b sqq).

817   Can. 7.   Si quis dixerit, opera omnia, quae ante
(699) iustificationem fiunt, quacunque ratione facta sint, vere
esse peccata vel odium Dei mereri, aut quanto vehementius quis nititur se disponere ad gratiam, tanto eum
gravius peccare: A. S. [cf. n. 798].

818   Can. 8.   Si quis dixerit, gehennae metum, per
quem ad misericordiam Dei de peccatis dolendo, con-
fugimus vel a peccando abstinemus, peccatum esse aut
peccatores peiores facere: A. S. [cf. n. 798].

819   Can. 9.   Si quis dixerit, sola fide impium iustificari, ita ut intelligat, nihil aliud requiri, quo ad iustificationis gratiam consequendam cooperetur, et nulla ex
parte necesse esse, eum suae voluntatis motu praeparari
atque disponi: A. S. [cf. n. 798 801 804].

820   Can. 10.   Si quis dixerit, homines sine Christi
(702) iustitia, per quam nobis meruit, iustificari, aut per
eam ipsam formaliter iustos esse: A. S. [cf. n. 795 799].

821   Can. 11.   Si quis dixerit, homines iustificari vel sola
imputatione iustitiae Christi, vel sola peccatorum
remissione, exclusa gratia et caritate, quae in cordibus
eorum per Spiritum Sanctum diffundatur atque illis inhaereat, aut etiam gratiam, qua iustificamur, esse tantum favorem Dei: A. S. [cf. n. 799 sq 809].

822   Can. 12.   Si quis dixerit, fidem iustificantem nihil
aliud esse quam fiduciam divinae misericordiae, peccata remittentis propter Christum, vel eam fiduciam
solam esse, qua iustificamur: A. S. [cf. n. 798 802].

823   Can. 13.   Si quis dixerit, omni homini ad remissionem
peccatorum assequendam necessarium esse, ut credat
certo et absque ulla haesitatione propriae infirmitatis et
indispositionis, peccata sibi esse remissa: A. S. [cf. n. 802].

824   Can. 14.   Si quis dixerit, hominem a peccatis absolvi
ac iustificari ex eo, quod se absolvi ac iustificari certo
credat, aut neminem vere esse iustificatum, nisi qui
credit se esse iustificatum, et hac sola fide absolutionem
et iustificationem perfici: A. S. [cf. n. 802].

825   Can. 15.   Si quis dixerit, hominem renatum et iusti-
(707) ficatum teneri ex fide ad credendum, se certo esse in
numero praedestinatorum: A. S. [cf. n. 805].

Can. 16. Si quis magnum illud usque in finem per- 826
severantiae donum se certo habiturum absoluta et (708)
infallibili certitudine dixerit, nisi hoc ex speciali revelatione didicerit: A. S. [cf. n. 805 sq].

Can. 17. Si quis iustificationis gratiam non nisi prae- 827
destinatis ad vitam contingere dixerit, reliquos vero
omnes, qui vocantur, vocari quidem, sed gratiam non
accipere, utpote divina potestate praedestinatos ad
malum: A. S. [cf. n. 200].

Can. 18. Si quis dixerit, Dei praecepta homine 828
etiam iustificato et sub gratia constituto esse ad observandum impossibilia: A. S. [cf. n. 804].

Can. 19. Si quis dixerit, nihil praeceptum esse 829
in Evangelio praeter fidem, cetera esse indifferentia,
neque praecepta, neque prohibita, sed libera, aut decem
praecepta nihil pertinere ad Christianos: A. S. [cf. n. 800].

Can. 20. Si quis hominem iustificatum et quantum- 830
libet perfectum dixerit non teneri ad observantiam (712)
mandatorum Dei et Ecclesiae, sed tantum ad credendum, quasi vero Evangelium sit nuda et absoluta
promissio vitae aeternae, sine conditione observationis
mandatorum: A. S. [cf. n. 804].

Can. 21. Si quis dixerit, Christum Iesum a Deo 831
hominibus datum fuisse ut redemptorem, cui fidant, non
etiam ut legislatorem, cui obediant: A. S.

Can. 22. Si quis dixerit, iustificatum vel sine spe- 832
ciali auxilio Dei in accepta iustitia perseverare
posse, vel cum eo non posse: A S. [cf. n. 804 806].

Can. 23. Si quis hominem semel iustificatum dixerit 833
amplius peccare non posse, neque gratiam amittere,
atque ideo eum, qui labitur et peccat, nunquam vere
fuisse iustificatum; aut contra, posse in tota vita peccata omnia etiam venialia vitare, nisi ex speciali
Dei privilegio, quemadmodum de beata Virgine tenet
Ecclesia: A. S. [cf. n. 805 810].

Can. 24. Si quis dixerit, iustitiam acceptam non 834
conservari atque etiam non augeri coram Deo per bona
opera, sed opera ipsa fructus solummodo et signa esse
iustificationis adeptae, non etiam ipsius augendae causam: A. S. [cf. n. 803].

835 Can. 25. Si quis in quolibet bono opere iustum
(717) saltem venialiter peccare dixerit, aut (quod intolerabilius est) mortaliter, atque ideo poenas aeternas mereri,
tantumque ob id non damnari, quia Deus ea opera non
imputet ad damnationem: A. S. [cf. n. 804].

836 Can. 26. Si quis dixerit, iustos non debere pro bonis
operibus, quae in Deo fuerint facta, exspectare et sperare aeternam retributionem a Deo per eius misericordiam et Iesu Christi meritum, si bene agendo et
divina mandata custodiendo usque in finem persevera-
verint: A. S. [cf. n. 809].

837 Can. 27. Si quis dixerit, nullum esse mortale peccatum nisi infidelitatis, aut nullo alio quantumvis
gravi et enormi praeterquam infidelitatis peccato semel
acceptam gratiam amitti: A. S. [cf. n. 808].

838 Can. 28. Si quis dixerit, amissa per peccatum gratia
simul et fidem semper amitti, aut fidem, quae remanet, non esse veram fidem, licet non sit viva, aut
eum, qui fidem sine caritate habet, non esse Christianum:
A. S. [cf. n. 808].

839 Can. 29. Si quis dixerit, eum, qui post baptismum
lapsus est, non posse per Dei gratiam resurgere;
aut posse quidem, sed sola fide, amissam iustitiam recuperare sine sacramento poenitentiae, prout sancta
Romana et universalis Ecclesia, a Christo Domino et
eius Apostolis edocta, hucusque professa est, servavit
et docuit: A. S. [cf. n. 807]

840 Can. 30. Si quis post acceptam iustificationis gratiam
(722) cuilibet peccatori poenitenti ita culpam remitti et reatum
aeternae poenae deleri dixerit, ut nullus remaneat reatus
poenae temporalis, exsolvendae vel in hoc saeculo
vel in futuro in purgatorio, antequam ad regna coelorum
aditus patere possit: A. S. [cf. n. 807].

841 Can. 31. Si quis dixerit, iustificatum peccare, dum
intuitu aeternae mercedis bene operatur: A. S. [cf. n. 804].

842 Can. 32. Si quis dixerit, hominis iustificati bona
opera ita esse dona Dei, ut non sint etiam bona ipsius
iustificati merita, aut ipsum iustificatum bonis operibus,
quae ab eo per Dei gratiam et Iesu Christi meritum
(cuius vivum membrum est) fiunt, non vere mereri

augmentum gratiae, vitam aeternam et ipsius vitae aeternae (si tamen in gratia decesserit) consecutionem, atque etiam gloriae augmentum: A. S. [cf. n. 803 809 sq].

Can. 33. Si quis dixerit, per hanc doctrinam catho- 843 licam de iustificatione, a sancta Synodo hoc praesenti (725) decreto expressam, aliqua ex parte gloriae Dei vel meritis Iesu Christi Domini nostri derogari, et non potius veritatem fidei nostrae, Dei denique ac Christi Iesu gloriam illustrari: A. S. [cf. n. 810].

SESSIO VII. (3. Martii 1547).

CANONES de sacramentis in genere [1].

367
402
424   Can. 1. Si quis dixerit, sacramenta novae legis non 844
484 fuisse omnia a Iesu Christo Domino nostro instituta, (726)
539
369 aut esse plura vel pauciora, quam septem, videlicet
495
741 baptismum, confirmationem, Eucharistiam, poenitentiam,
496
489 extremam unctionem, ordinem et matrimonium, aut
527 etiam aliquod horum septem non esse vere et proprie
939
054 sacramentum: anathema sit.
088
Can. 2. Si quis dixerit, ea ipsa novae legis sacra- 845 menta a sacramentis antiquae legis non differre, nisi quia caeremoniae sunt aliae et alii ritus externi: A. S.

Can. 3. Si quis dixerit, haec septem sacramenta ita 846 esse inter se paria, ut nulla ratione aliud sit alio dignius: A. S.

Can. 4. Si quis dixerit, sacramenta novae legis non 847 esse ad salutem necessaria, sed superflua, et sine eis aut eorum voto per solam fidem homines a Deo gratiam iustificationis adipisci, licet omnia singulis ne- cessaria non sint: A. S.

Can. 5. Si quis dixerit, haec sacramenta propter 848 solam fidem nutriendam instituta fuisse: A. S.

Can. 6. Si quis dixerit, sacramenta novae legis non 849 continere gratiam, quam significant, aut gratiam ipsam non ponentibus obicem non conferre, quasi signa tantum externa sint acceptae per fidem gratiae vel

---

[1] CTr V 995; Rcht 40 sqq; Msi XXXIII 52 A sq; Hrd X 52 A sq; Bar(Th) ad 1547 n. 36 sq (33, 210 b sqq).

iustitiae, et notae quaedam christianae professionis, quibus
apud homines discernuntur fideles ab infidelibus: A. S.

850 Can. 7. Si quis dixerit, non dari gratiam per huius-
(732) modi sacramenta semper et omnibus, quantum est
ex parte Dei, etiamsi rite ea suscipiant, sed aliquando
et aliquibus: A. S.

851 Can. 8. Si quis dixerit, per ipsa novae legis sacramenta ex opere operato non conferri gratiam, sed
solam fidem divinae promissionis ad gratiam consequendam sufficere: A. S.

852 Can. 9. Si quis dixerit, in tribus sacramentis, baptismo scilicet, confirmatione et ordine, non imprimi
characterem in anima, hoc est signum quoddam
spirituale et indelebile, unde ea iterari non possunt: A.S.

853 Can. 10. Si quis dixerit, Christianos omnes in verbo
et omnibus sacramentis administrandis habere potestatem: A. S.

854 Can. 11. Si quis dixerit, in ministris, dum sacramenta
conficiunt et conferunt, non requiri intentionem,
saltem faciendi quod facit Ecclesia: A. S.

855 Can. 12. Si quis dixerit, ministrum in peccato
(736) mortali exsistentem, modo omnia essentialia, quae ad
sacramentum conficiendum aut conferendum pertinent,
servaverit, non conficere aut conferre sacramentum: A.S.

856 Can. 13. Si quis dixerit, receptos et approbatos
Ecclesiae catholicae ritus in solemni sacramentorum
administratione adhiberi consuetos aut contemni, aut
sine peccato a ministris pro libito omitti, aut in novos
alios per. quemcunque ecclesiarum pastorem mutari
posse: A. S.

CANONES de sacramento baptismi[1].

857 Can. 1. Si quis dixerit, baptismum Ioannis habuisse
(738) eandem vim cum baptismo Christi: A. S.

858 Can. 2. Si quis dixerit, aquam veram et naturalem
non esse de necessitate baptismi, atque ideo verba illa
Domini nostri Iesu Christi: «*Nisi quis renatus fuerit*

46
53
55
88
94
97
229
249
237
297
329

---

[1] CTr V 995 sq; Rcht 41 sq; Msi XXXIII 53 C; Hrd X 53 C sq;
Bar(Th) ad 1547 n. 38 sq (33, 211 b sq).

³³⁵ ³⁸⁸ *ex aqua et Spiritu Sancto»* [Io 3, 5] ad metaphoram ali-
³⁹⁸ quam detorserit: A. S.

⁴¹⁰ ⁴²⁴   Can. 3. Si quis dixerit, in Ecclesia Romana (quae 859
⁴³⁰ ⁴⁴⁷ omnium ecclesiarum mater est et magistra) non esse ⁽⁷⁴⁰⁾
⁴⁸² veram de bapti-mi sacramento doctrinam: A. S.

⁵⁴² ⁶⁹⁶   Can. 4. Si quis dixerit, baptismum, qui etiam datur 860
⁷¹² ⁷⁴² ab haereticis in nomine Patris et Filii et Spiritus
⁸⁰⁰ Sancti, cum intentione faciendi, quod facit Ecclesia, non
¹⁴⁸⁰ ¹⁵²⁷ esse verum baptismum: A. S.

¹⁸⁴⁸ ¹⁹⁷⁷   Can. 5. Si quis dixerit, baptismum liberum esse, hoc 861
²⁰⁴² est non necessarium ad salutem: A. S. [cf. n. 796].

Can. 6. Si quis dixerit, baptizatum non posse, etiamsi 862
velit, gratiam amittere, quantumcunque peccet, nisi
nolit credere: A. S. [cf. n. 808].

Can. 7. Si quis dixerit, baptizatos per baptismum 863
ipsum solius tantum fidei debitores fieri, non
autem universae legis Christi servandae: A. S. [cf. n. 802].

Can. 8. Si quis dixerit, baptizatos liberos esse ab 864
omnibus sanctae Ecclesiae praeceptis, quae vel
scripta vel tradita sunt, ita ut ea observare non teneantur,
nisi se sua sponte illis summittere voluerint: A. S.

Can. 9. Si quis dixerit, ita revocandos esse homines 865
ad baptismi suscepti memoriam, ut vota omnia, quae ⁽⁷⁴⁶⁾
post baptismum fiunt, vi promissionis in baptismo ipso
iam factae irrita esse intelligant, quasi per ea et fidei,
quam professi sunt, detrahatur, et ipsi baptismo: A. S.

Can. 10. Si quis dixerit, peccata omnia, quae post 866
baptismum fiunt, sola recordatione et fide suscepti
baptismi vel dimitti vel venialia fieri: A. S.

Can. 11. Si quis dixerit, verum et rite collatum 867
baptismum iterandum esse illi, qui apud infideles
fidem Christi negaverit, cum ad poenitentiam convertitur: A. S.

Can. 12. Si quis dixerit, neminem esse baptizandum 868
nisi ea aetate, qua Christus baptizatus est, vel in ipso
mortis articulo: A. S.

Can. 13. Si quis dixerit, parvulos eo quod actum 869
credendi non habent, suscepto baptismo inter fideles ⁽⁷⁵⁰⁾
computandos non esse, ac propterea, cum ad annos
discretionis pervenerint, esse rebaptizandos, aut

praestare omitti eorum baptisma, quam eos non actu
proprio credentes baptizari in sola fide Ecclesiae: A. S.

870 Can. 14. Si quis dixerit, huiusmodi parvulos bapti-
(751) zatos, cum adoleverint, interrogandos esse, an ratum
habere velint, quod patrini eorum nomine, dum baptizarentur, polliciti sunt, et ubi se nolle responderint, suo
esse arbitrio relinquendos nec alia interim poena
ad christianam vitam cogendos, nisi ut ab Eucharistiae
aliorumque sacramentorum perceptione arceantur, donec
resipiscant: A. S.

CANONES de sacramento confirmationis[1]. 98
419
871 Can. 1. Si quis dixerit, confirmationem baptizatorum 424
553
(752) otiosam caeremoniam esse et non potius verum et pro 571
697
prium sacramentum, aut olim nihil aliud fuisse, quam 1086
catechesim quandam, qua adolescentiae proximi fidei 1458
2044
suae rationem coram Ecclesia exponebant: A. S.

872 Can. 2. Si quis dixerit, iniurios esse Spiritui Sancto
eos, qui sacro confirmationis chrismati virtutem aliquam tribuunt: A. S.

873 Can. 3. Si quis dixerit, sanctae confirmationis ordi-
narium ministrum non esse solum episcopum, sed
quemvis simplicem sacerdotem: A. S.

IULIUS III 1550—1555.

(Concilii TRIDENTINI continuatio.)

SESSIO XIII (11. Oct. 1551).

Decretum de ss. Eucharistia[2].

Cap. i. [De reali praesentia Christi.][3] 355
414
874 Principio docet sancta Synodus et aperte ac simpli- 430
437
(755) citer profitetur, in almo sanctae Eucharistiae sacramento 441
544
post panis et vini consecrationem Dominum nostrum 578
Iesum Christum verum Deum atque hominem vere, 581
626

---

[1] CTr V 996; Rcht 47; Msi XXXIII 55 A; Hrd X 54 E sq; Bar(Th) 2044
ad 1547 n. 40 (33, 212 a).
[2] Rcht 62 sqq; Msi XXXIII 80 sqq; Hrd X 79 A sqq; Bar(Th) ad
1551 n. 43 sqq (33, 406 b sqq).
[3] Titulos documentorum usitatos, quos hic perspicuitatis causa ab-
breviatos vides, habes integros in «Indice documentorum» (in
initio libri).

692
698
755 realiter ac substantialiter [can. 1] sub specie illarum
rerum sensibilium contineri. Neque enim haec inter
883
930 se pugnant, ut ipse Salvator noster semper ad dextram
938 Patris in coelis assideat iuxta modum exsistendi naturalem,
1147
1312 et ut multis nihilominus aliis in locis sacramentaliter
1843
1919 praesens sua substantia nobis adsit, ea exsistendi ratione,
1978 quam etsi verbis exprimere vix possumus, possibilem
1981
2045 tamen esse Deo, cogitatione per fidem illustrata asse-
2137 qui possumus et constantissime credere debemus. Ita
enim maiores nostri omnes, quotquot in vera Christi
Ecclesia fuerunt, qui de sanctissimo hoc sacramento
disseruerunt, apertissime professi sunt, hoc tam admira-
bile sacramentum in ultima coena Redemptorem
nostrum instituisse, cum post panis vinique benedictionem se suum ipsius corpus illis praebere ac suum
sanguinem disertis ac perspicuis verbis testatus est;
quae verba a sanctis Evangelistis commemorata [Mt 26,
26 sqq; Mc 14, 22 sqq; Lc 22, 19 sq], et a Divo Paulo postea repetita [1 Cor 11, 23 sqq], cum propriam illam et apertissimam
significationem prae se ferant, secundum quam a Patribus intellecta sunt, indignissimum sane flagitium est,
ea a quibusdam contentiosis et pravis hominibus ad ficti-
tios et imaginarios tropos, quibus veritas carnis et
sanguinis Christi negatur, contra universum Ecclesiae
sensum detorqueri, quae, tanquam *columna et firma-
mentum veritatis* [1 Tim 3, 15], haec ab impiis hominibus
excogitata commenta, velut satanica detestata est, grato
semper et memori animo praestantissimum hoc Christi
beneficium agnoscens.

Cap. 2. [De institutione ss. Eucharistiae.]

Ergo Salvator noster, discessurus ex hoc mundo 875
ad Patrem, sacramentum hoc instituit, in quo (756)
divitias divini sui erga homines amoris velut effudit,
memoriam faciens mirabilium suorum [Ps 110, 4], et in
illius sumptione colere nos *sui memoriam* [1 Cor 11, 24]
praecepit, suamque *annuntiare mortem, donec* ipse ad
iudicandum mundum *veniat* [1 Cor 11, 26].   Sumi autem
voluit sacramentum hoc tanquam spiritualem animarum

cibum [Mt 26, 26], quo alantur et confortentur [can. 5] viventes vita illius, qui dixit: «*Qui manducat me, et ipse vivet propter me*» [Io 6, 58], et tanquam antidotum, quo liberemur a culpis quotidianis, et a peccatis mortalibus praeservemur. Pignus praeterea id esse voluit futurae nostrae gloriae et perpetuae felicitatis, adeoque symbolum unius illius *corporis,* cuius ipse *caput* [1 Cor 11, 3; Eph 5, 23] exsistit, cuique nos, tanquam membra, arctissima fidei, spei et caritatis conexione adstrictos esse voluit, ut *idipsum omnes diceremus, nec essent in nobis schismata* [cf. 1 Cor 1, 10].

Cap. 3. De excellentia ss. Eucharistiae. . . .

876   Commune hoc quidem est sanctissimae Eucharistiae
(757) cum ceteris sacramentis, symbolum esse rei sacrae et invisibilis gratiae formam visibilem; verum illud in ea excellens et singulare reperitur, quod reliqua sacramenta tunc primum sanctificandi vim habent, cum quis illis utitur: at in Eucharistia ipse sanctitatis auctor ante usum est [can. 4]. Nondum enim Eucharistiam de manu Domini Apostoli susceperant [Mt 26, 26; Mc 14, 22], cum vere tamen ipse affirmaret corpus suum esse, quod praebebat; et semper haec fides in Ecclesia Dei fuit, statim post consecrationem verum Domini nostri corpus verumque eius sanguinem sub panis et vini specie una cum ipsius anima et divinitate exsistere: sed corpus quidem sub specie panis et sanguinem sub vini specie ex vi verborum, ipsum autem corpus sub specie vini, et sanguinem sub specie panis, animamque sub utraque, vi naturalis illius conexionis et concomitantiae, qua partes Christi Domini, qui iam *ex mortuis resurrexit non amplius moriturus* [Rom 6, 9], inter se copulantur, divinitatem porro propter admirabilem illam eius cum corpore et anima hypostaticam unionem [can. 1 et 3]. Quapropter verissimum est, tantundem sub alterutra specie atque sub utraque contineri. Totus enim et integer Christus sub panis specie et sub quavis ipsius speciei parte, totus item sub vini specie et sub eius partibus exsistit [can. 3].

Cap. 4. De Transsubstantiatione.

Quoniam autem Christus redemptor noster corpus 877
suum id, quod sub specie panis offerebat [cf. Mt 26, 26 sqq; (758)
Mc 14, 22 sqq; Lc 22, 19 sq; 1 Cor 11, 24 sqq], vere esse dixit,
ideo persuasum semper in Ecclesia Dei fuit, idque nunc
denuo sancta haec Synodus declarat, per consecrationem
panis et vini conversionem fieri totius substantiae panis in substantiam corporis Christi Domini
nostri, et totius substantiae vini in substantiam
sanguinis eius. Quae conversio convenienter et proprie
a sancta catholica Ecclesia transsubstantiatio est
appellata [can. 2].

Cap. 5. [De cultu et veneratione ss. Eucharistiae.]

Nullus itaque dubitandi locus relinquitur, quin omnes 878
Christi fideles pro more in catholica Ecclesia semper (759)
recepto latriae cultum, qui vero Deo debetur, huic
sanctissimo sacramento in veneratione exhibeant [can. 6].
Neque enim ideo minus est adorandum, quod fuerit a
Christo Domino, ut sumatur [cf. Mt 26, 26 sqq], institutum.
Nam illum eundem Deum praesentem in eo adesse
credimus, quem Pater aeternus introducens in orbem
terrarum dicit: «Et adorent eum omnes Angeli Dei»
[Hebr 1, 6; ex Ps 96, 7], quem Magi procidentes adoraverunt
[cf. Mt 2, 11], quem denique in Galilaea ab Apostolis
adoratum fuisse Scriptura testatur [cf. Mt 28, 17]. Declarat
praeterea sancta Synodus, pie et religiose admodum
in Dei Ecclesiam inductum fuisse hunc morem, ut singulis annis peculiari quodam et festo die praecelsum
hoc et venerabile sacramentum singulari veneratione
ac solemnitate celebraretur, utque in processionibus
reverenter et honorifice illud per vias et loca publica
circumferretur. Aequissimum est enim sacros aliquos
statutos esse dies, cum Christiani omnes singulari ac
rara quadam significatione gratos et memores testentur
animos erga communem Dominum et Redemptorem
pro tam ineffabili et plane divino beneficio, quo mortis
eius victoria et triumphus repraesentatur. Atque sic
quidem oportuit victricem veritatem de mendacio et

haeresi triumphum agere, ut eius adversarii in conspectu
tanti splendoris, et in tanta universae Ecclesiae laetitia
positi vel debilitati et fracti tabescant, vel pudore affecti
et confusi aliquando resipiscant.

Cap. 6. *[De asservatione et delatione ad infirmos.]*

879 Consuetudo asservandi in sacrario sanctam Eucha-
(760) ristiam adeo antiqua est, ut eam saeculum etiam NI-
CAENI Concilii agnoverit. Porro deferri ipsam sacram
Eucharistiam ad infirmos, et in hunc usum diligenter
in ecclesiis conservari, praeterquam quod cum
summa aequitate et ratione coniunctum est, tum multis
in Conciliis praeceptum invenitur, et vetustissimo catholicae Ecclesiae more est observatum. Quare sancta
haec Synodus retinendum omnino salutarem hunc et
necessarium morem statuit [can. 7].

Cap. 7. *[De praeparatione ad sumptionem.]*

880 Si non decet ad sacras ullas functiones quempiam
(761) accedere nisi sancte, certe, quo magis sanctitas et divinitas coelestis huius sacramenti viro christiano comperta est, eo diligentius cavere ille debet, ne absque
magna reverentia et sanctitate [can. 11] ad id per-
cipiendum accedat, praesertim cum illa plena formidinis
verba apud Apostolum legamus: «*Qui manducat et
bibit indigne, iudicium sibi manducat et bibit non diiu-
dicans Corpus Domini*» [1 Cor 11, 29]. Quare communicare
volenti revocandum est in memoriam eius praeceptum:
«*Probet autem seipsum homo*» [1 Cor 11, 28]. Ecclesiastica
autem consuetudo declarat, eam probationem necessariam
esse, ut nullus sibi conscius mortalis peccati,
quamtumvis sibi contritus videatur, absque praemissa
sacramentali confessione ad sacram Eucharistiam
accedere debeat. Quod a Christianis omnibus, etiam
ab iis sacerdotibus, quibus ex officio incubuerit
celebrare, haec sancta Synodus perpetuo servandum
esse decrevit, modo non desit illis copia confessoris.
Quod si necessitate urgente sacerdos absque praevia
confessione celebraverit, quam primum confiteatur.

Cap. 8. [De sumptione sacramentali et spirituali.]

Quoad usum autem recte et sapienter Patres nostri 881
tres rationes hoc sanctum sacramentum accipiendi di- (762)
stinxerunt. Quosdam enim docuerunt sacramentaliter dumtaxat id sumere ut peccatores; alios tantum spiritualiter, illos nimirum, qui voto proposito
illum coelestem panem edentes, *fide* viva, *quae per
dilectionem operatur* [Gal 5, 6], fructum eius et utilitatem
sentiunt; tertios porro sacramentaliter simul et
spiritualiter [can. 8], hi autem sunt, qui ita se prius
probant et instruunt, ut *vestem nuptialem induti* [Mt 22, 11 sqq]
ad divinam hanc mensam accedant. In sacramentali
autem sumptione semper in Ecclesia Dei mos fuit, ut
laici a sacerdotibus communionem acciperent,
sacerdotes autem celebrantes se ipsos communicarent [can. 10], qui mos tanquam ex traditione apostolica descendens iure ac merito retineri debet.

Demum autem paterno affectu admonet sancta Syn- 882
odus, hortatur, rogat et obsecrat per viscera misericordiae Dei nostri, ut omnes et singuli, qui christiano
nomine censentur, in hoc unitatis signo, in hoc vinculo
caritatis, in hoc concordiae symbolo iam tandem aliquando conveniant et concordent, memoresque tantae
maiestatis et tam eximii amoris Iesu Christi Domini
nostri, qui dilectam animam suam in nostrae salutis
pretium, et *carnem suam* nobis dedit ad *manducandum*
[Io 6, 48 sqq], haec sacra mysteria corporis et sanguinis
eius ea fidei constantia et firmitate, ea animi devotione,
ea pietate et cultu credant et venerentur, ut *panem*
illum *supersubstantialem* [Mt 6, 11] frequenter suscipere
possint, et is vere eis sit animae vita et perpetua sanitas
mentis, *cuius vigore confortati* [3 Rg 19, 8] ex huius miserae
peregrinationis itinere ad coelestem patriam pervenire
valeant, eundem *panem Angelorum* [Ps 77, 25], quem modo
sub sacris velaminibus edunt, absque ullo velamine
manducaturi.

Quoniam autem non est satis veritatem dicere, nisi
detegantur et refellantur errores: placuit sanctae
Synodo hos canones subiungere, ut omnes, iam agnita

catholica doctrina, intelligant quoque, quae ab illis haereses caveri vitarique debeant.

CANONES de ss. Eucharistia[1].

883 **Can. 1.** Si quis negaverit, in sanctissimae Eucharistiae [874]
(763) sacramento contineri vere, realiter et substantialiter Corpus et Sanguinem una cum anima et divinitate
Domini nostri Iesu Christi, ac proinde totum Christum;
sed dixerit, tantummodo esse in eo ut in signo vel
figura, aut virtute: anathema sit [cf. n. 874 876].

884 **Can. 2.** Si quis dixerit, in sacrosancto Eucharistiae
sacramento remanere substantiam panis et vini una cum
Corpore et Sanguine Domini nostri Iesu Christi, negaverit-
que mirábilem illam et singularem conversionem
totius substantiae panis in Corpus et totius substantiae vini in Sanguinem, manentibus dumtaxat
speciebus panis et vini, quam quidem conversionem
catholica Ecclesia aptissime transsubstantiationem
appellat: A. S. [cf. n. 877].

885 **Can. 3.** Si quis negaverit, in venerabili sacramento
(765) Eucharistiae sub unaquaque specie et sub singulis cuiusque speciei partibus separatione facta totum Christum
contineri: A. S. [cf. n. 876].

886 **Can. 4.** Si quis dixerit, peracta consecratione in admirabili Eucharistiae sacramento non esse Corpus et Sanguinem Domini nostri Iesu Christi, sed tantum in
usu, dum sumitur, non autem ante vel post, et in
hostiis seu particulis consecratis, quae post communionem reservantur vel supersunt, non remanere verum
Corpus Domini: A. S. [cf. n. 876].

887 **Can. 5.** Si quis dixerit, vel praecipuum fructum
sanctissimae Eucharistiae esse remissionem peccatorum,
vel ex ea non alios effectus provenire: A. S. [cf. n. 875].

888 **Can. 6.** Si quis dixerit, in sancto Eucharistiae sacramento Christum unigenitum Dei Filium non esse cultu
latriae etiam externo adorandum, atque ideo nec
festiva peculiari celebritate venerandum, neque in pro-

---

[1] Rcht 66 sq; Msi XXXIII 84 C sq; Hrd X 83 A sq; Bar(Th) ad 1551
n. 50 (33, 409 a sq).

cessionibus secundum laudabilem et universalem Ecclesiae sanctae ritum et consuetudinem solemniter circum-
gestandum, vel non publice, ut adoretur, populo propo-
nendum, et eius adoratores esse idololatras: A. S. [cf. n. 878].

Can. 7. Si quis dixerit, non licere sacram Eucharistiam 889
in sacrario reservari, sed statim post consecrationem (769)
adstantibus necessario distribuendam; aut non licere,
ut illa ad infirmos honorifice deferatur: A. S. [cf. n. 879].

Can. 8. Si quis dixerit, Christum in Eucharistia ex- 890
hibitum spiritualiter tantum manducari, et non etiam
sacramentaliter ac realiter: A. S. [cf. n. 881].

Can. 9. Si quis negaverit, omnes et singulos Christi 891
fideles utriusque sexus, cum ad annos discretionis per-
37 venerint, teneri singulis annis saltem in Paschate
ad communicandum iuxta praeceptum sanctae matris
Ecclesiae: A. S. [cf. n. 437].

Can. 10. Si quis dixerit, non licere sacerdoti cele- 892
branti se ipsum communicare: A. S. [cf. n. 881].

Can. 11. Si quis dixerit, solam fidem esse sufficientem 893
praeparationem ad sumendum sanctissimae Eucharistiae sacramentum: A. S. Et, ne tantum Sacramentum
indigne atque ideo in mortem et condemnationem
sumatur, statuit atque declarat ipsa sancta Synodus,
illis, quos conscientia peccati mortalis gravat,
quantumcunque etiam se contritos existiment, habita
copia confessoris necessario praemittendam esse confessionem sacramentalem. Si quis autem contrarium
docere, praedicare vel pertinaciter asserere, seu etiam
publice disputando defendere praesumpserit, eo ipso
excommunicatus exsistat [cf. n. 880].

SESSIO XIV (25. Nov. 1551).

43
57
95   [Doctrina de sacramento poenitentiae [1].]
11
15 Cap. I. De necessitate et institutione sacramenti poenitentiae.
67
36 Si ea in regeneratis omnibus gratitudo erga Deum 894
24 esset, ut iustitiam in baptismo ipsius beneficio et gratia (774)
30 susceptam constanter tuerentur, non fuisset opus, aliud

---

[1] Rcht 75 sqq; Msi XXXIII 91 D sqq; Hrd X 89 E sqq; Bar(Th) ad
1551 n. 56 sqq (33, 412 a sqq).

ab ipso baptismo sacramentum ad peccatorum
remissionem esse institutum [can. 2]. *Quoniam* autem
Deus, dives in misericordia [Eph 2, 4], *cognovit figmentum
nostrum* [Ps 102, 14], illis etiam vitae remedium contulit,
qui sese postea in peccati servitutem et daemonis potestatem tradidissent, sacramentum videlicet p o e n i t e n-
t i a e [can. 1], quo lapsis post baptismum beneficium
mortis Christi applicatur. Fuit quidem poenitentia universis hominibus, qui se mortali aliquo peccato inqui-
nassent, quovis tempore ad gratiam et iustitiam assequendam necessaria, illis etiam, qui baptismi sacramento
ablui petivissent, ut perversitate abiecta et emendata
tantam Dei offensionem cum peccati odio et pio animi
dolore detestarentur. Unde Propheta ait: «*Convertimini et agite poenitentiam ab omnibus iniquitatibus
vestris; et non erit vobis in ruinam iniquitas*» [Ez 18, 30].
Dominus etiam dixit: *Nisi poenitentiam egeritis, omnes
similiter peribitis* [Lc 13, 3]. Et princeps Apostolorum
PETRUS peccatoribus baptismo initiandis poenitentiam
commendans dicebat: «*Poenitentiam agite, et baptizetur
unusquisque vestrum*» [Act 2, 38]. Porro nec ante adventum
Christi poenitentia erat sacramentum, nec est post adventum illius cuiquam ante baptismum. Dominus autem
sacramentum poenitentiae tunc praecipue i n s t i t u i t,
cum a mortuis excitatus insufflavit in discipulos suos,
dicens: «*Accipite Spiritum Sanctum; quorum remiseritis
peccata, remittuntur eis, et quorum retinueritis, retenta
sunt*» [Io 20, 22 sq]. Quo tam insigni facto et verbis tam
perspicuis p o t e s t a t e m r e m i t t e n d i e t r e t i n e n d i
p e c c a t a, ad reconciliandos fideles post baptismum
lapsos, Apostolis et eorum legitimis successoribus fuisse
communicatam, universorum Patrum consensus semper intellexit [can. 3], et Novatianos remittendi potestatem olim
pertinaciter negantes, magna ratione Ecclesia catholica
tanquam haereticos explosit atque condemnavit. Quare
verissimum hunc illorum verborum Domini sensum sancta
haec Synodus probans et recipiens, damnat eorum commen-
titias interpretationes, qui verba illa ad potestatem praedicandi verbum Dei et Christi Evangelium annuntiandi contra
huiusmodi sacramenti institutionem falso detorquent.

Cap. 2. De differentia sacramenti poenitentiae et baptismi.

Ceterum hoc sacramentum multis rationibus a bap- 895
tismo differre dignoscitur [can. 2]. Nam praeterquam ⁽⁷⁷⁵⁾
quod materia et forma, quibus sacramenti essentia perficitur, longissime dissidet: constat certe, baptismi ministrum iudicem esse non oportere, cum Ecclesia in
neminem iudicium exerceat, qui non prius in ipsam per
baptismi ianuam fuerit ingressus. *Quid enim mihi*,
inquit Apostolus, *de iis, qui foris sunt, iudicare?*
[1 Cor 5, 12.] Secus est de domesticis fidei, quos Christus
Dominus lavacro *baptismi* sui *corporis membra* [1 Cor 12, 13]
semel effecit. Nam hos, si se postea crimine aliquo
contaminaverint, non iam repetito baptismo ablui, cum
id in Ecclesia catholica nulla ratione liceat, sed ante
hoc tribunal tanquam reos sisti voluit, ut per sacerdotum sententiam non semel, sed quoties ab admissis
peccatis ad ipsum poenitentes confugerint, possent liberari. Alius praeterea est baptismi, et alius poenitentiae fructus. *Per baptismum* enim *Christum induentes*
[Gal 3, 27] nova prorsus in illo efficimur creatura, plenam
et integram peccatorum omnium remissionem conse-
quentes: ad quam tamen novitatem et integritatem per
sacramentum poenitentiae, sine magnis nostris fletibus
et laboribus, divina id exigente iustitia, pervenire nequaquam possumus, ut merito poenitentia labo-
riosus quidam baptismus a sanctis Patribus dictus
fuerit. Est autem hoc sacramentum poenitentiae lapsis
post baptismum ad salutem necessarium, ut nondum
regeneratis ipse baptismus [can. 6].

Cap. 3. De partibus et fructu huius poenitentiae.

Docet praeterea sancta Synodus, sacramenti poeni- 896
tentiae formam, in qua praecipue ipsius vis sita est, ⁽⁷⁷⁶⁾
in illis ministri verbis positam esse: *Ego te absolvo* etc.,
quibus quidem de Ecclesiae sanctae more preces quaedam laudabiliter adiunguntur, ad ipsius tamen formae
essentiam nequaquam spectant, neque ad ipsius sacramenti administrationem sunt necessariae. Sunt autem
quasi materia huius sacramenti ipsius poenitentis

actus, nempe contritio, confessio et satisfactio [can. 4].
Qui quatenus in poenitente ad integritatem sacramenti,
ad plenamque et perfectam peccatorum remissionem ex
Dei institutione requiruntur, hac ratione poenitentiae
partes dicuntur. Sane vero res et effectus huius sacramenti, quantum ad eius vim et efficaciam pertinet,
reconciliatio est cum Deo, quam interdum in viris
piis et cum devotione hoc sacramentum percipientibus
conscientiae pax ac serenitas cum vehementi spiritus
consolatione consequi solet. Haec de partibus et effectu
huius sacramenti sancta Synodus tradens simul eorum
sententias damnat, qui poenitentiae partes incussos conscientiae terrores et fidem esse contendunt.

Cap. 4. De contritione [et attritione].

897 Contritio, quae primum locum inter dictos poenitentis
(777) actus habet, animi dolor ac detestatio est de
peccato commisso, cum proposito non peccandi de
cetero. Fuit autem quovis tempore ad impetrandam
veniam peccatorum hic contritionis motus necessarius,
et in homine post baptismum lapso ita demum praeparat ad remissionem peccatorum, si cum fiducia divinae
misericordiae et voto praestandi reliqua coniunctus sit,
quae ad rite suscipiendum hoc sacramentum requiruntur.
Declarat igitur sancta Synodus, hanc contritionem non
solum cessationem a peccato et vitae novae propositum
et inchoationem, sed veteris etiam odium continere,
iuxta illud: *Proicite a vobis omnes iniquitates vestras,
in quibus praevaricati estis, et facite vobis cor novum
et spiritum novum* [Ez 18, 31]. Et certe, qui illos Sanctorum clamores consideraverit: «*Tibi soli peccavi, et
malum coram te feci*» [Ps 50, 6]; «*Laboravi in gemitu meo;
lavabo per singulas noctes lectum meum*» [Ps 6, 7]; «*Re-
cogitabo tibi omnes annos meos in amaritudine animae
meae*» [Is 38, 15], et alios huius generis, facile intelliget,
eos ex vehementi quodam anteactae vitae odio et in-
898 genti peccatorum detestatione manasse. Docet praeterea, etsi contritionem hanc aliquando caritate perfectam esse contingat, hominemque Deo reconciliare,
priusquam hoc sacramentum actu suscipiatur, ipsam

nihilominus reconciliationem ipsi contritioni sine sacramenti voto, quod in illa includitur, non esse adscribendam.
Illam vero contritionem imperfectam [can. 5], quae
525 attritio dicitur, quoniam vel ex turpitudinis peccati
consideratione vel ex gehennae et poenarum metu communiter concipitur, si voluntatem peccandi excludat cum
spe veniae, declarat non solum non facere hominem
hypocritam et magis peccatorem, verum etiam donum
Dei esse et Spiritus Sancti impulsum, non adhuc quidem
inhabitantis, sed tantum moventis, quo poenitens ad-
iutus viam sibi ad iustitiam parat. Et quamvis sine
sacramento poenitentiae per se ad iustificationem
perducere peccatorem nequeat, tamen eum ad Dei gratiam in sacramento poenitentiae impetrandam disponit. Hoc enim timore utiliter concussi Ninivitae ad
Ionae praedicationem plenam terroribus poenitentiam
egerunt et misericordiam a Domino impetrarunt [cf. Ion 3].
Quamobrem falso quidam calumniantur catholicos scriptores, quasi tradiderint, sacramentum poenitentiae absque bono motu suscipientium gratiam conferre, quod
nunquam Ecclesia Dei docuit nec sensit. Sed et falso
docent contritionem esse extortam et coactam, non
liberam et voluntariam [can. 5].

Cap. 5. De confessione.

Ex institutione sacramenti poenitentiae iam explicata 899
universa Ecclesia semper intellexit, institutam etiam esse (779)
a Domino integram peccatorum confessionem [Iac 5, 16;
1 Io 1, 9 (Lc 17, 14)], et omnibus post baptismum lapsis iure
divino necessariam exsistere [can. 7], quia Dominus noster
Iesus Christus, e terris ascensurus ad coelos, sacerdotes
sui ipsius vicarios reliquit [Mt 16, 19; 18, 18; Io 20, 23], tanquam
praesides et iudices, ad quos omnia mortalia crimina
deferantur, in quae Christi fideles ceciderint, qui pro
potestate clavium remissionis aut retentionis peccatorum
sententiam pronuntient. Constat enim, sacerdotes
iudicium hoc incognita causa exercere non
potuisse, neque aequitatem quidem illos in poenis
iniungendis servare potuisse, si in genere dumtaxat, et
non potius in specie ac singillatim sua ipsi peccata de-

clarassent. Ex his colligitur, oportere a poenitentibus
omnia peccata mortalia, quorum post diligentem *1124*
sui discussionem conscientiam habent, in confessione
recenseri, etiamsi occultissima illa sint et tantum adversus duo ultima decalogi praecepta commissa [Ex 20, 17;
Mt 5, 28], quae nonnunquam animum gravius sauciant, et
periculosiora sunt iis, quae in manifesto admittuntur.
Nam venialia, quibus a gratia Dei non excludimur et
in quae frequentius labimur, quamquam recte et utiliter
citraque omnem praesumptionem in confessione dicantur,
quod piorum hominum usus demonstrat: taceri tamen
citra culpam multisque aliis remediis expiari possunt.
Verum, cum universa mortalia peccata, etiam cogitationis,
homines *irae filios* [Eph 2, 3] et Dei inimicos reddant,
necessum est omnium etiam veniam cum aperta et
verecunda confessione a Deo quaerere. Itaque dum
omnia, quae memoriae occurrunt, peccata Christi fideles
confiteri student, procul dubio omnia divinae misericordiae ignoscenda exponunt. Qui vero secus faciunt
et scienter aliqua retinent, nihil divinae bonitati per
sacerdotem remittendum proponunt. Si enim erubescat
aegrotus vulnus medico detegere, quod ignorat medicina,
non curat. Colligitur praeterea, etiam eas circumstantias in confessione explicandas esse, quae speciem
peccati mutant [can. 7], quod sine illis peccata ipsa neque
a poenitentibus integre exponantur, nec iudicibus innote-
scant, et fieri nequeat, ut de gravitate criminum recte
censere possint et poenam, quam oportet, pro illis
poenitentibus imponere. Unde alienum a ratione est
docere, circumstantias has ab hominibus otiosis ex-
cogitatas fuisse, aut unam tantum circumstantiam con-
fitendam esse, nempe peccasse in fratrem.

900 Sed et impium est, confessionem, quae hac ratione
(780) fieri praecipitur, impossibilem dicere, aut carnificinam
illam conscientiarum appellare [can. 8]; constat enim, nihil
aliud in Ecclesia a poenitentibus exigi, quam ut, postquam quisque diligentius se excusserit et conscientiae
suae sinus omnes et latebras exploraverit, ea peccata
confiteatur, quibus se Dominum et Deum suum mortaliter offendisse meminerit; reliqua autem peccata, quae

diligenter cogitanti non occurrunt, in universum eadem
confessione inclusa esse intelliguntur; pro quibus fideliter
cum Propheta dicimus: *«Ab occultis meis munda me,
Domine»* [Ps 18, 13]. Ipsa vero huiusmodi confessionis
difficultas ac peccata detegendi verecundia gravis quidem
videri posset, nisi tot tantisque commodis et conso-
lationibus levaretur, quae omnibus digne ad hoc sacramentum accedentibus, per absolutionem certissime conferuntur.

Ceterum, quoad modum confitendi s e c r e t o apud 901
solum sacerdotem, etsi Christus non vetuerit, quin ali- (780)
quis in vindictam suorum scelerum et sui humiliationem,
cum ob aliorum exemplum tum ob Ecclesiae offensae
aedificationem, delicta sua publice confiteri possit: non
est tamen hoc divino praecepto mandatum, nec satis
consulte humana aliqua lege praeciperetur, ut delicta,
praesertim secreta, publica essent confessione aperienda
[can. 6]. Unde cum a sanctissimis et antiquissimis Patri-
145 bus magno unanimique consensu s e c r e t a c o n f e s s i o
sacramentalis, qua ab initio Ecclesia sancta usa est et
modo etiam utitur, fuerit semper commendata, manifeste
refellitur inanis eorum calumnia, qui eam a divino mandato alienam et inventum humanum esse, atque a Patribus in concilio LATERANENSI congregatis initium
habuisse, docere non verentur [can. 8]; neque enim per
LATERANENSE concilium Ecclesia statuit, ut Christi
fideles confiterentur, quod iure divino necessarium et
institutum esse intellexerat, sed ut praeceptum confessionis s a l t e m s e m e l in a n n o ab omnibus et singulis, cum ad annos discretionis pervenissent, impleretur.
Unde iam in universa Ecclesia cum ingenti animarum
fructu observatur mos ille salutaris confitendi sacro illo
et maxime acceptabili tempore Q u a d r a g e s i m a e, quem
morem haec sancta Synodus maxime probat et amplectitur tanquam pium et merito retinendum [v. n. 437 sq].

Cap. 6. De ministro huius sacramenti et absolutione.

Circa ministrum autem huius sacramenti declarat 902
sancta Synodus, falsas esse et a veritate Evangelii (781)
penitus alienas doctrinas omnes, quae ad alios q u o s v i s

homines praeter episcopos et sacerdotes [can. 10]
clavium ministerium perniciose extendunt, putantes verba
illa Domini: *«Quaecunque alligaveritis super terram,
erunt ligata et in coelo, et quaecunque solveritis super
terram, erunt soluta et in coelo»* [Mt 18, 18], et: *«Quorum
remiseritis peccata, remittuntur eis, et quorum retinueritis, retenta sunt»* [Io 20, 23], ad omnes Christi fideles indifferenter et promiscue contra institutionem huius sacramenti ita fuisse dicta, ut quivis potestatem habeat remittendi peccata, publica quidem per correptionem, si
correptus acquieverit, secreta vero per spontaneam confessionem cuicunque factam. Docet quoque, etiam
sacerdotes, qui peccato mortali tenentur, per
virtutem Spiritus Sancti in ordinatione collatam tanquam
Christi ministros functionem remittendi peccata exercere,
eosque prave sentire, qui in malis sacerdotibus hanc
potestatem non esse contendunt. Quamvis autem absolutio sacerdotis alieni beneficii sit dispensatio, tamen
non est solum nudum ministerium vel annuntiandi Evangelium vel declarandi remissa esse peccata:
sed ad instar actus iudicialis, quo ab ipso velut
a iudice sententia pronuntiatur [can. 9]. Atque ideo non
debet poenitens adeo sibi de sua ipsius fide blandiri,
ut, etiamsi nulla illi adsit contritio, aut sacerdoti animus
serio agendi et vere absolvendi desit, putet tamen se
propter suam solam fidem vere et coram Deo esse absolutum. Nec enim fides sine poenitentia remissionem
ullam peccatorum praestaret, nec is esset nisi salutis
suae negligentissimus, qui sacerdotem iocose absolven-
tem cognosceret, et non alium serio agentem sedulo
requireret.

Cap. 7. De casuum reservatione.

903
(782)
Quoniam igitur natura et ratio iudicii illud exposcit,
ut sententia in subditos dumtaxat feratur, persuasum
semper in Ecclesia Dei fuit et verissimum esse Synodus
haec confirmat, nullius momenti absolutionem eam esse
debere, quam sacerdos in eum profert, in quem ordinariam aut subdelegatam non habet iurisdictionem.
Magnopere vero ad christiani populi disciplinam per-

tinere sanctissimis Patribus nostris visum est, ut atro-
ciora quaedam et graviora crimina non a quibusvis, sed
a summis dumtaxat sacerdotibus absolverentur, unde
merito Pontifices Maximi, pro suprema potestate sibi
in Ecclesia universa tradita, causas aliquas criminum
graviores suo potuerunt peculiari iudicio reservare
[can. 11]. Neque dubitandum esset, quando omnia, quae
a Deo sunt, ordinata sunt, quin hoc idem episcopis
omnibus in sua cuique dioecesi, in aedificationem tamen,
non in destructionem liceat pro illis in subditos tradita supra reliquos inferiores sacerdotes auctoritate,
praesertim quoad illa, quibus excommunicationis censura
annexa est. Hanc autem delictorum reservationem con-
sonum est divinae auctoritati non tantum in externa
politia, sed etiam coram Deo vim habere. Verumtamen
pie admodum, ne hac ipsa occasione aliquis pereat, in
eadem Ecclesia Dei custoditum semper fuit, ut nulla
sit reservatio in articulo mortis, atque ideo
omnes sacerdotes quoslibet poenitentes a quibusvis
peccatis et censuris absolvere possunt; extra quem articulum sacerdotes cum nihil possint in casibus reservatis,
id unum poenitentibus persuadere nitantur, ut ad superiores et legitimos iudices pro beneficio absolutionis
accedant.

Cap. 8. De satisfactionis necessitate et fructu.

Demum quoad satisfactionem, quae ex omnibus poeni- 904
tentiae partibus, quemadmodum a Patribus nostris chri- (783)
stiano populo fuit perpetuo tempore commendata, ita
una maxime nostra aetate summo pietatis praetextu
impugnatur ab iis, qui speciem pietatis habent, virtutem
autem eius abnegarunt, sancta Synodus declarat, falsum
omnino esse et a verbo Dei alienum, culpam a Domino nunquam remitti, quin universa etiam poena
condonetur [can. 12 et 15]. Perspicua enim et illustria in
sacris litteris exempla [cf. Gn 3, 16 sqq; Nm 12, 14 sq; 20, 11 sq;
2 Rg 12, 13 sq etc.] reperiuntur, quibus praeter divinam traditionem hic error quam manifestissime revincitur. Sane
et divinae iustitiae ratio exigere videtur, ut aliter ab eo
in gratiam recipiantur, qui ante baptismum per

ignorantiam deliquerint; aliter vero, qui semel a
peccati et daemonis servitute liberati, et accepto Spiritus
Sancti dono, scientes *templum Dei violare* [1 Cor 3, 17]
et *Spiritum Sanctum contristare* [Eph 4, 30] non formi-
daverint. Et divinam clementiam decet, ne ita nobis
absque ulla satisfactione peccata dimittantur, ut, occasione
accepta, peccata leviora putantes, velut iniurii et *con-
tumeliosi Spiritui Sancto* [Hebr 10, 29], in graviora laba-
mur, *thesaurizantes nobis iram in die irae* [Rom 2, 5;
Iac 5, 3]. Procul dubio enim magnopere a peccato revocant, et quasi freno quodam coercent hae satisfac-
toriae poenae, cautioresque et vigilantiores in futurum
poenitentes efficiunt; medentur quoque peccatorum reliquiis, et vitiosos habitus male vivendo comparatos contrariis virtutum actionibus tollunt. Neque vero securior
ulla via in Ecclesia Dei unquam existimata fuit ad amo-
vendam imminentem a Domino poenam, quam ut haec
poenitentiae opera [Mt 3, 2 8; 4, 17; 11, 21 al.] homines
cum vero animi dolore frequentent. Accedit ad haec,
quod, dum satisfaciendo patimur pro peccatis, Christo
Iesu, qui pro peccatis nostris satisfecit [Rom 5, 10; 1 Io 2, 1 sq],
ex quo omnis *nostra sufficientia est* [2 Cor 3, 5], conformes
efficimur, certissimam quoque inde arrham habentes,
quod, *si compatimur, et conglorificabimur* [cf. Rom 8, 17].
Neque vero ita nostra est satisfactio haec, quam pro
peccatis nostris exsolvimus, ut non sit per Christum
Iesum; nam qui ex nobis tanquam ex nobis nihil possumus, *eo* cooperante, *qui nos confortat, omnia possumus* [cf. Phil 4, 13]. Ita non habet homo, unde glorietur;
sed omnis *gloriatio* [cf. 1 Cor 1, 31; 2 Cor 10, 17; Gal 6, 14] nostra
in Christo est, *in quo vivimus, in quo movemur* [cf. Act
17, 28], in quo satisfacimus, *facientes fructus dignos poenitentiae* [cf. Lc 3, 8], qui ex illo vim habent, ab illo offeruntur Patri, et per illum acceptantur a Patre [can. 13].

905   Debent ergo sacerdotes Domini, quantum spiritus
(783) et prudentia suggesserit, pro qualitate criminum et
poenitentium facultate, salutares et convenientes
satisfactiones iniungere, ne, si forte peccatis
conniveant et indulgentius cum poenitentibus agant,
levissima quaedam opera pro gravissimis delictis iniun-

gendo, alienorum peccatorum participes efficiantur.
Habeant autem prae oculis, ut satisfactio, quam imponunt,
non sit tantum ad novae vitae custodiam et infirmitatis
medicamentum, sed etiam ad praeteritorum peccatorum vindictam et castigationem: nam claves sacerdotum non ad solvendum dumtaxat, sed et ad ligan-
dum concessas [cf. Mt 16, 19; 18, 18; Io 20, 23; can. 15] etiam antiqui Patres et credunt et docent.   Nec propterea ex-
istimarunt, sacramentum poenitentiae esse forum irae
vel poenarum, sicut nemo unquam catholicus sensit,
ex huiusmodi nostris satisfactionibus vim meriti et satisfactionis Domini nostri Iesu Christi vel obscurari vel
aliqua ex parte imminui; quod dum Novatores intelligere volunt, ita optimam poenitentiam novam vitam
esse docent, ut omnem satisfactionis vim et usum tollant
[can. 13].

Cap. 9. De operibus satisfactionis.

Docet praeterea, tantam esse divinae munificentiae 906
largitatem, ut non solum poenis sponte a nobis pro (784)
vindicando peccato susceptis, aut sacerdotis arbitrio pro
mensura delicti impositis, sed etiam (quod maximum
amoris argumentum est) temporalibus flagellis
a Deo inflictis et a nobis patienter toleratis apud
Deum Patrem per Christum Iesum satisfacere valeamus
[can. 13].

Doctrina de sacramento extremae unctionis[1].

Visum est autem sanctae Synodo, praecedenti doc- 907
trinae de poenitentia adiungere ea, quae sequuntur de (785)
sacramento extremae unctionis, quod non modo poenitentiae, sed et totius christianae vitae, quae perpetua
poenitentia esse debet, consummativum existimatum est
a Patribus. Primum itaque circa illius institutionem
declarat et docet, quod clementissimus Redemptor
noster, qui servis suis quovis tempore voluit de salutaribus remediis adversus omnia omnium hostium tela
esse prospectum, quemadmodum auxilia maxima in

99
315
424
700
926
628
996
1048

---

[1] Rcht 81 sqq; Msi XXXIII 97 E sqq; Hrd X 96 A sq; Bar(Th) ad 1551
n. 59 (33, 413 b).

sacramentis aliis praeparavit, quibus Christiani conservare se integros, dum viverent, ab omni graviore spiritus
incommodo possint: ita extremae unctionis sacramento
finem vitae tanquam firmissimo quodam praesidio
munivit [can. 1]. Nam etsi *adversarius noster* occasiones
per omnem vitam *quaerat* et captet, ut *devorare* [1 Petr 5, 8]
animas nostras quoquo modo possit: nullum tamen tempus est, quo vehementius ille omnes suae versutiae
nervos intendat ad perdendos nos penitus, et a fiducia
etiam, si possit, divinae misericordiae deturbandos, quam
cum impendere nobis exitum vitae perspicit.

Cap. 1. De institutione sacramenti extremae unctionis.

908
(786)

Instituta est autem sacra haec unctio infirmorum tanquam vere et proprie sacramentum Novi Testamenti
a Christo Domino nostro, apud Marcum quidem insinuatum [Mc 6, 13], per Iacobum autem Apostolum ac
Domini fratrem fidelibus commendatum ac promulgatum [can. 1]. *Infirmatur,* inquit, *quis in vobis? inducat
presbyteros Ecclesiae, et orent super eum, ungentes eum
oleo in nomine Domini; et oratio fidei salvabit infirmum,
et alleviabit eum Dominus; et, si in peccatis sit, dimittentur ei* [Iac 5, 14 15]. Quibus verbis, ut ex apostolica traditione per manus accepta Ecclesia didicit, docet materiam,
formam, proprium ministrum et effectum huius salutaris sacramenti. Intellexit enim Ecclesia, materiam
esse oleum ab episcopo benedictum, nam unctio aptissime Spiritus Sancti gratiam, qua invisibiliter anima
aegrotantis inungitur, repraesentat; formam deinde
esse illa verba: *Per istam unctionem* etc.

Cap. 2. De effectu huius sacramenti.

909
(787)

Res porro et effectus huius sacramenti illis verbis
explicatur: *Et oratio fidei salvabit infirmum, et alleviabit eum Dominus; et, si in peccatis sit, dimittentur
ei* [Iac 5, 15]. Res etenim haec gratia est Spiritus Sancti,
cuius unctio delicta, si quae sint adhuc expianda, ac
peccati reliquias abstergit, et aegroti animam
alleviat et confirmat [can. 2], magnam in eo divinae
misericordiae fiduciam excitando, qua infirmus sublevatus

et morbi incommoda ac labores levius fert, et tenta-
tionibus daemonis *calcaneo insidiantis* [Gn 3, 15] facilius
resistit, et sanitatem corporis interdum, ubi
saluti animae expedierit, consequitur.

Cap. 3.   De ministro huius sacramenti et tempore
quo dari debeat.

Iam vero, quod attinet ad praescriptionem eorum, 910
qui et suscipere et ministrare hoc sacramentum debent, [(788)]
haud obscure fuit illud etiam in verbis praedictis traditum. Nam et ostenditur illic, proprios huius sacramenti
ministros esse Ecclesiae presbyteros [can. 4], quo
nomine eo loco non aetate seniores aut primores in
populo intelligendi veniunt, sed aut episcopi aut sacerdotes ab ipsis rite ordinati per *impositionem manuum
presbyterii* [1 Tim 4, 14; can. 4]. Declaratur etiam, esse hanc
unctionem infirmis adhibendam, illis vero praesertim,
qui tam periculose decumbunt, ut in exitu vitae constituti videantur, unde et sacramentum exeuntium nun-
cupatur. Quod si infirmi post susceptam hanc unctionem
convaluerint, iterum huius sacramenti subsidio iuvari
poterunt, cum in aliud simile vitae discrimen inciderint.
Quare nulla ratione audiendi sunt, qui contra tam apertam et dilucidam Apostoli Iacobi sententiam [Iac 5, 14]
docent hanc unctionem vel figmentum esse humanum
vel ritum a Patribus acceptum, nec mandatum Dei nec
promissionem gratiae habentem [can. 1]; et qui illam iam
cessasse asserunt, quasi ad gratiam curationum dumtaxat
in primitiva Ecclesia referenda esset; et qui dicunt,
ritum et usum, quem sancta Romana Ecclesia in huius
sacramenti administratione observat, Iacobi Apostoli
sententiae repugnare atque ideo in alium commutan-
dum esse; et denique, qui hanc extremam unctionem
a fidelibus sine peccato contemni posse affirmant
[can. 3]. Haec enim omnia manifestissime pugnant cum
perspicuis tanti Apostoli verbis. Nec profecto Ecclesia
Romana, aliarum omnium mater et magistra, aliud in
hac administranda unctione, quantum ad ea, quae huius
sacramenti substantiam perficiunt, observat, quam quod
beatus Iacobus praescripsit. Neque vero tanti sacra-

menti contemptus absque ingenti scelere et ipsius Spiritus Sancti iniuria esse posset.

Haec sunt, quae de poenitentiae et extremae unctionis sacramentis haec sancta oecumenica Synodus profitetur et docet, atque omnibus Christi fidelibus credenda et tenenda proponit. Sequentes autem canones inviolabiliter servandos esse tradit, et asserentes contrarium perpetuo damnat et anathematizat.

[CANONES de sacramento poenitentiae[1].]

911 Can. 1. Si quis dixerit, in catholica Ecclesia poeni- 894
(789) tentiam non esse vere et proprie sacramentum pro fidelibus, quoties post baptismum in peccata labuntur, ipsi Deo reconciliandis, a Christo Domino nostro institutum: anathema sit [cf. n. 894].

912 Can. 2. Si quis sacramenta confundens, ipsum baptismum poenitentiae sacramentum esse dixerit, quasi haec duo sacramenta distincta non sint, atque ideo poenitentiam non recte secundam post naufragium tabulam appellari: A. S. [cf. n. 894].

913 Can. 3. Si quis dixerit, verba illa Domini Salvatoris: «*Accipite Spiritum Sanctum; quorum remiseritis peccata, remittuntur eis; et quorum retinueritis, retenta sunt*» [Io 20, 22 sq] non esse intelligenda de potestate remittendi et retinendi peccata in sacramento poenitentiae, sicut Ecclesia catholica ab initio semper intellexit; detorserit autem, contra institutionem huius sacramenti, ad auctoritatem praedicandi Evangelium: A. S. [cf. n. 894].

914 Can. 4. Si quis negaverit, ad integram et perfectam peccatorum remissionem requiri tres actus in poenitente quasi materiam sacramenti poenitentiae, videlicet contritionem, confessionem et satisfactionem, quae tres poenitentiae partes dicuntur; aut dixerit, duas tantum esse poenitentiae partes, terrores scilicet incussos conscientiae agnito peccato, et fidem conceptam ex Evangelio vel absolutione, qua credit quis sibi per Christum remissa peccata: A. S. [cf. n. 896].

---

[1] Rcht 83 sqq; Msi XXXIII 99 C sqq; Hrd X 97 D sqq; Bar(Th) ad 1551 n. 59 (33, 414 a sqq).

Can. 5. Si quis dixerit, eam contritionem, quae 915
paratur per discussionem, collectionem et detestationem (793)
peccatorum, qua quis *recogitat annos suos in amari-*
tudine animae suae [Is 38, 15], ponderando peccatorum
suorum gravitatem, multitudinem, foeditatem, amissionem
aeternae beatitudinis et aeternae damnationis incursum cum
proposito melioris vitae, non esse verum et utilem dolorem,
nec praeparare ad gratiam, sed facere hominem hypocritam et magis peccatorem; demum illam esse dolorem
coactum et non liberum ac voluntarium: A. S. [cf. n. 898].

Can. 6. Si quis negaverit, confessionem sacramen- 916
talem vel institutam vel ad salutem necessariam esse
iure divino; aut dixerit, modum secrete confitendi
soli sacerdoti, quem Ecclesia catholica ab initio
semper observavit et observat, alienum esse ab institutione et mandato Christi, et inventum esse humanum: A. S. [cf. n. 899 sq].

Can. 7. Si quis dixerit, in sacramento poenitentiae 917
ad remissionem peccatorum necessarium non esse iure
divino confiteri omnia et singula peccata mortalia, quorum memoria cum debita et diligenti prae-
meditatione habeatur, etiam occulta, et quae sunt
contra duo ultima decalogi praecepta, et circumstantias, quae peccati speciem mutant; sed eam confessionem tantum esse utilem ad erudiendum et con-
solandum poenitentem, et olim observatam fuisse tantum
ad satisfactionem canonicam imponendam; aut dixerit,
eos, qui omnia peccata confiteri student, nihil relinquere
velle divinae misericordiae ignoscendum; aut demum
non licere confiteri peccata venialia: A. S. [cf. n. 899 901].

Can. 8. Si quis dixerit, confessionem omnium pec- 918
catorum, qualem Ecclesia servat, esse impossibilem,
et traditionem humanam a piis abolendam; aut ad eam
non teneri omnes et singulos utriusque sexus Christi
fideles iuxta magni Concilii LATERANENSIS constitutionem semel in anno, et ob id suadendum esse
Christi fidelibus, ut non confiteantur tempore Quadra-
gesimae: A. S. [cf. n. 900 sq].

Can. 9. Si quis dixerit, absolutionem sacramentalem 919
sacerdotis non esse actum iudicialem, sed nudum

ministerium pronuntiandi et declarandi, remissa esse
peccata confitenti, modo tantum credat se esse absolutum, aut sacerdos non serio, sed ioco absolvat; aut
dixerit non requiri confessionem poenitentis, ut sacerdos
ipsum absolvere possit: A. S. [cf. n. 902].

920 Can. 10. Si quis dixerit, sacerdotes, qui in peccato
(798) mortali sunt, potestatem ligandi et solvendi non habere;
aut non solos sacerdotes esse ministros absolutionis, sed omnibus et singulis Christi fidelibus esse
dictum: *Quaecunque ligaveritis super terram, erunt
ligata et in coelo, et quaecunque solveritis super terram,
erunt soluta et in coelo* [Mt 18, 18]; et «*Quorum remiseritis
peccata, remittuntur eis, et quorum retinueritis, retenta
sunt*» [Io 20, 23], quorum verborum virtute quilibet absolvere possit peccata, publica quidem per correptionem
dumtaxat, si correptus acquieverit, secreta vero per
spontaneam confessionem: A. S. [cf. n. 902].

921 Can. 11. Si quis dixerit, episcopos non habere ius
reservandi sibi casus, nisi quoad externam politiam, atque
ideo casuum reservationem non prohibere, quo-
minus sacerdos a reservatis vere absolvat: A. S. [cf. n. 903].

922 Can. 12. Si quis dixerit, totam poenam simul cum
culpa remitti semper a Deo, satisfactionemque poenitentium non esse aliam quam fidem, qua apprehendunt
Christum pro eis satisfecisse: A. S. [cf. n. 904].

923 Can. 13. Si quis dixerit, pro peccatis, quoad poenam temporalem, minime Deo per Christi merita satisfieri poenis ab eo inflictis et patienter toleratis vel a
sacerdote iniunctis, sed neque sponte susceptis, ut ieiuniis, orationibus, eleemosynis vel aliis etiam pietatis
operibus, atque ideo optimam poenitentiam esse tantum
novam vitam: A. S. [cf. n. 904 sqq].

924 Can. 14. Si quis dixerit, satisfactiones, quibus
poenitentes per Christum Iesum peccata redimunt, non
esse cultus Dei, sed traditiones hominum, doctrinam
de gratia et verum Dei cultum atque ipsum beneficium
mortis Christi obscurantes: A. S. [1] [cf. n. 905].

---

[1] Cf. Can. 2 conc. Laodiceni (ca. 364): «De his qui diversis faci-
noribus peccaverunt et perseverantes in oratione confessionis et

Can. 15. Si quis dixerit, claves Ecclesiae esse datas 925
tantum ad solvendum, non etiam ad ligandum, et (803)
propterea sacerdotes, dum imponunt poenas confitentibus, agere contra finem clavium et contra institutionem
Christi; et fictionem esse, quod, virtute clavium sublata
poena aeterna, poena temporalis plerumque ex-
solvenda remaneat: A. S. [cf. n. 904].

[CANONES de extrema unctione[1].]

907 Can. 1. Si quis dixerit, extremam unctionem non 926
esse vere et proprie sacramentum a Christo Do- (804)
mino nostro institutum [cf. Mc 6, 13] et a beato Iacobo Apostolo promulgatum [Iac 5, 14], sed ritum tantum acceptum
a Patribus, aut figmentum humanum: anathema sit
[cf. n. 907 sqq].

Can. 2. Si quis dixerit, sacram infirmorum unctionem 927
non conferre gratiam, nec remittere peccata, nec
alleviare infirmos, sed iam cessasse, quasi olim tantum
fuerit gratia curationum: A. S. [cf. n. 909].

Can. 3. Si quis dixerit, extremae unctionis ritum 928
et usum, quem observat sancta Romana Ecclesia, repugnare sententiae beati Iacobi Apostoli, ideoque eum
mutandum, posseque a Christianis absque peccato
contemni: A. S. [cf. n. 910].

Can. 4. Si quis dixerit, presbyteros Ecclesiae, quos 929
beatus Iacobus adducendos esse ad infirmum inungendum
hortatur, non esse sacerdotes ab episcopo ordinatos,
sed aetate seniores in quavis communitate, ob idque proprium extremae unctionis ministrum non esse solum
sacerdotem: A. S. [cf. n. 910].

MARCELLUS II 1555. PAULUS IV 1555—1559[2].

---

poenitentiae conversionem a malis habuere perfectam, pro qualitate
delicti talibus post poenitentiae tempus impensum propter clementiam
et bonitatem Dei communio concedatur.» [*Versio Dionysii Exigui;*
Hrd I 781 B.]
    [1] Rcht 86; Msi XXXIII 102 A; Hrd X 100 B; Bar(Th) ad 1551 n. 59
(33, 415 a sq).   [2] V. n. 993.

PIUS IV 1559—1565.

(Concilii TRIDENTINI conclusio.)

SESSIO XXI (16. Iulii 1562).

Doctrina de communione sub utraque specie et parvulorum [1].

Cap. 1. Laicos et clericos non conficientes non adstringi iure divino ad communionem sub utraqua specie.

930   Itaque sancta ipsa Synodus a Spiritu Sancto, qui 874
(808) *Spiritus* est *sapientiae et intellectus, Spiritus consilii et pietatis* [Is 11, 2], edocta atque ipsius Ecclesiae iudicium et consuetudinem secuta, declarat ac docet, nullo divino praecepto laicos et clericos non conficientes obligari ad Eucharistiae sacramentum sub utraque specie sumendum, neque ullo pacto salva fide dubitari posse, quin illis alterius speciei communio ad salutem sufficiat. Nam etsi Christus Dominus in ultima coena venerabile hoc Sacramentum in panis et vini speciebus instituit et Apostolis tradidit [cf. Mt 26, 26 sqq; Mc 14, 22 sqq; Lc 22 19 sq; 1 Cor 11, 24 sq]: non tamen illa institutio et traditio eo tendunt, ut omnes Christi fideles statuto Domini ad utramque speciem accipiendam adstringantur [can. 1 et 2]. Sed neque ex sermone illo apud Ioannem sexto recte colligitur, utriusque speciei communionem a Domino praeceptam esse [can. 3], utcunque iuxta varias sanctorum Patrum et Doctorum interpretationes intelligatur. Namque qui dixit: *«Nisi manducaveritis carnem Filii hominis, et biberitis eius sanguinem, non habebitis vitam in vobis»* [Io 6, 54]. dixit quoque: *«Si quis manducaverit ex hoc pane, vivet in aeternum»* [Io 6, 52]. Et qui dixit: *« Qui manducat meam carnem, et bibit meum sanguinem, habet vitam aeternam»* [Io 6, 55], dixit etiam: *«Panis, quem ego dabo, caro mea est pro mundi vita»* [Io 6, 52]; et denique qui dixit: *«Qui manducat meam carnem, et bibit meum sanguinem, in me manet, et ego in illo»* [Io 6, 57], dixit nihilominus: *«Qui manducat hunc panem, vivet in aeternum»* [Io 6, 59]

---

[1] CTr VIII 698 sqq; Rcht 109 sqq; Msi XXXIII 122 B sq; Hrd X 119 sqq; Bar(Th) ad 1562 n. 70 sq (34, 230 b sqq).

Cap. 2. Ecclesiae potestas circa dispensationem sacramenti Eucharistiae.

1963
3019
3035
Praeterea declarat, hanc potestatem perpetuo in Ec- **931** clesia fuisse, ut in sacramentorum dispensatione, salva [809] illorum substantia, ea statueret vel mutaret, quae suscipientium utilitati seu ipsorum sacramentorum venerationi, pro rerum, temporum et locorum varietate, magis expedire iudicaret. Id autem Apostolus non obscure visus est innuisse, cum ait: «*Sic nos existimet homo ut ministros Christi et dispensatores mysteriorum Dei*» [1 Cor 4, 1]; atque ipsum quidem hac potestate usum esse, satis constat, cum in multis aliis, tum in hoc ipso sacramento, cum ordinatis nonnullis circa eius usum: «*Cetera*, inquit, *cum venero, disponam*» [1 Cor 11, 34]. Quare agnoscens sancta mater Ecclesia hanc suam in administratione sacramentorum auctoritatem, licet ab initio christianae religionis non infrequens utriusque speciei usus fuisset, tamen progressu temporis latissime iam mutata illa consuetudine, gravibus et iustis causis adducta, hanc consuetudinem sub altera specie communicandi approbavit et pro lege habendam decrevit, quam reprobare aut sine ipsius Ecclesiae auctoritate pro libito mutare non licet [can. 2].

Cap. 3. Totum et integrum Christum ac verum sacramentum sub qualibet specie sumi.

Insuper declarat, quamvis Redemptor noster, ut antea **932** dictum est, in suprema illa coena hoc Sacramentum in [810] duabus speciebus instituerit et Apostolis tradiderit: tamen fatendum esse, etiam sub altera tantum specie totum atque integrum Christum verumque sacramentum sumi, ac propterea, quod ad fructum attinet, nulla gratia necessaria ad salutem eos defraudari, qui unam speciem solam accipiunt [can. 3].

Cap. 4. Parvulos non obligari ad communionem sacramentalem.

Denique eadem sancta Synodus docet, parvulos **933** usu rationis carentes nulla obligari necessitate [811] ad sacramentalem Eucharistiae communionem [can. 4], siquidem per baptismi *lavacrum regenerati* [Tit 3, 5] et

Christo incorporati adeptam iam filiorum Dei gratiam
in illa aetate amittere non possunt. Neque ideo tamen
damnanda est antiquitas, si eum morem in quibusdam
locis aliquando servavit. Ut enim sanctissimi illi Patres
sui facti probabilem causam pro illius temporis ratione
habuerunt, ita certe eos nulla salutis necessitate id fecisse
sine controversia credendum est.

CANONES de communione...[1]

934   Can. 1. Si quis dixerit, ex Dei praecepto vel ex ne-
(812) cessitate salutis omnes et singulos Christi fideles utramque speciem sanctissimi Eucharistiae sacramenti sumere
debere: anathema sit [cf. n. 930].

935   Can. 2. Si quis dixerit, sanctam Ecclesiam catholicam
non iustis causis et rationibus adductam fuisse, ut
laicos atque etiam clericos non conficientes sub una
panis tantummodo specie communicaret, aut in eo errasse: A. S. [cf. n. 931]

936   Can. 3. Si quis negaverit, totum et integrum
Christum, omnium gratiarum fontem et auctorem, sub
una panis specie sumi, quia, ut quidam falso asserunt,
non secundum ipsius Christi institutionem sub utraque
specie sumatur: A. S. [cf. n. 930 932].

937   Can. 4. Si quis dixerit, parvulis, antequam ad
annos discretionis pervenerint, necessariam esse Eucharistiae communionem: A. S. [cf. n. 933].

SESSIO XXII (17. Sept. 1526).

Doctrina ... de sanctissimo Missae sacrificio[2].   416
424

Cap. i. [De institutione sacrosancti Missae sacrificii.][3]   581
715

938   Quoniam sub priori Testamento (teste Apostolo Paulo)   874
(816) propter Levitici sacerdotii imbecillitatem consummatio   948
non erat, oportuit (Deo Patre misericordiarum ita ordi-   1045
nante) sacerdotem alium *secundum ordinem Mel-*   1108
1205
1528
1937

---

[1] CTr VIII 699 sq; Rcht 111; Msi XXXIII 123 C; Hrd X 121 A;
Bar(Th) ad 1562 n. 71 (34, 233 a).

[2] CTr VIII 959 sqq; Rcht 124 sqq; Msi XXXIII 128 D sqq; Hrd X
126 B sqq; Bar(Th) ad 1562 n. 101 sq (34, 254 b sqq).

[3] Inscriptiones capitum huius sessionis non debentur Concilio, sed
Philippo Chiffletio (saec. XVII). Cf. CTr VIII 959 nota 1 coll. c. 701 nota 1.

chisedech [Gn 14, 18; Ps 109, 4; Hebr 7, 11] surgere, Dominum
nostrum Iesum Christum, qui posset omnes, quotquot
sanctificandi essent, *consummare* [Hebr 10, 14] et ad perfectum adducere. Is igitur Deus et Dominus noster,
etsi semel se ipsum in ara crucis, morte intercedente,
Deo Patri oblaturus erat, ut aeternam illis redemptionem
operaretur: quia tamen per mortem sacerdotium eius
exstinguendum non erat [Hebr 7, 24], in c o e n a novissima,
qua nocte tradebatur, ut dilectae sponsae suae Ecclesiae
visibile (sicut hominum natura exigit) relinqueret s a c r i-
f i c i u m [can. 1], quo cruentum illud semel in cruce per-
agendum r e p r a e s e n t a r e t u r eiusque memoria in finem
usque saeculi permaneret [1 Cor 11, 24 sqq], atque illius salutaris virtus in remissionem eorum, quae a nobis quotidie committuntur, peccatorum applicaretur: *sacerdotem
secundum ordinem Melchisedech* se *in aeternum* [Ps 109, 4]
constitutum declarans, corpus et sanguinem suum sub
speciebus panis et vini Deo Patri o b t u l i t ac sub
earundem rerum symbolis Apostolis (quos tunc Novi
Testamenti s a c e r d o t e s c o n s t i t u e b a t), ut sumerent,
tradidit et eisdem eorumque in sacerdotio successoribus,
ut offerrent, praecepit per haec verba: «*Hoc facite in
meam commemorationem*» etc. [Lc 22, 19; 1 Cor 11, 24], uti
semper Ecclesia catholica intellexit et docuit [can. 2]. Nam
celebrato veteri Pascha, quod in memoriam exitus de
Aegypto multitudo filiorum Israel immolabat [Ex 12, 1 sqq],
novum instituit Pascha, se ipsum ab Ecclesia per sacerdotes sub signis visibilibus immolandum in memoriam
transitus sui ex hoc mundo ad Patrem, quando per sui
sanguinis effusionem nos redemit *eripuitque de potestate
tenebrarum et in regnum suum transtulit* [Col 1, 13].

Et haec quidem illa *munda oblatio* est, quae nulla 939
indignitate aut malitia offerentium inquinari potest, quam (816)
Dominus per M a l a c h i a m nomini suo, quod magnum
futurum esset in gentibus, *in omni loco mundam offe-
rendam* praedixit [Mal 1, 11], et quam non obscure innuit
Apostolus Paulus Corinthiis scribens, cum dicit, *non
posse eos,* qui participatione *mensae daemoniorum* polluti
sint, *mensae Domini participes fieri* [1 Cor 10, 21], per mensam altare utrobique intelligens. Haec denique illa est,

quae per varias sacrificiorum, naturae et Legis tempore
[Gn 4, 4; 8, 20; 12, 8; 22; Ex passim], similitudines figurabatur,
utpote quae bona omnia per illa significata veluti illorum
omnium consummatio et perfectio complectitur.

Cap. 2. [Sacrificium visibile esse propitiatorium pro vivis et defunctis.]

940
(817)
Et quoniam in divino hoc sacrificio, quod in Missa
peragitur, idem ille Christus continetur et incruente im-
molatur, qui in ara crucis semel se ipsum cruente [Hebr
9, 28] obtulit: docet sancta Synodus, sacrificium istud v e r e
p r o p i t i a t o r i u m esse [can. 3], per ipsumque fieri, ut, si
cum vero corde et recta fide, cum metu ac reverentia,
contriti ac poenitentes ad Deum *accedamus, misericordiam
consequamur et gratiam inveniamus in auxilio opportuno*
[Hebr 4, 16]. Huius quippe oblatione placatus Dominus,
gratiam et donum poenitentiae concedens, crimina et
peccata etiam ingentia dimittit. Una enim eademque est
h o s t i a, idem nunc o f f e r e n s sacerdotum ministerio,
qui se ipsum tunc in cruce obtulit, s o l a o f f e r e n d i
r a t i o n e d i v e r s a. Cuius quidem oblationis (cruentae,
inquam) fructus per hanc incruentam uberrime percipiun-
tur: tantum abest, ut illi per hanc quovis modo derogetur
[can. 4]. Quare non solum pro fidelium v i v o r u m peccatis, poenis, satisfactionibus et aliis necessitatibus, sed
et pro d e f u n c t i s in Christo, nondum ad plenum purgatis, rite iuxta Apostolorum traditionem offertur [can. 3].

Cap. 3. [De Missis in honorem Sanctorum.]

941
(818)
Et quamvis in h o n o r e m et m e m o r i a m Sanctorum
nonnullas interdum Missas Ecclesia celebrare consueverit,
non tamen illis sacrificium offerri docet, sed D e o s o l i,
qui illos coronavit [can. 5]. Unde nec sacerdos dicere solet:
Offero tibi sacrificium, Petre et Paule, sed, Deo de
illorum victoriis gratias agens, eorum patrocinia implorat,
*ut ipsi pro nobis intercedere dignentur in coelis, quorum
memoriam facimus in terris* [Missale].

Cap. 4. [De canone Missae.]

942
(819)
Et cum S a n c t a s a n c t e administrari conveniat, sitque hoc omnium sanctissimum sacrificium: Ecclesia

catholica, ut digne reverenterque offerretur ac percipere-
tur, sacrum canonem multis ante saeculis instituit, ita a b
omni errore purum [can. 6], ut nihil in eo contineatur,
quod non maxime sanctitatem ac pietatem quandam re-
doleat mentesque offerentium in Deum erigat. Is enim
constat cum ex ipsis Domini verbis, tum ex Apostolorum
traditionibus ac sanctorum quoque Pontificum piis institutionibus.

Cap. 5. [De solemnibus Missae sacrificii caeremoniis.]

Cumque natura hominum ea sit, ut non facile 943
queat sine adminiculis exterioribus ad rerum divinarum (820)
meditationem sustolli, propterea pia mater Ecclesia ritus
quosdam, ut scilicet quaedam submissa voce [can. 9],
alia vero elatiore in Missa pronuntiarentur, instituit; caeremonias item adhibuit [can. 7], ut mysticas benedictiones,
lumina, thymiamata, vestes aliaque id genus multa ex
Apostolica disciplina et traditione, quo et maiestas tanti
sacrificii commendaretur, et mentes fidelium per haec
visibilia religionis et pietatis signa ad rerum altissimarum,
quae in hoc sacrificio latent, contemplationem excitarentur.

Cap. 6. [De Missa in qua solus sacerdos communicat.]

Optaret quidem sacrosancta Synodus, ut in sin- 944
gulis Missis fideles adstantes non solum spiri- (821)
tuali affectu, sed sacramentali etiam Eucharistiae perceptione communicarent, quo ad eos sanctissimi
huius sacrificii fructus uberior proveniret; nec tamen,
si id non semper fiat, propterea Missas illas, in quibus
solus sacerdos sacramentaliter communicat, ut privatas et illicitas damnat [can. 8], sed probat atque adeo
commendat, si quidem illae quoque Missae vere communes censeri debent, partim quod in eis populus spiritualiter communicet, partim vero, quod a publico Ecclesiae ministro non pro se tantum, sed pro omnibus
fidelibus, qui ad Corpus Christi pertinent, celebrentur.

Cap. 7. [De aqua in calice offerendo vino miscenda.]

Monet deinde sancta Synodus, praeceptum esse ab 945
Ecclesia sacerdotibus, ut aquam vino in calice (822)
offerendo miscerent [can. 9], tum quod Christum

Dominum ita fecisse credatur, tum etiam quia e latere eius
aqua simul cum *sanguine* exierit [Io 19, 34], quod sacramentum hac mixtione recolitur. Et cum *aquae* in Apo=
calypsi beati Ioannis *populi* dicantur [Apc 17, 1 15], ipsius
populi fidelis cum capite Christo unio repraesentatur.

Cap. 8. [De Missa vulgari lingua passim non celebranda, et mysteriis eius populo explicandis.]

946   Etsi Missa magnam contineat populi fidelis erudi-
(823) tionem, non tamen expedire visum est Patribus, ut vul-
g a r i passim l i n g u a celebraretur [can. 9]. Quamobrem,
retento ubique cuiusque ecclesiae antiquo et a sancta
Romana Ecclesia, omnium ecclesiarum matre et magistra,
probato ritu, ne oves Christi esuriant, neve *parvuli
panem petant et non sit, qui frangat eis* [cf. Thr 4, 4]: mandat
sancta Synodus pastoribus et singulis curam animarum
gerentibus, ut frequenter inter Missarum celebrationem
vel per se vel per alios, ex his, quae in Missa leguntur,
aliquid exponant atque inter cetera sanctissimi huius
Sacrificii m y s t e r i u m a l i q u o d d e c l a r e n t, diebus
praesertim Dominicis et festis.

Cap. 9. [Prolegomenon canonum sequentium.]

947   Quia vero adversus veterem hanc, in sacrosancto Evan-
(824) gelio, Apostolorum traditionibus sanctorumque Patrum
doctrina fundatam fidem hoc tempore multi disseminati
sunt errores, multaque a multis docentur et disputantur:
sacrosancta Synodus, post multos gravesque his de rebus
mature habitos tractatus, unanimi patrum omnium consensu, quae huic purissimae fidei sacraeque doctrinae
adversantur, damnare et a sancta Ecclesia eliminare per
subiectos hos canones constituit.

CANONES de sanctissimo Missae sacrificio[1].

948   Can. 1. Si quis dixerit, in Missa non offerri Deo verum et
(825) proprium s a c r i f i c i u m, aut quod offerri non sit aliud
quam nobis Christum ad manducandum dari: A. S. [cf. n. 938].

949   Can. 2. Si quis dixerit, illis verbis: «*Hoc facite in meam
commemorationem*» [Lc 22, 19; 1 Cor 11, 24], Christum non insti-

---

[1] CTr VIII 961 sq; Rcht 127; Msi XXXIII 131 C sq; Hrd X 129 A;
Bar(Th) ad 1562 n. 102 (34, 256 b sq).

tuisse Apostolos sacerdotes, aut non ordinasse, ut ipsi aliique sacerdotes offerrent corpus et sanguinem suum: A. S. [cf. n. 938].

Can. 3. Si quis dixerit, Missae sacrificium tantum 950 esse laudis et gratiarum actionis, aut nudam commemora- (827) tionem sacrificii in cruce peracti, non autem propitiatorium; vel soli prodesse sumenti, neque pro vivis et defunctis, pro peccatis, poenis, satisfactionibus et aliis necessitatibus offerri debere: A. S. [cf. n. 940].

Can. 4. Si quis dixerit, blasphemiam irrogari sanc- 951 tissimo Christi sacrificio, in cruce peracto, per Missae sacrificium, aut illi per hoc derogari: A. S. [cf. n. 940].

Can. 5. Si quis dixerit, imposturam esse, Missas cele- 952 brari in honorem Sanctorum et pro illorum intercessione apud Deum obtinenda, sicut Ecclesia intendit: A. S. [cf. n. 941].

Can 6. Si quis dixerit, canonem Missae errores 953 continere ideoque abrogandum esse: A. S. [cf. n. 942].

Can. 7. Si quis dixerit, caeremonias, vestes et 954 externa signa, quibus in Missarum celebratione Ecclesia catholica utitur, irritabula impietatis esse magis quam officia pietatis: A. S. [cf. n. 943].

Can. 8. Si quis dixerit, Missas, in quibus solus 955 sacerdos sacramentaliter communicat, illicitas esse ideo- (832) que abrogandas: A. S. [cf. n. 944].

Can. 9. Si quis dixerit, Ecclesiae Romanae ritum, 956 quo submissa voce pars canonis et verba consecrationis proferuntur, damnandum esse; aut lingua tantum vulgari Missam celebrari debere; aut aquam non miscendam esse vino in calice offerendo, eo quod sit contra Christi institutionem: A. S. [cf. n. 943 945 sq].

SESSIO XXIII (15. Iulii 1563).

Doctrina de sacramento ordinis [1].

Cap. I. De institutione sacerdotii Novae Legis.

Sacrificium et sacerdotium ita Dei ordinatione con- 957 iuncta sunt, ut utrumque in omni lege exstiterit. Cum (834)

42
45
90
50
69
54
56
58

---

[1] Rcht 172 sqq; Msi XXXIII 138 B sqq; Hrd X 135 D sqq; Bar(Th) ad 1563 n. 125 sqq (34, 397 a sqq).

igitur in Novo Testamento sanctum Eucharistiae sacrificium visibile ex Domini institutione catholica Ecclesia
acceperit, fateri etiam oportet, in ea novum esse visibile et externum sacerdotium [can. 1], in quod
vetus *translatum* est [Hebr 7, 12 sqq]. Hoc autem ab eodem
Domino Salvatore nostro institutum esse [can. 3], atque
Apostolis eorumque successoribus in sacerdotio potestatem traditam consecrandi, offerendi et ministrandi corpus
et sanguinem eius, nec non et peccata dimittendi et
retinendi, sacrae litterae ostendunt, et catholicae Ecclesiae traditio semper docuit [can. 1].

Cap. 2. De septem ordinibus [1].

958   Cum autem divina res sit tam sancti sacerdotii mini-
(835) sterium, consentaneum fuit, quo dignius et maiore cum
veneratione exerceri posset, ut in Ecclesiae ordinatissima
dispositione plures et diversi essent ministrorum ordines [Mt 16, 19; Lc 22, 19; Io 20, 22 sq], qui sacerdotio ex officio
deservirent, ita distributi, ut, qui iam clericali tonsura
insigniti essent, per minores ad maiores ascenderent [can. 2].
Nam non solum de sacerdotibus, sed et de dia-
conis sacrae litterae apertam mentionem faciunt [Act 6, 5;
1 Tim 3, 8 sqq; Phil 1, 1], et quae maxime in illorum ordinatione attendenda sunt gravissimis verbis docent, et ab
ipso Ecclesiae initio sequentium ordinum nomina, atque
uniuscuiusque eorum propria ministeria, Subdiaconi
scilicet, Acolythi, Exorcistae, Lectoris et Ostiarii
in usu fuisse cognoscuntur, quamvis non pari gradu;
nam subdiaconatus ad maiores ordines a Patribus et
sacris Conciliis refertur, in quibus et de aliis inferioribus
frequentissime legimus.

Cap. 3. [De sacramento ordinis.]

959   Cum Scripturae testimonio, apostolica traditione et
(836) Patrum unanimi consensu perspicuum sit, per sacram
ordinationem, quae verbis et signis exterioribus perficitur, gratiam conferri, dubitare nemo debet, ordinem

---

[1] Nota hos titulos non ab ipso Concilio statutos, sed postea ab aliis
additos esse.

esse vere et proprie unum ex septem sanctae Ecclesiae sacramentis [can. 3]. Inquit enim Apostolus: «*Ad-moneo te, ut resuscites gratiam Dei, quae est in te, per impositionem manuum mearum. Non enim dedit nobis Deus spiritum timoris, sed virtutis, et dilectionis et sobrietatis*» [2 Tim 1, 6 7; cf. 1 Tim 4, 14].

Cap. 4. De ecclesiastica hierarchia et ordinatione.

42
45
50
26

Quoniam vero in sacramento ordinis, sicut et in 960 baptismo et confirmatione, character imprimitur [can. 4], (837) qui nec deleri nec auferri potest, merito sancta Synodus damnat eorum sententiam, qui asserunt, Novi Testamenti sacerdotes temporariam tantummodo potestatem habere, et semel rite ordinatos iterum laicos effici posse, si verbi Dei ministerium non exerceant [can. 1]. Quod si quis omnes Christianos promiscue Novi Testamenti sacerdotes esse, aut omnes pari inter se potestate spirituali prae-ditos affirmet, nihil aliud facere videtur, quam ecclesia-sticam hierarchiam, quae est *ut castrorum acies ordinata* [cf. Ct 6, 3], confundere [can. 6]; perinde ac si contra beati Pauli doctrinam omnes Apostoli, omnes Prophetae, omnes Evangelistae, omnes Pastores, omnes sint Doctores [cf. 1 Cor 12, 29]. Proinde sacrosancta Synodus declarat, praeter ceteros ecclesiasticos gradus episcopos, qui in Apostolorum locum successerunt, ad hunc hierarchicum ordinem praecipue pertinere, et «*positos, sicut idem Apostolus ait, a Spiritu Sancto regere Ecclesiam Dei*» [Act 20, 28]; eosque presbyteris superiores esse, ac sacramentum confirmationis conferre, ministros Ecclesiae ordinare, atque alia pleraque peragere ipsos posse, quarum functionum potestatem reliqui inferioris ordinis nullam habent [can. 7]. Docet insuper sacrosancta Synodus, in ordinatione episcoporum, sacerdotum et ceterorum or-dinum nec populi, nec cuiusvis saecularis potestatis et magistratus consensum, sive vocationem sive auctoritatem ita requiri, ut sine ea irrita sit ordinatio; quin potius decernit, eos, qui tantummodo a populo aut saeculari potestate ac magistratu vocati et instituti ad haec ministeria exercenda ascendunt, et qui ea pro-pria temeritate sibi sumunt, omnes non Ecclesiae mini-

stros, sed *fures et latrones per ostium non ingressos*
[cf. Io 10, 1] habendos esse [can. 8].   Haec sunt, quae generatim sacrae Synodo visum est Christi fideles de sacramento ordinis docere.   His autem contraria certis et
propriis canonibus in hunc, qui sequitur, modum damnare constituit, ut omnes adiuvante Christo fidei regula
utentes in tot errorum tenebris catholicam veritatem
facilius agnoscere et tenere possint.

[CANONES] de sacramento ordinis[1].

961   Can. 1.   Si quis dixerit, non esse in Novo Testamento 95
(838) sacerdotium visibile et externum, vel non esse potestatem aliquam consecrandi et offerendi verum corpus
et sanguinem Domini, et peccata remittendi et retinendi,
sed officium tantum et nudum ministerium praedicandi
Evangelium; vel eos, qui non praedicant, prorsus non
esse sacerdotes: anathema sit [cf. n. 957 960].

962   Can. 2.   Si quis dixerit, praeter sacerdotium non esse
in Ecclesia catholica alios ordines, et maiores et
minores, per quos velut per gradus quosdam in sacerdotium tendatur: A. S. [cf. n. 958].

963   Can. 3.   Si quis dixerit, ordinem sive sacram ordinationem non esse vere et proprie sacramentum a
Christo Domino institutum, vel esse figmentum quoddam
humanum, excogitatum a viris rerum ecclesiasticarum
imperitis, aut esse tantum ritum quendam eligendi ministros verbi Dei et sacramentorum: A. S. [cf. n. 957 959].

964   Can. 4.   Si quis dixerit, per sacram ordinationem
non dari Spiritum Sanctum, ac proinde frustra episcopos
dicere: *Accipe Spiritum Sanctum;* aut per eam non
imprimi characterem; vel eum, qui sacerdos semel
fuit, laicum rursus fieri posse: A. S. [cf. n. 852].

965   Can. 5.   Si quis dixerit, sacram unctionem, qua
Ecclesia in sancta ordinatione utitur, non tantum non
requiri, sed contemnendam et perniciosam esse, similiter
et alias ordinis ceremonias: A. S. [cf. n. 856].

---

[1] Rcht 174; Msi XXXIII 139 D sq; Hrd X 137 A sq; Bar(Th) ad
1563 n. 127 (34, 398 b sq).

Can. 6. Si quis dixerit, in Ecclesia catholica non 966
esse hierarchiam divina ordinatione institutam, quae [843]
constat ex episcopis, presbyteris et ministris: A. S.
[cf. n. 960].

Can. 7. Si quis dixerit, episcopos non esse pres- 967
byteris superiores, vel non habere potestatem confirmandi et ordinandi; vel eam, quam habent, illis esse
cum presbyteris communem; vel ordines ab ipsis collatos
sine populi vel potestatis saecularis consensu
aut vocatione irritos esse; aut eos, qui nec ab ecclesiastica et canonica potestate rite ordinati, nec missi
sunt, sed aliunde veniunt, legitimos esse verbi et sacramentorum ministros: A. S. [cf. n. 960].

Can. 8. Si quis dixerit, episcopos, qui auctoritate 968
Romani Pontificis assumuntur, non esse legitimos et
veros episcopos, sed figmentum humanum: A. S. [cf. n. 960].

SESSIO XXIV (11. Nov. 1563).

36
41
Doctrina de sacramento matrimonii[1].

34
62
95 Matrimonii perpetuum indissolubilemque nexum 969
primus humani generis parens divini Spiritus instinctu [846]
04
24 pronuntiavit, cum dixit: «*Hoc nunc os ex ossibus meis, et*
46
37 *caro de carne mea: quamobrem relinquet homo patrem*
41 *suum et matrem, et adhaerebit uxori suae et erunt*
02
71 *duo in carne una*» [Gn 2, 23 sq; cf. Eph 5, 31].

90
52 Hoc autem vinculo duos tantummodo copulari
96 et coniungi, Christus Dominus apertius docuit, cum
58
00 postrema illa verba tanquam a Deo prolata referens
40 dixit: «*Itaque iam non sunt duo, sed una caro*» [Mt 19, 6],
65
53 statimque eiusdem nexus firmitatem ab Adamo tanto
65
91 ante pronuntiatam his verbis confirmavit: «*Quod ergo*
51 *Deus coniunxit, homo non separet*» [Mt 19, 6; Mc 10, 9].
66

Gratiam vero, quae naturalem illum amorem per-
ficeret, et indissolubilem unitatem confirmaret coniugesque
sanctificaret, ipse Christus venerabilium sacramentorum institutor atque perfector sua nobis passione promeruit. Quod Paulus Apostolus innuit, dicens: «*Viri,*

---

[1] Rcht 214 sq; Msi XXXIII 149 E sq; Hrd X 147 A; Bar(Th) ad
1563 n. 193 (34, 434 a sqq).

diligite uxores vestras, sicut Christus dilexit Ecclesiam et se ipsum tradidit pro ea» [Eph 5, 22], mox subiungens: *«Sacramentum hoc magnum est, ego autem dico in Christo et in Ecclesia»* [Eph 5, 32].

970
(846)
Cum igitur matrimonium in lege evangelica veteribus conubiis per Christum gratia praestet, merito inter Novae Legis sacramenta annumerandum, sancti Patres nostri, Concilia et universalis Ecclesiae traditio semper docuerunt, adversus quam impii homines huius saeculi insanientes non solum perperam de hoc venerabili sacramento senserunt, sed de more suo praetextu Evangelii libertatem carnis introducentes, multa ab Ecclesiae catholicae sensu et ab Apostolorum temporibus probata consuetudine aliena scripto et verbo asseruerunt non sine magna Christi fidelium iactura; quorum temeritati sancta et universalis Synodus cupiens occurrere, insigniores praedictorum schismaticorum haereses et errores, ne plures ad se trahat perniciosa eorum contagio, exterminandos duxit, hos in ipsos haereticos eorumque errores decernens anathematismos.

[CANONES] de sacramento matrimonii[1].

971
(847)
Can. 1. Si quis dixerit, matrimonium non esse 969 vere et proprie unum ex septem legis evangelicae sacramentis a Christo Domino institutum, sed ab hominibus in Ecclesia inventum, neque gratiam conferre: anathema sit [cf. n. 970].

972 Can. 2. Si quis dixerit, licere Christianis plures simul habere uxores [Mt 19, 4 sqq 9], et hoc nulla lege divina esse prohibitum: A. S. [cf. n. 969].

973 Can. 3. Si quis dixerit, eos tantum consanguinitatis et affinitatis gradus, qui Levitico exprimuntur, posse impedire matrimonium contrahendum et dirimere contractum, nec posse Ecclesiam in nonnullis illorum dispensare, aut constituere, ut plures impediant et dirimant: A. S.

---

[1] Rcht 215 sq; Msi XXXIII 150 C sq; Hrd X 147 E sq; Bar(Th) ad 1563 n. 193 (34, 434a sqq).

Can. 4. Si quis dixerit, Ecclesiam non potuisse 974 constituere i m p e d i m e n t a matrimonium dirimentia (850) [cf. Mt 16, 19], vel in iis constituendis errasse: A. S.

Can. 5. Si quis dixerit, propter haeresim aut molestam 975 cohabitationem aut affectatam absentiam a coniuge d i s s o l v i posse matrimonii vinculum: A. S.

Can. 6. Si quis dixerit, matrimonium ratum, non 976 consummatum, per solemnem religionis p r o f e s s i o n e m alterius coniugum non dirimi: A. S.

Can. 7. Si quis dixerit, Ecclesiam errare [1], cum docuit 977 et docet, iuxta evangelicam et apostolicam doctrinam [Mc 10; 1 Cor 7] propter adulterium alterius coniugum matri- monii v i n c u l u m non posse dissolvi, et utrumque, vel etiam innocentem, qui causam adulterio non dedit, non posse, altero coniuge vivente, aliud matrimonium con- trahere, moecharique eum, qui dimissa adultera aliam duxerit, et eam, quae dimisso adultero alii nupserit: A. S.

Can. 8. Si quis dixerit, Ecclesiam errare, cum ob 978 multas causas s e p a r a t i o n e m inter coniuges quoad thorum seu quoad cohabitationem ad certum incertumve tempus fieri posse decernit: A. S.

Can. 9. Si quis dixerit, c l e r i c o s in sacris ordinibus 979 constitutos vel r e g u l a r e s castitatem solemniter pro- fessos posse matrimonium contrahere, contractumque validum esse non obstante lege Ecclesiastica vel voto; et oppositum nil aliud esse quam damnare matrimonium, 980 posseque omnes contrahere matrimonium, qui non sen- (856) tiunt se castitatis, etiamsi eam voverint, habere donum: A. S., cum Deus id recte petentibus non deneget, *nec patiatur nos supra id, quod possumus, tentari* [1 Cor 10, 13].

Can. 10. Si quis dixerit, statum coniugalem anteponen- 981 dum esse statui virginitatis [cf. Mt 19, 11 sq; 1 Cor 7, 25 sq 38 40] vel c o e l i b a t u s, et non esse melius ac beatius manere in virginitate aut coelibatu, quam iungi matrimonio: A. S.

Can. 11. Si quis dixerit, prohibitionem s o l e m n i t a t i s nuptiarum certis anni temporibus superstitionem esse

---

[1] Haec forma damnationis electa est, ne Graeci offenderentur, qui scilicet contrariam p r a x i m sequebantur, quamvis d o c t r i n a m oppo- sitam Ecclesiae Latinae non damnarent.

tyrannicam ab ethnicorum superstitione profectam; aut
benedictiones et alias ceremonias, quibus Ecclesia in
illis utitur, damnaverit: A. S.

982   Can. 12. Si quis dixerit, causas matrimoniales
(858) non spectare ad iudices ecclesiasticos: A. S.

SESSIO XXV (3. et 4. Dec. 1563).

Decretum de purgatorio[1].

983   Cum catholica Ecclesia, Spiritu Sancto edocta ex
(859) sacris litteris et antiqua Patrum traditione, in sacris Conciliis et novissime in hac oecumenica Synodo docuerit,
purgatorium esse, animasque ibi detentas, fidelium
suffragiis, potissimum vero acceptabili altaris sacrificio iuvari, praecipit sancta Synodus episcopis, ut sanam
de purgatorio doctrinam a sanctis Patribus et sacris
Conciliis traditam a Christi fidelibus credi, teneri, doceri
et ubique praedicari diligenter studeant.   Apud rudem
vero plebem difficiliores ac subtiliores *quaestiones,* quaeque ad *aedificationem* non faciunt [cf. 1 Tim 1, 4], et ex
quibus plerumque nulla fit pietatis accessio, a popularibus
concionibus secludantur.   Incerta item, vel quae specie
falsi laborant evulgari ac tractari non permittant.   Ea vero,
quae ad curiositatem quandam aut superstitionem
spectant, vel turpe lucrum sapiunt, tanquam scandala
et fidelium offendicula prohibeant.

De invocatione, veneratione et reliquiis Sanctorum
et sacris imaginibus[2].

984   Mandat sancta Synodus omnibus episcopis et ceteris
(8 0) docendi munus curamque sustinentibus, ut iuxta catholicae et Apostolicae Ecclesiae usum a primaevis christianae religionis temporibus receptum sanctorumque
Patrum consensionem, et sacrorum Conciliorum decreta,
imprimis de Sanctorum intercessione, invocatione,

---

[1] Rcht 391; Msi XXXIII 170 D sq; Hrd X 167 C; Bar(Th) ad 1563
n. 210 (34, 445 a).
[2] Rcht 392 sq; Msi XXXIII 171 A sq; Hrd X 167 E sq; Bar(Th) ad
1563 n. 211 (34, 445 a sqq).

reliquiarum honore, et legitimo imaginum usu
fideles diligenter instruant, docentes eos, Sanctos una
cum Christo regnantes orationes suas pro hominibus
Deo offerre, bonum atque utile esse suppliciter eos invocare, et ob beneficia impetranda a Deo per Filium
eius Iesum Christum Dominum nostrum, qui solus noster
Redemptor et Salvator est, ad eorum orationes, opem
auxiliumque confugere; illos vero, qui negant, Sanctos
aeterna felicitate in coelo fruentes invocandos esse, aut
qui asserunt, vel illos pro hominibus non orare, vel
eorum, ut pro nobis etiam singulis orent, invocationem
esse idololatriam, vel pugnare cum verbo Dei, adversari-
que honori *unius mediatoris Dei et hominum Iesu Christi*
[cf. 1 Tim 2, 5], vel stultum esse in coelo regnantibus voce
vel mente supplicare, impie sentire.

Sanctorum quoque martyrum et aliorum cum Christo 985
viventium sancta corpora, quae viva *membra* fuerunt [861]
Christi et *templum Spiritus Sancti* [cf. 1 Cor 3, 16; 6, 19; 2 Cor
6, 16], ab ipso ad aeternam vitam suscitanda et glori-
ficanda a fidelibus veneranda esse, per quae multa beneficia a Deo hominibus praestantur, ita ut affirmantes,
Sanctorum reliquiis venerationem atque honorem non
deberi, vel eas aliaque sacra monumenta a fidelibus
inutiliter honorari, atque eorum opis impetrandae causa
Sanctorum memorias frustra frequentari, omnino damnandos esse, prout iam pridem eos damnavit, et nunc
etiam damnat Ecclesia.

Imagines porro Christi, Deiparae Virginis et aliorum 986
Sanctorum in templis praesertim habendas et retinendas,
eisque debitum honorem et venerationem impertiendam,
non quod credatur inesse aliqua in iis divinitas vel virtus,
propter quam sint colendae, vel quod ab eis sit aliquid
petendum, vel quod fiducia in imaginibus sit figenda,
veluti olim fiebat a gentibus, quae in idolis spem suam
collocabant [cf. Ps 134, 15 sqq]: sed quoniam honos, qui
eis exhibetur, refertur ad prototypa, quae illae
repraesentant, ita ut per imagines, quas osculamur, et
coram quibus caput aperimus et procumbimus, Christum
adoremus, et Sanctos, quorum illae similitudinem gerunt,
veneremur. Id quod Conciliorum, praesertim vero

secundae NICAENAE Synodi decretis contra imaginum oppugnatores est sancitum [v. n. 302 sqq].

987
(861)
Illud vero diligenter doceant episcopi, per historias mysteriorum nostrae redemptionis, picturis vel aliis similitudinibus expressas, erudiri et confirmari populum in articulis fidei commemorandis et assidue recolendis; tum vero ex omnibus sacris imaginibus magnum fructum percipi, non solum, quia admonetur populus beneficiorum et munerum, quae a Christo sibi collata sunt, sed etiam, quia Dei per Sanctos miracula et salutaria exempla oculis fidelium subiciuntur, ut pro iis Deo gratias agant, ad Sanctorumque imitationem vitam moresque suos componant, excitenturque ad adorandum ac diligendum Deum, et ad pietatem colendam. Si quis autem his decretis contraria docuerit aut senserit: A. S.

988
In has autem sanctas et salutares observationes si qui abusus irrepserint, eos prorsus aboleri sacra Synodus vehementer cupit, ita ut nullae falsi dogmatis imagines et rudibus periculosi erroris occasionem praebentes statuantur. Quod si aliquando historias et narrationes sacrae Scripturae, cum id indoctae plebi expediet, exprimi et figurari contigerit, doceatur populus, non propterea divinitatem figurari, quasi corporeis oculis conspici vel coloribus aut figuris exprimi possit. . . .

Decretum de indulgentiis[1].

467
550
622
989
(862)
Cum potestas conferendi indulgentias a Christo Ecclesiae concessa sit, atque huiusmodi potestate divinitus sibi tradita [cf. Mt 16, 19; 18, 18] antiquissimis etiam temporibus illa usa fuerit, sacrosancta Synodus indulgentiarum usum, christiano populo maxime salutarem et sacrorum Conciliorum auctoritate probatum, in Ecclesia retinendum esse docet et praecipit, eosque anathemate damnat, qui aut inutiles esse asserunt, vel eas concedendi in Ecclesia potestatem esse negant. . . .

676
757
894
154

---

[1] Rcht 468; Msi XXXIII 193 E sq; Hrd X 190 C; Bar(Th) ad 1563 n. 212 (34, 447 a).

De clandestinitate matrimonium irritante [1].

[Ex SESSIONE XXIV, Cap. (1) «Tametsi» de reformatione matrimonii.]

969 Tametsi dubitandum non est, clandestina matrimonia, 990 libero contrahentium consensu facta, rata et vera esse matrimonia, quamdiu Ecclesia ea irrita non fecit, et proinde iure damnandi sunt illi, ut eos sancta Synodus anathemate damnat, qui ea vera ac rata esse negant, quique falso affirmant, matrimonia a filiis familias sine consensu parentum contracta irrita esse, et parentes ea rata vel irrita facere posse: nihilominus sancta Dei Ecclesia ex iustissimis causis illa semper detestata est atque prohibuit. Verum, cum sancta Synodus animadvertat, prohibitiones illas propter hominum inoboedientiam iam non prodesse, et gravia peccata perpendat, quae ex eisdem clandestinis coniugiis ortum habent, praesertim vero eorum, qui in statu damnationis permanent, dum priore uxore, cum qua clam contraxerant, relicta cum alia palam contrahunt, et cum ea in perpetuo adulterio vivunt, cui malo cum ab Ecclesia, quae de occultis non iudicat, succurri non possit, nisi efficacius aliquod remedium adhibeatur, idcirco sacri LATERANENSIS Concilii [IV] sub INNOCENTIO III celebrati vestigiis inhaerendo praecipit, ut in posterum, antequam matrimonium contrahatur, ter a proprio contrahentium parocho tribus continuis diebus festivis in Ecclesia inter Missarum solemnia publice denuntietur, inter quos matrimonium sit contrahendum; quibus denuntiationibus factis, si nullum legitimum opponatur impedimentum, ad celebrationem matrimonii in facie Ecclesiae procedatur, ubi parochus, viro et muliere interrogatis, et eorum mutuo consensu intellecto, vel dicat: *Ego vos in matrimonium coniungo in nomine Patris et Filii et Spiritus Sancti,* vel aliis utatur verbis, iuxta receptum uniuscuiusque provinciae ritum.

Quod si aliquando probabilis fuerit suspicio, matri- 991 monium malitiose impediri posse, si tot praecesserint

---

[1] Rcht 216 sq; Msi XXXIII 152 A; Hrd X 149 B sq; cf. Bar(Th) ad 1563 n. 150 sq (34, 410 a sq).

denuntiationes, tunc vel una tantum denuntiatio fiat,
vel saltem parocho et duobus vel tribus testibus praesentibus matrimonium celebretur.   Deinde ante illius
consummationem denuntiationes in Ecclesia fiant, ut, si
aliqua subsunt impedimenta*, facilius detegantur, nisi
Ordinarius ipse expedire iudicaverit, ut praedictae denuntiationes remittantur, quod illius prudentiae et iudicio
sancta Synodus relinquit.

992   Qui aliter quam praesente parocho, vel alio sacerdote de ipsius parochi seu Ordinarii licentia, et duobus
vel tribus testibus matrimonium contrahere attentabunt,
eos sancta Synodus ad sic contrahendum omnino inhabiles reddit, et huiusmodi contractus irritos et
nullos esse decernit, prout eos praesenti decreto irritos
facit et annullat.

De Trinitate et Incarnatione (contra Socinianos)[1].

[Ex Constit. **PAULI IV** «Cum quorundam» [2], 7. Aug. 1555.]

993   Cum quorundam hominum pravitas atque iniquitas 39
(880) eo usque nostris temporibus processerit, ut ex iis, qui 148
a catholica fide aberrant et desciscunt, plurimi quidem
non solum diversas haereses profiteri, sed etiam ipsius
fidei fundamenta negare praesumant, et eorum exemplo
multos in interitum animae deducant: Nos cupientes
pro nostro pastorali officio et caritate huiusmodi homines,
quantum cum Deo possumus, a tam gravi et pestilenti
errore avocare, ac ceteros, ne in talem impietatem laban-
tur, paterna severitate admonere, omnes et singulos, qui
hactenus asseruerunt, dogmatizarunt vel crediderunt,
Deum omnipotentem non esse trinum in personis
et incomposita omnino indivisaque unitate substantiae
et unum unamet simplici divinitatis essentia; aut Dominum nostrum Iesum Christum non esse Deum verum
eiusdem substantiae per omnia cum Patre et Spiritu
Sancto; aut eundem secundum carnem non esse con-

---

[1] BR(T) 6, 500 b sq; MBR 1, 821 b. — Hoc documentum, quod secundum ordinem chronologicum post n. 929 collocandum erat, ne series
decretorum Concilii TRID. abrumperetur, hic positum est.

[2] Haec Constitutio confirmata est a CLEMENTE VIII per Breve
«Dominici gregis», 3. Febr. 1603 [BR(T) 11, 1a].

ceptum in utero Beatissimae semperque Virginis Mariae
de Spiritu Sancto, sed sicut ceteros homines ex semine
Ioseph; aut eundem Dominum ac Deum nostrum Iesum
Christum non subiisse acerbissimam crucis mortem, ut
nos a peccatis et ab aeterna morte redimeret et Patri
ad vitam aeternam reconciliaret; aut eandem Beatissimam
113 Virginem Mariam non esse veram Dei matrem, nec
91 perstitisse semper in virginitatis integritate, ante
partum scilicet, in partu et perpetuo post partum, ex
parte omnipotentis Dei Patris et Filii et Spiritus Sancti
apostolica auctoritate requirimus et monemus etc.

Professio fidei Tridentina [1].

[Ex Bulla PII IV «Iniunctum nobis», 13. Nov. 1564.]

782　　Ego N. firma fide credo et profiteor omnia et singula, 994
quae continentur in Symbolo fidei, quo sancta Romana [863]
39 Ecclesia utitur, videlicet: Credo [2] in unum Deum Patrem
omnipotentem, factorem coeli et terrae, visibilium omnium et invisibilium; et in unum Dominum Iesum Christum, Filium Dei unigenitum, et ex Patre natum ante
omnia saecula, Deum de Deo, lumen de lumine, Deum
verum de Deo vero, genitum non factum, consubstantialem Patri; per quem omnia facta sunt; qui propter
nos homines et propter nostram salutem descendit de
148 coelis, et incarnatus est de Spiritu Sancto ex Maria
Virgine, et homo factus est; crucifixus etiam pro nobis
sub Pontio Pilato, passus et sepultus est; et resurrexit
tertia die secundum Scripturas, et ascendit in coelum,
sedet ad dexteram Patris, et iterum venturus est cum
gloria iudicare vivos et mortuos, cuius regni non erit
460 finis; et in Spiritum Sanctum Dominum et vivificantem, qui ex Patre Filioque procedit; qui cum Patre
et Filio simul adoratur et conglorificatur; qui locutus
est per Prophetas; et unam sanctam catholicam et apo-
1821 stolicam Ecclesiam. Confiteor unum baptisma in
remissionem peccatorum, et exspecto resurrectionem mortuorum, et vitam venturi saeculi. Amen.

---

[1] Rcht App. 575 sqq; Msi XXXIII 220 B sqq; Hrd X 199 D sqq;
BR(T) 7, 327 b sqq; MBR 2, 138 b sqq.　　[2] = Symb. Nic.-Const.; v. n. 86.

995   Apostolicas et ecclesiasticas traditiones reliquas- 15%
(864) que eiusdem Ecclesiae observationes et constitutiones
firmissime admitto et amplector. Item sacram Scrip- 78%
turam iuxta eum sensum, quem tenuit et tenet sancta
mater Ecclesia, cuius est iudicare de vero sensu et interpretatione sacrarum Scripturarum, admitto, nec eam
unquam, nisi iuxta unanimem consensum Patrum accipiam
et interpretabor.

996   Profiteor quoque septem esse vere et proprie sacra- 84%
menta Novae Legis a Iesu Christo Domino nostro instituta atque ad salutem humani generis, licet non
omnia singulis, necessaria, scilicet baptismum, confirmationem, Eucharistiam, poenitentiam, extremam unctionem,
ordinem et matrimonium, illaque gratiam conferre, et
ex his baptismum, confirmationem et ordinem sine
sacrilegio reiterari non posse. Receptos quoque et
approbatos Ecclesiae catholicae ritus in supradictorum
omnium sacramentorum sollenni administratione recipio et
admitto. Omnia et singula, quae de peccato originali 78%
et de iustificatione in sacrosancta TRIDENTINA 79%
Synodo definita et declarata fuerunt, amplector et recipio.

997   Profiteor pariter in Missa offerri Deo verum, pro- 93%
prium et propitiatorium sacrificium pro vivis et defunctis,
atque in sanctissimo Eucharistiae sacramento esse 87%
vere, realiter et substantialiter corpus et sanguinem una
cum anima et divinitate Domini nostri Iesu Christi, fierique conversionem totius substantiae panis in corpus, et
totius substantiae vini in sanguinem, quam conversionem
catholica Ecclesia transsubstantiationem appellat.
Fateor etiam sub altera tantum specie totum atque integrum Christum verumque sacramentum sumi.

998   Constanter teneo purgatorium esse, animasque ibi 69%
detentas fidelium suffragiis iuvari; similiter et Sanctos 98%
una cum Christo regnantes venerandos atque invocandos
esse, eosque orationes Deo pro nobis offerre, atque
eorum reliquias esse venerandas. Firmiter assero, ima- 98%
gines Christi ac Deiparae semper Virginis, nec non
aliorum Sanctorum, habendas et retinendas esse, atque
eis debitum honorem ac venerationem impertiendam;
indulgentiarum etiam potestatem a Christo in 98%

Ecclesia relictam fuisse, illarumque usum christiano populo maxime salutarem esse affirmo.

821 Sanctam catholicam et apostolicam R o m a n a m E c-999 c l e s i a m omnium ecclesiarum matrem et magistram (867) 826 agnosco; R o m a n o q u e P o n t i f i c i, beati PETRI Apostolorum principis successori ac Iesu Christi vicario, veram oboedientiam spondeo ac iuro.

Cetera item omnia a sacris Canonibus et oecumenicis 1000 Conciliis, ac praecipue a sacrosancta TRIDENTINA Synodo (et ab oecumenico Concilio VATICANO) [1], tradita, definita ac declarata (praesertim de Romani 832 Pontificis P r i m a t u et i n f a l l i b i l i m a g i s t e r i o), indubitanter recipio atque profiteor; simulque contraria omnia, atque haereses quascunque ab Ecclesia damnatas et reiectas et anathematizatas ego pariter damno, reicio et anathematizo. Hanc veram catholicam fidem, extra quam nemo salvus esse potest, quam in praesenti sponte profiteor et veraciter teneo, eandem integram et immaculatam usque ad extremum vitae spiritum constantissime, Deo adiuvante, retinere et confiteri atque a meis subditis vel illis, quorum cura ad me in munere meo spectabit, teneri, doceri et praedicari, quantum in me erit, curaturum, ego idem N. spondeo, voveo ac iuro: sic me Deus adiuvet, et haec sancta Dei Evangelia.

S. PIUS V 1566—1572.

Errores Michaelis du Bay (Baii) [2].

[Damnati in Bulla «Ex omnibus afflictionibus», 1. Oct. 1567.]

793   1. Nec angeli nec primi hominis adhuc integri merita 1001 recte vocantur g r a t i a.   (881)

---

[1] Quae uncis includuntur, ex Decr. S. C. Conc. (20. Ian. 1877) nunc addenda sunt [ASS 10 (1877), 74].

[2] DuPl III, II 110 sqq; coll. Viva I 553 a; CICRcht II 136 sqq. — M i c h a e l B a i u s (du Bay), natus 1513, Prof. in facultate theol. Lovaniensi, falsas doctrinas proferre coepit 1551. Mox aliis, imprimis Ruardo Tappero, strenue se opponentibus, a. 1560 Baii theses ad facultatem Parisiensem missae atque ab ea damnatae sunt. At Baio eiusque asseclis magnas contentiones excitantibus, PIUS IV a. 1561 Baio silentium imposuit. Sed cum Baius non pareret, PIUS V in Bulla «*Ex omnibus afflictionibus*» omisso scriptoris nomine theses eius censuris variis notavit. Tunc Baius apologiam doctrinae suae ad Pontificem misit, qui, cum legisset, damnationem

1002   2. Sicut opus malum ex natura sua est mortis aeternae
(882) meritorium, sic bonum opus ex natura sua est vitae aeternae
meritorium.

1003   3. Et bonis angelis et primo homini, si in statu illo per-
severasset usque ad ultimum vitae, felicitas esset merces, et
non gratia.

1004   4. Vita aeterna homini integro et angelo promissa fuit
intuitu bonorum operum, et bona opera ex lege naturae ad
illam consequendam per se sufficiunt.

1005   5. In promissione facta et angelo et primo homini con-
(885) tinetur naturalis iustitiae constitutio, qua pro bonis operibus sine alio respectu vita aeterna iustis promittitur.

1006   6. Naturali lege constitutum fuit homini, ut, si in oboedientia perseveraret, ad eam vitam pertransiret, in qua mori
non posset.

1007   7. Primi hominis integri merita fuerunt primae creationis munera; sed iuxta modum loquendi Scripturae sacrae non
recte vocantur gratia; quo fit, ut tantum merita, non etiam
gratia, debeant nuncupari.

1008   8. In redemptis per gratiam Christi nullum inveniri
potest bonum meritum, quod non sit gratis indigno collatum.

1009   9. Dona concessa homini integro et angelo, forsitan non
improbanda ratione, possunt dici gratia; sed quia, secundum
usum sacrae Scripturae, nomine gratiae ea tantum munera intelliguntur, quae per Iesum Christum male meritis et
indignis conferuntur, ideo neque merita neque merces, quae
illis redditur, gratia dici debet.

1010   10. Solutio poenae temporalis, quae peccato dimisso
(890) saepe remanet, et corporis resurrectio proprie nonnisi meritis
Christi adscribenda est.

1011   11. Quod pie et iuste in hac vita mortali usque in finem
vitae conversati vitam consequimur aeternam, id non proprie
gratiae Dei, sed ordinationi naturali statim initio creationis
constitutae iusto Dei iudicio deputandum est: neque in hac

---

priorem a. 1569 confirmavit. At cum Baius, qui ad speciem se sub-
iecerat, a spargendis erroribus suis desistere nollet, repetita est dam-
natio ista a GREGORIO XIII in Bulla *Provisionis nostrae* 29. Ian. 1579
[BR(T) 8, 315 a sqq; Hrd X 126 sqq] et postea ab URBANO VIII in
Bulla *In Eminenti Eccl. milit.*» 6. Mart. 1641 [BR(T) 15, 93 a sqq]. —
Theses istae desumptae sunt ex variis Baii opusculis: 1—20 «De meritis
operum»; 21—24: «De prima hominis iustitia»; 25—30: «De virtutibus
impiorum»; 31—38: «De caritate»; 39—41: «De libero arbitrio»; 42—44:
«De iustitia»; 45: «De sacrificio»; 46—55: «De peccato originis»; 56—58:
«De oratione pro defunctis»; 59—60: «De indulgentiis»; reliquae ex
scriptis Baianorum.

retributione bonorum ad Christi meritum respicitur, sed tantum ad primam institutionem generis humani, in qua lege naturali constitutum est, ut iusto Dei iudicio oboedientiae mandatorum vita aeterna reddatur.

12. Pelagii sententia est: opus bonum, citra gratiam adop- 1012 tionis factum, non est regni coelestis meritorium. (892)

09 13. Opera bona, a filiis adoptionis facta, non accipiunt 1013 rationem meriti ex eo, quod fiunt per spiritum adoptionis inhabitantem corda filiorum Dei, sed tantum ex eo, quod sunt conformia legi, quodque per ea praestatur oboedientia legi.

14. Opera bona iustorum non accipiunt in die iudicii ex- 1014 tremi ampliorem mercedem, quam iusto Dei iudicio mereantur accipere.

15. Ratio meriti non consistit in eo, quod, qui bene 1015 operatur, habeat gratiam et inhabitantem Spiritum Sanctum, (895) sed in eo solum, quod oboedit divinae legi.

16. Non est vera legis oboedientia, quae fit sine caritate. 1016

17. Sentiunt cum Pelagio, qui dicunt, esse necessarium 1017 ad rationem meriti, ut homo per gratiam adoptionis sublimetur ad statum deificum.

18. Opera catechumenorum, ut fides et poenitentia ante 1018 remissionem peccatorum facta, sunt vitae aeternae merita: quam vitam ipsi non consequentur, nisi prius praecedentium delictorum impedimenta tollantur.

19. Opera iustitiae et temperantiae, quae Christus fecit, 1019 ex dignitate personae operantis non traxerunt maiorem valorem.

04 20. Nullum est peccatum ex natura sua veniale, sed 1020 omne peccatum meretur poenam aeternam. (900)

21. Humanae naturae sublimatio et exaltatio in 1021 consortium divinae naturae debita fuit integritati primae conditionis, et proinde naturalis dicenda est, et non supernaturalis.

22. Cum Pelagio sentiunt, qui textum Apostoli ad Ro- 1022 manos II.: «*Gentes, quae legem non habent, naturaliter ea, quae legis sunt, faciunt*» [Rom 2, 14] intelligunt de gentibus fidei gratiam non habentibus.

23. Absurda est eorum sententia, qui dicunt, hominem ab 1023 initio, dono quodam supernaturali et gratuito, supra conditionem naturae suae fuisse exaltatum, ut fide, spe et caritate Deum supernaturaliter coleret.

24. A vanis et otiosis hominibus, secundum insipientiam 1024 philosophorum, excogitata est sententia, quae ad Pelagianismum reicienda est, hominem ab initio sic constitutum, ut

per dona naturae superaddita fuerit largitate conditoris subli-
matus et ad Dei filium adoptatus.

1025   25. Omnia opera infidelium sunt peccata, et
(905) philosophorum virtutes sunt vitia.

1026   26. Integritas primae creationis non fuit indebita humanae
naturae exaltatio, sed naturalis eius conditio.

1027   27. Liberum arbitrium, sine gratiae Dei adiutorio, 18
37
nonnisi ad peccandum valet.   77

1028   28. Pelagianus est error, dicere, quod liberum arbitrium 10
19
valet ad ullum peccatum vitandum.

1029   29. Non soli fures ii sunt et latrones, qui Christum viam
et ostium veritatis et vitae negant, sed etiam quicunque
aliunde quam per ipsum in viam iustitiae (hoc est ad aliquam
iustitiam) conscendi posse docent,

1030   30. aut tentationi ulli, sine gratiae ipsius adiutorio, resi-
(910) stere hominem posse, sic ut in eam non inducatur ac ab ea
non superetur.

1031   31. Caritas perfecta et sincera, quae est *de corde puro* 80
89
et conscientia bona et fide non ficta [1 Tim 1, 5], tam in catechumenis quam in poenitentibus potest esse sine remissione
peccatorum.

1032   32. Caritas illa, quae est plenitudo legis, non est semper
coniuncta cum remissione peccatorum.

1033   33. Catechumenus iuste, recte et sancte vivit, et mandata
Dei observat, ac legem implet per caritatem, ante obtentam
remissionem peccatorum, quae in baptismi lavacro demum
percipitur.

1034   34. Distinctio illa duplicis amoris, naturalis videlicet, quo
Deus amatur ut auctor naturae, et gratuiti, quo Deus amatur
ut beatificator, vana est et commentitia et ad illudendum
sacris litteris et plurimis veterum testimoniis excogitata.

1035   35. Omne quod agit peccator vel servus peccati, pec-
(915) catum est.

1036   36. Amor naturalis, qui ex viribus naturae exoritur, ex
sola philosophia per elationem praesumptionis humanae, cum
iniuria crucis Christi defenditur a nonnullis doctoribus.

1037   37. Cum Pelagio sentit, qui boni aliquid naturalis, hoc est,
quod ex naturae solis viribus ortum ducit, agnoscit.

1038   38. Omnis amor creaturae rationalis aut vitiosa est cupiditas, qua mundus diligitur, quae a Ioanne prohibetur, aut
laudabilis illa caritas, qua per Spiritum Sanctum in corde
diffusa Deus amatur.

1039   39. Quod voluntarie fit, etiamsi necessario fiat, libere
tamen fit.

40. In omnibus suis actibus peccator servit dominanti 1040
cupiditati. (920)

41. Is libertatis modus, qui est a necessitate, sub liber- 1041
tatis nomine non reperitur in Scripturis, sed solum nomen
libertatis a peccato.

'99 42. Iustitia, qua iustificatur per fidem impius, consistit 1042
formaliter in oboedientia mandatorum, quae est operum iustitia; non autem in gratia [habituali] aliqua animae infusa, qua adoptatur homo in filium Dei et secundum interiorem hominem renovatur ac divinae naturae consors efficitur,
ut, sic per Spiritum Sanctum renovatus, deinceps bene vivere
et Dei mandatis oboedire possit.

43. In hominibus poenitentibus ante sacramentum ab- 1043
solutionis et in catechumenis ante baptismum est vera iustificatio, separata tamen a remissione peccatorum.

44. Operibus plerisque, quae a fidelibus fiunt, solum ut 1044
Dei mandatis pareant, cuiusmodi sunt oboedire parentibus,
depositum reddere, ab homicidio, a furto, a fornicatione abstinere, iustificantur quidem homines, quia sunt legis oboedientia et vera legis iustitia; non tamen iis obtinent incrementa virtutum.

38 45. Sacrificium Missae non alia ratione est sacrificium, 1045
quam generali illa, qua omne opus, quod fit, ut sancta so- (925)
cietate Deo homo inhaereat.

304 46. Ad rationem et definitionem peccati non pertinet 1046
voluntarium, nec definitionis quaestio est, sed causae et originis, utrum omne peccatum debeat esse voluntarium.

87 47. Unde peccatum originis vere habet rationem pec- 1047
cati sine ulla relatione ac respectu ad voluntatem, a qua
originem habuit.

48. Peccatum originis est habituali parvuli voluntate volun- 1048
tarium, et habitualiter dominatur parvulo(s): eo quod non
gerit contrarium voluntatis arbitrium.

49. Et ex habituali voluntate dominante fit, ut parvulus 1049
decedens sine regenerationis sacramento, quando usum rationis
consecutus erit, actualiter Deum odio habeat, Deum blas-
phemet et legi Dei repugnet.

50. Prava desideria, quibus ratio non consentit, et quae 1050
homo invitus patitur, sunt prohibita praecepto: *Non concupi-* (930)
sces [cf. Ex 20, 17].

92 51. Concupiscentia sive lex membrorum, et prava 1051
eius desideria, quae inviti sentiunt homines, sunt vera legis
inoboedientia.

1052   52. Omne scelus est eius conditionis, ut suum auctorem
(932)   et omnes posteros eo modo inficere possit, quo infecit prima
transgressio.

1053   53. Quantum est ex vi transgressionis, tantum meritorum
malorum a generante contrahunt, qui cum minoribus nascuntur vitiis, quam qui cum maioribus.

1054   54. Definitiva haec sententia, Deum homini nihil impossibile praecepisse, falso tribuitur Augustino, cum Pelagii sit.

1055   55. Deus non potuisset ab initio talem creare hominem,
(935)   qualis nunc nascitur.

1056   56. In peccato duo sunt, actus et reatus; transeunte 80*
autem actu, nihil manet, nisi reatus sive obligatio ad poenam.

1057   57. Unde in sacramento baptismi aut sacerdotis absolutione
proprie reatus peccati dumtaxat tollitur, et ministerium sacerdotum solum liberat a reatu.

1058   58. Peccator poenitens non vivificatur ministerio sacerdotis absolventis, sed a solo Deo, qui, poenitentiam sugge-
rens et inspirans, vivificat eum et resuscitat: ministerio autem
sacerdotis solum reatus tollitur.

1059   59. Quando per eleemosynas aliaque poenitentiae opera
Deo satisfacimus pro poenis temporalibus, non dignum pretium
Deo pro peccatis nostris offerimus, sicut quidam errantes
autumant (nam alioqui essemus, saltem aliqua ex parte, red-
emptores); sed aliquid facimus, cuius intuitu Christi satisfactio nobis applicatur et communicatur.

1060   60. Per passiones Sanctorum in indulgentiis communi-
(940)   catas non proprie redimuntur nostra delicta; sed per communionem caritatis nobis eorum passiones impertiuntur, ut
digni simus, qui pretio sanguinis Christi a poenis pro peccatis debitis liberemur.

1061   61. Celebris illa doctorum distinctio, divinae legis mandata bifariam impleri, altero modo, quantum ad praeceptorum
operum substantiam tantum, altero, quantum ad certum quendam modum, videlicet, secundum quem valeant operantem
perducere ad regnum aeternum (hoc est ad modum meri-
tor[i]um), commentitia est et explodenda.

1062   62. Illa quoque distinctio, qua opus dicitur bifariam bonum,
vel quia ex obiecto et omnibus circumstantiis rectum est et
bonum (quod moraliter bonum appellare consueverunt), vel
quia est meritorium regni aeterni, eo quod sit a vivo Christi
membro per spiritum caritatis, reicienda est.

1063   63. Sed et illa distinctio duplicis iustitiae, alterius, quae 79
fit per spiritum caritatis inhabitantem, alterius, quae fit ex
inspiratione quidem Spiritus Sancti cor ad poenitentiam

excitantis, sed nondum cor inhabitantis et in eo caritatem
diffundentis, qua divinae legis iustificatio impleatur, similiter
reicitur.

64. Item et illa distinctio duplicis vivificationis, alterius, 1064
qua vivificatur peccator, dum ei poenitentiae et vitae novae (944)
propositum et inchoatio per Dei gratiam inspiratur, alterius,
qua vivificatur, qui vere iustificatur et palmes vivus in vite
Christo efficitur, pariter commentitia est et Scripturis minime
congruens.

027 65. Nonnisi Pelagiano errore admitti potest usus aliquis 1065
liberi arbitrii bonus, sive non malus: et gratiae Christi
iniuriam facit, qui ita sentit et docet.

66. Sola violentia repugnat libertati hominis naturali.   1066

67. Homo peccat, etiam damnabiliter, in eo, quod ne- 1067
cessario facit.

68. Infidelitas pure negativa in his, (in) quibus Christus 1068
non est praedicatus, peccatum est.

69. Iustificatio impii fit formaliter per oboedientiam legis, 1069
non autem per occultam communicationem et inspirationem
gratiae, quae per eam iustificatos faciat implere legem.

70. Homo exsistens in peccato mortali, sive in reatu aeter- 1070
nae damnationis, potest habere veram caritatem: et (950)
caritas etiam perfecta potest consistere cum reatu aeternae
damnationis.

71. Per contritionem etiam cum caritate perfecta et 1071
cum voto suscipiendi sacramentum coniunctam, non remittitur crimen, extra casum necessitatis aut martyrii, sine actuali
susceptione sacramenti.

72. Omnes omnino iustorum afflictiones sunt ultiones pec- 1072
catorum ipsorum: unde et Iob et martyres, quae passi sunt,
propter peccata sua passi sunt.

341 73. Nemo, praeter Christum, est absque peccato origi- 1073
nali: hinc Beata Virgo mortua est propter peccatum ex
Adam contractum, omnesque eius afflictiones in hac vita sicut
et aliorum iustorum fuerunt ultiones peccati actualis, vel originalis.

74. Concupiscentia in renatis relapsis in peccatum mor- 1074
tale, in quibus iam dominatur, peccatum est, sicut et alii
habitus pravi.

75. Motus pravi concupiscentiae sunt, pro statu hominis 1075
vitiati, prohibiti praecepto: *Non concupisces* [Ex 20, 17]; unde (955)
homo eos sentiens, et non consentiens, transgreditur praeceptum: *Non concupisces,* quamvis transgressio in peccatum
non deputetur.

1076   76. Quamdiu aliquid concupiscentiae carnalis in diligente
(956)   est, non facit praeceptum: *Diliges Dominum Deum tuum ex
toto corde tuo* [Dt 6, 5; Mt 22, 37].

1077   77. Satisfactiones laboriosae iustificatorum non valent ex-
piare de condigno poenam temporalem restantem post culpam condonatam.

1078   78. Immortalitas primi hominis non erat gratiae beneficium,
sed naturalis conditio.

1079   79. Falsa est doctorum sententia, primum hominem potuisse
a Deo creari et institui sine iustitia naturali.

1080   Quas quidem sententias stricto coram nobis examine pon-
deratas, quamquam nonnullae aliquo pacto sustineri possent [1],
in rigore et proprio verborum sensu ab assertoribus intento
haereticas, erroneas, suspectas, temerarias, scandalosas et *in pias
aures offensionem immittentes* respective ... damnamus.

De cambiis (i. e. pecuniae permutationibus, syngraphis) [2].

[Ex Constit. «In eam pro nostro», 28. Ian. 1571.]

1081   Primum (igitur) damnamus ea omnia cambia, quae ficta 147
(960)   [*al.* sicca] nominantur et ita confinguntur, ut contrahentes
ad certas nundinas seu ad alia loca cambia celebrare
simulent, ad quae loca ii, qui pecuniam recipiunt, litteras
quidem suas cambii tradunt, sed non mittuntur, vel ita
mittuntur, ut transacto tempore, unde processerant, inanes
referantur, aut etiam nullis huiusmodi litteris traditis,
pecunia ibi denique cum interesse reposcitur, ubi contractus fuerat celebratus: nam inter dantes et recipientes
usque a principio ita convenerat, vel certe talis intentio
erat, neque quisquam est, qui in nundinis, aut locis
supradictis, huiusmodi litteris receptis solutionem faciat.
Cui malo simile etiam illud est, cum pecuniae sive depositi sive alio nomine ficti cambii traduntur, ut postea
eodem in loco vel alibi cum lucro restituantur.

---

[1] Hoc est celeberrimum illud Comma Pianum, quod haeretici ab
hoc loco ad alterum post vocabulum *intento* transferebant, ita ut sensus
plane immutaretur. Qua de re consule Tornelium, Tract. de gratia
Christi q. 3, § «Momenta ex parte materiae Bullarum adversus Baium»,
etiam Kilber, Tract. de gratia disp. 4, c. 2 «De variis circa gratiam erroribus»,
art. 4, quaeres 2. Viva ad prop. 31 ALEXANDRI VIII B. n. 13 [cf. n. 1321].
[2] CIC Lib. «Sept.» V 13, 2: Franc. Sentis, Clementis Papae VIII
Decretales (Frib. 1870) [ed. Boehmer (1747) App. 78; ed. Freiesleben
(1773) App. 79, ubi non recte legitur 1575].

Sed et in ipsis cambiis, quae realia appellantur, 1082
interdum, ut ad nos perfertur, campsores praestitutum (961)
solutionis terminum, lucro ex tacita vel expressa conventione recepto seu etiam tantummodo promisso,
differunt. Quae omnia nos usuraria esse declaramus
et, ne fiant, districtius prohibemus.

GREGORIUS XIII 1572—1585.

Professio fidei Graecis praescripta [1].

[Ex actis circa unionem ecclesiae Graeco-Russiacae, a. 1575.]

39
60
Ego N. firma fide credo et profiteor omnia et singula, 1083
quae continentur in Symbolo fidei, quo sancta Romana (868)
Ecclesia utitur, videlicet: Credo in unum Deum [ut in
Symbolo Nicaeno-Constantinopolitano, n. 86 994].

Credo etiam, suscipio atque profiteor ea omnia, quae 1084
sacra oecumenica Synodus FLORENTINA super unione
occidentalis et orientalis Ecclesiae definivit et declaravit,
videlicet quod Spiritus Sanctus a Patre et Filio
aeternaliter est; et essentiam suam suumque esse subsistens habet ex Patre simul et Filio, et ex utroque
aeternaliter, tanquam ab uno principio et unica spiratione procedit; cum id, quod sancti Doctores et Patres
dicunt, ex Patre per Filium procedere Spiritum Sanctum,
ad hanc intelligentiam tendat, ut per hoc significetur,
Filium quoque esse secundum *Graecos* quidem causam,
secundum *Latinos* vero principium subsistentiae Spiritus
Sancti, sicut et Patrem. Cumque omnia quae Patris
sunt, ipse Pater unigenito Filio suo gignendo dederit,
praeter esse Patrem; hoc ipsum quod Spiritus Sanctus
procedit ex Filio, ipse Filius a Patre aeternaliter habet,
a quo aeternaliter etiam genitus est. Illamque verborum
illorum, «Filioque» explicationem, veritatis declarandae
gratia, et imminente tunc necessitate, licite ac rationabiliter Symbolo fuisse appositam. . . . *Sequitur textus
ex* Decr. unionis Graecorum [scl. n. 692—694] *Conc. FLO-
RENTINI.*

---

[1] BR(T) 8, 133 a sqq; MBR 2, 429 a sqq. — De ritibus Graecorum vide Bullam *«Sub catholicae»* INNOCENTII IV (6. Mart. 1254)
[BR(T) 3, 580 a sqq; MBR 1, 100 sqq].

1085   Insuper profiteor ac recipio alia omnia, quae ex de-
(872) cretis sacrae oecumenicae generalis Synodi TRIDEN-
TINAE sacrosancta Romana et Apostolica Ecclesia,
etiam ultra contenta in supradictis fidei Symbolis, pro-
fitenda ac recipienda proposuit atque praescripsit, ut
sequitur.

Apostolicas . . . *et cetera omnia, ut in professione fidei
TRIDENTINA* [n. 995 sqq].

SIXTUS V 1585—1590.   GREGORIUS XIV 1590—1591.
URBANUS VII 1590.   INNOCENTIUS IX 1591.

CLEMENS VIII 1592—1605.

De materia confirmationis [1].

[Ex Instructione super ritibus Italo-Graecorum, 30. Aug. 1595.]

1086   (§ 3) . . . Non sunt cogendi presbyteri Graeci olea 871
sancta praeter chrisma ab episcopis Latinis dioecesanis
accipere, cum huiusmodi olea ab eis in ipsa oleorum
et sacramentorum exhibitione, ex vetere ritu, conficiantur
seu benedicantur. . . . Chrisma autem, quod non
nisi ab episcopo, etiam iuxta eorum ritum, benedici
potest, cogantur accipere.

De ordinationibus schismaticorum [2].

[Ex eadem Instructione.]

1087   (§ 4) Ordinati ab episcopis schismaticis, alias 951
rite ordinatis, servata debita forma, recipiunt quidem
ordinem, sed non exsecutionem.

De absolutione absentis [3].

[Ex Decr S. Off., 20. Iunii 1602.]

1088   Sanctissimus . . . propositionem, scilicet «licere per litteras 894
(962) seu internuntium confessario absenti peccata sacramentaliter confiteri et ab eodem absente absolutionem ob-

---

[1] BR(T) 10, 212 a; cf. Constit. BENEDICTI XIV *Etsi pastoralis*,
26. Maii 1742 [BB(M) 1, 353; MBR 16, 96 b].
[2] BR(T) 10, 212 b.
[3] DuPl III, II 171; Viva I 577 a.

tinere», ad minus uti *falsam, temerariam* et *scandalosam* damnavit ac prohibuit, praecepitque, ne deinceps ista propositio
publicis privatisve lectionibus, concionibus et congressibus
doceatur, neve unquam tanquam aliquo casu probabilis de-
fendatur, imprimatur aut ad praxim quovis modo deducatur.

Ex sententia S. Officii sub CLEMENTE VIII et PAULO V identi- 1089
dem, praesertim 7. Iunii 1603 et 24. Ian. 1622, prolata, hoc decretum (963)
etiam in sensu diviso, i. e. de confessione vel de absolutione seorsim,
valet; et, iuxta decretum 7. Iunii 1603, non potest argui «ab eo casu,
dum super solis signis datis poenitentiae, relatis sacerdoti advenienti,
datur iamiam morituro absolutio, ad confessionem peccatorum·absenti
sacerdoti factam [v. n. 147], cum omnino diversam contineant difficultatem»[1].

LEO XI 1605.

PAULUS V 1605—1621.

De auxiliis seu de efficacia gratiae[2].

[Ex formula pro finiendis disputationibus ad Praepositos Generales
O. Pr. et S. J. missa, 5. Sept. 1607.]

793   In negotio de auxiliis facta est potestas a Summo Ponti- 1090
fice cum disputantibus tum consultoribus redeundi in patrias (964)
aut domus suas: additumque est, fore, ut Sua Sanctitas declarationem et determinationem, quae exspectabatur, opportune promulgaret. Verum ab eodem SS. Domino serio admodum vetitum est, in quaestione hac pertractanda ne quis
partem suae oppositam aut qualificaret aut
censura quapiam notaret. . . . Quin optat etiam, ut
verbis asperioribus amaritiem animi significantibus invicem
abstineant[3].

[1] Hoc aliaque in hanc rem documenta vide apud R. de Scorraille,
François Suarez II, Parisiis 1912, 110—114.
[2] Theod. Eleutherus (Meyer) S. J., Historia controversiarum de
divinae gratiae auxiliis, Antwerp. 1705, 724 a; cf. Iac. Hyac. Serry
O. Pr., Historia Congregationum de auxiliis divinae gratiae, Antwerp.
1709, 587 sq. — G. Schneemann S. J., Controversiarum de div. gratiae
liberique arbitrii Concordia initia et progressus, Friburgi 1881, 292 sq.
— Cum inter Dominicanos et Patres Societatis Iesu acris controversia
orta fuisset de auxiliis gratiae, utrum nempe gratia ab intrinseco
efficax (efficacitate conexionis cum consensu) sit et in praedetermina-
tione physica consistat, uti PP. Praedicatores dicebant, an vero infallibilitas divinae praedestinationis ad gratiam a scientia media dependeat,
CLEMENS VIII Congregationem de auxiliis ad litem finiendam instituit, quae integris novem annis, 1598—1607, causae extricandae insu-
davit. Denique PAULO V sedente, infinitis disputationibus a celeberrimis utriusque partis theologis habitis, a Summo Pontifice finis liti
impositus est.
[3] Porro PAULUS V (S. Officii decr. 1. Dec. 1611) prohibuit, libros in
materia de auxiliis, etiam sub praetextu commentandi S. Thomam aut

INNOCENTIUS X 1644—1655.

Error de duplici capite Ecclesiae (seu de primatu R. P.) [1].

[Ex Decr. S. Off., 24. Ian. 1647.]

1091   Sanctissimus . . . propositionem hanc: «S. PETRUS et 1826
(965) S. Paulus sunt duo Ecclesiae principes, qui unicum efficiunt», vel: «sunt duo Ecclesiae catholicae cory-
phaei ac supremi duces summa inter se unitate coniuncti», vel: «sunt geminus universalis Ecclesiae vertex,
qui in unum divinissime coaluerunt», vel: «sunt duo
Ecclesiae summi pastores ac praesides, qui unicum caput
constituunt», ita explicatam, ut ponat omnimodam aequalitatem inter S. PETRUM et S. Paulum sine sub-
ordinatione et subiectione S. Pauli ad S. PETRUM in
potestate suprema et regimine universalis Ecclesiae, *haereticam* censuit et declaravit.

---

alio modo imprimi, quin prius S. Inquisitioni propositi fuissent. Quod
URBANUS VIII (decretis S. Inq. d. 22. Maii 1625 et 1. Aug. 1641) in-
culcavit, additis poenis privationis facultatis docendi et concionandi,
vocis activae et passivae et excommunicationis (respective interdicti)
Summo Pontifici reservatae et ipso facto incurrendae. Quae tamen
prohibitiones postea in desuetudinem abierunt. Falso quidam Molini-
starum adversarii contendebant, a PAULO V Bullam, quae illorum
doctrinam damnaret, confectam eamque tantum non promulgatam fuisse,
autographum vero in archivo asservari [cf. n. 1097]. Summus Pontifex
strictum silentium de Congregationum exitu imposuit, atque utriusque
ordinis Generali formulam tradidit, qua suis quisque Papae voluntatem
denuntiaret. — Multo tempore post BENEDICTUS XIV haec scripsit
(a. 1748) ad supremum Hispaniae Inquisitorem: «Tu scis in celeberrimis
quaestionibus de praedestinatione et gratia, et de modo conciliandi humanam libertatem cum omnipotentia Dei multiplices esse in scholis opiniones. Thomistae traducuntur uti destructores humanae libertatis et
uti sectatores nedum Iansenii, sed etiam Calvini: sed cum ipsi obiectis
apprime satisfaciant, nec eorum sententia fuerit unquam a Sede Apostolica reprobata, in ea Thomistae impune versantur, nec fas est ulli
Superiori ecclesiastico in praesenti rerum statu eos a sua sententia re-
movere. Sectatores Molinae et Suaresii a suis adversariis proscribuntur perinde ac si essent Semipelagiani: Romani Pontifices de hoc
Moliniano systemate usque adhuc iudicium non tulerunt, et idcirco in
eius tuitione prosequuntur et prosequi possunt. . . .» — Decretum INNO-
CENTII X contra Iansenianos et quae postea a Summis Pontificibus circa hanc rem edita sunt, vide n. 1097.
    [1] DuPl III, II 248.

Errores (5) Cornelii Iansen(ii) [1].

[Excerpti ex «Augustino» et damnati in Constit. «Cum occasione»,
31. Maii 1653.]

1. Aliqua Dei praecepta hominibus iustis volentibus 1092
et conantibus, secundum praesentes, quas habent vires, sunt (966)
impossibilia: deest quoque illis gratia, qua possibilia fiant.

Declarata et damnata uti temeraria, impia, blasphema, anathemate
damnanda, et haeretica.

2. Interiori gratiae in statu naturae lapsae nunquam 1093
resistitur. •

Declarata et damnata uti haeretica.

027 3. Ad merendum et demerendum in statu naturae lapsae 1094
non requiritur in homine libertas a necessitate, sed sufficit
libertas a coactione.

Declarata et damnata uti haeretica.

4. Semipelagiani admittebant praevenientis gratiae interioris 1095
necessitatem ad singulos actus, etiam ad initium fidei; et in
hoc erant haeretici, quod vellent eam gratiam talem esse,
cui posset humana voluntas resistere et obtemperare.

Declarata et damnata uti falsa et haeretica.

5. Semipelagianum est dicere, Christum pro omnibus 1096
omnino hominibus mortuum esse aut sanguinem fudisse.

Declarata et damnata uti falsa, temeraria, scandalosa, et intellecta eo
sensu, ut Christus pro salute dumtaxat praedestinatorum mortuus sit,
impia, blasphema, contumeliosa, divinae pietati derogans, et haeretica.

De auxiliis seu de efficacia gratiae [2].

[Ex Decreto contra Iansenistas, 23. Apr. 1654.]

793 (Ceterum) cum tam Romae quam alibi circumferantur 1097
quaedam asserta acta manuscripta, et forsitan typis excusa (964)

---

[1] DuPl III, II 261 sqq; Viva I 512 b sqq; CICRcht II 138 sq; BR(T)
15, 720 a sq; MBR 5, 486 b; 6, 47 a sq. — Hae propositiones Iansenii, rursus damnatae sunt ab ALEXANDRO VII Constitutione «*Ad*
sanctam B. Petri Sedem» 16. Oct. 1656, tum Constitutione «*Regiminis*
apostolici» 15. Febr. 1664, in qua formularium edidit [v. n. 1099];
denique a CLEMENTE XI Constitutione «*Vineam Domini Sabaoth*»
16. Iul. 1705 [v. n. 1350].

[2] Th. Eleutherus (Meyer), Hist. controv. de div. gratiae auxiliis
707 a; apud Serry, Hist. Congreg. de auxil. XXXIV. — Cum Ianseniani
contra Molinistas ad acta quaedam Congreg. de auxil. provocarent et
unius alteriusve Consultoris iudicia pro vera PAULI V Bulla, cui sola

Congregationum habitarum coram fel. rec. CLEMENTE VIII
et PAULO V super quaestione *de auxiliis divinae gratiae*
tam sub nomine Francisci Pegnae, olim Rotae Romanae
decani, quam Fr. Thomae de Lemos O. Pr., aliorumque
Praelatorum et Theologorum, qui, ut asseritur, praedictis inter-
fuerunt Congregationibus: necnon quoddam autographum seu
exemplar assertae Constitutionis eiusdem PAULI V super
definitione praedictae quaestionis *de auxiliis,* ac damnationis
sententiae, seu sententiarum Ludovici Molinae S. J.: eadem
Sanctitas Sua praesenti hoc decreto declarat ac decernit
praedictis a s s e r t i s a c t i s tam pro sententia Fratrum O. S. D.
quam Ludovici Molinae aliorumque S. J. religiosorum, et
autographo sive exemplari praedictae a s s e r t a e C o n s t i-
t u t i o n i s PAULI V n u l l a m o m n i n o e s s e f i d e m a d-
h i b e n d a m; neque ab alterutra parte, seu a quocunque alio
allegari posse vel debere: sed super quaestione praedicta
observanda esse decreta PAULI V et URBANI VIII suorum
praedecessorum [1].

---

promulgationis sollemnitas deesset, obicerent, INNOCEN-
TIUS X in sollemni Decreto, quo varios libros in defensionem Iansenii
scriptos damnavit, de praetensa PAULI V Bulla et reliquis actibus hoc
iudicium tulit.

[1] Cum vero Facultas Lovaniensis INNOCENTIO XII supplicasset,
ut S. Sedis auctoritate licitum sibi esset ac liberum, continuare in tradenda doctrina maiorum suorum, quae continetur in libro censurarum
Lovaniensis et Duacensis Universitatum una cum apologia universitatis Lovaniensis et ab eadem declarari, doctrinam de gratia per se
efficaci et de praedestinatione ante praevisa merita nullis hactenus
Apostolicis decretis damnatam et enervatam esse, Summus Pontifex
(Brevi d. 7. Febr. 1694) allegatis verbis COELESTINI in epistola ad
Galliae episcopos: «Profundiores vero» etc. [v. n. 142] respondit: «*nec
arbitramur opportunum, ut in praesens habeatur exactior illa de divinis
auxiliis tractatio, quae a praedecessoribus nostris* CLEMENTE VIII *et*
PAULO V *instituta fuit.*» Cum denique Iansenistae, qui dissidia, quantum poterant, augere non destiterant, et se «Thomistas Augustinianos»
dictitabant, atque adversus Iesuitas solos pugnare fingebant, per Bullam
«*Unigenitus*» doctrinam SS. Augustini et Thomae illorum [scl. Iesui-
tarum] machinationibus damnatam fuisse conquererentur, CLEMENS XI,
qui illam Constitutionem ediderat, altera quae incipit «*Pastoralis officii*»
§ 3 calumnias istas repulit a. 1718.   Porro BENEDICTUS XIII, cum
Constitutione «*Pretiosus*» (d. 26. Maii 1727) privilegia ordinis Praedi-
catorum confirmaret, § 30 prohibuit, ne quis S. Thomae doctrinam eiusque scholam ullatenus damnaret ac pro damnata in Bulla «*Unigenitus*»
traduceret.   CLEMENS denique XII (d. 2. Oct. 1733) decreta CLEMEN-
TIS XI et BENEDICTI XIII confirmat, haec tamen addit: «*Mentem
tamen eorundem praedecessorum nostrorum compertam habentes, n o l u m u s
aut per nostras aut per ipsorum laudes Thomisticae scholae delatas, quas
iterato nostro iudicio comprobamus et confirmamus, q u i c q u a m e s s e d e-
tractum ceteris catholicis scholis diversa ab eadem in explicanda*

ALEXANDER VII 1655—1667.

De sensu verborum Cornelii Iansen [1].

[Ex Constit. «Ad sacram beati PETRI Sedem», 16. Oct. 1656.]

(§ 6) Quinque illas propositiones ex libro praememorati 1098
Cornelii Iansenii Episcopi Yprensis, cui titulus est: *Augustinus*, (971)
excerptas ac in sensu ab eodem Cornelio intento
damnatas fuisse, declaramus et definimus.

Postea vero Summus Pontifex subscribendum edixit sequens.

Formularium submissionis Iansenistis propositum [2].

[Ex Constit. «Regiminis apostolici», 15. Febr. 1664.]

.513   «Ego N. Constitutioni apostolicae INNOCENTII X, datae 1099
die 31. Maii 1653, et Constitutioni ALEXANDRI VII, datae (971)
die 16. Octobris 1656, Summorum Pontificum me subicio,
et quinque propositiones ex Cornelii Iansenii libro, cui nomen
Augustinus, excerptas, et in sensu ab eodem auctore intento,
prout illas per dictas Constitutiones Sedes Apostolica damnavit, sincero animo reicio ac damno, et ita iuro: Sic me
Deus adiuvet, et haec sancta Dei evangelia.» [3]

---

divinae gratiae efficacia sentientibus, quarum etiam erga S. Sedem prae-
clara sunt merita.» Renovat decreta PAULI V et aliorum et interdicit,
ne «*notam aut censuram aliquam theologicam iisdem scholis diversa sen-*
tientibus inurere aut earum sententias conviciis et contumeliis incessere
audeant, donec de iisdem controversiis haec S. Sedes aliquid definiendum
aut pronuntiandum censuerit».

[1] DuPl III, II 281 b (445 b); Viva I 513 b sq; BR(T) 16, 247 a; MBR
6, 47 b. — Cum damnatis a Summis Pontificibus Iansenii propositionibus ad illam cavillationem recurrissent Ianseniani, ut dicerent eas quidem
esse damnabiles, sed eum non fuisse sensum Iansenii, ALEX-
ANDER VII haec declaravit.

[2] DuPl III, II 315 b (446 b); Viva I 514 b; BR(T) 17, 336 b; MBR
6, 212 a.

[3] Cum vero aliqui Belgii antistites quaedam formulario addidissent,
INNOCENTIUS XII Brevi (6. Febr. 1694) post confirmatas INNO-
CENTII X et ALEXANDRI VII Constitutiones id fieri prohibuit, ac
formularium in sensu obvio ab omnibus sumi iussit; altero vero
Brevi (24. Nov. 1696) declaravit, se hoc decreto nullatenus derogare
Constitutioni ALEXANDRI VII. Denique CLEMENS XI Constitutione
«*Vineam Domini*», quam infra afferimus [v. n. 1350], omnem viam prae-
clusit Iansenistarum subterfugiis quoad factum dogmaticum, et INNO-
CENTII X et ALEXANDRI VII Constitutiones innovavit.

De immaculata conceptione B. M. V. [1]

[Ex Bulla «Sollicitudo omnium eccl.», 8. Dec. 1661.]

1100 (§ 1) Vetus est Christifidelium erga eius beatissimam 164
matrem Virginem Mariam pietas sentientium eius animam
in primo instanti creationis atque infusionis in corpus
fuisse speciali Dei gratia et privilegio, intuitu meritorum
Iesu Christi eius filii, humani generis Redemptoris, a
macula peccati originalis praeservatam immunem, atque in hoc sensu eius conceptionis festivi-
tatem sollemni ritu colentium et celebrantium; crevit-
que horum numerus [*post Constitutiones SIXTI IV a Conc. TRI-
DENTINO innovatas* n. 734 sqq 792] . . . ita, ut . . . iam fere
omnes catholici eam complectantur. . . . .

Errores varii de rebus moralibus (I) [2].

[Damnati in Decretis 24. Sept. 1665 et 18. Mart. 1666.]

A. Die 24. Septembris 1665.

1101 1. Homo nullo unquam vitae suae tempore tenetur elicere
(972) actum fidei, spei et caritatis ex vi praeceptorum divinorum ad eas virtutes pertinentium.

1102 2. Vir equestris ad duellum provocatus potest illud ac-149
ceptare, ne timiditatis notam apud alios incurrat.

1103 3. Sententia asserens, Bullam «Coenae» solum prohibere
absolutionem haeresis et aliorum criminum, quando publica
sunt, et id non derogare facultati TRIDENTINI, in qua de
occultis criminibus sermo est, anno 1629, 18. Iulii in Consistorio sacrae Congregationis Eminentissimorum Cardinalium
visa et tolerata est.

1104 4. Praelati regulares possunt in foro conscientiae absolvere quoscunque saeculares ab haeresi occulta et ab excommunicatione propter eam incursa.

1105 5. Quamvis evidenter tibi constet, Petrum esse haereticum,
(976) non teneris denuntiare, si probare non possis.

1106 6. Confessarius, qui in sacramentali confessione tribuit 894
poenitenti chartam postea legendam, in qua ad venerem
incitat, non censetur sollicitasse in confessione, ac proinde non est denuntiandus.

---

[1] BR(T) 16, 739 b; MBR 6, 152 a.
[2] DuPl III, II 321 a sqq; Viva I initio; MBR 6, App. 1 sqq.

7. Modus evadendi obligationem denuntiandae sollicitationis 1107
est, si sollicitatus confiteatur cum sollicitante: hic potest (978)
ipsum absolvere absque onere denuntiandi.

938   8. Duplicatum stipendium potest sacerdos pro eadem 1108
Missa licite accipere, applicando petenti partem etiam spe-
cialissimam fructus ipsimet celebranti correspondentem, idque
post decretum URBANI VIII.

9. Post decretum URBANI potest sacerdos, cui Missae 1109
celebrandae traduntur, per alium satisfacere, collato illi minori stipendio, alia parte stipendii sibi retenta.

10. Non est contra iustitiam, pro pluribus sacrificiis sti- 1110
pendium accipere, et sacrificium unum offerre. Neque etiam (981)
est contra fidelitatem, etiamsi promittam promissione, etiam
iuramento firmata, danti stipendium, quod pro nullo alio
offeram.

894   11. Peccata in confessione omissa seu oblita ob in- 1111
stans periculum vitae, aut ob aliam causam, non tenemur
in sequenti confessione exprimere.

12. Mendicantes possunt absolvere a casibus episcopis 1112
reservatis, non obtenta ad id episcoporum facultate.

13. Satisfacit praecepto annuae confessionis, qui con- 1113
fitetur regulari episcopo praesentato, sed ab eo iniuste re-
probato.

14. Qui facit confessionem voluntarie nullam, satisfacit 1114
praecepto Ecclesiae.

15. Poenitens propria auctoritate substituere sibi alium 1115
potest, qui loco ipsius poenitentiam adimpleat.   (986)

16. Qui beneficium curatum habent, possunt sibi eligere 1116
in confessarium simplicem sacerdotem non approbatum ab
Ordinario.

17. Est licitum religioso vel clerico, calumniatorem gravia 1117
crimina de se vel de sua religione spargere minantem occidere, quando alius modus defendendi non suppetit: uti
suppetere non videtur, si calumniator sit paratus vel ipsi
religioso, vel eius religioni publice et coram gravissimis viris
praedicta impingere, nisi occidatur.

18. Licet interficere falsum accusatorem, falsos testes ac 1118
etiam iudicem, a quo iniqua certo imminet sententia, si alia
via non potest innocens damnum evitare.

19. Non peccat maritus occidens propria auctoritate uxo- 1119
rem in adulterio deprehensam.

20. Restitutio a PIO V imposita beneficiatis non re- 1120
citantibus non debetur in conscientia ante sententiam de-
claratoriam iudicis, eo quod sit poena.

1121   21. Habens capellaniam collativam, aut quodvis aliud bene-
(992) ficium ecclesiasticum, si studio litterarum vacet, satisfacit suae
obligationi, si officium per alium recitet.

1122   22. Non est contra iustitiam, beneficia ecclesiastica non
conferre gratis: quia collator conferens illa beneficia ecclesiastica pecunia interveniente non exigit illam pro collatione
beneficii, sed veluti pro emolumento temporali, quod tibi
conferre non tenebatur.

1123   23. Frangens ieiunium Ecclesiae, ad quod tenetur, non
peccat mortaliter, nisi ex contemptu vel inoboedientia hoc
faciat, puta quia non vult se subicere praecepto.

1124   24. Mollities, sodomia et bestialitas sunt peccata eiusdem 804
speciei infimae; ideoque sufficit dicere in confessione, se 899
procurasse pollutionem.

1125   25. Qui habuit copulam cum soluta, satisfacit confessionis
(996) praecepto dicens: Commisi cum soluta grave peccatum contra castitatem, non explicando copulam.

1126   26. Quando litigantes habent pro se opiniones aeque probabiles, potest iudex pecuniam accipere pro ferenda sententia in favorem unius prae alio.

1127   27. Si liber sit alicuius iunioris et moderni, debet opinio
censeri probabilis, dum non constet, reiectam esse a Sede
Apostolica tanquam improbabilem.

1128   28. Populus non peccat, etiamsi absque ulla causa non
recipiat legem a principe promulgatam.

B. Die 18. Martii 1666.

1129   29. In die ieiunii qui saepius modicum quid comedit,
etiamsi notabilem quantitatem in fine comederit, non frangit
ieiunium.

1130   30. Omnes officiales, qui in republica corporaliter laborant,
(1001) sunt excusati ab obligatione ieiunii, nec debent se certifi-
care, an labor sit compatibilis cum ieiunio.

1131   31. Excusantur absolute a praecepto ieiunii omnes illi,
qui iter agunt equitando, utcunque iter agunt, etiamsi iter
necessarium non sit, et etiamsi iter unius diei conficiant.

1132   32. Non est evidens, quod consuetudo non comedendi
ova et lacticinia in Quadragesima obliget.

1133   33. Restitutio fructuum ob omissionem Horarum suppleri
potest per quascunque eleemosynas, quas antea beneficiarius
de fructibus sui beneficii fecerit.

1134   34. In die palmarum recitans officium paschale satisfacit praecepto.

35. Unico officio potest quis satisfacere duplici praecepto 1135
pro die praesenti et crastino. (1006)

36. Regulares possunt in foro conscientiae uti privilegiis 1136
suis, quae sunt expresse revocata per Concilium TRIDEN-
TINUM.

37. Indulgentiae concessae regularibus et revocatae a 1137
PAULO V hodie sunt revalidatae.

38. Mandatum TRIDENTINI, factum sacerdoti sacrifi- 1138
canti ex necessitate cum peccato mortali, confitendi quamprimum, est consilium, non praeceptum.

39. Illa particula «quamprimum» intelligitur, cum sacerdos 1139
suo tempore confitebitur.

40. Est probabilis opinio, quae dicit, esse tantum veniale 1140
osculum habitum ob delectationem carnalem et sensibilem [1], (1011)
quae ex osculo oritur, secluso periculo consensus ulterioris
et pollutionis.

41. Non est obligandus concubinarius ad eiciendam con- 1141
cubinam, si haec nimis utilis esset ad oblectamentum con-
cubinarii, vulgo «regalo», dum, deficiente illa, nimis aegre
ageret vitam, et aliae epulae taedio magno concubinarium
afficerent, et alia famula nimis difficile inveniretur.

1475 42. Licitum est mutuanti, aliquid ultra sortem exigere, 1142
si se obliget ad non repetendam sortem usque ad certum
tempus.

43. Annuum legatum pro anima relictum non durat plus 1143
quam per decem annos.

44. Quoad forum conscientiae, reo correcto eiusque con- 1144
tumacia cessante, cessant censurae.

45. Libri prohibiti «donec expurgentur» possunt retineri 1145
usque dum adhibita diligentia corrigantur. (1016)

Omnes damnatae et prohibitae ut minimum tanquam scandalosae.

De contritione perfecta et imperfecta [2].

[Ex Decr. S. Off., 5. Maii 1667.]

894 *Circa controversiam:* an illa attritio, quae concipitur ex 1146
metu gehennae, excludens voluntatem peccandi, cum spe (1017)
veniae, ad impetrandam gratiam in sacramento poenitentiae
requirat insuper aliquem actum dilectionis Dei, asserentibus
quibusdam, negantibus aliis, et invicem adversam sententiam censurantibus; ... Sanctitas Sua ... praecipit ... ut,

---

[1] Viva legit: sensualis; sed DuPl et MBR, uti hic est: sensibilis.
[2] DuPl III, II 324 b sq.

si deinceps de materia attritionis praefatae scribent vel
libros aut scripturas edent vel docebunt vel praedicabunt
vel alio quovis modo poenitentes aut scholares ceterosque
erudient, non audeant alicuius theologicae censurae alteriusve
iniuriae aut contumeliae nota taxare alterutram sententiam,
sive negantem necessitatem aliqualis dilectionis Dei in praefata attritione ex metu gehennae concepta, quae hodie inter
scholasticos communior videtur, sive asserentem dictae dilectionis necessitatem, donec ab hac Sancta Sede fuerit aliquid hac in re definitum.

CLEMENS IX 1667—1669.   CLEMENS X 1670—1676.

INNOCENTIUS XI 1676—1689.

De communione frequenti et quotidiana [1].

[Ex Decr. C. S. Conc., 12. Febr. 1679.]

1147   Etsi frequens quotidianusque sacrosanctae Eucharistiae 874
(1086) usus a SS. Patribus fuerit semper in Ecclesia probatus: 198
nunquam tamen aut saepius illam percipiendi aut ab
ea abstinendi certos singulis mensibus aut hebdomadis
dies statuerunt, quos nec Concilium TRIDENTINUM
praescripsit, sed, quasi humanam infirmitatem secum
reputaret, nihil praecipiens, quid cuperet tantum indicavit,
cum inquit: *Optaret quidem sacrosancta Synodus, ut
in singulis Missis fideles adstantes sacramentali Eucharistiae perceptione communicarent* [v. n. 944]. Idque non
immerito: multiplices enim sunt conscientiarum recessus,
variae ob negotia spiritus alienationes; multae e contra
gratiae et Dei dona parvulis concessa; quae cum humanis
oculis scrutari non possimus, nihil certe de cuiusque
dignitate atque integritate et consequenter de frequentiore
aut quotidiano vitalis panis esu potest constitui, et
propterea quod ad negotiatores ipsos attinet, frequens ad
sacram alimoniam percipiendam accessus confessariorum
secreta cordis explorantium iudicio est relinquendus, qui
ex conscientiarum puritate et frequentiae fructu et ad
pietatem processu laicis negotiatoribus et coniugatis,

---

[1] DuPl III, II 346 b sq; Ferraris, Prompta Bibliotheca, sub: «Eucharistia» I 41 (III 244 b sqq).

quod prospicient eorum saluti profuturum, id illis praescribere debebunt. In coniugatis autem hoc amplius
animadvertant, cum beatus Apostolus nolit eos *invicem
fraudari, nisi forte ex consensu ad tempus, ut vacent
orationi* [cf. 1 Cor 7, 5], eos serio admoneant, tanto magis
ob sacratissimae Eucharistiae reverentiam continentiae
vacandum purioreque mente ad coelestium epularum
communionem esse conveniendum.

In hoc igitur pastorum diligentia potissimum invigilabit, 1148
non ut a frequenti aut quotidiana sacrae communionis sumptione unica praecepti formula aliqui de-
terreantur, aut sumendi dies generaliter constituantur,
sed magis quid singulis permittendum, per se aut parochos
seu confessarios sibi decernendum putet, illudque omnino
provideat, ut nemo a sacro convivio, seu frequenter
seu quotidie accesserit, repellatur, et nihilominus det
operam, ut unusquisque digne pro devotionis et praeparationis modo rarius aut crebrius Dominici corporis
suavitatem degustet.

Itidem moniales quotidie sacram communionem 1149
petentes admonendae erunt, ut in diebus earum ordinis
instituto praestitutis communicent; si quae vero puritate
mentis eniteant et fervore spiritus ita incaluerint, ut
dignae frequentiore aut quotidiana sanctissimi Sacramenti
perceptione videri possint, id illis a Superioribus permittatur. Proderit etiam praeter parochorum et confessariorum diligentiam opera quoque concionatorum uti
et cum eis constitutum habere, ut cum fideles ad sanctissimi Sacramenti frequentiam (quod facere debent)
accesserint, statim de magna ad illud sumendum praeparatione orationem habeant, generatimque ostendant,
eos, qui ad frequentiorem aut quotidianam salutiferi
cibi sumptionem devoto studio excitantur, debere, sive
laici negotiatores sint, sive coniugati, sive quicunque
alii, suam agnoscere infirmitatem, ut dignitate Sacramenti ac divini iudicii formidine discant coelestem mensam, in qua Christus est, revereri; et si quando se minus
paratos senserint, ab ea abstinere seque ad maiorem
praeparationem accingere. Episcopi autem, in quorum
dioecesibus viget huiusmodi devotio erga sanctissimum

Sacramentum, pro illa gratias Deo agant, eamque ipsi
adhibito prudentiae et iudicii temperamento alere debebunt, et ab eorum officio postulari sibi maxime per-
suadebunt, nulli labori aut diligentiae parcendum, ut
omnis irreverentiae et scandali suspicio in veri
et immaculati agni perceptione tollatur virtutesque ac
dona in sumentibus augeantur: quod abunde continget,
si ii, qui devoto huiusmodi studio, divina praestante
gratia, tenentur, seque sacratissimo pane frequentius
refici cupiunt, suas vires expendere seque probare cum
timore et caritate assueverint. . . .

1150   Porro episcopi et parochi seu confessarii redarguant
(1086) asserentes, communionem quotidianam esse de iure
divino. . . . Non permittant, ut venialium confessio fiat simplici sacerdoti non approbato ab episcopo
aut Ordinario.

Errores varii de rebus moralibus (II) [1].

[Damnati in Decr. S. Off., 2. Martii 1679.]

1151   1. Non est illicitum, in sacramentis conferendis sequi [12]
(1018) opinionem probabilem de valore sacramenti, relicta
tutiore, nisi id vetet lex, conventio aut periculum gravis
damni incurrendi. Hinc sententia probabili tantum utendum
non est in collatione baptismi, ordinis sacerdotalis aut episcopalis.

1152   2. Probabiliter existimo, iudicem posse iudicare iuxta opinionem etiam minus probabilem.

1153   3. Generatim, dum probabilitate sive intrinseca sive ex-
trinseca quantumvis tenui, modo a probabilitatis finibus non
exeatur, confisi aliquid agimus, semper prudenter agimus [2].

1154   4. Ab infidelitate excusabitur infidelis non credens, ductus
opinione minus probabili.

1155   5. An peccet mortaliter, qui actum dilectionis Dei [11]
(1022) semel tantum in vita eliceret, condemnare non audemus.

1156   6. Probabile est, ne singulis quidem rigorose quinquenniis
per se obligare praeceptum caritatis erga Deum.

1157   7. Tunc solum obligat, quando tenemur iustificari, et non
habemus aliam viam, qua iustificari possumus.

---

[1] DuPl III, II 348 a sqq; Viva I 175 sqq.
[2] His sententiis damnatur systema morale, quod dicitur «Laxismus».

8. Comedere et bibere usque ad satietatem ob solam 1158 voluptatem non est peccatum, modo non obsit valetudini; (1025) quia licite potest (quis) appetitus naturalis suis actibus frui.

9. Opus coniugii ob solam voluptatem exercitum omni 1159 penitus caret culpa ac defectu veniali.

10. Non tenemur proximum diligere actu interno et formali. 1160 (1027)

11. Praecepto proximum diligendi satisfacere possumus 1161 per solos actus externos.

12. Vix in saecularibus invenies, etiam in regibus, super- 1162 fluum statui. Et ita vix aliquis tenetur ad eleemosynam, quando tenetur tantum ex superfluo statui.

13. Si cum debita moderatione facias, potes absque pec- 1163 cato mortali de vita alicuius tristari, et de illius morte naturali gaudere, illam inefficaci affectu petere et desiderare, non quidem ex displicentia personae, sed ob aliquod temporale emolumentum.

14. Licitum est, absoluto desiderio cupere mortem patris, 1164 non quidem ut malum patris, sed ut bonum cupientis; quia nimirum ei obventura est pinguis hereditas.

15. Licitum est filio gaudere de parricidio parentis a se 1165 in ebrietate perpetrato, propter ingentes divitias inde ex (1032) hereditate consecutas.

16. Fides non censetur cadere sub praeceptum speciale 1166 et secundum se.

17. Satis est actum fidei semel in vita elicere. 1167

18. Si (a) potestate publica quis interrogetur, fidem in- 1168 genuo confiteri ut Deo et fidei gloriosum consulo: tacere ut peccaminosum per se non damno.

19. Voluntas non potest efficere, ut assensus fidei in se 1169 ipso sit magis firmus, quam mereatur pondus rationum ad assensum impellentium.

20. Hinc potest quis prudenter repudiare assensum, quem 1170 habebat, supernaturalem. (1037)

21. Assensus fidei supernaturalis et utilis ad salutem stat 1171 cum notitia solum probabili revelationis, immo cum formidine, qua quis formidet, ne non sit locutus Deus.

22. Nonnisi fides unius Dei necessaria videtur necessitate 1172 medii, non autem explicita Remuneratoris.

23. Fides late dicta ex testimonio creaturarum similive 1173 motivo ad iustificationem sufficit.

24. Vocare Deum in testem mendacii levis non est tanta 1174 irreverentia, propter quam velit aut possit damnare hominem.

25. Cum causa licitum est iurare sine animo iurandi, 1175 sive res sit levis sive gravis.

1176   26. Si quis vel solus vel coram aliis, sive interrogatus
(1043) sive propria sponte, sive recreationis causa sive quocunque
alio fine iuret, se non fecisse aliquid, quod revera fecit, in-
telligendo intra se aliquid aliud, quod non fecit, vel aliam
viam ab ea, in qua fecit, vel quodvis aliud additum verum,
revera non mentitur nec est periurus.

1177   27. Causa iusta utendi his amphibologiis est, quoties id
necessarium aut utile est ad salutem corporis, honorem, res
familiares tuendas, vel ad quemlibet alium virtutis actum,
ita ut veritatis occultatio censeatur tunc expediens et studiosa.

1178   28. Qui mediante commendatione vel munere ad magi-
stratum vel officium publicum promotus est, poterit cum
restrictione mentali praestare iuramentum, quod de mandato
regis a similibus solet exigi, non habito respectu ad intentionem exigentis; quia non tenetur fateri crimen occultum.

1179   29. Urgens metus gravis est causa iusta sacramentorum
administrationem simulandi.

1180   30. Fas est viro honorato o c c i d e r e invasorem, qui ni-
(1047) titur calumniam inferre, si aliter haec ignominia vitari nequit:
idem quoque dicendum, si quis impingat alapam vel fuste
percutiat, et post impactam alapam vel ictum fustis fugiat.

1181   31. Regulariter occidere possum furem pro conservatione
unius aurei.

1182   32. Non solum licitum est defendere defensione occisiva,
quae actu possidemus, sed etiam, ad quae ius inchoatum
habemus et quae nos possessuros speramus.

1183   33. Licitum est tam heredi quam legatario, contra iniuste
impedientem, ne vel hereditas adeatur vel legata solvantur,
se taliter defendere sicut et ius habenti in cathedram vel praebendam, contra earum possessionem iniuste impedientem.

1184   34. Licet procurare a b o r t u m ante animationem foetus,
ne puella deprehensa gravida occidatur aut infametur.

1185   35. Videtur probabile, omnem foetum (quamdiu in utero
(1052) est) carere anima rationali et tunc primum incipere eandem
habere, cum paritur: ac consequenter dicendum erit, in nullo
abortu homicidium committi.

1186   36. Permissum est f u r a r i, non solum in extrema necessitate, sed etiam in gravi.

1187   37. Famuli et famulae domesticae possunt occulte heris
suis surripere ad compensandam operam suam, quam maiorem iudicant salario, quod recipiunt.

1188   38. Non tenetur quis sub poena peccati mortalis restituere, quod ablatum est per pauca furta, quantumcunque sit
magna summa totalis.

39. Qui alium movet aut inducit ad inferendum grave 1189 damnum tertio, non tenetur ad restitutionem istius damni illati. (1056)

475 40. Contractus mohatra licitus est, etiam respectu eiusdem 1190 personae et cum contractu retrovenditionis praevie inito cum intentione lucri.

41. Cum numerata pecunia pretiosior sit numeranda, et 1191 nullus sit, qui non maioris faciat pecuniam praesentem quam futuram; potest creditor aliquid ultra sortem a mutu(at)ario exigere et eo titulo ab usura excusari.

42. Usura non est, dum ultra sortem aliquid exigitur 1192 tanquam ex benevolentia et gratitudine debitum, sed solum si exigatur tanquam ex iustitia debitum.

43. Quidni nonnisi veniale sit, detrahentis auctoritatem 1193 magnam sibi noxiam falso crimine elidere?

44. Probabile est, non peccare mortaliter, qui imponit 1194 falsum crimen alicui, ut suam iustitiam et honorem defendat. Et si hoc non sit probabile, vix ulla erit opinio probabilis in theologia.

364 45. Dare temporale pro spirituali non est s i m o n i a, quando 1195 temporale non datur tanquam pretium, sed dumtaxat tan- (1062) quam motivum conferendi vel efficiendi spirituale, vel etiam quando temporale sit solum gratuita compensatio pro spiri- tuali, aut e contra.

46. Et id quoque locum habet, etiamsi temporale sit 1196 principale motivum dandi spirituale; immo etiamsi sit finis ipsius rei spiritualis, sic ut illud pluris aestimetur quam res spiritualis.

47. Cum dicit Concilium TRIDENTINUM, eos alienis 1197 peccatis communicantes mortaliter peccare, qui, nisi quos digniores et Ecclesiae magis utiles ipsi iudicaverint, ad ec- clesias promovent: Concilium vel primo videtur per hoc «digniores» non aliud significare velle, nisi dignitatem eligen- dorum, sumpto comparativo pro positivo; vel secundo locutione minus propria ponit «digniores», ut excludat indignos, non vero dignos; vel tandem loquitur tertio, quando fit concursus.

48. Tam clarum videtur, f o r n i c a t i o n e m secundum se 1198 nullam involvere malitiam, et solum esse malam, quia inter- dicta, ut contrarium omnino rationi dissonum videatur.

49. Mollities iure naturae prohibita non est. Unde, si 1199 Deus eam non interdixisset, saepe esset bona et aliquando obligatoria sub mortali.

50. Copula cum coniugata, consentiente marito, non est 1200 adulterium; adeoque sufficit in confessione dicere, se esse (1067) fornicatum.

1201   51. Famulus, qui submissis humeris scienter adiuvat herum
(1068) suum ascendere per fenestras ad stuprandam virginem, et
multoties eidem subservit deferendo scalam, aperiendo ianuam, aut quid simile cooperando, non peccat mortaliter, si
id faciat metu notabilis detrimenti, puta ne a domino male
tractetur, ne torvis oculis aspiciatur, ne domo expellatur.

1202   52. Praeceptum servandi festa non obligat sub mortali,
seposito scandalo, si absit contemptus.

1203   53. Satisfacit praecepto Ecclesiae de audiendo Sacro, 938
qui duas eius partes, immo quattuor simul a diversis celebran-
tibus audit.

1204   54. Qui non potest recitare Matutinum et Laudes, potest
autem reliquas Horas, ad nihil tenetur; quia maior pars
trahit ad se minorem.

1205   55. Praecepto communionis annuae satisfit per sacri-
(1072) legam Domini manducationem.

1206   56. Frequens confessio et communio, etiam in his, 805
qui gentiliter vivunt, est nota praedestinationis.   894

1207   57. Probabile est, sufficere attritionem naturalem, modo
honestam.

1208   58. Non tenemur confessario interroganti fateri peccati
alicuius consuetudinem.

1209   59. Licet sacramentaliter absolvere dimidiate tantum con-
fessos, ratione magni concursus poenitentium, qualis verbi
gratia potest contingere in die magnae alicuius festivitatis
aut indulgentiae.

1210   60. Poenitenti habenti consuetudinem peccandi contra
(1077) legem Dei, naturae aut Ecclesiae, etsi emendationis spes nulla
appareat, nec est neganda nec differenda absolutio: dummodo
ore proferat, se dolere et proponere emendationem.

1211   61. Potest aliquando absolvi, qui in proxima occasione
peccandi versatur, quam potest et non vult omittere, quin immo
directe et ex proposito quaerit aut ei se ingerit.

1212   62. Proxima occasio peccandi non est fugienda, quando
causa aliqua utilis aut honesta non fugiendi occurrit.

1213   63. Licitum est quaerere directe occasionem proximam
peccandi pro bono spirituali vel temporali nostro vel proximi.

1214   64. Absolutionis capax est homo, quantumvis laboret ignorantia mysteriorum fidei, et etiamsi per negligentiam, etiam
culpabilem, nesciat mysterium sanctissimae Trinitatis et Incarnationis Domini nostri Iesu Christi.

1215   65. Sufficit illa mysteria semel credidisse.
(1082)
   Omnes damnatae et prohibitae, sicut iacent, ut minimum *tanquam*
scandalosae *et in praxi* perniciosae.

Summus Pontifex decretum concludit his verbis:

Tandem, ut ab iniuriosis contentionibus doctores 1216
seu scholastici aut alii quicunque in posterum se abstineant, (1083)
et ut paci et caritati consulatur, idem Sanctissimus in virtute
sanctae oboedientiae eis praecipit, ut tam in libris imprimendis
ac manuscriptis, quam in thesibus, disputationibus ac praedicationibus caveant ab omni censura et nota, necnon
a quibuscunque conviciis contra eas propositiones, quae adhuc
inter catholicos hinc inde controvertuntur, donec a
Sancta Sede, re cognita, super iisdem propositionibus iudicium proferatur [1].

Errores de omnipotentia donata [2].

[Damnati in Decr. S. Off., 23. Nov. 1679.]

1. Deus donat nobis omnipotentiam suam, ut ea uta- 1217
mur, sicut aliquis donat alteri villam vel librum. (1084)

2. Deus subicit nobis suam omnipotentiam. 1218

Prohibentur uti temerariae ad minimum *et* novae.

De systematis moralibus [3].

151
293

[Decr. S. Off., 26. Iunii 1680.]

Facta relatione per Patrem Lauream contentorum in lit- 1219
teris Patris Thirsi Gonsalez Soc. Iesu SS^mo D. N. directis,
Em^mi DD. dixerunt, quod scribatur per Secretarium Status
Nuntio apostolico Hispaniarum, ut significet dicto Patri
Thirso, quod Sanctitas Sua benigne acceptis ac non sine
laude perlectis eius litteris mandavit, ut ipse libere et intre-
pide praedicet, doceat et calamo defendat opinionem magis
probabilem, nec non viriliter impugnet sententiam eorum, qui
asserunt, quod in concursu minus probabilis opinionis cum
probabiliore sic cognita et iudicata licitum sit sequi minus
probabilem, eumque certum faciat, quod quidquid favore
opinionis magis probabilis egerit et scripserit, gratum erit

---

[1] Idem sancivit BENEDICTUS XIV in Bulla *«Sollicita et provida»*
9. Iulii 1753 [BB(M) 10, 251 sq].
[2] DuPl III, II 352 b; Viva I 564 a.
[3] Études religieuses 91 (1902 II), 847 sq, ubi habetur textus authen-
ticus. — Hoc decretum, disciplinare potius quam doctrinale, probabilismo obesse contendit Franc. Ter Haar C. SS. R. in libro:
«Ven. INNOCENTII PP XI de probabilismo decreti historia ...» (Tor-
naci 1904, Casterman), item alii. — E contra non obesse probabilismo defendit Aug. Lehmkuhl S. J. in opusculo: «Probabilismus
vindicatus» (Friburgi 1906, Herder) 78—111; et alii.

23 *

Sanctitati Suae. Iniungatur Patri Generali Societatis Iesu de
ordine Sanctitatis Suae, ut non modo permittat Patribus Societatis scribere pro opinione magis probabili, et impugnare
sententiam asserentium, quod in concursu minus probabilis
opinionis cum probabiliore sic cognita et iudicata licitum
sit sequi minus probabilem; verum etiam scribat omnibus
Universitatibus Societatis, mentem Sanctitatis Suae esse, ut
quilibet, prout sibi libuerit, libere scribat pro opinione
magis probabili et impugnet contrariam praedictam; eisque
iubeat, ut mandato Sanctitatis Suae omnino se submittant [1].

Error de sigillo confessionis [2].

[Damnatus in Decr. S. Off., 18. Nov. 1682.]

1220   *De propositione:* «Scientia ex confessione acquisita uti licet, 89
(1087) modo fiat sine directa aut indirecta revelatione et gravamine
poenitentis, nisi aliud multo gravius ex non usu sequatur, in
cuius comparatione prius merito contemnatur», addita deinde
explicatione sive limitatione, quod sit intelligenda de usu
scientiae ex confessione acquisitae cum gravamine poenitentis, seclusa quacunque revelatione, atque in casu, quo
multo maius gravamen eiusdem poenitentis ex non usu se-
queretur,
    Statutum est, «dictam propositionem, quatenus admittit
usum dictae scientiae cum gravamine poenitentis, omnino pro-
hibendam esse, etiam cum dicta explicatione sive limitatione».

Errores Michaelis de Molinos [3].

[Damnati in Decreto 28. Aug. et in Constit. «Coelestis Pastor»,
19. Nov. 1687.]

1221   1. Oportet hominem suas potentias annihilare, et
(1088) haec est via interna.

1222   2. Velle operari active, est Deum offendere, qui vult
esse ipse solus agens: et ideo opus est, seipsum in Deo

---

[1] Additur in exemplari S. Officii: «*Die 8. Iulii 1680. Renuntiato
praedicto Ordine Sanctitatis Suae Patri Generali Societatis Iesu per Assesso-
rem, respondit, se in omnibus quanto citius pariturum, licet nec per ipsum,
nec per suos Praedecessores fuerit unquam interdictum scribere pro opinione
magis probabili, eamque docere.*»
[2] DuPl III, II 354; Viva I 565 b.
[3] DuPl III, II 357 sqq; coll. Viva I 557 a sqq; BR(T) 19, 775 b sqq;
MBR 10, 212 b sqq. — Michaelis de Molinos, natus 21. Dec.
1640 Patacinae in Aragonia, in opusculis et epistolis suis errores
Quietismi, qui dicitur, sparsit ideoque tandem in monasterio incar-
ceratus est, ubi 1696 sacramentis Ecclesiae munitus obiit.

totum et totaliter derelinquere et postea permanere velut corpus exanime.

3. Vota de aliquo faciendo sunt perfectionis impeditiva. 1223

4. Activitas naturalis est gratiae inimica, impeditque Dei 1224 operationes et veram perfectionem; quia Deus operari vult [1091] in nobis sine nobis.

5. Nihil operando anima se annihilat et ad suum prin-1225 cipium redit et ad suam originem, quae est essentia Dei, in qua transformata remanet ac divinizata, et Deus tunc in se ipso remanet; quia tunc non sunt amplius duae res unitae, sed una tantum, et hac ratione Deus vivit et regnat in nobis, et anima seipsam annihilat in esse operativo.

6. Via interna est illa, in qua non cognoscitur nec 1226 lumen, nec amor, nec resignatio; et non oportet Deum co-gnoscere, et hoc modo recte proceditur.

7. Non debet anima cogitare nec de praemio, nec de 1227 punitione, nec de paradiso, nec de inferno, nec de morte, nec de aeternitate.

8. Non debet velle scire, an gradiatur cum voluntate Dei, 1228 an cum eadem voluntate resignata maneat necne; nec opus est, ut velit cognoscere suum statum nec proprium nihil; sed debet ut corpus exanime manere.

9. Non debet anima reminisci nec sui nec Dei nec cuius-1229 cunque rei, et in via interna omnis reflexio est nociva, etiam reflexio ad suas humanas actiones et ad proprios defectus.

10. Si propriis defectibus alios scandalizet, non est neces-1230 sarium reflectere, dummodo non adsit voluntas scandalizandi: [1097] et ad proprios defectus non posse reflectere, gratia Dei est.

11. Ad dubia quae occurrunt, an recte procedatur necne, 1231 non opus est reflectere.

12. Qui suum liberum arbitrium Deo donavit, de nulla 1232 re debet curam habere, nec de inferno nec de paradiso; nec debet desiderium habere propriae perfectionis nec vir-tutum nec propriae sanctitatis nec propriae salutis, cuius spem purgare debet.

13. Resignato Deo libero arbitrio, eidem Deo relinquenda 1233 est cogitatio et cura de omni re nostra, et relinquere, ut faciat in nobis sine nobis suam divinam voluntatem.

14. Qui divinae voluntati resignatus est, non convenit, ut 1234 a Deo rem aliquam petat; quia petere est imperfectio, cum sit actus propriae voluntatis et electionis, et est velle, quod divina voluntas nostrae conformetur, et non quod nostra divinae: et illud Evangelii: «*Petite et accipietis*» [Io 16, 24], non

est dictum a Christo pro animabus internis, quae nolunt habere voluntatem: immo huiusmodi animae eo perveniunt, ut non possint a Deo rem aliquam petere.

1235 15. Sicut non debent a Deo rem aliquam petere, ita nec
(1102) illi ob rem aliquam gratias agere debent; quia utrumque est actus propriae voluntatis.

1236 16. Non convenit indulgentias quaerere pro poena propriis peccatis debita; quia melius est divinae iustitiae satisfacere, quam divinam misericordiam quaerere: quoniam illud ex puro Dei amore procedit, et istud ab amore nostri interessato, nec est res Deo grata nec meritoria, quia est velle crucem fugere.

1237 17. Tradito Deo libero arbitrio, et eidem relicta cura et cogitatione animae nostrae, non est amplius habenda ratio tentationum; nec eis alia resistentia fieri debet nisi negativa, nulla adhibita industria: et si natura commovetur, oportet sinere ut commoveatur, quia est natura.

1238 18. Qui in oratione utitur imaginibus, figuris, speciebus et propriis conceptibus, non adorat Deum in spiritu et veritate.

1239 19. Qui amat Deum eo modo, quo ratio argumentatur aut intellectus comprehendit, non amat verum Deum.

1240 20. Asserere, quod in oratione opus est sibi per discursum
(1107) auxilium ferre et per cogitationes, quando Deus animam non alloquitur, ignorantia est. Deus nunquam loquitur, eius locutio est operatio, et semper in anima operatur, quando haec suis discursibus, cogitationibus et operationibus eum non impedit.

1241 21. In oratione opus est manere in fide obscura et universali, cum quiete et oblivione cuiuscunque cogitationis particularis ac distinctae attributorum Dei ac Trinitatis, et sic in Dei praesentia manere ad illum adorandum et amandum eique inserviendum; sed absque productione actuum, quia Deus in his sibi non complacet.

1242 22. Cognitio haec per fidem non est actus a creatura productus, sed est cognitio a Deo creaturae tradita, quam creatura se habere non cognoscit, nec postea cognoscit illam se habuisse: et idem dicitur de amore.

1243 23. Mystici cum S. Bernardo in scala claustralium distinguunt quattuor gradus: lectionem, meditationem, orationem, et contemplationem infusam. Qui semper in primo sistit, nunquam ad secundum pertransit. Qui semper in secundo persistit, nunquam ad tertium pervenit, qui est nostra contemplatio acquisita, in qua per totam vitam persistendum

est, dummodo Deus animam non trahat (absque eo, quod
ipsa id exspectet) ad contemplationem infusam: et hac cessante, anima regredi debet ad tertium gradum et in ipso
permanere, absque eo, quod amplius redeat ad secundum
aut primum.

24. Qualescunque cogitationes in oratione occurrent, etiam 1244
impurae, etiam contra Deum, Sanctos, fidem et sacramenta, (1111)
si voluntarie non nutriantur nec voluntarie expellantur, sed
cum indifferentia et resignatione tolerentur, non impediunt
orationem fidei: immo eam perfectiorem efficiunt; quia anima
tunc magis divinae voluntati resignata remanet.

25. Etiamsi superveniat somnus et dormiatur, nihilominus 1245
fit oratio et contemplatio actualis: quia oratio et resignatio,
resignatio et oratio idem sunt, et dum resignatio perdurat,
perdurat et oratio.

26. Tres illae viae: purgativa, illuminativa et unitiva, 1246
sunt absurdum maximum, quod dictum fuerit in mystica: cum
non sit nisi unica via, scilicet via interna.

27. Qui desiderat et amplectitur devotionem sensibilem, 1247
non desiderat nec quaerit Deum, sed seipsum; et male agit,
cum eam desiderat et eam habere conatur, qui per viam
internam incedit, tam in locis sacris quam in diebus sollemnibus.

28. Taedium rerum spiritualium bonum est, siquidem per 1248
illud purgatur amor proprius.

29. Dum anima interna fastidit discursus de Deo et vir- 1249
tutes et frigida remanet, nullum in se ipsa sentiens fervorem,
bonum signum est.

30. Totum sensibile, quod experimur in vita spirituali, est 1250
abominabile, spurcum et immundum. (1117)

31. Nullus meditativus veras virtutes exercet internas, quae 1251
non debent a sensibus cognosci. Opus est amittere virtutes.

32. Nec ante nec post communionem alia requiritur 1252
praeparatio aut gratiarum actio (pro istis animabus internis),
quam permanentia in solita resignatione passiva; quia modo
perfectiore supplet omnes actus virtutum, qui fieri possunt et
fiunt in via ordinaria. Et si hac occasione communionis insurgunt motus humiliationis, petitionis aut gratiarum actionis,
reprimendi sunt, quoties non dignoscatur, eos esse ex impulsu speciali Dei: alias sunt impulsus naturae nondum mortuae.

33. Male agit anima, quae procedit per hanc viam in- 1253
ternam, si in diebus sollemnibus vult aliquo conatu particulari
excitare in se devotum aliquem sensum: quoniam animae
internae omnes dies sunt aequales, omnes festivi. Et idem

dicitur de locis sacris, quia huiusmodi animabus omnia loca
aequalia sunt.

1254 34. Verbis et lingua gratias agere Deo, non est pro ani-
(1121) mabus internis, quae in silentio manere debent, nullum Deo
impedimentum apponendo, quod operetur in illis; et quo
magis Deo se resignant, experiuntur, se non posse orationem
dominicam seu Pater noster recitare.

1255 35. Non convenit animabus huius viae internae, quod
faciant operationes, etiam virtuosas, ex propria electione et
activitate: alias non essent mortuae. Nec debent elicere
actus amoris erga beatam Virginem, Sanctos aut humanitatem
Christi: quia, cum ista obiecta sensibilia sint, talis est amor
erga illa.

1256 36. Nulla creatura, nec beata Virgo, nec Sancti sedere
debent in nostro corde: quia solus Deus vult illud occupare
et possidere.

1257 37. In occasione tentationum etiam furiosarum non
debet anima elicere actus explicitos virtutum oppositarum, sed
debet in supradicto amore et resignatione permanere.

1258 38. Crux voluntaria mortificationum pondus grave est et
infructuosum, ideoque dimittenda.

1259 39. Sanctiora opera et poenitentiae, quas peregerunt
Sancti, non sufficiunt ad removendam ab anima vel unicam
adhaesioncm.

1260 40. Beata Virgo nullum unquam opus exterius peregit, et
(1127) tamen fuit Sanctis omnibus sanctior. Igitur ad sanctitatem
perveniri potest absque opere exteriore.

1261 41. Deus permittit et vult ad nos humiliandos et ad veram 237
transformationem perducendos, quod in aliquibus animabus
perfectis, etiam non arreptitiis, daemon violentiam inferat
earum corporibus, easque actus carnales committere faciat,
etiam in vigilia et sine mentis offuscatione, movendo physice
illarum manus et alia membra contra earum voluntatem.
Et idem dicitur quoad alios actus per se peccaminosos:
in quo casu non sunt peccata, quia in iis non adest consensus.

1262 42. Potest dari casus, quod huiusmodi violentiae ad
actus carnales contingant eodem tempore ex parte duarum
personarum, scilicet maris et feminae, et ex parte utriusque
sequatur actus.

1263 43. Deus praeteritis saeculis sanctos efficiebat tyrannorum
ministerio; nunc vero eos efficit sanctos ministerio daemonum, qui causando in eis praedictas violentias facit, ut illi
seipsos magis despiciant atque annihilent et se Deo resignent.

44. Iob blasphemavit, et tamen non peccavit labiis suis; 1264
quia fuit ex daemonis violentia.   (1131)

45. Sanctus Paulus huiusmodi daemonis violentias in suo 1265
corpore passus est; unde scripsit: *Non quod volo bonum, hoc
ago; sed, quod nolo malum, hoc facio* [Rom 7, 19].

46. Huiusmodi violentiae sunt medium magis proportio- 1266
natum ad annihilandam animam, et ad eam ad veram transformationem et unionem perducendam, nec alia superest via:
et haec est via facilior et tutior.

47. Cum huiusmodi violentiae occurrunt, sinere oportet, 1267
ut satanas operetur, nullam adhibendo industriam nullumque proprium conatum, sed permanere debet homo in suo
nihilo: et etiamsi sequantur pollutiones et actus obscoeni
propriis manibus, et etiam peiora, non opus est seipsum
inquietare, sed foras emittendi sunt scrupuli, dubia et ti-
mores; quia anima fit magis illuminata, magis roborata
magisque candida, et acquiritur sancta libertas. Et prae
omnibus non opus est haec confiteri, et sanctissime fit non
confitendo; quia hoc pacto superatur daemon, et acquiritur
thesaurus pacis.

48. Satanas, qui huiusmodi violentias infert, suadet deinde, 1268
gravia esse delicta, ut anima se inquietet, ne in via interna
ulterius progrediatur: unde ad eius vires enervandas melius
est ea non confiteri; quia non sunt peccata, nec etiam
venialia.

49. Iob ex violentia daemonis se propriis manibus pollue- 1269
bat eodem tempore, quo *mundas habebat ad Deum preces*
(sic interpretando locum ex capite XVI Iob) [cf. Ib 16, 18].

50. David, Ieremias et multi ex sanctis Prophetis huius- 1270
modi violentias patiebantur harum impurarum operationum (1137)
externarum.

51. In sacra Scriptura multa sunt exempla violentiarum 1271
ad actus externos peccaminosos; uti illud de Samsone, qui
per violentiam seipsum occidit cum Philistaeis [Iud 16, 29 sq],
coniugium iniit cum alienigena [Iud 14, 1 sqq], et cum Dalila
meretrice fornicatus est [Iud 16, 4 sqq], quae alias erant prohibita et peccata fuissent; de Iuditha, quae Holoferni mentita
fuit; de Elisaeo, qui pueris maledixit; de Elia, qui com-
bussit duces cum turmis regis Achab. An vero fuerit violentia immediate a Deo peracta vel daemonum ministerio,
ut in aliis animabus contingit, in dubio relinquitur.

52. Cum huiusmodi violentiae, etiam impurae, absque 1272
mentis offuscatione accidunt, tunc anima Deo potest uniri,
et de facto semper magis unitur.

1273   53. Ad cognoscendum in praxi, an aliqua operatio in aliis
(1140) personis fuerit violentia(ta), regula, quam de hoc habeo, nedum
sunt protestationes animarum illarum, quae protestantur, se
dictis violentiis non consensisse aut iurare non posse, quod
in iis consenserint, et videre quod sint animae, quae proficiunt in via interna; sed regulam sumerem a lumine quodam actuali cognitione humana ac theologica superiore, quod
me certo cognoscere facit cum interna certitudine, quod
talis operatio est violent(i)a: et certus sum, quod hoc lumen
a Deo procedit, quia ad me provenit coniunctum cum certitudine, quod a Deo proveniat, et mihi nec umbram dubii
relinquit in contrarium: eo modo, quo interdum contingit,
quod Deus aliquid revelando eodem tempore animam certam
reddit, quod ipse sit, qui revelat, et anima in contrarium
non potest dubitare.

1274   54. Spirituales vitae ordinariae in hora mortis se delusos
invenient et confusos (et) cum omnibus passionibus in alio
mundo purgandis.

1275   55. Per hanc viam internam pervenitur, etsi multa cum
(1142) sufferentia, ad purgandas et exstinguendas omnes passiones,
ita quod nihil amplius sentitur, nihil, nihil: nec ulla sentitur
inquietudo, sicut corpus mortuum, nec anima se amplius
commoveri sinit.

1276   56. Duae leges et duae cupiditates (animae una, et amoris
proprii altera) tamdiu perdurant, quamdiu perdurat amor
proprius: unde quando hic purgatus est et mortuus, uti fit
per viam internam, non adsunt amplius illae duae leges et
duae cupiditates, nec ulterius lapsus aliquis incurritur, nec
aliquid sentitur amplius, ne quidem veniale peccatum.

1277   57. Per contemplationem acquisitam pervenitur ad statum
non faciendi amplius peccata, nec mortalia nec venialia.

1278   58. Ad huiusmodi statum pervenitur non reflectendo
amplius ad proprias operationes; quia defectus ex reflexione
oriuntur.

1279   59. Via interna seiuncta est a confessione, a confessariis
et a casibus conscientiae, a theologia et philosophia.

1280   60. Animabus provectis, quae reflexionibus mori incipiunt,
(1147) et eo etiam perveniunt, ut sint mortuae, Deus confessionem aliquando efficit impossibilem et supplet ipse tanta
gratia praeservante, quantam in sacramento reciperent: et
ideo huiusmodi animabus non est bonum in tali casu ad
sacramentum poenitentiae accedere, quia id est (in) illis impossibile.

61. Anima, cum ad mortem mysticam pervenit, non 1281
potest amplius aliud velle, quam quod Deus vult, quia non (1148)
habet amplius voluntatem, et Deus illi eam abstulit.

62. Per viam internam pervenitur ad continuum statum 1282
immobilem in pace imperturbabili.

63. Per viam internam pervenitur etiam ad mortem sen- 1283
suum: quin immo signum, quod quis in statu nihilitatis maneat,
id est mortis mysticae, est, si sensus exteriores non reprae-
sentent amplius res sensibiles, (unde sint) ac si non essent,
quia non perveniunt ad faciendum, quod intellectus se ad
eas applicet.

64. Theologus minorem dispositionem habet quam homo 1284
rudis ad statum contemplativi: primo, quia non habet
fidem adeo puram, secundo, quia non est adeo humilis,
tertio, quia non adeo curat propriam salutem, quarto, quia
caput refertum habet phantasmatibus, speciebus, opinionibus
et speculationibus, et non potest in illum ingredi verum
lumen.

65. Praepositis oboediendum est in exteriore, et latitudo 1285
voti oboedientiae religiosorum tantummodo ad exterius per- (1152)
tingit. In interiore vero aliter se res habet, quo solus Deus
et director intrant.

66. Risu digna est nova quaedam doctrina in Ecclesia 1286
Dei, quod anima quoad internum gubernari debeat ab episcopo: quod si episcopus non sit capax, anima ipsum cum
suo directore adeat. Novam dico doctrinam; quia nec sacra
Scriptura, nec concilia, nec canones, nec bullae, nec Sancti,
nec auctores eam unquam tradiderunt nec tradere possunt:
quia Ecclesia non iudicat de occultis, et anima eius habet
facultatem eligendi quemcunque sibi visum fuerit [*Viva:* anima
ius habet eligendi quemcunque sibi bene visum].

67. Dicere, quod internum manifestandum est exteriori 1287
tribunali praepositorum, et quod peccatum sit id non facere,
est manifesta deceptio: quia Ecclesia non iudicat de occultis,
et propriis animabus praeiudicant his deceptionibus et simu-
lationibus.

68. In mundo non est facultas nec iurisdictio ad prae- 1288
cipiendum, ut manifestentur epistolae directoris quoad internum animae: et ideo opus est animadvertere, quod hoc est
insultus satanae, etc.

Damnatae tanquam haereticae, suspectae, erroneae, scandalosae,
blasphemae, piarum aurium offensivae, temerariae, christianae disciplinae
relaxativae, eversivae, et seditiosae respective.

ALEXANDER VIII 1689—1691.

Errores de bonitate actus et de peccato philosophico [1].

[Damnati in Decr. S. Off., 24. Aug. 1690.]

1289 1. Bonitas obiectiva consistit in convenientia obiecti cum
(1156) natura rationali: formalis vero in conformitate actus cum
regula morum. Ad hoc sufficit, ut actus moralis tendat in
finem ultimum interpretative. Hunc homo non tenetur
amare neque in principio neque in decursu vitae suae
moralis.

Declarata et damnata uti haeretica.

1290 2. Peccatum philosophicum seu morale est actus 804
humanus disconveniens naturae rationali et rectae rationi;
theologicum vero et mortale est transgressio libera divinae
legis. Philosophicum, quantumvis grave, in illo, qui Deum
vel ignorat vel de Deo actu non cogitat, est grave peccatum,
sed non est offensa Dei neque peccatum mortale dis-
solvens amicitiam Dei, neque aeterna poena dignum.

Declarata et damnata uti scandalosa, temeraria, piarum aurium offensiva, et erronea.

Errores varii de rebus moralibus (III) [2].

[Damnati in Decr. S. Off., 7. Dec. 1690.]

1291 1. In statu naturae lapsae ad peccatum mortale [*Viva: 1027*
(1158) formale] et demeritum sufficit illa libertas, qua voluntarium ac
liberum fuit in causa sua, peccato originali et voluntate Adami
peccantis.

1292 2. Tametsi detur ignorantia invincibilis iuris naturae, haec
in statu naturae lapsae operantem ex ipsa non excusat a
peccato formali.

1293 3. Non licet sequi opinionem (probabilem) vel inter 1219
probabiles probabilissimam [3].

1294 4. Christus dedit semetipsum pro nobis oblationem Deo,
non pro solis electis, sed pro omnibus et solis fidelibus.

1295 5. Pagani, Iudaei, haeretici aliique huius generis nullum 793
(1162) omnino accipiunt a Iesu Christo influxum: adeoque hinc
recte inferes, in illis esse voluntatem nudam et inermem sine
omni gratia sufficienti.

---

[1] DuPl III, II 365a sq; coll. Viva I 363.
[2] Ib. 371b sqq, resp. 364 sqq.
[3] Hac sententia damnatur «Tutiorismus» absolutus.

6. Gratia sufficiens statui nostro non tam utilis, quam per-1296 niciosa est, sic, ut proinde merito possimus petere: A gratia (1163) sufficienti libera nos, Domine.

7. Omnis humana actio deliberata est Dei dilectio vel 1297 mundi: si Dei, caritas Patris est; si mundi, concupiscentia carnis, hoc est, mala est.

8. Necesse est, infidelem in omni opere peccare.1298

9. Revera peccat, qui odio habet peccatum mere ob eius 1299 turpitudinem et disconvenientiam cum natura, sine ullo ad Deum offensum respectu.

10. Intentio, qua quis detestatur malum et prosequitur 1300 bonum mere, ut coelestem obtineat gloriam, non est recta (1167) nec Deo placens.

11. Omne, quod non est ex fide christiana supernaturali, 1301 quae per dilectionem operatur, peccatum est.

12. Quando in magnis peccatoribus deficit omnis amor, 1302 deficit etiam fides: et etiamsi videantur credere, non est fides divina, sed humana.

809   13. Quisquis etiam aeternae mercedis intuitu Deo famu-1303 latur, caritate si caruerit, vitio non caret, quoties intuitu licet beatitudinis operatur.

14. Timor gehennae non est supernaturalis.   1304

15. Attritio, quae gehennae et poenarum metu con-1305 cipitur, sine dilectione benevolentiae Dei propter se, non est (1172) bonus motus ac supernaturalis.

16. Ordinem praemittendi satisfactionem absolutioni in-1306 duxit non politia aut institutio Ecclesiae, sed ipsa Christi lex et praescriptio, natura rei id ipsum quodammodo dictante.

17. Per illam praxim mox absolvendi ordo poenitentiae 1307 est inversus.

894   18. Consuetudo moderna quoad administrationem sa-1308 cramenti poenitentiae, etiamsi eam plurimorum hominum sustentet auctoritas et multi temporis diuturnitas confirmet, nihilominus ab Ecclesia non habetur pro usu sed abusu.

19. Homo debet agere tota vita poenitentiam pro peccato 1309 originali.

20. Confessiones apud religiosos factae pleraeque vel 1310 sacrilegae sunt vel invalidae.   (1177)

21. Parochianus potest suspicari de mendicantibus, qui 1311 eleemosynis communibus vivunt, de imponenda nimis levi et incongrua poenitentia seu satisfactione ob quaestum seu lucrum subsidii temporalis.

1312   22. Sacrilegi sunt iudicandi, qui ius ad communionem 874
(1179) percipiendam praetendunt, antequam condignam de delictis
suis poenitentiam egerint.

1313   23. Similiter arcendi sunt a sacra communione, quibus
nondum inest amor Dei purissimus et omnis mixtionis expers.

1314   24. Oblatio in templo, quae fiebat a beata Virgine Maria 91
in die purificationis suae per duos pullos columbarum, unum
in holocaustum et alterum pro peccatis, sufficienter testatur,
quod indiguerit purificatione, et quod filius (qui offerebatur),
etiam macula matris maculatus esset, secundum verba legis.

1315   25. Dei Patris [*Viva:* sedentis] simulacrum nefas est christiano 984
(1182) in templo collocare.

1316   26. Laus, quae defertur Mariae ut Mariae, vana est.   113

1317   27. Valuit aliquando baptismus sub hac forma collatus:
In nomine Patris etc., praetermissis illis: Ego te baptizo.

1318   28. Valet baptismus collatus a ministro, qui omnem ritum
externum formamque baptizandi observat, intus vero in corde
suo apud se resolvit: Non intendo, quod facit Ecclesia.

1319   29. Futilis et toties convulsa est assertio de Pontificis 1826
Romani supra concilium oecumenicum auctoritate at- 1832
que in fidei quaestionibus decernendis infallibilitate.

1320   30. Ubi quis invenerit doctrinam in Augustino clare fun-
(1187) datam, illam absolute potest tenere et docere, non respiciendo
ad ullam Pontificis bullam.

1321   31. Bulla URBANI VIII «In eminenti» est subreptitia [1].

> *Damnatae et prohibitae tanquam* temerariae, scandalosae, male so-
> nantes, iniuriosae, haeresi proximae, haeresim sapientes, erroneae,
> schismaticae, et haereticae respective.

Articuli (erronei) cleri Gallicani (de potestate Pontificis) [2].

[Damnati in Constit. «Inter multiplices», 4. Aug. 1690.]

1322   1. Beato PETRO eiusque successoribus Christi vicariis
ipsique Ecclesiae rerum spiritualium et ad aeternam salutem 1826

---

[1] In hac Bulla URBANI VIII (edita a. 1641) confirmantur Constitutiones PII V et GREGORII XIII, quibus damnantur 79 Baii propositiones; in eadem iterum prohibetur liber Cornelii Iansen, cui titulus *Augustinus.* Hanc Bullam Baiani et Iansenistae dixerunt esse
subreptitiam, tanquam editam a Pontifice veritatis ignaro, cum tamen
Pontifex in ea asserat: ex matura ac diligenti eiusdem libri, cui titulus *Augustinus,* lectione compertum esse, in eodem libro multas Baii
propositiones proscriptas contineri. Cf. Viva in hanc propositionem.
Tournely de gratia qu. 3 Historia Iansenismi Epoch. I § «liber Iansenii URBANO VIII denuntiatur et ab ipso prohibetur».
[2] CL I 831 sq et BR(T) 20, 69 a; MBR 10, 217 b; RskRP II 222.
— Reiecti ab Innocentio XI per litteras in forma Brevis 11. Apr. 1682,

pertinentium, non autem civilium ac temporalium a Deo traditam potestatem, dicente Domino: «*Regnum meum non est de hoc mundo*» [Io 18, 36], et iterum: «*Reddite ergo, quae sunt Caesaris, Caesari, et quae sunt Dei, Deo*» [Lc 20, 25], ac proinde stare Apostolicum illud: «*Omnis anima potestatibus sublimioribus subdita sit: non est enim potestas nisi a Deo; quae autem sunt, a Deo ordinatae sunt; itaque qui potestati resistit, Dei ordinationi resistit*» [Rom 13, 1 sq]. Reges ergo et principes in temporalibus nulli ecclesiasticae potestati Dei ordinatione subici, neque auctoritate clavium Ecclesiae directe vel indirecte deponi, aut illorum subditos eximi a fide atque oboedientia, ac praestito fidelitatis sacramento solvi posse: eamque sententiam publicae tranquillitati necessariam, nec minus Ecclesiae quam Imperio utilem ut verbo Dei, Patrum traditioni et Sanctorum exemplis consonam, omnino retinendam [1].

2. Sic inesse Apostolicae Sedi ac PETRI successoribus, 1323 Christi vicariis, rerum spiritualium plenam potestatem, ut [(1189)] simul valeant atque immota consistant sanctae oecumenicae Synodi CONSTANTIENSIS a Sede Apostolica comprobata ipsorumque Romanorum Pontificum ac totius Ecclesiae usu confirmata atque ab ecclesia Gallicana perpetua religione custodita decreta de a u c t o r i t a t e C o n c i l i o r u m g e n e r a l i u m, quae sessione quarta et quinta continentur [2], nec probari a Gallicana ecclesia, qui eorum decretorum, quasi dubiae sint auctoritatis ac minus approbata, robur infringant aut ad solum schismatis tempus concilii dicta detorqueant.

3. Hinc apostolicae potestatis usum moderandum per 1324 canones Spiritu Dei conditos et totius mundi reverentia consecratos; valere etiam regulas, mores et instituta a regno et ecclesia Gallicana recepta, patrumque terminos manere inconcussos, atque id pertinere ad amplitudinem Apostolicae Sedis, ut statuta et consuetudines tantae Sedis et ecclesiarum consensione firmatae propriam stabilitatem obtineant.

4. In fidei quoque quaestionibus praecipuas Summi Pon- 1325 tificis esse partes, eiusque decreta ad omnes et singulas

---

et per ALEXANDRUM VIII in Constitutione «*Inter multiplices*» (4. Aug. 1690). Denique susceptos a synodo Pistoriensi iterum reiecit PIUS VI Bulla «*Auctorem fidei*» (28. Aug. 1794). Hos quattuor declarationis articulos, quorum tres posteriores ad rem dogmaticam faciunt, plurimi ex auctoribus litteris ad INNOCENTIUM XII a. 1692 datis et ipse LUDOVICUS XIV retractaverunt.

[1] Ius deponendi principes etc. quomodo intellegendum sit, cf. v. gr. Archiv für kathol. Kirchenrecht, tom. XXVI (1871), pag. LXXX.

[2] V. n. 657 c. nota.

ecclesias pertinere, nec tamen irreformabile esse iudicium
nisi Ecclesiae consensus accesserit.

De his ALEXANDER VIII sic statuit:

1326   «Omnia et singula, quae tam quoad extensionem iuris
(1192) regaliae, quam quoad declarationem de potestate ecclesiastica
ac quattuor in ea contentas propositiones in supradictis comitiis cleri Gallicani a. 1682 habitis acta et gesta fuerunt,
cum omnibus et singulis mandatis, arrestis, confirmationibus,
declarationibus, epistolis, edictis et decretis a quibusvis personis sive ecclesiasticis sive laicis, quomodolibet qualificatis,
quavis auctoritate et potestate, etiam individuam expressionem
requirente, fungentibus, editis seu publicatis etc. ipso iure
nulla, irrita, invalida, inania, viribusque et effectu penitus
et omnino vacua ab ipso initio fuisse et esse ac perpetuo
fore, neminemque ad illorum seu cuiuslibet eorum, etiamsi
iuramento vallata sint, observantiam teneri . . . tenore praesentium declaramus.»

INNOCENTIUS XII 1691—1700.

Errores de amore erga Deum purissimo [1].

[Damnati in Brevi «Cum alias», 12. Martii 1699.]

1327   1. Datur habitualis status amoris Dei, qui est caritas
(1193) pura et sine ulla admixtione motivi proprii interesse. Neque
timor poenarum, neque desiderium remunerationum habent
amplius in eo partem. Non amatur amplius Deus propter
meritum, neque propter perfectionem, neque propter felicitatem in eo amando inveniendam.

1328   2. In statu vitae contemplativae sive unitivae amittitur
omne motivum interessatum timoris et spei.

1329   3. Id, quod est essentiale in directione animae, est non
aliud facere, quam sequi pedetentim gratiam cum infinita
patientia, praecautione et subtilitate. Oportet se intra hos
limites continere, ut sinatur Deus agere, et nunquam ad
purum amorem ducere, nisi quando Deus per unctionem interiorem incipit aperire cor huic verbo, quod adeo durum
est animabus adhuc sibimet affixis, et adeo potest illas scan-
dalizare aut in perturbationem conicere.

---

[1] DuPl III, II 402 sqq; Viva I 562 b sqq; BR(T) 20, 870 b sqq;
MBR 10, 219 a sqq. — Continentur in libello «Explications
des maximes des Saints sur la vie intérieure», par Messire
François de Salignac Fénelon, Archevêque Duc de Cambray etc.
(Paris 1697). Lectiones variantes correctae sunt secundum textum ori-
ginalem Gallicum, quem exhibet DuPl l. c.

4. In statu sanctae indifferentiae anima non habet 1330
amplius desideria voluntaria et deliberata propter suum inter- (1196)
esse, exceptis iis occasionibus, in quibus toti suae gratiae
fideliter non cooperatur.

5. In eodem statu sanctae indifferentiae nihil nobis, omnia 1331
Deo volumus.   Nihil volumus, ut simus perfecti et beati
propter interesse proprium; sed omnem perfectionem ac beatitudinem volumus, in quantum Deo placet efficere, ut velimus
res istas impressione suae gratiae.

6. In hoc sanctae indifferentiae statu nolumus amplius 1332
salutem ut salutem propriam, ut liberationem aeternam, ut
mercedem nostrorum meritorum, ut nostrum interesse omnium
maximum; sed eam volumus voluntate plena, ut gloriam et
beneplacitum Dei, ut rem, quam ipse vult, et quam nos vult
velle propter ipsum.

7. Derelictio non est nisi abnegatio seu sui ipsius re- 1333
nuntiatio, quam Iesus Christus a nobis in Evangelio requirit,
postquam externa omnia reliquerimus.   Ista nostri ipsorum
abnegatio non est nisi quoad interesse proprium. . . . Extremae probationes, in quibus haec abnegatio seu sui ipsius derelictio exerceri debet, sunt tentationes, quibus Deus aemulator
vult purgare amorem, nullum ei ostendendo perfugium neque
ullam spem quoad suum interesse proprium, etiam aeternum.

8. Omnia sacrificia, quae fieri solent ab animabus quam 1334
maxime disinteressatis circa earum aeternam beatitudinem,
sunt conditionalia. . . . Sed hoc sacrificium non potest esse
absolutum in statu ordinario. In uno extremarum probationum
casu hoc sacrificium fit aliquo modo absolutum.

9. In extremis probationibus potest animae invincibiliter 1335
persuasum esse persuasione reflexa, et quae non est intimus (1201)
conscientiae fundus, se iuste reprobatam esse a Deo.

10. Tunc anima divisa a semetipsa exspirat cum Christo in 1336
cruce, dicens: *Deus, Deus meus, ut quid dereliquisti me?* [Mt 27, 46.]
In hac involuntaria impressione desperationis conficit sacrificium absolutum sui interesse proprii quoad aeternitatem.

11. In hoc statu anima amittit omnem spem sui proprii 1337
interesse; sed nunquam amittit in parte superiore, id est in
suis actibus directis et intimis, spem perfectam, quae est
desiderium disinteressatum promissionum.

12. Director tunc potest huic animae permittere, ut simpli- 1338
citer acquiescat iacturae sui proprii interesse et iustae con-
demnationi, quam sibi a Deo indictam credit.

13. Inferior Christi pars in cruce non communicavit su- 1339
periori suas involuntarias perturbationes.

1340   14. In extremis probationibus pro purificatione amoris fit
(1206) quaedam separatio partis superioris animae ab inferiore. . . .
In ista separatione actus partis inferioris manant ex omnino
caeca et involuntaria perturbatione: nam totum, quod est
voluntarium et intellectuale, est partis superioris.

1341   15. Meditatio constat discursivis actibus, qui a se invicem facile distinguuntur. . . . Ista compositio actuum discursi-
vorum et reflexorum est propria exercitatio amoris interessati.

1342   16. Datur status contemplationis adeo sublimis adeoque perfectae, ut fiat habitualis: ita ut, quoties anima
actu orat, sua oratio sit contemplativa, non discursiva. Tunc
non amplius indiget redire ad meditationem eiusque actus
methodicos.

1343   17. Animae contemplativae privantur intuitu distincto, sensibili et reflexo Iesu Christi duobus temporibus diversis: primo
in fervore nascente earum contemplationis; secundo anima
amittit intuitum Iesu Christi in extremis probationibus.

1344   18. In statu passivo exercentur omnes virtutes distinctae,
non cogitando, quod sint virtutes. In quolibet momento aliud
non cogitatur, quam facere id, quod Deus vult, et amor
zelotypus simul efficit, ne quis amplius sibi virtutem velit nec
unquam sit adeo virtute praeditus, quam cum virtuti amplius
affixus non est.

1345   19. Potest dici in hoc sensu, quod anima passiva et dis-
(1211) interessata nec ipsum amorem vult amplius, quatenus est sua
perfectio et sua felicitas, sed solum quatenus est id, quod
Deus a nobis vult.

1346   20. In confitendo debent animae transformatae sua
peccata detestari et condemnare se et desiderare remissionem
suorum peccatorum non ut propriam purificationem et liberationem, sed ut rem, quam Deus vult, et vult nos velle
propter suam gloriam.

1347   21. Sancti mystici excluserunt a statu animarum trans-
formatarum exercitationes virtutum.

1348   22. Quamvis haec doctrina (de puro amore) esset pura et
simplex perfectio evangelica in universa traditione designata;
antiqui pastores non proponebant passim multitudini iustorum,
nisi exercitia amoris interessati eorum gratiae proportionata.

1349   23. Purus amor ipse solus constituit totam vitam interiorem;
et tunc evadit unicum principium et unicum motivum omnium
actuum, qui deliberati et meritorii sunt.

*Damnatae et reprobatae tanquam sive in obvio earum verborum sensu
sive attenta sententiarum connexione, temerariae, scandalosae, male
sonantes, piarum aurium offensivae, in praxi perniciosae ac etiam
respective erroneae.*

CLEMENS XI 1700—1721.

De silentio obsequioso quoad facta dogmatica [1].

[Ex Constit. «Vineam Domini Sabaoth», 16. Iulii 1705.]

92
98
332
(§ 6 vel 25) Ut quaevis imposterum erroris occasio 1350
penitus praecidatur, atque omnes catholicae Ecclesiae (1317)
filii Ecclesiam ipsam audire, non tacendo solum
(nam et impii in tenebris conticescunt), sed et interius
obsequendo, quae vera est orthodoxi hominis oboedientia, condiscant, hac nostra perpetuo valitura constitutione, oboedientiae, quae praeinsertis apostolicis
constitutionibus debetur, obsequioso illo silentio
nequaquam satisfieri; sed damnatum in quinque
praefatis propositionibus Ianseni(an)i libri sensum, quem
illarum verba prae se ferunt, ut praefertur, ab omnibus
Christi fidelibus ut haereticum, non ore solum, sed et
corde reici ac damnari debere; nec alia mente, animo
aut credulitate supradictae formulae subscribi licite posse,
ita ut, qui secus aut contra quoad haec omnia et singula
senserint, tenuerint, praedicaverint, verbo vel scripto
docuerint aut asseruerint, tanquam praefatarum apo-
stolicarum constitutionum transgressores omnibus et singulis illarum censuris et poenis omnino subiaceant, eadem
auctoritate apostolica decernimus, declaramus, statuimus
et ordinamus.

Errores Paschasii Quesnel [2].

[Damnati in Constit. dogmatica «Unigenitus» [3], 8. Sept. 1713.]

793
(§ 3) 1. Quid aliud remanet animae, quae Deum atque ipsius 1351
gratiam amisit, nisi peccatum et peccati consecutiones, su- (1216)

---

[1] DuPl III, II 448; Viva I 516 a; BR(T) 21, 235 b; MBR 8, 36 a.
[2] DuPl III, II 462 sqq; coll. Viva II 1 sqq; CICRcht II 140 sqq;
BR(T) 21, 569 b sqq; MBR 8, 119 a sqq. — Lectiones variantes dubiae
correctae sunt secundum textum primum Gallicum, quem exhibet
DuPl l. c. — Paschasius Quesnel natus est 14. Iulii 1634. Studiis
in Sorbonna absolutis 1657 Congreg. Oratorii ingressus est, quam propter
studium Iansenianae haeresis a. 1684 relinquere coactus est.   Brevi
ante mortem, quam 2. Dec. 1719 obiit, professionem fidei publice emisit
[Hrt, Sec. rec. II [2] 822 sqq].
[3] Haec Constitutio dogmatica confirmata est ab eodem CLEMENTE XI
per Bullam «Pastoralis Officii» (28. Aug. 1718) contra Appellantes,

perba paupertas et segnis indigentia, hoc est generalis impotentia ad laborem, ad orationem et ad omne opus bonum?

1352
(1217)
2. Iesu Christi gratia, principium efficax boni cuiuscunque generis, necessaria est ad omne opus bonum; absque illa non solum nihil fit, sed nec fieri potest.

1353
3. In vanum, Domine, praecipis, si tu ipse non das, quod praecipis.

1354
4. Ita, Domine, omnia possibilia sunt ei, cui omnia possibilia facis, eadem operando in illo.

1355
(1220)
5. Quando Deus non emollit cor per interiorem unctionem gratiae suae, exhortationes et gratiae exteriores non inserviunt, nisi ad illud magis obdurandum.

1356
6. Discrimen inter foedus iudaicum et christianum est, quod in illo Deus exigit fugam peccati et implementum legis a peccatore, relinquendo illum in sua impotentia: in isto vero Deus peccatori dat, quod iubet, illum sua gratia purificando.

1357
7. Quae utilitas pro homine in vetere foedere, in quo Deus illum reliquit eius propriae infirmitati, imponendo ipsi suam legem? Quae vero felicitas non est admitti ad foedus, in quo Deus nobis donat, quod petit a nobis?

1358
8. Nos non pertinemus ad novum foedus, nisi in quantum participes sumus ipsius novae gratiae, quae operatur in nobis id, quod Deus nobis praecipit.

1359
9. Gratia Christi est gratia suprema, sine qua confiteri Christum nunquam possumus, et cum qua nunquam illum abnegamus.

1360
(1225)
10. Gratia est operatio manus omnipotentis Dei, quam nihil impedire potest aut retardare.

1361
11. Gratia non est aliud quam voluntas omnipotens Dei iubentis et facientis, quod iubet.

1362
12. Quando Deus vult salvare animam, quocunque tempore, quocunque loco, effectus indubitabilis sequitur voluntatem Dei.

1363
13. Quando Deus vult animam salvam facere et eam tangit interiore gratiae suae manu, nulla voluntas humana ei resistit.

---

in qua quoslibet catholicos, qui Bullam «*Unigenitus*» non susciperent, a Romanae Ecclesiae sinu plane alienos declarat; ab INNOCENTIO XIII decr. d. 8. Ian. 1722, a BENEDICTO XIII et synodo Romana 1725, a BENEDICTO XIV per Encyclicam «*Ex omnibus Christiani orbis regionibus*» 16. Oct. 1756; suscepta est a clero Gallicano in comitiis 1723 1726 1730, a conciliis Avenionensi 1725 et Ebredunensi 1727, et ab universo mundo catholico.

14. Quantumcunque remotus a salute sit peccator obstinatus, 1364 quando Iesus se ei videndum exhibet lumine salutari suae (1229) gratiae, oportet ut se dedat, accurrat, sese humiliet et adoret Salvatorem suum.

15. Quando Deus mandatum suum et suam externam 1365 locutionem comitatur unctione sui Spiritus et interiore vi gratiae suae, operatur illam in corde oboedientiam, quam petit.

16. Nullae sunt illecebrae, quae non cedant illecebris 1366 gratiae; quia nihil resistit omnipotenti.

17. Gratia est vox illa Patris, quae homines interius docet 1367 ac eos venire facit ad Iesum Christum: quicunque ad eum non venit, postquam audivit vocem exteriorem Filii, nulla- tenus est doctus a Patre.

18. Semen verbi, quod manus Dei irrigat, semper affert 1368 fructum suum.

19. Dei gratia nihil aliud est quam eius omnipotens volun- 1369 tas: haec est idea, quam Deus ipse nobis tradit in omnibus suis Scripturis.

20. Vera gratiae idea est, quod Deus vult sibi a nobis 1370 oboediri, et oboeditur; imperat, et omnia fiunt; loquitur tan- (1235) quam Dominus, et omnia sibi submissa sunt.

21. Gratia Iesu Christi est gratia fortis, potens, suprema, 1371 invincibilis, utpote quae est operatio voluntatis omnipotentis, sequela et imitatio operationis Dei incarnantis et resuscitantis Filium suum.

22. Concordia omnipotentis operationis Dei in corde homi- 1372 nis cum libero ipsius voluntatis consensu demonstratur illico nobis in Incarnatione, veluti in fonte atque architypo omnium aliarum operationum misericordiae et gratiae, quae omnes ita gratuitae atque ita dependentes a Deo sunt, sicut ipsa originalis operatio.

23. Deus ipse nobis ideam tradidit omnipotentis opera- 1373 tionis suae gratiae, eam significans per illam, quae creaturas e nihilo producit et mortuis reddit vitam.

24. Iusta idea, quam centurio habet de omnipotentia Dei 1374 et Iesu Christi in sanandis corporibus solo motu suae volun- tatis, est imago ideae, quae haberi debet de omnipotentia suae gratiae in sanandis animabus a cupiditate.

25. Deus illuminat animam et eam sanat aeque ac corpus 1375 sola sua voluntate: iubet, et ipsi obtemperatur. (1240)

26. Nullae dantur gratiae nisi per fidem. 1376

27. Fides est prima gratia et fons omnium aliarum. 1377

28. Prima gratia, quam Deus concedit peccatori, est pec- 1378 catorum remissio.

1379   29. Extra Ecclesiam nulla conceditur gratia.

1380   30. Omnes, quos Deus vult salvare per Christum, salvantur
(1245) infallibiliter.

1381   31. Desideria Christi semper habent suum effectum: pacem
intimo cordium infert, quando eis illam optat.

1382   32. Iesus Christus se morti tradidit ad liberandum pro
semper suo sanguine primogenitos, id est electos, de manu
angeli exterminatoris.

1383   33. Proh, quantum oportet bonis terrenis et sibimetipsi
renuntiasse, ad hoc, ut quis fiduciam habeat sibi, ut ita dicam,
appropriandi Christum Iesum, eius amorem, mortem et mysteria;
ut facit sanctus Paulus dicens: «*Qui dilexit me, et tradidit
semetipsum pro me*» [Gal 2, 20].

1384   34. Gratia Adami non producebat nisi merita humana.

1385   35. Gratia Adami est sequela creationis et erat debita
(1250) naturae sanae et integrae.

1386   36. Differentia essentialis inter gratiam Adami et status
innocentiae ac gratiam christianam est, quod primam unusquisque in propria persona recepisset, ista vero non recipitur, nisi in persona Iesu Christi resuscitati, cui nos uniti
sumus.

1387   37. Gratia Adami, sanctificando illum in semetipso, erat
illi proportionata: gratia christiana, nos sanctificando in Iesu
Christo, est omnipotens et digna Filio Dei.

1388   38. Peccator non est liber nisi ad malum sine gratia
Liberatoris.

1389   39. Voluntas, quam gratia non praevenit, nihil habet
luminis nisi ad aberrandum, ardoris nisi ad se praecipitan-
dum, virium nisi ad se vulnerandum, est capax omnis mali
et incapax ad omne bonum.

1390   40. Sine gratia nihil amare possumus nisi ad nostram
(1255) condemnationem.

1391   41. Omnis cognitio Dei, etiam naturalis, etiam in
philosophis ethnicis, non potest venire nisi a Deo; et sine
gratia non producit nisi praesumptionem, vanitatem et oppo-
sitionem ad ipsum Deum loco affectuum adorationis, grati-
tudinis et amoris.

1392   42. Sola gratia Christi reddit hominem aptum ad sacrificium fidei; sine hoc nihil nisi impuritas, nihil nisi indignitas.

1393   43. Primus effectus gratiae baptismalis est facere, ut moria-
mur peccato, adeo ut spiritus, cor, sensus non habeant plus
vitae pro peccato, quam homo mortuus habeat pro rebus mundi.

1394   44. Non sunt nisi duo amores, unde volitiones et actiones omnes nostrae nascuntur: amor Dei, qui omnia agit

propter Deum, quemque Deus remuneratur, et amor, quo
nos ipsos ac mundum diligimus, qui, quod ad Deum referendum est, non refert et propter hoc ipsum fit malus.

45. Amore Dei in corde peccatorum non amplius regnante 1395
necesse est, ut in eo carnalis regnet cupiditas omnesque (1260)
actiones eius corrumpat.

46. Cupiditas aut caritas usum sensuum bonum vel malum 1396
faciunt.

47. Oboedientia legis profluere debet ex fonte, et hic fons 1397
est caritas. Quando Dei amor est illius principium interius,
et Dei gloria eius finis, tunc purum est, quod apparet exterius;
alioquin non est nisi hypocrisis aut falsa iustitia.

48. Quid aliud esse possumus, nisi tenebrae, nisi aber- 1398
ratio et nisi peccatum, sine fidei lumine, sine Christo et sine
caritate?

49. Ut nullum peccatum est sine amore nostri, ita nullum 1399
est opus bonum sine amore Dei.

50. Frustra clamamus ad Deum: Pater mi, si spiritus cari- 1400
tatis non est ille, qui clamat. (1265)

51. Fides iustificat, quando operatur, sed ipsa non ope- 1401
ratur nisi per caritatem.

52. Omnia alia salutis media continentur in fide tanquam 1402
in suo germine et semine; sed haec fides non est absque
amore et fiducia.

53. Sola caritas christiano modo facit (actiones chri- 1403
stianas) per relationem ad Deum et Iesum Christum.

54. Sola caritas est, quae Deo loquitur; eam solam Deus audit. 1404

55. Deus non coronat nisi caritatem: qui currit ex alio 1405
impulsu et ex alio motivo, in vanum currit. (1270)

56. Deus non remunerat nisi caritatem: quoniam caritas 1406
sola Deum honorat.

57. Totum deest peccatori, quando ei deest spes; et non 1407
est spes in Deo, ubi non est amor Dei.

58. Nec Deus est nec religio, ubi non est caritas. 1408

59. Oratio impiorum est novum peccatum; et quod 1409
Deus illis concedit, est novum in eos iudicium.

60. Si solus supplicii timor animat poenitentiam, quo haec 1410
est magis violenta, eo magis ducit ad desperationem. (1275)

61. Timor nonnisi manum cohibet, cor autem tamdiu pec- 1411
cato addicitur, quamdiu ab amore iustitiae non ducitur.

62. Qui a malo non abstinet nisi timore poenae, illud 1412
committit in corde suo et iam est reus coram Deo.

63. Baptizatus adhuc est sub Lege sicut Iudaeus, si Legem 1413
non adimpleat, aut adimpleat ex solo timore.

1414   64. Sub maledicto Legis nunquam fit bonum; quia pec-
(1279) catur sive faciendo malum sive illud nonnisi ob timorem
evitando.

1415   65. Moyses, Prophetae, sacerdotes et doctores Legis mortui
sunt absque eo, quod ullum Deo dederint filium, cum non
effecerint nisi mancipia per timorem.

1416   66. Qui vult Deo appropinquare, nec debet ad ipsum
venire cum brutalibus passionibus neque adduci per in-
stinctum naturalem aut per timorem sicuti bestiae, sed per
fidem et per amorem sicuti filii.

1417   67. Timor servilis non sibi repraesentat Deum nisi ut
dominum durum, imperiosum, iniustum, intractabilem.

1418   68. Dei bonitas abbreviavit viam salutis, claudendo totum
in fide et precibus.

1419   69. Fides, usus, augmentum et praemium fidei, totum est
donum purae liberalitatis Dei.

1420   70. Nunquam Deus affligit innocentes; et afflictiones semper
(1285) serviunt vel ad puniendum peccatum vel ad purificandum
peccatorem.

1421   71. Homo ob sui conservationem potest sese dispensare
ab ea lege, quam Deus condidit propter eius utilitatem.

1422   72. Nota Ecclesiae christianae est, quod sit catholica,[805]
comprehendens et omnes angelos coeli et omnes electos et[1821]
iustos terrae et omnium saeculorum.

1423   73. Quid est Ecclesia, nisi coetus filiorum Dei manentium
in eius sinu, adoptatorum in Christo, subsistentium in eius
persona, redemptorum eius sanguine, viventium eius spiritu,
agentium per cius gratiam, et exspectantium gratiam futuri
saeculi?

1424   74. Ecclesia sive integer Christus incarnatum Verbum
habet ut caput, omnes vero Sanctos ut membra.

1425   75. Ecclesia est unus solus homo compositus ex pluribus
(1290) membris, quorum Christus est caput, vita, subsistentia et
persona; unus solus Christus compositus ex pluribus Sanctis,
quorum est sanctificator.

1426   76. Nihil spatiosius Ecclesia Dei: quia omnes electi et
iusti omnium saeculorum illam componunt.

1427   77. Qui non ducit vitam dignam filio Dei et membro
Christi, cessat interius habere Deum pro Patre et Christum
pro capite.

1428   78. Separatur quis a populo electo, cuius figura fuit populus
Iudaicus et caput est Iesus Christus, tam non vivendo secundum Evangelium quam non credendo Evangelio.

79. Utile et necessarium est omni tempore, omni loco et 1429
omni personarum generi, studere et cognoscere spiritum, pie- (1294)
783 tatem et mysteria sacrae Scripturae.

80. Lectio sacrae Scripturae est pro omnibus. 1430

81. Obscuritas sancta verbi Dei non est laicis ratio dispen- 1431
sandi se ipsos ab eius lectione.

82. Dies Dominicus a Christianis debet sanctificari lectio- 1432
nibus pietatis et super omnia sanctarum Scripturarum. Dam-
nosum est, velle Christianum ab hac lectione retrahere.

83. Est illusio sibi persuadere, quod notitia mysteriorum 1433
religionis non debeat communicari feminis lectione sacrorum
librorum. Non ex feminarum simplicitate, sed ex superba
virorum scientia ortus est Scripturarum abusus, et natae sunt
haereses.

84. Abripere e Christianorum manibus Novum Testamentum 1434
seu eis illud clausum tenere auferendo eis modum illud
intelligendi, est illis Christi os obturare.

85. Interdicere Christianis lectionem sacrae Scripturae, 1435
praesertim Evangelii, est interdicere usum luminis filiis lucis (1300)
et facere, ut patiantur speciem quandam excommunicationis.

86. Eripere simplici populo hoc solatium iungendi vocem 1436
suam voci totius Ecclesiae, est usus contrarius praxi apostolicae et intentioni Dei.

87. Modus plenus sapientia, lumine et caritate est dare 1437
animabus tempus portandi cum humilitate et sentiendi statum
peccati, petendi spiritum poenitentiae et contritionis, et in-
cipiendi ad minus satisfacere iustitiae Dei, antequam recon-
cilientur.

88. Ignoramus, quid sit peccatum et vera poenitentia, 1438
quando volumus statim restitui possessioni bonorum illorum,
quibus nos peccatum spoliavit, et detrectamus separationis
istius ferre confusionem.

89. Quartus decimus gradus conversionis peccatoris est, 1439
quod, cum sit iam reconciliatus, habet ius assistendi sacrificio Ecclesiae.

90. Ecclesia auctoritatem excommunicandi habet, ut 1440
eam exerceat per primos pastores de consensu saltem prae- (1305)
sumpto totius corporis.

91. Excommunicationis iniustae metus nunquam debet nos 1441
impedire ab implendo debito nostro; nunquam eximus ab
Ecclesia, etiam quando hominum nequitia videmur ab ea
expulsi, quando Deo, Iesu Christo, atque ipsi Ecclesiae per
caritatem affixi sumus.

1442 92. Pati potius in pace excommunicationem et anathema
(1307) iniustum, quam prodere veritatem, est imitari sanctum Paulum; tantum abest, ut sit erigere se contra auctoritatem aut
scindere unitatem.

1443 93. Iesus quandoque sanat vulnera, quae praeceps primorum pastorum festinatio infligit sine ipsius mandato. Iesus
restituit, quod ipsi inconsiderato zelo rescindunt.

1444 94. Nihil peiorem de Ecclesia opinionem ingerit eius inimicis, quam videre illic dominatum exerceri supra fidem
fidelium, et foveri divisiones propter res, quae nec fidem
laedunt nec mores.

1445 95. Veritates eo devenerunt, ut sint lingua quasi peregrina
(1310) plerisque Christianis, et modus eas praedicandi est veluti
idioma incognitum; adeo remotus est a simplicitate Apostolorum, et supra communem captum fidelium; neque satis
advertitur, quod hic defectus sit unum ex signis maxime sensi-
bilibus senectutis Ecclesiae et irae Dei in filios suos.

1446 96. Deus permittit, ut omnes potestates sint contrariae
praedicatoribus veritatis, ut eius victoria attribui non possit
nisi divinae gratiae.

1447 97. Nimis saepe contingit, membra illa, quae magis sancte
ac magis stricte unita Ecclesiae sunt, respici atque tractari
tanquam indigna, ut sint in Ecclesia, vel tanquam ab ea
separata; sed iustus vivit ex fide, et non ex opinione hominum.

1448 98. Status persecutionis et poenarum, quas quis tolerat
tanquam haereticus, flagitiosus et impius, ultima plerumque
probatio est et maxime meritoria, utpote quae facit hominem
magis conformem Iesu Christo.

1449 99. Pervicacia, praeventio, obstinatio in nolendo aut aliquid examinare aut agnoscere, se fuisse deceptum, mutant
quotidie quoad multos in odorem mortis id, quod Deus in
sua Ecclesia posuit, ut in ea esset odor vitae, verbi gratia
bonos libros, instructiones, sancta exempla, etc.

1450 100. Tempus deplorabile, quo creditur honorari Deus per-
(1315) sequendo veritatem eiusque discipulos! Tempus hoc ad-
venit. . . . Haberi et tractari a religionis ministris tanquam
impium et indignum omni commercio cum Deo, tanquam
membrum putridum, capax corrumpendi omnia in societate
sanctorum, est hominibus piis morte corporis mors terribilior.
Frustra quis sibi blanditur de suarum intentionum puritate et
zelo quodam religionis, persequendo flamma ferroque viros
probos, si propria passione est excaecatus aut abreptus aliena,
propterea quod nihil vult examinare. Frequenter credimus
sacrificare Deo impium, et sacrificamus diabolo Dei servum.

101. Nihil spiritui Dei et doctrinae Iesu Christi magis 1451 opponitur, quam communia facere i u r a m e n t a in Ecclesia; (1316) quia hoc est multiplicare occasiones peierandi, laqueos tendere infirmis et idiotis, et efficere, ut nomen et veritas Dei aliquando deserviant consilio impiorum.

Declaratae et damnatae tanquam falsae, captiosae, male sonantes, piarum aurium offensivae, scandalosae, perniciosae, temerariae, Ecclesiae et eius praxi iniuriosae, neque in Ecclesiam solum, sed etiam in potestates saeculi contumeliosae, seditiosae, impiae, blasphemae, suspectae de haeresi ac haeresim ipsam sapientes, necnon haereticis et haeresibus ac etiam schismati faventes, erroneae, haeresi proximae, pluries damnatae, ac demum h a e r e t i c a e, variasque haereses et potissimum illas, quae in famosis Iansenii propositionibus, et quidem in eo sensu, in quo hae damnatae fuerunt, acceptis continentur, manifeste innovantes respective.

INNOCENTIUS XIII 1721—1724.   BENEDICTUS XIII 1724—1730.
CLEMENS XII 1730—1740.

BENEDICTUS XIV 1740—1758.

De matrimoniis clandestinis in Belgio [et Hollandia] [1].

[Ex Declarat. «Matrimonia, quae in locis», 4. Nov. 1741.]

969 Matrimonia, quae in locis foederatorum Ordinum do- 1452
990 minio in Belgio subiectis iniri solent sive inter h a e - (1324) r e t i c o s ex u t r a q u e p a r t e, sive inter haereticum ex u n a p a r t e virum et catholicam feminam ex a l i a, aut v i c e v e r s a, non servata forma a sacro TRIDENTINO Concilio praescripta, utrum valida habenda sint necne, diu multumque disceptatum est animis hominum ac sententiis in diversa distractis; id quod satis uberem anxietatis ac periculorum sementem per multos annos subministravit, cum praesertim episcopi, parochi atque illarum regionum missionarii nihil certi hac super re haberent, nihil vero inconsulta Sancta Sede auderent statuere ac declarare. . . .

(1) . . . Sanctissimus D. N., spatio aliquo temporis ad 1453 rem secum expendendam accepto, hanc nuper declara-

---

[1] BB(M) 1, 178 sqq [ed. vet. I n. 34]; MBR 16, 52 a sqq; RskMm II 49 sqq; MThCc 25, 679 sqq. — Haec est celeberrima illa «Declaratio Benedictina», cuius decisiones postea etiam ad alias regiones extensae sunt. Cf. A. L e h m k u h l, Theol. moralis [12] II n. 905 sqq et ASS 6 (1870), 456; 23 (1890/91), 234 sqq; AE 5 (1897), 263 sqq; 6 (1898), 427 sqq.

tionem et instructionem exarari praecepit, qua veluti certa
regula ac norma omnes Belgii antistites, parochi earumque regionum missionarii, et vicarii apostolici deinceps
in huiusmodi negotiis uti debeant.

1454 (2) Primo scilicet, quod attinet ad matrimonia **ab**
(1325) **haereticis inter se** in locis foederatorum Ordinum
dominio subiectis celebrata, non servata forma per TRI-
DENTINUM praescripta, licet Sanctitas Sua non ignoret,
alias in casibus quibusdam particularibus et attentis tunc
expositis circumstantiis sacram Congregationem Concilii
pro eorum invaliditate respondisse, aeque tamen compertum habens, nihil adhuc generatim et universe super
eiusmodi matrimoniis fuisse ab Apostolica Sede definitum, et alioquin oportere omnino, ad consulendum
universis fidelibus in iis locis degentibus et plura aver-
tenda gravissima incommoda, quid generaliter de hisce
matrimoniis sentiendum sit declarare; negotio mature
perpenso, omnibusque rationum momentis hinc inde
sedulo libratis, declaravit statuitque, matrimonia in
dictis foederatis Belgii provinciis inter haereticos usque modo contracta, quaeque imposterum contrahentur, etiamsi forma a TRI-
DENTINO praescripta non fuerit in iis celebrandis
servata, dummodo aliud non obstiterit canonicum impedimentum, pro validis habenda esse: adeoque
si contingat, utrumque coniugem ad catholicae Ecclesiae
sinum se recipere, eodem quo antea coniugali vinculo
ipsos omnino teneri, etiamsi mutuus consensus coram
parocho catholico ab eis non renovetur; sin autem unus
tantum ex coniugibus, sive masculus sive femina, convertatur, neutrum posse, quamdiu alter superstes erit,
ad alias nuptias transire.

1455 (3) Quod vero spectat ad ea coniugia, quae pariter
in iisdem foederatis Belgii provinciis absque forma a
TRIDENTINO statuta contrahuntur **a catholicis cum
haereticis,** sive catholicus vir haereticam feminam in
matrimonium ducat, sive catholica femina haeretico viro
nubat: dolens imprimis quam maxime Sanctitas Sua,
eos esse inter catholicos, qui insano amore turpiter de-
mentati ab hisce detestabilibus conubiis, quae sancta

mater Ecclesia perpetuo damnavit atque interdixit, ex
animo non abhorrent et prorsus sibi abstinendum non
ducunt, laudansque magnopere zelum illorum antistitum,
qui severioribus propositis spiritualibus poenis catholicos
coercere student, ne sacrilego hoc vinculo sese haereticis coniungant: episcopos omnes, vicarios apostolicos,
parochos, missionarios, et alios quoscunque Dei et Ecclesiae fideles ministros, in iis partibus degentes, serio
graviterque hortatur et monet, ut catholicos utriusque
sexus ab huiusmodi nuptiis in propriarum animarum perniciem ineundis quantum possint absterreant, easdemque nuptias omni meliore modo intervertere atque efficaciter impedire satagant. At si forte aliquod huius
generis matrimonium, TRIDENTINI forma non servata,
ibidem contractum iam sit, aut in posterum (quod Deus
avertat) contrahi contingat, declarat Sanctitas Sua, matrimonium huiusmodi, alio non occurrente canonico
impedimento, validum habendum esse, et neutrum
ex coniugibus, donec alter eorum supervixerit, ullatenus
posse sub obtentu dictae formae non servatae novum
matrimonium inire: id vero debere sibi potissime in
animum inducere coniugem catholicum, sive virum sive
feminam, ut pro gravissimo scelere quod admisit, poenitentiam agat ac veniam a Deo precetur, coneturque
pro viribus alterum coniugem a vera fide deerrantem
ad gremium catholicae Ecclesiae pertrahere eiusque
animam lucrari, quod porro ad veniam de patrato crimine
impetrandam opportunissimum foret, sciens de cetero,
ut mox dictum est, se istius matrimonii vinculo perpetuo
ligatum iri.

(4) Ad haec declarat Sanctitas Sua, ut quidquid hac-1456
tenus sancitum dictumque est de matrimoniis sive ab (1327)
haereticis inter se, sive inter catholicos et haereticos
initis in locis foederatorum Ordinum dominio in Belgio
subiectis, sancitum dictumque intelligatur etiam de similibus matrimoniis extra fines dominii eorundem foederatorum Ordinum contractis ab iis, qui addicti sunt legioni-
bus seu militaribus copiis, quae ab iisdem foederatis
Ordinibus transmitti solent ad custodiendas muniendas-
que arces conterminas vulgo dictas di Barriera: ita

quidem, ut matrimonia ibi praeter TRIDENTINI formam
sive inter haereticos utrimque sive inter catholicos et
haereticos inita valorem suum obtineant, dummodo
uterque coniux ad easdem copias sive legiones pertineat; et hanc declarationem vult Sanctitas Sua complecti etiam civitatem Mosae Traiectensis, a
republica foederatorum Ordinum quamvis non iure
dominii, sed tantum oppignorationis, ut aiunt, nomine
possessam.

1457
(1328)
(5) Tandem circa coniugia, quae contrahuntur vel in
regionibus principum catholicorum ab iis, qui
in provinciis foederatis domicilium habent, vel in foederatis provinciis ab habentibus domicilium in regionibus
catholicorum principum, nihil Sanctitas Sua de novo
decernendum aut declarandum esse duxit, volens, ut
de iis iuxta canonica iuris communis principia probatas-
que in similibus casibus alias editas a sacra Congregatione Concilii resolutiones, ubi disputatio contingat,
decidatur, et ita declaravit statuitque ac (ab) omnibus in
posterum servari praecepit.

De ministro confirmationis [1].

[Ex Constit. «Etsi pastoralis» pro Italo-Graecis, 26. Maii 1742.]

1458
(§ 3) Episcopi Latini infantes seu alios in suis 871
dioecesibus baptizatos a presbyteris Graecis absolute
chrismate in fronte consignatos confirment: cum neque per praedecessores nostros neque per Nos Graecis
presbyteris in Italia et insulis adiacentibus, ut infantibus
baptizatis sacramentum confirmationis conferant, facultas
concessa sit aut concedatur. . . . [2]

---

[1] BB(M) 1, 352 [ed. vet. I n. 57]; MBR 16, 96 b.
[2] Idem BENEDICTUS XIV in opere suo «De Synodo dioecesana»
(l. VII, c. 8, n. 7: ed. Mchl. II 70) ait: «Ceterum quidquid sit de hac difficili et valde implexa controversia, omnibus in confesso est, irritam
nunc fore confirmationem a simplici presbytero Latino ex sola episcopi delegatione collatam, quia Sedes Apostolica id iuris sibi unice
reservavit.» . . .

Professio fidei Orientalibus (Maronitis) praescripta [1].

[Ex Constit. «Nuper ad nos», 16. Martii 1743.]

§ 5. . . . Ego N. firma fide etc. Credo in unum etc. 1459
[*ut in Symbolo Nicaeno-Constantinopolitano*, v. n. 86 994].

Veneror etiam et suscipio universales Synodos, 1460
prout sequitur, videlicet: **NICAENAM** primam [v. n. 54],   (873)
et profiteor, quod in ea contra *Arium* damnatae memoriae
definitum est, Dominum Iesum Christum esse Filium
Dei ex Patre natum unigenitum, id est ex substantia
Patris natum, non factum, consubstantialem Patri, atque
impias illas voces recte in eadem Synodo damnatas esse,
quod aliquando non fuerit, aut quod factus sit ex iis,
quae non sunt, aut ex alia substantia vel essentia, aut
quod sit mutabilis vel convertibilis Filius Dei.

CONSTANTINOPOLITANAM primam [v. n. 85 sq], se- 1461
cundam in ordine, et profiteor, quod in ea contra *Macedonium* damnatae memoriae definitum est, Spiritum
Sanctum non esse servum, sed Dominum, non creaturam,
sed Deum, ac unam habentem cum Patre et Filio deitatem.

EPHESINAM primam [v. n. 113 sq], tertiam in ordine, 1462
et profiteor, quod in ea contra *Nestorium* damnatae
memoriae definitum est, divinitatem et humanitatem ineffabili et incomprehensibili unione in una persona Filii
Dei unum nobis Iesum Christum constituisse, eaque de
causa beatissimam Virginem vere esse Dei Genitricem.

CHALCEDONENSEM [v. n. 148], quartam in ordine, et 1463
profiteor, quod in ea contra *Eutychen* et *Dioscorum*,
ambos damnatae memoriae, definitum est, unum eundemque Filium Dei Dominum nostrum Iesum Christum perfectum esse in deitate, et perfectum in humanitate, Deum verum, et hominem verum ex anima
rationali et corpore, consubstantialem Patri secundum
deitatem, eundem consubstantialem nobis secundum
humanitatem, per omnia nobis similem absque peccato;
ante saecula quidem de Patre genitum secundum deitatem, in novissimis autem diebus eundem propter nos
et propter nostram salutem ex Maria Virgine Dei Geni-

---

[1] BB(M) 2, 82 sqq [ed. vet. I n. 78]; MBR 16, 148 b sqq.

trice secundum humanitatem; unum eundemque
Christum Filium Dominum unigenitum in duabus
naturis inconfuse, immutabiliter, indivise, inseparabiliter
agnoscendum, nusquam sublata differentia naturarum
propter unionem, magisque salva proprietate utriusque
naturae in unam personam atque substantiam concurrente, non in duas personas partitum aut divisum,
sed unum eundemque Filium et Unigenitum Deum
Verbum Dominum Iesum Christum: item eiusdem Domini nostri Iesu Christi divinitatem, secundum quam
consubstantialis est Patri et Spiritui Sancto, impassibilem esse et immortalem, eundem autem crucifixum
et mortuum tantummodo secundum carnem, ut pariter
definitum est in dicta Synodo et (in) epistola S. LEONIS
Romani Pontificis [cf n. 143 sq], cuius ore beatum PETRUM
Apostolum locutum esse Patres in eadem Synodo accla-
maverunt, per quam definitionem damnatur impia haeresis
illorum, qui Trisagio ab angelis tradito et in praefata
CHALCEDONENSI Synodo decantato: Sanctus Deus,
sanctus fortis, sanctus immortalis, miserere nobis, addebant:
qui crucifixus es pro nobis, atque adeo divinam naturam
trium personarum passibilem asserebant et mortalem.

1464 **CONSTANTINOPOLITANAM** secundam [v. n. 212 sqq],
(873) quintam in ordine, in qua praefatae CHALCEDO-
NENSIS Synodi definitio renovata est.

1465 **CONSTANTINOPOLITANAM** tertiam [v. n. 289 sqq],
sextam in ordine, et profiteor, quod in ea contra *Monothe-
litas* definitum est, in uno eodemque Domino nostro Iesu
Christo duas esse naturales voluntates et duas naturales
operationes indivise, inconvertibiliter, inseparabiliter,
inconfuse, et humanam eius voluntatem non contrariam,
sed subiectam divinae eius atque omnipotenti voluntati.

1466 **NICAENAM** secundam [v. n. 302 sqq], septimam in
ordine, et profiteor, quod in ea contra *Iconoclastas* definitum est, imagines Christi ac Deiparae Virginis, necnon aliorum Sanctorum habendas et retinendas esse, atque eis debitum honorem et venerationem impertiendam.

1467 **CONSTANTINOPOLITANAM** quartam [v. n. 336 sqq],
octavam in ordine, et profiteor, in ea *Photium* merito fuisse
damnatum et Sanctum Ignatium Patriarcham restitutum.

Veneror etiam et suscipio omnes alias universales 1468
Synodos auctoritate Romani Pontificis legitime celebratas (873)
et confirmatas, et praesertim FLORENTINAM Synodum;
et profiteor, quae in ea definita sunt [quae sequuntur, partim
verbotenus allegata, partim excerpta sunt ex decr. unionis Graecorum
(scil. n. 691—693) et ex decr. pro Armenis (scil. n. 712 sq) Concilii
FLORENTINI]. . . .

Pariter veneror et suscipio TRIDENTINAM Synodum 1469
[v. n. 782 sqq], et profiteor, quae in ea definita et declarata (878)
sunt, et praesertim offerri Deo in Missa verum, proprium
et propitiatorium sacrificium, pro vivis et defunctis, atque
in sanctissimo Eucharistiae sacramento, iuxta fidem, quae
semper in Ecclesia Dei fuit, contineri vere, realiter et
substantialiter corpus et sanguinem una cum anima et
divinitate Domini nostri Iesu Christi ac proinde totum
Christum, fierique conversionem totius substantiae panis
in corpus et totius substantiae vini in sanguinem, quam
conversionem catholica Ecclesia aptissime transsubstantiationem appellat, et sub unaquaque specie,
et singulis cuiusque speciei partibus, separatione facta,
totum Christum contineri.

Item septem esse novae legis sacramenta a Christo 1470
Domino nostro instituta ad salutem humani generis,
quamvis non omnia singulis necessaria, videlicet baptismum, confirmationem, Eucharistiam, poenitentiam, extremam unctionem, ordinem et matrimonium: illaque
gratiam conferre, et ex his baptismum, confirmationem
et ordinem (sine sacrilegio) iterari non posse. Item baptismum esse necessarium ad salutem, ac proinde, si mortis
periculum immineat, mox sine ulla dilatione conferendum
esse, et a quocunque, et quandocunque sub debita materia et forma et intentione collatum, esse validum. Item
sacramenti matrimonii vinculum indissolubile esse, et
quamvis propter adulterium, haeresim aut alias causas
possit inter coniuges thori et cohabitationis separatio fieri,
non tamen illis aliud matrimonium contrahere fas esse.

Item apostolicas et ecclesiasticas traditiones sus- 1471
cipiendas esse et venerandas. Indulgentiarum etiam
potestatem a Christo Ecclesiae relictam fuisse, illarumque usum christiano populo maxime salutarem esse.

1472 Pariter, quae de peccato originali, de iusti-
(878) ficatione, de sacrorum librorum tam Veteris
quam Novi Testamenti indice et interpretatione in praefata TRIDENTINA Synodo definita sunt, suscipio et
profiteor [cf. n. 787 sqq 793 sqq 783 sqq].

1473 Cetera item omnia suscipio et profiteor, quae recipit
et profitetur sancta Romana Ecclesia, simulque contraria
omnia, et schismata et haereses ab eadem Ecclesia
damnatas, reiectas et anathematizatas ego pariter damno,
reicio et anathematizo. Insuper Romano Pontifici
beati PETRI principis Apostolorum successori ac Iesu
Christi vicario veram oboedientiam spondeo ac iuro.
Hanc fidem catholicae Ecclesiae, extra quam nemo salvus
esse potest etc. [ut in professione fidei Tridentina, v. n. 1000].

De nomine complicis non exquirendo [1].

[Ex Brevi «Suprema omnium Ecclesiarum sollicitudo», 7. Iulii 1745.]

1474 (1) Pervenit (enim) haud ita pridem ad aures nostras, 89
(1323) nonnullos istarum partium confessarios falsa zeli imagine
seduci se passos, sed a zelo secundum scientiam [cf. Rom 10, 2]
longe aberrantes, perversam quandam et perniciosam
praxim in audiendis Christi fidelium confessionibus et
in saluberrimo poenitentiae sacramento administrando
invehere atque introducere coepisse: ut videlicet, si forte
in poenitentes incidissent socium criminis habentes, ab
iisdem poenitentibus socii huiusmodi seu complicis
nomen passim exquirerent, atque ad illud sibi revelandum
non inducere modo suadendo conarentur, sed quod de-
testabilius est, denuntiata quoque, nisi revelarent, absolutionis sacramentalis negatione prorsus adigerent atque
compellerent; immo etiam complicis eiusdem nedum
nomen, sed habitationis insuper locum sibi
exigerent designari: quam illi quidem intolerandam
imprudentiam tum procurandae complicis correctionis

---

[1] BB(M) 3, 178 sq [ed. vet. I n. 134]; MBR 16, 305 a sq. — Con-
firmatum est hoc decretum atque inculcatum ab eodem Pontifice per
Constitutionem «Ubi primum» 2. Iul. 1746 [BB(M) 4, 117 sqq]. Cf. Constit.
«Ad eradicandum» 28. Sept. 1746 [BB(M) 4, 303 sqq].

aliorumque bonorum colligendorum specioso praetextu
colorare, tum emendicatis quibusdam doctorum opinionibus defendere non dubitarent; cum revera opiniones
huiusmodi vel falsas et erroneas sequendo, vel veras et
sanas male applicando, perniciem tam suis quam poenitentium animabus consciscerent, ac sese praeterea plurium
gravium damnorum, quae inde facile consecutura fore
praevidere debuerant, reos coram Deo aeterno iudice
constituerent. . . . (3) Nos autem, ne in tam gravi animarum discrimine ulla ex parte apostolico nostro ministerio deesse videamur, neve mentem hac super re
nostram apud vos obscuram aut ambiguam esse sinamus:
notum vobis esse volumus, memoratam superius praxim
penitus reprobandam esse, eandemque a nobis per praesentes nostras in forma Brevis litteras reprobari atque
damnari tanquam *scandalosam* et *perniciosam,* ac tam
famae proximorum quam ipsi etiam *sacramento iniuriosam,* tendentemque ad sacrosancti sigilli sacramentalis violationem atque ab eiusdem poenitentiae
sacramenti tantopere proficuo et necessario usu fideles
abalienantem.

De usura [1].

[Ex Encycl. «Vix pervenit» ad episcopos Italiae, 1. Nov. 1745.]

365
394
403
448
479
716
739
081
190
609

(§ 3) 1. Peccati genus illud, quod usura vocatur, 1475
quodque in contractu mutui propriam suam sedem (1318)
et locum habet, in eo est repositum, quod quis ex
ipsomet mutuo, quod suapte natura tantundem dumtaxat
reddi postulat, quantum receptum est, plus sibi reddi
velit, quam est receptum, ideoque ultra sortem lucrum
aliquod, ipsius ratione mutui, sibi deberi contendat.
Omne propterea huiusmodi lucrum, quod sortem superet,
illicitum et usurarium est.

2. Neque vero ad istam labem purgandam ullum 1476
arcessiri subsidium poterit vel ex eo, quod id lucrum
non excedens et nimium sed moderatum, non magnum

---

[1] BB(M) 3, 269 sqq [ed. vet. I n. 143]; MBR 16, 328 a sqq; cf.
MThCc 16, 1075 sqq (Decr. S. Poenit. 11. Febr. 1832).

sed exiguum sit; vel ex eo, quod is, a quo id lucrum
solius causa mutui deposcitur, non pauper sed dives
exsistat, nec datam sibi mutuo summam relicturus
otiosam, sed ad fortunas suas amplificandas vel novis
coemendis praediis vel quaestuosis agitandis negotiis
utilissime sit impensurus. Contra mutui siquidem legem,
quae necessario in dati atque redditi aequalitate
versatur, agere ille convincitur, quisquis, eadem aequalitate semel posita, plus aliquid a quolibet vi mutui
ipsius, cui per aequale iam satis est factum, exigere
adhuc non veretur: proindeque, si acceperit, restituendo erit obnoxius ex eius obligatione iustitiae, quam
commutativam appellant, et cuius est in humanis contractibus aequalitatem cuiusque propriam et sancte servare et non servatam exacte reparare.

1477   3. Per haec autem nequaquam negatur, posse quando-
(1320) que una cum mutui contractu quosdam alios, ut aiunt,
titulos, eosdemque ipsimet universim naturae mutui
minime innatos et intrinsecos forte concurrere, ex quibus
iusta omnino legitimaque causa consurgat quiddam amplius supra sortem ex mutuo debitam rite exigendi.
Neque item negatur, posse multoties pecuniam ab unoquoque suam per alios diversae prorsus naturae a
mutui natura contractus recte collocari et impendi, sive
ad proventus sibi annuos conquirendos, sive etiam ad
licitam mercaturam et negotiationem exercendam honesta-
que indidem lucra percipienda.

1478   4. Quemadmodum vero, in tot eiusmodi diversis contractuum generibus, si sua cuiusque non servatur aequalitas, quidquid plus iusto recipitur, si minus ad usuram
(eo quod omne mutuum, tam apertum quam palliatum,
absit), at certe ad aliam veram iniustitiam restituendi
onus pariter afferentem spectare compertum est: ita,
si rite omnia peragantur et ad iustitiae libram exigantur,
dubitandum non est, quin multiplex in iisdem contractibus licitus modus et ratio suppetat humana commercia et fructuosam ipsam negotiationem ad publicum
commodum conservandi ac frequentandi. Absit enim
a Christianorum animis, ut per usuras aut similes alienas
iniurias florere posse lucrosa commercia existiment; cum

contra ex ipso oraculo divino discamus, quod «*iustitia
elevat gentem, miseros autem facit populos peccatum*»
[Prv 14, 34].

5. Sed illud diligenter animadvertendum est, falso 1479
sibi quemquam et nonnisi temere persuasurum, reperiri (1322)
semper ac praesto ubique esse vel una cum mutuo
titulos alios legitimos, vel, secluso etiam mutuo,
contractus alios iustos, quorum vel titulorum vel
contractuum praesidio, quotiescunque pecunia, frumen-
tum aliudve id generis alteri cuicunque creditur, toties
semper liceat auctarium moderatum ultra sortem integram salvamque recipere. Ita si quis senserit, non
modo divinis documentis et catholicae Ecclesiae de
usura iudicio, sed ipsi etiam humano communi sensui
ac naturali rationi procul dubio adversabitur. Neminem
enim id saltem latere potest, quod multis in casibus
tenetur homo simplici ac nudo mutuo alteri
succurrere, ipso praesertim Christo Domino edocente:
«*Volenti mutuari a te, ne avertaris*» [Mt 5, 42]: et quod
similiter multis in circumstantiis, praeter unum mutuum,
alteri nulli vero iustoque contractui locus esse possit.
Quisquis igitur suae conscientiae consultum velit, inquirat prius diligenter oportet, verene cum mutuo iustus
alius titulus, verene iustus alter a mutuo contractus occurrat, quorum beneficio, quod quaerit lucrum, omnis labis expers et immune reddatur.

De baptismo infantium Iudaeorum [1].

[Ex ep. «Postremo mense» ad Vicesgerentem in Urbe, 28. Febr. 1747.]

857   3. . . . Primo (enim) expendetur, utrum invitis pa-1480
rentibus ac reluctantibus Hebraei infantes baptizari (1333)
licite possint. Secundo, si hoc nefas esse dixerimus,
an casus unquam contingat aliquis, in quo id fieri non
modo possit, sed etiam liceat planeque deceat. Tertio,
baptismum Hebraeis infantibus tunc impertitum, cum
fas non sit, ratumne an vero irritum haberi debeat.
Quarto, quid sit faciendum, cum infantes Hebraei

---

[1] BB(M) 5, 8 sqq [ed. vet. II n. 28]; MBR 17, 110 sqq.

afferuntur, ut baptizentur, aut compertum sit, eos iam
fuisse sacro baptismate initiatos: demum, quomodo probari possit, eosdem aquis salutaribus iam lustratos fuisse.

1481   4. De primo primae partis capite si sermo sit, utrum
(1334) nempe dissentientibus parentibus Hebraei infantes baptizari possint, aperte asserimus, hoc iam a
S. Thoma tribus in locis definitum fuisse, nempe in
Quodlibet. 2, a. 7; in 2, 2, q. 10, a. 12, ubi ad examen revocans quaestionem in Quodlibetis propositam:
Utrum pueri Iudaeorum et aliorum infidelium sint invitis parentibus baptizandi, ita respondet: «Respondeo
dicendum, quod maximam habet auctoritatem Ecclesiae
consuetudo, quae semper est in omnibus aemulanda etc.
Hoc autem Ecclesiae usus nunquam habuit, quod Iudaeorum filii invitis parentibus baptizarentur . . .», atque
ita ait in 3, q. 68, a. 10: «Respondeo dicendum, quod
pueri infidelium filii . . . si nondum habent usum liberi
arbitrii, secundum ius naturale sunt sub cura parentum,
quamdiu ipsi sibi providere non possunt . . ., et ideo
contra iustitiam naturalem esset, si tales pueri invitis
parentibus baptizarentur; sicut etiam si aliquis habens
usum rationis baptizaretur invitus. Esset etiam periculosum. . . .»

1482   5. Scotus in 4 Sent. dist. 4, q. 9, n. 2 et in quaestionibus relatis ad n. 2 censuit laudabiliter posse Principem imperare, ut invitis etiam parentibus Hebraeorum
atque infidelium infantuli baptizentur, dummodo id potissimum prudenter caveatur, ne iidem infantes a parentibus occidantur. . . . Praevaluit (tamen) in tribunalibus
S. Thomae sententia . . . atque inter theologos canonum-
que peritos vulgatior est[1]. . . .

1483   7. Hoc igitur posito, quod nefas sit Hebraeorum in-
(1335) fantes reluctante parentum arbitrio baptizare, nunc iuxta
ordinem initio propositum descendere iam oportet ad
alteram partem: an videlicet contingere unquam possit
occasio aliqua, in qua id liceat et conveniat. . .

---

[1] Pontifex infra n. 32 aetatem legitimam, ad quam usque invitis
parentibus Hebraei infantes baptizari non valeant, regulariter censeri
completo septennio statuit.

8. ... Cum id eveniat, ut ab aliquo christiano He- 1484
braeorum puer morti proximus reperiatur, rem opinor (1335)
laudabilem Deoque gratam is certe efficiet, qui salutem
puero aqua lustrali praebeat immortalem. ...

9. Si item eveniret, ut puer aliquis Hebraeus pro- 1485
iectus esset atque a parentibus derelictus, communis
omnium sententia est pluribus quoque confirmata iudiciis,
eum baptizari oportere, reclamantibus etiam repetentibus-
que parentibus. ...

14. Postquam casus magis obvios exposuimus, in 1486
quibus nostra haec regula prohibet, Hebraeorum in- (1336)
fantes invitis parentibus baptizari, aliquas insuper declarationes addimus ad hanc regulam pertinentes, quarum
haec *prima* est: si parentes desint, infantes vero alicuius
Hebraei tutelae commissi fuerint, eos sine tutoris
assensu licite baptizari nullo modo posse, cum omnis
parentum potestas ad tutores pervenerit. ... 15. *Secunda*
est, si pater christianae militiae nomen daret iuberet-
que infantem filium baptizari; eum quidem vel matre
Hebraea dissentiente baptizandum esse, cum filius non
sub matris, sed sub patris potestate sit habendus[1]. ...
16. *Tertia* est: quamvis mater filios sui iuris non habeat,
tamen ad Christi fidem si accedat et infantem offerat
baptizandum, tametsi pater Hebraeus reclamet, eum nihilominus aqua baptismatis abluendum esse. ... 17. *Quarta*
est, quod si pro certo habeatur, parentum voluntatem
esse infantium baptismati necessariam, quoniam sub
appellatione parentum locum quoque habet paternus
avus: ... hinc necessario sequitur, ut, si avus paternus
catholicam fidem amplexus sit ac nepotem ferat ad sacri
lavacri fontem, quamvis mortuo iam patre mater Hebraea
repugnet, tamen infans sit absque dubio baptizandus[2]. ...

18. Fictitia res non est, quod aliquando pater He- 1487
braeus se velle catholicam religionem amplecti praedicet (1340)
ac se ipsum filiosque infantes baptizandos offerat, post-

---

[1] Id etiam statuit GREGORIUS IX c. 1 de infantibus et languidis
expositis.
[2] BENEDICTUS XIV in altera ep. «*Probe te meminisse*» [BB(M) 9,
88 sqq] idem defuncto patre de avia paterna christiana, reclamante
etiam matre Hebraea et tutoribus, valere declaravit.

modum vero sui se consilii poeniteat abnuatque filium
baptizari.   Id Mantuae evenit. . . . Res ad examen de-
ducta est in Congregatione S. Officii, ac Pontifex die
24. Sept. a. 1699 statuit ea fieri, quae sequuntur: «Sanctissimus auditis votis Eminentissimorum decrevit, quod duo
filii infantes, alter scilicet triennis, alter quinquennis baptizentur. Alii, nempe filius octo annorum et filia duodecim,
collocentur in domo Catechumenorum, si ea Mantuae adsit,
sin minus apud piam honestamque personam ad effectum
explorandi ipsorum voluntatem eosque instruendi.» . . .

1488   19. Sunt quoque aliqui infideles suos infantes Chri-
(1341) stianis offerre soliti, ut aquis salubribus abluantur, non
tamen Christi ut stipendia mereantur, neque ut originalis
culpa eorum ex anima deleatur: sed id faciunt indigna
quadam superstitione ducti, quod nempe baptismi beneficio existimant eosdem a malignis spiritibus, a foetore
aut morbo aliquo liberandos. . . .

1489   21. . . . Infideles aliqui, cum hoc sibi in animum in-
duxissent, baptismi gratia infantes suos a morbis dae-
monumque vexationibus liberatum iri, eo dementiae
adducti sunt, ut mortem quoque minitati sint catholicis
sacerdotibus. . . . At huic sententiae refragatur Congregatio Sancti Officii coram Pontifice habita d. 6. Sept.
1625: «Sacra Congregatio universalis Inquisitionis habita
coram Sanctissimo, relatis litteris episcopi Antibarensis,
in quibus supplicabat pro resolutione infrascripti dubii:
An, cum sacerdotes coguntur a Turcis, ut baptizent
eorum filios, non ut christianos efficiant, sed pro corporali salute, ut liberentur a foetore, comitiali morbo, male-
ficiorum periculo et lupis, an in tali casu possint saltem
ficte eos baptizare, adhibita baptismi materia sine debita
forma? Respondit negative, quia baptismus est ianua sacramentorum ac protestatio fidei, nec ullo modo fingi potest.» ...

1490   29. . . . Ad eos itaque spectat hic sermo noster, qui
(1342) baptismo, neque a parentibus neque ab aliis, qui ius in eos
habeant, offeruntur, sed ab aliquo nullam habente auctoritatem. De iis praeterea agitur, quorum casus non com-
prehenduntur sub ea dispositione, quae sinit baptismum
conferri, etiamsi maiorum consensus desit: hoc quidem
in casu baptizari non debent, sed ad illos remitti, quorum

in potestate ac fide sunt legitime constituti. Quod si
iam sacramento initiati essent, aut detinendi sunt aut
ab Hebraeis parentibus recuperandi tradendique Christi
fidelibus, ut ab illis pie sancteque informentur; hic enim
baptismi licet illiciti, tamen veri validique, effectus est....

Errores de duello [1].

[Damnati in Constit. «Detestabilem», 10. Nov. 1752.]

1102
1862
1939
1. Vir militaris, qui, nisi offerat vel acceptet duellum, 1491
tanquam formidolosus, timidus, abiectus et ad officia mili- (1343)
taria ineptus haberetur, indeque officio, quo se suosque sustentat, privaretur, vel promotionis alias sibi debitae ac pro-
meritae spe perpetuo carere deberet, culpa et poena vacaret,
sive offerat sive acceptet duellum.

2. Excusari possunt etiam honoris tuendi vel humanae 1492
vilipensionis vitandae gratia duellum acceptantes, vel ad illud
provocantes, quando certo sciunt, pugnam non esse secuturam,
utpote ab aliis impediendam.

3. Non incurrit ecclesiasticas poenas ab Ecclesia contra 1493
duellantes latas dux vel officialis militiae, acceptans duellum
ex gravi metu amissionis famae et officii.

4. Licitum est, in statu hominis naturali, acceptare et 1494
offerre duellum ad servandas cum honore fortunas, quando
alio remedio earum iactura propulsari nequit.

5. Asserta licentia pro statu naturali applicari etiam potest 1495
statui civitatis male ordinatae, in qua nimirum vel negligentia
vel malitia magistratus iustitia aperte denegatur.

Damnatae ac prohibitae tanquam *falsae, scandalosae* ac *perniciosae.*

CLEMENS XIII 1758—1769.   CLEMENS XIV 1769—1774.

PIUS VI 1775—1799.

De matrimoniis mixtis in Belgio [2].

[Ex Rescr. PII VI ad Card. de Franckenberg Archiepisc. Mechlin. et
episcopos Belgii, 13. Iulii 1782.]

969
. . . Non (ideo) recedendum nobis est ab uniformi 1496
praedecessorum nostrorum sententia et ab ecclesiastica (1354)
disciplina, quae non probant matrimonia inter partes

---

[1] BB(M) 10, 77 [ed. vet. IV n. 6]; MBR 19, 19 b.
[2] RskMm II 61 sqq; MThCc 25, 692 sq.

utrimque haereticas vel inter catholicam unam et haereticam alteram, idque multo minus casu, quo dispensatione in aliquo gradu opus sit. ...

1497 Transeundo nunc ad aliud punctum de imperata paro-
(1355) chorum assistentia in matrimoniis mixtis, dicimus,
quod si praemissa supra nominata admonitione ad avo-
candam partem catholicam ab illicito matrimonio, ipsa
nihilominus in voluntate illud contrahendi persistat, et
matrimonium infallibiliter secuturum praevideatur, poterit
tunc parochus catholicus materialem suam exhibere praesentiam, sic tamen, ut sequentes observare teneatur
cautelas: Primo, ut non assistat tali matrimonio in
loco sacro, nec aliqua veste ritum sacrum praeferente
indutus, neque recitabit super contrahentes preces aliquas
ecclesiasticas, et nullo modo ipsis benedicet. Secundo,
ut exigat et recipiat a contrahente haeretico declarationem in scriptis, qua cum iuramento, praesentibus
duobus testibus, qui debebunt et ipsi subscribere, obliget
se ad permittendum comparti usum liberum religionis
catholicae et ad educandum in eadem omnes liberos
nascituros sine ulla sexus distinctione. ... Tertio, ut
et ipse contrahens catholicus declarationem edat a se
et duobus testibus subscriptam, in qua cum iuramento
promittat, non tantum se nunquam apostaturum a religione sua catholica, sed educaturum in ipsa omnem
prolem nascituram, et procuraturum se efficaciter conversionem alterius contrahentis acatholici.

1498 Quarto, quod attinet proclamationes decreto
(1359) Caesareo imperatas, quas episcopi reprehendunt actus
esse civiles potius quam sacros, respondemus: cum prae-
ordinatae illae sint ad futuram celebrationem matrimonii
et ex consequenti positivam eidem cooperationem contineant, quod utique excedit simplicis tolerantiae limites,
non posse nos, ut hae fiant, annuere. ...

1499 Superest nunc de uno adhuc puncto loquendum, super
(1360) quo licet non simus expresse interrogati, silentio tamen
illud praetereundum non credimus, utpote quod in praxi
nimis frequenter possit accidere, hoc scilicet: an contrahens catholicus, postea volens sacramentorum
particeps fieri, ad ea debeat admitti? Ad quod

dicimus, dum idem ille demonstrabit, poenitere se pec-
caminosae suae coniunctionis, poterit hoc ipsi concedi,
modo ante confessionem sincere declaret, procuraturum
se conversionem coniugis haereticae, renovare se promissionem de educanda prole in religione orthodoxa
et reparaturum se scandalum aliis fidelibus datum. Si
tales conditiones concurrant, non repugnamus nos, quominus pars catholica sacramentorum fiat particeps [1].

De potestate Romani Pontificis (contra Febronianismum) [2].

[Ex Brevi «Super soliditate», 28. Nov. 1786.]

826   Et sane cum, monente Augustino, in cathedra uni-1500
tatis posuerit Deus doctrinam veritatis, contra infelix (1363)
iste scriptor nil non molitur, quo hanc PETRI Sedem
modis omnibus vexet ac oppugnet, qua in Sede con-

---

[1] De matrimoniis (mixtis) multae synodi variique Pontifices decreta
ediderunt, v. g. synodi Laodicena, Illiberitana, Carthaginensis III,
Agathensis, Arelatensis, Tolosana (694), CHALCEDONENSIS (can. 14),
Warmiensis (1575), Antverpiensis (1576), Ebroicensis (1576), Luxoviensis
(1580), Burdigalensis (1583), Turonensis (1583), Bituricensis (1584),
Cameracensis (1586), Tolosana (1590), Narbonensis et Constantiensis
(1609), Warmiensis et Augustana (1610), Buscoducensis (1612), Leodiensis
(1618), Burdigalensis (1624), Antverpiensis (1643), Gratianopolitana (1690),
Coloniensis (1651), Paderbornensis (1658), Culmensis et Posoniensis
(1745), Sedunensis (1626), Audomarensis (1640), Warmiensis (1726). Porro
Pontifices: LEO M., BONIFACIUS V, STEPHANUS IV, NICO-
LAUS I (Resp. ad Consult. Bulgar. n. 22), BONIFACIUS VIII (Decret.
VI 5, 24), CLEMENS X (ep. d. 20. Aug. 1628), BENEDICTUS XIV
[cf. n. 1455], PIUS IX [cf. n. 1640, 1765 sqq], LEO XIII [cf. n. 1853 sqq,
1865], PIUS X [cf. n. 1991, 2066 sqq].

[2] BRC 7, 672 b sq; RskRP III 319 sq. — Licet liber Febronii sive
Ioh. Nic. ab Hontheim: *De statu Ecclesiae et legitima potestate
Romani Pontificis 1763* a CLEMENTE XIII (27. Febr. 1764) in Indicem
librorum prohibitorum relatus et iubente Summo Pontifice ab episcopis
Germaniae Moguntino, Trevirensi, Coloniensi, Bambergensi, Herbipo-
lensi, Constantiensi, Augustano, Frisingensi et Pragensi specialiter prohibitus fuisset, nihilominus perversa eius principia late per Germaniam
spargi et grassari coeperunt. Inter eos autem, qui post Febronium in
legitimam Romani Pontificis potestatem insurrexerunt, eminuit infau-
stissimus Canonista Eybel, qui, cum PIUS VI, ut Iosephi II animum
moveret, in Germaniam iter institueret, libellum: *Was ist der Papst?*
vulgavit. Quem, cum iteratis typis et in alias linguas versus ederetur,
PIUS VI Brevi: *«Super soliditate»* damnavit tanquam continentem propositiones respective falsas, scandalosas, temerarias, iniuriosas, ad schisma
inducentes, schismaticas, erroneas, inducentes in haeresim, haereticas
et alias ab Ecclesia damnatas.

stitutam Patres unanimi sensu cathedram eam coluere,
qua in una unitas ab omnibus servaretur; e qua in
reliquas omnes venerandae communionis iura dimanant;
ad quam necesse sit omnem Ecclesiam, omnes,
qui undique sunt, fideles convenire [cf. Conc.
VATIC. n. 1824]. Non ille veritus est fanaticam turbam appellare, quam prospiciebat ad aspectum Pontificis in has
voces erupturam: hominem eum esse, qui claves regni
coelorum cum ligandi solvendique potestate a Deo acceperit, cui non alius episcopus exaequari valeat, a quo
ipsi episcopi auctoritatem suam recipiant, quemadmodum
ipse a Deo supremam suam potestatem accepit: eundem
porro vicarium esse Christi, caput Ecclesiae
visibile, iudicem supremum fidelium. An ergo,
quod horribile dictu, fanatica fuerit vox ipsa Christi claves
regni coelorum cum ligandi solvendique potestate PETRO
pollicentis [Mt 16, 19]: quas claves communicandas ceteris,
post Tertullianum, PETRUM solum accepisse, Optatus
Milevitanus profiteri non dubitavit? An fanatica dicenda
tot sollemnia totiesque repetita Pontificum Conciliorumve
decreta, quibus illi damnati sunt, qui negarent, in beato
PETRO Apostolorum principe successorem eius Romanum Pontificem constitutum a Deo caput Ecclesiae
visibile ac vicarium Iesu Christi, ei regendae Ecclesiae
plenam potestatem traditam, veramque ab omnibus, qui
christiano nomine censentur, oboedientiam deberi; atque
vim eam esse primatus, quem divino iure obtinet, ut
ceteris episcopis non honoris tantum gradu, sed et
supremae potestatis amplitudine antecellat? Quo magis
deploranda est praeceps ac caeca hominis temeritas,
qui tot decretis damnatos errores infausto suo libello
instaurare studuerit, qui dixerit ac per multas ambages
passim insinuarit: quemlibet episcopum vocatum a Deo
ad gubernationem Ecclesiae non minus quam Papam,
nec minore praeditum esse potestate: Christum eandem
per sese Apostolis omnibus potestatem dedisse: quidquid aliqui credant obtineri, et concedi solum a Pontifice, posse idipsum, sive a consecratione sive ab ecclesiastica iurisdictione pendeat, perinde obtineri a quolibet
episcopo: voluisse Christum Ecclesiam reipublicae more

administrari: ei quidem regimini opus esse praeside pro bono unitatis, verum qui non audeat se aliorum, qui simul regunt, negotiis implicare; privilegium tamen habeat negligentes cohortandi ad sua implenda munia: vim primatus hac una praerogativa contineri supplendae aliorum negligentiae, prospiciendi conservationi unitatis hortationibus et exemplo: Pontifices nil posse in aliena dioecesi praeterquam extraordinario casu: Pontificem caput esse, quod vim suam ac firmitatem teneat ab Ecclesia: licitum sibi fecisse Pontifices violandi iura episcoporum, reservandique sibi absolutiones, dispensationes, decisiones, appellationes, collationes beneficiorum, alia uno verbo munia omnia, quae singulatim recenset atque velut indebitas ac episcopis iniuriosas reservationes traducit.

Errores synodi Pistoriensis [1].

[Damnati in Constit. «Auctorem fidei», 28. Aug. 1794.]

[A. Errores de Ecclesia [2].]

De *obscuratione veritatum* in Ecclesia.

821   1. Propositio, quae asserit, *postremis hisce saeculis sparsam* 1501 *esse generalem obscurationem super veritates gravioris mo-* (1364) *menti, spectantes ad religionem, et quae sunt basis fidei et moralis doctrinae Iesu Christi:* — haeretica.

De potestate *communitati Ecclesiae* attributa, ut per hanc pastoribus communicetur.

2. Propositio, quae statuit, *potestatem a Deo datam* 1502 *Ecclesiae, ut communicaretur pastoribus, qui sunt eius ministri pro salute animarum;* sic intellecta, ut a communitate fidelium in pastores derivetur ecclesiastici ministerii ac regiminis potestas: — haeretica.

De *capitis ministerialis* denominatione Romano Pontifici attributa.

3. Insuper, quae statuit, *Romanum Pontificem esse caput* 1503 *ministeriale;* sic explicata, ut Romanus Pontifex non a

---

[1] Pistoia in Toscana (Italia). — BRC 9, 398 b sqq; CICRcht II 148 sqq; RskRP III 528 sqq.
[2] Ii tituli collectivi [in quantum uncis includuntur] non habentur in ipsa Bulla.

Christo in persona beati PETRI, sed ab Ecclesia potestatem ministerii accipiat, qua velut PETRI successor, verus Christi vicarius ac totius Ecclesiae caput pollet in universa Ecclesia: — haeretica[1].

De potestate Ecclesiae quoad constituendam et sanciendam *exteriorem disciplinam.*

1504   4. Propositio affirmans, *abusum fore auctoritatis Ecclesiae,*
(1367) *transferendo illam ultra limites doctrinae ac morum, et eam extendendo ad res exteriores, et per vim exigendo id, quod pendet a persuasione et corde;* tum etiam, *multo minus ad eam pertinere, exigere per vim exteriorem subiectionem suis decretis;* quatenus indeterminatis illis verbis *extendendo ad res exteriores* notet velut abusum auctoritatis Ecclesiae usum eius potestatis acceptae a Deo, qua usi sunt et ipsimet Apostoli in disciplina exteriore constituenda et sancienda: — haeretica.

1505   5. Qua parte insinuat, Ecclesiam non habere auctoritatem subiectionis suis decretis exigendae aliter quam per media, quae pendent a persuasione; quatenus intendat, Ecclesiam *non habere collatam sibi a Deo potestatem, non solum dirigendi per consilia et suasiones, sed etiam iubendi per leges, ac devios contumacesque exteriore iudicio ac salubribus poenis coercendi atque cogendi* [ex BENED. XIV in Brevi *«Ad assiduas»* anni 1755 Primati, Archiepiscopis et Episcopis Regni Polon.]: — inducens in systema alias damnatum ut haereticum.

Iura *episcopis* praeter fas attributa.

1506   6. Doctrina synodi, qua profitetur, *persuasum sibi esse,*
(1369) *episcopum accepisse a Christo omnia iura necessaria pro bono regimine suae dioecesis;* perinde ac si ad bonum regimen cuiusque dioecesis necessariae non sint superiores ordinationes spectantes sive ad fidem et mores sive ad generalem disciplinam, quarum ius est penes summos Pontifices et Concilia generalia pro universa Ecclesia: — schismatica, ad minus erronea.

---

[1] Istae propositiones 2 et 3 exhibent systema ab Edmundo Richerio in libro suo *De ecclesiastica et politica potestate 1611* expositum, Iansenistis maxime probatum. Qui liber 1612 a synodo Senonensis provinciae sub Card. Perronio damnatus est, eodemque anno a synodo provinciae Aquensis. Quam damnationem PAULUS V in Brevi ad episcopos provinciae Senonensis comprobavit. Porro (10. Maii 1613) sub eodem PAULO V a S. Inquisitione liber damnatus est et (2. Dec. 1622) sub GREGORIO XV a S. Congregatione Indicis, iterumque (4. Martii 1709) sub CLEMENTE XI prohibitus est.

7. Item, in eo quod hortatur episcopum *ad prosequendam* 1507
naviter perfectiorem ecclesiasticae disciplinae constitutionem; idque, (1370)
contra omnes contrarias consuetudines, exemptiones, reservationes,
quae adversantur bono ordini dioecesis, maiori gloriae Dei et
maiori aedificationi fidelium; per id quod supponit, episcopo
fas esse proprio suo iudicio et arbitratu statuere et
decernere contra consuetudines, exemptiones, reservationes,
sive quae in universa Ecclesia, sive etiam in unaquaque
provincia locum habent, sine venia et interventu superioris
hierarchicae potestatis, a qua inductae sunt aut probatae et
vim legis obtinent : — inducens in schisma et subversionem
hierarchici regiminis, erronea.

8. Item, quod et sibi persuasum esse ait, *iura episcopi* 1508
a Iesu Christo accepta pro gubernanda Ecclesia nec alterari
nec impediri posse, et ubi contigerit, horum iurium exercitium
quavis de causa fuisse interruptum, posse semper episcopum ac
debere in originalia sua iura regredi, quotiescunque id exigit
maius bonum suae ecclesiae; in eo, quod innuit, iurium epi-
scopalium exercitium nulla superiore potestate praepediri
aut coerceri posse, quandocunque episcopus proprio iudicio
censuerit, minus id expedire maiori bono suae ecclesiae : —
inducens in schisma et subversionem hierarchici regiminis,
erronea.

Ius perperam tributum *inferioris ordinis sacerdotibus* in decretis fidei et disciplinae.

9. Doctrina, quae statuit, *reformationem abusuum circa* 1509
ecclesiasticam disciplinam in synodis dioecesanis ab epi- (1372)
scopo et parochis aequaliter pendere ac stabiliri debere, ac sine
libertate decisionis indebitam fore subiectionem suggestionibus et
iussionibus episcoporum : — falsa, temeraria, episcopalis auctoritatis laesiva, regiminis hierarchici subversiva, favens haeresi
Aërianae a Calvino innovatae.

10. Item doctrina, qua parochi aliive sacerdotes in 1510
synodo congregati pronuntiantur una cum episcopo iudices
fidei, et simul innuitur, iudicium in causis fidei ipsis competere iure proprio, et quidem etiam per ordinationem accepto : — falsa, temeraria, ordinis hierarchici subversiva, detrahens firmitati definitionum iudiciorumve dogmaticorum
Ecclesiae, ad minus erronea.

11. Sententia enuntians, vetere maiorum instituto, ab apo- 1511
stolicis usque temporibus ducto, per meliora Ecclesiae saecula servato, receptum fuisse, *ut decreta, aut definitiones,*

aut sententiae etiam maiorum sedium non acceptarentur, nisi recognitae fuissent et approbatae a synodo dioecesana: — falsa, temeraria, derogans pro sua generalitate oboedientiae debitae constitutionibus apostolicis, tum et sententiis ab hierarchica superiore legitima potestate manantibus, schisma fovens et haeresim.

Calumniae adversus aliquas *decisiones in materia fidei* ab aliquot saeculis emanatas.

1512
(1375)

12. Assertiones synodi complexive acceptae circa de-cisiones in materia fidei ab aliquot saeculis emanatas, quas perhibet velut decreta ab una particulari ecclesia vel paucis pastoribus profecta, nulla sufficienti auctoritate suffulta, nata corrumpendae puritati fidei ac turbis excitandis, intrusa per vim, e quibus inflicta sunt vulnera nimium adhuc re-centia: — falsae, captiosae, temerariae, scandalosae, in Ro-manos Pontifices et Ecclesiam iniuriosae, debitae apostolicis constitutionibus oboedientiae derogantes, schismaticae, per-niciosae, ad minus erroneae.

De *pace* dicta CLEMENTIS IX.

1513
(1376)

13. Propositio relata inter acta synodi, quae innuit, CLE-MENTEM IX pacem Ecclesiae reddidisse per approbationem distinctionis iuris et facti in subscriptione formularii ab ALEXANDRO VII praescripti [v. n. 1099]: — falsa, teme-raria, CLEMENTI IX iniuriosa.

1514

14. Quatenus vero ei distinctioni suffragatur, eiusdem fautores laudibus extollendo et eorum adversarios vituperando: — temeraria, perniciosa, summis Pontificibus iniuriosa, schisma fovens et haeresim.

De coagmentatione *corporis Ecclesiae*.

1515
(1378)

15. Doctrina, quae proponit Ecclesiam *considerandam velut unum corpus mysticum coagmentatum ex Christo capite et fideli-bus, qui sunt eius membra per unionem ineffabilem, qua mira-biliter evadimus cum ipso unus solus sacerdos, una sola victima, unus solus adorator perfectus Dei Patris in spiritu et veritate;* intellecta hoc sensu, ut ad corpus Ecclesiae non pertineant nisi fideles, qui sunt perfecti adoratores in spiritu et veritate: — haeretica.

[B. Errores de iustificatione, gratia, virtutibus.]

De statu *innocentiae*.

793   16. Doctrina synodi de statu felicis innocentiae, qualem 1516
eum repraesentat in Adamo ante peccatum, complectentem (1379)
non modo integritatem, sed et iustitiam interiorem cum impulsu in Deum per amorem caritatis, atque p r i m a e v a m
s a n c t i t a t e m aliqua ratione post lapsum restitutam; quatenus complexive accepta innuit, statum illum sequelam fuisse
creationis, debitum ex naturali exigentia et conditione humanae naturae, n o n g r a t u i t u m Dei beneficium: falsa,
alias damnata in Baio [v. n. 1001 sqq] et Quesnellio [v. n. 1384 sqq],
erronea, favens haeresi Pelagianae.

De *immortalitate* spectata ut *naturali* conditione hominis.

17. Propositio his verbis enuntiata: *Edocti ab Apostolo,* 1517
spectamus mortem non iam ut naturalem conditionem hominis,
sed revera ut iustam poenam culpae originalis; quatenus sub
nomine Apostoli subdole allegato insinuat, mortem, quae in
praesenti statu inflicta est velut iusta poena peccati per
iustam subtractionem immortalitatis, non fuisse naturalem
conditionem hominis, quasi i m m o r t a l i t a s n o n f u i s s e t
g r a t u i t u m beneficium, sed naturalis conditio: — captiosa,
temeraria, Apostolo iniuriosa, alias damnata.

De conditione hominis in statu *naturae*.

18. Doctrina synodi enuntians, *post lapsum Adami Deum* 1518
annuntiasse promissionem futuri liberatoris, et voluisse consolari
genus humanum per spem salutis, quam Iesus Christus allaturus
erat; tamen *Deum voluisse, ut genus humanum transiret per*
varios status, antequam veniret plenitudo temporum; ac primum
ut in statu naturae *homo r e l i c t u s p r o p r i i s l u m i n i b u s*
disceret de sua caeca ratione diffidere, et ex suis aberrationibus
moveret se ad desiderandum auxilium superioris luminis: doctrina, ut iacet, captiosa, atque intellecta de d e s i d e r i o a d-
i u t o r i i s u p e r i o r i s luminis in ordine ad salutem promissam per Christum, ad quod concipiendum homo relictis
suis propriis luminibus supponatur sese potuisse movere: —
suspecta, favens haeresi Semipelagianae.

De conditione hominis sub *lege*.

19. Item, quae subiungit, hominem sub lege, *cum esset* 1519
impotens ad eam observandam, praevaricatorem evasisse, non

*quidem culpa legis, quae sanctissima erat, sed culpa hominis,
qui sub lege sine gratia magis magisque praevaricator evasit:*
superadditque, *legem, si non sanavit cor hominis, effecisse, ut
sua mala cognosceret, et de sua infirmitate convictus desideraret
gratiam mediatoris;* qua parte generaliter innuit, hominem
praevaricatorem evasisse per inobservantiam legis, quam impotens esset observare, quasi *impossibile aliquid potuerit imperare, qui iustus est, aut damnaturus sit hominem
pro eo, quod non potuit evitare, qui pius est* (ex S. Caesario serm. 73,
in append. S. August. serm. 273, edit. Maurin.; ex S. August. de nat. et grat.
c. 43; De grat. et lib. arb. c. 16; Enarr. in psal. 56 n. 1): — falsa, scandalosa, impia, in Baio damnata.

1520   20. Qua parte datur intelligi, hominem sub lege sine
(1383) gratia potuisse concipere desiderium gratiae mediatoris ordinatum ad salutem promissam per Christum; quasi
non ipsa gratia faciat, ut invocetur a nobis (ex Conc. Araus. II
can. 3 [v. n. 176]): — propositio, ut iacet, captiosa, suspecta, favens
haeresi Semipelagianae.

De *gratia* illuminante et excitante.

1521   21. Propositio, quae asserit, *lumen gratiae, quando sit solum,
non praestare, nisi ut cognoscamus infelicitatem nostri status et
gravitatem nostri mali; gratiam in tali casu producere eundem
effectum, quem lex producebat: ideo necesse esse, ut Deus creet
in corde nostro sanctum amorem, et inspiret sanctam delectationem contrariam amori in nobis dominanti; hunc amorem
sanctum, hanc sanctam delectationem esse proprie gratiam Iesu
Christi, inspirationem caritatis, qua cognita sancto amore faciamus; hanc esse illam radicem, e qua germinantur bona opera;
hanc esse gratiam Novi Testamenti, quae nos liberat a servitute peccati, constituit filios Dei;* quatenus intendat, eam
solam esse proprie gratiam Iesu Christi, quae creet
in corde sanctum amorem, et quae facit, ut faciamus, sive
etiam, qua homo liberatus a servitute peccati constituitur
filius Dei; et non sit etiam proprie gratia Christi ea gratia,
qua cor hominis tangitur per illuminationem Spiritus Sancti
(Trid. sess. 6, c. 5 [v. n. 797]), nec vera detur interior gratia Christi,
cui resistitur: — falsa, captiosa, inducens in errorem in
secunda propositione Iansenii damnatum ut haereticum, eumque renovans [v. n. 1093].

De *fide* velut *prima* gratia.

1522   22. Propositio, quae innuit fidem, *a qua incipit series gratiarum, et per quam velut primam vocem vocamur ad salutem*

et Ecclesiam, esse ipsammet excellentem virtutem fidei, qua
homines fideles nominantur et sunt; perinde ac prior non
esset gratia illa, quae, *ut praevenit voluntatem, sic prae-*
venit et fidem (ex S. August. de dono persev. c. 16, n. 41): — suspecta
de haeresi, eamque sapiens, alias in Quesnellio damnata,
erronea [v. n. 1377].

De *duplici amore*.

23. Doctrina synodi de duplici amore dominantis cupidi- 1523
tatis et caritatis dominantis enuntians, hominem sine (1386
gratia esse sub virtute peccati ipsumque in eo statu per
generalem cupiditatis dominantis influxum omnes suas actiones
inficere et corrumpere; quatenus insinuat, in homine, dum
est sub servitute sive in statu peccati, destitutus gratia illa,
qua liberatur a servitute peccati et constituitur filius Dei,
sic dominari cupiditatem, ut per generalem huius influxum omnes illius actiones in se inficiantur et corrumpantur,
aut opera omnia, quae ante iustificationem fiunt, quacunque
ratione fiant, sint peccata; quasi in omnibus suis actibus
peccator serviat dominanti cupiditati: — falsa, perniciosa, inducens in errorem a TRIDENTINO damnatum ut haereticum,
iterum in Baio damnatum art. 40 [v. n. 817 1040].

24. Qua vero parte inter dominantem cupiditatem et cari- 1524
tatem dominantem nulli ponuntur affectus medii, a natura ipsa insiti suapteque natura laudabiles, qui una cum
amore beatitudinis naturalique propensione ad bonum *re-*
manserunt velut extrema lineamenta et reliquiae imaginis Dei
(ex S. August. de spir. et litt. c. 28); perinde ac si *inter dilectionem*
divinam, quae nos perducit ad regnum, et dilectionem humanam
illicitam, quae damnatur, non daretur *dilectio humana*
licita, quae non reprehenditur (ex S. August. serm. 349 de car.,
edit. Maurin.): — falsa, alias damnata.

De *timore servili*.

25. Doctrina, quae timorem poenarum generatim perhibet 1525
dumtaxat non posse dici malum, si saltem pertingit ad cohiben-
dam manum; quasi timor ipse gehennae, quam fides
docet peccato infligendam, non sit in se bonus et utilis,
velut donum supernaturale ac motus a Deo inspiratus praeparans ad amorem iustitiae: — falsa, temeraria, perniciosa,
divinis donis iniuriosa, alias damnata, contraria doctrinae
Concilii TRIDENTINI [v. n. 898], tum et communi Patrum
sententiae, *opus esse,* iuxta consuetum ordinem praeparationis

ad iustitiam, *ut intret timor primo, per quem veniat caritas:
timor medicamentum, caritas sanitas* (ex S. August. in [I.] epist.
Io. c. 4, tract. 9; In Io. evang. tract. 41, n. 10; Enarr. in psalm. 127, n. 7;
Serm. 157 de verbis Apost. n. 13; Serm. 161 de verbis Apost. n. 8; Serm. 349
de caritate n. 7).

De poena *decedentium* cum solo originali.

1526   **26.** Doctrina, quae velut fabulam Pelagianam explodit
(1389) locum illum inferorum (quem limbi puerorum nomine
fideles passim designant), in quo animae decedentium cum
sola originali culpa poena damni citra poenam ignis
puniantur; perinde ac si hoc ipso, quod, qui poenam ignis
removent, inducerent locum illum et statum medium expertem
culpae et poenae inter regnum Dei et damnationem aeternam,
qualem fabulabantur Pelagiani: — falsa, temeraria, in scholas
catholicas iniuriosa.

[C. Errores] de sacramentis, ac primum de *forma*
sacramentali cum adiuncta conditione.

1527   **27.** Deliberatio synodi, quae praetextu adhaesionis ad ⁸⁴⁴
antiquos canones in casu dubii baptismatis propositum suum ⁸⁵⁷
declarat de omittenda formae conditionalis men-
tione: — temeraria, praxi, legi, auctoritati Ecclesiae contraria.

De participatione victimae in *sacrificio Missae.*

1528   **28.** Propositio synodi, qua, postquam statuit, *victimae* 938
participationem esse partem sacrificio essentialem, subiungit. *non
tamen se damnare ut illicitas Missas illas, in quibus adstantes
sacramentaliter non communicant; ideo quia isti participant,
licet minus perfecte, de ipsa victima, spiritu illam recipiendo;*
quatenus insinuat, ad sacrificii essentiam deesse
aliquid in eo sacrificio, quod peragatur sive nullo adstante,
sive adstantibus, qui nec sacramentaliter nec spiritualiter de
victima participant; et quasi damnandae essent ut illicitae
Missae illae, in quibus, solo sacerdote communicante,
nemo adsit, qui sive sacramentaliter sive spiritualiter communicet: — falsa, erronea, de haeresi suspecta eamque sapiens.

De ritus *consecrationis* efficacia.

1529   **29.** Doctrina synodi, qua parte tradere instituens fidei
doctrinam de ritu consecrationis remotis quaestionibus scho-

lasticis circa modum, quo Christus est in Eucharistia, a quibus
parochos docendi munere fungentes abstinere hortatur, duobus his tantum propositis: 1) Christum post consecrationem
vere, realiter, substantialiter esse sub speciebus; 2) tunc
omnem panis et vini substantiam cessare, solis remanentibus
speciebus, prorsus omittit ullam mentionem facere
transsubstantiationis seu conversionis totius substantiae
panis in corpus, et totius substantiae vini in sanguinem, quam
velut articulum fidei TRIDENTINUM Concilium definivit
[v. n. 877 884], et quae in sollemni fidei professione continetur
[v. n. 997]; quatenus per inconsultam istiusmodi suspiciosamque
omissionem notitia subtrahitur tum articuli ad fidem per-
tinentis, tum etiam vocis ab Ecclesia consecratae ad illius
tuendam professionem adversus haereses, tenditque adeo ad
eius oblivionem inducendam, quasi ageretur de quaestione mere scholastica: — perniciosa, derogans expositioni
veritatis catholicae circa dogma transsubstantiationis, favens
haereticis.

De *applicatione fructus* sacrificii.

30. Doctrina synodi, qua, dum profitetur *credere, sacrificii* 1530
oblationem extendere se ad omnes, ita tamen, ut in liturgia fieri (1393)
possit specialis commemoratio aliquorum tam vivorum quam
defunctorum, precando Deum peculiariter pro ipsis, dein continuo subicit: *non tamen, quod credamus, in arbitrio esse sacer-*
dotis applicare fructus sacrificii cui vult, immo damnamus
hunc errorem velut magnopere offendentem iura Dei, qui solus
distribuit fructus sacrificii cui vult, et secundum mensuram,
quae ipsi placet: unde et consequenter traducit velut *falsam*
opinionem invectam in populum, quod illi, qui eleemosynam sub-
ministrant sacerdoti sub conditione, quod celebret unam Missam,
specialem fructum ex ea percipiant; sic intellecta, ut,
praeter peculiarem commemorationem et orationem, specialis
ipsa oblatio seu applicatio sacrificii, quae fit a sacerdote,
non magis prosit ceteris paribus illis, pro quibus applicatur,
quam aliis quibusque; quasi nullus specialis fructus proveniret
ex speciali applicatione, quam pro determinatis personis aut
personarum ordinibus faciendam commendat ac praecipit
Ecclesia, speciatim a pastoribus pro suis ovibus, quod velut
ex divino praecepto descendens a sacra TRIDENTINA
Synodo diserte est expressum (sess. 23, c. 1 de reform.; BENED. XIV
Constit. *«Cum semper oblatas»* § 2): — falsa, temeraria, perniciosa,
Ecclesiae iniuriosa, inducens in errorem alias damnatum in
Wicleffo.

De convenienti *ordine in cultu* servando.

1531 31. Propositio synodi enuntians, conveniens esse, pro
(1394) divinorum officiorum ordine et antiqua consuetudine, ut in
unoquoque templo u n u m t a n t u m sit a l t a r e, sibique adeo
placere morem illum restituere: — temeraria, perantiquo,
pio, multis abhinc saeculis in Ecclesia, praesertim Latina,
vigenti et probato mori iniuriosa.

1532 32. Item, praescriptio vetans, ne super altaria sacrarum
r e l i q u i a r u m t h e c a e f l o r e s v e apponantur: — temeraria,
pio ac probato Ecclesiae mori iniuriosa.

1533 33. Propositio synodi, qua cupere se ostendit, ut causae
tollerentur, per quas ex parte inducta est oblivio principiorum
ad liturgiae ordinem spectantium, *revocando illam ad m a i o-*
r e m r i t u u m s i m p l i c i t a t e m, eam vulgari lingua exponendo
et elata voce proferendo; quasi vigens ordo liturgiae ab Ecclesia receptus et probatus aliqua ex parte manasset ex oblivione principiorum, quibus illa regi debet: — temeraria,
piarum aurium offensiva, in Ecclesiam contumeliosa, favens
haereticorum in eam conviciis.

De *ordine poenitentiae.*

1534 34. Declaratio synodi, qua, postquam praemisit, o r d i n e m 894
p o e n i t e n t i a e c a n o n i c a e sic ad Apostolorum exemplum
ab Ecclesia statutum fuisse, ut esset communis omnibus, nec
tantum pro punitione culpae, sed praecipue pro dispositione
ad gratiam, subdit, se *in ordine illo mirabili et augusto totam*
agnoscere dignitatem sacramenti adeo necessarii, liberam a sub-
tilitatibus, quae ipsi decursu temporis adiunctae sunt; quasi per
ordinem, quo sine peracto canonicae poenitentiae cursu hoc
sacramentum per totam Ecclesiam administrari consuevit,
illius fuisset d i g n i t a s i m m i n u t a: — temeraria, scandalosa, inducens in contemptum dignitatis sacramenti, prout
per Ecclesiam totam consuevit administrari, Ecclesiae ipsi
iniuriosa.

1535 35. Propositio his verbis concepta: *Si caritas in principio*
semper debilis est, de via ordinaria ad obtinendum augmentum
huius caritatis oportet, ut sacerdos praecedere faciat eos actus
humiliationis et poenitentiae, qui fuerunt omni aetate ab Ec-
clesia commendati: redigere hos actus ad p a u c a s o r a t i o n e s
aut ad aliquod i e i u n i u m p o s t i a m c o l l a t a m a b s o l u-
t i o n e m, videtur potius materiale desiderium conservandi huic
sacramento nudum nomen poenitentiae, quam medium illuminatum

et aptum ad augendum illum fervorem caritatis, qui debet prae-
cedere absolutionem; longe quidem absumus ab improbanda praxi
imponendi poenitentias etiam post absolutionem adimplendas: si
omnia nostra bona opera semper adiunctos habent nostros de-
fectus, quanto magis vereri debemus, ne plurimas imperfectiones
admiserimus in difficillimo et magni momenti opere nostrae re-
conciliationis; quatenus innuit, poenitentias, quae imponuntur
adimplendae post absolutionem, spectandas potius esse
velut supplementum pro defectibus admissis in opere nostrae
reconciliationis, quam ut poenitentias vere sacramentales et
satisfactorias pro peccatis confessis; quasi, ut vera ratio
sacramenti, non nudum nomen servetur, oporteat de via
ordinaria, ut actus humiliationis et poenitentiae, qui imponuntur per modum satisfactionis sacramentalis, praecedere
debeant absolutionem: — falsa, temeraria, communi praxi
Ecclesiae iniuriosa, inducens in errorem haereticali nota in
Petro de Osma confixum [v. n. 728].

De *praevia necessaria dispositione* pro admittendis poenitentibus ad reconciliationem.

36. Doctrina synodi, qua, postquam praemisit, *quando* 1536
habebuntur signa non aequivoca amoris Dei dominantis in corde (1399)
hominis, posse illum merito iudicari dignum, qui admittatur ad
participationem sanguinis Iesu Christi, quae fit in sacramentis,
subdit, *supposititias conversiones, quae fiunt per*
attritionem, nec efficaces esse solere nec durabiles, consequenter *pastorem animarum debere insistere signis non aequi-*
vocis caritatis dominantis, antequam admittat suos poenitentes
ad sacramenta; quae signa, ut deinde tradit, *pastor deducere*
poterit ex stabili cessatione a peccato et fervore in operibus
bonis; quem insuper *fervorem caritatis* perhibet velut dispositionem, quae *debet praecedere absolutionem;* sic intellecta,
ut non solum contritio imperfecta, quae passim attritionis
nomine donatur, etiam quae iuncta sit cum dilectione, qua
homo incipit diligere Deum tanquam omnis iustitiae fontem,
nec modo contritio caritate formata, sed et fervor caritatis dominantis, et ille quidem diuturno experimento
per fervorem in operibus bonis probatus, generaliter et absolute requiratur, ut homo ad sacramenta et speciatim
poenitentes ad absolutionis beneficium admittantur: — falsa,
temeraria, quietis animarum perturbativa, tutae ac probatae
in Ecclesia praxi contraria, sacramenti efficaciae detrahens
et iniuriosa.

De *auctoritate absolvendi*.

1537   37. Doctrina synodi, quae de auctoritate absolvendi ac-
(1400) cepta per ordinationem enuntiat, *post institutionem dioecesium et parochiarum conveniens esse, ut quisque iudicium hoc exerceat super personas sibi subditas sive ratione territorii sive iure quodam personali,* propterea quod *aliter confusio induceretur et perturbatio;* quatenus post institutas dioeceses et parochias enuntiat tantummodo, *conveniens esse ad praecavendam confusionem, ut absolvendi potestas exerceatur super subditos;* sic intellecta, tanquam ad validum usum huius potestatis non sit necessaria ordinaria vel subdelegata illa iurisdictio, sine qua TRIDENTINUM declarat, nullius momenti esse absolutionem a sacerdote prolatam: — falsa, temeraria, perniciosa, TRIDENTINO contraria et iniuriosa, erronea [v. n. 902].

1538   38. Item, doctrina, qua postquam synodus professa est, *se non posse non admirari illam adeo venerabilem disciplinam antiquitatis, quae* (ut ait) *ad poenitentiam non ita facile et forte nunquam eum admittebat, qui post primum peccatum et primam reconciliationem relapsus esset in culpam,* subiungit, *per timorem perpetuae exclusionis a communione et pace, etiam in articulo mortis, magnum frenum illis iniectum iri, qui parum considerant malum peccati et minus illud timent:* — contraria can. 13 Concilii NICAENI I [v. n. 57], decretali INNOCENTII I ad Exuperium Tolos. [v. n. 95], tum et decretali COELESTINI I ad episcopos Vienn. et Narbonen. provinciae [v. n. 111], redolens pravitatem, quam in ea decretali sanctus Pontifex exhorret [v. n. 95].

De peccatorum *venialium* confessione.

1539   39. Declaratio synodi de peccatorum venialium confessione, quam optare se ait non tantopere frequentari, ne nimium contemptibiles reddantur huiusmodi confessiones: — temeraria, perniciosa, sanctorum ac piorum praxi a sacro Concilio TRIDENTINO probatae contraria [v. n. 899].

De *indulgentiis*.

1540   40. Propositio asserens, *indulgentiam secundum suam prae-* 989 *cisam notionem aliud non esse quam remissionem partis eius poenitentiae, quae per canones statuta erat peccanti;* quasi indulgentia praeter nudam remissionem poenae canonicae non etiam valeat ad remissionem poenae temporalis pro peccatis actualibus debitae apud divinam iustitiam: — falsa, temeraria, Christi meritis iniuriosa, dudum in art. 19 Lutheri damnata [n. 759].

41. Item in eo, quod subditur, *scholasticos suis subtilitatibus* 1541 *inflatos invexisse thesaurum male intellectum meritorum Christi* (1404) *et Sanctorum, et clarae notioni absolutionis a poena canonica substituisse confusam et falsam applicationis meritorum;* quasi thesauri Ecclesiae, unde Papa dat indulgentias, non sint merita Christi et Sanctorum: — falsa, temeraria, Christi et Sanctorum meritis iniuriosa, dudum in art. 17 Lutheri damnata [n. 757; cf. n. 550 sqq].

42. Item in eo, quod superaddit, *luctuosius adhuc esse,* 1542 *quod chimaerea isthaec applicatio transferri volita sit in defunctos:* — falsa, temeraria, piarum aurium offensiva, in Romanos Pontifices et in praxim et sensum universalis Ecclesiae iniuriosa, inducens in errorem haereticali nota in Petro de Osma confixum [n. 729], iterum damnatum in art. 22 Lutheri [n. 762].

43. In eo demum, quod impudentissime invehitur in tabellas 1543 indulgentiarum, altaria privilegiata etc.: — temeraria, piarum aurium offensiva, scandalosa, in summos Pontifices atque in praxim tota Ecclesia frequentatam contumeliosa.

De *reservatione casuum.*

894 44. Propositio synodi asserens, *reservationem casuum nunc* 1544 *temporis aliud non esse quam improvidum ligamen pro inferioribus sacerdotibus, et sonum sensu vacuum pro poenitentibus assuetis non admodum curare hanc reservationem:* — falsa, temeraria, male sonans, perniciosa, Concilio TRIDENTINO contraria [v. n. 903], superioris hierarchicae potestatis laesiva.

45. Item, de spe, quam ostendit fore, *ut reformato rituali* 1545 *et ordine poenitentiae nullum amplius locum habiturae sint huiusmodi reservationes;* prout attenta generalitate verborum innuit, per reformationem ritualis et ordinis poenitentiae factam ab episcopo vel synodo aboleri posse casus, quos TRIDENTINA Synodus (sess. 14, c. 7 [n. 903]) declarat Pontifices maximos potuisse pro suprema potestate sibi in universa Ecclesia tradita peculiari suo iudicio reservare: — propositio falsa, temeraria, Concilio TRIDENTINO et summorum Pontificum auctoritati derogans et iniuriosa.

De *censuris.*

46. Propositio asserens, *effectum excommunicationis* 1546 *exteriorem dumtaxat esse, quia tantummodo natura sua excludit*

ab exteriore communicatione Ecclesiae; quasi excommunicatio
non sit poena spiritualis, ligans in coelo, animas ob-
ligans (ex S. August. epist. 250 Auxilio Episcopo; Tract. 50 in Io. n. 12): —
falsa, perniciosa, in art. 23 Lutheri damnata [n. 763], ad minus erronea.

1547
(1410) 47. Item, quae tradit, necessarium esse iuxta leges naturales et divinas, ut sive ad excommunicationem sive ad sus-
pensionem praecedere debeat examen personale; atque adeo
sententias dictas *ipso facto* non aliam vim habere,
nisi seriae comminationis sine ullo actuali effectu: — falsa,
temeraria, perniciosa, Ecclesiae potestati iniuriosa, erronea.

1548 48. Item, quae pronuntiat, *inutilem ac vanam esse formulam
nonnullis abhinc saeculis inductam absolvendi generaliter
ab excommunicationibus, in quas fidelis incidere potuisset:* — falsa, temeraria, praxi Ecclesiae iniuriosa.

1549 49. Item, quae damnat ut nullas et invalidas *suspensiones
ex informata conscientia:* — falsa, perniciosa, in TRI-
DENTINUM iniuriosa.

1550 50. Item, in eo, quod insinuat, soli episcopo fas non
esse uti potestate, quam tamen ei defert TRIDENTINUM
(sess. 14, c. 1 de reform.), suspensionis *ex informata conscientia*
legitime infligendae: — iurisdictionis praelatorum Ecclesiae
laesiva.

De *ordine*.

1551 51. Doctrina synodi, quae perhibet, in promovendis ad ₉₅₇
ordines hanc de more et instituto veteris disciplinae rationem
servari consuevisse, *ut si quis clericorum distinguebatur sanctitate vitae, et dignus aestimabatur, qui ad ordines sacros
ascenderet, ille solitus erat promoveri ad diaconatum vel sacerdotium, etiamsi inferiores ordines non suscepisset; neque
tum talis ordinatio dicebatur per saltum, ut postea dictum est.*

1552 52. Item, quae innuit, non alium titulum ordinationum
fuisse, quam deputationem ad aliquod speciale ministerium, qualis praescripta est in Concilio CHALCEDO-
NENSI; subiungens, quamdiu Ecclesia sese his principiis in
delectu sacrorum ministrorum conformavit, ecclesiasticum
ordinem floruisse; verum beatos illos dies transiisse, novaque
principia subinde introducta, quibus corrupta fuit disciplina
in delectu ministrorum sanctuarii.

1553 53. Item, quod inter haec ipsa corruptionis principia refert,
quod recessum sit a vetere instituto, quo, ut ait, Ecclesia
insistens Apostoli vestigiis neminem ad sacerdotium admittendum statuerat, nisi qui conservasset innocentiam

baptismalem: quatenus innuit, corruptam fuisse disciplinam
per decreta et instituta:

1) Sive quibus ordinationes per saltum vetitae sunt.

2) Sive quibus pro ecclesiarum necessitate et commoditate
probatae sunt ordinationes sine titulo specialis officii,
velut speciatim a TRIDENTINO ordinatio ad titulum patri-
monii, salva oboedientia, qua sic ordinati ecclesiarum necessitatibus deservire debent iis obeundis officiis, quibus pro
loco ac tempore ab episcopo admoti fuerint, quemadmodum
ab apostolicis temporibus in primitiva Ecclesia fieri consuevit.

3) Sive quibus iure canonico facta est criminum distinctio,
quae delinquentes reddunt irregulares; quasi per hanc
distinctionem Ecclesia recesserit a spiritu Apostoli, non ex-
cludendo generaliter et indistincte ab ecclesiastico ministerio
omnes quoscunque, qui baptismalem innocentiam non con
servassent: — doctrina singulis suis partibus falsa, temeraria,
ordinis pro ecclesiarum necessitate et commoditate inducti
perturbativa, in disciplinam per canones et speciatim per
TRIDENTINI decreta probatam iniuriosa.

54. Item, quae velut turpem abusum notat, unquam prae- 1554
tendere eleemosynam pro celebrandis Missis et sacramentis (1417)
administrandis, sicuti et accipere quemlibet proventum dictum
stolae et generatim quodcunque stipendium et hono-
rarium, quod suffragiorum aut cuiuslibet parochialis functionis
occasione offerretur; quasi turpis abusus crimine notandi
essent ministri Ecclesiae, dum secundum receptum et probatum Ecclesiae morem et institutum utuntur iure promulgato
ab Apostolo accipiendi temporalia ab his, quibus spiritualia
ministrantur: — falsa, temeraria, ecclesiastici ac pastoralis
iuris laesiva, in Ecclesiam eiusque ministros iniuriosa.

55. Item, qua vehementer optare se profitetur, ut aliqua 1555
ratio inveniretur minutuli cleri (quo nomine inferiorum
ordinum clericos designat) a cathedralibus et collegiatis sub-
movendi, providendo aliter, nempe per probos et provectioris
aetatis laicos, congruo assignato stipendio, ministerio inserviendi Missis et aliis officiis velut acolythi etc., ut olim,
inquit, fieri solebat, quando eius generis officia non ad meram
speciem pro maioribus ordinibus suscipiendis redacta erant;
quatenus reprehendit institutum, quo cavetur, ut *minorum
ordinum functiones per eos tantum praestentur exerce-
anturve, qui in illis constituti adscriptive sunt* (Conc. prov. IV
Mediol.), idque ad mentem TRIDENTINI (sess. 23, c. 17), *ut
sanctorum ordinum a diaconatu ad ostiariatum functiones ab
apostolicis temporibus in Ecclesia laudabiliter receptae et in*

pluribus locis aliquamdiu intermissae iuxta sacros canones re-
vocentur, nec ab haereticis tanquam otiosae traducantur: —
suggestio temeraria, piarum aurium offensiva, ecclesiastici
ministerii perturbativa, servandae quoad fieri potest in celebrandis mysteriis decentiae imminutiva, in minorum ordinum
munera et functiones, tum in disciplinam per canones et
speciatim per TRIDENTINUM probatam iniuriosa, favens
haereticorum in eam conviciis et calumniis.

1556 56. Doctrina, quae statuit, conveniens videri in **i m p e d i-**
(1419) **mentis canonicis**, quae proveniunt ex delictis in iure
expressis, ullam unquam nec concedendam nec admittendam
esse dispensationem: — aequitatis et moderationis canonicae
a sacro Concilio TRIDENTINO probatae laesiva, auctoritati
et iuribus Ecclesiae derogans.

1557 57. Praescriptio synodi, quae generaliter et indiscriminatim
velut abusum reicit quamcunque dispensationem, ut plus
quam unum **residentiale beneficium** uni eidemque
conferatur; item, in eo quod subiungit, certum sibi esse
iuxta Ecclesiae spiritum plus quam uno beneficio tametsi
simplici neminem frui posse: — pro sua generalitate, derogans moderationi TRIDENTINI (sess. 7, c. 5 et sess. 24, c. 17).

De *sponsalibus* et *matrimonio*.

1558 58. Propositio, quae statuit, **sponsalia** proprie dicta 969
actum mere civilem continere, qui ad matrimonium cele-
brandum disponit, eademque **civilium** legum praescripto
omnino subiacere; quasi actus disponens ad sacramentum
non subiaceat sub hac ratione iuri Ecclesiae: — falsa, iuris
Ecclesiae quoad effectus etiam e sponsalibus vi canonicarum
sanctionum profluentes laesiva, disciplinae ab Ecclesia constitutae derogans [cf. n. 2066].

1559 59. Doctrina synodi asserens, *ad supremam civilem po-*
testatem dumtaxat originarie spectare, contractui matrimonii
apponere impedimenta eius generis, quae ipsum nullum
reddunt dicunturque dirimentia; quod *ius originarium* praeterea
dicitur cum *iure dispensandi essentialiter conexum;* subiungens,
supposito assensu vel coniventia principum, potuisse Ecclesiam
iuste constituere impedimenta dirimentia ipsum contractum matri-
monii; quasi **Ecclesia** non semper potuerit ac possit in
Christianorum matrimoniis **iure proprio impedimenta**
constituere, quae matrimonium non solum impediant,
sed et nullum reddant quoad vinculum, quibus Christiani
obstricti teneantur etiam in terris infidelium, in eisdemque

dispensare: canonum 3 4 9 12 sessionis 24 Concilii TRI-
DENTINI eversiva, haeretica [n. 973 sqq].

60. Item rogatio synodi ad potestatem civilem, ut *e numero* 1560
impedimentorum tollat cognationem spiritualem atque (1423)
illud, quod dicitur publicae honestatis, quorum origo re-
peritur in collectione Iustiniani; tum ut *restringat impedimentum*
affinitatis et cognationis, ex quacunque licita aut illicita con-
iunctione provenientis, ad quartum gradum iuxta civilem com-
putationem per lineam lateralem et obliquam; ita tamen, ut
spes nulla relinquatur dispensationis obtinendae; quatenus civili
potestati ius attribuit sive abolendi sive restringendi
impedimenta Ecclesiae auctoritate constituta vel comprobata;
item qua parte supponit, Ecclesiam per potestatem civilem
spoliari posse iure dispensandi super impedimentis ab ipsa
constitutis vel comprobatis: — libertatis ac potestatis Ecclesiae subversiva, TRIDENTINO contraria, ex haereticali
supra damnato principio profecta [v. n. 973 sqq].

[D. Errores] de officiis, exercitationibus, institutionibus
ad religiosum cultum pertinentibus.

Et primum de *adoranda humanitate* Christi.

61. Propositio, quae asserit, *adorare directe humanitatem* 1561
Christi, magis vero aliquam eius partem, fore semper honorem
divinum datum creaturae; quatenus per hoc verbum *directe*
intendat reprobare adorationis cultum, quem fideles dirigunt
ad humanitatem Christi, perinde ac si talis adoratio, qua
humanitas ipsaque caro vivifica Christi adoratur,
non quidem propter se et tanquam nuda caro, sed prout
unita divinitati, foret honor divinus impertitus creaturae, et
non potius una eademque adoratio, qua Verbum incarnatum cum propria ipsius carne adoratur (ex Conc. CONSTPLT. II,
oec. V, can. 9 [n. 221; cf. n. 120]): — falsa, captiosa, pio ac debito
cultui humanitati Christi a fidelibus praestito ac praestando
detrahens et iniuriosa.

62. Doctrina, quae devotionem erga sacratis- 1562
simum Cor Iesu reicit inter devotiones, quas notat velut
novas, erroneas aut saltem periculosas; intellecta de hac
devotione, qualis est ab Apostolica Sede probata: — falsa,
temeraria, perniciosa, piarum aurium offensiva, in Apostolicam
Sedem iniuriosa.

63. Item, in eo, quod cultores Cordis Iesu hoc etiam 1563
nomine arguit, quod non advertant, sanctissimam carnem
Christi, aut eius partem aliquam, aut etiam humanitatem

totam cum separatione aut praecisione a divinitate adorari
non posse cultu latriae; quasi fideles Cor Iesu adorarent
cum separatione vel praecisione a divinitate,
dum illud adorant ut est cor Iesu, cor nempe personae
Verbi, cui inseparabiliter unitum est, ad eum modum, quo
exsangue corpus Christi in triduo mortis sine separatione
aut praecisione a divinitate adorabile fuit in sepulcro: —
captiosa, in fideles Cordis Christi cultores iniuriosa.

De ordine praescripto in *piis exercitationibus* obeundis.

1564 64. Doctrina, quae velut superstitiosam universe notat
(1427) *quamcunque efficaciam, quae ponatur in determinato numero*
precum et piarum salutationum; tanquam superstitiosa censenda esset efficacia, quae sumitur non ex numero in se
spectato, sed ex praescripto Ecclesiae certum numerum
precum vel externarum actionum praefinientis pro indulgentiis consequendis, pro adimplendis poenitentiis, et
generatim pro sacro et religioso cultu rite et ex ordine per-
agendo: — falsa, temeraria, scandalosa, perniciosa, pietati
fidelium iniuriosa, Ecclesiae auctoritati derogans, erronea.

1565 65. Propositio enuntians, *irregularem strepitum novarum*
institutionum, quae dictae sunt exercitia vel missiones ...,
forte nunquam aut saltem perraro eo pertingere, ut absolutam
conversionem operentur; et exteriores illos commotionis actus,
qui apparuere, nil aliud fuisse quam transeuntia naturalis con-
cussionis fulgura: — temeraria, male sonans, perniciosa,
mori pie ac salutariter per Ecclesiam frequentato et in verbo
Dei fundato iniuriosa.

De modo iungendae vocis populi cum voce Ecclesiae
in *precibus publicis.*

1566 66. Propositio asserens, *fore contra apostolicam praxim et*
Dei consilia, nisi populo faciliores viae pararentur vocem suam
iungendi cum voce totius Ecclesiae; intellecta de usu vulgaris
linguae in liturgicas preces inducendae: — falsa,
temeraria, ordinis pro mysteriorum celebratione praescripti
perturbativa, plurium malorum facile productrix.

De *lectione sacrae Scripturae.*

1567 67. Doctrina perhibens, a lectione sacrarum Scripturarum *nonnisi veram impotentiam excusare;* subiungens,
ultro se prodere obscurationem, quae ex huiusce praecepti

neglectu orta est super primarias veritates religionis: — falsa,
temeraria, quietis animarum perturbativa, alias in Quesnellio
damnata [n. 1429 sqq].

De proscriptis *libris* in Ecclesia publice legendis.

68. Laudatio, qua summopere synodus commendat Ques- 1568
n e l l i commentationes in Novum Testamentum, aliaque aliorum (1431)
Quesnellianis erroribus faventium opera, l i c e t p r o s c r i p t a,
eademque parochis proponit, ut ea tanquam solidis religionis
principiis referta in suis quisque paroeciis populo post reliquas functiones perlegant: — falsa, scandalosa, temeraria,
seditiosa, Ecclesiae iniuriosa, schisma fovens et haeresim.

De sacris *imaginibus*.

84   69. Praescriptio, quae generaliter et indistincte inter 1569
imagines ab Ecclesia auferendas, velut rudibus erroris occasionem praebentes, notat i m a g i n e s T r i n i t a t i s incomprehensibilis: — propter sui generalitatem, temeraria,
ac pio per Ecclesiam frequentato mori contraria, quasi nullae
exstent imagines sanctissimae Trinitatis communiter approbatae ac tuto permittendae (ex Brevi «*Sollicitudini nostrae*» BENE-
DICTI XIV anni 1745).

70. Item, doctrina et praescriptio generatim reprobans 1570
o m n e m s p e c i a l e m c u l t u m, quem alicui speciatim
imagini solent fideles impendere, et ad ipsam potius quam
ad aliam confugere: — temeraria, perniciosa, pio per Ecclesiam frequentato mori, tum et illi providentiae ordini iniuriosa, quo *ita Deus nec in omnibus memoriis Sanctorum ista
fieri voluit, qui dividit propria unicuique prout vult* (ex S. August.
epist. 78 clero. senioribus et universae plebi ecclesiae Hipponensis).

71. Item, quae vetat, ne imagines, praesertim beatae 1571
Virginis, ullis t i t u l i s d i s t i n g u a n t u r, praeterquam de-
nominationibus, quae sint analogae mysteriis, de quibus in
sacra Scriptura expressa fit mentio; quasi nec adscribi possent
imaginibus piae aliae denominationes, quas vel in ipsismet
publicis precibus Ecclesia probat et commendat: — temeraria,
piarum aurium offensiva, venerationi beatae praesertim Virgini debitae iniuriosa.

72. Item, quae velut abusum exstirpari vult morem, quo 1572
v e l a t a e a s s e r v a n t u r certae imagines: — temeraria, frequentato in Ecclesia et ad fidelium pietatem fovendam inducto mori contraria.

De *festis*.

1573   73. Propositio enuntians, n o v o r u m f e s t o r u m i n s t i t u-
(1436) t i o n e m ex neglectu in veteribus observandis et ex falsis
notionibus naturae et finis earundem sollemnitatum originem
duxisse : — falsa, temeraria, scandalosa, Ecclesiae iniuriosa,
favens haereticorum in dies festos per Ecclesiam celebratos
conviciis.

1574   74. Deliberatio synodi de t r a n s f e r e n d i s in d i e m
d o m i n i c u m festis per annum. institutis, idque pro iure,
quod persuasum sibi esse ait episcopo competere super disciplinam ecclesiasticam in ordine ad res mere spirituales :
ideoque et p r a e c e p t u m M i s s a e a u d i e n d a e abrogandi
diebus, in quibus ex pristina Ecclesiae lege viget etiamnum
id praeceptum ; tum etiam in eo, quod superaddit de trans-
ferendis in Adventum episcopali auctoritate ieiuniis per annum
ex Ecclesiae praecepto servandis ; quatenus adstruit, e p i-
s c o p o f a s e s s e iure proprio transferre dies ab Ecclesia
praescriptos pro festis ieiuniisve celebrandis, aut indictum
[*al.* inductum] Missae audiendae praeceptum abrogare : — propositio falsa, iuris Conciliorum generalium et summorum
Pontificum laesiva, scandalosa, schismati favens.

De *iuramentis*.

1575   75. Doctrina, quae perhibet, beatis temporibus nascentis
Ecclesiae iuramenta visa esse a documentis divini praeceptoris
atque ab aurea evangelica simplicitate adeo aliena, ut *ipsummet
iurare sine extrema et ineluctabili necessitate reputatus fuisset
actus irreligiosus, homine christiano indignus;* insuper
*continuatam Patrum seriem demonstrare iuramenta communi
sensu pro vetitis habita fuisse;* indeque progreditur ad improbanda iuramenta, quae curia ecclesiastica, iurisprudentiae
feudalis, ut ait, normam secuta, in investituris et in sacris
ipsis episcoporum ordinationibus adoptavit ; statuitque, adeo
implorandam a saeculari potestate legem pro abolendis iura-
mentis, quae in curiis etiam ecclesiasticis exiguntur pro suscipiendis muniis et officiis et generatim pro omni actu curiali :
— falsa, Ecclesiae iniuriosa, iuris ecclesiastici laesiva, disciplinae per canones inductae et probatae subversiva.

De *collationibus ecclesiasticis*.

1576   76. Insectatio, qua synodus s c h o l a s t i c a m exagitat velut
eam, *quae viam aperuit inveniendis novis et inter se discor-*

*dantibus systematibus quoad veritates maioris pretii, ac demum
adduxit ad probabilismum et laxismum;* quatenus in schola-
sticam reicit privatorum vitia, qui abuti ea potuerunt aut
abusi sunt: — falsa, temeraria, in sanctissimos viros et
doctores, qui magno catholicae religionis bono scholasti-
cam excoluere, iniuriosa, favens infestis in eam haereticorum conviciis.

77. Item, in eo, quod subdit, *mutationem formae* 1577
regiminis ecclesiastici, qua factum est, ut ministri Ecclesiae in (1440)
*oblivionem venirent suorum iurium, quae simul sunt eorum
obligationes, eo demum rem adduxisse, ut obliterari faceret
primitivas notiones ministerii ecclesiastici et sollicitudinis pastoralis;* quasi per mutationem regiminis congruentem
disciplinae in Ecclesia constitutae et probatae obliterari unquam potuerit et amitti primitiva notio ecclesiastici ministerii pastoralisve sollicitudinis: — propositio falsa, temeraria,
erronea.

78. Praescriptio synodi de ordine rerum tractandarum 1578
in collationibus, qua, posteaquam praemisit, *in quolibet articulo
distinguendum id, quod pertinet ad fidem et ad essentiam religionis, ab eo, quod est proprium disciplinae,* subiungit, *in hac
ipsa* (disciplina) *distinguendum, quod est necessarium aut utile
ad retinendos in spiritu fideles, ab eo, quod est inutile aut
onerosius quam libertas filiorum novi foederis patiatur, magis
vero ab eo, quod est periculosum aut noxium, utpote inducens
ad superstitionem et materialismum;* quatenus pro generalitate
verborum comprehendat et praescripto examini subiciat etiam
disciplinam ab Ecclesia constitutam et probatam,
quasi Ecclesia, quae Spiritu Dei regitur, disciplinam constituere posset non solum inutilem et onerosiorem quam
libertas christiana patiatur, sed et periculosam, noxiam, in-
ducentem in superstitionem et materialismum: — falsa, temeraria, scandalosa, perniciosa, piarum aurium offensiva, Ecclesiae ac Spiritui Dei, quo ipsa regitur, iniuriosa, ad minus
erronea.

Convicia adversus aliquas sententias in *scholis catholicis* usque adhuc agitatas.

79. Assertio, quae conviciis et contumeliis insectatur sen- 1579
tentias in scholis catholicis agitatas, et de quibus
Apostolica Sedes nihil adhuc definiendum aut pronuntiandum
censuit: — falsa, temeraria, in scholas catholicas iniuriosa,
debitae apostolicis Constitutionibus oboedientiae derogans.

[E. Errores de reformatione regularium.]

De *tribus regulis*, fundamenti loco a synodo positis
pro reformatione regularium.

1580   80. Regula I, quae statuit universe et indiscriminatim:
(1443) *statum regularem aut monasticum natura sua componi
non posse cum animarum cura cumque vitae pastoralis muneribus, nec adeo in partem venire posse ecclesiasticae hierarchiae,
quin ex adverso pugnet cum ipsiusmet vitae monasticae principiis:* — falsa, perniciosa, in sanctissimos Ecclesiae Patres
et Praesules, qui regularis vitae instituta cum clericalis ordinis
muneribus consociarunt, iniuriosa, pio, vetusto, probato Ecclesiae mori summorumque Pontificum sanctionibus contraria:
quasi *monachi, quos morum gravitas et vitae ac fidei institutio
sancta commendat,* non rite, nec modo sine religionis offensione,
sed et cum multa utilitate Ecclesiae *clericorum officiis aggre-
gentur* (ex S. SIRICII epist. decret. ad Himerium Tarracon. c. 13 [n. 90]) [1].

1581   81. Item, in eo, quod subiungit, sanctos Thomam et
Bonaventuram sic in tuendis adversus summos homines
mendicantium institutis versatos esse, ut in eorum
defensionibus minor aestus, accuratio maior desideranda
fuisset: — scandalosa, in sanctissimos doctores iniuriosa,
impiis damnatorum auctorum contumeliis favens.

1582   82. Regula II, *multiplicationem ordinum ac diversi-
tatem naturaliter inferre perturbationem et confusionem,*
item, in eo quod praemittit, regularium *fundatores,* qui post
monastica instituta prodierunt, *ordines superaddentes ordinibus,
reformationes reformationibus, nihil aliud effecisse, quam pri-
mariam mali causam magis magisque dilatare;* intellecta de
ordinibus et institutis a Sancta Sede probatis, quasi distincta
piorum munerum varietas, quibus distincti ordines addicti
sunt, natura sua perturbationem et confusionem parere debeat: — falsa, calumniosa, in sanctos fundatores eorumque
fideles alumnos, tum et in ipsos summos Pontifices iniuriosa.

1583   83. Regula III, qua, postquam praemisit, *parvum corpus
degens intra civilem societatem, quin vere sit pars eiusdem
parvamque monarchiam figit in statu, semper esse periculosum,*
subinde hoc nomine criminatur *privata monasteria,*
communis instituti vinculo sub uno praesertim capite consociata, velut speciales totidem monarchias, civili reipublicae
periculosas et noxias: — falsa, temeraria, regularibus

---

[1] Adde URBANUM II in synodo Nemausen. 1096, can. 2 et 3.

institutis a Sancta Sede ad religionis profectum approbatis
iniuriosa, favens haereticorum in eadem instituta insectationibus et calumniis.

De *systemate* seu ordinationum complexione ducta ex
allatis regulis, et octo sequentibus articulis comprehensa,
pro reformatione regularium.

84. Art. I. *De uno dumtaxat ordine in Ecclesia re-* 1584
tinendo, ac de seligenda prae ceteris regula Sancti Benedicti, (1447)
cum ob sui praestantiam tum ob praeclara illius ordinis merita,
sic tamen, ut in his quae forte occurrent temporum conditioni
minus congrua, instituta vitae ratio apud Portum-Regium [1]
lucem praeferat ad explorandum, quid addere, quid detrahere
conveniat;

Art. II. *Ne compotes fiant ecclesiasticae hierarchiae, qui* 1585
se huic ordini adiunxerint; nec ad sacros ordines pro-
moveantur, praeterquam ad summum unus vel duo, initiandi
tanquam curati vel capellani monasterii, reliquis in simplici
laicorum ordine remanentibus;

Art. III. *Unum [tantum] in unaquaque civitate admittendum* 1586
monasterium, idque extra moenia civitatis in locis ab-
ditioribus et remotioribus collocandum;

Art. IV. *Inter occupationes vitae monasticae pars sua labori* 1587
manuum inviolate servanda, relicto tamen congruo tempore
psalmodiae impendendo, aut etiam si cui libuerit litterarum
studio; psalmodia deberet esse moderata, quia nimia eius pro-
lixitas parit praecipitantiam, molestiam, evagationem; quo plus
auctae sunt psalmodiae, orationes, preces, tantundem peraequa
proportione omni tempore imminutus fervor est sanctitasque
regularium;

Art. V. *Nulla foret admittenda distinctio monachos* 1588
inter sive choro, sive ministeriis addictos; inaequalitas isthaec
gravissimas omni tempore lites excitavit ac discordias, et a com-
munitatibus regularium spiritum caritatis expulit;

Art. VI. *Votum perpetuae stabilitatis nunquam* 1589
tolerandum; non illud norant veteres monachi, qui tamen Ec-
clesiae consolatio et christianismi ornamentum exstiterunt; vota
castitatis, paupertatis et oboedientiae non admitten-
tur instar communis et stabilis regulae. Si quis ea vota, aut
omnia, aut aliqua facere voluerit, consilium et veniam ab epi-

---

[1] Port-Royal in Gallia prope Paris.

27 *

*scopo postulabit, qui tamen nunquam permittet, ut perpetua sint,
nec anni fines excedent; tantummodo facultas dabitur ea re-
novandi sub iisdem conditiónibus;*

1590   Art. VII. *Omnem episcopus habebit inspectionem*
(1453) *in eorum vitam, studia, progressum in pietate; ad ipsum per-
tinebit monachos admittere et expellere, semper tamen accepto
contubernalium consilio;*

1591   Art. VIII. *Regulares ordinum, qui adhuc remanent, licet
sacerdotes, in hoc monasterium admitti etiam possent, modo in
silentio et solitudine propriae sanctificationi vacare cuperent;
quo casu dispensationi locus fieret in generali regula n. 2 statuta, sic tamen, ne vitae institutionem sequantur ab aliis dis-
crepantem, adeo ut non plus quam una aut ad summum
duae in diem Missae celebrentur, satisque ceteris sacerdotibus esse debeat una cum communitate concelebrare.*

Item *pro reformatione monialium.*

1592   *Vota perpetua usque ad annum 40 aut 45 non admittenda;
moniales solidis exercitationibus, speciatim labori, addicendae,
a carnali spiritualitate, qua pleraeque distinentur, avocandae;
expendendum, utrum, quod ad ipsas attinet, satius foret monasterium in civitate relinqui.*

Systema vigentis atque iam antiquitus probatae ac receptae
disciplinae subversivum, perniciosum, constitutionibus apostolicis et plurium Conciliorum, etiam generalium, tum speciatim TRIDENTINI sanctionibus oppositum et iniuriosum,
favens haereticorum in monastica vota et regularia instituta,
stabiliori consiliorum evangelicorum professioni addicta, conviciis et calumniis.

[F. Errores] *de nationali concilio convocando.*

1593   85. Propositio enuntians, qualemcunque cognitionem ec- *1736*
clesiasticae historiae sufficere, ut fateri quisque debeat, con-
vocationem concilii nationalis unam esse ex viis
canonicis, qua finiantur in ecclesia respectivarum nationum
controversiae spectantes ad religionem; sic intellecta, ut
controversiae ad fidem et mores spectantes in ecclesia quacunque subortae per nationale concilium irrefragabili iudicio
finiri valeant; quasi inerrantia in fidei et morum quaestionibus nationali concilio competeret: — schismatica,
haeretica.

Mandamus igitur omnibus utriusque sexus Christi 1594
fidelibus, ne de dictis propositionibus et doctrinis sentire, (1457)
docere, praedicare praesumant, contra quam in hac
nostra Constitutione declaratur: ita ut, quicunque illas
vel earum aliquam coniunctim vel divisim docuerit, de-
fenderit, ediderit aut de eis, etiam disputando, publice
vel privatim tractaverit, nisi forsitan impugnando, ecclesiasticis censuris aliisque contra similia perpetrantes a
iure statutis poenis ipso facto absque alia declaratione
subiaceat.

Ceterum, per hanc expressam praefatarum proposi- 1595
tionum et doctrinarum reprobationem alia in eodem
libro contenta nullatenus approbare intendimus:
cum praesertim in eo complures deprehensae fuerint
propositiones et doctrinae, sive illis, quae supra damnatae sunt, affines, sive quae communis ac probatae
cum doctrinae et disciplinae temerarium contemptum
tum maxime infensum in Romanos Pontifices et Apostolicam Sedem animum prae se ferunt. Duo vero
speciatim notanda censemus, quae de augustissimo sanc-
39 tissimae Trinitatis mysterio, § 2 decreti de fide, si
non pravo animo, imprudentius certe synodo exciderunt,
quae facile rudes praesertim et incautos in fraudem impellere valeant.

Primum, dum posteaquam rite praemisit, Deum in 1596
suo Esse unum et simplicissimum permanere, continuo
subiungens, ipsum Deum in tribus personis distingui,
perperam discedit a communi et probata in christianae
doctrinae institutionibus formula, qua Deus unus quidem
in tribus personis distinctis dicitur, non in tribus personis distinctus: cuius formulae commutatione hoc vi
verborum subrepit erroris periculum, ut essentia divina
distincta in personis putetur, quam fides catholica sic
unam in personis distinctis confitetur, ut eam simul profiteatur in se prorsus indistinctam.

Alterum quod de ipsismet tribus divinis personis tradit, 1597
eas secundum earum proprietates personales et in-
communicabiles exactius loquendo exprimi seu appellari
Patrem, Verbum et Spiritum Sanctum: quasi minus
propria et exacta foret appellatio Filii, tot Scripturae

locis consecrata, voce ipsa Patris e coelis et e nube
delapsa, tum formula baptismi a Christo praescripta,
tum et praeclara illa confessione, qua beatus ab ipsomet
Christo PETRUS est pronuntiatus; ac non potius retinendum esset, quod, edoctus ab Augustino, angelicus
praeceptor[1] vicissim ipse docuit, *in nomine Verbi eandem
proprietatem importari, quae in nomine Filii,* dicente
nimirum Augustino[2]: *Eo dicitur Verbum, quo Filius.*

1598   Neque silentio praetereunda insignis et fraudis plena
(1461) synodi temeritas, quae pridem improbatam ab Apostolica Sede conventus Gallicani declarationem
[n. 1313 sqq] anni 1682 ausa sit non amplissimis modo
laudibus exornare, sed, quo maiorem illi auctoritatem
conciliaret, eam in decretum *de fide* inscriptum insidiose
includere, articulos in illa contentos palam adoptare, et
quae sparsim per hoc ipsum decretum tradita sunt, horum
articulorum publica et sollemni professione obsignare.
Quo sane non solum gravior longe se nobis offert de
synodo, quam praedecessoribus Nostris fuerit de comitiis
illis expostulandi ratio, sed et ipsimet Gallicanae ecclesiae
non levis iniuria irrogatur, quam dignam synodus existima-
verit, cuius auctoritas in patrocinium vocaretur errorum,
quibus illud est contaminatum decretum.

1599   Quamobrem, quae acta conventus Gallicani,
mox ut prodierunt, praedecessor Noster venerabilis INNO-
CENTIUS XI per litteras in forma Brevis die 11. Aprilis
anni 1682, post autem expressius ALEXANDER VIII
Constitutione *«Inter multiplices»* die 4. Augusti anni 1690
[v. n. 1322 sqq] pro apostolici sui muneris ratione improbarunt,
resciderunt, nulla et irrita declararunt; multo fortius
exigit a nobis pastoralis sollicitudo, recentem horum
factam in synodo tot vitiis affectam adoptionem velut
temerariam, scandalosam ac praesertim post edita praedecessorum Nostrorum decreta huic Apostolicae Sedi
summopere iniuriosam reprobare ac damnare, prout
eam praesenti hac nostra Constitutione reprobamus et
damnamus ac pro reprobata et damnata haberi volumus.

---

[1] S. Thomas, Summa Theol. 1, q. 34, a. 2 ad 3.
[2] S. Augustinus, De Trinit. l. 7, c. 2 [ML 42 (Aug. VIII), 936].

PIUS VII 1800—1823.

De indissolubilitate matrimonii[1].

[Ex Brevi ad Carolum de Dalberg Archiepisc. Moguntinum, 8. Oct. 1803.]

969 *Summus Pontifex ad dubia sibi proposita respondet* 1600
inter alia: Sententiam laicorum tribunalium et acatholi- (1462)
corum conventuum, a quibus praesertim matrimoniorum
nullitas declaratur eorumque vinculi attentatur dis-
solutio, nullum robur vimque prorsus nullam penes
Ecclesiam consequi posse. . . .

Gravissimum commissuros scelus suumque sacrum 1601
ministerium praedituros esse eos parochos, qui has (1464)
nuptias sua praesentia probarent suaque benedictione
firmarent. Neque enim illae nuptiae dicendae sunt, sed
potius adulterina conubia. . . .

De versionibus s. Scripturae[2].

[Ex ep. «Magno et acerbo» ad archiepisc. Mohilovensem, 3. Sept. 1816.]

783 Magno et acerbo dolore confecti sumus, ubi accepimus 1602
exitiosum consilium haud ita primum susceptum, quo
sacratissimi Bibliorum libri novis ac praeter salu-
berrimas Ecclesiae regulas editis interpreta-
tionibus iisque callide in pravos sensus contortis
vernacula qualibet lingua passim pervulgantur. Namque
ab aliqua iam ex perlatis ad Nos huiusmodi versionibus
animadvertimus eam in purioris doctrinae sanctitatem
parari perniciem, ut facile fideles ex iis fontibus letale
ebibant venenum, ex quibus haurire debuissent *aquas
sapientiae salutaris* [Eccli 15, 3]. . . .

Obversari enim tibi debuisset ante oculos, quod con- 1603
stanter et praedecessores Nostri monuerunt, nimirum,
si sacra Biblia vulgari lingua passim sine discrimine
permittantur, plus inde detrimenti quam utilitatis oriri.
Porro Romana Ecclesia solam vulgatam editionem ex
notissimo TRIDENTINI Concilii praescripto [v. n. 785 sq]
suscipiens, aliarum linguarum versiones respuit, easque
tantum permittit quae cum adnotationibus ex Patrum

---

[1] RskMm II 86 sqq.   [2] ASS 9 (1876), 582 sqq.

et catholicorum doctorum scriptis opportune depromptis
eduntur, ne tantus thesaurus pateat novitatum corruptelis,
atque ut Ecclesia toto orbe diffusa sit labii
unius et sermonum eorundem.

1604   Sane cum in vernaculo sermone creberrimas animad-
vertamus vicissitudines, varietates commutationesque,
profecto ex immoderata biblicarum versionum licentia
immutabilitas illa convelleretur, quae divina decet testimonia, et fides ipsa nutaret, cum praesertim ex unius
syllabae ratione quandoque de dogmatis veritate dignoscatur. In id proinde pravas teterrimasque machinationes
suas conferre in more habuerunt haeretici, ut editis
vernaculis Bibliis (de quorum tamen mira varietate ac
discrepantia ipsi se invicem accusant et carpunt) suos
quisque errores sanctiore divini eloquii apparatu ob-
volutos per insidias obtruderent. «Non [neque] enim
natae sunt haereses, inquiebat S. Augustinus, nisi
dum Scripturae bonae intelliguntur non bene,
et quod in eis non bene intelligitur, etiam temere et
audacter asseritur.» [1] Quod si viros pietate et sapientia
spectatissimos in Scripturarum interpretatione haud raro
defecisse dolemus, quid non timendum, si imperito vulgo,
qui ut plurimum non delectu aliquo, sed temeritate
quadam iudicat, translatae in vulgarem quamcunque
linguam Scripturae libere pervolvendae traderentur? . . .

1605   Quare in celebri illa sua ad fideles ecclesiae Metensis
epistola sapienter omnino haec praecipit decessor Noster
INNOCENTIUS III: Arcana vero fidei sacramenta non
sunt passim omnibus exponenda, cum non passim
ab omnibus possint intelligi, sed ab eis tantum
qui ea fideli possunt concipere intellectu. Propter quod
simplicioribus, inquit Apostolus, *quasi parvulis in Christo
lac potum dedi vobis, non escam* [1 Cor 3, 2]. Maiorum
enim est solidus cibus, sicut aliis ipse dicebat: «*Sapientiam . . . loquimur inter perfectos*» [1 Cor 2, 6]; *inter vos
autem nihil iudicavi me scire, nisi Iesum Christum et
hunc crucifixum* [1 Cor 2, 2]. Tanta est enim divinae Scripturae profunditas, ut non solum simplices et illitterati,

---

[1] S. Augustinus, In Io. tr. 18, c. 1 [ML 35 (Aug. IIIb), 1536].

sed etiam prudentes et docti non plene sufficiant ad illius intelligentiam indagandam. Propter quod dicit Scriptura: Quia multi *«defecerunt scrutantes scrutinio»* [Ps 63, 7].

Unde recte fuit olim in lege divina statutum, ut bestia 1606 quae montem tetigisset lapidaretur [Hebr 12, 20; Ex 19, 12 sq], ne videlicet simplex aliquis et indoctus praesumat ad sublimitatem sacrae Scripturae pertingere vel eam aliis praedicare. Scriptum est enim: *«Altiora te ne quae-sieris»* [Eccli 3, 22]. Propter quod dicit Apostolus: *«Non plus sapere quam oportet sapere, sed sapere ad sobrie-tatem»* [Rom 12, 3]. At notissimae sunt non mox laudati INNOCENTII III solum, sed et PII IV, CLEMEN-TIS VIII et BENEDICTI XIV Constitutiones, quibus praecavebatur, ne, si ad liquidum cunctis pateret Scrip-tura, forte vilesceret et pateret despectui, aut prave intellecta a mediocribus, in errorem induceret. Sed, quae sit Ecclesiae mens de Scripturae lectione atque interpretatione, noscat luculentissime fraternitas tua ex praeclara alterius praedecessoris Nostri CLEMENTIS XI Constitutione «Unigenitus», qua illae doctrinae diserte improbantur, quibus utile ac necessarium asserebatur omni tempori, omni loco et omni personarum ge-neri cognoscere mysteria sacrae Scripturae, cuius lectio esse pro omnibus adstruebatur, damnosumque esse chri-stianum populum ab eodem retrahere, immo Christi os fidelibus obturari, cum ex ipsorum manibus Novum Testamentum abripiatur. [Prop. Quesnelli 79—85: n. 1439—1445.]

LEO XII 1823—1829.

De versionibus s. Scripturae [1].

[Ex Encycl. «Ubi primum», 5. Maii 1824.]

783 ... Hostium nostrorum iniquitas eousque progreditur, 1607 ut praeter colluviem perniciosorum librorum religioni per se infestam, in religionis detrimentum vertere nitantur etiam sacras Litteras ad religionis ipsius aedificationem divinitus nobis datas. Non vos latet,

---

[1] BRC 16, 47 b sq; ASS 9 (1876), 591 sq.

Venerabiles Fratres, *Societatem* quandam, dictam vulgo *biblicam,* per totum orbem audacter vagari, quae spretis sanctorum Patrum traditionibus, et contra notissimum TRIDENTINI Concilii decretum [v. n. 786], in id collatis viribus ac modis omnibus intendit, ut in vulgares linguas nationum omnium sacra vertantur vel potius pervertantur Biblia. . . .

1608   Ad quam pestem avertendam praedecessores Nostri plures ediderunt Constitutiones . . . [e. g. PIUS VII; v. n. 1602 sqq].

. . . Nos quoque pro apostolico Nostro munere hortamur vos, Venerabiles Fratres, ut gregem vestrum a letiferis hisce pascuis amovere omnimode satagatis. *Arguite, obsecrate, instate opportune importune in omni patientia et doctrina* [2 Tim 4, 2], ut fideles vestri regulis nostrae Indicis Congregationis adamussim inhaerentes sibi persuadeant, «si sacra Biblia vulgari lingua passim sine discrimine permittantur, plus inde ob hominum temeritatem detrimenti quam utilitatis oriri». Quam veritatem et experientia commonstrat, et praeter ceteros Patres declaravit S. Augustinus his verbis: «Non enim . . .» [v. n. 1604].

PIUS VIII 1829—1830.

De usura [1].

[Resp. PII VIII ad episc. Rhedonensem *datum in audientia,* 18. Aug. 1830.]

1609   Episcopus Rhedonensis in Gallia exponit . . ., non 147
(1470) eandem esse confessariorum suae dioecesis sententiam de lucro percepto ex pecunia negotiatoribus mutuo data, ut ea ditescant.

De sensu epistolae encyclicae *Vix pervenit* [v. n. 1475 sqq] acriter disputatur. Ex utraque parte momenta afferuntur ad tuendam eam, quam quisque amplexus est, sententiam, tali lucro faventem aut contrariam. Inde querelae, dissensiones, denegatio sacramentorum plerisque negotiatoribus isti ditescendi modo inhaerentibus, et innumera damna animarum.

---

[1] CL VI 681 sq; MThCc 16, 1066 sq.

Ut animarum damnis occurrant, nonnulli confessarii mediam inter utramque sententiam viam se posse tenere arbitrantur. Si quis ipsos consulat de istiusmodi lucro, illum ab eo deterrere conantur. Si poenitens perseveret in consilio pecuniam mutuo dandi negotiatoribus, et obiciat, sententiam tali mutuo faventem multos habere patronos et insuper non fuisse damnatam a Sancta Sede non semel ea de re consulta: tunc isti confessarii exigunt, ut poenitens promittat se filiali oboedientia obtemperaturum iudicio Summi Pontificis, si intercedat, qualecunque sit; nec, hac promissione obtenta, absolutionem denegant, quamvis probabiliorem credant opinionem contrariam tali mutuo. Si poenitens non confiteatur de lucro ex pecunia sic mutuo data, et videatur in bona fide: isti confessarii, etiamsi aliunde noverint ab eo perceptum esse aut etiam nunc percipi istiusmodi lucrum, eum absolvunt, nulla ea de re interrogatione facta, quando timent, ne poenitens admonitus restituere aut a tali lucro abstinere recuset.

Inquirit ergo dictus episcopus Rhedonensis: 1610
I. Utrum possit horum posteriorum confessariorum (1470) agendi rationem probare.

II. Utrum alios confessarios rigidiores ipsum adeuntes consulendi causa possit hortari, ut istorum agendi rationem sequantur, donec Sancta Sedes expressum ea de quaestione iudicium ferat.

Respondit PIUS VIII:
Ad I. Non esse inquietandos.
Ad II. Provisum in primo.

GREGORIUS XVI 1831—1846.

De usura[1].

[Declarationes circa responsum PII VIII supra allatum.]

A. Ad dubia episcopi Vivariensis: 1611
1. «An praefatum iudicium Sanctissimi Pontificis in- (1471) telligendum sit, ut verba ipsius sonant, et separatim a

---

[1] CL VI 689 cd; MThCc 16, 1073 1083.

titulo legis principis, de quo Eminentissimi Cardinales loquuntur in his responsis, ita ut unice agatur
de mutuo negotiatoribus facto.

2. An titulus ex lege principis, de quo Eminentissimi Cardinales, sic intelligendus sit, ut sufficiat legem
principis declarare, licitum esse cuique convenire de lucro
ex solo mutuo facto, sicut fit in codice civili Francorum,
quin dicat se concedere ius tale lucrum percipiendi.»

Congregatio S. Officii respondit 31. Aug. 1831:
Provisum in decretis feriae IV, d. 18. Aug. 1830
[n.1610], atque dentur decreta.

1612 *B. Ad dubium episcopi Nicaenensis:*
(1472)   «An poenitentes, qui moderatum lucrum solo
legis titulo ex mutuo dubia vel mala fide perceperunt,
absolvi sacramentaliter possint, nullo imposito restitu-
tionis onere, dummodo de patrato ob dubiam vel malam
fidem peccato sincere doleant, et filiali oboedientia parati
sint stare mandatis Sanctae Sedis.»

Congregatio S. Officii respondit 17. Ian. 1838:
Affirmative, dummodo parati sint stare mandatis
Sanctae Sedis[1].

De Indifferentismo contra Félicité de Lamennais[2].

[Ex Encycl. «Mirari vos arbitramur», 15. Aug. 1832.]

1613 Alteram nunc persequimur causam malorum uberri-
(1473) mam, quibus afflictari in praesens comploramus Ecclesiam,
indifferentismum scilicet, seu pravam illam opinionem, quae improborum fraude ex omni parte percrebuit,
qualibet fidei professione aeternam posse animae

---

[1] In eundem sensum responsum est a Sacra Poenitentiaria, 16. Sept.
1830, 14. Aug. 1831, 11. Nov. 1831, 11. Febr. 1832, 23. Nov. 1832, et
a S. Officio in resolutione 31. Aug. 1831 approbata a GREGORIO XVI;
cf. CL VI 677 sqq; MThCc 16, 1067 sqq.
[2] BRC 19, 129a sqq; ASS 4 (1868), 341 sqq; RskRP IV 100 sqq. —
Félicité de Lamennais natus 19. Iunii 1782 in Saint-Malo Britanniae
minoris simul cum Montalembert et Lacordaire condidit a. 1830 ephemerides «*L'Avenir*» pro vindicandis Ecclesiae iuribus, quas erroribus
infectas suspendere coactus est. Damnationi primo se subiecit, sed
postea Ecclesiam acriter impugnabat. Decessit Parisiis nullo signo
retractationis edito d. 27. Febr. 1854.

salutem comparari, si mores ad recti honestique normam
exigantur. . . . Atque ex hoc putidissimo indifferentismi
fonte absurda illa fluit ac erronea sententia seu potius
deliramentum, asserendam esse ac vindicandam cuilibet
libertatem conscientiae.

Cui quidem pestilentissimo errori viam sternit plena 1614
illa atque immoderata libertas opinionum, quae ⁽¹⁴⁷³⁾
in sacrae et civilis rei labem late grassatur, dictitantibus
per summam impudentiam nonnullis, aliquid ex ea com-
modi in religionem promanare. At quae peior mors
animae, quam libertas erroris? inquiebat Augustinus
(ep. 166). Freno quippe omni adempto, quo homines
contineantur in semitis veritatis, proruente iam in praeceps ipsorum natura ad malum inclinata, vere apertum
dicimus *puteum* abyssi, e quo vidit Ioannes [Apc 9, 3]
ascendere fumum, quo obscuratus est sol, locustis ex eo
prodeuntibus in vastitatem terrae. . . .

Neque laetiora et religioni et principatui ominari pos- 1615
semus ex eorum votis, qui Ecclesiam a regno se- ⁽¹⁴⁷⁴⁾
parari mutuamque imperii cum sacerdotio concordiam
abrumpi discupiunt. Constat quippe, pertimesci ab impudentissimae libertatis amatoribus concordiam illam,
quae semper rei et sacrae et civili fausta exstitit ac
salutaris. . . .

Eos imprimis affectu paterno complexi, qui ad sacras 1616
praesertim disciplinas et ad philosophicas quaestiones
animum appulere, hortatores auctoresque iisdem sitis,
ne solius ingenii sui viribus freti imprudenter a veritatis semita in viam abeant impiorum. Meminerint
*Deum esse sapientiae ducem emendatoremque sapien-
tium* [cf. Sap 7, 15], ac fieri non posse, ut sine Deo Deum
discamus, qui per Verbum docet homines scire Deum ¹.
Superbi seu potius insipientis hominis est, fidei mysteria, quae exsuperant omnem sensum, humanis
examinare ponderibus nostraeque mentis rationi
confidere, quae naturae humanae conditione debilis est
et infirma.

---

¹ Cf. S. Irenaeus, Contra haereses l. 4, c. 6 [MG 7, 986 C sqq].

De falsis doctrinis Felicitati de Lamennais [1].

[Ex Encycl. «Singulari nos affecerant gaudio» ad episcopos Galliarum,
25. Iunii 1834.]

1617 Ceterum lugendum valde est, quonam prolabantur
(1476) humanae rationis deliramenta, ubi quis novis rebus studeat
atque contra Apostoli monitum nitatur *plus sapere quam
oporteat sapere* [cf. Rom 12, 3], sibique nimium praefidens
veritatem quaerendam autumet extra catho-
licam Ecclesiam, in qua absque vel levissimo erroris
coeno ipsa invenitur, quaeque idcirco columna ac firma-
mentum veritatis appellatur et est. Probe autem intelligitis, Venerabiles Fratres, Nos hic loqui etiam de
fallaci illo haud ita pridem invecto philosophiae systemate plane improbando, quo ex proiecta et effrenata
novitatum cupiditate veritas, ubi certo consistit, non
quaeritur, sanctisque et apostolicis traditionibus posthabitis doctrinae aliae inanes, futiles incertaeque, nec
ab Ecclesia probatae adsciscuntur, quibus veritatem
ipsam fulciri ac sustineri vanissimi homines perperam
arbitrantur.

Damnatio operum Georgii Hermes [2].

[Ex Brevi «Dum acerbissimas», 26. Sept. 1835.]

1618 Ad augendas, quibus diu noctuque ob id [scil. perse- 179
(1486) cutiones Ecclesiae] premimur, angustias illud etiam calamito-

---

[1] BRC 19, 380 b; RskRP IV 127. — Cum Summus Pontifex litteris
encyclicis d. 15. Aug. 1832 doctrinam Felicitati Roberti de Lamennais
et ephemeridum dictarum *L'Avenir* damnasset, utpote quae ad tuendam
Ecclesiae libertatem rebellionem plenamque Ecclesiae a regno
separationem praedicaret, nonnullaque absona de viribus rationis
proferret, Lamennais quidem aliquatenus cedere visus est, paulo post
vero librum infamem, cui titulus *Paroles d'un croyant*, edidit. Pontifex
igitur hac in Encyclica librum damnat, conqueriturque vehementer, quod
contra prioris Encyclicae doctrinam iteratis vicibus debitam principibus
oboedientiam impugnaverit, indifferentismum omnimodamque libertatem
conscientiae docuerit. Tunc de fide et ratione ea addit, quae supra
allegantur.
[2] RskRP IV 150 sqq; ACol 227 sqq. — Georgius Hermes, natus
22. Apr. 1775 in vico Dreierwalde prope Rheine Westfaliae, 1807 Prof.
theologiae erat Monasterii, 1820 Bonnae, ubi 26. Maii 1831 mortuus
est. — Damnantur hoc Brevi *Introductionis in Theologiam Christiano-
Catholicam* pars 1 (philosophica) et 2 (theologica) [«Philosophische

sissimum ac summopere deplorandum accedit, quod inter
eos, qui pro religione editis operibus certant, nonnulli
simulate se intrudere audeant, qui similiter pro eadem
videri volunt et ostentant se dimicare, ut retenta religionis specie, veritate autem despecta, facilius possint
per philosophiam seu per vanas eorum philosophicas
commentationes et inanem fallaciam incautos seducere
atque pervertere, hinc et populos decipere fidentiusque
inimicis palam saevientibus adiutrices porrigere manus.
Quapropter, ut nobis impiae et insidiosae quorundam
horum scriptorum molitiones innotuerunt, non distu-
limus per nostras Encyclicas aliasque Apostolicas litteras
callida eorum et prava denuntiare consilia erroresque
damnare, simul et exitiales patefacere fraudes, quibus
divinam Ecclesiae constitutionem et ecclesiasticam disciplinam, immo et totum ipsum publicum ordinem
funditus evertere vaferrime contendunt. Et quidem tri-
stissimo facto comprobatum est, eos deposito tandem
simulationis velo perduellionis vexillum contra quamcunque a Deo constitutam potestatem alte
iam extulisse.

Verum non haec sola subest gravissima lugendi causa. 1619
Praeter enim eos, qui omnium catholicorum scandalo (1487)
se perduellibus devoverunt, ad amaritudinum nostrarum
cumulum in theologicum etiam studium prodire videmus,
qui novitatis cupidine et aestu *semper discentes et nunquam ad scientiam veritatis pervenientes* [2 Tim 3, 7],
magistri exsistunt erroris, quia veritatis discipuli non
fuerunt. Peregrinis quippe improbandisque doctrinis
sacra ipsi inficiunt studia et publicum etiam, si quod
tenent in scholis et academiis, docendi magisterium pro-
fanare non dubitant, ipsumque, quod tueri se iactant,
sacratissimum adulterare dignoscuntur fidei depositum. Atque inter huiusmodi erroris magistros ex

---

Einleitung in die christkatholische Theologie» (Monasterii 1819) et
«Positive Einl. in die christkath. Theol.» (ibid. 1829)] et *Dogmatices*
pars 1 [«Christkatholische Dogmatik» (Monasterii 1834)] decreto S. Congreg. Indicis d. 26. Sept. 1835 [Analecta Iuris Pont. II 1442 sq]. Summus
Pontifex d. 7. Ian. 1836 declarari mandavit, etiam partem 2 et 3 *Dogmatices* (Monasterii 1835) comprehendi decreto supradicto. PIUS IX
d. 25. Iulii 1847 utrumque decretum confirmavit.

constanti et fere communi per Germaniam fama ad-
numeratur Georgius Hermes, utpote qui audacter
a regio, quem universa traditio et SS. Patres in exponendis ac vindicandis fidei veritatibus tramitem stra-
vere, deflectens, quin et superbe contemnens et damnans,
tenebrosam ad errorem omnigenum viam moliatur in
dubio positivo tanquam basi omnis theologicae
inquisitionis et in principio, quod statuit, rationem
principem normam ac unicum medium esse, quo
homo assequi possit supernaturalium veritatum cognitionem. . . .

1620 Hos igitur libros tradi iussimus theologis Germanicae
(1487) linguae peritissimis omni ex parte diligentissime per-
scrutandos. . . . Tandem . . . *[Em^mi Card. Inquisitores]* omni
studio, prout rei gravitas postulabat, cuncta et singula
expendentes . . . diiudicarunt, *evanescere* auctorem *in
cogitationibus suis* [Rom 1, 21] pluraque in dictis operibus
contexere absurda et a doctrina catholicae Ecclesiae
aliena; praesertim vero circa naturam fidei et creden-
dorum regulam, circa sacram Scripturam, traditionem, revelationem et Ecclesiae magisterium, circa
motiva credibilitatis, circa argumenta, queis exsistentia
Dei adstrui confirmarique consuevit, circa ipsius Dei
essentiam, sanctitatem, iustitiam, libertatem, eiusdemque
finem in operibus, quae a theologis vocantur ad extra,
necnon circa gratiae necessitatem, eiusdemque ac
donorum distributionem, retributionem praemiorum, et
poenarum inflictionem, circa protoparentum statum,
peccatum originale, ac hominis lapsi vires; eosdemque libros tanquam continentes doctrinas et propositiones
respective falsas, temerarias, captiosas, in scepticismum
et indifferentismum inducentes, erroneas, scandalosas, in
catholicas scholas iniuriosas, fidei divinae eversivas, haeresim sapientes ac alias ab Ecclesia damnatas, prohibendos
et damnandos esse censuerunt.

1621 Nos itaque . . . praedictos libros, ubicunque et quocunque idiomate, seu quavis editione aut versione hucusque impressos aut in posterum, quod absit, imprimendos
tenore praesentium damnamus et reprobamus ac in indicem librorum prohibitorum referri mandamus.

De fide et ratione (contra Ludovic. Eug. Bautain)[1].

[Theses a Bautain subscriptae, 8. Sept. 1840.]

95   1. Ratiocinatio potest cum certitudine probare exsisten-1622
tiam Dei et infinitatem perfectionum eius. Fides, donum (1488)
coeleste, posterior est revelatione; hinc non potest allegari
contra atheum ad probandam Dei exsistentiam.

2. Divinitas revelationis Mosaicae probatur cum 1623
certitudine per traditionem oralem et scriptam synagogae
et christianismi.

3. Probatio ex miraculis Iesu Christi desumpta, 1624
sensibilis et percellens pro testibus ocularibus, vim suam et
fulgorem nequaquam amisit quoad generationes subsequentes.
Invenimus hanc probationem omni cum certitudine in authenticitate Novi Testamenti, in traditione orali et scripta omnium Christianorum. Hac duplici traditione debemus eam
[scil. revelationem] demonstrare iis, qui vel eam reiciunt vel
nondum admissam requirunt.

4. Non habemus ius requirendi ab incredulo, ut admittat 1625
resurrectionem divini Salvatoris nostri, priusquam illi pro-
posuerimus argumenta certa; et haec argumenta per
ratiocinationem ex eadem traditione deducuntur.

5. Quoad has quaestiones varias ratio fidem prae- 1626
cedit debetque ad eam nos conducere.

6. Quamvis debilis et obscura reddita sit ratio per pec- 1627
catum originale, remansit tamen in ea sat claritatis et
virtutis, ut ducat nos cum certitudine ad [cognoscendam]
exsistentiam Dei, ad revelationem factam Iudaeis per Moysen
et Christianis per adorabilem nostrum Hominem-Deum[2].

---

[1] Cf. ASS 3 (1867), 224. — Ludovicus Eug. Bautain, natus 1796
Parisiis, ab anno 1819 Professor Argentoratensis [Strassburg], cum
doctrinas quasdam de ratione et fide, a communibus sententiis ab-
sonas, protulisset, monitus est ab episcopo suo [de Trévern], qui et pastoralem instructionem hac de re edidit. GREGORIUS XVI Brevi d.
20. Sept. 1834 episcopi studium laudavit spemque expressit fore, ut
sacerdos ille a suis opinionibus desciscerer. Bautain, vir maxime ceteroquin meritus, laudabiliter se subiecit et 18. Nov. 1835 sex propositiones
orthodoxas subscripsit. Cum tamen periculum immineret, ne omnia eius
opera damnarentur, Romam ipse profectus opus suum praecipuum
«La Philosophie du christianisme» iudicio ecclesiastico subiecit atque
8. Sept. 1840 propositiones supra dictas, sed paulo mutatas, iterum subscripsit, quas ad verbum translatas (simul cum textu originali) exhibemus.
Cf. Dictionnaire de la Théologie, éd. Vacant-Mangenot, art. «Bautain»; De
Regny, L'abbé Bautain, Paris 1884, 289. — Mortuus est 18. Oct. 1867.
[2] Textus originalis a Bautain subscriptus hic est (quae a thesibus
prima vice subscriptis differunt, *typis italicis* exprimuntur): «1. Le
raisonnement peut prouver avec certitude l'existence de Dieu *et l'infinité*

De materia extremae unctionis [1].

[Ex Decr. S. Off. sub PAULO V, 13. Ian. 1611, et GREGORIO XVI, 14. Sept. 1842.]

1628
(1494)
1. Propositionem: «quod nempe sacramentum ex-9(
tremae unctionis oleo episcopali benedictione
non consecrato ministrari valide possit»
S. Off. 13. Ian. 1611 declaravit: esse temerariam et
errori proximam.

1629
2. Similiter ad dubium: an in casu necessitatis parochus ad validitatem sacramenti extremae unctionis uti
possit oleo a se benedicto,
S. Off. 14. Sept. 1842 respondit: negative ad formam
decreti feriae V coram SS. diei 13. Ian. 1611, *quam
resolutionem* GREGORIUS XVI *eadem die approbavit.*

---

de ses perfections. — La foi, don du ciel, est postérieure à la révélation;
elle ne peut donc pas être alléguée vis-à-vis d'un athée en preuve de
l'existence de Dieu. — 2. *La divinité* de la révélation mosaïque se prouve
avec certitude par la tradition orale et écrite de la synagogue et du
christianisme. — 3. La preuve *tirée des miracles de Jésus-Christ,* sensible
et frappant pour les témoins oculaires, n'a point perdu sa force et son
éclat vis-à-vis des générations subséquentes. Nous trouvons cette preuve
en toute certitude dans l'authenticité du Nouveau Testament, dans la
tradition orale et écrite de tous les Chrétiens. C'est par cette double
tradition que nous devons la démontrer à ceux qui la rejettent ou qui,
sans l'admettre encore, la désirent. — 4. On n'a pas le droit d'attendre
d'un incrédule qu'il admette la résurrection de notre divin Sauveur,
avant de lui en avoir administré des preuves certaines; et ces preuves
sont déduites de la même tradition par le raisonnement. — 5. *Sur ces
questions diverses la raison précède la foi et doit nous y conduire.* —
6. *Quelque faible et obscure que soit devenue la raison par le péché originel,
il lui reste assez de clarté et de force pour nous guider avec certitude à
l'existence de Dieu, à la révélation* faite aux Juifs par Moïse, et aux
chrétiens par notre adorable Homme-Dieu.» — Denique 26. Apr. 1844
cum coetum religiosum fundare in animo haberet, a S. C. Ep. et
Reg. iussus est subscribendo promittere: «1. De ne jamais enseigner
qu'avec les seules lumières de la droite raison, abstraction faite de la
révélation divine, on ne puisse donner une véritable démonstration
de l'existence de Dieu. — 2. ... qu'avec la raison seule on ne puisse
démontrer la spiritualité et l'immortalité de l'âme ou toute autre vérité
purement naturelle, rationelle ou morale. — 3. ... qu'avec la raison
seule on ne puisse avoir la science des principes ou de la méta-
physique, ainsi que des vérités qui en dépendent, comme science tout
à fait distincte de la théologie surnaturelle qui se fonde sur la révélation
divine. — 4. ... que la raison ne puisse acquérir une vraie et pleine
certitude des motifs de crédibilité, c'est-à-dire de ces motifs qui
rendent la révélation divine évidemment croyable, tels que sont spé-
cialement les miracles et les prophéties, et particulièrement la résurrection de Jésus-Christ» [v. n. 1650 sq].

[1] ACol 1860, 232.

De versionibus s. Scripturae [1].

[Ex Encycl. «Inter praecipuas», 6. Maii 1844.]

... Perspectum vobis est vel a prima christiani nominis 1630
aetate hanc fuisse propriam haereticorum artem, ut re-
pudiato verbo Dei tradito et Ecclesiae catholicae auctoritate reiecta Scripturas aut manu interpolarent
aut sensus expositionem interverterent. Nec denique ignoratis, quanta vel diligentia vel sapientia opus
sit ad transferenda fideliter in aliam linguam eloquia
Domini; ut nihil proinde facilius contingat, quam ut in
eorundem versionibus per societates biblicas multiplicatis
gravissimi ex tot interpretum vel imprudentia vel fraude
inserantur errores; quos ipsa porro illarum multitudo
et varietas diu occultat in perniciem multorum. Ipsarum
tamen societatum parum aut nihil omnino interest, si
homines biblia illa vulgaribus sermonibus interpretata
lecturi in alios potius quam alios errores dilabantur; dummodo assuescant paulatim ad liberum de Scripturarum
sensu iudicium sibimet ipsis vindicandum, atque ad con-
temnendas traditiones divinas ex Patrum doctrina
in Ecclesia catholica custoditas, ipsumque Ecclesiae
magisterium repudiandum.

Hunc in finem biblici iidem socii Ecclesiam sanctam- 1631
que hanc PETRI Sedem calumniari non cessant, quasi
a pluribus iam saeculis fidelem populum a sacrarum
Scripturarum cognitione arcere conetur; cum tamen
plurima exstent eademque luculentissima documenta singularis studii, quo recentioribus ipsis temporibus summi
Pontifices, ceterique illorum ductu catholici antistites
usi sunt, ut catholicorum gentes ad Dei eloquia scripta
et tradita impensius erudirentur.

Iis in regulis, quae a Patribus a TRIDENTINA Synodo 1632
delectis conscriptae et a PIO IV ... approbatae indici-
que librorum prohibitorum praemissae sunt, generali
sanctione statutum legitur, ut biblia vulgari sermone
edita non aliis permitterentur, nisi quibus illorum lectio
ad fidei atque pietatis augmentum profutura iudicaretur.

---

[1] ASS 9 (1876), 621 sqq.

Huic eidem regulae nova subinde propter perseverantes haereticorum fraudes cautione constrictae ea demum auctoritate BENEDICTI XIV adiecta declaratio est, ut permissa porro habeatur lectio vulgarium versionum, quae ab Apostolica Sede approbatae, aut cum annotationibus desumptis ex sanctis Ecclesiae Patribus vel ex doctis catholicisque viris editae fuerint ... cunctas supradictas societates biblicas dudum a nostris decessoribus reprobatas Apostolica rursus auctoritate condemnamus. ...

1633 Hinc notum omnibus sit, gravissimi coram Deo et Ecclesia criminis reos fore illos omnes, qui alicui earundem societatum dare nomen aut operam suam commodare seu quomodocunque favere praesumpserint.

PIUS IX 1846—1878.

De fide et ratione (contra Hermesianos)[1].

[Ex Encycl. «Qui pluribus», 9. Nov. 1846.]

1634 Noscitis (enim), Venerabiles Fratres, (hos) infensissimos 179.
(1496) christiani nominis hostes, caeco quodam insanientis impietatis impetu misere raptos, eo opinandi temeritate progredi, ut inaudita prorsus audacia *aperientes os suum in blasphemias ad Deum* [cf. Apc 13, 6] palam publiceque edocere non erubescant, commentitia esse et hominum inventa sacrosancta nostrae religionis mysteria, catholicae Ecclesiae doctrinam humanae societatis bono et commodis adversari, ac vel ipsum Christum et Deum eiurare non extimescant. Et quo facilius populis illudant atque incautos praesertim et imperitos decipiant et in errores secum abripiant, sibi unis prosperitatis vias notas esse comminiscuntur, sibique philosophorum nomen arrogare non dubitant, perinde quasi philosophia, quae tota in naturae veritate investiganda versatur, ea respuere debeat, quae supremus et clementissimus ipse totius naturae auctor Deus singulari beneficio et misericordia hominibus manifestare est dignatus, ut veram ipsi felicitatem et salutem assequantur.

---

[1] Aexq 5 sqq; AP I 6 sqq; ACol 232 sqq.

Hinc praepostero sane et fallacissimo argumentandi 1635 genere nunquam desinunt humanae rationis vim et excellentiam appellare, extollere contra sanctissimam Christi fidem, atque audacissime blaterant, eam humanae refragari rationi. Quo certe nihil dementius, nihil magis impium, nihil contra ipsam rationem magis repugnans fingi vel excogitari potest. Etsi enim fides sit supra rationem, nulla tamen vera dissensio nullumque dissidium inter ipsas inveniri unquam potest, cum ambae ab uno eodemque immutabilis aeternaeque veritatis fonte, Deo optimo maximo, oriantur atque ita sibi mutuam opem ferant, ut recta ratio fidei veritatem demonstret, tueatur, defendat; fides vero rationem ab omnibus erroribus liberet eamque divinarum rerum cognitione mirifice illustret, confirmet atque perficiat.

Neque minore certe fallacia, Venerabiles Fratres, isti 1636 divinae revelationis inimici humanum progressum summis (1497) laudibus efferentes in catholicam religionem temerario plane ac sacrilego ausu illum inducere vellent, perinde ac si ipsa religio non Dei, sed hominum opus esset aut philosophicum aliquod inventum, quod humanis modis perfici queat. In istos tam misere delirantes percommode quidem cadit, quod Tertullianus sui temporis philosophis merito exprobrabat: «qui stoicum et platonicum et dialecticum Christianismum protulerunt» [1]. Et sane cum sanctissima nostra religio non ab humana ratione fuerit inventa, sed a Deo hominibus clementissime patefacta, tum quisque vel facile intelligit, religionem ipsam ex eiusdem Dei loquentis auctoritate omnem suam vim acquirere neque ab humana ratione deduci aut perfici unquam posse.

Humana quidem ratio, ne in tanti momenti negotio 1637 decipiatur et erret, divinae revelationis factum diligenter inquirat oportet, ut certo sibi constet, Deum esse locutum, ac eidem, quemadmodum sapientissime docet Apostolus, *rationabile obsequium* exhibeat [Rom 12, 1]. Quis enim ignorat vel ignorare potest, omnem

---

[1] Tertullianus, De praescript. haer. c. 7 [ML 2, 20 B].

Deo loquenti fidem esse habendam, nihilque
rationi ipsi magis consentaneum esse, quam iis acquiescere
firmiterque adhaerere, quae a Deo, qui nec falli nec
fallere potest, revelata esse constiterit?

1638 Sed quam multa, quam mira, quam splendida praesto
(1499) sunt argumenta, quibus humana ratio luculentissime
evinci omnino debet, divinam esse Christi religionem et
«omne dogmatum nostrorum principium radicem desuper
ex coelorum Domino accepisse» [1], ac propterea nihil
fide nostra certius, nihil securius, nihil sanctius
exstare, et quod firmioribus innitatur principiis. Haec
scilicet fides vitae magistra, salutis index, vitiorum omnium expultrix ac virtutum foecunda parens et altrix,
divini sui auctoris et consummatoris Christi Iesu nativitate, vita, morte, resurrectione, sapientia, prodigiis,
vaticinationibus confirmata, supernae doctrinae luce undique refulgens ac coelestium divitiarum ditata thesauris
tot prophetarum praedictionibus, tot miraculorum splendore, tot martyrum constantia, tot Sanctorum gloria
vel maxime clara et insignis, salutares proferens Christi
leges ac maiores in dies ex crudelissimis ipsis persecu-
tionibus vires acquirens, universum orbem terra marique,
a solis ortu usque ad occasum, uno Crucis vexillo per-
vasit, atque idolorum profligata fallacia, errorum de-
pulsa caligine triumphatisque cuiusque generis hostibus,
omnes populos, gentes, nationes, utcunque immanitate
barbaras ac indole, moribus, legibus, institutis diversas,
divinae cognitionis lumine illustravit, atque suavissimo
ipsius Christi iugo subiecit, *annuntians* omnibus *pacem,
annuntians bona* [Is 52, 7]. Quae certe omnia tanto divinae
sapientiae ac potentiae fulgore undique collucent, ut
cuiusque mens et cogitatio vel facile intelligat, christianam fidem Dei opus esse.

1639 Itaque humana ratio ex splendidissimis hisce aeque
ac firmissimis argumentis clare aperteque cognoscens,
Deum eiusdem fidei auctorem exsistere, ulterius progredi nequit, sed quavis difficultate ac dubitatione
penitus abiecta atque remota, omne eidem fidei ob-

---

[1] Chrysost., Interpretatio in Isaiam proph. c. 1 [MG 56, 14].

sequium praebeat oportet, cum pro certo habeat, a Deo
traditum esse, quidquid fides ipsa hominibus credendum
et agendum proponit [1].

De matrimonio civili [2].

[Ex Allocutione «Acerbissimum vobiscum», 27. Sept. 1852.]

Nihil dicimus de alio illo decreto, quo matrimonii 1640
sacramenti mysterio, dignitate, sanctitate omnino de- (1501)
specta eiusque institutione et natura prorsus ignorata
et eversa, atque Ecclesiae in sacramentum idem potestate penitus spreta, proponebatur iuxta iam damnatos
haereticorum errores atque adversus catholicae Ecclesiae
doctrinam, ut matrimonium tanquam civilis tantum
contractus haberetur et in variis casibus divortium
proprie dictum sanciretur omnesque matrimoniales causae
ad laica deferrentur tribunalia et ab illis iudicarentur:
cum nemo ex catholicis ignoret aut ignorare possit,
matrimonium esse vere et proprie unum ex septem
evangelicae legis sacramentis a Christo Domino institutum, ac propterea inter fideles matrimonium dari
non posse, quin uno eodemque tempore sit sacramentum,
atque idcirco quamlibet aliam inter Christianos viri et
mulieris praeter sacramentum coniunctionem, cuiuscunque
etiam civilis legis vi factam, nihil aliud esse nisi turpem
atque exitialem concubinatum ab Ecclesia tantopere

---

[1] Cum Hermesiani haec Pontificis verba ita interpretari auderent,
quasi Hermesii doctrinam confirmaret ac coleret, PIUS IX ad Ioannem
Archiepiscopum Coloniensem, postmodum S. R. E. Cardinalem de
Geissel, litteras dedit d. 25. Iulii 1847, quibus GREGORII XVI Breve
d. 26. Sept. 1835 et additum decretum S. Congregationis Indicis confirmavit atque Hermesii opera denuo reprobavit ac damnavit.

[2] Aexq 117; AP I 392 sq; cf. ASS 1 (1865), 508 sqq. — Respublica
Neogranatensis iam a. 1845 legem iurium Ecclesiae laesivam tulerat,
quae GREGORII XVI animadversionem meruit. Tantum vero abfuit,
ut illius regionis moderatores pedem ab incepta via retraherent, ut
novis decretis ordines religiosos vexarent, bona ecclesiastica saecularibus usibus vindicarent, episcopos invicta fide resistentes perseque-
rentur, denique inducto civili matrimonio sacramenti sanctitatem violarent. Quo factum est, ut Summus Pontifex publice sibi
adversus iniquissimas illas leges reclamandum censuerit. Eandem de
matrimonio civili doctrinam Summum Pontificem litteris d. 19. Sept. 1852
datis ad Sardiniae regem, in cuius regno eadem novatio inducenda erat,
exposuisse, ephemerides tradiderunt.

damnatum, ac proinde a coniugali foedere sacramentum separari nunquam posse, et omnino
spectare ad Ecclesiae potestatem ea omnia decernere, quae
ad idem matrimonium quovis modo possunt pertinere.

Definitio immaculatae conceptionis B. M. V. [1]

[Ex Bulla «Ineffabilis Deus», 8. Dec. 1854.]

1641
(1502) ... Ad honorem Sanctae et Individuae Trinitatis, ad
decus et ornamentum Virginis Deiparae, ad exaltationem
fidei catholicae et christianae religionis augmentum,
auctoritate Domini nostri Iesu Christi, beatorum Apostolorum Petri et Pauli ac Nostra declaramus, pronuntiamus et definimus, doctrinam, quae tenet, beatissimam Virginem Mariam in primo instanti
suae conceptionis fuisse singulari omnipotentis
Dei gratia et privilegio, intuitu meritorum Christi Iesu
Salvatoris humani generis, ab omni originalis culpae
labe praeservatam immunem, esse a Deo revelatam atque idcirco ab omnibus fidelibus firmiter con-
stanterque credendam. Quapropter si qui secus ac a
Nobis definitum est, quod Deus avertat, praesumpserint
corde sentire, ii noverint ac porro sciant, se proprio
iudicio condemnatos, naufragium circa fidem passos
esse et ab unitate Ecclesiae defecisse, ac praeterea
facto ipso suo semet poenis a iure statutis subicere, si,
quod corde sentiunt, verbo aut scripto vel alio quovis
externo modo significare ausi fuerint.

De rationalismo et indifferentismo [2].

[Ex Allocutione «Singulari quadam», 9. Dec. 1854.]

1642
(1503) Sunt praeterea, Venerabiles Fratres, viri quidam eruditione praestantes, qui religionem munus esse fatentur

---

[1] CL VI 842 c sq; AP I 616; ACol 238; Analecta Iuris Pontificii
I 1218. — PIUS IX definitionem immaculatae conceptionis B. M. V.
flagitante et applaudente toto orbe catholico die 8. Dec. 1854 promulgavit.
— De assumptione B. M. V. postea tempore Concilii VATICANI
204 episcopi et theologi definitionem dogmaticam urgebant eo quod, nisi
«firmissima Ecclesiae fides quoad beatae Virginis assumptionem dici
velit levis nimis credulitas, quod vel cogitare impium est, procul dubio
eam a traditione divino-apostolica, i. e. a revelatione ortum habere firmissime tenendum» sit [CL VII 868 sq].

[2] CL VI 844 d sqq; Aexq 122 sqq; AP I 623 sqq; RskRP IV 370 sqq.

longe praestantissimum a Deo hominibus datum, humanam nihilominus r a t i o n e m tanto habent in pretio, tantopere extollunt, ut vel ipsi r e l i g i o n i a e q u i- p a r a n d a m stultissime putent. Hinc ex vana ipsorum opinione theologicae disciplinae perinde ac philosophicae tractandae sunt; cum tamen illae fidei dogmatibus innitantur, quibus nihil firmius, nihil stabilius, istae vero humana explicentur atque illustrentur ratione, qua nihil incertius, utpote quae varia est pro ingeniorum varietate, innumerisque fallaciis et praestigiis obnoxia. Ita quidem reiecta Ecclesiae auctoritate difficillimis quibusque reconditisque quaestionibus latissimus patuit campus, ratioque humana infirmis suis confisa viribus licentius excurrens turpissimos in errores lapsa est, quos hic referre nec vacat nec lubet, quippe Vobis probe cognitos atque exploratos, quique in religionis et civilis rei detrimentum illudque maximum redundarunt. Quamobrem istis hominibus, qui plus aequo vires efferunt humanae rationis, ostendere oportet, plane id esse contrarium verissimae illi sententiae Doctoris gentium *si quis putet se aliquid esse, cum nihil sit, ipse se seducit* [Gal 6, 3]. Demonstrandum illis est, quantae sit arrogantiae p e r- v e s t i g a r e m y s t e r i a, quae revelare nobis dignatus est clementissimus Deus, eademque assequi complectique audere humanae mentis imbecillitate et angustiis, cum longissime ea vires excedant nostri intellectus, qui ex Apostoli eiusdem dicto captivandus est in obsequium fidei [cf. 2 Cor 10, 5].

Atque huiusmodi humanae rationis sectatores seu cultores potius, qui eam sibi certam veluti magistram proponunt eiusque ductu fausta sibi omnia pollicentur, obliti certe sunt, quam grave et acerbum ex c u l p a p r i m i p a r e n t i s inflictum sit vulnus humanae naturae, quippe quod et obfusae tenebrae menti et prona effecta ad malum voluntas. Hinc celeberrimi ex antiquissima aetate philosophi quamvis multa praeclare scripserint, doctrinas tamen suas gravissimis erroribus contaminarunt; hinc assiduum illud certamen, quod in nobis experimur, de quo loquitur Apostolus: *Sentio in membris meis legem repugnantem legi mentis meae* [Rom 7, 23].

1643
(1503)

1644 Nunc quando ex originis labe in universos Adami
(1503) posteros propagata extenuatum esse constet rationis lumen, et ex pristino iustitiae atque innocentiae statu miserrime deciderit humanum genus, ecquis
satis esse rationem ducat ad assequendam veritatem?
ecquis in tantis periculis atque in tanta virium infirmitate ne labatur et corruat, necessaria sibi neget ad
salutem religionis divinae et gratiae coelestis auxilia?
quae quidem auxilia benignissime iis largitur Deus, qui
humili prece eadem flagitent, cum scriptum sit «*Deus
superbis resistit, humilibus autem dat gratiam*» [Iac 4, 6].
Idcirco conversus olim ad Patrem Christus Dominus
altissima veritatum arcana patefacta haud esse affirmavit
prudentibus et sapientibus huius saeculi, qui ingenio
doctrinaque sua superbiunt et praestare negant obsequium
fidei, sed vero humilibus ac simplicibus hominibus, qui
fidei divinae oraculo nituntur et conquiescunt [cf. Mt 11, 25;
Lc 10, 21].

1645 Salutare hoc documentum eorum animis inculcetis
oportet, qui humanae rationis vim usque adeo exaggerant,
illius ut ope mysteria ipsa scrutari audeant atque
explicare, quo nihil ineptius, nihil insanius. Revocare
illos contendite a tanta mentis perversitate, exponentes
nimirum, nihil esse praestabilius a providentia Dei concessum hominibus, quam fidei divinae auctoritatem, hanc
nobis esse quasi facem in tenebris, hanc ducem quam
sequamur ad vitam, hanc necessariam prorsus esse ad
salutem, utpote quod «*sine fide ... impossibile est placere
Deo*» [Hebr 11, 6], et «*qui ... non crediderit, condemna-
bitur*» [Mc 16, 16].

1646 Errorem alterum nec minus exitiosum aliquas catho-
(1504) lici orbis partes occupasse non sine moerore novimus,
animisque insedisse plerumque catholicorum, qui bene
sperandum de aeterna illorum omnium salute putant,
qui in vera Christi Ecclesia nequaquam versantur. Idcirco percontari saepenumero solent, quaenam futura
post obitum sit eorum sors et conditio, qui catholicae
fidei minime addicti sunt, vanissimisque adductis rationibus responsum praestolantur, quod pravae huic sententiae
suffragetur. Absit, Venerabiles Fratres, ut misericordiae

divinae, quae infinita est, terminos audeamus apponere; absit, ut perscrutari velimus arcana consilia et *iudicia Dei,* quae sunt *abyssus multa* [Ps 35, 7], nec humana queunt cogitatione penetrari. Quod vero apostolici Nostri muneris est, episcopalem vestram et sollicitudinem et vigilantiam excitatam volumus, ut, quantum potestis contendere, opinionem illam impiam aeque ac funestam ab hominum mente propulsetis, nimirum quavis in religione reperiri posse aeternae salutis viam. Ea, qua praestatis sollertia ac doctrina demonstretis commissis curae vestrae populis, miserationi ac iustitiae divinae dogmata catholicae fidei neutiquam adversari.

Tenendum quippe ex fide est, extra Apostolicam Romanam Ecclesiam salvum fieri neminem posse, hanc esse unicam salutis arcam, hanc qui non fuerit ingressus, diluvio periturum; sed tamen pro certo pariter habendum est, qui verae religionis ignorantia laborent, si ea sit invincibilis, nulla ipsos obstringi huiusce rei culpa ante oculos Domini. Nunc vero quis tantum sibi arroget, ut huiusmodi ignorantiae designare limites queat iuxta populorum, regionum, ingeniorum aliarumque rerum tam multarum rationem et varietatem? Enimvero cum soluti corporeis hisce vinculis videbimus Deum sicuti est, intelligemus profecto, quam arcto pulchroque nexu miseratio ac iustitia divina copulentur; quamdiu vero in terris versamur mortali hac gravati mole, quae hebetat animam, firmissime teneamus ex catholica doctrina *unum Deum* esse, *unam fidem, unum baptisma* [Eph 4, 5]; ulterius inquirendo progredi nefas est.

1647
(1504)

Ceterum prout caritatis ratio postulat, assiduas fundamus preces, ut omnes quaquaversus gentes ad Christum convertantur, communique hominum saluti pro viribus inserviamus, *neque enim abbreviata est manus Domini* [Is 59,1], gratiaeque coelestis dona nequaquam illis defutura sunt, qui hac luce recreari sincero animo velint et postulent. Huiusmodi veritates defigendae altissime sunt fidelium mentibus, ne falsis corrumpi queant doctrinis eo spectantibus, ut religionis foveant indifferentiam, quam ad exitium animarum serpere latius videmus ac roborari.

1648

De falso traditionalismo contra Augustinum Bonnetty[1].

[Ex Decr. S. C. Indicis, 11. (15.) Iunii 1855.]

1649 **1. Etsi fides sit supra rationem,** nulla tamen
(1505) vera dissensio, nullum dissidium inter ipsas inveniri unquam potest, cum ambae ab uno eodemque immutabili
veritatis fonte, Deo optimo maximo, oriantur atque ita
sibi mutuam opem ferant[2] [cf. n. 1635].

1650 2. Ratiocinatio Dei exsistentiam, animae spiritualitatem, hominis libertatem cum certitudine probare
potest. Fides posterior est revelatione, proindeque ad probandam Dei exsistentiam contra atheum,
ad probandam animae rationalis spiritualitatem ac libertatem contra naturalismi ac fatalismi sectatorem allegari
convenienter nequit [cf. n. 1622 1625].

1651 3. Rationis usus fidem praecedit et ad eam
hominem ope revelationis et gratiae conducit [cf. n. 1626][3].

1652 4. Methodus, qua usi sunt D. Thomas, D. Bona-
ventura et alii post ipsos scholastici non ad rationalismum ducit, neque causa fuit, cur apud scholas
hodiernas philosophia in naturalismum et pantheismum
impingeret. Proinde non licet in crimen doctoribus et
magistris illis vertere, quod methodum hanc, praesertim
approbante vel saltem tacente Ecclesia, usurpaverint[4].

De magnetismi abusu[5].

[Ex Encycl. S. Off., 4. Aug. 1856.]

1653 ... Nonnullae iam hac de re a Sancta Sede datae
sunt responsiones ad peculiares casus, quibus reprobantur tanquam illicita illa experimenta, quae ad finem non
naturalem, non honestum, non debitis mediis assequendum ordinantur; unde in similibus casibus decretum

---

[1] ASS 3 (1867), 224. — Augustinus Bonnetty, natus 9. Aprilis
1798, in oppido Entrevaux Galliae, praeter varia alia scripta philosophica
ephemerides: «Annales de philosophie chrétienne» redigebat. Subscripsit
theses a S. C. Indicis sibi propositas; mortuus est 29. Martii 1879.

[2] Encycl. PII IX, 9. Nov. 1846.

[3] Propositiones a Bautain subscriptae 8. Sept. 1840.

[4] Propositiones contradictoriae propositionibus passim ex D. Bonnetty
desumptis.

[5] ASS 1 (1865), 177 sq; CL VI 103 a; cf. Collectanea S. C. de propag.
Fide, Romae 1893, n. 1743.

est feria IV 21. Aprilis 1841: *Usum magnetismi, prout exponitur, non licere.* Similiter quosdam libros eiusmodi errores pervicaciter disseminantes prohibendos censuit S. Congregatio. Verum quia praeter particulares casus de usu magnetismi generatim agendum erat, hinc per modum regulae sic statutum fuit feria IV 28. Iulii 1847: «Remoto omni errore, sortilegio, explicita aut implicita daemonis invocatione, usus magnetismi, nempe merus actus adhibendi media physica aliunde licita, non est moraliter vetitus, dummodo non tendat ad finem illicitum, aut quomodolibet pravum. Applicatio autem principiorum et mediorum pure physicorum ad res et effectus vere supernaturales, ut physice explicentur, non est nisi deceptio omnino illicita et haereticalis.

Quamquam generali hoc decreto satis explicetur lici- 1654 tudo aut illicitudo in usu aut abusu magnetismi, tamen adeo crevit hominum malitia, ut neglecto licito studio scientiae potius curiosa sectantes magna cum animarum iactura ipsiusque civilis societatis detrimento ariolandi divinandive principium quoddam se nactos glorientur. Hinc somnambulismi et clarae intuitionis, uti vocant, praestigiis mulierculae illae gesticulationibus non semper verecundis abreptae se invisibilia quaeque conspicere effutiunt, ac de ipsa religione sermones instituere, animas mortuorum evocare, responsa accipere, ignota ac longinqua detegere aliaque id genus superstitiosa exercere ausu temerario praesumunt, magnum quaestum sibi ac dominis suis divinando certo consecuturae. In hisce omnibus quacunque demum utantur arte vel illusione, cum ordinentur media physica ad effectus non naturales, reperitur deceptio omnino illicita et haereticalis et scandalum contra honestatem morum.

De falsa doctrina Antonii Guenther [1].

[Ex Brevi «Eximiam tuam» ad Card. de Geissel, Archiepisc. Coloniensem, 15. Iunii 1857.]

1795 . . . Etenim non sine dolore apprime noscimus, in 1655 iisdem operibus erroneum ac perniciosissimum et ab (1509)

---

[1] ASS 8 (1874), 446 sq; Aexq 166 sq; AP II 587 sq; RskRP IV 383 sq; ACol 241; Analecta Iuris Pontificii II 1445 sq. — Antonius Guenther,

hac Apostolica Sede saepe damnatum rationalismi systema ampliter dominari; itemque noscimus, in iisdem libris ea inter alia non pauca legi, quae a catholica fide sinceraque explicatione de unitate Divinae substantiae in Tribus distinctis sempiternisque Personis non minimum aberrant. In compertis pariter habemus, neque meliora neque accuratiora esse, quae traduntur de sacramento Verbi incarnati deque unitate divinae Verbi personae in duabus naturis divina et humana. Noscimus, iisdem libris laedi catholicam sententiam ac doctrinam de homine, qui corpore et anima ita absolvatur, ut anima eaque rationalis sit vera per se atque immediata corporis forma[1]. Neque ignoramus, ea iisdem libris doceri et statui, quae catholicae doctrinae de suprema Dei libertate a quavis necessitate soluta in rebus procreandis plane adversantur.

1656
(1510) Atque illud etiam vel maxime improbandum ac damnandum, quod Guentherianis libris humanae rationi et philosophiae, quae in religionis rebus non dominari, sed ancillari omnino debent, magisterii ius temere attribuatur, ac propterea omnia perturbentur, quae firmissima manere debent tum de distinctione inter scientiam et fidem, tum de perenni fidei immutabilitate, quae una semper atque eadem est,

---

natus 17. Nov. 1783 in oppido Lindenau Bohemiae, 1820 sacerdos factus est; vixit Vindobonae ab a. 1824 usque ad mortem suam 24. Febr. 1863, et scripsit ibidem varia opera philosophica et theologica. Opera eius decreto S. C. Indicis d. 8. Ianuarii 1857 promulgato, d. 17. Februarii 1857 a Summo Pontifice approbato, confixa sunt, cui decreto auctor laudabiliter se subiecit. Cum autem quidam Guentheri asseclae inde, quod in generali illa damnatione sententiae singillatim non notarentur, ansam sumerent, ut sibi in iis persistere licere autumarent, Summus Pontifex litteris ad Cardinalem archiepiscopum Coloniensem datis errores Guentheri his verbis singillatim notavit.

[1] PIUS IX in ep. *Dolore haud mediocri* ad episc. Wratislaviensem (Breslau) die 30. Apr. 1860 declarat: «sententiam, quae unum in homine ponit vitae principium: animam scil. rationalem, a qua corpus quoque et motum et vitam omnem et sensum accipiat, in Dei Ecclesia esse communissimam atque doctoribus plerisque et probatissimis quidem maxime cum Ecclesiae dogmate ita videri coniunctam, ut huius sit legitima solaque vera interpretatio nec proinde sine errore in fide possit negari». [Aexq 178; RskRP IV 399; A. Franz, I. B. Baltzer 40.] Quare Concilium Coloniense ait: «Dubium esse nequit e Conciliorum mente anima rationali a Deo creata ipsa omnes ... vitae nostrae operationes perfici»... [CL V 293b; ACol 32; cf. n. 1911 sq].

dum philosophia humanaeque disciplinae neque semper
sibi constant neque sunt a multiplici errorum varietate
immunes.

Accedit, nec ea sanctos Patres reverentia haberi, 1657
quam Conciliorum canones praescribunt quamque splen- (1511)
didissima Ecclesiae lumina omnino promerentur, nec ab iis
in catholicas scholas dicteriis abstineri, quae recolendae
memoriae PIUS VI decessor Noster sollemniter damnavit.

Neque silentio praeteribimus, in Guentherianis libris 1658
vel maxime violari *sanam loquendi formam,* ac si liceret
verborum Apostoli Pauli oblivisci [2 Tim 1, 13], aut horum,
quae gravissime monuit Augustinus: «Nobis ad certam
regulam loqui fas est, ne verborum licentia etiam de
rebus, quae his significantur, impiam gignat opinionem» [1]
[v. n. 1714 a].

Errores Ontologistarum [2].

[Damnati in Decr. S. Off., 18. Sept. 1861.]

1. Immediata Dei cognitio, habitualis saltem, in- 1659
tellectui humano essentialis est, ita ut sine ea nihil cognoscere (1516)
possit: siquidem est ipsum lumen intellectuale.

2. Esse illud, quod in omnibus et sine quo nihil intelligi- 1660
mus, est esse divinum.

3. Universalia a parte rei considerata a Deo realiter non 1661
distinguuntur.

4. Congenita Dei tanquam entis simpliciter notitia 1662
omnem aliam cognitionem eminenti modo involvit, ita ut
per eam omne ens, sub quocunque respectu cognoscibile
est, implicite cognitum habeamus.

5. Omnes aliae ideae non sunt nisi modificationes ideae, 1663
qua Deus tanquam ens simpliciter intelligitur.

6. Res creatae sunt in Deo tanquam pars in toto, non 1664
quidem in toto formali, sed in toto infinito, simplicissimo,
quod suas quasi partes absque ulla sui divisione et diminutione extra se ponit.

7. Creatio sic explicari potest: Deus ipso actu speciali, 1665
quo se intelligit et vult tanquam distinctum a determinata
creatura, hominem v. g., creaturam producit.

---

[1] S. Aug., De civ. Dei l. 10, c. 23 [ML 41 (Aug. VII) 300].
[2] ASS 3 (1867), 204 sq.

De falsa scientiae libertate (contra Iac. Frohschammer)[1].

[Ex ep. «Gravissimas inter» ad archiepisc. Monaco-Frisingensem, 11. Dec. 1862.]

1666 Gravissimas inter acerbitates, quibus undique premi- 1795
(1524) mur, in hac tanta temporum perturbatione et iniquitate vehementer dolemus, cum noscamus, in variis Germaniae regionibus reperiri nonnullos catholicos etiam viros, qui sacram theologiam ac philosophiam tradentes minime dubitant quandam inauditam adhuc in Ecclesia docendi scribendique libertatem inducere, novasque et omnino improbandas opiniones palam publiceque profiteri et in vulgus disseminare.

1667 Hinc non levi moerore affecti fuimus, Venerabilis Frater, ubi tristissimus ad Nos venit nuntius, presbyterum Iacobum Frohschammer in ista Monacensi Academia philosophiae doctorem huiusmodi docendi scribendique licentiam prae ceteris adhibere, eumque suis operibus in lucem editis perniciosissimos tueri errores. Nulla igitur interposita mora, Nostrae Congregationi libris notandis praepositae mandavimus, ut praecipua volumina, quae eiusdem presbyteri Frohschammer nomine circumferuntur, cum maxima diligentia sedulo perpenderet, et omnia ad Nos referret. Quae volumina germanice scripta titulum habent: *Introductio in philosophiam, De libertate scientiae, Athenaeum,* quorum primum anno 1858, alterum anno 1861, tertium vero vertente hoc anno 1862 istis Monacensibus typis est in lucem editum. Itaque eadem Congregatio . . . iudicavit, auctorem in pluribus non recte sentire eiusque doctrinam a veritate catholica aberrare.

1668 Atque id ex duplici praesertim parte, et primo quidem
(1525) propterea quod auctor tales humanae rationi tribuat vires, quae rationi ipsi minime competunt, secundo vero, quod eam omnia opinandi et quidquid semper audendi libertatem eidem rationi concedat, ut

---

[1] ASS 8 (1874), 429 sqq; Aexq 219 sqq; AP III 548 sqq; RskRP IV 458 sqq. — Iacobus Frohschammer, natus 6. Ian. 1821 in vico Illkofen Bavariae, docuit in Universitate Monacensi ab anno 1854; mortuus est 14. Iunii 1893.

ipsius Ecclesiae iura, officium et auctoritas de medio omnino tollantur.

Namque auctor in primis edocet, philosophiam, si 1669 recta eius habeatur notio, posse non solum percipere (1525) et intelligere ea christiana dogmata, quae naturalis ratio cum fide habet communia (tanquam commune scilicet perceptionis obiectum), verum etiam ea, quae christianam religionem fidemque maxime et proprie efficiunt, ipsumque scilicet supernaturalem hominis finem et ea omnia, quae ad ipsum spectant, atque sacratissimum Dominicae Incarnationis mysterium ad humanae rationis et philosophiae provinciam pertinere, rationemque, dato hoc obiecto, suis propriis principiis scienter ad ea posse pervenire. Etsi vero aliquam inter haec et illa dogmata distinctionem auctor inducat, et haec ultima minore iure rationi attribuat, tamen clare aperteque docet, etiam haec contineri inter illa, quae veram propriamque scientiae seu philosophiae materiam constituunt. Quocirca ex eiusdem auctoris sententia concludi omnino possit ac debeat, rationem in abditissimis etiam divinae sapientiae ac bonitatis, immo etiam et liberae eius voluntatis mysteriis, licet posito revelationis obiecto, posse ex se ipsa, non iam ex divinae auctoritatis principio, sed ex naturalibus suis principiis et viribus ad scientiam seu certitudinem pervenire. Quae auctoris doctrina quam falsa sit et erronea, nemo est, qui christianae doctrinae rudimentis vel leviter imbutus non illico videat planeque sentiat.

Namque si isti philosophiae cultores vera ac sola 1670 rationis et philosophicae disciplinae tuerentur principia et iura, debitis certe laudibus essent prosequendi. Siquidem vera ac sana philosophia nobilissimum suum locum habet, cum eiusdem philosophiae sit, veritatem diligenter inquirere humanamque rationem licet primi hominis culpa obtenebratam, nullo tamen modo exstinctam, recte ac sedulo excolere, illustrare, eiusque cognitionis obiectum ac permultas veritates percipere, bene intelligere, promovere, earumque plurimas, uti Dei exsistentiam, naturam, attributa, quae etiam fides credenda proponit, per argumenta ex suis prin-

cipiis petita demonstrare, vindicare, defendere, atque
hoc modo viam munire ad haec dogmata fide rectius
tenenda et ad illa etiam reconditiora dogmata,
quae sola fide percipi primum possunt, ut illa
aliquo modo a ratione intelligantur. Haec quidem agere
atque in his versari debet severa et pulcherrima verae
philosophiae scientia. Ad quae praestanda si viri docti
in Germaniae Academiis enitantur pro singulari inclytae
illius nationis ad severiores gravioresque disciplinas ex-
colendas propensione, eorum studium a Nobis compro-
batur et commendatur, cum in sacrarum rerum utilitatem
profectumque convertant, quae illi ad suos usus invenerint.

1671   At vero in hoc gravissimo sane negotio tolerare nun-
(1527) quam possumus, ut omnia temere permisceantur, utque
ratio illas etiam res, quae ad fidem pertinent, occupet
atque perturbet, cum certissimi omnibusque notissimi
sint fines, ultra quos ratio nunquam suo iure est pro-
gressa vel progredi potest. Atque ad huiusmodi dogmata ea omnia maxime et apertissime spectant, quae
supernaturalem hominis elevationem ac supernaturale
eius cum Deo commercium respiciunt atque ad hunc
finem revelata noscuntur. Et sane cum haec dogmata
sint supra naturam, idcirco naturali ratione ac
naturalibus principiis attingi non possunt.
Nunquam siquidem ratio suis naturalibus principiis ad
huiusmodi dogmata scienter tractanda effici potest idonea.
Quod si haec isti temere asseverare audeant, sciant,
se certe non a quorumlibet doctorum opinione, sed a
communi et nunquam immutata Ecclesiae doctrina
recedere.

1672   Ex divinis enim Litteris et sanctorum Patrum traditione constat, Dei quidem exsistentiam multasque alias
veritates ab iis etiam, qui fidem nondum susceperunt,
naturali rationis lumine cognosci [cf. Rom 1], sed illa reconditiora dogmata Deum solum manifestasse, dum
notum facere voluit, «*mysterium, quod absconditum fuit
a saeculis et generationibus*» [Col 1, 26] et ita quidem, ut
postquam *multifariam multisque modis olim locutus
esset patribus in prophetis, novissime . . . nobis locutus
est in Filio, . . . per quem fecit et saecula* [Hebr 1, 1 sq]. . . .

«*Deum* enim *nemo vidit unquam: unigenitus Filius,
qui est in sinu Patris, ipse enarravit*» [Io 1, 18]. Quapropter Apostolus, qui gentes Deum per ea, quae facta
sunt, cognovisse testatur, disserens de *gratia et veritate,* quae *per Iesum Christum facta est* [Io 1, 17], «*loquimur,* inquit, *Dei sapientiam in mysterio, quae abscondita est . . . quam nemo principum huius saeculi
cognovit. . . . Nobis autem revelavit Deus per Spiritum
suum: Spiritus enim omnia scrutatur, etiam profunda
Dei. Quis enim hominum scit, quae sunt hominis, nisi
spiritus hominis, qui in ipso est? Ita et quae Dei sunt,
nemo cognovit, nisi Spiritus Dei*» [1 Cor 2, 7 sqq].

Hisce aliisque fere innumeris divinis eloquiis inhaerentes **1673**
SS. Patres in Ecclesiae doctrina tradenda continenter (1527)
distinguere curarunt rerum divinarum notionem, quae
naturalis intelligentiae vi omnibus est communis, ab
illarum rerum notitia, quae per Spiritum Sanctum fide
suscipitur, et constanter docuerunt, per hanc ea nobis
in Christo revelari mysteria, quae non solam humanam
philosophiam, verum etiam angelicam naturalem
intelligentiam transcendunt, quaeque etiamsi divina revelatione innotuerint et ipsa fide fuerint suscepta,
tamen sacro adhuc ipsius fidei velo tecta et obscura
caligine obvoluta permanent, quamdiu in hac mortali vita
peregrinamur a Domino[1]. Ex his omnibus patet, alienam
omnino esse a catholicae Ecclesiae doctrina sententiam,
qua idem Frohschammer asserere non dubitat, omnia
indiscriminatim christianae religionis dogmata esse obiectum naturalis scientiae seu
philosophiae, et humanam rationem historice tantum
excultam, modo haec dogmata ipsi rationi tanquam obiectum proposita fuerint, posse ex suis naturalibus viribus
et principio ad veram de omnibus etiam reconditioribus
dogmatibus scientiam pervenire.

---

[1] S. Ioan. Chrysost., Hom. 7 (9) in 1 Cor. [MG 61, 53]; S. Ambros.,
De fide ad Grat. 1, 10 [ML 16, 542 D]; S. LEO, De Nativ. Dom. sermo 9
[sermo 29: ML 54, 226 B]; S. Cyrill. Alex., Contra Nestor. l. 3 initio
[MG 76, 111 A]; Comment. in Ioan. 1, 9 [MG 73, 124 C]; S. Ioan. Dam.,
Expos. fidei orth. 1, 2 [MG 94, 794 B]; S. Hieron., Comment. in Gal. 3, 2
[ML 26, 348 C].

1674   Nunc vero in memoratis eiusdem auctoris scriptis alia
(1528) dominatur sententia, quae catholicae Ecclesiae doctrinae
ac sensui plane adversatur. Etenim eam philosophiae
tribuit libertatem, quae non scientiae libertas, sed omnino reprobanda et intoleranda philosophiae
licentia sit appellanda. Quadam enim distinctione
inter philosophum et philosophiam facta, tribuit *philosopho* ius et officium se submittendi auctoritati, quam
veram ipse probaverit, sed utrumque *philosophiae* ita
denegat, ut, nulla doctrinae revelatae ratione habita,
asserat, ipsam nunquam debere ac posse auctoritati se
submittere. Quod esset tolerandum et forte admittendum,
si haec dicerentur de iure tantum, quod habet philosophia, suis principiis seu methodo ac suis conclusionibus uti, sicut et aliae scientiae, ac si eius libertas
consisteret in hoc suo iure utendo, ita ut nihil in se
admitteret, quod non fuerit ab ipsa suis conditionibus
acquisitum aut fuerit ipsi alienum. Sed haec iusta
philosophiae libertas suos limites noscere et experiri
debet. Nunquam enim non solum philosopho, verum
etiam philosophiae licebit, aut aliquid contrarium dicere
iis, quae divina revelatio et Ecclesia docet, aut aliquid
ex eisdem in dubium vocare, propterea quod non intelligit, aut iudicium non suscipere, quod Ecclesiae auctoritas de aliqua philosophiae conclusione, quae hucusque libera erat, proferre constituit.

1675   Accedit etiam, ut idem auctor philosophiae libertatem
seu potius effrenatam licentiam tam acriter tam temere
propugnet, ut minime vereatur asserere, Ecclesiam non
solum non debere in *philosophiam* unquam animadvertere,
verum etiam debere ipsius philosophiae tolerare
errores eique relinquere, ut ipsa se corrigat, ex quo
evenit, ut *philosophi* hanc *philosophiae* libertatem necessario participent atque ita etiam ipsi ab omni lege
solvantur. Ecquis non videt, quam vehementer sit
reicienda, reprobanda et omnino damnanda huiusmodi
Frohschammeri sententia atque doctrina? Etenim Ecclesia ex divina sua institutione et divinae fidei depositum integrum inviolatumque diligentissime custodire
et animarum saluti summo studio debet continenter ad-

vigilare, ac summa cura ea omnia amovere et eliminare, quae vel fidei adversari vel animarum salutem quovis modo in discrimen adducere possunt.

Quocirca Ecclesia ex potestate sibi a divino suo Auc- 1676
tore commissa non solum ius, sed officium praesertim (1528)
habet non tolerandi, sed proscribendi ac damnandi omnes errores, si ita fidei integritas et
animarum salus postulaverint, et omni philosopho,
qui Ecclesiae filius esse velit, ac etiam philosophiae id
officium incumbit, nihil unquam dicere contra ea, quae
Ecclesia docet, et ea retractare, de quibus eos Ecclesia
monuerit. Sententiam autem, quae contrarium edocet,
omnino erroneam, et ipsi fidei, Ecclesiae eiusque auctoritati vel maxime iniuriosam esse edicimus et declaramus.

De indifferentismo [1].

[Ex Encycl. «Quanto conficiamur moerore» ad episcopos Italiae,
10. Aug. 1863.]

1795 Atque hic, Dilecti Filii Nostri et Venerabiles Fratres, 1677
iterum commemorare et reprehendere oportet gravissi- (1529)
mum errorem, in quo nonnulli catholici misere versantur,
qui homines in erroribus viventes et a vera fide
atque a catholica unitate alienos ad aeternam
vitam pervenire posse opinantur. Quod quidem
catholicae doctrinae vel maxime adversatur. Notum
Nobis Vobisque est, eos, qui invincibili circa sanctissimam nostram religionem ignorantia laborant, quique naturalem legem eiusque praecepta in omnium
cordibus a Deo insculpta sedulo servantes ac Deo
oboedire parati, honestam rectamque vitam agunt, posse,
divinae lucis et gratiae operante virtute, aeternam consequi vitam, cum Deus, qui omnium mentes, animos,
cogitationes habitusque plane intuetur, scrutatur et noscit,
pro summa sua bonitate et clementia minime patiatur,
quempiam aeternis puniri suppliciis, qui voluntariae
culpae reatum non habeat. Sed notissimum quoque
est catholicum dogma, neminem scilicet extra catho-

---

[1] Aexq 229 sq; AP III 613 sq.

licam Ecclesiam posse salvari, et contumaces adversus
eiusdem Ecclesiae auctoritatem, definitiones, et ab ipsius
Ecclesiae unitate atque a PETRI successore Romano
Pontifice, cui *vineae custodia a Salvatore est commissa* [1],
pertinaciter divisos aeternam non posse obtinere
salutem. . . .

1678   Absit vero, ut catholicae Ecclesiae filii ullo unquam
(1530) modo inimici sint iis, qui eisdem fidei caritatisque
vinculis nobiscum minime sunt coniuncti, quin immo
illos sive pauperes, sive aegrotantes sive aliis quibusque
aerumnis afflictos omnibus christianae caritatis officiis
prosequi et adiuvare semper studeant, et in primis ab
errorum tenebris, in quibus misere iacent, eripere atque
ad catholicam veritatem et ad amantissimam matrem
Ecclesiam reducere contendant, quae maternas
suas manus ad illos amanter tendere eosque ad suum
sinum revocare nunquam desinit, ut in fide, spe et caritate fundati ac stabiles et «*in omni opere bono fructi-
ficantes*» [Col 1, 10] aeternam assequantur salutem.

De conventibus theologorum Germaniae [2].

[Ex ep. «Tuas libenter» ad archiepisc. Monaco-Frisingensem,
21. Dec. 1863.]

1679   . . Noscebamus etiam, Venerabilis Frater, nonnullos 1795
(1531) ex catholicis, qui severioribus disciplinis excolendis operam
navant, humani ingenii viribus nimium fidentes errorum
periculis haud fuisse absterritos, ne in asserenda fallaci
et minime sincera scientiae libertate abriperen-
tur ultra limites, quos praetergredi non sinit oboedientia
debita erga magisterium Ecclesiae ad totius revelatae
veritatis integritatem servandam divinitus institutum. Ex
quo evenit, ut huiusmodi catholici misere decepti et iis
saepe consentiant, qui contra huius Apostolicae Sedis
ac Nostrarum Congregationum decreta declamant ac
blaterant, ea liberum scientiae progressum impedire, et
periculo se exponunt sacra illa frangendi oboedientiae

---

[1] Conc. CHALCEDON. in relatione ad LEONEM I [cf. n. 149].
[2] ASS 8 (1874), 438 sqq; Aexq 244 sq; AP III 638 sqq; RskRP IV
487 sqq.

vincula, quibus ex Dei voluntate eidem Apostolicae
huic obstringuntur Sedi, quae a Deo ipso veritatis
magistra et vindex fuit constituta.

Neque ignorabamus, in Germania etiam falsam in-1680
valuisse opinionem adversus veterem scholam et (1532)
adversus doctrinam summorum illorum Doctorum, quos
propter admirabilem eorum sapientiam et vitae sanctitatem universalis veneratur Ecclesia. Qua falsa opinione
ipsius Ecclesiae auctoritas in discrimen vocatur, quando-
quidem ipsa Ecclesia non solum per tot continentia
saecula permisit, ut ex eorundem Doctorum methodo
et ex principiis communi omnium catholicarum
scholarum consensu sancitis theologica excoleretur
scientia, verum etiam saepissime summis laudibus theologicam eorum doctrinam extulit illamque veluti fortis-
simum fidei propugnaculum et formidanda contra suos
inimicos arma vehementer commendavit. . . .

Equidem cum omnes eiusdem conventus viri, veluti 1681
scribis, asseruerint, scientiarum progressum et
felicem exitum in devitandis ac refutandis miserrimae
nostrae aetatis erroribus omnino pendere ab intima erga
veritates revelatas adhaesione, quas catholica docet Ecclesia, ipsi noverunt ac professi sunt illam veritatem,
quam veri catholici scientiis excolendis et evolvendis
dediti semper tenuere ac tradiderunt. Atque hac veritate innixi potuerunt ipsi sapientes ac veri catholici viri
scientias easdem tuto excolere, explanare easque utiles
certasque reddere. Quod quidem obtineri non potest,
si humanae rationis lumen finibus circumscriptum eas
quoque veritates investigando, quas propriis viribus et
facultatibus assequi potest, non veneretur maxime, ut
par est, infallibile et increatum divini intellectus lumen,
quod in christiana revelatione undique mirifice elucet.
Quamvis enim naturales illae disciplinae suis propriis
ratione cognitis principiis nitantur, catholici tamen earum
cultores divinam revelationem veluti rectricem
stellam prae oculis habeant oportet, qua prae-
lucente sibi a syrtibus et erroribus caveant, ubi in suis
investigationibus et commentationibus animadvertant posse
se illis adduci, ut saepissime accidit, ad ea proferenda,

quae plus minusve adversentur infallibili rerum veritati,
quae a Deo revelatae fuere.

1682   Hinc dubitare nolumus, quin ipsius conventus viri
(1534) commemoratam veritatem noscentes ac profitentes, uno
eodemque tempore plane reicere ac reprobare voluerint
recentem illam ac praeposteram philosophandi rationem,
quae etiamsi divinam revelationem veluti historicum
factum admittat, tamen ineffabiles veritates ab ipsa divina revelatione propositas humanae rationis investigationibus supponit, perinde ac si illae veritates rationi
subiectae essent vel ratio suis viribus et principiis posset
consequi intelligentiam et scientiam omnium supernarum
sanctissimae fidei nostrae veritatum et mysteriorum,
quae ita supra humanam rationem sunt, ut haec nunquam effici possit idonea ad illa suis viribus et ex
naturalibus suis principiis intelligenda aut demon-
stranda. Eiusdem vero conventus viros debitis pro-
sequimur laudibus, propterea quod reicientes, uti existimamus, falsam inter philosophum et philosophiam
distinctionem, de qua in aliis Nostris Litteris ad Te
scriptis locuti sumus [v. n. 1674], noverunt et asseruerunt,
omnes catholicos in doctis suis commentationibus debere
ex conscientia dogmaticis infallibilis catholicae Ecclesiae
oboedire decretis.

1683   Dum vero debitas illis deferimus laudes, quod professi sint veritatem, quae ex catholicae fidei obligatione
necessario oritur, persuadere Nobis volumus, noluisse
obligationem, qua catholici magistri ac scriptores omnino
adstringuntur, coarctare in iis tantum, quae ab infallibili
Ecclesiae iudicio veluti fidei dogmata ab omnibus
credenda proponuntur. Atque etiam Nobis per-
suademus, ipsos noluisse declarare, perfectam illam erga
revelatas veritates adhaesionem, quam agnoverunt necessariam omnino esse ad verum scientiarum progressum
assequendum et ad errores confutandos, obtineri posse,
si dumtaxat dogmatibus ab Ecclesia expresse definitis fides et obsequium adhibeatur. Namque etiamsi
agheretur de illa subiectione, quae fidei divinae actu est
praestanda, limitanda tamen non esset ad ea, quae expressis oecumenicorum Conciliorum aut Romanorum

Pontificum huiusque Sedis decretis definita sunt, sed ad
ea quoque extendenda, quae ordinario totius Ecclesiae per orbem dispersae magisterio tanquam divinitus revelata traduntur ideoque universali et
constanti consensu a catholicis theologis ad fidem pertinere retinentur.

Sed cum agatur de illa subiectione, qua ex conscientia 1684
ii omnes catholici obstringuntur, qui in contemplatrices (1537)
scientias incumbunt, ut novas suis scriptis Ecclesiae
afferant utilitates, idcirco eiusdem conventus viri re-
cognoscere debent, sapientibus catholicis haud satis esse,
ut praefata Ecclesiae dogmata recipiant ac venerentur,
verum etiam opus esse, ut se subiciant tum decisionibus,
quae ad doctrinam pertinentes a Pontificiis Congregationibus proferuntur, tum iis doctrinae capitibus, quae communi et constanti Catholicorum
consensu retinentur ut theologicae veritates et conclusiones ita certae, ut opiniones eisdem doctrinae capitibus adversae quamquam haereticae dici nequeant,
tamen aliam theologicam mereantur censuram.

De uni(ci)tate Ecclesiae [1].

[Ex Encycl. S. Off. ad episcopos Angliae, 16. Sept. 1864.]

Apostolicae Sedi nuntiatum est, catholicos nonnullos 1685
et ecclesiasticos quoque viros societati ad *procurandam,*
ut aiunt, *christianitatis unitatem* Londini anno 1857
erectae nomen dedisse, et iam plures evulgatos esse
ephemeridum articulos, qui catholicorum huic societati
plaudentium nomine inscribuntur vel ab ecclesiasticis
viris eandem societatem commendantibus exarati per-
hibentur. Et sane quaenam sit huius societatis indoles
vel quo ea spectet, nedum ex articulis ephemeridis cui
titulus *The union review,* sed ex ipso folio, quo socii
invitantur et adscribuntur, facile intelligitur. A protestantibus quippe efformata et directa, eo excitata est
spiritu, quem expresse profitetur, tres videlicet christianas communiones romano-catholicam,

---

[1] ASS 27 (1894), 65 sqq; Collect. S. C. de propag. Fide 640 b sqq; n. 1677.

graeco-schismaticam et anglicanam, quamvis
invicem separatas ac divisas, aequo tamen iure catholicum nomen sibi vindicare. Aditus igitur in
illam patet omnibus ubique locorum degentibus tum
catholicis, tum graeco-schismaticis, tum anglicanis, ea
tamen lege, ut nemini liceat de variis doctrinae capitibus
in quibus dissentiunt quaestionem movere, et singulis
fas sit propriae religiosae confessionis placita tranquillo
animo sectari. Sociis vero omnibus preces ipsa reci-
tandas et sacerdotibus sacrificia celebranda indicit iuxta
suam intentionem; ut nempe tres memoratae christianae
communiones, utpote quae, prout supponitur, Ecclesiam
catholicam omnes simul iam constituunt, ad unum
corpus efformandum tandem aliquando coeant. . . .

1686   Fundamentum, cui ipsa innititur, huiusmodi est, quod
divinam Ecclesiae constitutionem susque de-
que vertit. Tota enim in eo est, ut supponat veram
Iesu Christi Ecclesiam constare partim ex Romana Ecclesia per universum orbem diffusa et propagata, partim
vero ex schismate photiano et ex anglicana haeresi,
quibus aeque ac Ecclesiae Romanae *unus sit Dominus,
una fides et unum baptisma* [cf. Eph 4, 5]. . . . Nihil certe
viro catholico potius esse debet, quam ut inter Christianos schismata et dissensiones a radice evellantur, et
Christiani omnes sint «*solliciti servare unitatem spiritus
in vinculo pacis*» [Eph 4, 3]. . . . At quod Christifideles
et ecclesiastici viri, haereticorum ductu, et quod
peius est, iuxta intentionem haeresi quam maxime
pollutam et infectam, pro christiana unitate orent, tolerari nullo modo potest. Vera Iesu Christi Ecclesia quadruplici nota, quam in Symbolo credendam
asserimus, auctoritate divina constituitur et dignoscitur:
et quaelibet ex hisce notis ita cum aliis cohaeret, ut
ab iis nequeat seiungi; hinc fit, ut quae vere est et
dicitur catholica, unitatis simul, sanctitatis et
apostolicae successionis praerogativa debeat ef-
fulgere. Ecclesia igitur catholica una est unitate con-
spicua perfectaque orbis terrae et omnium gentium, ea
profecto unitate cuius principium radix et origo in-
defectibilis est beati PETRI Apostolorum Principis, eius-

que in Cathedra Romana successorum suprema auctoritas et potior principalitas. Nec alia est Ecclesia
catholica nisi quae super unum PETRUM aedificata
in unum conexum corpus atque compactum unitate
fidei et caritatis assurgit. . . .

Praeterea inde quoque a Londinensi societate fideles 1687
abhorrere summopere debent, quod conspirantes in eam
et indifferentismo favent et scandalum ingerunt.

De naturalismo, communismo, socialismo [1].

[Ex Encycl. «Quanta cura», 8. Dec. 1864.]

Etsi (autem) haud omiserimus potissimos huiusmodi 1688
errores saepe proscribere et reprobare, tamen catholicae (1538)
Ecclesiae causa animarumque salus Nobis divinitus commissa atque ipsius humanae societatis bonum omnino
postulant, ut iterum pastoralem vestram sollicitudinem
excitemus ad alias pravas profligandas opiniones, quae
ex eisdem erroribus veluti ex fontibus erumpunt. Quae
falsae ac perversae opiniones eo magis detestandae sunt,
quod eo potissimum spectant, ut impediatur et amo-
veatur salutaris illa vis, quam catholica Ecclesia ex divini sui auctoris institutione et mandato libere exercere
debet usque ad consummationem saeculi non minus
erga singulos homines quam erga nationes, populos
summosque eorum principes, utque de medio tollatur
mutua illa inter sacerdotium et imperium consiliorum societas et concordia, quae rei cum sacrae
tum civili fausta semper exstitit ac salutaris [2]. Etenim 1689
probe noscitis, Venerabiles Fratres, hoc tempore non
paucos reperiri, qui civili consortio impium absurdum-
que naturalismi, uti vocant, principium applicantes
audent docere, «optimam societatis publicae
rationem civilemque progressum omnino requirere,
ut humana societas constituatur et gubernetur nullo
habito ad religionem respectu, ac si ea non exsisteret,
vel saltem nullo facto veram inter falsasque

---

[1] ASS 3 (1867), 161 sqq; AP III 689 sqq. — Vide epistolam Em[mi]
Card. Antonelli pag. 464, nota.
[2] Cf. GREGOR. XVI Encycl. «*Mirari*», 15. Aug. 1832 [n. 1613 sqq].

religiones discrimine». Atque contra sacrarum
Litterarum, Ecclesiae sanctorumque Patrum doctrinam
asserere non dubitant, «optimam esse conditionem societatis, in qua imperio non agnoscitur officium
coercendi sancitis poenis violatores catholicae religionis, nisi quatenus pax publica postulet».

1690 Ex qua omnino falsa socialis regiminis idea haud
(1540) timent erroneam illam fovere opinionem catholicae Ecclesiae, animarumque saluti maxime exitialem, a rec. mem.
GREGORIO XVI praedecessore Nostro *deliramentum*
appellatam [1], nimirum «libertatem conscientiae
et cultuum esse proprium cuiuscunque hominis ius, quod
lege proclamari et asseri debet in omni recte constituta
societate, et ius civibus inesse ad omnimodam libertatem
nulla vel ecclesiastica vel civili auctoritate coarctandam,
quo suos conceptus quoscunque sive voce, sive typis,
sive alia ratione palam publiceque manifestare ac declarare valeant». Dum vero id temere affirmant, haud
cogitant et considerant, quod *libertatem perditionis* [2]
praedicant, et quod «si humanis persuasionibus semper
disceptare sit liberum, nunquam deesse poterunt, qui
veritati audeant resultare et de humanae [*al.* mundanae]
sapientiae loquacitate confidere, cum hanc nocentissimam
vanitatem quantum debeat fides et sapientia christiana
vitare, ex ipsa Domini nostri Iesu Christi institutione
cognoscat» [3].

1691 Et quoniam, ubi a civili societate fuit amota religio,
ac repudiata divinae revelationis doctrina et auctoritas
vel ipsa germana iustitiae humanique iuris notio
tenebris obscuratur et amittitur, atque in verae iustitiae
legitimique iuris locum materialis substituitur vis, inde
liquet, cur nonnulli certissimis sanae rationis principiis
penitus neglectis posthabitisque audeant conclamare,
«voluntatem populi, publica, quam dicunt, opinione
vel alia ratione manifestatam constituere supremam
legem ab omni divino humanoque iure solutam, et in

---

[1] GREGORII XVI Encycl. *Mirari*, 15. Aug. 1832 [n. 1613].
[2] S. August. ep. 105 (166), c. 2, n. 9 [ML 33, 399].
[3] S. LEONIS ep. 164 (133), c. 2; ed. Ball. [ML 54, 1149 B].

ordine politico facta consummata eo ipso, quod
consummata sunt, vim iuris habere». Verum ecquis non
videt planeque sentit, hominum societatem religionis
ac verae iustitiae vinculis solutam nullum aliud profecto
propositum habere posse, nisi scopum comparandi
cumulandique opes nullamque aliam in suis actionibus
legem sequi, nisi indomitam animi cupiditatem inserviendi
propriis voluptatibus et commodis?

Eapropter huiusmodi homines acerbo sane odio in- 1692
sectantur religiosas familias quamvis de re chri- (1541)
stiana, civili ac litteraria summopere meritas, et blaterant,
easdem nullam habere legitimam exsistendi
rationem, atque ita haereticorum commentis plaudunt.
Nam, ut sapientissime rec. mem. PIUS VI decessor
Noster docebat «regularium abolitio laedit statum publicae professionis consiliorum evangelicorum, laedit
vivendi rationem in Ecclesia commendatam tanquam
apostolicae doctrinae consentaneam, laedit ipsos insignes
fundatores, quos super altaribus veneramur, qui nonnisi
a Deo inspirati eas constituerunt societates» [1].

Atque etiam impie pronuntiant, auferendam esse civi- 1693
bus et Ecclesiae facultatem, «qua eleemosynas christianae caritatis causa palam erogare valeant»,
ac de medio tollendam legem, «qua certis aliquibus
diebus opera servilia propter Dei cultum prohibentur», fallacissime praetexentes, commemoratam facultatem
et legem optime publicae oeconomiae principiis obsistere.
Neque contenti amovere religionem a publica societate
volunt religionem ipsam a privatis etiam arcere familiis.

Etenim funestissimum communismi et socialismi 1694
docentes ac profitentes errorem asserunt «societatem
domesticam seu familiam totam suae exsistentiae rationem a iure dumtaxat civili mutuari; proindeque ex
lege tantum civili dimanare ac pendere iura omnia
parentum in filios, cum primis vero ius institutionis
educationisque curandae».

Quibus impiis opinionibus machinationibusque in id 1695
praecipue intendunt fallacissimi isti homines, ut salutifera

---

[1] Ep. ad Card. de la Rochefoucault, 10. Mart. 1791.

catholicae Ecclesiae doctrina ac vis a iuventutis
institutione et educatione prorsus eliminetur, ac
teneri flexibilesque iuvenum animi perniciosis quibusque
erroribus vitiisque misere inficiantur ac depraventur.
Siquidem omnes, qui rem tum sacram tum publicam
perturbare ac rectum societatis ordinem evertere et iura
omnia divina et humana delere sunt conati, omnia nefaria
sua consilia, studia et operam in improvidam praesertim
iuventutem decipiendam ac depravandam, ut supra innuimus, semper contulerunt omnemque spem in ipsius
iuventutis corruptela collocarunt.   Quocirca nunquam
cessant utrumque clerum, ex quo, veluti certissima
historiae monumenta splendide testantur, tot magna in
christianam, civilem et litterariam rempublicam commoda
redundarunt, quibuscunque infandis modis divexare, et
edicere, ipsum clerum «utpote vero utilique scientiae et
civilitatis progressui inimicum ab omni iuventutis insti-
tuendae educandaeque cura et officio esse amovendum».

1696
(1545) At vero alii instaurantes prava ac toties damnata
novatorum commenta insigni impudentia audent Ecclesiae
et huius Apostolicae Sedis supremam auctoritatem a
Christo Domino ei tributam civilis auctoritatis arbitrio
subicere, et omnia eiusdem Ecclesiae et Sedis
iura denegare circa ea quae ad exteriorem ordinem
pertinent.

1697 Namque ipsos minime pudet affirmare «Ecclesiae
leges non obligare in conscientia, nisi cum promul-
gantur a civili potestate; acta et decreta Romanorum
Pontificum ad religionem et Ecclesiam spectantia in-
digere sanctione et approbatione vel minimum assensu
potestatis civilis; constitutiones Apostolicas[1], quibus
damnantur clandestinae societates, sive in eis exigatur sive non exigatur iuramentum de secreto servando,
earumque asseclae et fautores anathemate mulctantur,
nullam habere vim in illis orbis regionibus, ubi eiusmodi aggregationes tolerantur a civili gubernio; ex-

---

[1] CLEMENTIS XII «*In eminenti*», 28. Apr. 1738; BENEDICTI XIV
«*Providas Romanorum*», 18. Maii 1751 [BB(M) 8, 416 sqq]; PII VII
«*Ecclesiam*», 13. Sept. 1821 [BRC 15, 446 b]; LEONIS XII «*Quo
graviora*», 13. Mart. 1825 [BRC 16, 345 a sqq].

communicationem a Concilio TRIDENTINO et Romanis
Pontificibus latam in eos, qui iura possessionesque
Ecclesiae invadunt et usurpant, niti confusione ordinis
spiritualis ordinisque civilis ac politici ad mundanum
dumtaxat bonum prosequendum: Ecclesiam nihil debere
decernere, quod obstringere possit fidelium conscientias
in ordine ad usum rerum temporalium: Ecclesiae ius
non competere violatores legum suarum poenis temporalibus coercendi; conforme esse sacrae theologiae, iuris-
que publici principiis, bonorum proprietatem, quae ab
Ecclesiis, a Familiis religiosis, aliisque locis piis possi-
dentur, civili gubernio asserere et vindicare».

Neque erubescunt palam publiceque profiteri hae- 1698
reticorum effatum et principium, ex quo tot perversae (1547)
oriuntur sententiae atque errores. Dictitant enim «Ecclesiasticam potestatem non esse iure divino distinctam et independentem a potestate civili, neque eiusmodi distinctionem et independentiam servari posse,
quin ab Ecclesia invadantur et usurpentur essentialia
iura potestatis civilis». Atque silentio praeterire non
possumus eorum audaciam, qui sanam non sustinentes
doctrinam contendunt «illis Apostolicae Sedis iudiciis
et decretis, quorum obiectum ad bonum generale Ecclesiae, eiusdemque iura ac disciplinam spectare declaratur, dummodo fidei morumque dogmata non attingat, posse assensum et oboedientiam detrectari absque
peccato et absque ulla catholicae professionis iactura».
Quod quidem quantopere adversetur catholico dogmati
plenae potestatis Romano Pontifici ab ipso
Christo Domino divinitus collatae universalem
pascendi, regendi et gubernandi Ecclesiam, nemo est
qui non clare aperteque videat et intelligat.

In tanta igitur depravatarum opinionum perversitate, 1699
Nos Apostolici Nostri officii probe memores, ac de
sanctissima nostra religione, de sana doctrina et animarum salute Nobis divinitus commissa, ac de ipsius
humanae societatis bono maxime solliciti, Apostolicam
Nostram vocem iterum extollere existimavimus. Itaque
omnes et singulas pravas opiniones ac doctrinas singillatim hisce litteris commemoratas auctoritate Nostra

Apostolica reprobamus, proscribimus atque damnamus,
easque ab omnibus catholicae Ecclesiae filiis veluti
reprobatas, proscriptas atque damnatas omnino haberi
volumus et mandamus.

«Syllabus» seu collectio errorum modernorum [1].

[Excerptus ex variis Allocutionibus, Encyclicis, Epistolis PII IX et simul
cum (supra allata) Bulla «Quanta cura» editus 8. Dec. 1864.]

A. Index Actorum PII IX, ex quibus excerptus est Syllabus.

1700 1. Epistola encyclica «Qui pluribus», 9. Nov. 1846. (Huc referuntur
Syllabi propositiones 4—7 16 40 63 74.)
2. Allocutio «Quisque vestrum», 4. Oct. 1847 (Prop. 63).
3. Allocutio «Ubi primum», 17. Dec. 1847 (Prop. 16).
4 Allocutio «Quibus quantisque», 20. Apr. 1849 (Propp. 40 64 76).
5. Epistola encyclica «Noscitis et Nobiscum», 8. Dec. 1849 (Propp. 18 63).
6. Allocutio «Si semper antea», 20. Maii 1850 (Prop. 76).
7. Allocutio «In consistoriali», 1. Nov. 1850 (Propp. 43—45).
8. Damnatio «Multiplices inter», 10. Iunii 1851 (Propp. 15 21 23
30 51 54 68 74).
9. Damnatio «Ad apostolicae», 22. Aug 1851 (Propp. 24 25 34—36
38 41 42 65—67 69—75).

---

[1]   *Epistola Em^mi Card. I. Antonelli*
*. . . qua Syllabus ex iussu Sanctissimi confectus ad sacrorum antistites
mittitur*.

Illme ac Rme Domine!
Sanctissimus Dominus noster PIUS IX Pontifex Maximus de animarum salute ac de sana doctrina maxime sollicitus vel ab ipso sui
Pontificatus exordio nunquam destitit suis Epistolis encyclicis et Allocutionibus in Consistorio habitis et Apostolicis aliis Litteris in vulgus
editis praecipuos huius praesertim infelicissimae aetatis errores ac
falsas doctrinas proscribere et damnare. Cum autem forte evenire
potuerit, ut omnia haec Pontificia Acta ad singulos Ordinarios minime
pervenerint, idcirco idem Summus Pontifex voluit, ut eorundem errorum
Syllabus ad omnes universi catholici orbis sacrorum antistites mittendus
conficeretur, quo iidem antistites prae oculis habere possint
omnes errores ac perniciosas doctrinas, quae ab ipso reprobatae ac
proscriptae sunt. Mihi vero in mandatis dedit, ut hunc Syllabum typis
editum ad Te, Illustrissime ac Reverendissime Domine, perferendum
curarem hac occasione ac tempore, quo idem Pontifex Maximus pro
summa sua de catholicae Ecclesiae ac totius Dominici gregis sibi
divinitus commissi incolumitate et bono sollicitudine aliam encyclicam Epistolam ad cunctos catholicos sacrorum antistites scribendam
censuit. Eiusdem igitur Pontificis iussa omni certe alacritate et, uti par
est, obsequio efficiens Tibi, Illustrissime ac Reverendissime Domine,
eundem Syllabum his litteris adiunctum mittere propero. . [*Clausula*]
8. Dec. 1864. — ASS 3 (1867), 167 sq.

10. Allocutio «Quibus luctuosissimis», 5. Sept. 1851 (Prop. 45).
11. Lettera al Rè di Sardegna, 9. Sept. 1852 (Prop. 73).
12. Allocutio «Acerbissimum», 27. Sept. 1852 (Propp. 31 51 53 55 67 73 74 78).
13. Allocutio «Singulari quadam», 9. Dec. 1854 (Propp. 8 17 19).
14. Allocutio «Probe memineritis», 22. Ian. 1855 (Prop. 53).
15. Allocutio «Cum saepe», 26. Iulii 1855 (Prop. 53).
16. Allocutio «Nemo vestrum», 26. Iulii 1855 (Prop. 77).
17. Epistola encyclica «Singulari quidem», 17. Martii 1856 (Propp. 4 16).
18. Allocutio «Nunquam fore», 15. Dec. 1856 (Propp. 26 28 29 31 46 50 52 79).
19. Epistola «Eximiam tuam» ad archiepisc. Coloniensem, 15. Iunii 1857 (Prop. 14).
20. Litterae apostolicae «Cum catholica Ecclesia», 26. Martii 1860 (Propp. 63 76).
21. Epistola «Dolore haud mediocri» ad episc. Wratislaviensem, 30. Apr. 1860 (Prop. 14).
22. Allocutio «Novos et ante», 28. Sept. 1860 (Propp. 19 62 76).
23. Allocutio «Multis gravibusque», 17. Dec. 1860 (Propp. 19 37 43 73).
24. Allocutio «Iamdudum cernimus», 18. Martii 1861 (Propp. 37 61 76 80).
25. Allocutio «Meminit unusquisque», 30. Sept. 1861 (Prop. 20).
26. Allocutio «Maxima quidem», 9. Iunii 1862 (Propp. 1—7 15 19 27 39 44 49 56—60 76).
27. Epistola «Gravissimas inter» ad archiepisc. Monaco-Frisingensem, 11. Dec. 1862 (Propp. 9—11).
28. Epistola encyclica «Quanto conficiamur moerore», 10. Aug. 1863 (Propp. 17 58).
29. Epistola encyclica «Incredibili», 17. Sept. 1863 (Prop. 26).
30. Epistola «Tuas libenter» ad archiepisc. Monaco-Frisingensem, 21. Dec. 1863 (Propp. 9 10 12—14 22 33).
31. Epistola «Cum non sine» ad archiepisc. Friburgensem, 14. Iulii 1864 (Propp. 47 48).
32. Epistola «Singularis Nobisque» ad episc. Montisregalem, 29. Sept. 1864 (Prop. 32).

B. Syllabus [1]

complectens praecipuos nostrae aetatis errores, qui notantur in Allocutionibus consistorialibus, in Encyclicis aliisque apostolicis Litteris
SS. D. N PII P. IX [2].

§ I. Pantheismus, naturalismus et rationalismus absolutus.

1. Nullum supremum, sapientissimum, providentissimum-1701
que Numen divinum exsistit, ab hac rerum universitate (1548)

----

[1] ASS 3 (1867), 168 sqq; Aexq IX sqq; AP III 701 sqq.
[2] Ut verus sensus huius Syllabi inveniatur, recurrendum est ad contextum ipsorum documentorum, ex quibus propositiones singulae haustae sunt [cf. ep. Card. Antonelli supra allatam (pag. 464 nota); ASS 3, 167; Heiner, Der Syllabus 13 sq].

distinctum, et Deus idem est ac rerum natura et idcirco
immutationibus obnoxius, Deusque reapse fit in homine et
mundo, atque omnia Deus sunt et ipsissimam Dei habent
substantiam; ac una eademque res est Deus cum mundo et
proinde spiritus cum materia, necessitas cum libertate, verum
cum falso, bonum cum malo et iustum cum iniusto (26)[1].

1702   2. Neganda est omnis Dei actio in homines et mundum (26). 179⁵

1703   3. Humana ratio, nullo prorsus Dei respectu habito,
(1550) unicus est veri et falsi, boni et mali arbiter, sibi ipsi est lex
et naturalibus suis viribus ad hominum ac populorum bonum
curandum sufficit (26).

1704   4. Omnes religionis veritates ex nativa humanae rationis
vi derivant; hinc ratio est princeps norma qua homo
cognitionem omnium cuiuscunque generis veritatum assequi
possit ac debeat (1 17 26).

1705   5. Divina revelatio est imperfecta et idcirco subiecta
continuo et indefinito progressui, qui humanae rationis progressui respondeat (1 26).

1706   6. Christi fides humanae refragatur rationi; divinaque
revelatio non solum nihil prodest, verum etiam nocet hominis
perfectioni (1 26).

1707   7. Prophetiae et miracula in sacris Litteris exposita
et narrata sunt poetarum commenta et christianae fidei
mysteria philosophicarum investigationum summa; et utriusque Testamenti libris mythica continentur inventa; ipseque
Iesus Christus est mythica fictio (1 26).

§ II. Rationalismus moderatus.

1708   8. Cum ratio humana ipsi religioni aequiparetur, id-
(1555) circo theologicae disciplinae perinde ac philosophicae tractandae sunt (13).

1709   9. Omnia indiscriminatim dogmata religionis christianae
sunt obiectum naturalis scientiae seu philosophiae; et humana
ratio historice tantum exculta potest ex suis naturalibus viribus et principiis ad veram de omnibus etiam reconditioribus
dogmatibus scientiam pervenire, modo haec dogmata ipsi
rationi tanquam obiectum proposita fuerint (27 30).

1710   10. Cum aliud sit philosophus, aliud philosophia, ille ius
et officium habet se submittendi auctoritati, quam veram ipse
probaverit; at philosophia neque potest neque debet
ulli sese submittere auctoritati (27 30).

---

[1] Hi numeri remittunt ad Indicem «Actorum PII IX, ex quibus
excerptus est Syllabus» [v. supra n. 1700].

11. Ecclesia non solum non debet in philosophiam un- 1711
quam animadvertere, verum etiam debet ipsius philosophiae (1558)
tolerare errores eique relinquere, ut ipsa se corrigat (27).

12. Apostolicae Sedis Romanarumque Congregationum 1712
decreta liberum scientiae progressum impediunt (30).

13. Methodus et principia, quibus antiqui Doctores 1713
scholastici Theologiam excoluerunt, temporum nostrorum
necessitatibus scientiarumque progressui minime congruunt (30).

14. Philosophia tractanda est nulla supernaturalis re- 1714
velationis habita ratione (30).

NB. Cum rationalismi systemate cohaerent quoad maximam partem 1714a
errores Antonii Guenther, qui damnantur in ep. ad Card. archiepisc.
Coloniensem «*Eximiam tuam*», 15. Iunii 1857 (19) [v. n. 1655] et in ep.
ad episc. Wratislaviensem «*Dolore haud mediocri*», 30. Apr. 1860 (21).

§ III. Indifferentismus, latitudinarismus.

15. Liberum cuique homini est eam amplecti ac profiteri 1715
religionem, quam rationis lumine quis ductus veram (1562)
putaverit (8 26).

16. Homines in cuiusvis religionis cultu viam 1716
aeternae salutis reperire aeternamque salutem assequi possunt (1 3 17).

17. Saltem bene sperandum est de aeterna illorum omnium 1717
salute, qui in vera Christi Ecclesia nequaquam versantur
(13 28).

18. Protestantismus non aliud est quam diversa verae 1718
eiusdem christianae religionis forma, in qua aeque ac in
Ecclesia catholica Deo placere datum est (5).

§ IV. Socialismus, communismus, societates clandestinae, societates biblicae, societates clerico-liberales.

Eiusmodi pestes saepe gravissimisque verborum formulis 1718a
reprobantur in epist. encycl. «*Qui pluribus*», 9. Nov. 1846 (1); (1566)
in allocut. «*Quibus quantisque*», 20. Apr. 1849 (4); in epist.
encycl. «*Noscitis et Nobiscum*», 8. Dec. 1849 (5); in allocut.
«*Singulari quadam*», 9. Dec. 1854 (13); in epist. encycl.
«*Quanto conficiamur moerore*», 10. Aug. 1863 (28).

§ V. Errores de Ecclesia eiusque iuribus.

128

19. Ecclesia non est vera perfectaque societas 1719
plane libera, nec pollet suis propriis et constantibus iuribus (1567)
sibi a divino suo fundatore collatis, sed civilis potestatis est
definire, quae sint Ecclesiae iura ac limites, intra quos eadem
iura exercere queat (13 22 23 26).

30 *

1720   20. Ecclesiastica potestas suam auctoritatem exercere non
(1568) debet absque civilis gubernii venia et assensu (25).

1721   21. Ecclesia non habet potestatem dogmatice definiendi,
religionem catholicae Ecclesiae esse unice veram religionem (8).

1722   22. Obligatio, qua catholici magistri et scriptores omnino
adstringuntur, coarctatur in iis tantum, quae ab infallibili
Ecclesiae iudicio veluti fidei dogmata ab omnibus credenda proponuntur (30).

1723   23. Romani Pontifices et Concilia oecumenica a
limitibus suae potestatis recesserunt, iura principum usurparunt
atque etiam in rebus fidei et morum definiendis errarunt (8).

1724   24. Ecclesia vis inferendae potestatem non habet neque
potestatem ullam temporalem directam vel indirectam (9).

1725   25. Praeter potestatem episcopatui inhaerentem, alia
(1573) est attributa temporalis potestas a civili imperio vel expresse
vel tacite concessa, revocanda propterea, cum libuerit, a
civili imperio (9).

1726   26. Ecclesia non habet nativum ac legitimum ius acquirendi ac possidendi (18 29).

1727   27. Sacri Ecclesiae ministri Romanusque Pontifex ab
omni rerum temporalium cura ac dominio sunt omnino
excludendi (26).

1728   28. Episcopis, sine gubernii venia, fas non est vel ipsas
apostolicas litteras promulgare (18).

1729   29. Gratiae a Romano Pontifice concessae existimari debent
tanquam irritae, nisi per gubernium fuerint imploratae (18).

1730   30. Ecclesiae et personarum ecclesiasticarum immunitas
(1578) a iure civili ortum habuit (8).

1731   31. Ecclesiasticum forum pro temporalibus clericorum causis sive civilibus sive criminalibus omnino de
medio tollendum est, etiam inconsulta et reclamante Apostolica Sede (12 18).

1732   32. Absque ulla naturalis iuris et aequitatis violatione
potest abrogari personalis immunitas, qua clerici ab onere
subeundae exercendaeque militiae eximuntur; hanc vero ab-
rogationem postulat civilis progressus, maxime in societate
ad formam liberioris regiminis constituta (32).

1733   33. Non pertinet unice ad ecclesiasticam iurisdictionis
potestatem proprio ac nativo iure dirigere theologicarum
rerum doctrinam (30).

1734   34. Doctrina comparantium Romanum Pontificem prin-
cipi libero et agenti in universa Ecclesia doctrina est,
quae medio aevo praevaluit (9).

35. Nihil vetat, alicuius Concilii generalis sententia aut 1735
universorum populorum facto summum Pontificatum ab Ro- (1583)
mano episcopo atque Urbe ad alium episcopum aliamque
civitatem transferri (9).

36. Nationalis concilii definitio nullam aliam ad- 1736
mittit disputationem, civilisque administratio rem ad hosce
terminos exigere potest (9).

37. Institui possunt nationales ecclesiae ab auctori- 1737
tate Romani Pontificis subductae planeque divisae (23 24).

38. Divisioni Ecclesiae in orientalem atque occidentalem 1738
nimia Romanorum Pontificum arbitria contulerunt (9).

1821   § *VI. Errores de societate civili tum in se tum in suis ad*
Ecclesiam relationibus spectata.

39. Reipublicae status, utpote omnium iurium origo 1739
et fons, iure quodam pollet nullis circumscripto limitibus (26).

40. Catholicae Ecclesiae doctrina humanae societatis 1740
bono et commodis adversatur (1 4).   (1588)

41. Civili potestati vel ab infideli imperante exercitae 1741
competit potestas indirecta negativa in sacra; eidem proinde competit nedum ius quod vocant *exsequatur*, sed etiam
ius *appellationis*, quam nuncupant, *ab abusu* (9).

42. In conflictu legum utriusque potestatis ius civile 1742
praevalet (9).

43. Laica potestas auctoritatem habet rescindendi, de- 1743
clarandi ac faciendi irritas sollemnes conventiones (vulgo
Concordata) super usu iurium ad ecclesiasticam immunitatem pertinentium cum Sede Apostolica initas sine huius
consensu, immo et ea reclamante (7 23).

44. Civilis auctoritas potest se immiscere rebus, quae ad 1744
religionem, mores et regimen spirituale pertinent.   Hinc
potest de instructionibus iudicare, quas Ecclesiae pastores ad
conscientiarum normam pro suo munere edunt, quin etiam
potest de divinorum sacramentorum administratione et
dispositionibus ad ea suscipienda necessariis decernere (7 26).

45. Totum scholarum publicarum regimen, in quibus 1745
iuventus christianae alicuius reipublicae instituitur, episcopa- (1593)
libus dumtaxat seminariis aliqua ratione exceptis, potest ac
debet attribui auctoritati civili, et ita quidem attribui, ut
nullum alii cuicunque auctoritati recognoscatur ius immiscendi
se in disciplina scholarum, in regimine studiorum, in graduum
collatione, in delectu aut approbatione magistrorum (7 10).

46. Immo in ipsis clericorum seminariis methodus stu- 1746
diorum adhibenda civili auctoritati subicitur (18).

1747 47. Postulat optima civilis societatis ratio, ut populares
(1595) scholae, quae patent omnibus cuiusque e populo classis
pueris, ac publica universim instituta, quae litteris severioribus-
que disciplinis tradendis et educationi iuventutis curandae sunt destinata, eximantur ab omni Ecclesiae auctoritate, moderatrice vi et ingerentia plenoque civilis ac politicae
auctoritatis arbitrio subiciantur ad imperantium placita et ad
communium aetatis opinionum amussim (31).

1748 48. Catholicis viris probari potest ea iuventutis in-
stituendae ratio, quae sit a catholica fide et ab Ecclesiae
potestate seiuncta, quaeque rerum dumtaxat naturalium scientiam ac terrenae socialis vitae fines tantummodo vel saltem
primario spectet (31).

1749 49. Civilis auctoritas potest impedire, quominus sacrorum
antistites et fideles populi cum Romano Pontifice libere ac
mutuo communicent (26).

1750 50. Laica auctoritas habet per se ius praesentandi 305
(1598) episcopos et potest ab illis exigere, ut ineant dioecesium
procurationem, antequam ipsi canonicam a Sancta Sede institutionem et apostolicas litteras accipiant (18).

1751 51. Immo laicum gubernium habet ius deponendi ab
exercitio pastoralis ministerii episcopos neque tenetur oboedire
Romano Pontifici in iis, quae episcopatuum et episcoporum
respiciunt institutionem (8 12).

1752 52. Gubernium potest suo iure immutare aetatem ab Ecclesia praescriptam pro religiosa tam mulierum quam virorum
professione, omnibusque religiosis familiis indicere, ut
neminem sine suo permissu ad sollemnia vota nuncupand?
admittant (18).

1753 53. Abrogandae sunt leges, quae ad religiosarum fa-
miliarum statum tutandum earumque iura et officia pertinent; immo potest civile gubernium iis omnibus auxilium
praestare, qui a suscepto religiosae vitae instituto deficere ac
sollemnia vota frangere velint; pariterque potest religiosas
easdem familias perinde ac collegiatas Ecclesias et beneficia
simplicia etiam iuris patronatus penitus exstinguere, illorum-
que bona et reditus civilis potestatis administrationi et arbitrio
subicere et vindicare (12 14 15).

1754 54. Reges et principes non solum ab Ecclesiae iurisdictione eximuntur, verum etiam in quaestionibus iurisdictionis
dirimendis superiores sunt Ecclesia (8).

1755 55. Ecclesia a statu statusque ab Ecclesia seiungendus
est (12).

§ VII. Errores de ethica naturali et christiana.

56. Morum leges divina haud egent sanctione, minime-1756 que opus est, ut humanae leges ad naturae ius conformentur (1604) aut obligandi vim a Deo accipiant (26).

57. Philosophicarum rerum morumque scientia, item civi-1757 les leges possunt et debent a divina et ecclesiastica auctoritate declinare (26).

58. Aliae vires non sunt agnoscendae nisi illae, quae in 1758 materia positae sunt, et omnis morum disciplina honestasque collocari debet in cumulandis et augendis quovis modo divitiis ac in voluptatibus explendis (26 28).

59. Ius in materiali facto consistit, et omnia hominum 1759 officia sunt nomen inane, et omnia humana facta iuris vim habent (26).

60. Auctoritas nihil aliud est, nisi numeri et materialium 1760 virium summa (26).   (1608)

61. Fortunata facti iniustitia nullum iuris sanctitati 1761 detrimentum affert (24).

62. Proclamandum est et observandum principium, quod 1762 vocant de *non-interventu* (22).

63. Legitimis principibus oboedientiam detractare, immo 1763 et rebellare licet (1 2 5 20).

64. Tum cuiusque sanctissimi iuramenti violatio tum quae-1764 libet scelesta flagitiosaque actio sempiternae legi repugnans non solum haud est improbanda, verum etiam omnino licita summisque laudibus efferenda, quando id pro patriae amore agatur (4).

§ VIII. Errores de matrimonio christiano.

969   65. Nulla ratione ferri potest, Christum evexisse matri-1765 monium ad dignitatem sacramenti (9).   (1613)

66. Matrimonii sacramentum non est, nisi quid contractui 1766 accessorium ab eoque separabile, ipsumque sacramentum in una tantum nuptiali benedictione situm est (9).

67. Iure naturae matrimonii vinculum non est indisso-1767 lubile, et in variis casibus divortium proprie dictum auctoritate civili sanciri potest (9 12).

68. Ecclesia non habet potestatem impedimenta matri-1768 monium dirimentia inducendi, sed ea potestas civili auctoritati competit, a qua impedimenta exsistentia tollenda sunt (8).

69. Ecclesia sequioribus saeculis dirimentia impedimenta 1769 inducere coepit, non iure proprio, sed illo iure usa, quod a civili potestate mutuata erat (9).

1770   70. TRIDENTINI c a n o n e s, qui anathematis censuram
(1618) illis inferunt, qui facultatem impedimenta dirimentia inducendi
Ecclesiae negare audeant, vel non sunt dogmatici vel de
hac mutuata potestate intelligendi sunt (9).

1771   71. TRIDENTINI f o r m a sub infirmitatis poena non
obligat, ubi lex civilis aliam formam praestituat et velit hac
nova forma interveniente matrimonium valere (9).

1772   72. BONIFACIUS VIII v o t u m c a s t i t a t i s in ordinatione emissum nuptias nullas reddere primus asseruit (9).

1773   73. Vi contractus m e r e c i v i l i s potest inter Christianos
constare veri nominis matrimonium, falsumque est, aut contractum matrimonii inter Christianos semper esse sacramentum,
aut nullum esse contractum, si sacramentum excludatur (9 11
12 23).

1774   74. Causae matrimoniales et sponsalia suapte natura ad
f o r u m c i v i l e pertinent (1 8 9 12).

1774a   NB. Huc facere possunt duo alii errores de clericorum c o e l i b a t u
(1623) abolendo et de statu matrimonii statui v i r g i n i t a t i s anteferendo. Con-
fodiuntur prior in epist. encycl. *Qui pluribus*, 9. Nov. 1846 (1), posterior
in litteris apost. *Multiplices inter*, 10. Iunii 1851 (8).

§ IX. *Errores de civili Romani Pontificis principatu.*

1775   75. De t e m p o r a l i s r e g n i cum spirituali compatibili- 1826
(1624) tate disputant inter se christianae et catholicae Ecclesiae
filii (9).

1776   76. A b r o g a t i o civilis imperii, quo Apostolica Sedes
potitur, ad Ecclesiae libertatem felicitatemque vel maxime
conduceret (4 6).

1776a   NB. Praeter hos errores explicite notatos alii complures implicite
(1625) reprobantur, proposita et asserta doctrina, quam catholici omnes firmissime retinere debeant, d e c i v i l i R o m a n i P o n t i f i c i s principatu.
Eiusmodi doctrina luculenter traditur in allocut. *Quibus quantisque*,
20. April. 1849 (4); in allocut. *Si semper antea*, 20. Maii 1850 (6); in
litteris apost. *Cum catholica Ecclesia*, 26. Martii 1860 (20); in allocut.
Novos et ante, 28. Sept. 1860 (22); in allocut. *Iamdudum cernimus*,
18. Martii 1861 (24); in allocut. *Maxima quidem*, 9. Iunii 1862 (26).

§ X. *Errores, qui ad liberalismum hodiernum referuntur.*

1777   77. Aetate hac nostra non amplius expedit, religionem
catholicam haberi tanquam unicam s t a t u s r e l i g i o n e m,
ceteris quibuscunque cultibus exclusis (16).

1778   78. Hinc laudabiliter in quibusdam catholici nominis regionibus lege cautum est, ut hominibus illuc immigrantibus
liceat publicum proprii cuiusque cultus exercitium habere (12).

79. Enimvero falsum est, civilem cuiusque cultus liber-1779
tatem itemque plenam potestatem omnibus attributam quas- (1628)
libet opiniones cogitationesque palam publiceque mani-
festandi conducere ad populorum mores animosque facilius
corrumpendos ac indifferentismi pestem propagandam (18).

80. Romanus Pontifex potest ac debet cum progressu, 1780
cum liberalismo et cum recenti civilitate sese reconciliare
et componere (24).

Conc. VATICANUM 1869—1870.

Oecumenicum XX (de fide et Ecclesia).

SESSIO III (24. Aprilis 1870).

Constitutio dogmatica de fide catholica [1].

1795 ... Nunc autem, sedentibus Nobiscum et iudicantibus 1781
universi orbis episcopis, in hanc oecumenicam Synodum (1630)
auctoritate Nostra in Spiritu Sancto congregatis, innixi
Dei verbo scripto et tradito, prout ab Ecclesia catholica
sancte custoditum et genuine expositum accepimus, ex
hac PETRI cathedra in conspectu omnium salutarem
Christi doctrinam profiteri et declarare constituimus, ad-
versis erroribus potestate Nobis a Deo tradita proscriptis
atque damnatis.

Cap. 1. De Deo rerum omnium creatore.

Sancta catholica apostolica Romana Ecclesia credit 1782
et confitetur, unum esse Deum verum et vivum, (1631)
creatorem ac Dominum coeli et terrae, omnipotentem,
aeternum, immensum, incomprehensibilem, intellectu ac
voluntate omnique perfectione infinitum; qui cum
sit una singularis, simplex omnino et incommutabilis
substantia spiritualis, praedicandus est re et essentia a
mundo distinctus, in se et ex se beatissimus, et
super omnia, quae praeter ipsum sunt et concipi possunt,
ineffabiliter excelsus [can. 1—4].

Hic solus verus Deus bonitate *sua* et *omnipotenti vir-*1783
tute non ad augendam suam beatitudinem nec ad ac-
quirendam, sed ad manifestandam perfectionem
suam per bona, quae creaturis impertitur, liberrimo

---

[1] CL VII 248 b sqq; ASS 5 (1869), 462 sqq.

consilio «simul ab initio temporis utramque de nihilo
condidit creaturam, spiritualem et corporalem, angelicam
videlicet et mundanam ac deinde humanam quasi communem ex spiritu et corpore constitutam» [Conc. LATER. IV,
v. n. 428; can. 2 et 5].

1784 Universa vero, quae condidit, Deus providentia sua
(1633) tuetur atque gubernat, *attingens a fine usque ad finem
fortiter et disponens omnia suaviter* [cf. Sap 8, 1]. «*Omnia*
enim *nuda et aperta sunt oculis eius*» [Hebr 4, 13], ea etiam,
quae libera creaturarum actione futura sunt.

Cap. 2. De revelatione.

1785 Eadem sancta mater Ecclesia tenet et docet, Deum, 1795
(1634) rerum omnium principium et finem, naturali humanae
rationis lumine e rebus creatis certo cognosci posse;
*invisibilia enim ipsius, a creatura mundi, per ea quae
facta sunt, intellecta, conspiciuntur* [Rom 1, 20]: attamen
placuisse eius sapientiae et bonitati, alia eaque supernaturali via se ipsum ac aeterna voluntatis suae decreta
humano generi revelare, dicente Apostolo: «*Multifariam
multisque modis olim Deus loquens patribus in Prophetis: novissime diebus istis locutus est nobis in Filio*»
[Hebr 1, 1 sq; can. 1].

1786 Huic divinae revelationi tribuendum quidem est, ut
ea, quae in rebus divinis humanae rationi per se impervia non sunt, in praesenti quoque generis humani conditione ab omnibus expedite, firma certitudine et nullo
admixto errore cognosci possint. Non hac tamen de
causa revelatio absolute necessaria dicenda est,
sed quia Deus ex infinita bonitate sua ordinavit hominem
ad finem supernaturalem, ad participanda scilicet
bona divina, quae humanae mentis intelligentiam omnino
superant; siquidem «*oculus non vidit, nec auris audivit,
nec in cor hominis ascendit, quae praeparavit Deus iis,
qui diligunt illum*» [1 Cor 2, 9; can. 2 et 3].

1787 Haec porro supernaturalis revelatio, secundum universalis Ecclesiae fidem a sancta TRIDENTINA Synodo
declaratam continetur «in libris scriptis et sine scripto
traditionibus, quae ipsius Christi ore ab Apostolis
acceptae, aut (ab) ipsis Apostolis Spiritu Sancto dic-

tante quasi per manus traditae, ad nos usque pervenerunt» [Conc. TRID., v. n. 783]. Qui quidem Veteris et Novi
Testamenti libri integri cum omnibus suis partibus, prout in eiusdem Concilii decreto recensentur, et
in veteri vulgata latina editione habentur, pro sacris
et canonicis suscipiendi sunt. Eos vero Ecclesia pro
sacris et canonicis habet, non ideo, quod sola humana
industria concinnati, sua deinde auctoritate sint appro-
bati; nec ideo dumtaxat, quod revelationem sine errore
contineant; sed propterea, quod Spiritu Sancto inspirante conscripti Deum habent auctorem,
atque ut tales ipsi Ecclesiae traditi sunt [can. 4].

1788
(1637)
Quoniam vero, quae sancta TRIDENTINA Synodus
de interpretatione divinae Scripturae ad coercenda petulantia ingenia salubriter decrevit, a quibusdam hominibus
prave exponuntur, Nos idem decretum renovantes hanc
illius mentem esse declaramus, ut in rebus fidei et
morum ad aedificationem doctrinae christianae pertinentium is pro vero sensu sacrae Scripturae habendus sit, quem tenuit ac tenet sancta mater Ecclesia,
cuius est iudicare de vero sensu et interpretatione
Scripturarum sanctarum; atque ideo nemini licere contra
hunc sensum aut etiam contra unanimem consensum
Patrum ipsam Scripturam sacram interpretari.

Cap. 3. De fide.

1795
Cum homo a Deo tanquam creatore et Domino suo
totus dependeat et ratio creata increatae Veritati penitus
subiecta sit, plenum revelanti Deo intellectus et voluntatis obsequium fide praestare tenemur [can. 1]. Hanc vero
fidem, quae humanae salutis initium est [cf. n. 801],
Ecclesia catholica profitetur, virtutem esse supernaturalem, qua, Dei aspirante et adiuvante gratia, ab eo
revelata vera esse credimus, non propter intrinsecam
rerum veritatem naturali rationis lumine perspectam, sed
propter auctoritatem ipsius Dei revelantis,
qui nec falli nec fallere potest [can. 2]. «*Est* enim *fides,*
testante Apostolo, *sperandarum substantia rerum, argumentum non apparentium*» [Hebr 11, 1].

1789
(1638)

1790 Ut nihilominus fidei nostrae *obsequium rationi con-*
(1639) *sentaneum* [cf. Rom 12, 1] esset, voluit Deus cum internis
Spiritus Sancti auxiliis externa iungi revelationis suae
a r g u m e n t a, facta scilicet divina atque imprimis miracula et prophetias, quae cum Dei omnipotentiam et infinitam scientiam luculenter commonstrent, divinae r e v e-
l a t i o n i s s i g n a s u n t c e r t i s s i m a et omnium intelligentiae accommodata [can. 3 et 4]. Quare tum Moyses et
Prophetae, tum ipse maxime Christus Dominus multa et
manifestissima miracula et prophetias ediderunt; et de
Apostolis legimus: «*Illi autem profecti praedicaverunt
ubique Domino cooperante et sermonem confirmante
sequentibus signis*» [Mc 16, 20]. Et rursum scriptum est:
«*Habemus firmiorem propheticum sermonem, cui bene-
facitis attendentes quasi lucernae lucenti in caliginoso
loco*» [2 Petr 1, 19].

1791 Licet autem f i d e i a s s e n s u s nequaquam sit motus
animi caecus: nemo tamen «evangelicae praedicationi
consentire» potest, s i c u t o p o r t e t ad salutem consequendam, «absque illuminatione et inspiratione Spiritus
Sancti, qui dat omnibus suavitatem in consentiendo et
credendo veritati» [Conc. Araus., v. n. 178 sqq]. Quare *fides*
ipsa in se, etiamsi *per caritatem* non *operetur* [cf. Gal 5, 6],
d o n u m D e i e s t, et actus eius est opus ad salutem
pertinens, quo homo l i b e r a m praestat ipsi Deo oboedientiam gratiae eius, cui resistere posset, consentiendo
et cooperando [cf. n. 797 sq; can. 5].

1792 Porro fide divina et catholica ea omnia credenda 159
sunt, quae in v e r b o D e i s c r i p t o vel t r a d i t o continentur et ab Ecclesia sive sollemni iudicio sive ordinario et universali magisterio t a n q u a m d i v i n i t u s
r e v e l a t a c r e d e n d a p r o p o n u n t u r.

1793 Quoniam vero «*sine fide...impossibile est placere Deo*»
(1642) [Hebr 11, 6] et ad filiorum eius consortium pervenire, ideo
nemini unquam sine illa contigit iustificatio, nec ullus,
nisi in ea «*perseveraverit usque in finem*» [Mt 10, 22; 24, 13],
vitam aeternam assequetur. Ut autem officio veram
fidem amplectendi in eaque constanter perseverandi
satisfacere possemus, Deus per Filium suum unigenitum
E c c l e s i a m institut, suaeque institutionis manifestis 1821

notis instruxit, ut ea tanquam custos et magistra verbi
revelati ab omnibus posset agnosci.

Ad solam enim catholicam Ecclesiam ea pertinent 1794
omnia, quae ad evidentem fidei christianae credibilitatem (1642)
tam multa et tam mira divinitus sunt disposita. Quin
etiam Ecclesia per se ipsa, ob suam nempe admirabilem propagationem, eximiam sanctitatem et inexhaustam
in omnibus bonis foecunditatem, ob catholicam unitatem
invictamque stabilitatem magnum quoddam et perpetuum est motivum credibilitatis et divinae suae
legationis testimonium irrefragabile.

Quo fit, ut ipsa veluti *signum levatum in nationes*
[Is 11, 12] et ad se invitet, qui nondum crediderunt, et
filios suos certiores faciat, firmissimo niti fundamento
fidem, quam profitentur. Cui quidem testimonio efficax
subsidium accedit ex superna virtute. Etenim beni-
gnissimus Dominus et errantes gratia sua excitat atque
adiuvat, ut *«ad agnitionem veritatis venire»* [1 Tim 2, 4]
possint, et eos, quos de tenebris transtulit in admira-
bile lumen suum, in hoc eodem lumine ut perseverent,
gratia sua confirmat non deserens, nisi deseratur.
Quocirca minime par est conditio eorum, qui per coeleste fidei donum catholicae veritati adhaeserunt, atque eorum, qui ducti opinionibus humanis falsam
religionem sectantur; illi enim, qui fidem sub Ecclesiae
magisterio susceperunt, nullam unquam habere
possunt iustam causam mutandi aut in dubium
fidem eandem revocandi [can. 6]. Quae cum ita sint,
*«gratias agentes Deo Patri, qui dignos nos fecit in
partem sortis sanctorum in lumine»* [Col 1, 12], tantam ne
negligamus salutem, sed *«aspicientes in auctorem fidei
et consummatorem Iesum»* [Hebr 12, 2] *teneamus spei nostrae
confessionem indeclinabilem* [Hebr 10, 23].

736
1101
                    Cap. 4. De fide et ratione.
1166
1618   Hoc quoque perpetuus Ecclesiae catholicae consensus 1795
1622 tenuit et tenet, duplicem esse ordinem cognitionis (1643)
1634
1642 non solum principio, sed obiecto etiam distinctum: prin-
1649
1655 cipio quidem, quia in altero naturali ratione, in altero

fide divina cognoscimus; obiecto autem, quia praeter 1666
ea, ad quae naturalis ratio pertingere potest, credenda 1677
1679
nobis proponuntur mysteria in Deo abscondita, quae, 1702
1785
nisi revelata divinitus, innotescere non possunt [can. 1]. 1816
2020
Quocirca Apostolus, qui a gentibus Deum «*per ea, quae* 2065
facta sunt» [Rom 1, 20], cognitum esse testatur, disserens 2081
2120
tamen de *gratia et veritate, quae «per Iesum Christum
facta est*» [cf. Io 1, 17], pronuntiat: «*Loquimur Dei sapientiam in mysterio, quae abscondita est, quam praedestinavit Deus ante saecula in gloriam nostram, quam
nemo principum huius saeculi cognovit . . . nobis autem
revelavit Deus per Spiritum suum: Spiritus enim omnia
scrutatur, etiam profunda Dei*» [1 Cor 2, 7 8 10]. Et ipse
Unigenitus confitetur Patri, quia abscondit haec a sapientibus et prudentibus, et revelavit ea parvulis* [cf. Mt 11, 25].

1796   Ac ratio quidem, fide illustrata, cum sedulo, pie et
(1644) sobrie quaerit, aliquam Deo dante mysteriorum intelligentiam eamque fructuosissimam assequitur tum ex
eorum, quae naturaliter cognoscit, analogia tum e mysteriorum ipsorum nexu inter se et cum fine hominis
ultimo; nunquam tamen idonea redditur ad ea perspi-
cienda instar veritatum, quae proprium ipsius obiectum
constituunt. Divina enim mysteria suapte natura intellectum creatum sic excedunt, ut etiam revelatione tradita et fide suscepta ipsius tamen fidei velamine contecta et quadam quasi caligine obvoluta mane-
ant, quamdiu in hac mortali vita «*peregrinamur a
Domino: per fidem enim ambulamus et non per speciem*»
[2 Cor 5, 6 sq].

1797   Verum etsi fides sit supra rationem, nulla tamen
(1645) unquam inter fidem et rationem vera dissensio esse
potest: cum idem Deus, qui mysteria revelat et fidem in-
fundit, animo humano rationis lumen indiderit, Deus autem
negare se ipsum non possit nec verum unquam contradicere. Inanis autem huius contradictionis species inde
potissimum oritur, quod vel fidei dogmata ad mentem
Ecclesiae intellecta et exposita non fuerint vel opinionum
commenta pro rationis effatis habeantur. «Omnem» igitur
«assertionem veritati illuminatae fidei contrariam omnino
falsam esse definimus» [Conc. LATER. V, v. n. 738].

Porro Ecclesia, quae una cum apostolico munere 1798
docendi mandatum accepit fidei depositum custodiendi, (1645)
ius etiam et officium divinitus habet falsi nominis scientiam proscribendi, *ne quis decipiatur*
per philosophiam et inanem fallaciam [cf. Col 2, 8; can. 2].
Quapropter omnes Christiani fideles huiusmodi opiniones,
quae fidei doctrinae contrariae esse cognoscuntur, maxime
si ab Ecclesia reprobatae fuerint, non solum prohibentur
tanquam legitimas scientiae conclusiones defendere, sed
pro erroribus potius, qui fallacem veritatis speciem prae
se ferant, habere tenentur omnino.

Neque solum fides et ratio inter se dissidere nunquam 1799
possunt, sed opem quoque sibi mutuam ferunt, cum
recta ratio fidei fundamenta demonstret eiusque lumine illustrata rerum divinarum scientiam excolat,
fides vero rationem ab erroribus liberet ac
tueatur eamque multiplici cognitione instruat. Quapropter tantum abest, ut Ecclesia humanarum artium
et disciplinarum culturae obsistat, ut hanc multis modis
iuvet atque promoveat. Non enim commoda ab iis ad
hominum vitam dimanantia aut ignorat aut despicit;
fatetur immo, eas, quemadmodum a Deo scientiarum
Domino profectae sunt, ita, si rite pertractentur, ad
Deum iuvante eius gratia perducere. Nec sane ipsa
vetat, ne huiusmodi disciplinae in suo quaeque am-
bitu propriis utantur principiis et propria methodo; sed iustam hanc libertatem agnoscens, id sedulo
cavet, ne divinae doctrinae repugnando errores in se
suscipiant, aut fines proprios transgressae ea, quae sunt
fidei, occupent et perturbent.

Neque enim fidei doctrina, quam Deus revelavit, 1800
velut philosophicum inventum proposita est humanis
ingeniis perficienda, sed tanquam divinum depositum
Christi Sponsae tradita, fideliter custodienda et
infallibiliter declaranda. Hinc sacrorum quoque
dogmatum is sensus perpetuo est retinendus, quem
semel declaravit sancta mater Ecclesia, nec unquam
ab eo sensu altioris intelligentiae specie et nomine recedendum [can. 3]. «Crescat igitur ... et multum vehementer-
que proficiat, tam singulorum quam omnium, tam unius

hominis quam totius Ecclesiae, aetatum ac saeculorum
gradibus, intelligentia, scientia, sapientia: sed in suo
dumtaxat genere, in eodem scilicet dogmate, eodem
sensu eademque sententia.» [1]

CANONES [de fide catholica] [2].

1. De Deo rerum omnium creatore.

1801 1. Si quis **unum verum Deum** visibilium et in-
(1648) visibilium creatorem et Dominum negaverit: anathema
sit [cf. n. 1782].

1802 2. Si quis praeter **materiam** nihil esse affirmare
non erubuerit: A. S. [cf. n. 1783].

1803 3. Si quis dixerit, **unam eandemque** esse Dei et
rerum omnium substantiam vel essentiam: A. S. [cf. n. 1782].

1804 4. Si quis dixerit, **res finitas** tum corporeas tum
spirituales aut saltem spirituales e divina substantia
emanasse,

aut divinam essentiam sui manifestatione vel **evolutione** fieri omnia,

aut denique Deum esse ens **universale** seu **inde-
finitum**, quod sese determinando constituat rerum uni-
versitatem in genera, species et individua distinctam: A. S.

1805 5. Si quis non confiteatur, mundum resque omnes,
quae in eo continentur, et spirituales et materiales secundum totam suam substantiam a Deo **ex nihilo**
esse productas [cf. n. 1783],

aut Deum dixerit non voluntate ab omni necessitate
libera, sed tam necessario creasse, quam necessario
amat se ipsum [cf. n. 1784],

aut mundum ad Dei gloriam conditum esse negaverit: A. S. [cf. n. 1783].

2. De revelatione.

1806 1. Si quis dixerit, **Deum** unum et verum, creatorem 1795
(1653) et Dominum nostrum, per ea, quae facta sunt, naturali
rationis humanae lumine **certo cognosci** non posse:
anathema sit [cf. n. 1785].

---

[1] Vincentii Lirinensis Commonitorium n. 28 [ML 50, 668 (c. 23)].
[2] CL VII 255 a sq; ASS 5 (1869), 469 sqq.

2. Si quis dixerit, fieri non posse aut non expedire, 1807
ut per revelationem divinam homo de Deo cultu- (1654)
que ei exhibendo doceatur: A. S. [cf. n. 1786].

3. Si quis dixerit, hominem ad cognitionem et per- 1808
fectionem, quae naturalem superet, divinitus evehi non
posse, sed ex se ipso ad omnis tandem veri et boni possessionem iugi profectu pertingere posse et debere: A. S.

4. Si quis sacrae Scripturae libros integros cum 1809
omnibus suis partibus, prout illos sancta TRIDENTINA
Synodus recensuit [v. n. 783 sq], pro sacris et canonicis non
susceperit aut eos divinitus inspiratos esse negaverit: A. S.

3. De fide.

1. Si quis dixerit, rationem humanam ita indepen- 1810
dentem esse, ut fides ei a Deo imperari non possit: (1657)
anathema sit [cf. n. 1789].

2. Si quis dixerit, fidem divinam a naturali de Deo 1811
et rebus moralibus scientia non distingui, ac propterea
ad fidem divinam non requiri, ut revelata veritas propter
auctoritatem Dei revelantis credatur: A. S. [cf. n. 1789].

3. Si quis dixerit, revelationem divinam externis 1812
signis credibilem fieri non posse, ideoque sola interna cuiusque experientia aut inspiratione privata homines ad fidem moveri debere: A. S. [cf. n. 1790].

4. Si quis dixerit, miracula nulla fieri posse, pro- 1813
indeque omnes de iis narrationes, etiam in sacra Scriptura
contentas, inter fabulas vel mythos ablegandas esse; aut
miracula certo cognosci nunquam posse nec iis divinam
religionis christianae originem rite probari: A. S. [cf. n. 1790].

5. Si quis dixerit, assensum fidei christianae non esse 1814
liberum, sed argumentis humanae rationis necessario pro-
duci; aut ad solam *fidem* vivam, *quae per caritatem operatur* [Gal 5, 6], gratiam Dei necessariam esse: A. S. [cf. n. 1791].

6. Si quis dixerit, parem esse conditionem fide- 1815
lium atque eorum, qui ad fidem unice veram nondum
pervenerunt, ita ut catholici iustam causam habere possint fidem, quam sub Ecclesiae magisterio iam susceperunt, assensu suspenso in dubium vocandi, donec
demonstrationem scientificam credibilitatis et
veritatis fidei suae absolverint: A. S. [cf. n. 1794].

4. De fide et ratione.

1816 **1.** Si quis dixerit, in revelatione divina nulla vera et
(1663) proprie dicta **mysteria** contineri, sed universa fidei
dogmata posse per rationem rite excultam e naturalibus
principiis intelligi et demonstrari: anathema sit [cf. n. 1795].

1817 **2.** Si quis dixerit, **disciplinas humanas** ea cum
libertate tractandas esse, ut earum assertiones, etsi doctrinae revelatae adversentur, tanquam verae retineri
neque ab Ecclesia proscribi possint: A. S. [cf. n. 1798].

1818 **3.** Si quis dixerit, fieri posse, ut **dogmatibus ab**
Ecclesia propositis, aliquando secundum progressum
scientiae sensus tribuendus sit alius ab eo, quem intellexit et intelligit Ecclesia: A. S. [cf. n. 1800].

1819 Itaque supremi pastoralis Nostri officii debitum ex-
sequentes, omnes Christi fideles, maxime vero eos, qui
praesunt vel docendi munere funguntur, per viscera
Iesu Christi obtestamur, necnon eiusdem Dei et Salvatoris nostri auctoritate iubemus, ut ad hos errores a
sancta Ecclesia arcendos et eliminandos, atque purissimae fidei lucem pandendam studium et operam conferant.

1820 Quoniam vero satis non est, haereticam pravitatem
devitare, nisi ii quoque errores diligenter fugiantur, qui
ad illam plus minusve accedunt, omnes officii monemus,
servandi etiam Constitutiones et Decreta, quibus pravae
eiusmodi opiniones, quae isthic diserte non enumerantur,
ab hac Sancta Sede proscriptae et prohibitae sunt.

SESSIO IV (18. Iulii 1870) [1].

Constitutio dogmatica I de Ecclesia Christi.

2
14
40
246
287
330
347
361
423
430
464
468

1821 Pastor aeternus et episcopus animarum nostrarum, ut
(1667) salutiferum redemptionis opus perenne redderet, sanctam
aedificare Ecclesiam decrevit, in qua veluti in domo
Dei viventis fideles omnes unius fidei et caritatis vinculo continerentur. Quapropter, priusquam clarificaretur,
rogavit Patrem non pro Apostolis *tantum, sed et pro*

---

[1] CL VII 482 a sq; ASS 6 (1870), 40 sqq.

484
495
628 *eis, qui credituri erant per verbum eorum in ipsum,*
714 *ut omnes unum essent, sicut ipse Filius et Pater unum*
999 *sunt* [Io 17, 20 sq]. Quemadmodum igitur Apostolos, quos
1422 sibi de mundo elegerat, *misit, sicut ipse missus erat a*
1501
1683 *Patre* [Io 20, 21]: ita in Ecclesia sua pastores et doctores
1685
1719 usque ad consummationem saeculi esse voluit. Ut vero
1739 episcopatus ipse unus et indivisus esset, et per cohae-
1822
1841 rentes sibi invicem sacerdotes credentium multitudo uni-
1842
1847 versa in fidei et communionis unitate conservaretur,
1855 beatum PETRUM ceteris Apostolis praeponens in ipso
1860
1866 instituit perpetuum utriusque u n i t a t i s p r i n c i p i u m
1954
1967 ac v i s i b i l e f u n d a m e n t u m, super cuius fortitudinem
1976 aeternum exstrueretur templum, et Ecclesiae coelo in-
1995
2052 ferenda sublimitas in huius fidei firmitate consurgeret[1].
2065
2091 Et quoniam *portae inferi* ad evertendam, si fieri posset,
Ecclesiam, contra eius fundamentum divinitus positum
maiore in dies odio undique insurgunt, Nos ad catholici
gregis custodiam, incolumitatem, augmentum, necessarium
esse iudicamus, sacro approbante Concilio, doctrinam de
i n s t i t u t i o n e, p e r p e t u i t a t e ac n a t u r a sacri Apostolici
primatus, in quo totius Ecclesiae vis ac soliditas con-
sistit, cunctis fidelibus credendam et tenendam, secundum antiquam atque constantem universalis Ecclesiae
fidem, proponere, atque contrarios, dominico gregi adeo
perniciosos errores proscribere et condemnare.

Cap. 1. De apostolici primatus ... institutione [2].

1826   Docemus itaque et declaramus, iuxta Evangelii testi- 1822
monia p r i m a t u m i u r i s d i c t i o n i s in universam Dei (1668)
Ecclesiam immediate et directe beato PETRO Apostolo
promissum atque c o l l a t u m a Christo Domino fuisse.
Unum enim Simonem, cui iam pridem dixerat: *«Tu
vocaberis Cephas»* [Io 1, 42], postquam ille suam edidit
confessionem inquiens: *«Tu es Christus, Filius Dei
vivi»*, sollemnibus his verbis allocutus est Dominus:

---

[1] Cf. S. LEONIS M. serm. 4 de natali ipsius c. 2 [ML 54, 150 C].
[2] Horum capitum titulos hoc loco perspicuitatis causa paulo abbre-
viatos si quaeras i n t e g r o s, vide in «Indice documentorum et mate-
riarum» (in initio libri).

*«Beatus es, Simon Bar Iona: quia caro et sanguis non
revelavit tibi, sed Pater meus, qui in coelis est. Et
ego dico tibi, quia tu es Petrus, et super hanc petram
aedificabo Ecclesiam meam, et portae inferi non praevalebunt adversus eam: et tibi dabo claves regni coelorum. Et quodcunque ligaveris super terram, erit
ligatum et in coelis: et quodcunque solveris super terram,
erit solutum et in coelis»* [Mt 16, 16 sqq]. Atque uni Si-
moni PETRO contulit Iesus post suam resurrectionem
summi pastoris et rectoris iurisdictionem in totum suum
ovile dicens: *«Pasce agnos meos»*, *«Pasce oves meas»*
[Io 21, 15 sqq]. Huic tam manifestae sacrarum Scripturarum
doctrinae, ut ab Ecclesia catholica semper intellecta est,
aperte opponuntur pravae eorum sententiae, qui constitutam a Christo Domino in sua Ecclesia regiminis
formam pervertentes negant, solum PETRUM prae
ceteris Apostolis sive seorsum singulis sive omnibus
simul vero proprioque iurisdictionis primatu fuisse a
Christo instructum; aut qui affirmant, eundem primatum
non immediate directeque ipsi beato PETRO, sed Ecclesiae et per hanc illi ut ipsius Ecclesiae ministro de-
latum fuisse.

1823 *[CANON]* Si quis igitur dixerit, beatum PETRUM
(1669) Apostolum non esse a Christo Domino constitutum
Apostolorum omnium principem et totius Ecclesiae
militantis visibile caput; vel eundem honoris
tantum, non autem verae propriaeque iurisdictionis
primatum ab eodem Domino nostro Iesu Christo di
recte et immediate accepisse: anathema sit.

Cap. 2. [De primatus perpetuitate.]

1824 Quod autem in beato Apostolo PETRO princeps
(1670) pastorum et pastor magnus ovium Dominus Christus
in perpetuam salutem ac perenne bonum Ecclesiae instituit, id eodem auctore in Ecclesia, quae fundata super
petram ad finem saeculorum usque firma stabit, iugiter
durare necesse est. «Nulli» sane «dubium, immo saeculis
omnibus notum est, quod sanctus beatissimusque
PETRUS, Apostolorum princeps et caput fideique columna et Ecclesiae catholicae fundamentum, a Domino

nostro Iesu Christo, Salvatore humani generis ac Redemptore, claves regni accepit: qui ad hoc usque
tempus et semper in suis successoribus», episcopis sanctae Romanae Sedis, ab ipso fundatae eiusque consecratae sanguine «vivit» et praesidet «et iudicium exercet» [cf. Conc. EPHES., v. n. 112]. Unde quicunque
in hac cathedra PETRO succedit, is secundum Christi
ipsius institutionem primatum PETRI in universam Ecclesiam obtinet. «Manet ergo dispositio veritatis, et beatus
PETRUS in accepta fortitudine petrae perseverans suscepta Ecclesiae gubernacula non reliquit.»[1] Hac de
1500 causa ad Romanam Ecclesiam «propter poten-
tiorem principalitatem necesse» semper fuit
«omnem convenire Ecclesiam, hoc est eos, qui
sunt undique fideles»[2], ut in ea Sede, e qua «venerandae
communionis iura»[3] in omnes dimanant, tanquam
membra in capite consociata in unam corporis com-
pagem coalescerent.

[CANON] Si quis ergo dixerit, non esse ex ipsius 1825
Christi Domini institutione seu iure divino, ut beatus (1671)
PETRUS in primatu super universam Ecclesiam habeat
perpetuos successores; aut Romanum Pontificem non esse beati PETRI in eodem primatu successorem: anathema sit.

Cap. 3. [De primatu Romani Pontificis.]

41   Quapropter apertis innixi sacrarum Litterarum testi- 1826
44 moniis, et inhaerentes tum praedecessorum Nostrorum, (1672)
87
100 Romanorum Pontificum, tum Conciliorum generalium
109
110 disertis perspicuisque decretis, innovamus oecumenici
112 Concilii FLORENTINI definitionem, qua credendum
149
163 ab omnibus Christi fidelibus est, «sanctam Apostolicam
173
230 Sedem, et Romanum Pontificem in universum orbem
298 tenere primatum, et ipsum Pontificem Romanum
326
350 successorem esse beati PETRI, principis Aposto-
436
466 lorum, et verum Christi vicarium totiusque Ecclesiae

[1] S. LEONIS M. sermo 3 de natali ipsius c. 3 [ML 54, 146 B].
[2] S. Irenaeus, Adv. haereses l. 3, c. 3 [MG 7, 849 A].
[3] S. Ambros., Ep. 11, n. 4 [ML 16, 946 A].

caput et omnium Christianorum patrem ac doctorem
exsistere; et ipsi in beato PETRO pascendi, regendi
ac gubernandi universalem Ecclesiam a Domino nostro
Iesu Christo plenam potestatem traditam esse;
quemadmodum etiam in gestis oecumenicorum Conciliorum et in sacris canonibus continetur» [v. n. 694].

588
617
694
717
731
740
765
1000
1091
1319

1827 Docemus proinde et declaramus, Ecclesiam Roma-
(1673) nam, disponente Domino, super omnes alias ordinariae potestatis obtinere principatum, et hanc Romani
Pontificis iurisdictionis potestatem, quae vere episcopalis
est, immediatam esse: erga quam cuiuscunque ritus et
dignitatis pastores atque fideles, tam seorsum singuli
quam simul omnes, officio hierarchicae subordinationis
veraeque oboedientiae obstringuntur, non solum in rebus,
quae ad fidem et mores, sed etiam in iis, quae ad disciplinam et regimen Ecclesiae per totum orbem diffusae
pertinent; ita ut, custodita cum Romano Pontifice tam
communionis quam eiusdem fidei professionis unitate,
Ecclesia Christi sit unus grex sub uno summo
pastore. Haec est catholicae veritatis doctrina, a qua
deviare salva fide atque salute nemo potest.

1322
1500
1775
1822
1855
2055
3003
3008

1828 Tantum autem abest, ut haec Summi Pontificis potestas officiat ordinariae ac immediatae illi episcopalis
iurisdictionis potestati, qua episcopi, qui *positi a
Spiritu Sancto* [cf. Act 20, 28] in Apostolorum locum successerunt, tanquam veri pastores assignatos sibi greges
singuli singulos pascunt et regunt, ut eadem a supremo
et universali pastore asseratur, roboretur ac vindicetur,
secundum illud sancti GREGORII Magni: «Meus honor
est honor universalis Ecclesiae. Meus honor est fratrum
meorum solidus vigor. Tum ego vere honoratus sum,
cum singulis quibusque honor debitus non negatur.» [1]

1829 Porro ex suprema illa Romani Pontificis potestate
gubernandi universam Ecclesiam ius eidem esse consequitur, in huius sui muneris exercitio libere communicandi cum pastoribus et gregibus totius Ecclesiae, ut iidem ab ipso in via salutis doceri ac regi pos-

---

[1] S. GREGORII ep. ad Eulogium Episc. Alexandrinum l. 8, c. 30
[ML 77, 933 C].

sint. Quare damnamus ac reprobamus illorum sententias, qui hanc supremi capitis cum pastoribus et gregibus communicationem licite impediri posse dicunt aut eandem reddunt saeculari potestati obnoxiam, ita ut contendant, quae ab Apostolica Sede vel eius auctoritate ad regimen Ecclesiae constituuntur, vim ac valorem non habere, nisi potestatis saecularis placito confirmentur [Placitum regium v. n. 1847].

Et quoniam divino Apostolici primatus iure Romanus 1830 Pontifex universae Ecclesiae praeest, docemus etiam et (1676) declaramus, eum esse iudicem supremum fidelium [cf. n. 1500], et in omnibus causis ad examen ecclesiasticum spectantibus ad ipsius posse iudicium recurri [cf. n. 466]; Sedis vero Apostolicae, cuius auctoritate maior non est, iudicium a nemine fore retractandum, neque cuiquam de eius licere iudicare iudicio [cf. n. 330 sqq]. Quare a recto veritatis tramite aberrant, qui affirmant, licere ab iudiciis Romanorum Pontificum ad oecumenicum Concilium tanquam ad auctoritatem Romano Pontifice superiorem appellare.

[CANON] Si quis itaque dixerit, Romanum Ponti-1831 ficem habere tantummodo officium inspectionis vel directionis, non autem plenam et supremam potestatem iurisdictionis in universam Ecclesiam, non solum in rebus, quae ad fidem et mores, sed etiam in iis, quae ad disciplinam et regimen Ecclesiae per totum orbem diffusae pertinent; aut eum habere tantum potiores partes, non vero totam plenitudinem huius supremae potestatis; aut hanc eius potestatem non esse ordinariam et immediatam sive in omnes ac singulas ecclesias sive in omnes et singulos pastores et fideles: anathema sit.

Cap. 4. De Romani Pontificis infallibili magisterio.

93
100
109   Ipso autem Apostolico primatu, quem Romanus Ponti- 1832
171 fex tanquam PETRI principis Apostolorum successor in (1678)
253
730 universam Ecclesiam obtinet, supremam quoque
1000
1319 magisterii potestatem comprehendi, haec Sancta
1350
3022 Sedes semper tenuit, perpetuus Ecclesiae usus comprobat,
    ipsaque oecumenica Concilia, ea imprimis, in quibus
    Oriens cum Occidente in fidei caritatisque unionem

1833 conveniebat, declaraverunt. Patres enim Concilii CON-
(1678) STANTINOPOLITANI quarti, maiorum vestigiis inhaerentes, hanc sollemnem ediderunt professionem: Prima
salus est, rectae fidei regulam custodire. Et quia non
potest Domini nostri Iesu Christi praetermitti sententia
dicentis: « *Tu es Petrus, et super hanc petram aedificabo
Ecclesiam meam* » [Mt 16, 18], haec, quae dicta sunt, rerum
probantur effectibus, quia in Sede Apostolica immaculata est semper catholica reservata religio, et sancta
celebrata doctrina. Ab huius ergo fide et doctrina
separari minime cupientes speramus, ut in una communione, quam Sedes Apostolica praedicat, esse mereamur, in qua est integra et vera christianae religionis

1834 soliditas [cf. n. 171 sq]. Approbante vero LUGDUNENSI
Concilio secundo Graeci professi sunt: Sanctam Romanam Ecclesiam summum et plenum primatum et
principatum super universam Ecclesiam catholicam obtinere, quem se ab ipso Domino in beato PETRO
Apostolorum principe sive vertice, cuius Romanus
Pontifex est successor, cum potestatis plenitudine recepisse veraciter et humiliter recognoscit; et
sicut prae ceteris tenetur fidei veritatem defendere,
sic et, si quae de fide subortae fuerint quae-

1835 stiones, suo debent iudicio definiri [cf. n. 466]. FLOREN-
TINUM denique Concilium definivit: Pontificem Romanum verum Christi vicarium totiusque Ecclesiae caput
et omnium Christianorum patrem et doctorem exsistere;
et ipsi in beato PETRO pascendi, regendi ac gubernandi
universalem Ecclesiam a Domino nostro Iesu Christo
plenam potestatem traditam esse [v. n. 694].

1836 Huic pastorali muneri ut satisfacerent, praedecessores
Nostri indefessam semper operam dederunt, ut salutaris
Christi doctrina apud omnes terrae populos propagaretur,
parique cura vigilarunt, ut, ubi recepta esset, sincera
et pura conservaretur. Quocirca totius orbis antistites,
nunc singuli, nunc in Synodis congregati, longam ecclesiarum consuetudinem et antiquae regulae formam
sequentes, ea praesertim pericula, quae in negotiis fidei
emergebant, ad hanc Sedem Apostolicam retulerunt, ut
ibi potissimum resarcirentur damna fidei, ubi fides

non potest sentire defectum[1]. Romani autem
Pontifices, prout temporum et rerum conditio suadebat,
nunc convocatis oecumenicis Conciliis aut explorata
Ecclesiae per orbem dispersae sententia, nunc per Synodos particulares, nunc aliis, quae divina suppeditabat
providentia, adhibitis auxiliis, ea tenenda definiverunt,
quae sacris Scripturis et apostolicis traditionibus con-
sentanea, Deo adiutore, cognoverant. Neque enim
PETRI successoribus Spiritus Sanctus promissus est, ut
eo revelante novam doctrinam patefacerent, sed ut, eo
assistente, traditam per Apostolos revelationem seu
fidei depositum sancte custodirent et fideliter exponerent. Quorum quidem apostolicam doctrinam omnes venerabiles Patres amplexi et sancti Doctores orthodoxi venerati atque secuti sunt; plenissime
scientes, hanc sancti PETRI Sedem ab omni semper
errore illibatam permanere, secundum Domini Salvatoris
nostri divinam pollicitationem discipulorum suorum prin-
cipi factam: «*Ego rogavi pro te, ut non deficiat fides
tua: et tu aliquando conversus confirma fratres tuos*»
[Lc 22, 32].

Hoc igitur veritatis et fidei nunquam defi-1837
cientis charisma PETRO eiusque in hac cathedra (1680)
successoribus divinitus collatum est, ut excelso suo
munere in omnium salutem fungerentur, ut universus
Christi grex per eos ab erroris venenosa esca aversus,
coelestis doctrinae pabulo nutriretur, ut, sublata schismatis occasione, Ecclesia tota una conservaretur, atque
suo fundamento innixa, firma adversus inferi portas
consisteret.

At vero cum hac ipsa aetate, qua salutifera Aposto-1838
lici muneris efficacia vel maxime requiritur, non pauci
inveniantur, qui illius auctoritati obtrectant; necessarium
omnino esse censemus, praerogativam, quam unigenitus Dei Filius cum summo pastorali officio coniungere dignatus est, sollemniter asserere.

Itaque Nos traditioni a fidei christianae exordio per-1839
ceptae fideliter inhaerendo, ad Dei Salvatoris nostri

---

[1] Cf. S. Bern. Ep. (190) ad INNOC. II [ML 182, 1053 D].

gloriam, religionis catholicae exaltationem et christianorum populorum salutem, sacro approbante Concilio,
docemus et divinitus revelatum dogma esse definimus:
R o m a n u m P o n t i f i c e m , c u m e x c a t h e d r a l o -
q u i t u r , id est, cum omnium Christianorum pastoris et
doctoris munere fungens pro suprema sua Apostolica
auctoritate doctrinam de fide vel moribus ab universa
Ecclesia tenendam definit, per assistentiam divinam ipsi
in beato PETRO promissam, e a i n f a l l i b i l i t a t e p o l -
l e r e , q u a d i v i n u s R e d e m p t o r E c c l e s i a m s u a m
i n d e f i n i e n d a d o c t r i n a d e f i d e v e l m o r i b u s
i n s t r u c t a m e s s e v o l u i t ; ideoque eiusmodi Romani
Pontificis definitiones ex sese, non autem ex consensu
Ecclesiae, i r r e f o r m a b i l e s esse.

1840 *[CANON]* Si quis autem huic Nostrae definitioni contra-
(1683) dicere, quod Deus avertat, praesumpserit: anathema sit.

De duplici potestate in terra[1].

[Ex Encycl. «Etsi multa luctuosa», 21. Nov. 1873.]

1841 ...Fides (tamen) docet et humana ratio demonstrat, 1821
duplicem exsistere rerum ordinem simulque b i n a s
d i s t i n g u e n d a s e s s e p o t e s t a t e s in terris, alteram
naturalem, quae humanae societatis tranquillitati et saecularibus negotiis prospiciat, alteram vero, cuius origo
supra naturam est, quae praeest civitati Dei, nimirum
Ecclesiae Christi ad pacem animarum et salutem aeternam divinitus instituta. Haec autem duplicis potestatis
officia sapientissime ordinata sunt, ut *reddantur quae
sunt Dei Deo* et propter Deum *quae sunt Caesaris
Caesari* [Mt 22, 21]; qui «ideo magnus est, quia coelo
minor est; illius enim est ipse, cuius (et) coelum est et
omnis creatura»[2]. A quo certe divino mandato nunquam deflexit Ecclesia, quae semper et ubique fidelium
suorum animis ingerere contendit obsequium, quod inviolabiliter servare debent erga supremos p r i n c i p e s

---

[1] ASS 7 (1872), 471 sq.
[2] Tertull., Apolog. c. 30 [ML 1, 442 A].

eorumque iura quoad saecularia; docuitque cum
Apostolo esse principes *non timori boni operis sed mali,*
iubens fideles *subditos esse non solum propter iram,*
quia princeps *gladium portat vindex in iram ei qui*
malum agit, sed etiam propter conscientiam, quia in
officio suo *Dei minister est* [Rom 13, 3 sqq]. Hunc autem
principum metum ipsa cohibuit ad opera mala, eundem
plane excludens a divinae legis observantia, memor
eius quod fideles docuit beatus PETRUS: «*Nemo vestrum*
patiatur ut homicida, aut fur, aut maledicus, aut alie-
norum appetitor; si autem ut Christianus, non erubescat,
glorificet autem Deum in isto nomine» [1 Petr 4, 15 sq].

De libertate Ecclesiae [1].

[Ex Encycl. «Quod nunquam» ad episcopos Borussiae, 5. Febr. 1875.]

1821   . . . Partes Nostri muneris implendas intendimus per 1842
hasce litteras aperta testatione denuntiantes omnibus, ad
quos ea res pertinet, et universo catholico orbi, leges
illas irritas esse, utpote quae divinae Ecclesiae constitutioni prorsus adversantur. Non enim potentes huius
saeculi praefecit Dominus sacrorum antistitibus in iis
quae ad sanctum ministerium attinent; sed beatum
PETRUM, cui non modo agnos sed et *oves suas pa-*
scendas commendavit [cf. Io 21, 16 17]; proindeque a nulla
quantumvis sublimi saeculi potestate epi-
scopali officio privari possunt ii «*quos Spiritus*
Sanctus posuit episcopos regere Ecclesiam Dei» [Act 20, 28].
. . . Illud autem sciant qui Vobis infesti sunt, quod re-
nuentes vos praestare Caesari, quae Dei sunt, nullam
regiae auctoritati iniuriam allaturi estis, et nihil ex ea
detracturi; scriptum est enim «*Oboedire oportet Deo*
magis quam hominibus» [Act 5, 29]; ac simul noverint,
unumquemque vestrum tributum et obsequium Caesari
dari paratum esse, *non propter iram, sed propter con-*
scientiam [Rom 13, 5] in iis, quae civili subsunt imperio et
potestati. . . .

_____

[1] ASS 8 (1874), 253 sqq.

De explicatione transsubstantiationis [1].

[Ex Decr. S. Off., 7. Iulii 1875.]

Ad dubium: «Utrum tolerari possit explicatio trans- 874
substantiationis in ss. Eucharistiae sacramento, quae sequentibus propositionibus comprehenditur:

1843   1. Sicut formalis ratio hypostaseos est per se esse
(1684) seu per se subsistere, ita formalis ratio substantiae
est in se esse, et actualiter non sustentari in alio
tanquam primo subiecto; probe enim ista duo dis-
cernenda sunt: esse per se (quae est formalis ratio hypostaseos), et esse in se (quae est formalis ratio substantiae).

1844   2. Quare sicut natura humana in Christo non est
hypostasis, quia non per se subsistit, sed est assumpta
ab hypostasi superiore divina, ita substantia finita ex. gr.
substantia panis, desinit esse substantia, eo solum,
et absque alia sui mutatione, quod in alio supernaturaliter sustentatur, ita ut iam non in se sit,
sed in alio ut in primo subiecto.

1845   3. Hinc transsubstantiatio seu conversio totius substantiae panis in substantiam corporis Christi Domini
nostri, explicari potest hac ratione, quod corpus
Christi, dum fit substantialiter praesens in Eucharistia,
sustentat naturam panis, quae hoc ipso et absque alia sui mutatione desinit esse substantia, quia iam
non est in se, sed in alio sustentante; adeoque manet
quidem natura panis, sed in ea cessat formalis ratio
substantiae; et ideo non duae sunt substantiae, sed
una sola, nempe corporis Christi.

1846   4. Igitur in Eucharistia manent materia et forma elementorum panis; verum iam in alio supernaturaliter exsistentes rationem substantiae non habent, sed
habent rationem supernaturalis accidentis, non quasi ad
modum naturalium accidentium afficerent corpus Christi,
sed eo dumtaxat quod a corpore Christi modo, quo
dictum est, sustentantur.»

Responsum est: «Doctrinam transsubstantiationis, prout
hic exponitur, tolerari non posse.»

----

[1] ASS 11 (1878), 606 sq.

De regio placito [1].

[Ex Alloc. «Luctuosis exagitati», 12. Martii 1877.]

1821   . . . Nos novissime declarare c o a c t i fuimus, tolerari 1847
posse, ut a c t a c a n o n i c a e i n s t i t u t i o n i s eorundem episcoporum l a i c a e p o t e s t a t i exhibeantur, ad
occurrendum, quantum in Nobis est, funestissimis rerum
adiunctis, in quibus non amplius agebatur de temporalium bonorum possessione, sed ipsae fidelium conscientiae, earum pax, animarum procuratio et salus,
quae suprema Nobis lex est, in apertum discrimen vocabantur. Verum in hoc quod egimus ad gravissima
pericula removenda, palam ac iterum agnosci volumus,
Nos i n i u s t a m e a m l e g e m, q u a e r e g i u m p l a c i-
t u m v o c a t u r, omnino improbare ac detestari, aperte
declarantes per ipsam laedi divinam Ecclesiae auctoritatem eiusque libertatem violari .   . [v. n. 1829].

LEO XIII 1878—1903.

De receptione haereticorum conversorum [2].

[Ex Decr. S. Off., 20. Nov. 1878.]

857   *Ad dubium:* An baptismum sub conditione conferri 1848
debeat haereticis, qui se convertunt ad religionem catholicam, a quocunque loco proveniant et ad quamcunque sectam pertineant?
Responsum est: «Negative. Sed in conversione haereticorum, a quocunque loco vel a quacunque secta vene-
rint, i n q u i r e n d u m d e v a l i d i t a t e baptismi in haeresi suscepti. Instituto igitur in singulis casibus examine,
si compertum fuerit, aut nullum aut nulliter collatum
fuisse, baptizandi erunt absolute. Si autem pro tempore et locorum ratione, investigatione peracta, nihil
sive pro validitate sive pro invaliditate detegatur, aut
adhuc probabile dubium de baptismi validitate supersit,
tum sub conditione secreto baptizentur. Demum si
constiterit validum fuisse, recipiendi erunt tantummodo
ad abiurationem seu professionem fidei.»

---

[1] ASS 10 (1877/78), 54.   [2] ASS 11 (1878), 605 sq.

De socialismo [1].

[Ex Encycl. «Quod Apostolici muneris», 28. Dec. 1878.]

1849　　Ex Evangelicis documentis ea est hominum aequalitas, ut omnes eandem naturam sortiti ad eandem filiorum Dei celsissimam dignitatem vocentur, simulque ut uno eodemque fine omnibus praestituto singuli secundum eandem legem iudicandi sint, poenas aut mercedem pro merito consecuturi.

　　Inaequalitas tamen iuris et potestatis ab ipso naturae auctore dimanat, «*ex quo omnis paternitas in coelis et in terra nominatur*» [Eph 3, 15]. Principum autem et subditorum animi mutuis officiis et iuribus secundum catholicam doctrinam ac praecepta ita devinciuntur, ut et imperandi temperetur libido et oboedientiae ratio facilis, firma et nobilissima efficiatur. . . .

1850　　Si tamen quandoque contingat temere et ultra modum publicam a principibus potestatem exerceri, catholicae Ecclesiae doctrina in eos insurgere proprio marte non sinit, ne ordinis tranquillitas magis magisque turbetur neve societas maius exinde detrimentum capiat. Cumque res eo devenerit, ut nulla alia spes salutis affulgeat, docet, christianae patientiae meritis et instantibus ad Deum precibus remedium esse maturandum. — Quod si legislatorum ac principum placita aliquid sanciverint aut iusserint, quod divinae aut naturali legi repugnet, christiani nominis dignitas et officium atque Apostolica sententia suadent, *oboediendum* esse *magis Deo quam hominibus* [Act 5, 29]. . . .

1851　　Publicae autem ac domesticae tranquillitati catholica sapientia, naturalis divinaeque legis praeceptis suffulta, consultissime providit etiam per ea, quae sentit ac docet de iure dominii et partitione bonorum, quae ad vitae necessitatem et utilitatem sunt comparata. Cum enim socialistae ius proprietatis tanquam humanum inventum naturali hominum aequalitati repugnans traducant, et communionem bonorum affectantes, pauperiem haud aequo animo esse perferendam, et ditiorum pos-

---

[1] ASS 11 (1878), 372 sqq; AL I 49 sqq.

sessiones ac iura impune violari posse arbitrentur; Ecclesia multo satius et utilius inaequalitatem inter homines, corporis ingeniique viribus naturaliter diversos, etiam in bonis possidendis agnoscit, et ius proprietatis ac dominii, ab ipsa natura profectum, intactum cuilibet et inviolatum esse iubet: novit enim furtum ac rapinam a Deo, omnis iuris auctore ac vindice, ita fuisse prohibita, ut aliena vel conspicere non liceat, *furesque et raptores, non secus ac adulteri et idololatrae, a coelesti regno excludantur* [1 Cor 6, 9 sq].

Nec tamen idcirco pauperum curam negligit, aut 1852 ipsorum necessitatibus consulere pia mater praetermittit: quin immo materno illos complectens affectu, et probe noscens eos gerere ipsius Christi personam, qui sibi praestitum beneficium putat, quod vel in minimum pauperem a quopiam fuerit collatum, magno illos habet in honore, omni qua potest ope sublevat; domos atque hospitia iis excipiendis, alendis et curandis ubique terrarum curat erigenda, eaque in suam recipit tutelam. Gravissimo divites urget praecepto, ut quod superest pauperibus tribuant, eosque divino terret iudicio, quo, nisi egenorum inopiae succurrant, aeternis sint suppliciis mulctandi. Tandem pauperum animos maxime recreat ac solatur, sive exemplum Christi obiciens, qui *cum esset dives propter nos egenus factus est* [2 Cor 8, 9], sive eiusdem verba recolens, quibus *pauperes beatos* [Mt 5, 3] edixit et aeternae beatitudinis praemia sperare iussit.

De matrimonio christiano [1].

[Ex Encycl. «Arcanum divinae sapientiae», 10. Febr. 1880.]

969 Apostolis magistris accepta referenda sunt, quae 1853 sancti Patres nostri, Concilia et universalis Ecclesiae traditio semper docuerunt [v. n. 970], nimirum Christum Dominum ad sacramenti dignitatem evexisse matrimonium simulque effecisse, ut coniuges coelesti gratia, quam merita eius pepererunt, saepti ac muniti, sanctitatem in ipso coniugio adipiscerentur: atque in eo, ad exemplar

---

[1] ASS 12 (1879/80), 388 sqq; AL I 120 sqq.

mystici conubii sui cum Ecclesia mire conformato, et
amorem, qui est naturae consentaneus, perfecisse [Conc.
TRID. sess. 24, c. 1 de reform. matr.; cf. n. 990], et viri ac mulieris
individuam suapte natura societatem divinae
caritatis vinculo validius coniunxisse. . . .

1854 Neque quemquam moveat illa tantopere a Regalistis
praedicata distinctio, vi cuius contractum nuptialem a
sacramento disiungunt, eo sane consilio, ut, Ecclesiae
reservatis sacramenti rationibus, contractum tradant in
potestatem arbitriumque principum civitatis. — Etenim
non potest huiusmodi distinctio, seu verius distractio,
probari; cum exploratum sit in matrimonio christiano
contractum a sacramento non esse disso-
ciabilem; atque ideo non posse contractum verum
et legitimum consistere, quin sit eo ipso sacramentum.
Nam Christus Dominus dignitate sacramenti auxit matrimonium; matrimonium autem est ipse contractus,
si modo sit factus iure. . . . Itaque apparet, omne
inter christianos iustum coniugium in se et per se
esse sacramentum: nihilque magis abhorrere a
veritate, quam esse sacramentum decus quoddam adiunctum, aut proprietatem illapsam extrinsecus, quae a
contractu disiungi ac disparari hominum arbitratu queat.

De politico principatu [1].

[Ex Encycl. «Diuturnum illud», 29. Iunii 1881.]

1855 Etsi homo arrogantia quadam et contumacia in- 1821
citatus frenos imperii depellere saepe contendit, nun- 1826
quam tamen assequi potuit, ut nemini pareret. Praeesse aliquos in omni consociatione hominum et communitate cogit ipsa necessitas. . . . Interest autem
attendere hoc loco, eos, qui reipublicae praefuturi sint,
posse in quibusdam causis voluntate iudicioque deligi
multitudinis non adversante neque repugnante doctrina
catholica. Quo sane delectu designatur princeps, non
conferuntur iura principatus: neque mandatur im-

----

[1] ASS 14 (1881/82), 4 sqq; AL I 211 sqq.

perium, sed s t a t u i t u r, a q u o sit gerendum. — Neque hic quaeritur de rerum publicarum m o d i s : nihil
enim est, cur non Ecclesiae probetur aut unius aut
plurium principatus, si modo i u s t u s sit, et in communem utilitatem intentus. Quamobrem, salva iustitia,
non prohibentur populi illud sibi genus comparare reipublicae, quod aut ipsorum ingenio aut maiorum institutis moribusque magis apte conveniat.

Ceterum ad politicum imperium quod attinet, illud a 1856
D e o proficisci recte docet Ecclesia. . . . Magnus est
error non videre, id quod manifestum est, homines,
cum non sint solivagum genus, citra liberam ipsorum
voluntatem ad naturalem communitatem esse natos : ac
praeterea p a c t u m, quod praedicant, est aperte com-
menticium et fictum, neque ad impertiendum valet politicae potestati tantum virium, dignitatis, firmitudinis,
quantum tutela reipublicae et communes civium utilitates requirunt. Ea autem decora et praesidia universa
tunc solum est habiturus principatus, si a Deo, augusto
sanctissimoque fonte, manare intelligatur. . . .

U n a illa hominibus c a u s a est n o n p a r e n d i, si 1857
quid ab iis postuletur, quod cum naturali aut divino
iure aperte r e p u g n e t : omnia enim, in quibus naturae
lex vel Dei voluntas violatur, aeque nefas est imperare
et facere. Si cui igitur usuveniat, ut alterutrum malie
cogatur, scilicet aut Dei aut principum iussa negligere,
Iesu Christo parendum est reddere iubenti *quae sunt
Caesaris, Caesari, quae sunt Dei, Deo* [Mt 22, 21], atque ad
exemplum Apostolorum animose respondendum : « *Oboedire oportet Deo magis quam hominibus*» [Act 5, 29]. . . .
Ius imperandi nolle ad Deum referre auctorem, nihil
est aliud quam politicae potestatis et pulcherrimum
splendorem velle deletum et nervos incisos. . . .

Revera illam, quam *Reformationem* vocant, cuius
adiutores et duces sacram civilemque potestatem novis
doctrinis funditus oppugnaverunt, repentini tumultus et
audacissimae r e b e l l i o n e s, praesertim in Germania,
consecutae sunt. . . . Ex illa haeresi ortum duxit sae-
culo superiore f a l s i n o m i n i s p h i l o s o p h i a, et i u s,
quod appellant *novum,* et imperium populare, et modum

nesciens licentia, quam plurimi solam libertatem putant.
Ex his ad finitimas pestes ventum est, scilicet ad **communismum, ad socialismum, ad nihilismum,**
civilis hominum societatis teterrima portenta ac pene
funera. . . .

1858 Profecto Ecclesia Christi neque principibus potest
esse suspecta neque populis invisa. Principes quidem
ipsa monet sequi iustitiam nullaque in re ab officio declinare: at simul eorum roborat multisque rationibus
adiuvat auctoritatem. Quae in genere rerum civilium
versantur, ea in potestate supremoque imperio
eorum esse agnoscit et declarat: in iis, quorum iudicium,
diversam licet ob causam, ad sacram civilemque pertinet
potestatem, vult exsistere inter utramque concordiam,
cuius beneficio funestae utrique contentiones devitantur.

De societatibus clandestinis [1].

[Ex Encycl. «Humanum genus», 20. Apr. 1884.]

1859 Nomen sectae massonum dare nemo sibi
quapiam de causa licere putet, si catholica professio et
salus sua tanti apud eum sit, quanti esse debet. Ne
quem honestas assimulata decipiat: potest enim quibusdam videri nihil postulare massones, quod aperte sit
religionis morumve sanctitati contrarium; verumtamen
quia sectae ipsius tota in vitio flagitioque est et ratio
et causa, congregare se cum eis, eosve quoquomodo
iuvare, rectum est non licere. . .

[Ex Instruct. S. Off., 10. Maii 1884.]

1860 . . . (3) Ne quis vero errori locus fiat, cum diiudi- 1821
candum erit, quaenam ex his perniciosis sectis censurae,
quae vero prohibitioni tantum obnoxiae sint, certum
imprimis est, excommunicatione latae sententiae mulctari massonicam aliasque eius generis sectas, quae . . .
contra Ecclesiam vel legitimas potestates machinantur, sive id clam sive palam fecerint, sive exegerint
sive non a suis asseclis secreti servandi iuramentum.

---

[1] ASS 16 (1883/84), 430 et 17 (1884/85), 44; AL II 71 sq.

(4) Praeter istas sunt et aliae sectae prohibitae atque 1861
sub gravis culpae reatu vitandae, inter quas praecipue
recensendae illae omnes, quae a sectatoribus s e c r e t u m
nemini pandendum et omnimodam o b o e d i e n t i a m óc-
cultis ducibus praestandam iureiurando exigunt. Animadvertendum insuper est, adesse nonnullas societates,
quae, licet certo statui nequeat, pertineant necne ad
has, quas memoravimus, dubiae tamen et periculi plenae
sunt tum ob doctrinas quas profitentur tum ob agendi
rationem, quam sequuntur ii, quibus ducibus ipsae coaluerunt et reguntur. . . .

De medici vel confessarii assistentia in duello [1].

[Ex Resp. S. Off. ad episc. Pictaviensem, 31. Maii 1884.]

1491   *Ad dubia:*   1862
I. Potestne medicus rogatus a duellantibus d u e l l o (1690)
a s s i s t e r e cum intentione citius finem pugnae imponendi,
vel simpliciter vulnera ligandi ac curandi, quin incurrat excommunicationem Summo Pontifici simpliciter reservatam?
II. Potestne saltem, quin duello sit praesens, in domo
vicina vel in l o c o p r o p i n q u o sistere, proximus ac
paratus ad praebendum suum ministerium, si duellantibus opus fuerit?
III. Quid de confessario in iisdem conditionibus?
Responsum est:
Ad I. Non posse et excommunicationem incurri.
Ad II. et III. Quatenus e x c o n d i c t o fiat, item
non posse et excommunicationem incurri.

De crematione cadaverum [2].

[Ex Decr. S. Off., 19. Maii et 15. Dec. 1886.]

Ad dubia:
I. An licitum sit n o m e n d a r e societatibus, quibus 1863
propositum est promovere usum comburendi hominum (1691)
cadavera?

---

[1] ASS 17 (1884), 601.
[2] ASS 19 (1886), 46 et 25 (1892/93), 63; cf. AE 3 (1895), 98 b sq.

32 *

II. An licitum sit mandare, ut sua aliorumve cadavera comburantur?

Responsum est die 19. Maii 1886:

Ad I. Negative, et si agatur de societatibus masso-
nicae sectae filialibus, incurri poenas contra hanc latas.
Ad II. Negative [1].

1864 *Deinde die 15. Dec. 1886:*

Quoties agatur de iis, quorum corpora non propria
ipsorum, sed aliena voluntate cremationi subiciantur,
Ecclesiae ritus et suffragia adhiberi posse tum domi
tum in ecclesia, non autem usque ad cremationis locum,
remoto scandalo. Scandalum vero removeri etiam poterit, si notum fiat, cremationem non propria defuncti
voluntate electam fuisse. At ubi agatur de iis, qui
propria voluntate cremationem elegerunt, et in hac
voluntate certo et notorie usque ad mortem persevera-
runt, attento decreto fer. IV. 19. Maii 1886 *[supra posito]*
agendum cum iis iuxta normas Ritualis Romani, Tit.
Quibus non licet dare ecclesiasticam sepulturam. In
casibus autem particularibus, in quibus dubium vel difficultas oriatur, consulendus erit Ordinarius. . . .

De divortio civili [2].

[Ex Decr. S. Off., 27. Maii 1886.]

1865 A nonnullis Galliarum episcopis sequentia dubia S. R. 969
(1692) et U. Inquisitioni proposita sunt: «In epistola S. R. et
U. I. 25. Iunii 1885 ad omnes in Gallica ditione Ordinarios circa civilis divortii legem ita decernitur: *Attentis
gravissimis rerum, temporum ac locorum adiunctis
tolerari posse, ut qui magistratus obtinent et advocati
causas matrimoniales in Gallia agant, quin officio cedere teneantur,* conditiones adiecit, quarum secunda
haec est: *Dummodo ita animo comparati sint tum circa
valorem et nullitatem coniugii, tum circa separationem*

---

[1] LEO XIII decretum hoc confirmans Ordinariis «mandavit, ut
opportune instruendos curent Christifideles circa detestabilem abusum
humana corpora cremandi, utque ab eo gregem sibi concreditum totis
viribus deterreant».

[2] ASS 22 (1889/90), 635 sq.

corporum, de quibus causis iudicare coguntur, ut nunquam proferant sententiam, neque proferendam defendant vel ad eam provocent vel excitent divino aut ecclesiastico iuri repugnantem.»

Quaeritur:

I. An recta sit interpretatio per Gallias diffusa ac etiam typis data, iuxta quam satisfacit conditioni praecitatae iudex qui, licet matrimonium aliquod validum sit coram Ecclesia, ab illo matrimonio vero et constanti omnino abstrahit, et applicans legem civilem pronuntiat locum esse divortio, modo solos effectus civiles solumque contractum civilem abrumpere mente intendat, eaque sola respiciant termini prolatae sententiae? Aliis terminis, an sententia sic lata dici possit divino aut ecclesiastico iuri non repugnans?

II. Postquam iudex pronuntiavit locum esse divortio, an possit Syndicus (gallice: le maire) et ipse solos effectus civiles solumque civilem contractum intendens, ut supra exponitur, divortium pronuntiare, quamvis matrimonium validum sit coram Ecclesia.

III. Pronuntiato divortio, an possit idem Syndicus coniugem ad alias nuptias transire attentantem civiliter cum alio iungere, quamvis matrimonium prius validum sit coram Ecclesia vivatque altera pars?

Responsum est:

Negative ad primum, secundum et tertium.

De civitatum constitutione christiana [1].

[Ex Encycl. «Immortale Dei», 1. Nov. 1885.]

1821   Itaque Deus humani generis procurationem inter duas 1866 potestates partitus est, scilicet ecclesiasticam et ci- (1706) vilem, alteram quidem divinis, alteram humanis rebus praepositam. Utraque est in suo genere maxima: habet utraque certos, quibus contineatur, terminos eosque sua cuiusque natura causaque proxima definitos; unde aliquis velut orbis circumscribitur, in quo sua

---

[1] ASS 18 (1885), 166 sqq; AL II 152 sqq.

cuiusque actio iure proprio versetur[1]. . . .
Quidquid igitur est in rebus humanis quoquo modo
sacrum, quidquid ad salutem animorum cultumve Dei
pertinet, sive tale illud sit natura sua, sive rursus tale
intelligatur propter causam, ad quam refertur, id est
omne in potestate arbitrioque Ecclesiae: cetera vero,
quae civile et politicum genus complectitur, rectum est
civili auctoritati esse subiecta, cum Iesus Christus ius-
serit, quae *Caesaris sint, reddi Caesari, quae Dei, Deo*
[Mt 22, 21]. — Incidunt autem quandoque tempora, cum
alius quoque concordiae modus ad tranquillam
libertatem valet, nimirum, si qui principes rerum publicarum et Pontifex Romanus de re aliqua separata in
idem placitum consenserint. Quibus Ecclesia temporibus
maternae pietatis eximia documenta praebet, cum facili-
tatis indulgentiaeque tantum adhibere soleat, quantum
maxime potest. . . .

1867
(1718) Ecclesiam vero etiam in suorum officiorum munere
potestati civili velle esse subiectam, magna
quidem iniuria, magna temeritas est. Hoc facto perturbatur ordo, quia quae naturalia sunt praeponuntur
iis, quae sunt supra naturam: tollitur aut certe magnopere minuitur frequentia bonorum, quibus, si nulla re
impediretur, communem vitam Ecclesia compleret;
praetereaque via ad inimicitias munitur et certamina,
quae, quantam utrique reipublicae perniciem afferant,
nimis saepe eventus demonstravit. — Huiusmodi doctrinas, quae nec humanae rationi probantur et plurimum
habent in civilem disciplinam momenti, Romani Pontifices decessores Nostri, cum probe intelligerent, quid a
se postularet apostolicum munus, impune abire nequaquam passi sunt. Sic GREGORIUS XVI per encyclicas litteras hoc initio «*Mirari vos*» die 15. Aug. 1832
[v. n. 1613 sqq] magna sententiarum gravitate ea perculit,
quae iam praedicabantur, in cultu divino nullum adhibere delectum oportere: integrum singulis esse, quod

---

[1] Similiter idem Pontifex in Encycl. «*Sapientiae christianae*» de prae
cipuis civium christianorum officiis 10. Ian. 1890 ait: «*Ecclesia et civitas
suam habet utraque potestatem, neutra paret alteri*» [ASS 22 (1889/90), 397].

malint, de religione iudicare; solam cuique suam esse
conscientiam iudicem: praeterea edere quae quisque
senserit, itemque res moliri novas in civitate licere. De
rationibus rei sacrae reique civilis distrahendis sic idem
Pontifex: «Neque laetiora et religioni et principatui
ominari possemus ex eorum votis, qui Ecclesiam a
regno separari mutuamque imperii cum sacerdotio
concordiam abrumpi discupiunt. Constat quippe, pertimesci ab impudentissimae libertatis amatoribus concordiam illam, quae semper rei et sacrae et civili fausta
exstitit et salutaris.» — Non absimili modo PIUS IX,
ut sese opportunitas dedit, ex opinionibus falsis, quae
maxime valere coepissent, plures notavit easdemque
postea in unum cogi iussit, ut scilicet in tanta errorum
colluvione haberent catholici homines, quod sine offensione sequerentur[1].

Ex iis autem Pontificum praescriptis illa omnino intel- 1868
ligi necesse est, ortum publicae potestatis a Deo (1720)
ipso, non a multitudine repeti oportere: seditionum
licentiam cum ratione pugnare: officia religionis nullo
loco numerare, vel uno modo esse in disparibus generibus affectos, nefas esse privatis hominibus, nefas civitatibus: immoderatam sentiendi sensusque palam iac-
tandi potestatem non esse in civium iuribus neque in
rebus gratia patrocinioque dignis ulla ratione ponen-
dam. — Similiter intelligi debet, Ecclesiam socie- 1869
tatem esse, non minus quam ipsam civitatem, genere
et iure perfectam: neque debere qui summam imperii
teneant, committere, ut sibi servire aut subesse Ecclesiam
cogant, aut minus esse sinant ad suas res agendas
liberam, aut quicquam de ceteris iuribus detrahant, quae
in ipsam a Iesu Christo collata sunt. — In negotiis 1870
autem mixti iuris, maxime esse secundum naturam,
itemque secundum Dei consilia non secessionem alterius
potestatis ab altera, multoque minus contentionem, sed
plane concordiam, eamque cum causis proximis congruentem, quae causae utramque societatem genuerunt.

---

[1] Citantur hic ex Syllabo propositiones 19 39 55 79 [v. n. 1719 1739
1755 1779].

1871   Haec quidem sunt, quae de constituendis temperandis-
(1723) que civitatibus ab Ecclesia catholica praecipiuntur. —
Quibus tamen dictis decretisque si recte diiudicari velit,
nulla per se reprehenditur ex variis reipublicae formis, ut quae nihil habent, quod doctrinae
catholicae repugnet, eaedemque possunt, si sapienter ad-
hibeantur, et iuste in optimo statu tueri civitatem. —
1872 Immo neque illud per se reprehenditur, participem
plus minus esse populum reipublicae: quod
ipsum certis in temporibus certisque legibus potest non
solum ad utilitatem, sed etiam ad officium pertinere
1873 civium. — Insuper neque causa iusta nascitur, cur Ecclesiam quisquam criminetur aut esse in lenitate facili-
tateque plus aequo restrictam aut ei, quae germana et
1874 legitima sit, libertati inimicam. — Revera si divini
cultus varia genera eodem iure esse, quo veram
religionem, Ecclesia iudicat non licere, non ideo tamen
eos damnat rerum publicarum moderatores, qui, magni
alicuius adipiscendi boni aut prohibendi causa mali, moribus
atque usu patienter ferunt, ut ea habeant singula in civi-
1875 tate locum. — Atque illud quoque magnopere cavere Ec-
(1727) clesia solet, ut ad amplexandam fidem catholicam
nemo invitus cogatur, quia quod sapienter Augustinus monet: «Credere non potest (homo) nisi volens.» [1]
1876   Simili ratione nec potest Ecclesia libertatem probare
eam, quae fastidium gignat sanctissimarum Dei legum
debitamque potestati legitimae oboedientiam exuat. Est
enim licentia verius quam libertas: rectissimeque ab
Augustino *libertas perditionis*, a PETRO Apostolo
velamen malitiae [1 Petr 2, 16] appellatur: immo, cum sit
praeter rationem, vera servitus est: «*qui* enim *facit peccatum, servus est peccati* [Io 8, 34]. Contra illa germana
est atque expetenda libertas, quae, si privatim spec-
tetur, erroribus et cupiditatibus, teterrimis dominis, hominem servire non sinit: si publice, civibus sapienter
praeest, facultatem augendorum commodorum large
ministrat remque publicam ab alieno arbitrio defendit. —
1877 Atqui honestam hanc et homine dignam libertatem Ec-

----

[1] S. Augustinus, In Io. tr. 26 c. 2 [ML 35 (Aug. III b) 1607].

clesia probat omnium maxime, eamque ut tueretur in
populis firmam atque integram, eniti et contendere nunquam destitit. — Revera quae res in civitate plurimum
ad communem salutem possunt; quae sunt contra licentiam principum populo male consulentium utiliter institutae; quae summam rempublicam vetant in munici-
palem vel domesticam rem importunius invadere; quae
valent ad decus, ad personam hominis, ad aequabilitatem
iuris in singulis civibus conservandam: earum rerum
omnium Ecclesiam catholicam vel inventricem vel au-
spicem vel custodem semper fuisse superiorum aetatum
monumenta testantur. Sibi igitur perpetuo consentiens, si
ex altera parte libertatem respuit immodicam,
quae et privatis et populis in licentiam vel in servitutem
cadit, ex altera volens et libens amplectitur res
meliores, quas dies afferat, si vere prosperitatem contineant huius vitae, quae quoddam est velut stadium
ad alteram eamque perpetuo mansuram. — Ergo quod 1878
inquiunt, Ecclesiam recentiori civitatum invidere disci- (1730)
plinae, et quaecunque horum temporum ingenium peperit, omnia promiscue repudiare, inanis est et ieiuna
calumnia. Insaniam quidem repudiat opinionum, im-
probat nefaria seditionum studia illumque nominatim
habitum animorum, in quo initia perspiciuntur voluntarii
discessus a Deo: sed quia omne, quod verum est, a
Deo proficisci necesse est, quidquid indagando
veri attingatur, agnoscit Ecclesia velut quoddam
divinae mentis vestigium. Cumque nihil sit in rerum
natura veri, quod doctrinis divinitus traditis fidem ab-
roget, multa quae adrogent, omnisque possit inventio
veri ad Deum ipsum vel cognoscendum vel laudandum
impellere, idcirco quidquid accedat ad scientiarum fines
proferendos gaudente et libente Ecclesia semper accedet:
eademque studiose, ut solet, sicut alias disciplinas, ita
illas etiam fovebit ac provehet, quae positae sunt in
explicatione naturae.

Quibus in studiis non adversatur Ecclesia, si quid 1879
mens repererit novi: non repugnat quin plura quaerantur
ad decus commoditatemque vitae: immo inertiae desi-
diaeque inimica magnopere vult, ut hominum

ingenia uberes ferant exercitatione et cultura fructus; incitamenta praebet ad omne genus artium atque operum: omniaque harum rerum studia ad honestatem salutemque virtute sua dirigens, impedire nititur, quominus a Deo bonisque coelestibus sua hominem intelligentia atque industria deflectat. . . .

1880 Itaque in tam difficili rerum cursu catholici homines,
(1732) si Nos, ut oportet, audierint, facile videbunt, quae sua cuiusque sint tam in opinionibus quam in factis officia. — Et in opinando quidem, quaecunque Pontifices Romani tradiderunt vel traditur sunt, singula necesse est et tenere iudicio stabili comprehensa, et palam, quoties res postulaverit, profiteri. Ac nominatim de iis quas *libertates* vocant novissimo tempore quaesitas oportet Apostolicae Sedis stare iudicio, et quod ipsa senserit, idem sentire singulos. Cavendum, ne quem fallat honesta illarum species: cogitandumque quibus ortae initiis, et quibus passim sustententur atque alantur studiis. Satis iam est experiendo cognitum, quarum illae rerum effectrices sint in civitate: eos quippe passim genuere fructus, quorum probos viros et sapientes iure poeniteat. Si talis alicubi aut reapse sit aut fingatur cogitatione civitas, quae christianum nomen insectetur proterve et tyrannice, cum eaque conferatur genus id reipublicae recens, de quo loquimur, poterit hoc videri tolerabilius. Principia tamen, quibus nititur, sunt profecto eiusmodi, sicut ante diximus, ut per se ipsa probari nemini debeant.

1881 Potest autem aut in privatis domesticisque rebus aut in publicis actio versari. — Privatim quidem primum officium est, praeceptis evangelicis diligentissime conformare vitam et mores nec recusare, si quid christiana virtus exigat ad patiendum tolerandumque paulo difficilius. Debent praeterea singuli Ecclesiam sic diligere ut communem matrem eiusque et servare oboedienter leges et honori servire et iura salva velle: conarique, ut ab iis, in quos quisque aliquid auctoritate potest, pari pietate colatur atque ametur.

1882 Illud etiam publicae salutis interest, ad rerum
(1733) urbanarum administrationem conferre sapienter operam: in eaque studere maxime et efficere, ut adole-

scentibus ad religionem, ad probos mores informandis
ea ratione, qua aequum est Christianis, publice consultum sit: quibus ex rebus magnopere pendet singularum salus civitatum.

Item catholicorum hominum operam ex hoc tanquam 1883
angustiore campo longius excurrere ipsamque summam (1733)
rempublicam complecti generatim utile est
atque honestum. *Generatim* eo dicimus, quia haec
praecepta Nostra gentes universas attingunt. Ceterum
potest alicubi accidere, ut maximis iustissimisque de
causis rempublicam capessere in muneribusque politicis
versari nequaquam expediat. Sed generatim, ut diximus, nullam velle rerum publicarum partem attingere
tam esset in vitio quam nihil ad communem utilitatem
afferre studii, nihil operae: eo vel magis, quod catholici
homines ipsius, quam profitentur, admonitione doctrinae
ad rem integre et ex fide gerendam impelluntur. Contra,
ipsis otiosis, facile habenas accepturi sunt ii, quorum
opiniones spem salutis haud sane magnam afferant. Idque
esset etiam cum pernicie coniunctum christiani nominis:
propterea quod plurimum possent, qui male essent in
Ecclesiam animati, minimum, qui bene.

Quamobrem perspicuum est, ad rempublicam 1884
adeundi causam esse iustam catholicis: non enim
adeunt neque adire debent ob eam causam, ut probent
quod est hoc tempore in rerum publicarum rationibus
non honestum; sed ut has ipsas rationes, quoad fieri
potest, in bonum publicum transferant sincerum atque
verum, destinatum animo habentes, sapientiam virtutem-
que catholicae religionis tanquam saluberrimum succum
ac sanguinem in omnes reipublicae venas inducere. . . .

. . . Ne animorum coniunctio criminandi temeritate
dirimatur, sic intelligant universi: integritatem pro- 1885
fessionis catholicae consistere nequaquam (1735)
posse cum opinionibus ad **naturalismum** vel
rationalismum accedentibus, quarum summa est
tollere funditus instituta christiana hominisque stabilire
in societate principatum, posthabito Deo. — Pariter non
licere aliam officii formam privatim sequi, aliam
publice, ita scilicet ut Ecclesiae auctoritas in vita privata

observetur, in publica respuatur. Hoc enim esset honesta et turpia coniungere hominemque secum facere digladiantem, cum contra debeat sibi semper constare, neque ulla in re ullove in genere vitae a virtute christiana deficere.

1886 Verum si quaeratur de rationibus mere politicis,
(1735) de optimo genere reipublicae, de ordinandis alia vel alia ratione civitatibus, utique de his rebus potest honesta esse dissensio. Quorum igitur cognita ceteroqui pietas est animusque decreta Sedis Apostolicae oboedienter accipere paratus, iis vitio verti dissentaneam de rebus quas diximus sententiam, iustitia non patitur: multoque est maior iniuria, si in crimen violatae suspectaeve fidei catholicae, quod non semel factum dolemus, adducantur.

1887 Omninoque istud praeceptum teneant qui cogitationes suas solent mandare litteris, maximeque ephemeridum auctores. In hac quidem de rebus maximis contentione nihil est intestinis concertationibus, vel partium studiis relinquendum loci, sed conspirantibus animis studiisque id debent universi contendere, quod est commune omnium propositum, religionem remque publicam conservare. Si quid igitur dissidiorum antea fuit, oportet voluntaria quadam oblivione conterere; si quid temere, si quid iniuria actum, ad quoscunque demum ea culpa pertineat, compensandum est caritate mutua, et praecipuo quodam omnium in Apostolicam Sedem obsequio redimendum.

1888 Hac via duas res praeclarissimas catholici consecuturi sunt, alteram ut adiutores sese impertiant Ecclesiae in conservanda propagandaque sapientia christiana; alteram ut beneficio maximo afficiant societatem civilem, cuius malarum doctrinarum cupiditatumque causa magnopere periclitatur salus.

De craniotomia in foetu vivo [1].

[Ex Resp. S. Off. ad archiepisc. Lugdun., 31. Maii 1889 (28. Maii 1884).]

1889 *Ad dubium:* «An tuto doceri possit in scholis
(1689) catholicis, licitam esse operationem chirurgicam, quam

---

[1] ASS 17 (1884), 556 et 22 (1889/90), 748; cf. ASS 7 (1872), 285 sqq 460 sqq 516 sqq, et AE 2 (1894), 84 125 179 220 321 sqq.

craniotomiam appellant, quando scilicet, ea omissa,
mater et infans perituri sint, ea e contra admissa salvanda sit mater, infante pereunte?»

Responsum est: «Tuto doceri non posse»

[Ex Resp. S. Off. ad archiepisc. Cameracens., 19. Aug. 1889.]

Similiter responsum est cum addito: «. . . et quamcun- 1890
que chirurgicam operationem directe occisivam
foetus vel matris gestantis».

Errores Antonii de Rosmini-Serbati [1].

[Damnati in Decr. S. Off., 14. Dec. 1887.]

1. In ordine rerum creatarum immediate manifestatur 1891
humano intellectui aliquid divini in se ipso, huiusmodi nempe (1736)
quod ad divinam naturam pertineat.

2. Cum divinum dicimus in natura, vocabulum istud *di-* 1892
vinum non usurpamus ad significandum effectum non divinum
causae divinae; neque mens nobis est loqui de *divino* quodam,
quod tale sit per participationem.

3. In natura igitur universi, id est in intelligentiis quae in 1893
ipso sunt, aliquid est, cui convenit denominatio divini non
sensu figurato, sed proprio. — Est actualitas non distincta
a reliquo actualitatis divinae.

4. Esse indeterminatum, quod procul dubio notum est 1894
omnibus intelligentiis, est divinum illud quod homini in natura manifestatur.

5. Esse quod homo intuetur, necesse est, ut sit aliquid 1895
entis necessarii et aeterni, causae creantis, determinantis ac (1740)
finientis omnium entium contingentium: atque hoc est Deus.

6. In esse quod praescindit a creaturis et a Deo, quod 1896
est esse indeterminatum, atque in Deo, esse non indeterminato,
sed absoluto, eadem est essentia.

7. Esse indeterminatum intuitionis, esse initiale, est aliquid 1897
Verbi, quod mens Patris distinguit non realiter, sed secundum
rationem a Verbo.

8. Entia finita, quibus componitur mundus, resultant ex 1898
duobus elementis, id est ex termino reali finito et ex esse
initiali, quod eidem termino tribuit formam entis.

---

[1] ASS 20 (1887), 398 sqq; cf. 21 (1888), 709 sq. — Antonius Comes de
Rosmini-Serbati natus est 25. Martii 1797 in oppido Roveredo Tiroliensi.
Anno 1821 clericus factus 1828 Congregationem Sacerdotum «Istituto
della Carità» fundavit. Erroribus suis abdicatis decessit 1. Iulii 1855
[Hrt. saec. tert. III² 1007 sq].

1899 9. Esse, obiectum intuitionis, est actus initialis omnium
(1744) entium. — Esse initiale est initium tam cognoscibilium quam
subsistentium: est pariter initium Dei, prout a nobis concipitur, et creaturarum.

1900 10. Esse virtuale et sine limitibus est prima ac simplicis-
sima omnium entitatum, adeo ut quaelibet alia entitas sit
composita, et inter ipsius componentia semper et necessario
sit esse virtuale. — Est pars essentialis omnium omnino
entitatum, utut cogitatione dividantur.

1901 11. Quidditas (id quod res est) entis finiti non constituitur
eo quod habet positivi, sed suis limitibus. Quidditas entis
infiniti constituitur entitate, et est positiva; quidditas vero
entis finiti constituitur limitibus entitatis, et est negativa.

1902 12. Finita realitas non est, sed Deus facit eam esse ad-
dendo infinitae realitati limitationem. — Esse initiale fit
essentia omnis entis realis. — Esse quod actuat naturas
finitas, ipsis coniunctum, est recisum a Deo.

1903 13. Discrimen inter esse absolutum et esse relativum non
illud est quod intercedit substantiam inter et substantiam,
sed aliud multo maius; unum enim est absolute ens, alterum
est absolute non-ens. At hoc alterum est relative ens. Cum
autem ponitur ens relativum, non multiplicatur absolute ens;
hinc absolutum et relativum absolute non sunt unica substantia, sed unicum esse; atque hoc sensu nulla est diversitas
esse, immo habetur unitas esse.

1904 14. Divina abstractione producitur esse initiale, primum
finitorum entium elementum; divina vero imaginatione producitur reale finitum seu realitates omnes, quibus mundus
constat.

1905 15. Tertia operatio esse absoluti mundum creantis est
(1750) divina synthesis, id est unio duorum elementorum: quae sunt
esse initiale, commune omnium finitorum entium initium, atque
reale finitum, seu potius diversa realia finita, termini diversi
eiusdem esse initialis. Qua unione creantur entia finita.

1906 16. Esse initiale per divinam synthesim ab intelligentia
relatum, non ut intelligibile, sed mere ut essentia, ad terminos finitos reales, efficit ut exsistant entia finita subiective
et realiter.

1907 17. Id unum efficit Deus c r e a n d o, quod totum actum,
esse creaturarum integre ponit: hic igitur actus proprie non
est factus, sed positus.

1908 18. Amor, quo Deus se diligit etiam in creaturis et qui
est ratio, qua se determinat ad creandum, moralem necessitatem constituit, quae in ente perfectissimo semper inducit

effectum: huiusmodi enim necessitas tantummodo in pluribus
entibus imperfectis integram relinquit libertatem bilateralem.

19. Verbum est materia illa invisa, ex qua, ut dicitur 1909
Sap 11, 18, creatae fuerunt res omnes universi.   (1754)

480   20. Non repugnat, ut anima humana generatione multi- 1910
plicetur, ita ut concipiatur eam ab imperfecto, nempe a
gradu sensitivo, ad perfectum, nempe ad gradum intellec-
tivum, procedere.

21. Cum sensitivo principio intuibile fit esse, hoc solo 1911
tactu, hac sui unione, principium illud antea solum sentiens,
nunc simul intelligens, ad nobiliorem statum evehitur, naturam
mutat, ac fit intelligens, subsistens atque immortale.

22. Non est cogitatu impossibile divina potentia fieri posse, 1912
ut a corpore animato dividatur anima intellectiva, et ipsum
adhuc maneat animale; maneret nempe in ipso, tanquam
basis puri animalis, principium animale, quod antea in eo
erat veluti appendix.

23. In statu naturali anima defuncti exsistit perinde 1913
ac non exsisteret: cum non possit ullam super se ipsam
reflexionem exercere, aut ullam habere sui conscientiam,
ipsius conditio similis dici potest statui tenebrarum per-
petuarum et somni sempiterni.

24. Forma substantialis corporis est potius effectus animae 1914
atque interior terminus operationis ipsius: propterea forma
substantialis corporis non est ipsa anima. — Unio animae
et corporis proprie consistit in immanenti perceptione, qua
subiectum intuens ideam, affirmat sensibile, postquam in hac
eius essentiam intuitum fuerit.

39   25. Revelato mysterio SS. Trinitatis, potest ipsius 1915
exsistentia demonstrari argumentis mere speculativis, negativis (1760)
quidem et indirectis, huiusmodi tamen ut per ipsa veritas
illa ad philosophicas disciplinas revocetur, atque fiat propositio scientifica sicut ceterae: si enim ipsa negaretur,
doctrina theosophica *purae rationis* non modo incompleta
maneret, sed etiam omni ex parte absurditatibus scatens
annihilaretur.

26. Tres supremae formae *esse,* nempe subiectivitas, ob- 1916
iectivitas, sanctitas, seu realitas, idealitas, moralitas, si trans-
ferantur ad esse absolutum, non possunt aliter concipi nisi
ut personae subsistentes et viventes. — Verbum, quatenus obiectum amatum, et non quatenus Verbum, id est obiectum in
se subsistens per se cognitum, est persona Spiritus Sancti.

27. In humanitate Christi humana voluntas fuit ita 1917
rapta a Spiritu Sancto ad adhaerendum Esse obiectivo, id est

Verbo, ut illa Ipsi integre tradiderit regimen hominis, et
Verbum illud personaliter assumpserit, ita sibi uniens naturam humanam. Hinc voluntas humana desiit esse personalis in homine, et, cum sit persona in aliis hominibus,
in Christo remansit natura.

1918   28. In christiana doctrina Verbum, character et facies Dei,
(1763) imprimitur in animo eorum, qui cum fide suscipiunt baptismum Christi. — Verbum, id est character in anima impressum,
in doctrina christiana, est Esse reale (infinitum) per se
manifestum, quod deinde novimus esse secundam personam
SS. Trinitatis.

1919   29. A catholica doctrina, quae sola est veritas, minime
alienam putamus hanc coniecturam: In eucharistico 874
Sacramento substantia panis et vini fit vera caro et verus
sanguis Christi, quando Christus eam facit terminum sui
principii sentientis, ipsamque sua vita vivificat: eo ferme
modo quo panis et vinum vere transsubstantiantur in nostram
carnem et sanguinem, quia fiunt terminus nostri principii
sentientis.

1920   30. Peracta transsubstantiatione, intelligi potest corpori
(1765) Christi glorioso partem aliquam adiungi in ipso incorporatam,
indivisam pariterque gloriosam.

1921   31. In sacramento Eucharistiae *vi verborum* corpus et
sanguis Christi est tantum ea mensura quae respondet quanti-
tati (a quel tanto) substantiae panis et vini quae transsubstantiantur: reliquum corporis Christi ibi est *per concomitantiam*.

1922   32. Quoniam qui *non manducat carnem Filii hominis et
bibit eius sanguinem, non habet vitam in se* [Io 6, 54], et nihilominus qui moriuntur cum baptismate aquae, sanguinis aut
desiderii, certo consequuntur vitam aeternam, dicendum est,
his qui in hac vita non comederunt corpus et sanguinem
Christi, subministrari hunc coelestem cibum in futura vita,
ipso mortis instanti. — Hinc etiam Sanctis Veteris Testamenti potuit Christus descendens ad inferos se ipsum communicare sub speciebus panis et vini, ut aptos eos redderet
ad visionem Dei.

1923   33. Cum daemones fructum possederint, putarunt se 237
ingressuros in hominem, si de illo ederet; converso enim
cibo in corpus hominis animatum, ipsi poterant libere ingredi animalitatem, i. e. in vitam subiectivam huius entis,
atque ita de eo disponere sicut proposuerant.

1924   34. Ad praeservandam B. V. Mariam a labe originis,
satis erat ut incorruptum maneret minimum semen in homine, neglectum forte ab ipso daemone, e quo incorrupto

semine de generatione in generationem transfuso, suo tempore oriretur Virgo Maria.

35. Quo magis attenditur ordo **iustificationis** in ho- 1925
mine, eo aptior apparet modus dicendi scripturalis, quod (1770)
Deus peccata quaedam tegit aut non imputat. — Iuxta
Psalmistam [Ps 31,1] discrimen est inter *iniquitates* quae *remittuntur* et *peccata* quae *teguntur:* illae, ut videtur, sunt
culpae actuales et liberae, haec vero sunt peccata non libera
eorum, qui pertinent ad populum Dei, quibus propterea
nullum afferunt nocumentum.

36. Ordo supernaturalis constituitur manifestatione esse 1926
in plenitudine suae formae realis; cuius communicationis
seu manifestationis effectus est sensus (sentimento) deiformis,
qui inchoatus in hac vita constituit lumen fidei et gratiae,
completus in altera vita constituit lumen gloriae.

37. Primum lumen reddens animam intelligentem est esse 1927
ideale; alterum primum lumen est etiam esse, non tamen
mere ideale, sed subsistens ac vivens: illud abscondens suam
personalitatem ostendit solum suam obiectivitatem: at qui
videt alterum (quod est Verbum) etiamsi per speculum et in
aenigmate, videt Deum.

38. Deus est obiectum **visionis beatificae**, in quan- 1928
tum est auctor operum ad extra.

39. Vestigia sapientiae ac bonitatis, quae in creaturis re- 1929
lucent, sunt comprehensoribus necessaria; ipsa enim in
aeterno exemplari collecta sunt ea Ipsius pars quae ab illis
videri possit (che è loro accessibile), ipsaque argumentum
praebent laudibus, quas in aeternum Deo Beati concinunt.

40. Cum Deus non possit, nec per lumen gloriae, totaliter 1930
se communicare entibus finitis, non potuit essentiam suam (1775)
comprehensoribus revelare et communicare, nisi eo modo,
qui finitis intelligentiis sit accommodatus: scilicet Deus se
illis manifestat, quatenus cum ipsis relationem habet, ut eorum
creator, provisor, redemptor, sanctificator.

De ambitu libertatis et actione civili [1].

[Ex Encycl. «Libertas, praestantissimum», 20. Iunii 1888.]

1027 ... Multi (denique) rei sacrae a re civili distractionem 1931
non probant; sed tamen **faciendum censent**, ut
Ecclesia obsequatur tempori et flectat se atque

---

[1] ASS 20 (1887), 612 sq; AL III 118 sqq.

accommodet ad ea, quae in administrandis imperiis
hodierna prudentia desiderat. Quorum est honesta sententia, si de quadam intelligatur aequa ratione, quae
consistere cum veritate iustitiaque possit: nimirum ut,
explorata spe magni alicuius boni, indulgentem Ecclesia
sese impertiat idque temporibus largiatur, quod salva
officii sanctitate potest. — Verum secus est de rebus
ac doctrinis, quas demutatio morum ac fallax iudicium
contra fas invexerint. . . .

1932   Itaque ex dictis consequitur, nequaquam licere
petere, defendere, largiri cogitandi, scribendi, docendi, itemque promiscuam religionum libertatem, veluti iura totidem, quae homini natura dederit. Nam si vere natura dedisset, imperium Dei detrectari ius esset, nec ulla temperari lege
libertas humana posset. — Similiter consequitur, ista
genera libertatis posse quidem, si iustae causae sint,
tolerari, definita tamen moderatione, ne in libidinem
atque insolentiam degenerent. . . .

1933   Ubi dominatus premat aut impendeat eiusmodi, qui
oppressam iniusta vi teneat civitatem, vel carere Ecclesiam cogat libertate debita, fas est aliam quaerere
temperationem reipublicae, in qua agere cum
libertate concessum sit: tunc enim non illa expetitur
immodica et vitiosa libertas, sed sublevatio aliqua salutis
omnium causa quaeritur, et hoc unice agitur, ut, ubi
rerum malarum licentia tribuitur, ibi potestas honeste
faciendi ne impediatur.

1934   Atque etiam malle reipublicae statum populari tem-
peratum genere, non est per se contra officium, salva
tamen doctrina catholica de ortu atque administratione
publicae potestatis. Ex variis reipublicae generibus, modo sint ad consulendum utilitati civium per
se idonea, nullum quidem Ecclesia respuit: singula
tamen vult, quod plane idem natura iubet, sine iniuria cuiusquam, maximeque integris Ecclesiae iuribus,
esse constituta.

1935   Ad res publicas gerendas accedere, nisi alicubi ob singularem rerum temporumque conditionem
aliter caveatur, honestum est: immo vero probat

Ecclesia, singulos operam suam in communem afferre fructum, et quantum quisque industria potest, tueri, conservare, augere rempublicam.

Neque illud Ecclesia damnat, velle gentem suam ne-1936 mini servire nec externo, nec domino, si modo fieri incolumi iustitia queat. Denique nec eos reprehendit, qui efficere volunt, ut civitates suis legibus vivant civesque quam maxima augendorum commodorum facultate donentur. Civicarum sine intemperantia libertatum semper esse Ecclesia fautrix fidelissima consuevit: quod testantur potissimum civitates Italicae, scilicet prosperitatem, opes, gloriam nominis municipali iure adeptae, quo tempore salutaris Ecclesiae virtus in omnes reipublicae partes nemine repugnante pervaserat.

De materia Eucharistiae (Vino) [1].

[Ex Resp. S. Off., 8. Maii 1887 et 30. Iulii 1890.]

938   *Ab episcopo Carcassonensi ad vini corruptionis peri-*1937
culum praecavendum duo remedia proponuntur: (1776)

1. Vino naturali addatur parva quantitas *d'eau-de-vie;*

2. Ebulliatur vinum ad sexaginta et quinque altitudinis gradus.

Ad quaestionem, utrum haec remedia licita sint in vino pro sacrificio Missae et quodnam praeferendum,

Responsum est:

Praeferendum vinum prout secundo loco exponitur.

Episcopus Massiliensis exponit et quaerit: 1938

In pluribus Galliae partibus, maxime si eae ad meridiem (1777)
sitae reperiantur, vinum album, quod incruento Missae sacrificio inservit, tam debile est ac impotens, ut diu conservari non valeat, nisi eidem quaedam spiritus vini *(spirito alcool)* quantitas admisceatur.

1. An istiusmodi commixtio licita sit?

2. Et, si affirmative, quaenam quantitas huiusmodi materiae extraneae vino adiungi permittatur?

---

[1] ASS 23 (1890/91), 699 sq.

3. In casu affirmativo, requiriturne spiritus vini ex
vino puro seu ex vitis fructu extractus?

Responsum est:

Dummodo spiritus *(alcool)* extractus fuerit ex genimine
vitis, et quantitas alcoholica addita una cum ea,
quam vinum, de quo agitur, naturaliter continet, non
excedat proportionem duodecim pro centum, et ad-
mixtio fiat, quando vinum est valde recens, nihil obstare,
quominus idem vinum in Missae sacrificio adhibeatur[1].

Edit. vet.: n. 1778 1779 1780 1781 1782 sqq 1785 sqq 1791 sqq.
Edit. nova: n. 43   44   52   91   48 sqq 468 sqq 532 sqq.

De duello[2].

[Ex ep. «Pastoralis officii» ad episcopos Germ. et Austr., 22. Sept. 1891.]

1939 . . . Utraque divina lex, tum ea quae naturalis rationis *1491*
lumine, tum quae litteris divino afflatu perscriptis promulgata est, districte vetant, ne quis extra causam
publicam hominem interimat aut vulneret,
nisi salutis suae deferendae causa, necessitate coactus.
At qui ad privatum certamen provocant vel oblatum
suscipiunt, hoc agunt, huc animum viresque intendunt,
nulla necessitate adstricti, ut vitam eripiant aut saltem
vulnus inferant adversario. Utraque porro divina lex
interdicit, ne quis temere vitam proiciat suam,
gravi et manifesto obiciens discrimini, cum id nulla
officii aut caritatis magnanimae ratio suadeat; haec autem
caeca temeritas, vitae contemptrix, plane inest in natura
duelli. Quare obscurum nemini aut dubium esse potest,
in eos, qui privatim proelium conserunt singulare, utrumque cadere et scelus alienae cladis et vitae propriae discrimen voluntarium. Demum vix ulla pestis
est, quae a civilis vitae disciplina magis abhorreat et
iustum civitatis ordinem pervertat, quam permissa civibus
licentia ut sui quisque assertor iuris privata vi manu-
que et honoris, quem violatum putet, ultor exsistat. . . .

---

[1] Similiter responsum est pro Brasilia 5. Aug. 1896 [ASS 29 (1896/97),
317; AE 4 (1896), 385 a] et in Resp. ad episc. Tarraconensem quantitas alcoholica usque ad 17 vel 18 pro centum extensa est, quando
naturaliter vinum iam habet 12 p. c. aut ultra [ASS ib. 318; AE ib. 484 a].
[2] ASS 24 (1891/92), 204 sq; AL IV 266 sqq.

Neque illis, qui oblatum certamen suscipiunt, iusta 1940 suppetit excusatio metus, quod timeant se vulgo segnes haberi, si pugnam detrectent. Nam si officia hominum ex falsis vulgi opinionibus dimetienda essent, non ex aeterna recti iustique norma, nullum esset naturale ac verum inter honestas actiones et flagitiose facta discrimen. Ipsi sapientes ethnici et norunt et tradiderunt, fallacia vulgi iudicia spernenda esse a forti et constanti viro. Iustus potius et sanctus timor est, qui avertit hominem ab iniqua caede eumque facit de propria et fratrum salute sollicitum. Immo qui inania vulgi aspernatur iudicia, qui contumeliarum verbera subire mavult, quam ulla in re officium deserere, hunc longe maiore atque excelsiore animo esse perspicitur, quam qui ad arma procurrit lacessitus iniuria. Quin etiam, si recte diiudicari velit, ille est unus, in quo solida fortitudo eluceat, illa, inquam, fortitudo, quae virtus vere nominatur et cui gloria comes est non fucata, non fallax. Virtus enim in bono consistit rationi consentaneo, et nisi quae in iudicio nitatur approbantis Dei, stulta omnis est gloria.

De B. M. V. gratiarum mediatrice v. App. n. 3033.

De studiis s. Scripturae [1].

[Ex Encycl. «Providentissimus Deus», 18. Nov. 1893.]

783 ' . . . Quoniam certa opus est via interpretationis utiliter 1941 expediendae, utrumque magister prudens devitet incommodum, vel eorum qui de singulis libris cursim delibandum praebent, vel eorum qui in certa unius parte immoderatius consistunt. . . . Exemplar in hoc sumet versionem vulgatam, quam Concilium TRIDENTINUM *in publicis lectionibus, disputationibus, praedicationibus et expositionibus pro authentica* habendam decrevit [v. n. 785] atque etiam commendat quotidiana Ecclesiae consuetudo. Neque tamen non sua habenda erit ratio reliquarum versionum, quas christiana laudavit usurpavitque antiquitas, maxime codicum primigeniorum. Quamvis enim, ad summam rei quod spectat, ex dic-

---

[1] ASS 26 (1893/94), 278 sqq; AE 2 (1894), 3 sqq; AL V 210 sqq

tionibus Vulgatae hebraea et graeca bene eluceat sententia, attamen si quid ambigue, si quid minus accurate inibi elatum sit, inspectio praecedentis linguae, suasore Augustino, proficiet[1]. . . .

1942 . . . Patrum doctrinam Synodus VATICANA amplexa est, quando Tridentinum decretum de divini verbi scripti interpretatione renovans hanc illius mentem esse declaravit, ut *in rebus fidei et morum, ad aedificationem doctrinae christianae pertinentium, is pro vero sensu sacrae Scripturae habendus sit, quem tenuit ac tenet sancta mater Ecclesia, cuius est iudicare de vero sensu et interpretatione Scripturarum sanctarum; atque ideo nemini licere contra hunc sensum aut etiam contra unanimem consensum Patrum ipsam Scripturam sacram interpretari* [v. n. 786 1788]. — Qua plena sapientiae lege nequaquam Ecclesia pervestigationem scientiae biblicae retardat aut coercet; sed eam potius ab errore integram praestat, plurimumque ad veram adiuvat progressionem. Nam privato cuique doctori magnus patet campus, in quo, tutis vestigiis, sua interpretandi industria praeclare certet Ecclesiaeque utiliter. In locis quidem divinae Scripturae, qui expositionem certam et definitam adhuc desiderant, effici ita potest ex suavi Dei providentis consilio, ut quasi praeparato studio iudicium Ecclesiae maturetur; in locis vero iam definitis potest privatus doctor aeque prodesse, si eos vel enucleatius apud fidelium plebem et ingeniosius apud doctos edisserat vel insignius evincat ab adversariis. . . .

1943 In ceteris analogia fidei sequenda est, et doctrina catholica, qualis ex auctoritate Ecclesiae accepta, tanquam summa norma est adhibenda. . . . Ex quo apparet, eam interpretationem ut ineptam et falsam reiciendam, quae vel inspiratos auctores inter se quodammodo pugnantes faciat vel doctrinae Ecclesiae adversetur. . .

1944 Iamvero sanctorum Patrum, quibus «post Apostolos sancta Ecclesia plantatoribus, rigatoribus, aedificatoribus, pastoribus, nutritoribus crevit»[2], summa auctoritas est,

---

[1] S. August., De doctrina christ. l. 3, c. 3 et 4 [ML 34, 68].
[2] Idem, Contra Iulian. Pelag. l. 2, c. 10, n. 37 [ML 44, 700].

quotiescunque testimonium aliquod biblicum, ut ad
fidei pertinens morumve doctrinam uno eodemque
modo explicant omnes. . . .

Ceterorum interpretum catholicorum est minor 1945
quidem auctoritas, attamen, quoniam Bibliorum studia
continuum quendam progressum in Ecclesia habuerunt,
istorum pariter commentariis suus habendus est honor,
ex quibus multa opportune peti liceat ad refellenda
contraria, ad difficiliora enodanda. At vero id nimium
dedecet, ut quis egregiis operibus, quae nostri abunde
reliquerunt, ignoratis aut despectis heterodoxorum libros
praeoptet ab eisque cum praesenti sanae doctrinae periculo et non raro cum detrimento fidei explicationem
locorum quaerat, in quibus catholici ingenia et labores
suos iamdudum optimeque collocarint. . . .

. . . Est primum [interpretationis adiumentum] in studio lin- 1946
guarum veterum orientalium simulque in arte, quam
vocant criticam[1]. . . . Ergo sacrae Scripturae magistris
necesse est atque theologos addecet eas linguas cognitas

---

[1] LEO XIII in litteris apost. «Vigilantiae» 30. Oct. 1902 «de studiis
s. Scripturae provehendis» inter alia haec scripsit:
«*Artis criticae* disciplinam, quippe percipiendae penitus hagiogra-
phorum sententiae perutilem, Nobis vehementer probantibus, nostri
excolant. Hanc ipsam facultatem, adhibita loco ope heterodoxorum,
Nobis non repugnantibus iidem exacuant. Videant tamen, ne ex hac
consuetudine intemperantiam iudicii imbibant: siquidem in hanc saepe
recidit artificium illud criticae, ut aiunt, sublimioris; cuius periculosam
temeritatem plus semel Ipsi denuntiavimus» [ASS 35 (1902/03), 236].
PIUS X in litteris ad Episc. Rupellensem [La Rochelle] Le Camus
die 11. Ian. 1906 datis sic ait:
«. . . Illud praecipue tibi dandum est laudi, quod eam viam explicandi
sacras Litteras studiose teneas, quam in obsequium veritatis atque in
decus doctrinae catholicae omnino teneri, Ecclesia duce, oportet. Ut
enim [revera: *infatti*] damnanda est eorum temeritas, qui plus tribuentes
novitati quam magisterio Ecclesiae critices adhibere genus non dubitent immodice liberum; ita eorum ratio non probanda, qui nulla in
re ausint ab usitata exegesi Scripturae recedere, etiam cum salva fide
id bona studiorum incrementa postulent (*conviene parimenti disappro-
vare l'attitudine di coloro che non osano, in alcun modo, romperla col-
l'esegesi scritturale vigente fino a ieri, anche quando, salva l'integrità
della fede, il saggio progresso degli studi li invita corragiosamente a farlo*).
Hos inter medius tu recta incedis; tuoque exemplo ostendis, nihil
timendum esse divinis libris a vera progressione artis criticae, quin
commodum ex hac subinde lumen peti posse: ita nempe si prudens
sincerumque iudicium huc accesserit. . .» [L'unità cattolica, Firenze
4. Febr. 1906; AE 14 (1906), 99. Versio Lat. ex: Civiltà catt., a. 57
(1906) II 484 sq].

habere, quibus libri canonici sunt primitus ab hagiographis exarati. . . . Hos autem ipsos eiusdem rei
gratia doctiores esse oportet atque exercitatiores in
vera artis criticae disciplina: perperam enim et cum
religionis damno inductum est artificium, nomine hone-
statum criticae sublimioris, quo ex solis internis,
uti loquuntur, rationibus cuiuspiam libri origo, integritas,
auctoritas diiudicata emergant. Contra perspicuum est,
in quaestionibus rei historicae, cuiusmodi origo et con-
servatio librorum, historiae testimonia valere prae ceteris
eaque esse quam studiosissime et conquirenda et ex-
cutienda: illas vero rationes internas plerumque non
esse tanti, ut in causam, nisi ad quandam confirmationem, possint vocari. . . . Illud ipsum quod extollunt
genus criticae sublimioris, eo demum recidet, ut suum
quisque studium praeiudicatamque opinionem interpretando sectentur. . . .

1947 Scripturae sacrae doctori cognitio naturalium
rerum bono erit subsidio, quo huius quoque modi
captiones in divinos libros instructas facilius detegat
et refellat. — Nulla quidem theologum inter et phy-
sicum vera dissensio intercesserit, dum suis uterque
finibus se contineant, id caventes secundum S. Augustini monitum, ne aliquid temere et incognitum pro
cognito asserant[1]. Sin tamen dissenserint, quemadmodum se gerat theologus, summatim est regula ab
eodem oblata: «Quidquid, inquit, ipsi de natura rerum
veracibus documentis demonstrare potuerint, ostendamus
nostris litteris non esse contrarium: quidquid autem
de quibuslibet suis voluminibus his nostris litteris, id
est catholicae fidei contrarium protulerint, aut
aliqua etiam facultate ostendamus aut nulla dubitatione
credamus esse falsissimum.»[2] De cuius aequitate
regulae in consideratione sit primum, scriptores sacros
seu verius «Spiritum Dei, qui per ipsos loquebatur,
noluisse ista (videlicet intimam adspectabilium rerum
constitutionem) docere homines, nulli saluti profutura»[3];

---

[1] Cf. S. August., De Gen. ad litt. imperf. lib. c. 9, n. 30 [ML 34, 233].
[2] Idem, De Gen. ad litt. l. 1, c. 21, n. 41 [ML 34, 262].
[3] Idem ibid. l. 2, c. 9, n. 20 [ML 34, 270].

quare eos, potius quam explorationem naturae recta
persequantur, res ipsas aliquando describere et tractare
aut quodam translationis modo aut sicut communis
sermo per ea ferebat tempora hodieque de
multis fert rebus in quotidiana vita ipsos inter homines
scientissimos. Vulgari autem sermone cum ea primo
proprieque efferantur, quae cadant sub sensus, non dis-
similiter scriptor sacer (monuitque et Doctor Angelicus)
«ea secutus est, quae sensibiliter apparent» [1], seu quae
Deus ipse homines alloquens, ad eorum cap-
tum significavit humano more.

Quod vero defensio Scripturae sanctae agenda strenue 1948
est, non ex eo omnes aeque sententiae tuendae sunt,
quas singuli Patres aut qui deinceps interpretes in
eadem declaranda ediderint: qui prout erant opiniones aetatis, in locis edisserendis, ubi physica
aguntur, fortasse non ita semper iudicaverunt ex veritate, ut quaedam posuerint quae nunc minus probentur.
Quocirca studiose dignoscendum in illorum interpreta-
tionibus, quaenam reapse tradant tanquam spectantia
ad fidem aut cum ea maxime copulata, quaenam
unanimi tradant consensu; namque «in his quae de
necessitate fidei non sunt, licuit Sanctis diversimode
opinari, sicut et nobis» [2], ut est S. Thomae sententia.
Qui et alio loco prudentissime habet: «Mihi videtur
tutius esse, huiusmodi quae philosophi communiter senserunt et nostrae fidei non repugnant, nec sic esse
asserenda ut dogmata fidei, etsi aliquando sub nomine
philosophorum introducantur, nec sic esse neganda tanquam fidei contraria, ne sapientibus huius mundi occasio
contemnendi doctrinam fidei praebeatur.» [3]

Sane, quamquam ea, quae speculatores naturae certis 1949
argumentis certa iam esse affirmarint, interpres ostendere
debet nihil Scripturis recte explicatis obsistere,
ipsum tamen ne fugiat, factum quandoque esse, ut certa
quaedam ab illis tradita postea in dubitationem adducta sint et repudiata. Quodsi physicorum scriptores

---

[1] S. Thomas, Summa theol. 1, q. 70, a. 1 ad 3.
[2] Idem, In Sent. 2, dist. 2, q. 1, a. 3.
[3] Idem, Opusc. 10. Responsio de 42 articulis (praefatio).

terminos disciplinae suae transgressi, in provinciam philosophorum perversitate opinionum invadant, eas interpres
theologus philosophis mittat refutandas. Haec ipsa deinde ad cognatas disciplinas, ad historiam praesertim,
iuvabit transferri.

Dolendum enim, multos esse, qui antiquitatis monumenta, gentium
mores et instituta, similiumque rerum testimonia magnis ii quidem
laboribus perscrutentur et proferant, sed eo saepius consilio, ut erroris
labes in sacris libris deprehendant, ex quo illorum auctoritas usquequaque infirmetur et nutet. Idque nonnulli et nimis infesto animo
faciunt nec satis aequo iudicio: qui sic fidunt profanis libris et documentis memoriae priscae, perinde ut nulla eis ne suspicio quidem
erroris possit subesse, libris vero Scripturae sacrae, ex opinata tantum
erroris specie neque ea probe discussa, vel parem abnuunt fidem.

1950   Fieri quidem potest, ut quaedam librariis in codicibus
describendis minus recte exciderint; quod considerate iudicandum est nec facile admittendum, nisi
quibus locis rite sit demonstratum; fieri etiam potest,
ut germana alicuius loci sententia permaneat anceps;
cui enodandae multum afferent optimae interpretandi
regulae: at nefas omnino fuerit aut inspirationem ad
aliquas tantum sacrae Scripturae partes coangustare aut
concedere sacrum ipsum errasse auctorem. Nec enim
toleranda est eorum ratio, qui ex istis difficultatibus sese
expediunt, id nimirum dare non dubitantes, inspirationem
divinam ad res fidei morumque, nihil praeterea, pertinere...

1951   Libri omnes atque integri, quos Ecclesia tamquam
sacros et canonicos recipit, cum omnibus suis partibus,
Spiritu Sancto dictante conscripti sunt; tantum vero
abest, ut divinae inspirationi error ullus subesse possit, ut ea per se ipsa non modo errorem excludat omnem, sed tam necessario excludat et respuat,
quam necessarium est, Deum, summam Veritatem, nullius
omnino erroris auctorem esse.

1952   Haec est antiqua et constans fides Ecclesiae, sollemni
etiam sententia in Conciliis definita FLORENTINO
[v. n. 706] et TRIDENTINO [v. n. 783 sqq]; confirmata denique atque expressius declarata in Concilio VATICANO,
a quo absolute edictum: *Veteris et Novi Testamenti
libri . . . Deum habent auctorem* [v. n. 1787]. Quare
nihil admodum refert, Spiritum Sanctum assumpsisse

homines tanquam instrumenta ad scribendum, quasi,
non quidem primario auctori, sed scriptoribus inspiratis
quidpiam falsi elabi potuerit. Nam supernaturali
ipse virtute ita eos ad scribendum excitavit et movit,
ita scribentibus adstitit, ut ea omnia eaque sola, quae
ipse iuberet, et recte mente conciperent et fideliter conscribere vellent et apte infallibili veritate exprimerent:
secus non ipse esset auctor sacrae Scripturae
universae. . . . Atque adeo Patribus omnibus et Doctoribus persuasissimum fuit, divinas Litteras, quales ab
hagiographis editae sunt, ab omni omnino errore esse
immunes, ut propterea non pauca illa, quae contrarii
aliquid vel dissimile viderentur afferre (eademque fere sunt,
quae nomine novae scientiae nunc obiciunt), non subtiliter
minus quam religiose componere inter se et conciliare
studuerint; professi unanimes, libros eos et integros et
per partes a divino aeque esse afflatu, Deumque
ipsum per sacros auctores elocutum nihil admodum a veritate alienum ponere potuisse.

Ea valeant universe quae idem Augustinus ad Hieronymum scripsit:
«... Si aliquid in eis offendero litteris, quod videatur contrarium veritati, nihil aliud quam vel mendosum esse codicem, vel interpretem
non assecutum esse quod dictum est, vel me minime intellexisse non
ambigam.» ... [1]

... Permulta enim ex omni doctrinarum genere sunt 1953
diu multumque contra Scripturam iactata, quae nunc,
utpote inania, penitus obsolevere; item non pauca de
quibusdam Scripturae locis (non proprie ad fidei morumque pertinentibus regulam) sunt quondam interpretando
proposita, in quibus rectius postea vidit acrior quaedam
investigatio. Nempe opinionum commenta delet dies;
sed «veritas manet et invalescit in aeternum»[2].

De uni(ci)tate Ecclesiae[3].

[Ex Encycl. «Satis cognitum», 29. Iunii 1896.]

1821   ... Profecto unam esse Iesu Christi germanam Ec- 1954
clesiam, ex luculento ac multiplici sacrarum Litterarum
testimonio sic constat inter omnes, ut contradicere

---

[1] S. August. ep. 82, 1, n. 3 [ML 33 (Aug. II), 277] et crebrius alibi.
[2] 3 Esr. 4, 38.
[3] ASS 28 (1895/96), 711 sqq; AE 4 (1896), 247 a sqq; AL VI 160 sqq.

Christianus nemo ausit. Verum in diiudicanda statuenda-
que natura unitatis multos varius error de via deflectit.
Ecclesiae quidem n o n s o l u m ortus, s e d t o t a c o n-
s t i t u t i o ad rerum voluntate libera effectarum pertinet
genus: quocirca ad id, quod revera gestum est, iudicatio
est omnis revocanda exquirendumque non sane, quo
pacto una esse Ecclesia queat, sed quo unam esse
is voluit, qui condidit.

1955　　　Iamvero, si ad id respicitur, quod gestum est, Ecclesiam Iesus Christus non talem finxit formavitque,
quae communitates plures complecteretur genere similes,
sed distinctas neque iis vinculis alligatas, quae Ecclesiam individuam atque unicam efficerent eo plane
modo, quo *Credo unam . . . Ecclesiam* in Symbolo fidei
profitemur. . . . Sane Iesus Christus de aedificio eiusmodi mystico cum loqueretur, Ecclesiam non commemorat nisi u n a m quam appellat s u a m: «*aedificabo
Ecclesiam meam*» [Mt 16, 18]. Quaecunque praeter hanc
cogitetur alia, cum non sit per Iesum Christum condita,
Ecclesia Christi vera esse non potest. . . . Itaque partam
per Iesum Christum salutem simulque beneficia omnia,
quae inde proficiscuntur, late fundere in omnes homines
atque ad omnes propagare aetates debet Ecclesia. Quocirca ex voluntate auctoris sui unicam in omnibus terris
in perpetuitate temporum esse necesse est. . . . Est
igitur Ecclesia Christi u n i c a et p e r p e t u a: quicunque
seorsum eant, aberrant a voluntate et praescriptione
Christi Domini relictoque salutis itinere ad interitum
digrediuntur.

1956　　At vero qui u n i c a m condidit, is idem condidit
u n a m: videlicet eiusmodi, ut quotquot in ipsa futuri
essent, arctissimis vinculis sociati tenerentur ita prorsus,
ut unam gentem, unum regnum, corpus unum efficerent:
«*Unum corpus et unus spiritus, sicut vocati estis in una
spe vocationis vestrae*» [Eph 4, 4]. . . . Tantae autem inter
homines ac tam absolutae concordiae necessarium fundamentum est convenientia coniunctioque mentium: ex
quo conspiratio voluntatum atque agendorum similitudo
natura gignitur. . . . Ad coniugandas igitur mentes,
ad efficiendam tuendamque concordiam sententiarum,

utut exstarent divinae Litterae, omnino erat alio quodam principio opus. . . .

Quamobrem instituit Iesus Christus in Ecclesia vivum, 1957
authenticum, idemque perenne magisterium,
quod suapte potestate auxit, spiritu veritatis instruxit,
miraculis confirmavit, eiusque praecepta doctrinae aeque
accipi ac sua voluit gravissimeque imperavit. . . . Hoc
igitur sine ulla dubitatione est officium Ecclesiae, christianam doctrinam tueri eamque propagare integram
atque incorruptam. . . .

At vero quo modo doctrina caelestis nunquam fuit 1958
privatorum arbitrio ingeniove permissa, sed principio a
Iesu tradita, deinceps ei separatim, de quo dictum est,
commendata magisterio, sic etiam non singulis e
populo christiano, verum delectis quibusdam data
divinitus facultas est perficiendi atque administrandi divina
mysteria una cum regendi gubernandique potestate. . . .

Quapropter mortales Iesus Christus, quotquot essent 1959
et quotquot essent futuri, universos advocavit, ut ducem
se eundemque servatorem sequerentur, non tantum seorsum singuli, sed etiam consociati atque invicem re
animisque iuncti, ut ex multitudine populus exsisteret
iure sociatus; fidei, finis, rerum ad finem idonearum
communione unus, uni eidemque subiectus potestati. . . .
Ergo Ecclesia societas est ortu divina: fine, rebusque
fini proxime admoventibus supernaturalis: quod
vero coalescit hominibus, humana communitas est. . . .

1826 Cum Ecclesiam divinus auctor fide et regimine et 1960
communione unam esse decrevisset, PETRUM eiusque
successores delegit, in quibus principium foret ac velut
centrum unitatis. . . . Sed episcoporum ordo tunc
rite, ut Christus iussit, colligatus cum PETRO putandus,
si PETRO subsit eique pareat; secus in multitudinem
confusam ac perturbatam necessario delabitur. Fidei
et communionis unitati rite conservandae, non gerere
honoris causa priores partes, non curam agere satis est;
sed omnino auctoritate est opus vera eademque summa,
cui obtemperet tota communitas. . . . Hinc
illae de beato PETRO singulares veterum locutiones,
quae in summo dignitatis potestatisque gradu locatum

luculenter praedicant. Appellant passim *principem coetus discipulorum: sanctorum Apostolorum principem: chori illius coryphaeum: os Apostolorum omnium: caput illius familiae: orbis totius praepositum: inter Apostolos primum: Ecclesiae columen. . . .*

1961 Illud vero abhorret a veritate et aperte repugnat constitutioni divinae, iurisdictioni Romanorum Pontificum episcopos subesse *singulos* ius esse, *universos* ius non esse. . . . Hanc vero, de qua dicimus, in ipsum episcoporum collegium potestatem, quam sacrae Litterae tam aperte enuntiant, agnoscere ac testari nullo tempore Ecclesia destitit. . . . Quibus de causis, Concilii VATICANI decreto [v. n. 1826 sqq], quod est de vi et ratione primatus Romani Pontificis, non opinio est invecta nova, sed vetus et constans omnium saeculorum asserta fides. Neque vero potestati geminae eosdem subesse confusionem habet administrationis. Tale quicquam suspicari primum sapientia Dei prohibemur, cuius consilio est temperatio isthaec regiminis constituta. Illud praeterea animadvertendum, tum rerum ordinem mutuasque necessitudines perturbari, si bini magistratus in populo sint eodem gradu, neutro alteri obnoxio. Sed Romani Pontificis potestas summa est, universalis, planeque sui iuris: episcoporum vero certis circumscripta finibus nec plane sui iuris. . . .

1962 Romani autem Pontifices, officii sui memores, maxime omnium conservari volunt, quidquid est in Ecclesia divinitus constitutum: propterea quemadmodum potestatem suam ea, qua par est cura vigilantiaque tuentur, ita et dedere et dabunt constanter operam ut sua episcopis auctoritas salva sit. Immo quidquid episcopis tribuitur honoris, quidquid obsequii, id omne sibimet ipsis tributum deputant.

De ordinationibus Anglicanis [1].

[Ex ep. «Apostolicae curae», 13. Sept. 1896.]

1963 In ritu cuiuslibet sacramenti conficiendi et admini- ₉₅₇ strandi iure discernunt inter partem ceremonialem et

---

[1] ASS 29 (1896/97), 198 sqq; AE 4 (1898), 380a sqq; AL VI 204 sqq.

931 partem essentialem, quae materia et forma appellari
consuevit. Omnesque norunt, sacramenta novae legis
utpote signa sensibilia atque gratiae invisibilis efficientia,
debere gratiam et significare quam efficiunt et efficere
quam significant [v. n. 695 849]. . . . Iamvero verba, quae 1964
ad proximam usque aetatem habentur passim ab Anglicanis tanquam forma propria ordinationis pres-
byteralis, videlicet *Accipe Spiritum Sanctum,* minime
sane significant definite ordinem sacerdotii vel eius gratiam, et potestatem, quae praecipue est potestas consecrandi et offerendi verum corpus et sanguinem Domini, eo sacrificio, quod non est nuda commemoratio
sacrificii in cruce peracti. Forma huiusmodi aucta
quidem est postea iis verbis, *ad officium et opus presbyteri:* sed hoc potius convincit, Anglicanos vidisse
ipsos, primam eam formam fuisse mancam neque ido-
neam rei. Eadem vero adiectio, si forte quidem legitimam significationem apponere formae posset, serius
est inducta, elapso iam saeculo post receptum Ordinale
Eduardianum: cum propterea, hierarchia exstincta,
potestas ordinandi iam nulla esset.

De consecratione episcopali similiter est. Nam 1965
formulae *Accipe Spiritum Sanctum* non modo serius
annexa sunt verba *ad officium et opus episcopi,* sed
etiam de iisdem, ut mox dicemus, iudicandum aliter est
quam in ritu catholico. Neque rei proficit quidquam
advocasse praefationis precem *Omnipotens Deus:* cum
ea pariter deminuta sit verbis, quae summum sacerdotium
declarent. . . . Inde fit ut, quoniam sacramentum ordinis
verumque Christi sacerdotium a ritu Anglicano penitus
extrusum est, atque adeo in consecratione episcopali eiusdem ritus nullo modo sacerdotium confertur, nullo item modo episcopatus vere
ac iure possit conferri: eoque id magis quia in primis
episcopatus muniis illud scilicet est, ministros ordinandi
in sanctam Eucharistiam et sacrificium. . . .

Cum hoc igitur intimo formae defectu coniunctus 1966
est defectus intentionis, quam aeque necessario
postulat, ut sit sacramentum. . . . Itaque omnibus Pontificum decessorum in hac ipsa causa decretis usquequaque

assentientes, eaque plenissime confirmantes ac veluti renovantes auctoritate Nostra, motu proprio, certa scientia
pronuntiamus et declaramus, ordinationes ritu Anglicano
actas, irritas prorsus fuisse et esse omninoque nullas. ...

De Americanismo [1].

[Ex ep. «Testem benevolentiae» ad Card. Gibbons, 22. Ian. 1899.]

1967   Novarum igitur, quas diximus, opinionum id fere constituitur funda- 1821
mentum: quo facilius qui dissident ad catholicam sapientiam traducantur,
debere Ecclesiam ad adulti saeculi humanitatem aliquanto propius accedere, ac, veteri relaxata severitate, recens invectis populorum placitis
ac rationibus indulgere. Id autem non de vivendi solum disciplina, sed
de doctrinis etiam, quibus *fidei depositum* continetur, intelligendum esse
multi arbitrantur. Opportunum enim esse contendunt ad voluntates dis-
cordium alliciendas, si quaedam doctrinae capita, quasi levioris
momenti, praetermittantur, aut molliantur ita, ut non eumdem
retineant sensum quem constanter tenuit Ecclesia. — Id porro ... quam
improbando sit consilio excogitatum, haud longo sermone indiget; si modo
doctrinae ratio atque origo repetatur, quam tradit Ecclesia. Ad rem
VATICANA synodus: «Neque enim ... recedendum» [v. n. 1800] ...

1968   Aetatum vero praeteritarum omnium historia testis
est, Sedem hanc Apostolicam, cui non magisterium
modo, sed supremum etiam regimen totius Ecclesiae
tributum est, constanter quidem *in eodem dogmate,*
eodem sensu eademque sententia [Conc. VATIC., v. n. 1800]
haesisse; at vivendi disciplinam ita semper moderari
consuevisse ut, divino incolumi iure diversarum adeo
gentium, quas amplectitur, mores et rationes nunquam
neglexerit. Id si postulet animorum salus, nunc etiam
facturam quis dubitet? — Non hoc tamen privatorum
hominum arbitrio definiendum, qui fere specie recti
decipiuntur; sed Ecclesiae iudicium esse oportet.

1969 ... In causa tamen de qua loquimur, dilecte Fili Noster,
plus affert periculi estque magis catholicae doctrinae
disciplinaeque infestum consilium illud, quo rerum novarum sectatores arbitrantur, libertatem quandam in
Ecclesiam esse inducendam, ut, constricta quodammodo
potestatis vi ac vigilantia, liceat fidelibus suo cuiusque
ingenio actuosaeque virtuti largius aliquanto indulgere. ...

1970   Externum magisterium omne ab iis, qui christianae perfectioni adipiscendae studere velint, tanquam
superfluum, immo etiam minus utile reicitur: ampliora,

---

[1] ASS 31 (1898/99), 471 sqq; AE 7 (1899), 55 b sqq.

aiunt, atque uberiora nunc quam elapsis temporibus in animos fidelium Spiritus Sanctus influit charismata, eosque medio nemine docet arcano quodam instinctu atque agit. . . .

Rem tamen bene penitus consideranti, sublato etiam 1971 externo quovis moderatore, vix apparet in novatorum sententia, quorsum pertinere debeat uberior ille Spiritus Sancti influxus, quem adeo extollunt. — Profecto maxime in excolendis virtutibus Spiritus Sancti praesidio opus est omnino: verum qui nova sectari adamant, naturales virtutes praeter modum efferunt, quasi hae praesentis aetatis moribus ac necessitatibus respondeant aptius, iisque exornari praestet, quod hominem paratiorem ad agendum ac strenuiorem faciant. — Difficile quidem intellectu est, eos, qui christiana sapientia imbuantur, posse naturales virtutes supernaturalibus anteferre maioremque illis efficacitatem ac foecunditatem tribuere. . . .

Cum hac de naturalibus virtutibus sententia alia co- 1972 haeret admodum, qua christianae virtutes universae in duo quasi genera dispertiuntur, in passivas, ut aiunt, atque activas; adduntque, illas in elapsis aetatibus convenisse melius, has cum praesenti magis congruere. . . . Christianas autem virtutes alias temporibus aliis accommodatas esse is solum velit, qui Apostoli verba non meminerit: *Quos praescivit, hos et praedestinavit conformes fieri imaginis Filii sui* [Rom 8, 29]. Magister et exemplar sanctitatis omnis Christus est; ad cuius regulam aptari omnes necesse est, quotquot avent beatorum sedibus inseri. Iamvero, haud mutatur Christus progredientibus saeculis, sed *idem heri et hodie et in saecula* [Hebr 13, 8]. Ad omnium igitur aetatum homines pertinet illud: «*Discite a me, quia mitis sum et humilis corde*» [Mt 11, 29]; nulloque non tempore Christus se nobis exhibet *factum oboedientem usque ad mortem* [Phil 2, 8]; valetque quavis aetate Apostoli sententia: «*Qui . . . sunt Christi, carnem suam crucifixerunt cum vitiis et concupiscentiis*» [Gal 5, 24]. . . .

Ex quo virtutum evangelicarum veluti con- 1973 temptu, quae perperam passivae appellantur, pronum

erat sequi, ut religiosae etiam vitae despectus
sensim per animos pervaderet. Atque id novarum opinionum fautoribus commune esse, conicimus ex eorum
sententiis quibusdam circa vota, quae ordines religiosi
nuncupant. Aiunt enim illa ab ingenio aetatis nostrae
dissidere plurimum, utpote quae humanae libertatis fines
coerceant; esseque ad infirmos animos magis quam ad
fortes apta; nec admodum valere ad christianam pro-
fectionem humanaeque consociationis bonum, quin potius
utrique rei obstare atque officere. — Verum haec quam
falso dicantur, ex usu doctrinaque Ecclesiae facile patet,
cui religiosum vivendi genus maxime semper probatum
est.... Quod autem addunt, religiosam vivendi rationem
aut non omnino aut parum Ecclesiae iuvandae esse,
praeterquam quod religiosis ordinibus invidiosum est,
nemo unus certe sentiet, qui Ecclesiae annales evolverit....

1974   Postremo, ne nimiis moremur, via quoque et ratio,
qua catholici adhuc sunt usi ad dissidentes revocandos, deserenda edicitur aliaque in posterum
adhibenda.... Quodsi e diversis rationibus verbi Dei
eloquendi ea quandoque praeferenda videatur, qua ad
dissidentes non in templis dicant, sed privato quovis
honesto loco, nec ut qui disputent, sed ut qui amice
colloquantur; res quidem reprehensione caret: modo
tamen ad id muneris auctoritate episcoporum ii de-
stinentur, qui scientiam integritatemque suam antea ipsis
probaverint....

1975   Ex his igitur, quae huc usque disseruimus, patet,
dilecte Fili Noster, non posse Nobis opiniones illas
probari, quarum summam Americanismi nomine
nonnulli indicant.... Suspicionem enim id inicit esse
apud vós, qui Ecclesiam in America aliam effingant
et velint, quam quae in universis regionibus est.

1976   Una unitate doctrinae sicut unitate regiminis eaque 1821
catholica est Ecclesia: cuius quoniam Deus in cathedra beati PETRI centrum ac fundamentum esse
statuit, iure Romana dicitur; *ubi* enim *Petrus, ibi
Ecclesia* [1]. Quamobrem quicunque catholico nomine

---

[1] S. Ambros. in Ps. 40, n. 30 [ML 14, 1082 A].

censeri vult, is verba Hieronymi ad DAMASUM Pontificem usurpare ex veritate debet: «Ego nullum primum
nisi Christum sequens beatitudini tuae, id est cathedrae
PETRI, communione consocior: super illam petram aedificatam Ecclesiam scio; . . . quicunque tecum non colligit, spargit.» [1]

De materia baptismi [2].

[Ex Decr. S. Off., 21. Aug. 1901.]

Archiepiscopus Ultraiectensis exponit: 1977

857 «Plures medici in nosocomiis aut alibi casu necessitatis infantes, praecipue in utero matris, baptizare solent
aqua cum hydrargyro bichlorato corrosivo
(gallice: chloride de mercure) permixta. Componitur
fere haec aqua solutione unius partis huius chloreti
hydrargici in mille partibus aquae, eaque solutione
aquae potio venefica est. Ratio vero, cur hac mixtura
utantur, est, ne matris uterus morbo afficiatur.»

Ad dubia igitur:

I. Estne baptisma cum huiusmodi aqua administratum
certo an dubie validum?

II. Estne licitum ad omne morbi periculum vitandum
huiusmodi aqua sacramentum baptismatis administrare?

III. Licetne etiam tum hac aqua uti, quando sine
ullo morbi periculo aqua pura adhiberi potest?

Responsum est (approbante LEONE XIII):
Ad I. Providebitur in II.
Ad II. Licere, ubi verum adest morbi periculum.
Ad III. Negative.

De usu ss. Eucharistiae [3].

[Ex Encycl. «Mirae caritatis», 28. Maii 1902.]

874 . . . Absit (igitur) pervagatus ille error perniciosissimus 1978
opinantium, Eucharistiae usum ad eos fere amandandum
esse, qui vacui curis angustique animo conquiescere in-

---

[1] S. Hieron. ep. 15, ad DAMASUM [ML 22, 355 sq].
[2] ASS 34 (1901/02), 319 sq; AE 10 (1902), 9.
[3] ASS 34 (1901/02), 644 sq; AE 10 (1902), 191 a.

stituant in quodam vitae religiosioris proposito. Ea quippe res, qua nihil sane nec excellentius nec salutarius, ad omnes omnino, cuiuscunque demum muneris prae- stantiaeve sint, attinet, quotquot velint (neque unus quisquam non velle debet) divinae gratiae in se fovere vitam, cuius ultimum est adeptio vitae cum Deo beatae.

PIUS X 1903—1914.

De B. M. V., gratiarum mediatrice v. App. n. 3034.

De «citationibus implicitis» in s. Scriptura [1].

[Ex Resp. Commissionis de re Biblica, 13. Febr. 1905.]

1979   *Ad dubium:*

Utrum ad enodandas difficultates, quae occurrunt in 783 nonnullis sacrae Scripturae textibus, qui facta historica referre videntur, liceat Exegetae catholico asserere agi in his de citatione tacita vel implicita docu- menti ab auctore non inspirato conscripti, cuius asserta omnia auctor inspiratus minime approbare aut sua facere intendit, quaeque ideo ab errore immunia haberi non possunt?

Responsum est (approbante PIO X):

Negative, excepto casu, in quo salvis sensu ac iudicio Ecclesiae solidis argumentis probetur: 1. Hagiographum alterius dicta vel documenta revera citare, et 2. eadem nec probare nec sua facere, ita ut iure censeatur non proprio nomine loqui.

De indole historica s. Scripturae [2].

[Ex Resp. Commissionis de re Biblica, 23. Iunii 1905.]

1980   *Ad dubium:*

Utrum admitti possit tanquam principium rectae ex- egeseos sententia, quae tenet sacrae Scripturae libros, qui pro historicis habentur, sive totaliter sive ex parte non historiam proprie dictam et obiective veram quandoque narrare, sed speciem tantum historiae

---

[1] ASS 37 (1904/05), 666; AE 13 (1905), 172 b.
[2] ASS 38 (1905/06), 124 sq; AE 13 (1905), 353 b.

prae se ferre ad aliquid significandum a proprie litterali seu historica verborum significatione alienum?

Responsum est (approbante PIO X):

Negative, ex c e p t o tamen casu non facile nec temere admittendo, in quo Ecclesiae sensu non refragante eiusque salvo iudicio s o l i d i s a r g u m e n t i s probetur, Hagiographum voluisse non veram et proprie dictam historiam tradere, sed sub specie et forma historiae parabolam, allegoriam, vel sensum aliquem a proprie litterali seu historica verborum significatione remotum proponere.

De quotidiana ss. Eucharistiae sumptione [1].

[Ex Decr. Congreg. S. Concilii, approbato a PIO X 20. Dec. 1905.]

874
2137
... Desiderium (vero) Iesu Christi et Ecclesiae, ut 1981 omnes Christifideles quotidie ad sacrum convivium accedant, in eo potissimum est, ut Christifideles per sacramentum Deo coniuncti robur inde capiant ad c o m p e s c e n d a m l i b i d i n e m, ad leves culpas quae quotidie occurrunt abluendas, et ad graviora peccata, quibus humana fragilitas est obnoxia, praecavenda: non autem praecipue, ut D o m i n i h o n o r i ac venerationi consulatur, nec, ut sumentibus id quasi m e r c e s aut praemium sit suarum virtutum.   Unde S. TRIDENTINUM Concilium Eucharistiam vocat *antidotum, quo liberemur a culpis quotidianis et a peccatis mortalibus praeservemur* [v. n. 875].

... I a n s e n i a n a lue undequaque grassante disputari 1982 coeptum est de dispositionibus, quibus ad frequentem et quotidianam communionem accedere oporteat, atque alii prae aliis maiores ac difficiliores tanquam necessarias expostularunt.   Huiusmodi disceptationes id effecerunt, ut p e r p a u c i d i g n i haberentur, qui ss. Eucharistiam q u o t i d i e sumerent et ex tam salutifero sacramento pleniores effectus haurirent, contentis ceteris eo refici aut semel in anno, aut singulis mensibus, vel unaquaque ad summum hebdomada.   Quin etiam eo severitatis

---

[1] ASS 38 (1905/06), 401 sqq; AE 14 (1906), 61 b sq.

ventum est, ut a frequentanda coelesti mensa integri
coetus excluderentur, uti mercatorum, aut eorum,
qui essent matrimonio coniuncti.

1983 ... Ad haec Sancta Sedes officio proprio non defuit
[v. n. 1147 sqq et 1313]. ... Virus tamen iansenianum, quod
bonorum etiam animos infecerat, sub specie honoris
ac venerationis Eucharistiae debiti, haud penitus evanuit.
Quaestio de dispositionibus ad frequentandam recte ac
legitime communionem S. Sedis declarationibus super-
vixit; quo factum est, ut nonnulli etiam boni nominis
theologi raro et positis compluribus conditionibus quotidianam communionem fidelibus permitti posse censuerint.

1984 ... Sanctitas vero Sua, cum ipsi maxime cordi sit, ut
... christianus populus ad sacrum convivium perquam
frequenter et etiam quotidie advocetur eiusque fructibus
amplissimis potiatur, quaestionem praedictam huic s. Ordini examinandam ac definiendam commisit. ...

[Hinc Congreg. S. Conc. d. 16. Dec. 1905] ea quae sequuntur
statuit ac declaravit:

1985 1. Communio frequens et quotidiana ... omnibus Christifidelibus cuiusvis ordinis aut conditionis
pateat; ita ut nemo, qui in statu gratiae sit et cum
recta piaque mente ad s. mensam accedat, impediri ab
ea possit.

1986 2. Recta autem mens in eo est, ut qui ad s. mensam accedit, non usui aut vanitati aut humanis rationibus indulgeat, sed Dei placito satisfacere velit, ei arctius
caritate coniungi ac divino illo pharmaco suis infirmi-
tatibus ac defectibus occurrere.

1987 3. Etsi quam maxime expediat, ut frequenti et quotidiana communione utentes venialibus peccatis, saltem
plene deliberatis, eorumque affectu sint expertes, sufficit nihilominus, ut culpis mortalibus vacent,
cum proposito, se nunquam in posterum peccaturos. ...

1988 4. ... curandum est, ut sedula ad s. communionem
praeparatio antecedat et congrua gratiarum actio
inde sequatur iuxta uniuscuiusque vires, conditionem
ac officia.

1989 5. ... Confessarii consilium intercedat. Caveant
tamen confessarii, ne a frequenti seu quotidiana com-

munione quemquam avertant, qui in statu gratiae reperiatur et recta mente accedat. . . .

. . . 9. Denique post promulgatum hoc Decretum 1990
omnes ecclesiastici scriptores a quavis conten-
tiosa disputatione circa dispositiones ad frequentem et
quotidianam communionem abstineant. . . .

De lege clandestinitatis Tridentina [1].

[Ex Decr. PII X «Provida sapientique», 18. Ian. 1906.]

969 . . . I. In universo hodierno Imperio Germaniae caput 1991
Tametsi Concilii TRIDENTINI [v. n. 990 sqq], quamvis in
pluribus locis sive per expressam publicationem sive
per legitimam observantiam nondum fuerit certo promulgatum et inductum, tamen inde a die festo Paschae
(i. e. a die 15. Aprilis) huius anni 1906 omnes catholicos, etiam hucusque immunes a forma Tridentina
servanda, ita adstringat, ut inter se non aliter quam
coram parocho et duobus vel tribus testibus validum matrimonium celebrare possint [cf. n. 2066 sqq].

II. Matrimonia mixta, quae a catholicis cum hae- 1992
reticis vel schismaticis contrahuntur, graviter sunt manent-
que prohibita, nisi, accedente iusta gravique causa
canonica, datis integre, formiter, utrimque legitimis cau-
tionibus, per partem catholicam dispensatio super
impedimento mixtae religionis rite fuerit obtenta. Quae
quidem matrimonia, dispensatione licet impetrata, omnino in facie Ecclesiae coram parocho ac duobus
tribusve testibus celebranda sunt, adeo ut graviter de-
linquant qui coram ministro acatholico vel coram solo
civili magistratu vel alio quolibet modo clandestino
contrahunt. Immo si qui catholici in matrimoniis istis
mixtis celebrandis ministri acatholici operam exquirunt
vel admittunt, aliud patrant delictum et canonicis censuris subiacent.

Nihilominus matrimonia mixta in quibusvis Im- 1993
perii Germanici provinciis et locis, etiam in iis, quae
iuxta Romanarum Congregationum decisiones vi irritanti

[1] ASS 39 (1906/07), 81 sqq; AE 14 (1906), 149 b sq.

capitis *Tametsi* certo hucusque subiecta fuerunt, non
servata forma Tridentina iam contracta vel (quod Deus
avertat) in posterum contrahenda, dummodo nec aliud
obstet canonicum impedimentum, nec sententia nullitatis
propter impedimentum clandestinitatis ante diem festum
Paschae huius anni legitime lata fuerit et mutuus coniugum consensus usque ad dictam diem perseveraverit,
pro validis omnino haberi volumus idque expresse
declaramus, definimus atque decernimus.

1994 III. Ut autem iudicibus ecclesiasticis tuta norma
praesto sit, hoc idem iisdemque sub conditionibus et
restrictionibus declaramus, statuimus ac decernimus de
matrimoniis acatholicorum, sive haereticorum sive
schismaticorum, inter se in iisdem regionibus non servata forma Tridentina hucusque contractis vel in posterum contrahendis; ita ut, si alter vel uterque acatholicorum coniugum ad fidem catholicam convertatur, vel
in foro ecclesiastico controversia incidat de validitate
matrimonii duorum acatholicorum cum quaestione validi-
tatis matrimonii ab aliquo catholico contracti vel contrahendi conexa, eadem matrimonia ceteris paribus pro
omnino validis pariter habenda sint. . . .

De separatione inter Ecclesiam et statum [1].

[Ex Encycl. «Vehementer nos» ad clerum et populum Galliae,
11. Febr. 1906.]

1995 . . . Nos pro suprema quam obtinemus divinitus auc- 1821
toritate sancitam legem, quae rempublicam Galli-
canam seorsum ab Ecclesia separat, reprobamus
ac damnamus; idque ob eas quas exposuimus causas:
quod maxima afficit iniuria Deum, quem sollemniter
eiurat, principio declarans rempublicam cuiusvis religiosi cultus expertem; quod naturae ius
gentiumque violat et publicam pactorum fidem; quod
constitutioni divinae et rationibus intimis et libertati adversatur Ecclesiae; quod iustitiam evertit, ius opprimendo
dominii multiplici titulo ipsaque conventione legitime

---

[1] ASS 39 (1906/07), 12 sq; AE 14 (1906), 56 a.

quaesitum; quod graviter Apostolicae Sedis dignitatem ac personam Nostram, episcoporum ordinem, clerum et catholicos Gallos offendit. Propterea de rogatione, latione, promulgatione eiusdem legis vehementissime expostulamus; in eaque testamur nihil quicquam inesse momenti ad infirmanda Ecclesiae iura nulla hominum vi ausuque mutabilia[1].

De forma brevissima extremae unctionis[2].

[Ex Decr. S. Off., 25. Apr. 1906.]

907   *Decreverunt:* In casu verae necessitatis sufficere 1996 formam: «*Per istam sanctam unctionem indulgeat tibi Dominus quidquid deliquisti. Amen.*»

De mosaica authentia Pentateuchi[3].

[Ex Resp. Commissionis de re Biblica, 27. Iunii 1906.]

783   *Dubium I.:* Utrum argumenta a criticis con-1997 gesta ad impugnandam authentiam mosaicam sacrorum librorum, qui Pentateuchi nomine designantur, tanti sint ponderis, ut posthabitis quampluribus testimoniis utriusque Testamenti collective sumptis, perpetua consensione populi iudaici, Ecclesiae quoque constanti traditione nec non indiciis internis, quae ex ipso textu eruuntur, ius tribuant affirmandi hos libros non Moysen habere auctorem, sed ex fontibus maxima ex parte aetate mosaica posterioribus fuisse confectos? — *Resp.:* Negative.

Dubium II.: Utrum mosaica authentia Pentateuchi 1998 talem necessario postulet redactionem totius operis, ut prorsus tenendum sit Moysen omnia et singula manu sua scripsisse vel amanuensibus dictasse; an etiam eorum hypothesis permitti possit, qui existimant eum opus ipsum a se sub divinae inspirationis afflatu conceptum alteri vel pluribus scribendum commisisse,

---

[1] Huius iniquae legis damnationem similibus omnino verbis PIUS X repetivit in allocut. «*Gravissimum apostolici muneris*», 21. Febr. 1906 [ASS 39 (1906/07), 30 sqq].

[2] ASS 39 (1906/07), 273; AE 14 (1906), 278 a.

[3] ASS 39 (1906/07), 377 sq; AE 14 (1906), 305.

ita tamen, ut sensa sua fideliter redderent, nihil contra suam voluntatem scriberent, nihil omitterent; ac tandem opus hac ratione confectum, ab eodem Moyse p r i n- c i p e i n s p i r a t o q u e a u c t o r e probatum, ipsiusmet nomine vulgaretur? — *Resp.:* Negative ad primam partem, affirmative ad secundam.

1999 *Dubium III.:* Utrum absque praeiudicio mosaicae authentiae Pentateuchi concedi possit Moysen ad suum conficiendum opus f o n t e s a d h i b u i s s e, s c r i p t a videlicet d o c u m e n t a vel o r a l e s t r a d i t i o n e s, ex quibus secundum peculiarem scopum sibi propositum et sub divinae inspirationis afflatu nonnulla hauserit eaque ad verbum vel quoad sententiam contracta vel amplificata ipsi operi inseruerit? — *Resp.:* Affirmative.

2000 *Dubium IV.:* Utrum salva substantialiter mosaica authentia et integritate Pentateuchi admitti possit, tam longo saeculorum decursu nonnullas ei m o d i f i c a t i o n e s o b v e n i s s e, uti: additamenta post Moysi mortem vel ab auctore inspirato apposita vel glossas et explicationes textui interiectas, vocabula quaedam et formas e ser- mone antiquato in sermonem recentiorem translatas, mendosas demum lectiones vitio amanuensium adscri- bendas, d e q u i b u s f a s s i t a d n o r m a s a r t i s c r i- t i c a e d i s q u i r e r e e t i u d i c a r e? — *Resp.:* Affirma- tive, salvo Ecclesiae iudicio.

Errores modernistarum de Ecclesia, revelatione, Christo, sacramentis [1].

[Ex Decr. S. Off. «Lamentabili», 3. Iulii 1907.]

2001 1. Ecclesiastica lex, quae praescribit subicere praeviae 783 censurae libros divinas respicientes Scripturas, ad cultores 2071 critices aut exegeseos scientificae librorum Veteris et 2145 Novi Testamenti non extenditur.

2002 2. Ecclesiae interpretatio sacrorum librorum non est quidem spernenda, subiacet tamen accuratiori exegetarum iudicio et correctioni.

---

3. Ex iudiciis et censuris ecclesiasticis contra liberam 2003 et cultiorem exegesim latis colligi potest fidem ab Ecclesia propositam contradicere historiae, et dogmata catholica cum verioribus christianae religionis originibus componi reipsa non posse.

4. Magisterium Ecclesiae ne per dogmaticas quidem 2004 definitiones genuinum sacrarum Scripturarum sensum determinare potest.

5. Cum in deposito fidei veritates tantum revelatae 2005 contineantur, nullo sub respectu ad Ecclesiam pertinet iudicium ferre de assertionibus disciplinarum humanarum.

6. In definiendis veritatibus ita collaborant discens et 2006 docens Ecclesia, ut docenti Ecclesiae nihil supersit nisi communes discentis opinationes sancire.

7. Ecclesia, cum proscribit errores, nequit a fidelibus 2007 exigere ullum internum assensum, quo iudicia a se edita complectantur.

8. Ab omni culpa immunes existimandi sunt, qui re- 2008 probationes a Sacra Congregatione Indicis aliisve Sacris Romanis Congregationibus latas nihili pendunt.

348   9. Nimiam simplicitatem aut ignorantiam prae se 2009 ferunt, qui Deum credunt vere esse Scripturae sacrae auctorem.

10. Inspiratio librorum Veteris Testamenti in eo 2010 consistit, quod scriptores israelitae religiosas doctrinas sub peculiari quodam aspectu, gentibus parum noto aut ignoto, tradiderunt.

11. Inspiratio divina non ita ad totam Scripturam 2011 sacram extenditur, ut omnes et singulas eius partes ab omni errore praemuniat.

12. Exegeta, si velit utiliter studiis biblicis incumbere, 2012 inprimis quamlibet praeconceptam opinionem de supernaturali origine Scripturae sacrae seponere debet, eamque non aliter interpretari quam cetera documenta mere humana.

13. Parabolas evangelicas ipsimet Evangelistae ac 2013 Christiani secundae et tertiae generationis artificiose digesserunt, atque ita rationem dederunt exigui fructus praedicationis Christi apud iudaeos.

2014   14. In pluribus narrationibus non tam quae vera sunt
Evangelistae retulerunt, quam quae lectoribus, etsi falsa,
censuerunt magis proficua.

2015   15. Evangelia usque ad definitum constitutumque
canonem continuis additionibus et correctionibus aucta
fuerunt; in ipsis proinde doctrinae Christi non remansit
nisi tenue et incertum vestigium.

2016   16. Narrationes Ioannis non sunt proprie historia, sed
mystica Evangelii contemplatio; sermones in eius Evangelio contenti sunt meditationes theologicae circa mysterium salutis historica veritate destitutae.

2017   17. Quartum Evangelium miracula exaggeravit non
tantum ut extraordinaria magis apparerent, sed etiam
ut aptiora fierent ad significandum opus et gloriam
Verbi Incarnati.

2018   18. Ioannes sibi vindicat quidem rationem testis de
Christo; re tamen vera non est nisi eximius testis vitae
christianae, seu vitae Christi in Ecclesia exeunte primo
saeculo.

2019   19. Heterodoxi exegetae fidelius expresserunt sensum
verum Scripturarum quam exegetae catholici.

2020   20. Revelatio nihil aliud esse potuit quam acquisita 1795
ab homine suae ad Deum relationis conscientia.

2021   21. Revelatio, obiectum fidei catholicae constituens,
non fuit cum Apostolis completa.

2022   22. Dogmata, quae Ecclesia perhibet tanquam revelata, non sunt veritates e coelo delapsae, sed sunt interpretatio quaedam factorum religiosorum, quam humana
mens laborioso conatu sibi comparavit.

2023   23. Exsistere potest et reipsa exsistit oppositio inter
facta, quae in sacra Scriptura narrantur eisque innixa
Ecclesiae dogmata; ita ut criticus tanquam falsa reicere possit facta, quae Ecclesia tanquam certissima
credit.

2024   24. Reprobandus non est exegeta, qui praemissas ad- 857
struit, ex quibus sequitur dogmata historice falsa aut
dubia esse, dummodo dogmata ipsa directe non neget.

2025   25. Assensus fidei ultimo innititur in congerie pro-
babilitatum.

26. Dogmata fidei retinenda sunt tantummodo iuxta 2026
sensum practicum, id est tanquam norma praeceptiva
agendi, non vero tanquam norma credendi.

148   27. Divinitas Iesu Christi ex Evangeliis non 2027
probatur; sed est dogma, quod conscientia christiana e
notione Messiae deduxit.

28. Iesus, cum ministerium suum exercebat, non 2028
in eum finem loquebatur, ut doceret se esse Messiam,
neque eius miracula eo spectabant, ut id demon-
straret.

29. Concedere licet Christum, quem exhibet historia, 2029
multo inferiorem esse Christo, qui est obiectum fidei.

30. In omnibus textibus evangelicis nomen *Filius* 2030
Dei aequivalet tantum nomini *Messias,* minime vero
significat Christum esse verum et naturalem Dei Filium.

54   31. Doctrina de Christo, quam tradunt Paulus, Ioannes 2031
112
148 et Concilia NICAENUM, EPHESINUM, CHALCE-
DONENSE, non est ea, quam Iesus docuit, sed quam
de Iesu concepit conscientia christiana.

32. Conciliari nequit sensus naturalis textuum evange- 2032
licorum cum eo, quod nostri theologi docent de conscientia et scientia infallibili Iesu Christi.

33. Evidens est cuique, qui praeconceptis non ducitur 2033
opinionibus, Iesum aut errorem de proximo messianico
adventu fuisse professum, aut maiorem partem ipsius
doctrinae in Evangeliis synopticis contentae authenticitate carere.

34. Criticus nequit asserere Christo scientiam nullo 2034
circumscriptam limite nisi facta hypothesi, quae historice
haud concipi potest quaeque sensui morali repugnat,
nempe Christum uti hominem habuisse scientiam Dei
et nihilominus noluisse notitiam tot rerum communicare
cum discipulis ac posteritate.

35. Christus non semper habuit conscientiam suae 2035
dignitatis messianicae.

36. Resurrectio Salvatoris non est proprie factum 2036
ordinis historici, sed factum ordinis mere supernaturalis
nec demonstratum nec demonstrabile, quod conscientia
christiana sensim ex aliis derivavit.

2037   37. Fides in resurrectionem Christi ab initio fuit non
tam de facto ipso resurrectionis quam de vita Christi
immortali apud Deum.

2038   38. Doctrina de morte piaculari Christi non est evangelica, sed tantum paulina.

2039   39. Opiniones de origine sacramentorum, quibus[844]
Patres Tridentini imbuti erant quaeque in eorum canones
dogmaticos procul dubio influxum habuerunt, longe
distant ab iis, quae nunc penes historicos rei christianae
indagatores merito obtinent.

2040   40. Sacramenta ortum habuerunt ex eo, quod Apostoli eorumque successores ideam aliquam et intentionem
Christi, suadentibus et moventibus circumstantiis et even-
tibus, interpretati sunt.

2041   41. Sacramenta eo tantum spectant, ut in mentem
hominis revocent praesentiam Creatoris semper beneficam.

2042   42. Communitas christiana necessitatem baptismi
induxit, adoptans illum tanquam ritum necessarium eique
professionis christianae obligationes annectens.

2043   43. Usus conferendi baptismum infantibus evolutio fuit
disciplinaris, quae una ex causis exstitit ut sacramentum
resolveretur in duo, in baptismum scilicet et poenitentiam.

2044   44. Nihil probat ritum sacramenti confirmationis[871]
usurpatum fuisse ab Apostolis: formalis autem distinctio
duorum sacramentorum, baptismi scilicet et confirmationis, haud spectat ad historiam christianismi primitivi.

2045   45. Non omnia, quae narrat Paulus de institutione[874]
Eucharistiae [1 Cor 11, 23—25], historice sunt sumenda.

2046   46. Non adfuit in primitiva Ecclesia conceptus de[894]
christiano peccatore auctoritate Ecclesiae reconciliato,
sed Ecclesia nonnisi admodum lente huiusmodi con-
ceptui assuevit. Immo etiam postquam poenitentia
tanquam Ecclesiae institutio agnita fuit, non appella-
batur sacramenti nomine, eo quod haberetur uti sacramentum probrosum.

2047   47. Verba Domini: *Accipite Spiritum Sanctum;
quorum remiseritis peccata, remittuntur eis, et quorum
retinueritis, retenta sunt* [Io 20, 22 23], minime referuntur
ad sacramentum poenitentiae, quidquid Patribus Triden-
tinis asserere placuit.

907   48. Iacobus in sua epistola [Iac 5, 14 sq] non intendit pro- 2048
mulgare aliquod sacramentum Christi, sed commendare
pium aliquem morem, et si in hoc more forte cernit
medium aliquod gratiae, id non accipit eo rigore, quo
acceperunt theologi, qui notionem et numerum sacramentorum statuerunt.

938   49. Coena christiana paulatim indolem actionis litur- 2049
gicae assumente hi, qui Coenae praeesse consueverant,
characterem sacerdotalem acquisiverunt.

957   50. Seniores, qui in Christianorum coetibus invigilandi 2050
munere fungebantur, instituti sunt ab Apostolis presbyteri
aut episcopi ad providendum necessariae crescentium
communitatum ordinationi, non proprie ad perpetuandam
missionem et potestatem Apostolicam.

969   51. Matrimonium non potuit evadere sacramentum 2051
novae legis nisi serius in Ecclesia; siquidem, ut matrimonium pro sacramento haberetur, necesse erat, ut praecederet plena doctrinae de gratia et sacramentis theologica explicatio.

1821   52. Alienum fuit a mente Christi Ecclesiam con- 2052
stituere veluti societatem super terram per longam saeculorum seriem duraturam; quin immo in mente Christi
regnum coeli una cum fine mundi iamiam adventurum erat.

53. Constitutio organica Ecclesiae non est immutabilis; 2053
sed societas christiana perpetuae evolutioni aeque ac
societas humana est obnoxia.

844   54. Dogmata, sacramenta, hierarchia, tum quod ad 2054
957 notionem tum quod ad realitatem attinet, non sunt nisi
intelligentiae christianae interpretationes evolutionesque,
quae exiguum germen in Evangelio latens externis in-
crementis auxerunt perfeceruntque.

1826   55. Simon Petrus ne suspicatus quidem unquam est, 2055
sibi a Christo demandatum esse primatum in Ecclesia.

56. Ecclesia Romana non ex divinae providentiae 2056
ordinatione, sed ex mere politicis conditionibus caput
omnium Ecclesiarum effecta est.

57. Ecclesia sese praebet scientiarum naturalium et 2057
theologicarum progressibus infensam.

58. Veritas non est immutabilis plus quam ipse homo, 2058
quippe quae cum ipso, in ipso et per ipsum evolvitur.

2059 59. Christus determinatum doctrinae corpus omnibus temporibus cunctisque hominibus applicabile non docuit, sed potius inchoavit motum quendam religiosum diversis temporibus ac locis adaptatum vel adaptandum.

2060 60. Doctrina christiana in suis exordiis fuit iudaica, sed facta est per successivas evolutiones primum paulina, tum ioannica, demum hellenica et universalis.

2061 61. Dici potest absque paradoxo nullum Scripturae 783 caput, a primo Genesis ad postremum Apocalypsis, continere doctrinam prorsus identicam illi, quam super eadem re tradit Ecclesia, et idcirco nullum Scripturae caput habere eundem sensum pro critico ac pro theologo.

2062 62. Praecipui articuli Symboli Apostolici non eandem pro Christianis primorum temporum signifi- 782 cationem habebant, quam habent pro Christianis nostri temporis.

2063 63. Ecclesia sese praebet imparem ethicae evangelicae efficaciter tuendae, quia obstinate adhaeret immutabilibus doctrinis, quae cum hodiernis progressibus componi nequeunt.

2064 64. Progressus scientiarum postulat, ut reformentur 148 conceptus doctrinae christianae de Deo, de creatione, de revelatione, de persona Verbi Incarnati, de redemptione.

2065 65. Catholicismus hodiernus cum vera scientia com- 1795 poni nequit, nisi transformetur in quendam christianismum 1821 non dogmaticum, id est in protestantismum latum et liberalem.

De sponsalibus et matrimonio [1].

[Ex Decr. «Ne temere» S. Congreg. Concilii, 2. Aug. 1907.]

2066 *De sponsalibus*. — I. Ea tantum sponsalia habentur 969 valida et canonicos sortiuntur effectus, quae contracta 1991 fuerint per scripturam subsignatam a partibus et vel a parocho aut loci Ordinario, vel saltem a duobus testibus....

2067 *De matrimonio*. — III. Ea tantum matrimonia valida sunt, quae contrahuntur coram parocho vel loci Ordinario vel sacerdote ab alterutro delegato et duobus saltem testibus . .

---

[1] ASS 40 (1907), 527 sqq; AE 15 (1907), 320 sqq.

VII. Imminente mortis periculo, ubi parochus vel 2068 loci Ordinarius vel sacerdos ab alterutro delegatus haberi nequeat, ad consulendum conscientiae et (si casus ferat) legitimationi prolis matrimonium contrahi valide ac licite potest coram quolibet sacerdote et duobus testibus.

VIII. Si contingat, ut in aliqua regione parochus locive 2069 Ordinarius aut sacerdos ab eis delegatus, coram quo matrimonium celebrari queat, haberi non possit eaque rerum conditio a mense iam perseveret, matrimonium valide ac licite iniri potest emisso a sponsis formali consensu coram duobus testibus. . . .

XI. § 1. Statutis superius legibus tenentur omnes in 2070 catholica Ecclesia baptizati et ad eam ex haeresi aut schismate conversi (licet sive hi sive illi ab eadem postea defecerint), quoties inter se sponsalia vel matrimonia ineant.

§ 2. Vigent quoque pro iisdem de quibus supra catholicis, si cum acatholicis sive baptizatis sive non baptizatis, etiam post obtentam dispensationem ab impedimento mixtae religionis vel disparitatis cultus, sponsalia vel matrimonium contrahunt; nisi pro aliquo particulari loco aut regione aliter a S. Sede sit statutum.

§ 3. Acatholici sive baptizati sive non baptizati, si inter se contrahunt, nullibi ligantur ad catholicam sponsalium vel matrimonii formam servandam.

Praesens decretum legitime publicatum et promulgatum habeatur per eius transmissionem ad locorum Ordinarios: et quae in eo disposita sunt, ubique vim legis habere incipiant a die sollemni Paschae Resurrectionis D. N. I. C. proximi anni 1908.

De falsis doctrinis modernistarum [1].

[Ex Encycl. «Pascendi dominici gregis», 7. Sept. 1907.]

. . . Inimicorum crucis Christi postrema hac aetate 2071 numerum crevisse admodum fatendum est; qui artibus omnino novis astuque plenis vitalem Ecclesiae vim elidere ipsumque, si queant, Christi regnum evertere funditus nituntur. . . . Loquimur, Venerabiles Fratres, de multis

---

[1] ASS 40 (1907), 593 sqq; AE 15 (1907), 361 sqq.

e catholicorum laicorum numero, quin, quod longe
miserabilius, ex ipso sacerdotum coetu, qui, fucoso
quodam Ecclesiae amore, nullo solido philosophiae ac
theologiae praesidio, immo adeo venenatis imbuti penitus
doctrinis, quae ab Ecclesiae osoribus traduntur, Ecclesiae
eiusdem renovatores omni posthabita modestia animi
se iactitant; factoque audacius agmine, quidquid sanctius
est in Christi opere impetunt ipsa haud incolumi divini
Reparatoris persona, quam ausu sacrilego ad purum
putumque hominem extenuant. . . . Quia vero modernistarum (sic enim iure in vulgus audiunt) callidissimum
artificium est, ut doctrinas suas non ordine digestas
proponant atque in unum collectas, sed sparsas veluti
atque invicem seiunctas, ut nimirum ancipites et quasi
vagi videantur, cum e contra firmi sint et constantes;
praestat, Venerabiles Fratres, doctrinas easdem uno hic
conspectu exhibere primum nexumque indicare quo
invicem coalescunt, ut deinde errorum causas scrutemur
ac remedia ad averruncandam perniciem praescribamus. . . .
Ut autem in abstrusiore re ordinatim procedamus, illud
ante omnia notandum est, modernistarum quemlibet
plures agere personas ac veluti in se commiscere; philosophum nimirum, credentem, theologum, historicum,
criticum, apologetam, instauratorem: quas singulatim
omnes distinguere oportet, qui eorum systema rite cognoscere et doctrinarum antecessiones consecutionesque
pervidere velit.

2072   Iam, ut a philosopho exordiamur, philosophiae religiosae fundamentum in doctrina illa modernistae ponunt,
quam vulgo *agnosticismum* vocant. Vi huius humana
ratio *phaenomenis* omnino includitur, rebus videlicet,
quae apparent eaque specie, qua apparent: earundem
praetergredi terminos nec ius nec potestatem habet.
Quare nec ad Deum se erigere potis est, nec illius
exsistentiam, utut per ea, quae videntur, agnoscere.
Hinc infertur, Deum scientiae obiectum directe
nullatenus esse posse; ad historiam vero quod
attinet, Deum subiectum historicum minime censendum
esse. — His autem positis, quid de *naturali theologia,*
quid de *motivis credibilitatis,* quid de *externa*

revelatione fiat, facile quisque perspiciet. Ea nempe
modernistae penitus e medio tollunt et ad *intellectua-
lismum* amandant: ridenđum, inquiunt, systema ac iamdiu
emortuum. Neque illos plane retinet, quod eiusmodi
errorum portenta apertissime damnarit Ecclesia: siquidem VATICANA Synodus sic sanciebat: *Si quis* etc.
[v. n. 1806 sq 1812].

Qua vero ratione ex agnosticismo, qui solum est in 2073
ignoratione, ad *atheismum* scientificum atque historicum
modernistae transeant, qui contra totus est in inficiatione
positus: quo idcirco ratiocinationis iure, ex eo quod
ignoretur, utrum humanarum gentium historiae intervenerit Deus necne, fiat gressus ad eandem historiam
neglecto omnino Deo explicandam, ac si reapse non
intervenerit, novit plane qui possit. Id tamen ratum
ipsis fixumque est, atheam debere esse scientiam
itemque historiam; in quarum finibus non nisi
phaenomenis possit esse locus exturbato penitus Deo
et quidquid divinum est. — Qua ex doctrina absur-
dissima quid de sanctissima Christi persona, quid de
Ipsius vitae mortisque mysteriis, quid pariter de anastasi
deque in caelum ascensu tenendum sit, mox plane
videbimus.

Hic tamen agnosticismus in disciplina modernistarum 2074
non nisi ut pars negans habenda est: positiva, ut aiunt,
in *immanentia vitali* constituitur. Harum nempe ad
aliam ex altera sic procedunt. — Religio, sive ea
naturalis est sive supra naturam, seu quodlibet factum
explicationem aliquam admittat oportet. Explicatio
autem, naturali theologia deleta adituque ad revelationem
ob reiecta credibilitatis argumenta intercluso, immo etiam
revelatione qualibet externa penitus sublata, extra hominem inquiritur frustra. Est igitur in ipso homine
quaerenda: et quoniam religio vitae quaedam est forma,
in vita omnino hominis reperienda est. Ex hoc *immanentiae religiosae* principium asseritur. Vitalis porro
cuiuscunque phaenomeni, cuiusmodi religionem esse iam
dictum est, prima veluti motio ex indigentia quapiam
seu impulsione est repetenda: primordia vero, si de vita
pressius loquamur, ponenda sunt in motu quodam cordis,

qui *sensus* dicitur. Eam ob rem, cum religionis obiectum sit Deus, concludendum omnino est, fidem,
quae initium est ac fundamentum cuiusvis religionis,
in sensu quodam intimo collocari debere, qui
ex indigentia divini oriatur. Haec porro divini indigentia, quia non nisi certis aptisque in complexibus sentitur, pertinere ad conscientiae ambitum ex se non potest;
latet autem primo infra conscientiam, seu, ut mutuato
vocabulo a moderna philosophia loquuntur, in *sub-*
conscientia, ubi etiam illius radix occulta manet atque
indeprehensa. — Petet quis forsan, haec divini indigentia, quam homo in se ipse percipiat, quo demum
pacto in religionem evadat. Ad haec modernistae:
Scientia atque historia, inquiunt, duplici includuntur
termino; altero externo, aspectabili nimirum mundo,
altero interno, qui est conscientia. Alterutrum ubi atti-
gerint, ultra quo procedant non habent: hos enim praeter
fines adest *incognoscibile.* Coram hoc incognoscibili, sive
illud sit extra hominem ultraque aspectabilem naturam
rerum, sive intus in subconscientia lateat, indigentia divini
in animo ad religionem prono nullo secundum *fideismi*
scita praevertente mentis iudicio peculiarem quendam
commovet *sensum:* hic vero divinam ipsam *realitatem,*
tum tanquam obiectum tum tanquam sui causam intimam,
in se implicatam habet atque hominem quodammodo
cum Deo coniungit. Est porro hic sensus, quem modernistae *fidei* nomine appellant, estque illis religionis
initium.

2075 Sed non hic philosophandi, seu rectius delirandi, finis.
In eiusmodi enim sensu modernistae non fidem tantum
reperiunt; sed, cum fide inque ipsa fide, prout illam
intelligunt, *revelationi* locum esse affirmant. Enimvero
ecquid amplius ad revelationem quis postulet? An non
revelationem dicemus, aut saltem revelationis exordium, sensum illum religiosum in conscientia apparentem;
quin et Deum ipsum, etsi confusius, sese in eodem
religioso sensu animis manifestantem? Subdunt vero:
cum fidei Deus obiectum sit aeque et causa, revelatio
illa et de Deo pariter et a Deo est; habet Deum videlicet revelantem simul ac revelatum. Hinc autem, Vene-

rabiles Fratres, affirmatio illa modernistarum perabsurda,
qua religio quaelibet pro diverso aspectu naturalis una
ac supernaturalis dicenda est. Hinc conscientiae
ac revelationis promiscua significatio. Hinc
lex, qua *conscientia religiosa* ut regula universalis
traditur, cum revelatione penitus aequanda, cui subesse
omnes oporteat, supremam etiam in Ecclesia potestatem,
sive haec doceat sive de sacris disciplinave statuat.

Attamen in toto hoc processu, unde ex modernistarum 2076
sententia fides ac revelatio prodeunt, unum est magnopere
attendendum, non exigui quidem momenti ob consecutiones historico-criticas, quas inde illi eruunt.
— Nam incognoscibile, de quo loquuntur, non se fidei
sistit ut nudum quid aut singulare; sed contra in
phaenomeno aliquo arcte inhaerens, quod, quamvis ad
campum scientiae aut historiae pertinet, ratione tamen
aliqua praetergreditur; sive hoc phaenomenon sit factum
aliquod naturae arcani quidpiam in se continens, sive
sit quivis unus ex hominibus, cuius ingenium acta verba
cum ordinariis historiae legibus componi haud posse
videntur. Tum vero fides, ab incognoscibili allecta quod
cum phaenomeno iungitur, totum ipsum phaenomenon
complectitur ac sua vita quodammodo permeat. Ex
hoc autem duo consequuntur. Primum, quaedam phaenomeni *transfiguratio* per elationem scilicet supra veras
illius conditiones, qua aptior fiat materia ad induendam
divini formam, quam fides est inductura. Secundum,
phaenomeni eiusdem aliquapiam, sic vocare liceat, *de-
figuratio* inde nata, quod fides illi loci temporisque
adiunctis exempto tribuit quae reapse non habet:
quod usuvenit praecipue, cum de phaenomenis agitur
exacti temporis, eoque amplius quo sunt vetustiora. Ex
gemino hoc capite binos iterum modernistae eruunt
canones, qui alteri additi iam ex agnosticismo habito
critices historicae fundamenta constituunt.
Exemplo res illustrabitur, sitque illud e Christi persona
petitum. In persona Christi, aiunt, scientia atque historia nil praeter hominem offendunt.
Ergo vi primi canonis ex agnosticismo deducti ex eius
historia quidquid divinum redolet delendum est. Porro

vi alterius canonis Christi persona historica *transfigurata*
est a fide: ergo subducendum ab ea quidquid ipsam
evehit supra conditiones historicas. Demum vi tertii
canonis eadem persona Christi a fide *defigurata* est:
ergo removenda sunt ab illa sermones, acta, quidquid
uno verbo ingenio, statui, educationi eius, loco ac
tempori quibus vixit, minime respondet. — Mira equidem
ratiocinandi ratio: sed haec modernistarum critice.

2077　　Religiosus igitur sensus, qui per *vitalem immanentiam*
e latebris subconscientiae erumpit, germen est totius
religionis ac ratio pariter omnium, quae in religione
quavis fuere aut sunt futura. Rudis quidem initio ac fere
informis eiusmodi *sensus* paulatim atque influxu arcani
illius principii, unde ortum habuit, adolevit una cum progressu humanae vitae, cuius, ut diximus, quaedam est
forma. Habemus igitur religionis cuiuslibet, etsi
supernaturalis, originem: sunt nempe illae *religiosi
sensus* merae explicationes. Nec quis catholicam
exceptam putet, immo vero ceteris omnino
parem; nam ea in conscientia Christi, electissimae
naturae viri, cuiusmodi nemo unus fuit nec erit, vitalis
processu immanentiae, non aliter, nata est. . . . [Allegatur
deinde Conc. VATICANI can. 3 de revelatione, v. n. 1808.]

2078　　Huc usque tamen, Venerabiles Fratres, nullum dari
vidimus intellectui locum. Habet autem et ipse, ex
modernistarum doctrina, suas in actu fidei partes. Quo
dein pacto, advertisse praestat. — In *sensu* illo, inquiunt, quem saepius nominavimus, quoniam *sensus* est,
non cognitio, Deus quidem se homini sistit; verum
confuse adeo ac permixte, ut a subiecto credente vix aut
minime distinguatur. Necesse igitur est aliquo eundem
sensum collustrari lumine, ut Deus inde omnino exiliat
ac secernatur. Id nempe ad intellectum pertinet, cuius
est cogitare et analysim instituere; per quem homo vitalia
phaenomena in se exsurgentia in species primum traducit,
tum autem verbis significat. Hinc vulgata modernistarum
enuntiatio: debere religiosum hominem fidem
suam *cogitare*. — Mens ergo, illi sensui adveniens,
in eundem se inflectit inque eo elaborat pictoris instar,
qui obsoletam tabulae cuiusdam diagraphen collustret,

ut nitidius efferat: sic enim fere quidam modernistarum
doctor rem explicat. In eiusmodi autem negotio m e n s
d u p l i c i t e r o p e r a t u r : primum, naturali actu et spon-
taneo, redditque rem sententia quadam simplici ac vulgari; secundo vero, reflexe ac penitius, vel, ut aiunt,
cogitationem elaborando, eloquiturque cogitata *secundariis* sententiis, derivatis quidem a prima illa simplici,
limatioribus tamen ac distinctioribus. Quae secundariae
sententiae, si demum a supremo Ecclesiae magisterio
sancitae fuerint, constituent *dogma.*

Sic igitur in modernistarum doctrina ventum est ad 2079
caput quoddam praecipuum, videlicet a d o r i g i n e m
d o g m a t i s atque ad i p s a m d o g m a t i s n a t u r a m.
Originem enim dogmatis ponunt quidem in primigeniis
illis formulis simplicibus, quae quodam sub respectu
necessariae sunt fidei; nam revelatio, ut reapse sit,
manifestam Dei notitiam in conscientia requirit. Ipsum
tamen dogma *secundariis* proprie contineri formulis
affirmare videntur. — Eius porro ut assequamur naturam,
ante omnia inquirendum est, quaenam intercedat relatio
inter *f o r m u l a s* religiosas et religiosum animi *s e n s u m.*
Id autem facile intelliget, qui teneat formularum eiusmodi non alium esse finem, quam modum suppeditare
credenti, quo sibi suae fidei rationem reddat. Quamobrem
mediae illae sunt inter credentem eiusque fidem: ad
fidem autem quod attinet, sunt inadaequatae eius obiecti
notae, vulgo *symbola* vocitant; ad credentem quod
spectat, sunt mera *instrumenta.* — Quocirca n u l l a c o n-
f i c i r a t i o n e p o t e s t, e a s v e r i t a t e m a b s o l u t e
c o n t i n e r e : nam qua *symbola* imagines sunt veritatis
atque idcirco sensui religioso accommodandae, prout
hic ad hominem refertur; qua *instrumenta* sunt veritatis
vehicula atque ideo accommodanda vicissim homini,
prout refertur ad religiosum sensum. Obiectum autem
sensus religiosi, utpote quod *absoluto* continetur, i n-
f i n i t o s h a b e t a s p e c t u s, quorum modo hic modo
alius apparere potest. Similiter homo, qui credit, aliis
uti potest conditionibus. Ergo et formulas, quas dogma
appellamus, vicissitudini eidem subesse oportet ac
propterea varietati esse obnoxias. Ita vero ad intimam

evolutionem dogmatis expeditum est iter. —
Sophismatum profecto coacervatio infinita, quae religionem omnem pessumdat ac delet.

2080　　Evolvi tamen ac mutari dogma non posse solum sed oportere, et modernistae ipsi perfracte affirmant, et ex eorum sententiis aperte consequitur. — Nam
inter praecipua doctrinae capita hoc illi habent, quod
ab immanentiae vitalis principio deducunt: formulas
religiosas, ut religiosae reapse sint nec solum intellectus commentationes, vitales esse debere vitamque ipsam
vivere sensus religiosi. Quod non ita intelligendum est,
quasi hae formulae, praesertim si mere imaginativae,
sint pro ipso religioso sensu inventae; nihil enim refert
admodum earum originis, ut etiam numeri vel qualitatis:
sed ita, ut eas religiosus sensus mutatione aliqua, si
opus est, adhibita *vitaliter* sibi adiungat. Scilicet, ut
aliis dicamus, necesse est ut formula *primitiva* acceptetur
a corde ab eoque sanciatur; itemque sub cordis ductu
sit labor, quo *secundariae* formulae progignuntur. Hinc
accidit quod debeant hae formulae, ut vitales sint, ad
fidem pariter et ad credentem accommodatae esse ac
manere. Quamobrem, si quavis ex causa huiusmodi
accommodatio cesset, amittunt illae primigenias
notiones ac mutari indigent. — Haec porro
formularum dogmaticarum cum sit vis ac fortuna in-
stabilis, mirum non est illas modernistis tanto esse ludi-
brio ac despectui; qui nihil e contra loquuntur atque
extollunt nisi religiosum sensum vitamque religiosam.
Ideo et Ecclesiam audacissime carpunt tanquam devio
itinere incedentem, quod ab externa formularum significatione religiosam vim ac moralem minime distinguat,
et formulis notione carentibus casso labore ac tenacissime
inhaerens religionem ipsam dilabi permittat. — *Caeci*
equidem *et duces caecorum* [Mt 15, 14], qui superbo scientiae
nomine inflati usque eo insaniunt, ut aeternam veritatis
notionem et germanum religionis sensum pervertant:
novo invecto systemate, *quo, ex proiecta et effrenata*
novitatum cupiditate, veritas, ubi certo consistit, non
quaeritur, sanctisque et apostolicis traditionibus post-
habitis, doctrinae aliae inanes, futiles, incertae nec ab

Ecclesia probatae adsciscuntur, quibus veritatem ipsam fulciri ac sustineri vanissimi homines arbitrantur [1].

Atque haec, Venerabiles Fratres, de modernista ut 2081 p h i l o s o p h o. — Iam si, ad c r e d e n t e m progressus nosse quis velit, unde hic in modernistis a philosopho distinguatur, illud advertere necesse est, etsi philosophus r e a l i t a t e m   d i v i n i ut fidei obiectum admittat, hanc tamen ab illo realitatem n o n   a l i b i   r e p e r i r i   n i s i   i n   c r e-d e n t i s   a n i m o, ut obiectum sensus est et affirmationis atque ideo phaenomenorum ambitum non excedit: utrum porro in se illa extra sensum exsistat, atque affirmationem huiusmodi, praeterit philosophus ac negligit. E contra modernistae credenti ratum ac certum est, realitatem divini reapse in se ipsam exsistere nec prorsus a credente pendere. Quod si postules, in quo tandem haec cre-dentis assertio nitatur, reponent: i n   p r i v a t a   c u i u s-q u e   h o m i n i s   *e x p e r i e n t i a.* — In qua affirmatione dum equidem hi a rationalistis dissident, in protestan-tium tamen ac pseudo-mysticorum opinionem discedunt [cf. n. 1273]. Rem enim sic edisserunt: in sensu religioso quendam esse agnoscendum cordis intuitum; quo h o m o i p s a m, s i n e   m e d i o, Dei *r e a l i t a t e m* a t t i n g i t tantamque de exsistentia Dei haurit persuasionem deque Dei tum intra tum extra hominem actione, ut persuasionem omnem, quae ex scientia peti possit, longe antecellat. Veram igitur ponunt experientiam eamque rationali qualibet experientia praestantiorem: quam si quis, ut rationalistae, inficiatur, inde fieri affirmant, quod nolit is in eis se ipse constituere moralibus adiunctis, quae ad experientiam gignendam requirantur. Haec porro experientia, cum quis illam fuerit assecutus, proprie vereque credentem efficit. — Quam hic longe absumus a 2082 catholicis institutis. Commenta eiusmodi a VATICANA Synodo improbata iam vidimus [cf. n. 2072]. — His semel admissis una cum erroribus ceteris iam memoratis, quo pacto ad atheismum pateat via, inferius dicemus. Nunc statim advertisse iuverit, ex hac experientiae doctrina coniuncta alteri de symbolismo religionem quamlibet,

---

[1] GREGORII XVI Encycl. «*Singulari Nos*», 25. Iunii 1834 [n. 1617].

ethnicorum minime excepta, ut veram esse habendam.
Quidni etenim in religione quavis experientiae huiusmodi occurrant? occurrisse vero non unus asserit. Quo
iure autem modernistae veritatem experientiae abnuent,
quam turca affirmet, verasque experientias unis catholicis vindicabunt? Neque id reapse modernistae denegant;
quin immo, subobscure alii, alii apertissime, religiones
omnes contendunt esse veras. Secus autem sentire nec posse manifestum est. Nam religioni cuipiam
quo tandem ex capite secundum illorum praecepta
foret falsitas tribuenda? Certe vel ex fallacia sensus
religiosi vel quod falsiloqua sit formula ab intellectu
prolata. Atqui sensus religiosus unus semper idemque
est, etsi forte quandoque imperfectior: formula autem intellectus, ut vera sit, sufficit ut religioso sensui hominique
credenti respondeat, quidquid de huius perspicuitate ingenii esse queat. Unum ad summum in religionum diversarum conflictu modernistae contendere forte possint, catholicam utpote vividiorem plus habere veritatis:
itemque christiano nomine digniorem eam esse,
ut quae christianismi exordiis respondeat plenius. . . .

2083 Est aliud praeterea in hoc doctrinae capite, quod
catholicae veritati est omnino infestum. — Nam istud
de experientia praeceptum ad *traditionem* etiam
transfertur, quam Ecclesia huc usque asseruit, eamque prorsus adimit. Enimvero modernistae sic traditionem intelligunt, ut sit *originalis* experientiae quaedam cum aliis communicatio per praedicationem ope
formulae intellectivae. Cui formulae propterea, praeter
vim, ut aiunt, *repraesentativam, suggestivam* quandam
adscribunt virtutem, tum in eo qui credit, ad sensum
religiosum forte torpentem excitandum instaurandam-
que experientiam aliquando habitam, tum in eis qui
nondum credunt, ad sensum religiosum primo gignen-
dum et experientiam producendam. Sic autem experientia religiosa late in populos propagatur; nec tantummodo in eos, qui nunc sunt, per praedicationem, sed in
posteros etiam tam per libros quam per verborum de
aliis in alios replicationem. — Haec vero experientiae
communicatio radices quandoque agit vigetque, senescit

quandoque statim ac moritur. Vigere autem modernistis
argumentum veritatis est: veritatem enim ac vitam promiscue habent. Ex quo inferre denuo licebit: religiones omnes quotquot exstant veras esse, nam
secus nec viverent.

Re porro huc adducta, Venerabiles Fratres, satis 2084
superque habemus ad recte cognoscendum, quem ordinem modernistae statuant inter fidem et scientiam; quo etiam scientiae nomine historia apud illos
notatur. — Ac primo quidem tenendum est, materiam
uni obiectam materiae obiectae alteri externam omnino
esse ab eaque seiunctam. Fides enim id unice spectat,
quod scientia incognoscibile sibi esse profitetur. Hinc
diversum utrique pensum: scientia versatur in phaenomenis, ubi nullus fidei locus; fides e contra versatur in
divinis, quae scientia penitus ignorat. Unde demum
conficitur, inter fidem et scientiam nunquam
esse posse discidium: si enim suum quaeque locum
teneat, occurrere sibi invicem nunquam poterunt,
atque ideo nec contradicere. — Quibus si qui forte
obiciant, quaedam in aspectabili occurrere natura rerum,
quae ad fidem etiam pertineant, uti humanam Christi
vitam, negabunt. Nam, etsi haec phaenomenis accen-
sentur, tamen, quatenus vita fidei imbuuntur, et a fide,
quo supra dictum est modo, transfigurata ac defigurata
fuerunt [cf. n. 2076], a sensibili mundo sunt abrepta et in
divini materiam translata. Quamobrem poscenti ulterius,
an Christus vera patrarit miracula vereque futura prae-
senserit, an vere revixerit atque in caelum conscenderit;
scientia agnostica abnuet, fides affirmabit; ex hoc
tamen nulla erit inter utramque pugna. Nam abnuet alter
ut philosophus philosophos alloquens Christum scilicet
unice contemplatus secundum realitatem *historicam;*
affirmabit alter ut credens cum credentibus locutus
Christi vitam spectans prout *iterum vivitur* a fide et in fide.

Ex his tamen fallitur vehementer, qui reputet posse 2085
opinari, fidem et scientiam alteram sub altera
nulla penitus ratione esse subiectam. Nam de scientia
quidem recte vereque existimabit; secus autem de fide,
quae non uno tantum, sed triplici ex capite scientiae

subici dicenda est. Primum namque advertere
oportet, in facto quovis religioso, detracta *divina realitate*
quamque de illa habet *experientiam,* qui credit, cetera
omnia, praesertim vero *religiosas formulas* phaenomenorum ambitum minime transgredi, atque ideo cadere
sub scientiam. Liceat utique credenti, si volet, de
mundo excedere; quamdiu tamen in mundo deget, leges,
obtutum, iudicia scientiae atque historiae nunquam,
velit nolit, effugiet. — Praeterea, quamvis dictum est
Deum solius fidei esse obiectum, id de divina quidem
realitate concedendum est, non tamen de *idea* Dei.
Haec quippe scientiae subest; quae dum in ordine, ut
aiunt, logico philosophatur, quidquid etiam absolutum est
attingit atque ideale. Quocirca philosophia seu scientia
cognoscendi de idea Dei ius habet eamque in sui evolutione moderandi et, si quid extrarium invaserit, corrigendi.
Hinc modernistarum effatum: evolutionem religiosam cum morali et intellectuali componi debere;
videlicet, ut quidam tradit, quem magistrum sequuntur,
eisdem subdi. — Accedit demum, quod homo dualitatem
in se ipse non patitur: quamobrem credentem quaedam
intima urget necessitas fidem cum scientia sic com-
ponendi, ut a generali ne discrepet idea, quam scientia
exhibet de hoc mundo universo. Sic ergo conficitur,
scientiam a fide omnino solutam esse, fidem
contra, utut scientiae extranea praedicetur,
eidem subesse. — Quae omnia, Venerabiles Fratres,
contraria prorsus sunt iis, quae PIUS IX decessor Noster
tradebat docens: *Philosophiae esse, in iis quae ad reli-*
gionem pertinent, non dominari, sed ancillari, non
praescribere, quid credendum sit, sed rationabili obse-
quio amplecti, neque altitudinem scrutari mysteriorum
Dei, sed illam pie humiliterque revereri[1]. Modernistae
negotium plane invertunt: quibus idcirco applicari queunt,
quae GREGORIUS IX item decessor Noster de quibusdam suae aetatis theologis scribebat: *Quidam apud*
vos, spiritu vanitatis ut uter distenti, positos a Patribus
terminos profana transferre satagunt novitate; coelestis

---

[1] Breve ad episc. Wratislaviensem, 15. Iunii 1857 [cf. n. 1656].

*paginae intellectum . . . ad doctrinam philosophicam
rationalium inclinando, ad ostentationem scientiae, non
profectum aliquem auditorum. . . . Ipsi, doctrinis variis
et peregrinis abducti, redigunt caput in caudam, et ancillae cogunt frmulari reginam* [1].

Quod profecto apertius patebit intuenti, quo pacto 2086
modernistae agant accommodate omnino ad ea, quae
docent. Multa enim ab eis contrarie videntur scripta
vel dicta, ut quis facile illos aestimet ancipites atque
incertos. Verumtamen consulte id et considerate accidit, ex opinione scilicet quam habent de fidei atque
scientiae seiunctione mutua. Hinc in eorum libris quaedam offendimus quae catholicus omnino probet, quaedam, aversa pagina, quae rationalistam dictasse autumes.
Hinc historiam scribentes, nullam de divinitate Christi
mentionem iniciunt, ad contionem vero in templis eam
firmissime profitentur. Item enarrantes historiam Concilia et Patres nullo loco habent, catechesim autem si
tradunt, illa atque illos cum honore afferunt. Hinc etiam
exegesim theologicam et pastoralem a scientifica et historica secernunt. Similiter ex principio,
quod scientia a fide nullo pacto pendeat, cum de
philosophia, de historia, de critice disserunt, Lutheri
sequi vestigia non exhorrentes [cf. n. 769], despicientiam
praeceptorum catholicorum, sanctorum Patrum, oecumeni-
carum Synodorum, magisterii ecclesiastici omnimodis
ostentant; de qua si carpantur, libertatem sibi adimi
conqueruntur. Professi demum fidem esse scientiae
subiciendam, Ecclesiam passim aperteque reprehendunt, quod sua dogmata philosophiae opinionibus subdere
et accommodare obstinatissime renuat: ipsi vero veteri
ad hunc finem theologia sublata novam invehere contendunt, quae philosophorum delirationibus obsecundet.

Hic iam, Venerabiles Fratres, nobis fit aditus ad 2087
modernistas in theologico agone spectandos. Sale-
brosum quidem opus, sed paucis absolvendum. — Agitur
nimirum de concilianda fide cum scientia, idque non
aliter quam una alteri subiecta. Eo in genere modernista

---

[1] Ep. ad magistros theol. Parisienses, 7. Iulii 1223 [cf. n. 442 sq].

theologus eisdem utitur principiis, quae usui philosopho
esse vidimus, illaque ad credentem aptat: principia inquimus *immanentiae* et *symbolismi.* Sic autem rem ex-
peditissime perficit. Traditur a philosopho *principium
fidei esse immanens;* a credente additur *hoc principium
Deum esse:* concludit ipse *Deus* ergo *est immanens in
homine.* Hinc *immanentia theologica.* Iterum:
philosopho certum est *repraesentationes obiecti fidei esse
tantum symbolicas:* credenti pariter certum est *fidei obiectum esse Deum in se;* theologus igitur colligit: *repraesentationes divinae realitatis esse symbolicas.* Hinc
symbolismus theologicus. — Errores profecto
maximi: quorum uterque quam sit perniciosus, conse-
quentiis inspectis patebit. — Nam, ut de *symbolismo*
statim dicamus, cum symbola talia sint respectu obiecti,
respectu autem credentis sint instrumenta, cavendum
primum, inquiunt, credenti, ne ipsi formulae, ut formula
est, plus nimio inhaereat, sed illa utendum unice ut absolutae adhaerescat veritati, quam formula retegit simul
ac tegit nititurque exprimere, quin unquam assequatur.
Addunt praeterea, formulas eiusmodi esse a credente
adhibendas, quatenus ipsum iuverint; ad commodum
enim datae sunt, non ad impedimentum: incolumi utique honore, qui ex sociali respectu debetur formulis,
quas publicum magisterium aptas ad communem conscientiam exprimendam iudicarit, quamdiu scilicet idem
magisterium secus quidpiam non edixerit. — De *immanentia* autem quid reapse modernistae sentiant, difficile est indicare; non enim eadem omnium opinio. Sunt
qui in eo collocant, quod Deus agens intime adsit in
homine, magis quam ipse sibi homo; quod plane, si
recte intelligitur, reprehensionem non habet. Alii in eo
ponunt, quod actio Dei una sit cum actione naturae ut
causae primae cum causae secundae; quod ordinem
supernaturalem reapse delet. Alii demum sic explicant,
ut suspicionem efficiant pantheisticae significationis; id
autem cum ceteris eorum doctrinis cohaeret aptius.

2088   Huic vero immanentiae pronuntiato aliud adicitur,
quod a *permanentia divina* vocare possumus: quae
duo inter se eo fere modo differunt, quo experientia

privata ab experientia per traditionem transmissa. Exemplum rem collustrabit: sitque ab Ecclesia et sacra-
1821 mentis deductum. Ecclesia, inquiunt, et sacra-
844 menta a Christo ipso instituta minime credenda sunt. Cavet id agnosticismus, qui in Christo
nil praeter hominem novit, cuius conscientia religiosa,
ut ceterorum hominum, sensim efformata est: cavet lex
immanentiae, quae externas, ut aiunt, applicationes respuit: cavet item lex evolutionis, quae, ut germina evol-
vantur, tempus postulat et quandam adiunctorum sibi
succedentium seriem: cavet demum historia, quae talem
reapse rei cursum fuisse ostendit. Attamen Ecclesiam
et sacramenta *mediate* a Christo fuisse instituta retinendum est. Qui vero? Conscientias christianas omnes in
Christi conscientia virtute quodammodo inclusas affirmant ut in semine planta. Quoniam autem germina
vitam seminis vivunt, Christiani omnes vitam Christi
vivere dicendi sunt. Sed Christi vita secundum fidem
divina est: ergo et Christianorum vita. Si igitur haec
vita decursu aetatum Ecclesiae et sacramentis initium
dedit: iure omnino dicetur initium huiusmodi esse a
Christo ac divinum esse. Sic omnino conficiunt divinas
esse etiam Scripturas sacras, divina dogmata. — His
porro modernistarum theologia ferme absolvitur. Brevis
profecto supellex, sed ei perabundans, qui profiteatur,
scientiae, quidquid praeceperit, semper esse obtemperan-
dum. — Horum ad cetera, quae dicemus, applicationem
quisque facile per se viderit.

1795   De origine fidei deque eius natura attigimus huc 2089
usque. Fidei autem cum multa sint germina, praecipua
vero Ecclesia, dogma, sacra et religiones, libri quos
sanctos nominamus; de his quoque quid modernistae
doceant, inquirendum. — Atque ut dogma initium po-
namus, huius quae sit origo et natura iam supra indicatum
est [n. 2079 sq]. Oritur illud ex impulsione quadam seu
necessitate, vi cuius qui credit in suis cogitatis elaborat,
ut conscientia tam sua quam aliorum illustretur magis.
Est hic labor in rimando totus expoliendoque primigeniam mentis *formulam*, non quidem in se illam secundum logicam explicationem, sed secundum circumstantia,

seu, ut minus apte ad intelligendum inquiunt, *vitaliter*.
Inde fit ut, circa illam, *secundariae* quaedam, ut iam innuimus, sensim enascantur formulae [cf.n.2078]; quae postea
in unum corpus coagmentatae vel in unum doctrinae aedi-
ficium, cum a magisterio publico sancitae fuerint utpote
communi conscientiae respondentes, dicuntur dogma.
Ab hoc secernendae sunt probe theologorum commentationes: quae ceteroqui, quamvis vitam dogmatis non
vivunt, non omnino tamen sunt inutiles, tum ad religionem
cum scientia componendam et oppositiones inter illas
tollendas, tum ad religionem ipsam extrinsecus illustran-
dam protuendamque; forte etiam utilitati fuerint novo
cuidam futuro dogmati materiam praeparando. — De
cultu sacrorum haud foret multis dicendum, nisi eo
quoque nomine sacramenta venirent; de quibus maximi
modernistarum errores. Cultum ex duplici impulsione seu
necessitate oriri perhibent; omnia etenim, ut vidimus, in
eorum systemate impulsionibus intimis seu necessitatibus
gigni asseruntur. Altera est ad sensibile quiddam religioni tribuendum, altera ad eam proferendam, quod fieri
utique nequaquam possit sine forma quadam sensibili et
consecrantibus actibus, quae sacramenta dicimus. Sacramenta autem modernistis nuda sunt symbola
seu signa, quamvis non vi carentia. Quam vim ut in-
dicent, exemplo ipsi utuntur verborum quorundam, quae
vulgo fortunam dicuntur sortita, eo quod virtutem con-
ceperint ad notiones quasdam propagandas robustas
maximeque percellentes animos. Sicut ea verba ad
notiones, sic sacramenta ad sensum religiosum ordinata
sunt: nihil praeterea. Clarius profecto dicerent, si sacramenta unice ad nutriendam fidem instituta affirmarent.
Hoc tamen TRIDENTINA Synodus damnavit: *Si
quis dixerit, haec sacramenta propter solam fidem
nutriendam instituta fuisse, anathema sit* [n. 848].

2090   De librorum etiam sacrorum natura et origine ali- 783
quid iam delibavimus. Eos ad modernistarum scita definire probe quis possit syllogen *experientiarum* non
cuique passim advenientium, sed extraordinariarum atque insignium, quae in quapiam religione sunt habitae.
— Sic prorsus modernistae docent de libris nostris tum

Veteris tum Novi Testamenti. Ad suas tamen opiniones
callidissime notant: quamvis experientia sit praesentis
temporis, posse tamen illam de praeteritis aeque ac de
futuris materiam sumere, prout videlicet qui credit vel
exacta rursus per recordationem in modum praesentium
vivit, vel futura per praeoccupationem. Id autem explicat, quomodo historici quoque et apocalyptici in libris
sacris censeri queant. — Sic igitur in hisce libris Deus
quidem loquitur per credentem; sed, uti fert theologia
modernistarum, per *immanentiam* solummodo et *per-
manentiam vitalem.* — Quaeremus, quid tum de inspiratione? Haec, respondent, ab impulsione illa,
nisi forte vehementia, nequaquam secernitur, qua credens ad fidem suam verbo scriptove aperien-
dam adigitur. Simile quid habemus in poetica inspiratione; quare quidam aiebat: «Est Deus in nobis,
agitante calescimus illo.» [1] Hoc modo Deus initium dici
debet inspirationis sacrorum librorum. — De qua praeterea inspiratione modernistae addunt, nihil omnino esse
in sacris libris, quod illa careat. Quod cum affirmant,
magis eos crederes orthodoxos quam recentiores alios,
qui inspirationem aliquantum coangustant, ut, exempli
causa, cum *tacitas* sic dictas *citationes* invehunt. Sed
haec illi verbo tenus ac simulate. Nam si Biblia ex
agnosticismi praeceptis iudicamus, humanum scilicet opus
ab hominibus pro hominibus exaratum, licet ius theologo
detur ea per immanentiam divina praedicandi, qui demum inspiratio coarctari possit? Generalem utique
modernistae sacrorum librorum inspirationem asseverant:
catholico tamen sensu nullam admittunt.

Largiorem dicendi segetem offerunt, quae moderni- 2091
1821 starum schola de Ecclesia imaginatur. — Ponunt
initio eam ex duplici necessitate oriri, una in
credente quovis, in eo praesertim, qui primigeniam ac
singularem aliquam sit nactus experientiam, ut fidem
suam cum aliis communicet; altera, postquam fides communis inter plures evaserit, in *collectivitate* ad coalescen-
dum in societatem et ad commune bonum tuendum,

---

[1] Ovidius, Fasti 6, 5.

augendum, propagandum. Quid igitur Ecclesia? partus est *conscientiae collectivae* seu consociationis conscientiarum singularium, quae vi permanentiae vitalis a primo aliquo credente pendeant, videlicet, pro catholicis a Christo. — Porro societas quaepiam moderatrice auctoritate indiget, cuius sit officium consociatos omnes in communem finem dirigere, et compagis elementa tueri prudenter, quae in religioso coetu doctrina et cultu absolvuntur. Hinc in Ecclesia catholica auctoritas tergemina: *disciplinaris, dogmatica, cultualis.* — Iam auctoritatis huius natura ex origine colligenda est, ex natura vero iura atque officia repetenda. Praeteritis aetatibus vulgaris fuit error, quod auctoritas in Ecclesiam extrinsecus accesserit, nimirum immediate a Deo; quare *autocratica* merito habebatur. Sed haec nunc temporis obsolevere. Quo modo Ecclesia e conscientiarum collectivitate emanasse dicitur, eo pariter auctoritas ab ipsa Ecclesia vitaliter emanat. Auctoritas igitur, sicut Ecclesia, ex conscientia religiosa oritur atque ideo eidem subest; quam subiectionem si spreverit, in tyrannidem vertitur. Ea porro tempestate nunc vivimus, cum libertatis sensus in fastigium summum excrevit. In civili statu conscientia publica populare regimen invexit. Sed conscientia in homine aeque atque vita una est. Nisi ergo in hominum conscientiis intestinum velit excitare bellum ac fovere, auctoritati Ecclesiae officium inest democraticis utendi formis, eo vel magis, quod, ni faxit, exitium imminet. Nam amens profecto fuerit, qui in sensu libertatis, qualis nunc viget, regressum posse fieri aliquando autumet. Constrictus vi atque inclusus, fortior se profundet, Ecclesia pariter ac religione deleta. — Haec omnia modernistae ratiocinantur, qui propterea toti sunt in indagandis viis ad auctoritatem Ecclesiae cum credentium libertate componendam.

2092 Sed enim non intra domesticos tantum parietes habet Ecclesia, quibuscum amice cohaerere illam oporteat; habet et extra. Non una namque ipsa occupat mundum; occupant aeque consociationes aliae, quibuscum commercium et usus necessario intercedat. Quae iura igitur, quae sint Ecclesiae officia cum civilibus consociationibus,

determinandum est etiam, nec aliter determinandum nisi
ex ipsius Ecclesiae natura, qualem nimirum modernistae
nobis descripsere. — In hoc autem eisdem plane regulis
utuntur, quae supra pro scientia atque fide sunt allatae.
Ibi de *obiectis* sermo erat, hic de *finibus*. Sicut igitur
ratione obiecti fidem ac scientiam extraneas ab invicem
vidimus: sic status et Ecclesia alter ab altera
extranea sunt ob fines, quos persequuntur, temporalem
ille, haec spiritualem. Licuit profecto alias temporale
spirituali subici; licuit de *mixtis* quaestionibus sermonem
interseri, in quibus Ecclesia ut domina ac regina intererat,
quia nempe Ecclesia a Deo sine medio, ut ordinis
supernaturalis est auctor, instituta ferebatur. Sed iam
haec a philosophis atque historicis respuuntur. Status
ergo ab Ecclesia dissociandus, sicut etiam catholicus
a cive. Quamobrem catholicus quilibet, quia etiam civis,
ius atque officium habet, Ecclesiae auctoritate neglecta,
eius optatis, consiliis praeceptisque posthabitis, spretis
immo reprehensionibus, ea persequendi, quae civitatis
utilitati conducere arbitretur. Viam ad agendum civi praescribere praetextu quolibet, abusus ecclesiasticae potestatis est, toto nisu reiciendus. — Ea nimirum, Venerabiles Fratres, unde haec omnia dimanant, eadem profecto
sunt, quae PIUS VI decessor Noster in Constitutione apostolica *Auctorem fidei* sollemniter damnavit [cf. n. 1502 sq].

Sed modernistarum scholae satis non est debere sta-2093
tum ab Ecclesia seiungi. Sicut fidem, quoad
elementa, ut inquiunt, phaenomenica scientiae subdi
oportet, sic in temporalibus negotiis Ecclesiam
subesse statui. Hoc quidem illi aperte nondum
forte asserunt; ratiocinationis tamen vi coguntur admittere. Posito etenim quod in temporalibus rebus status
possit unus, si accidat credentem intimis religionis actibus haud contentum in externos exilire, ut puta administrationem susceptionemve sacramentorum, necesse
erit haec sub status dominium cadere. Ecquid tum de
ecclesiastica auctoritate? Cum haec nisi per externos
actus non explicetur: statui, tota quanta est, erit obnoxia. Hac nempe consecutione coacti, multi e protestantibus *liberalibus* cultum omnem sacrum externum

quin etiam externam quamlibet religiosam consociationem
e medio tollunt, religionemque, ut aiunt, *individualem*
invehere adnituntur. — Quod si modernistae nondum
ad haec palam progrediuntur, petunt interea ut Ecclesia,
quo ipsi impellunt, sua se sponte inclinet seseque ad
civiles formas aptet. Atque haec de auctoritate *dis-*
ciplinari. — Nam de *doctrinali* et *dogmatica*
potestate longe peiora sunt ac perniciosiora, quae
sentiunt. De magisterio Ecclesiae sic scilicet commen-
tantur. Consociatio religiosa in unum vere coalescere
nequaquam potest, nisi una sit consociatorum conscientia unaque, qua utantur, formula. Utraque autem
haec unitas mentem quandam quasi communem ex-
postulat, cuius sit reperire ac determinare formulam,
quae communi conscientiae rectius respondeat; cui quidem
menti satis auctoritatis inesse oportet ad formulam quam
statuerit communitati imponendam. In hac porro con-
iunctione ac veluti fusione tum mentis formulam eligentis
tum potestatis eandem perscribentis, magisterii ecclesiastici notionem modernistae collocant. Cum igitur magisterium ex conscientiis singularibus tandem aliquando
nascatur, et publicum officium in earundem conscientiarum commodum mandatum habeat: consequitur necessario, illud ab eisdem conscientiis pendere ac proinde
ad populares formas esse inflectendum. Quapropter
singularium hominum conscientias prohibere, quominus
impulsiones, quas sentiunt, palam aperteque profiteantur,
et criticae viam praepedire, qua dogma ad necessarias
evolutiones impellat, potestatis ad utilitatem permissae
non usus est, sed abusus. — Similiter in usu ipso
potestatis modus temperatioque sunt adhibenda.
Librum quemlibet auctore inscio notare ac proscribere
nulla explicatione admissa, nulla disceptatione, tyrannidi
profecto est proximum. — Quare hic etiam medium
est quoddam iter reperiendum, ut auctoritati simul ac
libertati integra sint iura. Interea temporis catholico
sic est agendum, ut auctoritatis quidem observantissi-
mum se publice profiteatur, suo tamen obsequi ingenio
non intermittat. — Generatim vero sic de Ecclesia
praescribunt: quoniam ecclesiasticae potestatis finis ad

spiritualia unice pertinet, externum apparatum omnem
esse tollendum, quo illa ad intuentium oculos magni-
ficentius ornatur. In quo illud sane negligitur, religionem, etsi ad animos pertineat, non tamen unice animis
concludi; et honorem potestati impensum in Christum
institutorem recidere.

782   Porro ut totam hanc de fide deque vario eius germine 2094
materiam absolvamus, restat, Venerabiles Fratres, ut de
utrorumque explicatione postremo loco modernistarum
praecepta audiamus. — Principium hic generale est:
in religione, quae vivat, nihil variabile non
esse atque idcirco variandum. Hinc gressum
faciunt ad illud, quod in eorum doctrinis fere caput est,
videlicet ad *evolutionem*. Dogma igitur, Ecclesia, sacrorum cultus, libri, quos ut sanctos veremur, quin etiam
fides ipsa, nisi intermortua haec omnia velimus, evolutionis teneri legibus debent. Neque hoc mirum videri
queat, si ea prae oculis habeantur, quae sunt de horum
singulis a modernistis tradita. Posita igitur evolutionis
lege, evolutionis rationem a modernistis ipsis descriptam
habemus. Et primo quoad fidem. Primigenia, inquiunt, fidei forma rudis et universis hominibus
communis fuit, ut quae ex ipsa hominum natura atque
vita oriebatur. Evolutio vitalis progressum dedit; nimirum non novitate formarum extrinsecus acce-
dentium, sed ex pervasione in dies auctiore sensus religiosi in conscientiam. Dupliciter autem progressio ipsa
est facta: *negative* primum, elementum quodvis extra-
neum, ut puta ex familia vel gente adveniens, eliminando;
dehinc *positive*, intellectiva ac morali hominis expolitione,
unde notio divini amplior ac lucidior *sensusque religiosus*
exquisitior evasit. Progredientis vero fidei eaedem sunt
causae afferendae, quam quae superius sunt allatae ad
eius originem explicandam. Quibus tamen extraordi-
narios quosdam homines addi oportet (quos nos
prophetas appellamus, quorumque omnium praestantissi-
mus est Christus), tum quia illi in vita ac sermonibus
arcani quidpiam prae ,se tulerunt, quod fides divinitati
tribuebat, tum quia novas nec ante habitas *experientias*
sunt nacti religiosae cuiusque temporis indigentiae re-

spondentes. — Dogmatis autem progressus inde potissimum enascitur, quod fidei impedimenta sint superanda,
vincendi hostes, contradictiones refellendae. Adde his
nisum quendam perpetuum ad melius penetranda, quae
in arcanis fidei continentur. Sic, ut exempla cetera
praetereamus, de Christo factum est: in quo divinum
illud qualecunque, quod fides admittebat, ita pedetentim
et gradatim amplificatum est, ut demum pro Deo haberetur. — Ad evolutionem cultus facit praecipue necessitas ad mores traditionesque populorum sese accom-
modandi; item quorundam virtute actuum fruendi, quam
sunt ex usu mutuati. — Tandem pro Ecclesia evolutionis causa inde oritur, quod componi egeat cum adiunctis historicis cumque civilis regiminis publice invectis
formis. — Sic illi de singulis. Hic autem, antequam
procedamus, doctrina haec de *necessitatibus* seu *indigentiis* (vulgo *dei bisogni* significantius appellant) probe
ut notetur velimus; etenim, praeterquam omnium, quae
vidimus, est veluti basis ac fundamentum famosae illius
methodi, quam historicam dicunt.

2095   In evolutionis doctrina ut adhuc sistamus, illud praeterea est advertendum quod, etsi indigentiae seu necessitates ad evolutionem impellunt; his tamen unis acta,
evolutio transgressa facile traditionis fines atque ideo
a primigenio vitali principio avulsa ad ruinam potius,
quam ad progressionem traheret. Hinc modernistarum
mentem plenius secuti, evolutionem ex conflictione
duarum virium evenire dicemus, quarum altera ad progressionem agit, altera ad conservationem retrahit. —
Vis conservatrix viget in Ecclesia contineturque
traditione. Eam vero exserit religiosa auctoritas;
idque tam iure ipso, est enim in auctoritatis natura traditionem tueri, tam re, auctoritas namque a commuta-
tionibus vitae reducta stimulis ad progressionem pellen-
tibus nihil aut vix urgetur. E contra vis ad progrediendum rapiens atque intimis indigentiis respondens
latet ac molitur in privatorum conscientiis, illorum
praecipue qui vitam, ut inquiunt, propius atque intimius
attingunt. — En hic, Venerabiles Fratres, doctrinam
illam exitiosissimam efferre caput iam cernimus, quae

laicos homines in Ecclesiam subinfert ut progressionis
elementa. — Ex convento quodam et pacto inter binas
hasce vires, conservatricem et progressionis fautricem,
inter auctoritatem videlicet et conscientias privatorum,
progressus ac mutationes oriuntur. Nam privatorum
conscientiae vel harum quaedam in conscientiam collectivam agunt; haec vero in habentes auctoritatem
cogitque illos pactiones conflare atque in pacto manere.
— Ex his autem pronum est intelligere, cur modernistae mirentur adeo, cum reprehendi se vel puniri
sciunt. Quod eis culpae vertitur, ipsi pro officio habent
religiose explendo. Necessitates conscientiarum nemo
melius novit quam ipsi, eo quod propius illas attingunt,
quam ecclesiastica auctoritas. Eas igitur necessitates
omnes quasi in se colligunt: unde loquendi publice ac
scribendi officio devinciuntur. Carpat eos, si volet,
auctoritas; ipsi conscientia officii fulciuntur intimaque
experientia norunt non sibi reprehensiones deberi, sed
laudes. Utique non ipsos latet progressiones sine cer-
taminibus haud fieri, nec sine victimis certamina: sint
ergo ipsi pro victimis, sicut prophetae et Christus. Nec
ideo quod male habentur, auctoritati invident: suum
illam exsequi munus ultro concedunt. Queruntur tantum,
quod minime exaudiuntur; sic enim cursus animorum
tardatur: hora tamen rumpendi moras certissime veniet,
nam leges evolutionis coerceri possunt, infringi omnino
non possunt. Instituto ergo itinere pergunt: pergunt,
quamvis redarguti et damnati; incredibilem audaciam
fucatae demissionis velamine obducentes. Cervices quidem
simulate inflectunt; manu tamen atque animo, quod susceperunt persequuntur audacius. Sic autem volentes
omnino prudentesque agunt: tum quia tenent, auctoritatem stimulandam esse non evertendam; tum quia necesse illis est intra Ecclesiae septa manere, ut collectivam conscientiam sensim immutent: quod tamen cum
aiunt, fateri se non advertunt conscientiam collectivam
ab ipsis dissidere, atque ideo nullo eos iure illius se
interpretes venditare. . . . [Allegantur dein et explicantur, quae habentur in hoc Enchiridio n. 1636 1705 1800.] — Sed postquam in
modernismi assectatoribus philosophum, credentem, theo-

logum observavimus, iam nunc restat, ut pariter historicum, criticum, apologetam, reformatorem spectemus.

2096   Modernistarum quidam, qui componendis historiis se
dedunt, solliciti magnopere videntur, ne credantur philosophi; profitentur quin immo philosophiae se penitus
expertes esse. Astute id quam quod maxime: ne scilicet
cuipiam sit opinio, eos praeiudicatis imbui philosophiae
opinationibus nec esse propterea, ut aiunt, omnino
obiectivos. Verum tamen est, historiam illorum aut
criticen meram loqui philosophiam; quaeque ab iis in-
feruntur, ex philosophicis eorum principiis iusta ratiocinatione concludi. Quod equidem facile consideranti
patet. — Primi tres huiusmodi historicorum aut criti-
corum canones, ut diximus, eadem illa sunt principia,
quae supra ex philosophis attulimus: nimirum *agnosti-*
cismus, theorema de *transfiguratione* rerum per fidem,
itemque aliud, quod de *defiguratione* dici posse visum
est. Iam consecutiones ex singulis notemus. — Ex
agnosticismo historia non aliter ac scientia unice
de phaenomenis est. Ergo tam Deus quam quilibet
in humanis divinus interventus ad fidem reiciendus est,
utpote ad illam pertinens unam. Quapropter, si quid
occurrat duplici constans elemento, divino atque humano,
cuiusmodi sunt Christus, Ecclesia, sacramenta aliaque
id genus multa, sic partiendum erit ac secernendum, ut,
quod humanum fuerit, historiae, quod divinum, tribuatur
fidei. Ideo vulgata apud modernistas discretio inter
Christum historicum et Christum fidei, Ecclesiam historiae et Ecclesiam fidei, sacramenta historiae
et sacramenta fidei, aliaque similia passim. — Deinde
hoc ipsum elementum humanum, quod sibi historicum
sumere videmus, quale illud in monumentis apparet, a
fide per *transfigurationem* ultra conditiones historicas elatum dicendum est. Adiectiones igitur
a fide factas rursus secernere oportet, easque ad fidem
ipsam amandare atque ad historiam fidei: sic, cum de
Christo agitur, quidquid conditionem hominis superat
sive naturalem, prout a psychologia exhibetur, sive ex
loco atque aetate, quibus ille vixit, conflatam. — Praeterea ex tertio philosophiae principio res etiam, quae

historiae ambitum non excedunt, cribro veluti cernunt,
eliminantque omnia ac pariter ad fidem amandant,
quae ipsorum iudicio in factorum *logica,* ut inquiunt,
non sunt vel personis apta non fuerint. Sic volunt
Christum ea non dixisse, quae audientis vulgi captum
excedere videntur. Hinc de *reali* eius historia delent
et fidei permittunt allegorias omnes, quae in sermonibus
eius occurrunt. Quaeremus forsitan, qua lege haec segregentur? Ex ingenio hominis, ex conditione, qua sit
in civitate usus, ex educatione, ex adiunctorum facti
cuiusquam complexu: uno verbo, si bene novimus, ex
norma, quae tandem aliquando in mere *subiectivam*
recidit. Nituntur scilicet Christi personam ipsi capere
et quasi gerere: quidquid vero paribus in adiunctis ipsi
fuissent acturi, id omne in Christum transferunt. — Sic
igitur, ut concludamus, *a priori* et ex quibusdam philosophiae principiis, quam tenent quidem, sed ignorare
asserunt, in *reali,* quam vocant, historia Christum Deum
non esse affirmant nec quicquam divini egisse; ut hominem vero ea tantum patrasse aut dixisse, quae ipsi ad
illius se tempora referentes patrandi aut dicendi ius tribuunt.

Ut autem historia ab philosophia, sic critice ab 2097
historia suas accipit conclusiones. Criticus namque, indicia secutus ab historico praebita, monumenta partitur bifariam. Quidquid post dictam triplicem ob-
truncationem superat, *reali* historiae assignat; cetera ad
fidei historiam seu *internam* ablegat. Has enim binas
historias accurate distinguunt; et historiam fidei, quod
bene notatum volumus, historiae *reali,* ut realis est, opponunt. Hinc, ut iam diximus, geminus Christus: realis
alter, alter, qui nunquam reapse fuit, sed ad fidem pertinet; alter, qui certo loco certaque vixit aetate, alter,
qui solummodo in piis commentationibus fidei reperitur:
eiusmodi exempli causa est Christus, quem Ioannis
evangelium exhibet, quod utique, aiunt, totum quantum
est, commentatio est.

Verum non his philosophiae in historiam domi- 2098
natus absolvitur. Monumentis, ut diximus, bifariam
distributis, adest iterum philosophus cum suo dogmate
vitalis immanentiae; atque omnia edicit, quae sunt in

Ecclesiae historia, per *vitalem emanationem* esse explicanda. Atqui vitalis cuiuscunque emanationis aut causa aut conditio est in necessitate seu indigentia quapiam ponenda: ergo et factum post necessitatem concipi oportet, et illud historice huic esse posterius. — Quid tum historicus? Monumenta iterum sive quae in libris sacris continentur sive aliunde adducta scrutatus, indicem ex iis conficit singularum necessitatum, tum ad dogma tum ad cultum sacrorum tum ad alia spectantium, quae in Ecclesia, altera ex altera, locum habuere. Confectum indicem critico tradit. Hic vero ad monumenta, quae fidei historiae destinantur, manum admovet; illaque per aetates singulas sic disponit, ut dato indici respondeant singula: eius semper praecepti memor, factum necessitate, narrationem facto anteverti. Equidem fieri aliquando possit, quasdam Bibliorum partes, ut puta epistolas, ipsum esse factum a necessitate creatum. Quidquid tamen sit, lex est, monumenti cuiuslibet aetatem non aliter determinandam esse, quam ex aetate exortae in Ecclesia uniuscuiusque necessitatis. — Distinguendum praeterea est inter facti cuiuspiam exordium eiusdemque explicationem: quod enim uno die nasci potest, nonnisi decursu temporis incrementa suscipit. Hanc ob causam debet criticus monumenta per aetates, ut diximus, iam distributa bipartiri iterum, altera, quae ad originem rei, altera, quae ad explicationem pertineant secernens, eaque rursus ordinare per tempora.

2099 Tum denuo philosopho locus est; qui iniungit historico sua studia sic exercere, uti evolutionis praecepta legesque praescribunt. Ad haec historicus monumenta iterum scrutari; inquirere curiose in adiuncta conditionesque, quibus Ecclesia per singulas aetates sit usa, in eius vim conservatricem, in necessitates tam internas quam externas, quae ad progrediendum impellerent, in impedimenta, quae obfuerunt. uno verbo, in ea quaecunque, quae ad determinandum faxint, quo pacto evolutionis leges fuerint servatae. Post haec tandem explicationis historiam per extrema veluti lineamenta describit. Succurrit criticus aptatque monumenta reliqua. Ad scrip-

tionem adhibetur manus: historia confecta est. — Cui
iam, petimus, haec historia inscribenda? Historicone
an critico? Neutri profecto; sed philosopho. Tota ibi
per *apriorismum* res agitur: et quidem per
apriorismum haeresibus scatentem. Miseret sane hominum eiusmodi de quibus Apostolus diceret: «*Evanuerunt
in cogitationibus suis . . . dicentes enim se esse sapientes,
stulti facti sunt*» [Rom 1, 21—22]: at bilem tamen commovent,
cum Ecclesiam criminantur monumenta sic permiscere
ac temperare, ut suae utilitati loquantur. Nimirum
affingunt Ecclesiae, quod sua sibi conscientia apertissime
improbari sentiunt.

783   Ex illa porro monumentorum per aetates partitione 2100
ac dispositione sequitur sua sponte, non posse libros
sacros iis auctoribus tribui, quibus reapse inscribuntur.
Quam ob causam modernistae passim non dubitant
asserere, illos eosdem libros, Pentateuchum praesertim
ac prima tria Evangelia, ex brevi quadam primigenia
narratione, crevisse gradatim accessionibus, interposi-
tionibus nempe in modum interpretationis sive theologicae sive allegoricae, vel etiam iniectis ad diversa solummodo inter se iungenda. — Nimirum, ut paucis
clariusque dicamus, admittenda est *vitalis evolutio* librorum sacrorum, nata ex evolutione fidei eidemque respondens. — Addunt vero, huius evolutionis vestigia
adeo esse manifesta, ut illius fere historia describi possit.
Quin immo et reapse describunt tam non dubitanter,
ut suis ipsos oculis vidisse crederes scriptores singulos,
qui singulis aetatibus ad libros sacros amplificandos ad-
morint manum. — Haec autem ut confirment, criticen,
quam *textualem* nominant, adiutricem appellant; ni-
tunturque persuadere, hoc vel illud factum aut dictum
non suo esse loco, aliasque eiusmodi rationes proferunt.
Diceres profecto eos narrationum aut sermonum quosdam quasi typos praestituisse sibi, unde certissime iudicent, quid suo, quid alieno stet loco. — Hac via qui
apti esse queant ad decernendum, aestimet qui volet.
Verumtamen qui eos audiat de suis exercitationibus
circa sacros libros affirmantes, unde tot ibi incongrue
notata datum est deprehendere, credet fere nullum ante

ipsos hominum eosdem libros volutasse, neque hos infinitam propemodum Doctorum multitudinem quaquaversus rimatam esse, ingenio plane et eruditione et sanctitudine vitae longe illis praestantiorem. Qui equidem Doctores sapientissimi tantum abfuit, ut Scripturas sacras ulla ex parte reprehenderent, ut immo, quo illas scrutabantur penitius, eo maiores divino Numini agerent gratias, quod ita cum hominibus loqui dignatum esset. Sed heu, non iis adiumentis Doctores nostri in sacros libros incubuerunt, quibus modernistae; scilicet magistram et ducem non habuere philosophiam, quae initia duceret a negatione Dei, nec se ipsi iudicandi normam sibi delegerunt. — Iam igitur patere arbitramur, cuiusmodi in re historica modernistarum sit methodus. Praeit philosophus; illum historicus excipit; pone ex ordine legunt critice tum interna tum textualis. Et quia primae causae hoc competit, ut virtutem suam cum sequentibus communicet, evidens fit, criticen eiusmodi non quampiam esse criticen, sed vocari iure *agnosticam, immanentistam, evolutionistam:* atque ideo, qui eam profitetur eaque utitur, errores eidem implicitos profiteri et catholicae doctrinae adversari. — Quam ob rem mirum magnopere videri possit, apud catholicos homines id genus critices adeo hodie valere. Id nempe geminam habet causam: foedus in primis, quo historici criticique huius generis arctissime inter se iunguntur, varietate gentium ac religionum dissensione posthabita: tum vero audacia maxima, qua, quae quisque effutiat, ceteri uno ore extollunt et scientiae progressioni tribuunt; qua, qui novum portentum aestimare per se volet, facto agmine adoriuntur; qui neget, ignorantiae accusent; qui amplectitur ac tuetur, laudibus exornent. Inde haud pauci decepti, qui, si rem attentius considerarent, horrerent. — Ex hoc autem praepotenti errantium dominio, ex hac levium animorum incauta assensione quaedam circumstantis aëris quasi corruptio gignitur, quae per omnia permeat luemque diffundit. — Sed ad apologetam transeamus.

2101 Hic apud modernistas dupliciter a philosopho et ipse pendet. *Non directe* primum, materiam sibi

sumens historiam philosopho, ut vidimus, praecipiente
conscriptam: *directe* dein, mutuatus ab illo dogmata ac
iudicia. Inde illud vulgatum in schola modernistarum
praeceptum, debere novam apologesim contro-
versias de religione dirimere historicis in-
quisitionibus et psychologicis. Quamobrem
apologetae modernistae suum opus aggrediuntur rationalistas monendo, se religionem vindicare non sacris
libris neve ex historiis vulgo in Ecclesia adhibitis,
quae veteri methodo descriptae sint; sed ex historia
reali, modernis praeceptionibus modernaque methodo conflata. Idque non quasi *ad hominem* argumen-
tati asserunt, sed quia reapse hanc tantum historiam
vera tradere arbitrantur. De asserenda vero sua in
scribendo sinceritate securi sunt: iam apud rationalistas
noti sunt, iam ut sub eodem vexillo stipendia merentes
laudati: de qua laudatione, quam verus catholicus re-
spueret, ipsi sibi gratulantur, eamque reprehensionibus
Ecclesiae opponunt. — Sed iam, quo pacto apologesim
unus aliquis istorum perficiat, videamus. Finis, quem
sibi assequendum praestituit, hic est: hominem fidei adhuc expertem eo adducere, ut eam de catholica religione *experientiam* assequatur, quae ex modernistarum
scitis unicum fidei est fundamentum. Geminum ad hoc
patet iter: *obiectivum* alterum, alterum *subiectivum*. Primum ex agnosticismo procedit; eoque spectat, ut eam
in religione, praesertim catholica, vitalem virtutem inesse
monstret, quae psychologum quemque itemque historicum bonae mentis suadeat, oportere in illius historia
incogniti aliquid celari. Ad hoc, ostendere necessum
est, catholicam religionem, quae modo est, eam omnino
esse, quam Christus fundavit, seu non aliud praeter pro-
gredientem eius germinis explicationem, quod Christus
invexit. Primo igitur germen illud quale sit, determinandum. Idipsum porro hac formula exhiberi volunt:
Christum adventum regni Dei nuntiasse, quod brevi
foret constituendum, eiusque ipsum fore Messiam, acto-
rem nempe divinitus datum atque ordinatorem. Post haec
demonstrandum, qua ratione id germen, semper *immanens* in catholica religione ac *permanens*, sensim ac

secundum historiam sese evolverit aptaritque succedenti-
bus adiunctis, ex iis ad se *vitaliter* trahens quidquid
doctrinalium, cultualium, ecclesiasticarum formarum sibi
esset utile; interea vero impedimenta si quae occurrerent
superans, adversarios profligans, insectationibus quibusvis
pugnisque superstes. Postquam autem haec omnia, impedimenta nimirum, adversarios, insectationes, pugnas
itemque vitam foecunditatemque Ecclesiae id genus
fuisse monstratum fuerit, ut, quamvis evolutionis leges
in eiusdem Ecclesiae historia incolumes appareant, non
tamen eidem historiae plene explicandae sint pares; *incognitum* coram stabit, suaque sponte se offeret. — Sic
illi. In qua tota ratiocinatione unum tamen non advertunt, determinationem illam germinis primigenii deberi
unice *apriorismo* philosophi agnostici et evolutionistae,
et germen ipsum sic gratis ab eis definiri, ut eorum
causae congruat.

2102 Dum tamen catholicam religionem recitatis argumentationibus asserere ac suadere elaborant apologetae novi,
dant ultro et concedunt, plura in ea esse quae animos offendant. Quin etiam non obscura quadam
voluptate in re quoque dogmatica errores contra-
dictionesque reperire se palam dictitant: subdunt
tamen, haec non solum admittere excusationem, sed,
quod mirum esse oportet, iuste ac legitime esse prolata.
Sic etiam secundum ipsos in sacris libris plurima 783
in re scientifica vel historica errore afficiun-
tur. Sed, inquiunt, non ibi de scientiis agi aut historia,
verum de religione tantum ac re morum. Scientiae illic
et historia integumenta sunt quaedam, quibus experientiae
religiosae et morales obteguntur ut facilius in vulgus
propagarentur; quod quidem vulgus cum non aliter intelligeret, perfectior illi scientia aut historia non utilitati
sed nocumento fuisset. Ceterum, addunt, libri sacri,
quia natura sunt religiosi, vitam necessario vivunt: iam
vitae sua quoque est veritas et logica, alia profecto a
veritate et logica rationali, quin immo alterius omnino
ordinis, veritas scilicet comparationis ac proportionis
tum ad *medium* (sic ipsi dicunt), in quo vivitur, tum ad
finem, ob quem vivitur. Demum eo usque progrediuntur,

ut nulla adhibita temperatione asserant, quidquid
per vitam explicatur, id omne verum esse ac
legitimum. — Nos equidem, Venerabiles Fratres,
quibus una atque unica est veritas, quique sacros libros
sic aestimamus, *quod Spiritu Sancto inspirante conscripti
Deum habent auctorem* [v. n. 1787], hoc idem esse affirmamus ac mendacium utilitatis seu officiosum ipsi Deo
tribuere, verbisque Augustini asserimus: *Admisso semel
in tantum auctoritatis fastigium officioso aliquo mendacio, nulla illorum librorum particula remanebit, quae
non, ut cuique videbitur vel ad mores difficilis vel ad
fidem incredibilis, eadem perniciosissima regula ad
mentientis auctoris consilium officiumque referatur* [1].
Unde fiet quod idem sanctus Doctor adiungit: *In eis,*
scilicet Scripturis, *quod vult quisque credet, quod non
vult non credet.* — Sed modernistae apologetae progrediuntur alacres. Concedunt praeterea, in sacris libris
eas subinde ratiocinationes occurrere ad doctrinam quampiam probandam, quae nullo rationali fundamento re-
gantur; cuiusmodi sunt, quae in prophetiis nituntur.
Verum has quoque defendunt quasi artificia quaedam
praedicationis, quae a vita legitima fiunt. Quid amplius?
Permittunt, immo vero asserunt, Christum ipsum in in-
dicando tempore adventus regni Dei manifeste errasse:
neque id mirum, inquiunt, videri debet; nam et ipse
vitae legibus tenebatur. — Quid post haec de Ecclesiae
dogmatibus? Scatent haec etiam apertis oppositionibus:
sed praeterquam quod a logica vitali admittuntur, veritati
symbolicae non adversantur; in iis quippe de infinito
agitur, cuius infiniti sunt respectus. Demum, adeo haec
omnia probant tuenturque, ut profiteri non dubitent,
nullum Infinito honorem haberi excellentiorem quam
contradicentia de ipso affirmando. — Probata vero contradictione, quid non probabitur?

Attamen qui nondum credat, non *obiectivis* solum argu- 2103
mentis ad fidem disponi potest, verum etiam *subiectivis.*
Ad quem finem modernistae apologetae ad *immanentiae*
doctrinam revertuntur. Elaborant nempe ut homini per-

---

[1] S. August., Ep. 28, c. 3 [ML 33 (Aug. II), 112, 3].

suadeant, in ipso atque in intimis eius naturae ac vitae
recessibus celari cuiuspiam religionis desiderium et exigentiam, nec religionis cuiuscunque sed talis omnino qualis
catholica est; hanc enim *postulari* prorsus inquiunt ab
explicatione vitae perfecta. — Hic autem queri vehementer Nos iterum oportet, non desiderari e catholicis
hominibus, qui, quamvis *immanentiae* doctrinam ut doctrinam reiciunt, ea tamen pro apologesi utuntur; idque adeo incauti faciunt, ut in natura humana non capa-
citatem solum et convenientiam videantur admittere ad
ordinem supernaturalem, quod quidem apologetae catholici opportunis adhibitis temperationibus demonstrarunt
semper, sed germanam verique nominis exigentiam. —
Ut tamen verius dicamus, haec catholicae religionis
exigentia a modernistis invehitur, qui volunt moderatiores
audiri. Nam qui *integralistae* appellari queunt, ii homini
nondum credenti ipsum germen, in ipso latens, demonstrari volunt, quod in Christi conscientia fuit atque ab
eo hominibus transmissum est. — Sic igitur, Venerabiles Fratres, apologeticam modernistarum methodum,
summatim descriptam, doctrinis eorum plane congruentem agnoscimus: methodum profecto, uti etiam doctrinas,
errorum plenas, non ad aedificandum aptas sed ad de-
struendum, non ad catholicos efficiendos sed ad catholicos
ipsos ad haeresim trahendos, immo etiam ad religionis
cuiuscunque omnimodam eversionem.

2104   Pauca demum superant addenda de modernista ut
reformator est. Iam ea, quae huc usque locuti sumus, abunde manifestant, quanto et quam acri innovandi
studio hi homines ferantur. Pertinet autem hoc studium
ad res omnino omnes, quae apud catholicos sunt. —
Innovari volunt philosophiam in sacris praesertim
Seminariis: ita ut, amandata philosophia scholasticorum
ad historiam philosophiae inter cetera, quae iam obsole-
verunt systemata, adolescentibus moderna tradatur philosophia, quae una vera nostraeque aetati respondens. —
Ad theologiam innovandam, volunt, quam nos rationalem dicimus, habere fundamentum modernam philosophiam. Positivam vero theologiam niti maxime postulant in historia dogmatum. — Historiam quoque

scribi et tradi expetunt ad suam methodum praescripta-
que moderna. — Dogmata eorundemque evolutionem
cum scientia et historia componenda edicunt. — Ad
catechesim quod spectat, ea tantum in catecheticis
libris notari postulant dogmata, quae innovata fuerint
sintque ad vulgi captum. — Circa sacrorum cultum
minuendas inquiunt externas religiones prohibendumve,
ne crescant. Quamvis equidem alii, qui symbolismo
magis favent, in hac re indulgentiores se praebeant. —
Regimen Ecclesiae omni sub respectu reformandum
clamitant, praecipue tamen sub disciplinari ac dogmatico.
Ideo intus forisque cum moderna, ut aiunt, conscientia
componendum, quae tota ad democratiam vergit: ideo
inferiori clero ipsisque laicis suae in regimine partes
tribuendae, et collecta nimium contractaque in centrum
auctoritas dispertienda. — Romana concilia sacris
negotiis gerendis immutari pariter volunt; in primis
autem tum quod a *sancto officio* tum quod ab *indice*
appellatur. — Item ecclesiastici regiminis actionem in re
politica et sociali variandam contendunt, ut simul
a civilibus ordinationibus exsulet, eisdem tamen se aptet,
ut suo illas spiritu imbuat. — In re morum, illud
asciscunt americanistarum scitum, activas virtutes passivis
anteponi oportere atque illas prae istis exercitatione
promoveri [cf. n. 1967]. — Clerum sic comparatum petunt,
ut veterem referat demissionem animi et paupertatem,
cogitatione insuper et facto cum modernismi praeceptis
consentiat. — Sunt demum, qui magistris protestantibus
dicto lubentissime audientes sacrum ipsum in sacerdotio
coelibatum sublatum desiderent. — Quid igitur in
Ecclesia intactum relinquunt, quod non ab ipsis nec
secundum ipsorum pronuntiata sit reformandum?

Iam systema universum uno quasi obtutu respicientes, 2105
nemo mirabitur, si sic illud definimus, ut omnium
haereseon collectum esse affirmemus. Certe si quis
hoc sibi proposuisset, omnium, quotquot fuerunt circa
fidem errores, succum veluti ac sanguinem in unum conferre, rem nunquam plenius perfecisset, quam modernistae
perfecerunt. Immo vero tanto hi ulterius progressi sunt,
ut, non modo catholicam religionem, sed

omnem penitus, quod iam innuimus, religionem de-
leverint. Hinc enim rationalistarum plausus: hinc qui
liberius apertiusque inter rationalistas loquuntur, nullos
se efficaciores quam modernistas auxiliatores invenisse
2106 gratulantur. — Redeamus enimvero tantisper, Venerabiles
Fratres, ad exitiosissimam illam *agnosticismi* doctrinam.
Ea scilicet ex parte intellectus omnis ad Deum via
praecluditur homini, dum aptior sterni putatur ex
parte cuiusdam animi sensus et actionis. Sed hoc quam
perperam, quis non videat? Sensus enim animi actioni
rei respondet, quam intellectus vel externi sensus pro-
posuerint. Demito intellectum; homo externos sensus, ad
quos iam fertur, proclivius sequetur. Perperam iterum;
nam phantasiae quaevis de sensu religioso communem
sensum non expugnabunt: communi autem sensu do-
cemur, perturbationem aut occupationem animi quampiam, non adiumento sed impedimento esse potius ad
investigationem veri, veri inquimus ut in se est; nam
verum illud alterum *subiectivum*, fructus interni sensus
et actionis, si quidem ludendo est aptum, nihil admodum
homini confert, cuius scire maxime interest sit necne
extra ipsum Deus, cuius in manus aliquando incidet. —
Experientiam enimvero tanto operi adiutricem inferunt.
Sed quid haec ad sensum illum animi adiciat? Nil
plane praeterquam quod vehementiorem faciat; ex qua
vehementia fiat proportione firmior persuasio de veritate
obiecti. Iam haec duo profecto non efficiunt, ut sensus
ille animi desinat esse sensus, neque eius immutant
naturam semper deceptioni obnoxiam, nisi regatur intellectu; immo vero illam confirmant et iuvant, nam
sensus quo intensior, eo potiore iure est sensus.

2107 Cum vero de religioso sensu hic agamus deque
experientia in eo contenta, nostis probe, Venerabiles
Fratres, quanta in hac re prudentia sit opus, quanta
item doctrina, quae ipsam regat prudentiam. Nostis ex
animorum usu, quorundam praecipue, in quibus eminet
sensus: nostis ex librorum consuetudine, qui de ascesi
tractant; qui quamvis modernistis in nullo sunt pretio,
doctrinam tamen longe solidiorem subtilioremque ad
observandum sagacitatem prae se ferunt, quam ipsi sibi

arrogant. Equidem Nobis amentis esse videtur aut saltem
imprudentis summopere pro veris nulla facta investigatione experientias intimas habere, cuiusmodi modernistae venditant. Cur vero, ut per transcursum dicamus,
si harum experientiarum tanta vis est ac firmitas, non
eadem tribuatur illi, quam plura catholicorum milia se
habere asserunt de devio itinere, quo modernistae in-
cedunt? Haec ne tantum falsa atque fallax? Hominum
autem pars maxima hoc firmiter tenet tenebitque semper,
sensu solum et experientia nullo mentis ductu
atque lumine ad Dei notitiam pertingi nunquam posse. Restat ergo iterum atheismus ac
religio nulla.

Nec modernistae meliora sibi promittant ex asserta 2108
symbolismi doctrina. Nam si quaevis intellectualia, ut
inquiunt, elementa nihil nisi Dei symbola sunt, ecquid
symbolum non sit ipsum Dei nomen aut personalitatis
divinae? quod si ita, iam de divina personalitate ambigi
poterit patetque ad pantheismum via. — Eodem
autem, videlicet ad purum putumque pantheismum,
ducit doctrina alia de *immanentia divina*. Etenim hoc
quaerimus: an eiusmodi *immanentia* Deum ab homine
distinguat necne. Si distinguit, quid tum a catholica
doctrina differt, aut doctrinam de externa revelatione
cur reicit? Si non distinguit, pantheismum habemus.
Atqui *immanentia* haec modernistarum vult atque admittit omne conscientiae phaenomenon ab homine ut
homo est proficisci. Legitima ergo ratiocinatio inde
infert unum idemque esse Deum cum homine: ex quo
pantheismus.

Distinctio demum, quam praedicant inter scien- 2109
tiam et fidem, non aliam admittit consecutionem.
Obiectum enim scientiae in cognoscibilis realitate ponunt;
fidei e contra in incognoscibilis. Iamvero incognoscibile
inde omnino constituitur, quod inter obiectam materiam
et intellectum nulla adsit proportio. Atqui hic proportionis defectus nunquam, nec in modernistarum doctrina,
auferri potest. Ergo incognoscibile credenti aeque ac
philosopho incognoscibile semper manebit. Ergo si qua
habebitur religio, haec erit realitatis incognoscibilis;

37 ⁕

quae cur etiam mundi animus esse nequeat, quem rationalistae quidam admittunt, non videmus profecto. — Sed
haec modo sufficiant, ut abunde pateat, quam multiplici
itinere doctrina modernistarum ad atheismum trahat
et ad religionem omnem abolendam. Equidem pro-
testantium error primus hac via gradum iecit; sequitur
modernistarum error; proxime atheismus ingredietur.

[Assignatis deinde horum errorum causis — curiositate, superbia, verae
philosophiae ignorantia — traduntur regulae quaedam de fovendis et
ordinandis studiis philosophicis, theologicis, profanis atque de caute
eligendis magistris etc.]

De auctore et veritate historica quarti Evangelii [1].

[Resp. Commissionis de re Biblica, 29. Maii 1907.]

2110   *Dubium I.:* Utrum ex constanti, universali ac solemni 783
Ecclesiae traditione iam a saeculo II decurrente, prout
maxime eruitur: a) ex SS. Patrum, scriptorum ecclesiasticorum, imo etiam haereticorum, testimoniis et allusionibus, quae, cum ab Apostolorum discipulis vel primis
successoribus derivasse oportuerit, necessario nexu cum
ipsa libri origine cohaerent; b) ex recepto semper et
ubique nomine auctoris quarti Evangelii in canone et
catalogis sacrorum librorum; c) ex eorundem librorum
vetustissimis manuscriptis, codicibus et in varia idiomata
versionibus; d) ex publico usu liturgico inde ab Ecclesiae
primordiis toto orbe obtinente; praescindendo ab argumento theologico, tam solido argumento historico
demonstretur Ioannem Apostolum et non alium
quarti Evangelii auctorem esse agnoscendum, ut
rationes a criticis in oppositum adductae hanc traditionem nullatenus infirment? — *Resp.:* Affirmative.

2111   *Dubium II.:* Utrum etiam rationes internae, quae
eruuntur ex textu quarti Evangelii seiunctim considerato,
ex scribentis testimonio et Evangelii ipsius cum I Epistola
Ioannis Apostoli manifesta cognatione, censendae sint
confirmare traditionem quae eidem Apostolo quartum Evangelium indubitanter attribuit? — Et utrum
difficultates, quae ex collatione ipsius Evangelii cum

---

[1] ASS 40 (1907) 383 sq; AE 15 (1907) 259 sq.

aliis tribus desumuntur, habita prae oculis diversitate
temporis, scopi et auditorum pro quibus vel contra quos
auctor scripsit, solvi rationabiliter possint, prout
SS. Patres et exegetae catholici passim praestiterunt? —
Resp.: Affirmative ad utramque partem.

Dubium III.: Utrum, non obstante praxi quae a 2112
primis temporibus in universa Ecclesia constantissime
viguit, arguendi ex quarto Evangelio tamquam ex documento proprie historico, considerata nihilominus indole peculiari eiusdem Evangelii, et intentione auctoris
manifesta illustrandi et vindicandi Christi divinitatem ex
ipsis factis et sermonibus Domini, dici possit facta
narrata in quarto Evangelio esse totaliter
vel ex parte conficta ad hoc, ut sint allegoriae
vel symbola doctrinalia, sermones vero Domini
non proprie et vere esse ipsius Domini sermones, sed
compositiones theologicas scriptoris, licet in
ore Domini positas? — *Resp.:* Negative.

De auctoritate sententiarum Commissionis Biblicae [1].

[Ex Motu proprio «Praestantia Scripturae», 18. Nov. 1907.]

783 Post diuturna rerum iudicia consultationesque dili- 2113
gentissimas, quaedam feliciter a Pontificio de re Biblica
Consilio emissae sententiae sunt, provehendis germane
biblicis studiis, iisdemque certa norma dirigendis perutiles.
At vero minime deesse conspicimus qui . . . non eo,
quo par est, obsequio sententias eiusmodi, quamquam
a Pontifice probatas, exceperint aut excipiant.

Quapropter declarandum illud praecipiendumque videmus, quemadmodum declaramus in praesens expresse-
que praecipimus, universos omnes conscientiae
obstringi officio sententiis Pontificalis Consilii de re Biblica, sive quae adhuc sunt emissae
sive quae posthac edentur, perinde ac Decretis Sacrarum
Congregationum pertinentibus ad doctrinam probatisque
a Pontifice, se subiciendi; nec posse notam tum
detrectatae obedientiae tum temeritatis devitare aut culpa

---

[1] ASS 40 (1907) 724 sqq; AE 15 (1907) 435 sq.

propterea vacare gravi quotquot verbis scriptisve sententias has tales impugnent; idque praeter scandalum, quo
offendant, ceteraque quibus in causa esse coram Deo
possint, aliis, ut plurimum, temere in his errateque
pronuntiatis.

2114   Ad haec, audentiores quotidie spiritus complurium
modernistarum repressuri, qui sophismatis artificiisque
omne genus vim efficacitatemque nituntur adimere non
Decreto solum «Lamentabili sane exitu», quod V nonas
Iulias anni vertentis S. R. et U. Inquisitio, Nobis iuben-
tibus, edidit [v. n. 2001 sqq], verum etiam Litteris Encyclicis Nostris «Pascendi Dominici gregis», datis die
VIII mensis Septembris istius eiusdem anni [v. n. 2071 sqq],
auctoritate Nostra Apostolica iteramus confirmamusque
tum Decretum illud Congregationis Sacrae Supremae,
tum Litteras eas Nostras Encyclicas, addita excommunicationis poena adversus contradictores; illudque declaramus ac decernimus, si quis, quod Deus avertat, eo
audaciae progrediatur ut quamlibet e propositionibus,
opinionibus doctrinisque in alterutro documento, quod
supra diximus, improbatis tueatur, censura ipso facto
plecti Capite Docentes Constitutionis Apostolicae Sedis
irrogata, quae prima est in excommunicationibus latae
sententiae Romano Pontifici simpliciter reservatis. Haec
autem excommunicatio salvis poenis est intelligenda, in
quas, qui contra memorata documenta quidpiam commi-
serint, possint, uti propagatores defensoresque haeresum,
incurrere, si quando eorum propositiones, opiniones
doctrinaeve haereticae sint, quod quidem de utriusque
illius documenti adversariis plus semel usuvenit, tum
vero maxime cum modernistarum errores, id est omnium haereseon collectum, propugnant.

De libri Isaiae indole et auctore [1].

[Resp. Commissionis de re Biblica, 29. Iunii 1908.]

2115   *Dubium I.:* Utrum doceri possit, vaticinia quae le- 783
guntur in libro Isaiae — et passim in Scripturis — n o n

---

[1] ASS 41 (1908) 613 sq; AE 16 (1908) 297

esse veri nominis vaticinia, sed vel narrationes
post eventum confictas, vel, si ante eventum praenuntiatum quidpiam agnosci opus sit, id prophetam non ex
supernaturali Dei futurorum praescii revelatione, sed ex
his quae iam contigerunt, felici quadam sagacitate et
naturalis ingenii acumine, coniciendo praenuntiasse? —
Resp.: Negative.

Dubium II.: Utrum sententia quae tenet, Isaiam 2116
ceterosque prophetas vaticinia non edidisse nisi de his
quae in continenti vel post non grande temporis spatium eventura erant, conciliari possit
cum vaticiniis, imprimis messianicis et eschatologicis, ab
eisdem prophetis de longinquo certo editis, necnon cum
communi SS. Patrum sententia concorditer asserentium,
prophetas ea quoque praedixisse, quae post multa saecula essent implenda? — *Resp.*: Negative.

Dubium III.: Utrum admitti possit, prophetas non 2117
modo tamquam correctores pravitatis humanae divinique
verbi in profectum audientium praecones, verum etiam
tamquam praenuntios eventuum futurorum, constanter
alloqui debuisse auditores non quidem futuros,
sed praesentes et sibi aequales, ita ut ab ipsis
plane intelligi potuerint; proindeque secundam partem
libri Isaiae (cap. XL—LXVI), in qua vates non Iudaeos
Isaiae aequales, at Iudaeos in exilio babylonico lugentes
veluti inter ipsos vivens alloquitur et solatur, non posse
ipsum Isaiam iamdiu emortuum auctorem
habere, sed oportere eam ignoto cuidam vati inter
exules viventi assignare? — *Resp.*: Negative.

Dubium IV.: Utrum, ad impugnandam identitatem 2118
auctoris libri Isaiae, argumentum philologicum,
ex lingua stiloque desumptum, tale sit censendum, ut
virum gravem, criticae artis et hebraicae linguae peritum,
cogat in eodem libro pluralitatem auctorum
agnoscere? — *Resp.*: Negative.

Dubium V.: Utrum solida prostent argumenta, 2119
etiam cumulative sumpta, ad evincendum Isaiae librum
non ipsi soli Isaiae, sed duobus, imo pluribus auctoribus esse tribuendum? — *Resp.*: Negative.

De relatione inter Philosophiam et Theologiam [1].

[Ex Encycl. «Communium rerum», 21. Aprilis 1909.]

2120 ...Philosophiae (igitur) munus est praecipuum, in 1795 perspicuo ponere fidei nostrae rationabile obsequium, et, quod inde consequitur, officium adiungendae fidei auctoritati divinae altissima mysteria proponenti, quae plurimis testata veritatis indiciis, *credibilia facta sunt nimis* [Ps 92, 5]. Longe aliud ab hoc Theologiae munus est, quae divina revelatione nititur et in fide solidiores efficit eos qui christiani nominis honore se gaudere fatentur; nullus quippe christianus debet disputare quomodo, quod catholica Ecclesia corde credit et ore confitetur, non sit; sed semper eandem fidem indubitanter tenendo, amando et secundum illam vivendo, humiliter quantum potest, quaerere rationem quomodo sit. Si potest intelligere, Deo gratias agat; si non potest, non immittat cornua ad ventilandum, sed submittat caput ad venerandum.

De charactere historico priorum capitum Geneseos [2].

[Resp. Commissionis de re Biblica, 30. Iunii 1909.]

2121 *Dubium I.:* Utrum varia systemata exegetica, 783 quae ad excludendum sensum litteralem historicum trium priorum capitum libri Geneseos excogitata et scientiae fuco propugnata sunt, solido fundamento fulciantur? — *Resp.:* Negative.

2122 *Dubium II.:* Utrum non obstantibus indole et forma historica libri Geneseos, peculiari trium priorum capitum inter se et cum sequentibus capitibus nexu, multiplici testimonio Scripturarum tum Veteris tum Novi Testamenti, unanimi fere sanctorum Patrum sententia ac traditionali sensu, quem, ab Israëlitico etiam populo transmissum, semper tenuit Ecclesia, doceri possit: praedicta tria capita Geneseos continere non rerum vere gestarum narrationes, quae scilicet

---

[1] AAS I (1909) 381; AE 17 (1909) 170.
[2] AAS I (1909) 567 sqq; AE 17 (1909) 334.

obiectivae realitati et historicae veritati respondeant;
sed vel fabulosa ex veterum populorum mythologiis
et cosmogoniis deprompta et ab auctore sacro, ex-
purgato quovis polytheismi errore, doctrinae monotheisti-
cae accommodata; vel allegorias et symbola, fundamento obiectivae realitatis destituta, sub historiae specie
ad religiosas et philosophicas veritates inculcandas proposita; vel tandem legendas ex parte historicas et
ex parte fictitias ad animorum instructionem et aedificationem libere compositas? — *Resp.:* Negative ad utramque partem.

Dubium III.: Utrum speciatim sensus litteralis histo- 2123
ricus vocari in dubium possit, ubi agitur de factis in
eisdem capitibus enarratis, quae christianae religionis fundamenta attingunt: uti sunt, inter cetera,
rerum universarum creatio a Deo facta in initio temporis;
peculiaris creatio hominis; formatio primae mulieris ex
primo homine; generis humani unitas; originalis protoparentum felicitas in statu iustitiae, integritatis et immortalitatis; praeceptum a Deo homini datum ad eius obedientiam probandam; divini praecepti, diabolo sub
serpentis specie suasore, transgressio; protoparentum
deiectio ab illo primaevo innocentiae statu; nec non
Reparatoris futuri promissio? — *Resp.:* Negative.

Dubium IV.: Utrum in interpretandis illis horum 2124
capitum locis, quos Patres et Doctores diverso modo in-
tellexerunt, quin certi quippiam definitique tradiderint,
liceat, salvo Ecclesiae iudicio servataque fidei analogia, eam quam quisque prudenter probaverit, sequi
tuerique sententiam? — *Resp.:* Affirmative.

Dubium V.: Utrum omnia et singula, verba vide- 2125
licet et phrases, quae in praedictis capitibus occurrunt,
semper et necessario accipienda sint sensu proprio, ita
ut ab eo discedere numquam liceat, etiam cum locutiones
ipsae manifesto appareant improprie, seu metaphorice
vel anthropomorphice usurpatae, et sensum proprium
vel ratio tenere prohibeat vel necessitas cogat dimittere? —
Resp.: Negative.

Dubium VI.: Utrum, praesupposito litterali et historico 2126
sensu, nonnullorum locorum eorundem capitum inter-

pretatio allegorica et prophetica, praefulgente sanctorum Patrum et Ecclesiae ipsius exemplo, adhiberi sapienter et utiliter possit? — *Resp.:* Affirmative.

2127 *Dubium VII.:* Utrum, cum in conscribendo primo Geneseos capite non fuerit sacri auctoris mens intimam adspectabilium rerum constitutionem ordinemque creationis completum scientifico more docere, sed potius suae genti tradere notitiam popularem, prout communis sermo per ea ferebat tempora, sensibus et captui hominum accommodatam, sit in horum interpretatione adamussim semperque investiganda scientifici sermonis proprietas? — *Resp.:* Negative.

2128 *Dubium VIII.:* Utrum in illa sex dierum denominatione atque distinctione, de quibus in Geneseos capite primo, sumi possit vox Yôm (dies) sive sensu proprio pro die naturali, sive sensu improprio pro quodam temporis spatio, deque huiusmodi quaestione libere inter exegetas disceptare liceat? — *Resp.:* Affirmative.

De auctoribus et de tempore compositionis Psalmorum[1].

[Resp. Commissionis de re Biblica, 1. Maii 1910.]

2129 *Dubium I.:* Utrum appellationes *Psalmi David, Hymni David, Liber psalmorum David, Psalterium Davidicum*, in antiquis collectionibus et in Conciliis ipsis usurpatae ad designandum Veteris Testamenti Librum CL psalmorum; sicut etiam plurium Patrum et Doctorum sententia, qui tenuerunt omnes prorsus Psalterii psalmos uni David esse adscribendos, tantam vim habeant, ut Psalterii totius unicus auctor David haberi debeat? — *Resp.:* Negative.

2130 *Dubium II.:* Utrum ex concordantia textus hebraici cum graeco textu alexandrino aliisque vetustis versionibus argui iure possit titulos psalmorum hebraico textui praefixos antiquiores esse versione sic dicta LXX virorum; ac proinde si non directe ab auctoribus ipsis psalmorum, a vetusta saltem iudaica traditione derivasse? — *Resp.:* Affirmative.

---

[1] AAS II (1910) 354 sq.

Dubium III.: Utrum praedicti psalmorum tituli, 2131
iudaicae traditionis testes, quando nulla ratio gravis est
contra eorum genuinitatem, prudenter possint in dubium
revocari? — *Resp.:* Negative.

Dubium IV.: Utrum si considerentur Sacrae Scripturae 2132
haud infrequentia testimonia circa naturalem Davidis pe-
ritiam, Spiritus Sancti charismate illustratam in componendis carminibus religiosis, institutiones ab ipso conditae
de cantu psalmorum liturgico, attributiones psalmorum
ipsi factae tum in Veteri Testamento, tum in Novo, tum
in ipsis inscriptionibus, quae psalmis ab antiquo praefixae
sunt, insuper consensus Iudaeorum, Patrum et Doctorum Ecclesiae, prudenter denegari possit praecipuum Psalterii carminum Davidem esse auctorem, vel contra affirmari pauca dumtaxat eidem
regio Psalti carmina esse tribuenda? — *Resp.:* Negative ad utramque partem.

Dubium V.: Utrum in specie denegari possit Da-2133
vidica origo eorum psalmorum, qui in Veteri vel Novo
Testamento diserte sub Davidis nomine citantur, inter
quos prae ceteris recensendi veniunt psalmus 2 *Quare
fremuerunt gentes;* psalmus 15 *Conserva me, Domine;*
psalmus 17 *Diligam te, Domine, fortitudo mea;* psalmus 31 *Beati quorum remissae sunt iniquitates;* psalmus 68 *Salvum me fac, Deus,* psalmus 109 *Dixit
Dominus Domino meo?* — *Resp.:* Negative.

Dubium VI.: Utrum sententia eorum admitti possit qui 2134
tenent, inter psalterii psalmos nonnullos esse sive Davidis
sive aliorum auctorum, qui propter rationes liturgicas et
musicales, oscitantiam amanuensium aliasve incompertas
causas in plures fuerint divisi vel in unum coniuncti;
itemque alios esse psalmos, uti *Miserere mei, Deus,* qui
ut melius aptarentur circumstantiis historicis vel solemni-
tatibus populi iudaici, leviter fuerint retractati vel
modificati, subtractione aut additione unius alteriusve
versiculi, salva tamen totius textus sacri inspiratione? —
Resp.: Affirmative ad utramque partem.

Dubium VII.: Utrum sententia eorum inter recentiores 2135
scriptorum, qui indiciis dumtaxat internis innixi vel minus
recta sacri textus interpretatione demonstrare conati

sunt, non paucos esse psalmos post tempora Esdrae et Nehemiae, quin imo aevo Machabaeorum, compositos, probabiliter sustineri possit? — *Resp.:* Negative.

2136 *Dubium VIII.:* Utrum ex multiplici sacrorum librorum Novi Testamenti testimonio et unanimi Patrum consensu, fatentibus etiam iudaicae gentis scriptoribus, plures agnoscendi sint psalmi prophetici et messianici, qui futuri Liberatoris adventum, regnum, sacerdotium, passionem, mortem et resurrectionem vaticinati sunt; ac proinde reicienda prorsus eorum sententia sit, qui indolem psalmorum propheticam ac messianicam pervertentes, eadem de Christo oracula ad futuram tantum sortem populi electi praenuntiandam coarctant? — *Resp.:* Affirmative ad utramque partem.

De aetate admittendorum ad primam communionem eucharisticam [1].

[Ex decr. «Quam singulari» Congr. de Sacramentis, 8. Aug. 1910.]

2137 I. Aetas discretionis tum ad confessionem tum ad s. communionem ea est, in qua puer incipit ratiocinari, hoc est circa septimum annum, sive supra, sive etiam infra. Ex hoc tempore incipit obligatio satisfaciendi utrique praecepto confessionis et communionis [v. n. 437]. 874 1981

2138 II. Ad primam confessionem et ad primam communionem necessaria non est plena et perfecta doctrinae christianae cognitio. Puer tamen postea debebit integrum catechismum pro modo suae intelligentiae gradatim addiscere.

2139 III. Cognitio religionis, quae in puero requiritur, ut ipse ad primam communionem convenienter se praeparet, ea est, qua ipse fidei mysteria necessaria necessitate medii pro suo captu percipiat, atque eucharisticum panem a communi et corporali distinguat, ut ea devotione quam ipsius fert aetas ad ss. Eucharistiam accedat.

2140 IV. Obligatio praecepti confessionis et communionis, quae puerum gravat, in eos praecipue recidit,

---

[1] AAS II (1910) 582 sq.

qui ipsius curam habere debent, hoc est in parentes,
in confessarium, in institutores et in parochum. Ad
patrem vero, aut ad illos qui vices eius gerunt, et ad
confessarium, secundum Catechismum Romanum, pertinet admittere puerum ad primam communionem.

V. Semel aut pluries in anno curent parochi indicere 2141
atque habere communionem generalem puero-
rum, ad eamque non modo novensiles admittere, sed
etiam alios, qui parentum confessariive consensu, ut
supra dictum est, iam antea primitus de altari sancta
libarunt. Pro utrisque dies aliquot instructionis et praeparationis praemittantur.

VI. Puerorum curam habentibus omni studio curan- 2142
dum est, ut post primam communionem iidem pueri
ad sacram mensam saepius accedant, et, si fieri possit, etiam quotidie, prout Christus Iesus et mater
Ecclesia desiderant [v. n. 1981 sqq], utque id agant ea animi
devotione, quam talis fert aetas. Meminerint praeterea,
quibus ea cura est, gravissimum quo tenentur officium
providendi, ut publicis catechesis praeceptionibus pueri
ipsi interesse pergant, sin minus, eorundem religiosae
institutioni alio modo suppleant.

VII. Consuetudo non admittendi ad confes- 2143
sionem pueros, aut nunquam eos absolvendi,
cum ad usum rationis pervenerint, est omnino improbanda. Quare Ordinarii locorum, adhibitis etiam
remediis iuris, curabunt, ut penitus de medio tollatur.

VIII. Detestabilis omnino est abusus non mini- 2144
strandi Viaticum et extremam unctionem pueris
post usum rationis eosque sepeliendi ritu parvulorum.
In eos, qui ab huiusmodi more non recedant, Ordinarii
locorum severe animadvertant.

Iusiurandum contra errores modernismi [1].

[Ex Motu proprio «Sacrorum antistitum», 1. Sept. 1910.]

2001   Ego ... firmiter amplector ac recipio omnia et singula, 2145
2071 quae ab inerranti Ecclesiae magisterio definita, adserta
ac declarata sunt, praesertim ea doctrinae capita, quae

---

[1] AAS II (1910) 669 sqq.

huius temporis erroribus directo adversantur. Ac primum quidem: Deum, rerum omnium principium et finem, naturali rationis lumine *per ea quae facta sunt* [cf. Rom 1, 20], hoc est, per *visibilia* creationis opera, tamquam causam per effectus, certo cognosci, adeoque demonstrari etiam posse, profiteor. Secundo: externa revelationis argumenta, hoc est facta divina, in primisque miracula et prophetias admitto et agnosco tamquam signa certissima divinitus ortae christianae Religionis, eademque teneo aetatum omnium atque hominum, etiam huius temporis, intelligentiae esse maxime accommodata. Tertio: firma pariter fide credo Ecclesiam, verbi revelati custodem et magistram, per ipsum verum atque historicum Christum, cum apud nos degeret, proxime ac directo institutam eandemque super Petrum, apostolicae hierarchiae principem, eiusque in aevum successores aedificatam. Quarto: fidei doctrinam ab Apostolis per orthodoxos Patres eodem sensu eademque semper sententia ad nos usque transmissam, sincere recipio; ideoque prorsus reicio haereticum commentum evolutionis dogmatum, ab uno in alium sensum transeuntium, diversum ab eo, quem prius habuit Ecclesia; pariterque damno errorem omnem, quo, divino deposito, Christi Sponsae tradito ab eaque fideliter custodiendo, sufficitur philosophicum inventum, vel creatio humanae conscientiae, hominum conatu sensim efformatae et in posterum indefinito progressu perficiendae. Quinto: certissime teneo ac sincere profiteor, fidem non esse caecum sensum religionis e latebris *subconscientiae* erumpentem, sub pressione cordis et inflexionis voluntatis moraliter informatae, sed verum assensum intellectus veritati extrinsecus acceptae *ex auditu*, quo nempe, quae a Deo personali, creatore ac Domino nostro dicta, testata et revelata sunt, vera esse credimus, propter Dei auctoritatem summe veracis.

2146 Me etiam, qua par est, reverentia subicio totoque animo adhaereo damnationibus, declarationibus, praescriptis omnibus, quae in Encyclicis litteris «*Pascendi*» [v. n. 2071 sqq] et in Decreto «*Lamentabili*» [v. n. 2001 sqq] continentur, praesertim circa eam quam historiam dog-

matum vocant. — Idem reprobo errorem affirmantium,
propositam ab Ecclesia fidem posse historiae repugnare, et catholica dogmata, quo sensu nunc intelliguntur, cum verioribus christianae religionis originibus
componi non posse. — Damno quoque ac reicio eorum
sententiam, qui dicunt christianum hominem eruditiorem
induere personam duplicem, aliam credentis,
aliam historici, quasi liceret historico ea retinere
quae credentis fidei contradicant, aut praemissas adstruere, ex quibus consequatur dogmata esse aut falsa
aut dubia, modo haec directo non denegentur. — Reprobo pariter eam Scripturae Sanctae diiudi-
candae atque interpretandae rationem, quae,
Ecclesiae traditione, analogia fidei et Apostolicae Sedis
normis posthabitis, *rationalistarum* commentis inhaeret,
et criticen textus velut unicam supremamque regulam
haud minus licenter quam temere amplectitur. — Sententiam praeterea illorum reicio, qui tenent, doctori
disciplinae historicae theologicae tradendae aut iis de
rebus scribenti seponendam prius esse opinionem ante conceptam sive de supernaturali origine
catholicae traditionis, sive de promissa divinitus ope ad
perennem conservationem uniuscuiusque revelati veri;
deinde scripta Patrum singulorum interpretanda solis
scientiae principiis, sacra qualibet auctoritate seclusa,
eaque iudicii libertate, qua profana quaevis monumenta
solent investigari — In universum denique me alienis-
simum ab errore profiteor, quo *modernistae* tenent in
sacra traditione nihil inesse divini; aut, quod longe
deterius, pantheistico sensu illud admittunt; ita ut nihil
iam restet nisi nudum factum et simplex, communibus historiae factis aequandum; hominum nempe sua
industria, solertia, ingenio scholam a Christo eiusque
Apostolis inchoatam per subsequentes aetates continuan-
tium. Proinde fidem Patrum firmissime retineo et ad
extremum vitae spiritum retinebo, de charismate *veritatis certo,* quod est, fuit eritque semper in *episcopatus
ab Apostolis successione*[1]; non ut id teneatur quod

2147

---

[1] Iren. 4, c. 26.

melius et aptius videri possit secundum suam cuiusque
aetatis culturam, sed ut *nunquam aliter credatur, nunquam aliter* intelligatur absoluta et immutabilis veritas
ab initio per Apostolos praedicata[1].

Haec omnia spondeo me fideliter, integre sincereque
servaturum et inviolabiliter custoditurum, nusquam ab
iis sive in docendo sive quomodolibet verbis scriptisque
deflectendo. Sic spondeo, sic iuro, sic me Deus etc.

Circa quosdam Orientalium errores v. App. n. 3035.

De auctore, de tempore compositionis et de historica veritate Evangelii secundum Matthaeum[2].

[Resp. Commissionis de re Biblica, 19. Iunii 1911.]

2148   I. Utrum, attento universali et a primis saeculis constanti Ecclesiae consensu, quem luculenter ostendunt
diserta Patrum testimonia, codicum Evangeliorum inscriptiones, sacrorum Librorum versiones vel antiquis-
simae et catalogi a Sanctis Patribus, ab ecclesiasticis
scriptoribus, a Summis Pontificibus et Conciliis traditi,
ac tandem usus liturgicus Ecclesiae orientalis et occidentalis, affirmari certo possit et debeat Matthaeum,
Christi Apostolum, revera Evangelii sub eius nomine
vulgati esse auctorem? *Resp.* Affirmative.

2149   II. Utrum traditionis suffragio satis fulciri censenda
sit sententia quae tenet Matthaeum et ceteros Evan-
gelistas in scribendo praecessisse, et primum Evangelium
patrio sermone a Iudaeis palaestinensibus tunc usitato,
quibus opus illud erat directum, conscripsisse? *Resp.* Affirmative ad utramque partem.

2150   III. Utrum redactio huius originalis textus differri possit
ultra tempus eversionis Ierusalem, ita ut vaticinia quae de
eadem eversione ibi leguntur, scripta fuerint post eventum; aut, quod allegari solet Irenaei testimonium [Adv. haer.
lib. 3, cap. 1, n. 2], incertae et controversae interpretationis,
tanti ponderis sit existimandum, ut cogat reiicere eorum
sententiam, qui congruentius traditioni censent eamdem
redactionem etiam ante Pauli in Urbem adventum fuisse
confectam? *Resp.* Negative ad utramque partem.

---

[1] Tertullianus, De praescr. c. 28.   [2] AAS III (1911) 294—296.

IV. Utrum sustineri vel probabiliter possit illa mo- 2151
dernorum quorumdam opinio, iuxta quam Matthaeus
non proprie et stricte Evangelium composuisset, quale
nobis est traditum, sed tantummodo collectionem aliquam dictorum seu sermonum Christi, quibus tamquam
fontibus usus esset alius auctor anonymus, quem Evangelii ipsius redactorem faciunt? *Resp.* Negative.

V. Utrum ex eo, quod Patres et ecclesiastici scrip- 2152
tores omnes, immo Ecclesia ipsa iam a suis incunabulis
unice usi sunt, tamquam canonico, graeco textu Evangelii sub Matthaei nomine cogniti, ne iis quidem exceptis, qui Matthaeum Apostolum patrio scripsisse sermone expresse tradiderunt, certo probari possit ipsum
Evangelium graecum identicum esse quoad substantiam
cum Evangelio illo, patrio sermone ab eodem Apostolo
exarato? *Resp.* Affirmative.

VI. Utrum ex eo, quod auctor primi Evangelii 2153
scopum prosequitur praecipue dogmaticum et apolo-
geticum, demonstrandi nempe Iudaeis Iesum esse Messiam a prophetis praenuntiatum et a Davidica stirpe
progenitum, et quod insuper in disponendis factis et
dictis quae enarrat et refert, non semper ordinem chronologicum tenet, deduci inde liceat ea non esse ut vera
recipienda; aut etiam affirmari possit narrationes gestorum et sermonum Christi, quae in ipso Evangelio leguntur, alterationem quamdam et adaptationem sub
influxu prophetiarum Veteris Testamenti et adultioris
Ecclesiae status subiisse, ac proinde historicae veritati
haud esse conformes? *Resp.* Negative ad utramque partem.

VII. Utrum speciatim solido fundamento destitutae 2154
censeri iure debeant opiniones eorum, qui in dubium
revocant authenticitatem historicam duorum priorum capitum, in quibus genealogia et infantia Christi narrantur,
sicut et quarumdam in re dogmatica magni momenti
sententiarum, uti sunt illae quae respiciunt primatum
Petri [Mt 16, 17—19], formam baptizandi cum universali mis-
sione praedicandi Apostolis traditam [Mt 28, 19. 20], professionem fidei Apostolorum in divinitatem Christi [Mt 14, 33],
et alia huiusmodi, quae apud Matthaeum peculiari modo
enuntiata occurrunt? *Resp.* Affirmative.

De auctore, de tempore compositionis et de historica veritate Evangeliorum secundum Marcum et secundum Lucam [1].

[Resp. Commissionis de re Biblica, 26. Iunii 1912.]

2155   I. Utrum luculentum traditionis suffragium inde ab Ecclesiae primordiis mire consentiens ac multiplici argumento firmatum, nimirum disertis Sanctorum Patrum et scriptorum ecclesiasticorum testimoniis, citationibus et allusionibus in eorumdem scriptis occurrentibus, veterum haereticorum usu, versionibus librorum Novi Testamenti, codicibus manuscriptis antiquissimis et pene universis, atque etiam internis rationibus ex ipso sacrorum librorum textu desumptis, certo affirmare cogat Marcum, Petri discipulum et interpretem, Lucam vero medicum, Pauli auditorem et comitem, revera Evangeliorum quae ipsis respective attribuuntur esse auctores? *Resp.* Affirmative.

2156   II. Utrum rationes, quibus nonnulli critici demonstrare nituntur postremos duodecim versus Evangelii Marci [Mc 16, 9—20] non esse ab ipso Marco conscriptos, sed ab aliena manu appositos, tales sint, quae ius tribuant affirmandi eos non esse ut inspiratos et canonicos recipiendos; vel saltem demonstrent versuum eorumdem Marcum non esse auctorem? *Resp.* Negative ad utramque partem.

2157   III. Utrum pariter dubitare liceat de inspiratione et canonicitate narrationum Lucae de infantia Christi [Lc 1. 2] aut de apparitione Angeli Iesum confortantis et de sudore sanguineo [Lc 22, 43 s.]; vel solidis saltem rationibus ostendi possit — quod placuit antiquis haereticis et quibusdam etiam recentioribus criticis arridet — easdem narrationes ad genuinum Lucae Evangelium non pertinere? *Resp.* Negative ad utramque partem.

2158   IV. Utrum rarissima illa et prorsus singularia documenta, in quibus Canticum *Magnificat* non Beatae Virgini Mariae, sed Elisabeth tribuitur, ullo modo praevalere possint ac debeant contra testimonium concors

---

[1] AAS IV (1912) 463—465.

omnium fere codicum tum graeci textus originalis tum
versionum, necnon contra interpretationem quam plane
exigunt non minus contextus quam ipsius Virginis
animus et constans Ecclesiae traditio? *Resp.* Negative.

V. Utrum, quoad ordinem chronologicum Evangelio- 2159
rum, ab ea sententia recedere fas sit, quae antiquissimo
aeque ac constanti traditionis testimonio roborata, post
Matthaeum, qui omnium primus Evangelium suum patrio
sermone conscripsit, Marcum ordine secundum et Lucam
tertium scripsisse testatur; aut huic sententiae adversari
vicissim censenda sit eorum opinio, quae asserit Evangelium secundum et tertium ante graecam primi Evangelii versionem esse compositum? *Resp.* Negative ad
utramque partem.

VI. Utrum tempus compositionis Evangeliorum Marci 2160
et Lucae usque ad urbem Ierusalem eversam differre
liceat; vel, eo quod apud Lucam prophetia Domini circa
huius urbis eversionem magis determinata videatur, ipsius
saltem Evangelium obsidione iam inchoata fuisse conscriptum, sustineri possit? *Resp.* Negative ad utramque
partem.

VII. Utrum affirmari debeat Evangelium Lucae prae- 2161
cessisse librum *Actuum Apostolorum* [Act 1, 1 s.]; et cum
hic liber, eodem Luca auctore, ad finem captivitatis romanae Apostoli fuerit absolutus [Act 28, 30 s.], eiusdem
Evangelium non post hoc tempus fuisse compositum?
Resp. Affirmative.

VIII. Utrum, prae oculis habitis tum traditionis testi- 2162
moniis, tum argumentis internis, quoad fontes, quibus
uterque Evangelista in conscribendo Evangelio usus est,
in dubium vocari prudenter queat sententia, quae tenet
Marcum iuxta praedicationem Petri, Lucam autem iuxta
praedicationem Pauli scripsisse; simulque asserit iisdem
Evangelistis praesto fuisse alios quoque fontes fide dignos sive orales sive etiam iam scriptis consignatos?
Resp. Negative.

IX. Utrum dicta et gesta, quae a Marco iuxta Petri 2163
praedicationem accurate et quasi graphice enarrantur, et
a Luca *assecuto omnia a principio diligenter* per testes
fide plane dignos, quippe *qui ab initio ipsi viderunt et*

38*

ministri fuerunt sermonis [Lc 1, 2 s.], sincerissime exponuntur, plenam sibi eam fidem historicam iure vindi-
cent, quam eisdem semper praestitit Ecclesia; an e contrario eadem facta et gesta censenda sint historica veritate, saltem ex parte, destituta, sive quod scriptores non
fuerint testes oculares, sive quod apud utrumque Evangelistam defectus ordinis ac discrepantia in successione
factorum haud raro deprehendantur, sive quod, cum
tardius venerint et scripserint, necessario conceptiones
menti Christi et Apostolorum extraneas aut facta plus
minusve iam imaginatione populi inquinata referre de-
buerint, sive demum quod dogmaticis ideis praeconceptis, quisque pro suo scopo, indulserint? *Resp.* Affirmative ad primam partem, negative ad alteram.

De quaestione synoptica sive de mutuis relationibus inter tria priora Evangelia [1].

[Resp. Commissionis de re Biblica, 26. Iunii 1912.]

2164 I. Utrum, servatis quae iuxta praecedenter statuta
omnino servanda sunt, praesertim de authenticitate et integritate trium Evangeliorum Matthaei, Marci et Lucae, de
identitate substantiali Evangelii graeci Matthaei cum eius
originali primitivo, necnon de ordine temporum quo eadem scripta fuerunt, ad explicandum eorum ad invicem
similitudines aut dissimilitudines, inter tot varias opposi-
tasque auctorum sententias, liceat exegetis libere disputare
et ad hypotheses traditionis sive scriptae sive oralis vel
etiam dependentiae unius a praecedenti seu a praece-
dentibus appellare? *Resp.* Affirmative.

2165 II. Utrum ea, quae superius statuta sunt, ii servare
censeri debeant, qui, nullo fulti traditionis testimonio
nec historico argumento, facile amplectuntur hypothesim
vulgo *duorum fontium* nuncupatam, quae compositionem
Evangelii graeci Matthaei et Evangelii Lucae ex eorum
potissimum dependentia ab Evangelio Marci et a collectione sic dicta sermonum Domini contendit explicare;
ac proinde eam libere propugnare valeant? *Resp.* Negative ad utramque partem.

---

[1] AAS IV (1912) 465.

De auctore, de tempore compositionis et de historica
veritate libri Actuum Apostolorum [1].

[Resp. Commissionis de re Biblica, 12. Iunii 1913.]

I. Utrum perspecta potissimum Ecclesiae universae 2166
traditione usque ad primaevos ecclesiasticos scriptores
assurgente, attentisque internis rationibus libri Actuum
sive in se sive in sua ad tertium Evangelium relatione
considerati et praesertim mutua utriusque prologi affini-
tate et connexione [Lc 1, 1—4; Act 1, 1 s.], uti certum tenendum sit volumen, quod titulo Actus Apostolorum, seu
Πράξεις Ἀποστόλων, praenotatur, Lucam Evangelistam
habere auctorem? *Resp*. Affirmative.

II. Utrum criticis rationibus, desumptis tum ex lingua 2167
et stilo, tum ex enarrandi modo, tum ex unitate scopi
et doctrinae, demonstrari possit librum Actuum Apostolorum uni dumtaxat auctori tribui debere; ac proinde
eam recentiorum scriptorum sententiam, quae tenet Lucam non esse libri auctorem unicum, sed diversos esse
agnoscendos eiusdem libri auctores, quovis fundamento
esse destitutam? *Resp*. Affirmative ad utramque partem.

III. Utrum, in specie, pericopae in Actis conspicuae, 2168
in quibus, abrupto usu tertiae personae, inducitur prima
pluralis *(Wir-Stücke)*, unitatem compositionis et authenticitatem infirment; vel potius historice et philologice
consideratae eam confirmare dicendae sint? *Resp*. Negative ad primam partem, affirmative ad secundam.

IV. Utrum ex eo, quod liber ipse, vix mentione facta 2169
biennii primae romanae Pauli captivitatis, abrupte clau-
ditur, inferri liceat auctorem volumen alterum deperdi-
tum conscripsisse, aut conscribere intendisse, ac proinde
tempus compositionis libri Actuum longe possit post
eamdem captivitatem differri; vel potius iure et merito
retinendum sit Lucam sub finem primae captivitatis romanae Apostoli Pauli librum absolvisse? *Resp*. Negative ad primam partem, affirmative ad secundam.

V. Utrum, si simul considerentur tum frequens ac 2170
facile commercium quod procul dubio habuit Lucas

---

[1] AAS V (1913) 291—292.

;cum primis et praecipuis ecclesiae palaestinensis funda-
toribus nec non cum Paulo gentium Apostolo, cuius
et in evangelica praedicatione adiutor et in itineribus
comes fuit, tum solita eius industria et diligentia in ex-
quirendis testibus rebusque suis oculis observandis; tum
denique plerumque evidens et mirabilis consensus libri
Actuum cum ipsis Pauli epistulis et cum sincerioribus
historiae monumentis; certo teneri debeat Lucam fontes
omni fide dignos prae manibus habuisse eosque accurate,
probe et fideliter adhibuisse, adeo ut plenam auctoritatem
historicam sibi iure vindicet? *Resp.* Affirmative.

2171   VI. Utrum difficultates quae passim obici solent tum
ex factis supernaturalibus a Luca narratis; tum ex relatione quorumdam sermonum, qui, cum sint compendiose
traditi, censentur conficti et circumstantiis adaptati; tum
ex nonnullis locis ab historia sive profana sive biblica
apparenter saltem dissentientibus; tum demum ex narrationibus quibusdam, quae sive cum ipso Actuum auctore sive cum aliis auctoribus sacris pugnare videntur;
tales sint, ut auctoritatem Actuum historicam in dubium
revocare vel saltem aliquomodo minuere possint? *Resp.*
Negative.

De auctore, de integritate et de compositionis tempore epistularum pastoralium Pauli Apostoli [1].

[Resp. Commissionis de re Biblica, 12. Iunii 1913.]

2172   I. Utrum prae oculis habita Ecclesiae traditione inde
a primordiis universaliter firmiterque perseverante, prout
multimodis ecclesiastica monumenta vetusta testantur,
teneri certo debeat epistulas quae pastorales dicuntur,
nempe ad Timotheum utramque et aliam ad Titum,
non obstante quorumdam haereticorum ausu, qui eas,
utpote suo dogmati contrarias, de numero paulinarum
epistularum, nulla reddita causa, eraserunt, ab ipso
Apostolo Paulo fuisse conscriptas et inter genuinas et
canonicas perpetuo recensitas? *Resp.* Affirmative.

2173   II. Utrum hypothesis sic dicta fragmentaria a quibusdam recentioribus criticis invecta et varie proposita, qui

---

[1] AAS V (1913) 292—293.

nulla ceteroquin probabili ratione, immo inter se pugnantes, contendunt epistulas pastorales posteriori tempore ex
fragmentis epistularum sive ex epistoliis paulinis deper-
ditis ab ignotis auctoribus fuisse contextas et notabiliter
auctas, perspicuo et firmissimo traditionis testimonio aliquod vel leve praeiudicium inferre possit? *Resp.* Negative.

III. Utrum difficultates quae multifariam obici solent 2174
sive ex stilo et lingua auctoris, sive ex erroribus praesertim Gnosticorum, qui uti iam tunc serpentes describuntur, sive ex statu ecclesiasticae hierarchiae, quae iam
evoluta supponitur, aliaeque huiuscemodi in contrarium
rationes, sententiam, quae genuinitatem epistularum pasto-
ralium ratam certamque habet, quomodolibet infirment?
Resp. Negative.

IV. Utrum, cum non minus ex historicis rationibus quam 2175
ex ecclesiastica traditione, SS. Patrum orientalium et oc-
cidentalium testimoniis consona, necnon ex indiciis ipsis,
quae tum ex abrupta conclusione libri Actuum, ex paulinis epistulis Romae conscriptis et praesertim ex secunda
ad Timotheum facile eruuntur, uti certa haberi debeat sententia de duplici romana captivitate Apostoli Pauli; tuto
affirmari possit epistulas pastorales conscriptas esse in illo
temporis spatio quod intercedit inter liberationem a prima
captivitate et mortem Apostoli? *Resp.* Affirmative.

De auctore, et modo compositionis epistulae ad Hebraeos [1].

[Resp. Commissionis de re Biblica, 24. Iunii 1914.]

I. Utrum dubiis, quae primis saeculis, ob haereticorum 2176
imprimis abusum, aliquorum in Occidente animos tenuere circa divinam inspirationem ac paulinam originem
epistulae ad Hebraeos, tanta vis tribuenda sit, ut, attenta
perpetua, unanimi ac constanti orientalium Patrum affirmatione, cui post saeculum IV totius occidentalis Ecclesiae plenus accessit consensus: perpensis quoque Summorum Pontificum sacrorumque Conciliorum, tridentini
praesertim, actis, necnon perpetuo Ecclesiae universalis

---

[1] AAS VI (1914) 417—418.

usu, haesitare liceat, eam non solum inter canonicas — quod de fide definitum est —, verum etiam inter ge- nuinas Apostoli Pauli epistulas certo recensere? *Resp.* Negative.

2177 II. Utrum argumenta, quae desumi solent sive ex in- solita nominis Pauli absentia et consueti exordii saluta- tionisque omissione in epistula ad Hebraeos, — sive ex eiusdem linguae graecae puritate, dictionis ac stili elegantia et perfectione, — sive ex modo quo in ea Vetus Testamentum allegatur et ex eo arguitur, — sive ex differentiis quibusdam, quae inter huius ceterarum- que Pauli epistularum doctrinam exsistere praetendun- tur, aliquomodo eiusdem paulinam originem infirmare valeant; an potius perfecta doctrinae ac sententiarum consensio, admonitionum et exhortationum similitudo, necnon locutionum ac ipsorum verborum concordia a nonnullis quoque acatholicis celebrata, quae inter eam et reliqua apostoli gentium scripta observantur, eam- dem paulinam originem commonstrent atque confir- ment? *Resp.* Negative ad primam partem, affirmative ad alteram.

2178 III. Utrum Paulus Apostolus ita huius epistulae auc- tor censendus sit, ut necessario affirmari debeat, ipsum eam totam non solum Spiritu Sancto inspirante conce- pisse et expressisse, verum etiam ea forma donasse qua prostat? *Resp.* Negative, salvo ulteriori Ecclesiae iudicio.

BENEDICTUS XV 1914—1922.

De Parousia seu de secundo adventu Domini nostri Iesu Christi in epistulis sancti Pauli Apostoli [1].

[Resp. Commissionis de re Biblica, 18. Iunii 1915.]

2179 I. Utrum ad solvendas difficultates, quae in epistulis sancti Pauli aliorumque Apostolorum occurrunt, ubi de «Parousia», ut aiunt, seu de secundo adventu Domini nostri Iesu Christi sermo est, exegetae catholico permis- sum sit asserere, Apostolos, licet sub inspiratione Spiri- tus Sancti nullum doceant errorem, proprios nihilominus

---

[1] AAS VII (1915) 357—358.

humanos sensus exprimere, quibus error vel deceptio
subesse possit? *Resp.* Negative.

II. Utrum prae oculis habitis genuina muneris aposto- 2180
lici notione et indubia sancti Pauli fidelitate erga doctrinam Magistri; dogmate item catholico de inspiratione
et inerrantia sacrarum Scripturarum, quo omne id, quod
hagiographus asserit, enuntiat, insinuat, retineri debet
assertum, enuntiatum, insinuatum a Spiritu Sancto; perpensis quoque textibus epistularum Apostoli, in se con-
sideratis, modo loquendi ipsius Domini apprime con-
sonis, affirmare oporteat, Apostolum Paulum in scriptis
suis nihil omnino dixisse quod non perfecte concordet
cum illa temporis Parousiae ignorantia, quam ipse Christus
hominum esse proclamavit? *Resp.* Affirmative.

III. Utrum attenta locutione graeca «ἡμεῖς οἱ ζῶντες 2181
οἱ περιλειπόμενοι»; perpensa quoque expositione Patrum,
imprimis sancti Ioannis Chrysostomi, tum in patrio idiomate tum in epistulis Paulinis versatissimi, liceat tanquam longius petitam et solido fundamento destitutam
reiicere interpretationem in scholis catholicis traditionalem
(ab ipsis quoque novatoribus saeculi XVI retentam), quae
verba sancti Pauli in cap. IV epist. I ad Thessalonicenses, vv. 15—17, explicat quin ullo modo involvat affirmationem Parousiae tam proximae, ut Apostolus seipsum suosque lectores adnumeret fidelibus illis qui super-
stites ituri sunt obviam Christo? *Resp.* Negative.

De Spiritismo [1].
[Resp. S. Officii, 24. Aprilis 1917.]

An liceat per *Medium,* ut vocant, vel sine *Medio,* ad- 2182
hibito vel non hypnotismo, locutionibus aut manifestationibus spiritisticis quibuscumque adsistere, etiam speciem
honestatis vel pietatis praeseferentibus, sive interrogando
animas aut spiritus, sive audiendo responsa, sive tantum
aspiciendo, etiam cum protestatione tacita vel expressa nullam cum malignis spiritibus partem se habere velle : Negative in omnibus.

*Ex CODICE IURIS CANONICI promulgato 19. Maii 1918 varia
v. in Indice systematico.*

---

[1] AAS IX (1917) 268.

Circa quasdam propositiones de scientia animae Christi [1].

[Decretum S. Officii, 5. Iunii 1918.]

Proposito a Sacra Congregatione de Seminariis et de Studiorum Universitatibus dubio: Utrum tuto doceri possint sequentes propositiones:

2183   I. Non constat fuisse in anima Christi inter homines degentis scientiam, quam habent beati seu comprehensores.

2184   II. Nec certa dici potest sententia, quae statuit animam Christi nihil ignoravisse, sed ab initio cognovisse in Verbo omnia, praeterita, praesentia et futura, seu omnia quae Deus scit scientia visionis.

2185   III. Placitum quorumdam recentiorum de scientia animae Christi limitata, non est minus recipiendum in scholis catholicis, quam veterum sententia de scientia universali:

Emi ac Rmi DD. Cardinales in rebus fidei et morum Generales Inquisitores, praehabito voto DD. Consultorum, respondendum decreverunt: Negative.

De inerrantia S. Scripturae [2].

[Ex Encycl. «Spiritus Paraclitus», 15. Sept. 1920.]

2186   Hieronymi doctrina egregie confirmantur atque illu-783 strantur ea quibus fel. rec. decessor Noster LEO XIII antiquam et constantem Ecclesiae fidem sollemniter declaravit de absoluta Scripturarum a quibusvis erroribus immunitate: *Tantum abest* . . . [v. n. 1951]. Atque allatis definitionibus Conciliorum FLORENTINI et TRIDENTINI in synodo VATICANA confirmatis haec praeterea habet: *Quare nihil admodum refert. . . . secus non ipse esset auctor sacrae Scripturae universae* [v. n. 1952].

Quae decessoris Nostri verba quamquam nullum relinquunt ambigendi vel tergiversandi locum, dolendum tamen est, Venerabiles Fratres, non modo ex iis qui foris sunt, sed etiam e catholicae Ecclesiae filiis, immo vero, quod animum Nostrum vehementius excruciat, ex ipsis clericis sacrarumque disciplinarum magistris non

---

[1] AAS X (1918) 282.   [2] AAS XII (1920) 393 sqq.

defuisse qui, iudicio suo superbe subnixi, Ecclesiae
magisterium in hoc capite vel aperte reiecerint vel
occulte oppugnarint. Equidem illorum comprobamus
consilium, qui, ut semetipsos aliosque ex difficultatibus
sacri codicis expediant, ad eas diluendas, omnibus
studiorum et artis criticae freti subsidiis, novas vias
atque rationes inquirunt; at misere a proposito aberra-
bunt, si decessoris Nostri praescripta neglexerint et
certos fines terminosque a Patribus constitutos praeter-
ierint. Quibus sane praeceptis et finibus nequaquam
recentiorum illorum continetur opinio, qui, inducto inter
elementum Scripturae primarium seu religiosum et secun-
darium seu profanum discrimine, inspirationem quidem
ipsam ad omnes sententias, immo etiam ad singula
Bibliorum verba pertinere volunt, sed eius effectus,
atque in primis erroris immunitatem absolutamque veritatem, ad elementum primarium seu religiosum contrahunt et coangustant. Eorum enim sententia est, id
unum, quod ad religionem spectet, a Deo in Scripturis
intendi ac doceri; reliqua vero, quae ad profanas disciplinas pertineant et doctrinae revelatae quasi quaedam externa divinae veritatis vestis inserviant, permitti
tantummodo et scriptoris imbecillitati relinqui. Nihil
igitur mirum, si in rebus physicis et historicis aliisque
similibus satis multa in Bibliis occurrant quae cum huius
aetatis bonarum artium progressionibus componi omnino
non possint. Haec opinionum commenta sunt qui nihil
repugnare contendant decessoris Nostri praescriptionibus,
cum is hagiographum in naturalibus rebus secundum
externam speciem, utique fallacem, loqui declaraverit
[v. n. 1947]. Id vero quam temere, quam falso affirmetur,
ex ipsis Pontificis verbis manifesto apparet. . . .

Neque minus ab Ecclesiae doctrina . . . ii dissentiunt, 2187
qui partes Scripturarum historicas non factorum *absoluta*
inniti veritate arbitrantur, sed tantummodo *relativa*
quam vocant et concordi vulgi opinione: idque non verentur ex ipsis LEONIS Pontificis verbis inferri, propterea
quod principia de rebus naturalibus statuta ad disciplinas historicas transferri posse dixerit [v. n. 1949]. Itaque
contendunt hagiographos, uti in physicis secundum ea

quae apparerent locuti sint, ita eventa ignaros rettulisse,
prouti haec e communi vulgi sententia vel falsis aliorum
testimoniis constare viderentur, neque fontes scientiae
suae indicasse neque aliorum enarrationes fecisse suas.
Rem in decessorem Nostrum plane iniuriosam et falsam
plenamque erroris cur multis refellamus? Quae est enim
rerum naturalium cum historia similitudo, quando physica in iis versantur quae «sensibiliter apparent» ideoque
cum phaenomenis concordare debent, cum contra lex
historiae praecipua haec sit, scripta cum rebus gestis,
uti gestae reapse sunt, congruere oportere? Recepta
semel istorum opinione, quo pacto incolumis consistat
veritas illa ab omni falso immunis narrationis sacrae,
quam decessor Noster in toto Litterarum suarum con-
textu retinendam esse declarat? Quodsi affirmat ad
historiam cognatasque disciplinas eadem principia transferri utiliter posse quae in physicis locum habent, id
quidem non universe statuit, sed auctor tantummodo
est, ut haud dissimili ratione utamur ad refellendas ad-
versariorum fallacias et ad historicam Sacrae Scripturae
fidem ab eorum impugnationibus tuendam. . . .

2188   Neque aliis Scriptura sancta obtrectatoribus caret;
eos intellegimus, qui rectis quidem, si intra certos quosdam fines contineantur, principiis sic abutuntur, ut fundamenta veritatis Bibliorum labefactent et doctrinam catholicam communiter a Patribus traditam subruant. In quos
Hieronymus, si adhuc viveret, utique acerrima illa sermonis sui tela coniiceret, quod, sensu et iudicio Ecclesiae
posthabito, nimis facile ad citationes quas vocant im-
plicitas vel ad narrationes specietenus historicas con-
fugiunt; aut genera quaedam litterarum in libris sacris
inveniri contendunt, quibuscum integra ac perfecta verbi
divini veritas componi nequeat; aut de Bibliorum origine
ita opinantur, ut eorundem labet vel prorsus pereat
auctoritas. Iam quid de iis sentiendum, qui in ipsis
Evangeliis exponendis fidem illis debitam humanam
minuunt, divinam evertunt? Quae enim Dominus Noster
Jesus Christus dixit, quae egit, non ea censent ad nos
integra atque immutata pervenisse, iis testibus, qui quae
ipsi vidissent atque audivissent, religiose perscripserint;

sed — praesertim ad quartum Evangelium quod attinet — partim ex Evangelistis prodiisse, qui multa ipsimet excogitarint atque addiderint, partim e narratione
fidelium alterius aetatis esse congesta . . .

Iam quae, Venerabiles Fratres, quinto decimo a Doctoris
Maximi obitu exeunte saeculo, vobiscum communica-
vimus, ea vos ad clerum populumque vestrum perferre ne
cunctemini, ut omnes, Hieronymo duce ac patrono, non
modo catholicam de divina Scripturarum inspiratione
doctrinam retineant ac tueantur, sed etiam principiis
studiosissime inhaereant, quae Litteris Encyclicis «Providentissimus Deus» et hisce Nostris praescripta sunt. . . .

De doctrinis theosophicis [1].

[Resp. S Officii, 18. Iulii 1919.]

An doctrinae, quas hodie theosophicas dicunt, com- 2189
poni possint cum doctrina catholica; ideoque an liceat
nomen dare societatibus theosophicis, earum conventibus
interesse, ipsarumque libros, ephemerides, diaria, scripta
legere. *Resp.* Negative in omnibus.

---

[1] AAS XI (1919) 317.

APPENDIX.

Conc. Illiberitanum[1] *306 (?).*

De coelibatu clericorum[2].

89 **Can. 27.** Episcopus, vel quilibet alius clericus, aut 3001 sororem, aut filiam virginem dicatam Deo, tantum secum (add. post n. 52) habeat; extraneam nequaquam habere placuit.

Can. 33. Placuit in totum prohibere episcopis, pres- 3002 byteris et diaconibus, vel omnibus clericis positis in ministerio, abstinere se a coniugibus suis et non gene- rare filios: quicumque vero fecerit, ab honore clericatus exterminetur.

S. IULIUS I 337—352.

De primatu Romani Pontificis[3].

[Ex ep. «Ἀνέγνων τὰ γράμματα» ad Antiochenos, a. 341.]

1826 (22) ... Εἰ γὰρ καὶ ὅλως, ὡς φατὲ, γέγονέ τι εἰς αὐτοὺς ἁμάρτημα, ἔδει κατὰ τὸν ἐκκλησιαστικὸν κανόνα, καὶ μὴ οὕτως γεγενῆσθαι τὴν κρίσιν. Ἔδει γραφῆναι πᾶ- σιν ἡμῖν, ἵνα οὕτως παρὰ πάντων ὁρισθῇ τὸ δίκαιον· ἐπίσκοποι γὰρ ἦσαν οἱ πά- σχοντες, καὶ οὐχ αἱ τυχοῦσαι ἐκκλησίαι αἱ πάσχουσαι, ἀλλ' ὧν αὐτοὶ οἱ ἀπόστολοι δι' ἑαυτων καθηγήσαντο. Διὰ τί δὲ περὶ τῆς Ἀλεξανδρέων

Nam si omnino, ut dicitis, 3003 aliqua fuit eorum culpa, (add. post n. 57) iudicium secundum eccle- siasticum canonem, nec eo pacto, fieri oportuit. Opor- tuit omnibus nobis scrip- sisse, ut ita ab omnibus quod iustum esset decerne- retur; episcopi enim erant qui patiebantur, nec vul- gares ecclesiae quae vexa- bantur, sed quas ipsi Apo- stoli per se gubernarunt. Cur autem de Alexandrina

---

[1] Elvira Hispaniae.
[2] Msi II 10 C sq; coll. Hfl I 166 et 168. Alios canones huius Concilii vide apud Kirch, Enchiridion fontium hist. eccl. antiquae n. 296 sqq (ed. 2, n. 330 sqq).   [3] Cst 385 B; ML 8, 906 A.

ἐκκλησίας μάλιστα οὐκ ἐγρά-
φετο ἡμῖν; Ἢ ἀγνοεῖτε ὅτι
τοῦτο ἔθος ἦν, πρότερον
γράφεσθαι ἡμῖν, καὶ
οὕτως ἔνθεν ὁρίζεσθαι τὰ
δίκαια. Εἰ μὴν οὖν τι τοιοῦτον ἦν ὑποπτευθὲν εἰς τὸν
ἐπίσκοπον τὸν ἐκεῖ, ἔδει πρὸς
τὴν ἐνταῦθα ἐκκλησίαν γραφῆναι.

potissimum ecclesia nihil
nobis scriptum est? An
ignoratis hanc esse consuetudinem, ut primum no-
bis scribatur, et hinc
quod iustum est decernatur?
Sane si qua huiusmodi su-
spicio in illius urbis episcopum cadebat, ad hanc
ecclesiam scribendum fuit

Conc. Sardicense 343—344.

De primatu Romani Pontificis[1].

3004   γ΄. Ὅσιος ἐπίσκοπος εἶπε·
(add. post
n. 57)   Καὶ τοῦτο προστεθῆναι ἀναγκαῖον, ἵνα μηδεὶς ἐπισκό-
πων ἀπὸ τῆς ἑαυτοῦ ἐπαρ-
χίας εἰς ἑτέραν ἐπαρχίαν, ἐν
ᾗ τυγχάνουσιν ὄντες ἐπίσκοποι, διαβαίνῃ, εἰ μήτοι παρὰ
τῶν ἀδελφῶν τῶν ἑαυτοῦ
κληθείη· διὰ τὸ μὴ δοκεῖν
ἡμᾶς τὰς τῆς ἀγάπης ἀπο-
κλείειν πύλας. Καὶ τοῦτο δὲ
ὡσαύτως προνοητέον, ὥστε
ἐὰν ἕν τινι ἐπαρχίᾳ ἐπισκόπων τις ἄντικρυς ἀδελφοῦ
ἑαυτοῦ καὶ συνεπισκόπου
πρᾶγμα σχοίη, μηδέτερον ἐκ
τούτων ἀπὸ ἑτέρας ἐπαρχίας
ἐπισκόπους ἐπιγνώμονας ἐπι-
καλεῖσθαι. Εἰ δὲ ἄρα τις ἐπισκόπων ἕν τινι πράγματι
δόξῃ κατακρίνεσθαι, καὶ ὑπο-
λαμβάνει ἑαυτὸν μὴ σαθρὸν,
ἀλλὰ καλὸν ἔχειν τὸ πρᾶγμα,
ἵνα καὶ αὖθις ἡ κρίσις ἀνα-

[Versio Dionysii Exig.] Can. 3   1826
(Isid. 4). Osius episcopus
dixit: Illud quoque ne-
cessario adiciendum est,
ut episcopi de sua pro-
vincia ad aliam provinciam,
in qua sunt episcopi, non
transeant: nisi forte a fratribus suis invitati; ne videamur ianuam claudere
caritatis. Quod si in aliqua
provincia aliquis episcopus
contra fratrem suum episcopum litem habuerit; ne unus
e duobus ex alia provincia
advocet episcopum cogni-
torem. Quod si aliquis episcoporum iudicatus fuerit in
aliqua causa, et putat se bonam causam habere, ut iterum concilium renovetur; si
vobis placet, sancti.Petri
Apostoli memoriam
honoremus, ut scribatur

---

[1] Hrd I 637 E sq; cf. Hfl I 560 sqq; Kirch, Enchir. font. n. 448 sqq.

νεωθῇ· εἰ δοκεῖ ὑμῶν τῇ
ἀγάπῃ, Πέτρου τοῦ ἀπο-
στόλου τὴν μνήμην τι-
μήσωμεν, καὶ γραφῆναι
παρὰ τούτων τῶν κρινάντων
Ἰουλίῳ τῷ ἐπισκόπῳ Ῥώ-
μης, ὥστε διὰ τῶν γειτ-
νιώντων τῇ ἐπαρχίᾳ ἐπισκόπων, εἰ δέοι, ἀνανεωθῆναι
τὸ δικαστήριον, καὶ ἐπιγνώμονας αὐτὸς παράσχοι. Εἰ δὲ
μὴ συστῆναι δύναται, τοι-
οῦτον αὐτοῦ εἶναι τὸ πρᾶγμα,
ὡς παλινδικίας χρῄζειν, τὰ ἅπαξ κεκριμένα μὴ ἀναλύεσθαι,
τὰ δὲ ὄντα, βέβαια τυγχάνειν.

ab his, qui causam exami-
narunt, Iulio Romano
episcopo: et si iudica-
verit renovandum esse iu-
dicium, renovetur, et det
iudices. Si autem probaverit
talem causam esse, ut non
refricentur ea quae acta
sunt; quae decreverit, confirmata erunt. [Si hoc omnibus placet? Synodus re-
spondet: Placet.]

δ'. Γαυδέντιος ἐπίσκοπος
εἶπεν· Εἰ δοκεῖ, ἀναγκαῖον
προστεθῆναι ταύτῃ τῇ ἀπο-
φάσει, ἥντινα ἀγάπης εἰλι-
κρινοῦς πλήρη ἐξενήνοχας,
ὥστε ἐάν τις ἐπίσκοπος καθ-
αιρεθῇ τῇ κρίσει τούτων τῶν
ἐπισκόπων τῶν ἐν γειτνίᾳ
τυγχανόντων, καὶ φάσκῃ πάλιν ἑαυτῷ ἀπολογίας πρᾶγμα
ἐπιβάλλειν, μὴ πρότερον εἰς
τὴν καθέδραν αὐτοῦ ἕτερον
ὑποκαταστῆναι, ἐὰν μὴ ὁ
τῆς Ῥωμαίων ἐπίσκο-
πος ἐπιγνοὺς περὶ τού-
του, ὅρον ἐξενέγκῃ.

Can. 4 (Isid. 5). Gau- 3005
dentius episcopus dixit:
Addendum, si placet, huic
sententiae, quam plenam
sanctitate protulisti, ut cum
aliquis episcopus depositus
fuerit eorum episcoporum
iudicio, qui in vicinis locis
commorantur, et proclama-
verit agendum sibi negotium
in urbe Roma: alter epi-
scopus in eius cathedra,
post appellationem eius qui
videtur esse depositus, omnino non ordinetur; nisi
causa fuerit in iudicio
episcopi Romani de-
terminata.

ε'. Ὅσιος ἐπίσκοπος εἶπεν·
Ἤρεσεν, ἵν' εἴ τις ἐπίσκοπος
καταγγελθείη, καὶ συναθροι-
σθέντες οἱ ἐπίσκοποι τῆς ἐν-
ορίας τῆς αὐτῆς τοῦ βαθμοῦ
αὐτὸν ἀποκινήσωσιν, καὶ
ὥσπερ ἐκκαλεσάμενος κατα-

Can. 5 (Isid. 6). Osius 3006
episcopus dixit: Placuit autem, ut, si episcopus accu-
satus fuerit, et iudicaverint
congregati episcopi regionis ipsius, et de gradu suo
eum deiecerint, si appel-

φύγῃ ἐπὶ τὸν μακαριώτατον τῆς Ῥωμαίων ἐκκλησίας ἐπίσκοπον, καὶ βουληθείη αὐτοῦ διακοῦσαι, δίκαιόν τε εἶναι νομίσῃ ἀνανεώσασθαι αὐτοῦ τὴν ἐξέτασιν τοῦ πράγματος, γράφειν τούτοις τοῖς συνεπισκόποις καταξιώσῃ, τοῖς ἀγχιστεύουσι τῇ ἐπαρχίᾳ, ἵνα αὐτοὶ ἐπιμελῶς καὶ μετὰ ἀκριβείας ἕκαστα διερευνήσωσι καὶ κατὰ τὴν τῆς ἀληθείας πίστιν ψῆφον περὶ τοῦ πράγματος ἐξενέγκωσιν. Εἰ δέ τις ἀξιῶν καὶ πάλιν αὐτοῦ τὸ πρᾶγμα ἀκουσθῆναι, κ α ὶ τ ῇ δ ε ή σ ε ι τ ῇ ἑ α υ τ ο ῦ τ ὸ ν Ῥ ω μ α ί ω ν ἐ π ί σ κ ο π ο ν δ ό ξ ε ι ε ν [κινεῖν δόξῃ ἵν' ἀπὸ: Hfl], ἀπὸ τοῦ ἰδίου πλευροῦ πρεσβυτέρους ἀποστείλοι, εἶναι ἐν τῇ ἐξουσίᾳ αὐτοῦ τοῦ ἐπισκόπου, ὅπερ ἂν καλῶς ἔχειν δοκιμάσῃ καὶ ὁρίσῃ, δεῖν, ἀποσταλῆναι τοὺς μετὰ τῶν ἐπισκόπων κρινοῦντας, ἔχοντάς τε τὴν αὐθεντίαν τούτου παρ' οὗ ἀπεστάλησαν· καὶ τοῦτο θετέον. Εἰ δὲ ἐξαρκεῖν νομίσῃ πρὸς τὴν

laverit, qui deiectus est, et confugerit ad episcopum Romanae ecclesiae et voluerit se audiri: si iustum putaverit, ut renovetur iudicium (vel discussionis examen), scribere his episcopis dignetur, qui in finitima et propinqua provincia sunt, ut ipsi diligenter omnia requirant et iuxta fidem veritatis definiant. Quod si is, qui rogat causam suam iterum audiri, d e p r e c a t i o n e s u a m o v e r i t episcopum Romanum, ut de latere suo presbyterum mittat, erit in potestate episcopi, quid velit et quid aestimet; et si decreverit mittendos esse, qui praesentes cum episcopis iudicent, habentes eius auctoritatem,a quo destinati sunt, erit in suo arbitrio. Si vero crediderit episcopos sufficere, ut negotio terminum imponant, faciet quod sapientissimo consilio suo iudicaverit. . . .

τοῦ πράγματος ἐπίγνωσιν καὶ ἀπόφασιν τοῦ ἐπισκόπου, ποιήσει ὅπερ ἂν τῇ ἐμφρονεστάτῃ αὐτοῦ βουλῇ καλῶς ἔχειν δόξῃ. Ἀπεκρίναντο οἱ ἐπίσκοποι· Τὰ λεχθέντα ἤρεσεν.

Conc. FOROIULIENSE 796 [1].
De Christo Filio Dei naturali, non adoptivo [2].

[Ex symbolo fidei.]

3007   Nec obfuit humana et temporalis nativitas divinae illi 148
(add. post n. 314) et intemporali nativitati, sed in una Christi Iesu per-

---

[1] Friaul.   [2] Msi XIII 844; ML 99, 294.

sona verus Dei verusque hominis Filius. Non
alter hominis Filius et alter Dei. . . . Non putativus
Dei Filius, sed verus; non adoptivus, sed proprius, quia
nunquam fuit propter hominem, quem assumpsit, a Patre
alienus. Et ideo in utraque natura proprium eum
et non adoptivum Dei Filium confitemur, quia in-
confusibiliter et inseparabiliter, assumpto homine, unus
idemque est Dei et hominis Filius. Naturaliter Patri
secundum divinitatem, naturaliter Matri secundum humanitatem, proprius tamen Patri in utroque.

CLEMENS VI 1342—1352.

De primatu Romani Pontificis.

[Ex ep. «Super quibusdam» ad Consolatorem, Catholicon Armenorum,
29. Sept. 1351 [1].]

1826 　(3) . . . Quaerimus: Primo, si creditis tu et Ecclesia Ar- 3008
menorum, quae tibi obedit, omnes illos, qui in baptismo ^{(add. post}
　　　　　　　　　　　　　　　　　　　　　　　　　　^{n. 574)}
eandem fidem Catholicam receperunt, et postmodum a
communione fidei eiusdem Ecclesiae Romanae, quae
una sola Catholica est, recesserunt vel recedent
in futurum, esse schismaticos et haereticos, si pertinaciter divisi a fide ipsius Romanae Ecclesiae perseverent.

　Secundo petimus, si creditis tu et Armeni tibi ob- 3009
edientes, quod nullus homo viatorum extra fidem
ipsius Ecclesiae et obedientiam Pontificum Romanorum poterit finaliter salvus esse.

　In secundo vero capitulo . . . quaerimus:

　Primo, si credidisti, credis vel credere es paratus cum 3010
Ecclesia Armenorum, quae tibi obedit, quod beatus
Petrus plenissimam potestatem iurisdictionis
acceperit super omnes fideles Christianos a Domino
Iesu Christo: et quod omnis potestas iurisdictionis, quam
in certis terris et provinciis et diversis partibus orbis
specialiter et particulariter habuerunt Iudas Thaddaeus
et ceteri Apostoli, subiecta fuerit plenissime auctoritati
et potestati, quam super quoscumque in Christum credentes in omnibus partibus orbis beatus Petrus ab ipso
Domino Iesu Christo accepit: et quod nullus Apostolus

---

[1] Bar(Th) ad 1351 n. 3 et 15 (25, 503a et 508a).

vel quicumque alius super omnes Christianos nisi solus
Petrus plenissimam potestatem accepit.

3011   Secundo, si credidisti, tenuisti vel credere ac tenere
paratus es cum Armenis tibi subiectis, quod omnes
Romani Pontifices, qui beato Petro succedentes
canonice intraverunt et canonice intrabunt, ipsi beato
Petro Romano Pontifici successerint et succedent in
eadem plenitudine, iurisdictione potestatis,
quam ipse beatus Petrus accepit a Domino Iesu Christo
super totum et universum corpus Ecclesiae militantis.

3012   Tertio, si credidistis et creditis tu et Armeni tibi
subiecti, Romanos Pontifices qui fuerunt, et nos qui
sumus Pontifex Romanus, ac illos qui in posterum
successive erunt, tamquam legitimos et potestate plenissi-
mos Christi vicarios, omnem potestativam iurisdictionem,
quam Christus ut caput conforme in humana vita habuit,
immediate ab ipso Christo super totum ac universum corpus militantis Ecclesiae accepisse.

3013   Quarto, si credidisti et credis, quod omnes Romani
Pontifices qui fuerunt, nos qui sumus, et alii qui erunt
in posterum, ex plenitudine potestatis et auctoritatis
praemissae potuerunt, possumus et poterunt immediate
per nos et eos de omnibus tamquam de iurisdictioni
nostrae ac eorum subditis iudicare et ad iudicandum
quoscumque voluerimus ecclesiasticos iudices constituere et delegare.

3014   Quinto, si credidisti et credis, quod in tantum fuerit,
sit et erit suprema et praeeminens auctoritas et iuridica
potestas Romanorum Pontificum qui fuerunt, nostri qui
sumus, et illorum qui in posterum erunt, ut a nemine
iudicari potuerint, potuerimus neque in posterum
poterunt; sed soli Deo iudicandi servati fuerint, ser-
vemur et servabuntur: et quod a sententiis et iudiciis
nostris non potuerit neque possit nec poterit ad aliquem
iudicem alium appellari.

3015   Sexto, si credidisti et adhuc credis, plenitudinem
potestatis Romani Pontificis se extendere in tantum,
quod patriarchas, catholicon, archiepiscopos, episcopos,
abbates et quoscumque praelatos alios de dignitatibus,
in quibus fuerint constituti, possit ad alias dignitates

maioris vel minoris iurisdictionis transferre, vel exigentibus eorum criminibus ipsos degradare et de-
ponere, excommunicare et Sathanae tradere.

Septimo, si credidisti et adhuc credis, Pontificialem 3016
auctoritatem non posse nec debere subici cui-
cumque imperiali et regali aut alteri saeculari
potestati, quantum ad institutionem iudicialem, correctionem vel destitutionem.

Octavo, si credidisti et credis, Romanum Pontificem 3017
solum posse sacros generales canones condere,
plenissimam indulgentiam dare visitantibus limina
Apostolorum Petri et Pauli vel ad Terram Sanctam
accedentibus, aut quibuscumque fidelibus vere et plene
poenitentibus et confessis.

Nono, si credidisti et credis, omnes qui se contra 3018
fidem Romanae Ecclesiae erexerunt et in finali
impoenitentia mortui fuerunt, damnatos fuisse et ad
perpetua infernorum supplicia descendisse.

931 Decimo, si credidisti et adhuc credis, Romanum 3019
Pontificem circa administrationem sacramentorum Ecclesiae, salvis semper illis, quae sunt de integritate et
necessitate sacramentorum, posse diversos ritus Ecclesiarum Christi tolerare, et etiam concedere, ut serventur.

Undecimo, si credidisti et credis, Armenos, qui Ro- 3020
mano Pontifici in diversis partibus orbis obediunt
et formas et ritus Romanae Ecclesiae in administratione
sacramentorum et in ecclesiasticis officiis, ieiuniis et
aliis caerimoniis studiose et cum devotione observant,
bene agere et illa agendo vitam aeternam mereri.

Duodecimo, si credidisti et credis, neminem de 3021
dignitate episcopali ad archiepiscopalem, patriarchalem
vel catholicon posse transferri auctoritate propria, nec etiam auctoritate cuiuscumque principis
saecularis, sive rex fuerit sive imperator, vel quicumque alius fultus qualicumque potestate et dignitate terrena.

1832 Tertiodecimo, si credidisti et adhuc credis, solum 3022
Romanum Pontificem, dubiis emergentibus circa
fidem Catholicam, posse per determinationem authen-
ticam, cui sit inviolabiliter adhaerendum, finem imponere, et esse verum et Catholicum quidquid ipse auc-

toritate clavium sibi traditarum a Christo determinat esse verum: et quod determinat esse falsum et haereticum, sic censendum.

3023 Quartodecimo, si credidisti et credis Novum et Vetus 783 Testamentum in omnibus libris, quos Romanae Ecclesiae nobis tradidit auctoritas, veritatem indubiam per omnia continere. ...

De erroribus Armenorum.

[Ex eadem epistola ad Consolatorem.]

3024 (15) Post praedicta omnia, mirari cogimur vehementer, 532
(add. post quod in quadam epistola, quae incipit: Honorabilibus 571
n. 574) in Christo Patribus, subtrahis de LIII primis capitulis capitula XIV. Primum, quod Spiritus Sanctus 460 procedit a Patre et Filio. Tertium, quod parvuli ex primis parentibus contrahunt originale peccatum. 787 Sextum, quod animae ex toto purgatae separatae a 693 suis corporibus manifeste Deum vident. Nonum, quod animae decedentium in mortali peccato in infernum descendant. Duodecimum, quod baptismus deleat 857 originale et actuale peccatum. Decimum tertium, quod Christus non destruxit descendendo ad inferos inferiorem infernum. Quintumdecimum, quod angeli a Deo fuerunt creati boni. Trigesimum, quod effusio sanguinis animalium nullam operatur remissionem peccatorum. Trigesimum secundum, quod non iudicent comestores piscium et olei in diebus ieiuniorum. Trigesimum nonum, quod in Ecclesia Catholica baptizati, si efficiantur infideles et postmodum convertantur, non sunt iterum baptizandi. Quadragesimum, quod parvuli ante octavum diem possunt baptizari, et quod baptismus non potest esse in liquore alio quam in vera aqua. Quadragesimum secundum, quod Corpus Christi post verba consecrationis sit idem 874 numero, quod corpus natum de Virgine et immolatum in cruce. Quadragesimum quintum, quod nullus, etiam sanctus, Corpus Christi potest conficere, nisi sit sacer-938 dos. Quadragesimum sextum, quod est de necessitate salutis, confiteri proprio sacerdoti vel de licentia eius, 899 omnia peccata mortalia perfecte et distincte.

S. ZOSIMUS 417—418.

De peccato originali ¹.

[Ex ep. «Tractatoria ad Orientales ecclesias, Aegypti dioecesim, Constantinopolim, Thessalonicam, Hierosolymam» missa post Mart. 418.]

787 *Fidelis Dominus in verbis suis* [Ps 144, 13] eiusque bap 3025
tismus re ac verbis, id est opere, confessione et remis- (add. post n. 109)
sione vera peccatorum in omni sexu, aetate, conditione
generis humani, eandem plenitudinem tenet. Nullus
enim, nisi qui peccati servus est, liber efficitur, nec
redemptus dici potest, nisi qui vere per peccatum fuerit
ante captivus, sicut scriptum est: «*Si vos Filius libera-
verit, vere liberi eritis*» [Io 8, 36]. Per ipsum enim renascimur spiritualiter, per ipsum crucifigimur mundo.
Ipsius morte mortis ab Adam omnibus nobis introductae
atque transmissae universae animae, illud propagine contractum chirographum rumpitur, in quo nullus omnino
natorum, antequam per baptismum liberetur, non tenetur
obnoxius.

S. SIMPLICIUS 468—483.

Conc. ARELATENSE a. 475 (?)

[Ex Lucidi, presbyteri, libello subiectionis.] ²

De gratia et praedestinatione.

793 Correptio vestra salus publica, et sententia vestra 3026
805 medicina est. Unde et ego summum remedium duco, (add. post n. 160)
ut praeteritos errores accusando excusem, et salutifera
confessione me diluam. Proinde iuxta praedicandi re-
centia statuta Concilii, damno vobiscum sensum illum,
qui dicit humanae oboedientiae laborem divinae
gratiae non esse iungendum; qui dicit post primi hominis lapsum ex toto arbitrium voluntatis exstinctum; qui dicit quod Christus Dominus et Salvator
noster mortem non pro omnium salute susceperit;
qui dicit quod praescientia Dei hominem violenter
impellat ad mortem, vel quod cum Dei pereant volun-

---

¹ Cst 994 E sq; Jf 343; ML 20, 693 B.
² ML 53, 683—5; Hfl II § 212; Msi VII 1010 sq; Hrd II 809 sq.

tate qui pereunt; qui dicit quod post acceptum legitime
baptismum in Adam moriatur quicumque deliquerit;
qui dicit alios deputatos ad mortem, alios ad
vitam praedestinatos; qui dicit ab Adam usque ad Christum nullos ex gentibus per primam Dei gratiam, id
est per legem naturae, in adventum Christi fuisse salvatos et quod liberum arbitrium in primo parente
perdiderint; qui dicit patriarchas ac prophetas vel summos quosque sanctorum, etiam ante redemptionis tempora intra paradisum deguisse. Haec omnia quasi
impia et sacrilegiis repleta condemno. Ita autem assero
gratiam Dei, ut adnisum hominis et conatum
gratiae semper adiungam, et libertatem voluntatis humanae non exstinctam sed attenuatam et in-
firmatam esse pronuntiem, et periclitari eum, qui salvus
est, et eum, qui periit, potuisse salvari.

Christum etiam Deum et Salvatorem, quantum pertinet ad divitias bonitatis suae, pretium mortis pro
omnibus obtulisse et quia nullum perire velit, qui est
salvator omnium, maxime fidelium, *dives in omnibus
qui invocant illum* [Rom 10, 12]. . . . Nunc vero sacrorum
testimoniorum auctoritate, quae abunde per spatia divinarum inveniuntur Scripturarum, ex seniorum doctrina
ratione patefacta, libens fateor Christum etiam pro per-
ditis advenisse, quia eodem nolente perierunt. Neque
enim fas est circa eos solum, qui videntur esse salvati,
immensae divitias bonitatis ac beneficia divina concludi.
Nam si Christum his tantum remedia attulisse dicimus,
qui redempti sunt, videbimur absolvere non redemptos,
quos pro redemptione contempta constat esse puniendos.
Assero etiam per rationem et ordinem saeculorum alios
lege gratiae, alios lege Moysi, alios lege naturae, quam
Deus in omnium cordibus scripsit, in spe adventus
Christi fuisse salvatos; tamen ab initio mundi, ab originali nexu nisi intercessione sacri sanguinis non ab-
solutos. Profiteor etiam aeternos ignes et infernales
flammas factis capitalibus praeparatas, quia perseverantes
humanas culpas merito sequitur divina sententia, quam
iuste incurrunt, qui haec non toto corde crediderint.
Orate pro me, domini sancti et apostolici patres.

Lucidus presbyter hanc epistolam meam manu propria subscripsi et, quae in ea adstruuntur, assero et,
quae sunt damnata, damno.

S. HORMISDAS 514—523.

De auctoritate S. Augustini.

[Ex ep. «Sicut rationi» ad Possessorem, 13. Aug. 520] [1]

520   5. De arbitrio tamen libero et gratia Dei quid Ro- 3027
mana, hoc est catholica, sequatur et servet Ecclesia, (add. post n.173)
licet et variis libris beati Augustini, et maxime ad
Hilarium et Prosperum, abunde possit agnosci, tamen
et in scriniis ecclesiasticis expressa capitula continentur,
quae, si ibi desunt et necessaria creditis, destinamus,
quanquam qui diligenter apostoli dicta considerat, quid
sequi debeat, evidenter agnoscat.

PELAGIUS I 556—561.

Ex fide Pelagii I.

[Ex ep. «Humani generis» ad Childebertum I regem, Apr. 557.] [2]

Omnes enim homines ab Adam usque ad con- 3028
summationem saeculi natos et mortuos cum ipso Adam (add. ante n. 229)
eiusque uxore, qui non ex aliis parentibus nati sunt,
sed alter de terra, alter [al.: altera] autem de costa viri
[cf. Gn 2, 7 22] creati sunt, tunc resurrecturos esse
confiteor et adstare ante tribunal Christi, ut recipiat
unusquisque propria corporis, prout gessit, sive bona
sive mala [Rom 14,10; 2 Cor 5, 10]; et iustos quidem per
largissimam gratiam Dei, utpote vasa misericordiae
in gloriam praeparata [Rom 9, 23], aeternae vitae praemiis
donaturum, in societate videlicet angelorum absque ullo
iam lapsus sui metu sine fine victuros; iniquos autem
arbitrio voluntatis propriae vasa irae apta in interitum
[Rom 9, 22] permanentes, qui viam Domini aut non agnoverunt aut cognitam diversis capti praevaricationibus
reliquerunt, in poenis aeterni atque inexstinguibilis ignis,

---

[1] Acta Conciliorum Oecumenicorum, ed. Eduardus Schwartz T. IV,
vol. II (1914) 46; CSEL 35, 700; ML 63, 493 A; Jf 850; Msi VIII 500 A.
[2] MGh Epistulae III (1892) 79; Jf 946; ML 69, 410 B C.

ut sine fine ardeant, iustissimo iudicio traditurum. — Haec est igitur fides mea et spes, quae in me dono misericordiae Dei est, pro qua maxime paratos esse debere beatus PETRUS apostolus praecepit [cf. 1 Petr 3, 15] ad respondendum omni poscenti nos rationem.

LEO III 795—816.

De B. Mariae V. virginitate perpetua [1].

[Ex professione fidei Nicephori, Patr. Constpl., LEONI III oblata, a. 811]

3029
(add. post n. 314)
Παρθένον καὶ μετὰ τόκον τὴν ὑπερφυῶς καὶ ἀρρήτως τεκοῦσαν συντηρήσας, μηδαμῶς τῆς κατὰ φύσιν παρθενίας τραπείσης.... Ὁ τῷ Πατρὶ γὰρ συμφυής, ὁ ὁμοούσιος ἡμῖν κατὰ πάντα χωρὶς ἁμαρτίας γενόμενος, σπέρματος Ἀβραὰμ ἐπιλαμβάνεται.

Virginem quoque, quae 91 supernaturaliter et ineffabiliter pepererat, post partum virginem conservavit, virginitate illius secundum naturam nulla ex parte demutata aut labefactata.... Qui ergo eiusdem est cum Patre naturae, nobis per omnia, peccato tamen secluso, factus est coessentialis, semine Abraham suscepto.

S. NICOLAUS I 858—867.

De forma et ministro baptismi [2].

[Ex responsis ad consulta Bulgarorum, Nov. 866.]

3030
(add. post n. 334)
Cap. 15. Interrogatis, utrum homines illi, qui hoc 696 ab illo [presbyterum se fingente] Baptisma receperunt, 855 Christiani sint, an iterum baptizari debeant. Sed si in nomine summae ac individuae Trinitatis baptizati fuere, Christiani profecto sunt, et eos a quocunque Christiano baptizati sunt, iterato baptizari non convenit.... Malus bona ministrando non aliis, sed sibi detrimenti cumulum ingerit, ac per hoc certum est, quia, quos ille Graecus baptizavit, nulla portio laesionis attingit, propter illud: «*Hic est qui baptizat*» [Io 1, 33],

---

[1] MG 100, 186 B.
[2] Msi XV 408 sq; Jf 2812 c. Add.; Hrd V 360; ML 119, 986 sq; Hfl IV 348.

id est Christus, et iterum: *«Deus incrementum dat»*
[1 Cor 3, 7], subauditur: et non homo.

PIUS II 1458—1464.

Errores Zanini de Solcia [1].

[Damnati litteris «Cum sicut», 14. Nov. 1459.]

(1) Mundum naturaliter consumi et finiri debere, humiditatem terrae et aëris calore solis consumente, ita ut elementa accendantur. 3031 (add. post n. 717)

(2) Et omnes Christianos salvandos esse.

(3) Deum quoque alium mundum ab isto creasse, et in eius tempore multos alios viros et mulieres exstitisse, et per consequens Adam primum hominem non fuisse.

(4) Item Iesum Christum non pro redemptione ob amorem humani generis, sed stellarum necessitate passum et mortuum esse.

(5) Item Iesum Christum, Moysen et Mahometem mundum pro suarum libito voluntatum rexisse.

(6) Necnon eumdem Dominum nostrum Iesum illegitimum, et in hostia consecrata non quoad humanitatem, sed Divinitatem dumtaxat exsistere.

(7) Extra matrimonium luxuriam non esse peccatum, nisi legum positivarum prohibitione, easque propterea minus bene disposuisse, et sola prohibitione ecclesiastica se fraenari, quominus Epicuri opinionem ut veram sectaretur.

(8) Praeterea rem auferre alienam non esse peccatum mortale etiam domino invito.

(9) Legem denique Christianam per successionem alterius legis finem habituram, quemadmodum lex Moysi per legem Christi terminata fuit.

Zaninus, Canonicus Pergamensis, dicitur a PIO II has propositiones «ausu sacrilego contra sanctorum Patrum dogmata . . . affirmare et temere polluto ore asserere» *praesumpsisse, sed postea* «praedictis perniciosissimis erroribus» *sponte renuntiasse.*

---

[1] DuPl I, II 254 a; Bar(Th) ad 1459, n. 31 (29, 192 b).

SIXTUS IV 1471—1484.

Indulgentia pro defunctis.

[Ex Bulla in favorem ecclesiae S. Petri Xanctonensis, 3. Aug. 1476][1]

3032 Et ut animarum salus eo tempore potius procuretur,
(add. post n. 723) quo magis aliorum egent suffragiis et quo minus sibi-
ipsis proficere valent, auctoritate apostolica de thesauro
Ecclesiae animabus in purgatorio exsistentibus succurrere volentes, quae per caritatem ab hac luce Christo
unitae decesserunt ac quae, dum viverent, sibi ut huiusmodi indulgentia suffragaretur, meruerunt, paterno cupientes affectu, quantum cum Deo possumus, de divina
misericordia confisi ac de plenitudine potestatis con-
cedimus pariter ac indulgemus, ut si qui parentes, amici
aut ceteri Christi fideles pietate commoti pro ipsis
animabus purgatorio igni pro expiatione poenarum eisdem secundum divinam iustitiam debitarum expositis,
durante dicto decennio pro reparatione ecclesiae Xancto-
nensi(s) certam pecuniarum quotam aut valorem iuxta
decani et capituli dictae ecclesiae aut nostri collectoris
ordinationem dictam ecclesiam visitando dederint aut per
nuntios ab eisdem deputandos durante dicto decennio
miserint, volumus ipsam plenariam remissionem
per modum suffragii ipsis animabus purgatorii, pro quibus dictam quotam pecuniarum aut valorem persolverint, ut praefertur, pro relaxatione poenarum
valere ac suffragari.

LEO XIII 1878—1903.

De B. M. V., gratiarum mediatrice.

[Ex Encycl. «Octobri mense» de Rosario, 22. Sept. 1891.][2]

3033 Filius Dei aeternus, cum ad hominis redemptionem
(add. post n. 1940) et decus, hominis naturam vellet suscipere, eaque re
mysticum quoddam cum universo humano genere initurus
esset conubium, non id ante perfecit, quam liberrima

---

[1] Archives historiques de la Saintonge et de l'Aunis, T. X, Saintes
1882, p. 56 sqq; ap. N. Paulus in: Historisches Jahrbuch XXI (1900),
p. 649 sq, nota 4.
[2] ASS 24 (1891) 196 sq; AL V 10.

consensio accessisset designatae Matris, quae ipsius generis humani personam quodammodo agebat, ad eam illustrem verissimamque Aquinatis sententiam: «Per annuntiationem exspectabatur consensus virginis loco totius humanae naturae.» [1] Ex quo non minus vere proprieque affirmare licet, nihil prorsus de permagno illo omnis gratiae thesauro, quem attulit Dominus, siquidem *gratia et veritas per Iesum Christum facta est* [Io 1, 17], nihil nobis, nisi per Mariam, Deo sic volente, impertiri; ut, quo modo ad summum Patrem nisi per Filium nemo potest accedere, ita fere nisi per Matrem accedere nemo possit ad Christum.

[Ex Encycl. «Fidentem» de Rosario, 20. Sept. 1896.] [2]

Nemo etenim unus cogitari quidem potest, qui reconciliandis Deo hominibus parem atque illa operam vel unquam contulerit vel aliquando sit collaturus. Nempe ipsa ad homines in sempiternum ruentes exitium Servatorem adduxit, iam tum scilicet cum pacifici sacramenti nuntium ab Angelo in terras allatum admirabili assensu «loco totius humanae naturae» [1] excepit: ipsa est *de qua natus est Iesus* [Mt 1, 16], vera scilicet eius Mater, ob eamque causam digna et peraccepta *ad Mediatorem Mediatrix*.

PIUS X 1903—1914.

De B. M. V., gratiarum mediatrice.

[Ex Encycl. «Ad diem», 2. Febr. 1904.] [3]

Ex hac autem Mariam inter et Christum communione dolorum ac voluntatis «promeruit» illa, «ut reparatrix perditi orbis dignissime fieret» [4], atque ideo universorum munerum dispensatrix, quae nobis Iesus nece et sanguine comparavit. . . . Quoniam universis sanctitate praestat coniunctioneque cum Christo atque a Christo ascita in humanae salutis opus, *de congruo*, ut aiunt, promeret nobis, quae Christus *de condigno* promeruit, estque princeps largiendarum gratiarum ministra.

3034
(add. post
n. 1978)

---

[1] Summa theol. 3. q. 30, a. 1.   [2] Ass 29 (1896) 206; AL VI 214.
[3] ASS 36 (1903/4) 453 sq.
[4] Eadmer monachus, De excellentia Virginis Mariae c. 9; ML 159, 573.

Circa quosdam Orientalium errores.

[Ex ep. «Ex quo» ad Archiepiscopos Delegatos Apostolicos Byzantii, in Graecia, in Aegypto, in Mesopotamia, in Persia, in Syria et in Indiis Orientalibus, 26. Dec. 1910][1]

3035 Non minus temere quam falso huic opinioni fit aditus, 460
(add. post n. 2147) dogma de processione Spiritus Sancti a Filio haudquaquam ex ipsis Evangelii verbis profluere, aut antiquorum Patrum fide comprobari; — pariter imprudentissime in dubium revocatur, utrum sacra de Purga- 983 torio ac de Immaculata Beatae Mariae Virginis Conceptione dogmata a sanctis viris priorum sae- 1621 culorum agnita fuerint; — ... de Ecclesiae constitutione ... primo renovatur error a decessore nostro INNOCENTIO X iamdiu damnatus [cf. n. 1091], quo suadetur S. Paulum haberi tanquam fratrem omnino parem S. PETRO; — deinde non minori falsitate iniicitur persuasio, Ecclesiam catholicam non fuisse primis saeculis principatum unius, hoc est *monarchiam;* aut 1821 primatum Ecclesiae Romanae nullis validis argumentis inniti. — Sed nec ... intacta relinquitur catholica doctrina de Sanctissimo Eucharistiae Sacramento, cum praefracte docetur, sententiam suscipi posse, quae tenet, apud graecos verba consecratoria effectum non sortiri, 715 nisi iam prolata oratione illa quam *epiclesim* vocant[2], cum tamen compertum sit Ecclesiae minime competere ius circa ipsam sacramentorum substantiam 931 quidpiam innovandi; cui haud minus absonum est, validam habendam esse Confirmationem a quovis presbytero collatam.

Notantur hae opiniones tanquam «graves errores».

---

[1] AAS III (1911) 118 sq.

[2] Epiclesim ad consecrationem non requiri ante PIUM X docuerunt BENEDICTUS XII libello «Iam dudum» a. 1341 damnando inter errores Armenorum errorem n. 66 (cf. supra n. 532 sqq), CLEMENS VI Ep. «Super quibusdam» ad Consolatorem, Cathol. Armen. (Bar(Th) ad 1351, n. 11), BENEDICTUS XIII Instr. 31. Maii 1729 missa ad Patriarch. Melchit. Antioch. (CL 2, 439), BENEDICTUS XIV Brevi «Singularis Romanorum» 1. Sept. 1741 confirmando synodum provinc. Maronit. (CL 2, 197), PIUS VII Brevi «Adorabile Eucharistiae» 8. Maii 1822 ad Patriarch. Graeco-Melchit. Antioch. (CL 2, 551).

INDEX SCRIPTURISTICUS.

(Numeris crassis indicatur definitio de textu citato.)

1, 33: 3030.
1, 42: 1822:
3, 5: 102³ 324
   412 696 791
   796 858 2042
3, 14 sqq: 323.
3, 27: 199.
4, 13 sq: 809.
5, 17: 170.
6, 38: 291.
6, 44: 181.
6, 48 sqq: 882.
6, 54: 1922.
6, 58: 875.
8, 34: 1676.
8, 36: 186 3025.
10, 1: 960.
10, 16: 435
   468.
10, 29: 432.
10, 30: 51.
12, 31: 140.
13, 3: 248.
14, 2: 102³.
14, 6: 83.
14, 10: 51.
14, 10 sq: 49.
14, 23: 804.
15, 5: 105 135
   138 180 197
   809.
15, 26: 83 3035.
16, 7: 19 3035.
16, 13 sqq:
   3035.
16, 14: 83.
16, 24: 1234.
16, 28: 19.
17, 20 sq: 1821.
17, 22 sq: 431.
18, 31: 640.
18, 36: 1322.
19, 23: 468.
19, 33 sqq: 480.
19, 34: 945.
19, 35: 417
20, 1 ad 21, 25:
   2036.
20, 21: 1821.
20, 22: 224.

20, 23: 167 807
   894 899 902
   905 913 920
   2047.
20, 28: 224.
21, 15 sqq: 246
   1822 1823.
21, 16 sq: 1842.

Act.

1, 1 ad 28, 31:
   2161 2166 ad
   2171.
2, 38: 335 798
   894.
4, 12: 790.
4, 32: 431.
5, 29: 1842
   1850 1857.
6, 5 sq: 958.
8, 14—17: 98
   419 697 2044.
10, 1 sqq: 200.
11, 28: 2169.
15, 15: 803.
15, 29: 713.
16, 10—17:
   2169.
17, 28: 904
19, 1 sqq: 2044.
19, 5: 335.
20, 5—15: 2169.
20, 28: 960
   1828 1842.
21, 1—18: 2169.
27, 1 ad 28, 16:
   2169.

Rom.

1, 20: 1795
   2145.
1, 20 sq: 1672
   1785
1, 21: 1620.
1, 21 sq: 2099
2, 5: 904.
2, 6: 810.
2, 7 sqq: 321.
3, 22: 801.
3, 24: 798 801.

3, 25: 794.
4, 17: 170.
5, 2: 804.
5, 5: 190 198
   800.
5, 10: 799.
5, 12: 102 175
   789 791 793.
5, 14: 480.
6, 3: 324.
6, 4: 792.
6, 9: 876.
6, 12 sqq: 792.
6, 13: 803.
6, 16: 174.
6, 19: 803.
6, 20: 793.
6, 22: 804.
7, 19: 1265.
7, 23: 1643.
7, 24 sq: 135.
8, 1: 792.
8, 8: 89.
8, 9: 83.
8, 12 sq: 806.
8, 14: 134.
8, 15: 796.
8, 17: 792 804
   904.
8, 29: 1972.
8, 29 sqq: 316.
9, 21 sqq: 322.
9, 22 sq: 139
   3028.
9, 30: 794.
10, 2: 1474.
10, 3: 809.
10, 12: 3026.
10, 15: 434.
10, 17: 798.
10, 20: 176.
11, 6: 801.
11, 36: 343
12, 1: 1637
   1790.
12, 3: 1606
   1617.
12, 5: 149* 431.
13, 1 sq: 1322.
13, 3 sqq: 1841.

13, 5: 1842.
14, 4: 806
14, 10: 3028.
14, 23: 439.
15, 2: 149 *.
16, 18: 808.

1 Cor.

1, 10: 875.
1, 17: 3033.
1, 20: 338.
1, 23: 697.
1, 24: 83.
1, 30: 550 790.
1, 31: 810 904.
2, 2: 1605.
2, 6: 1605.
2, 7 sqq: 1672
   1795.
2, 9: 1786.
2, 15: 469.
3, 2: 1605
3, 7: 3030.
3, 8: 431.
3, 11: 164 480.
3, 16: 985
3, 17: 807 904.
4, 1: 931.
4, 5: 810.
4, 7: 179 199.
5, 8: 443.
5, 12: 407 895.
6, 9 sq: 808
   1851.
6, 11: 799.
6, 12: 713.
6, 17: 431.
6, 19: 985.
7 5: 1147.
7, 10 sq: 977.
7, 12: 407.
7, 15: 405 408.
7, 25: 199.
7, 25 sqq: 981.
8, 1: 104 137.
9, 22: 1967.
9, 24 sqq: 804.
10, 12: 806.
10, 13: 980.
10, 21: 939.

INDEX SYSTEMATICUS

RERUM, QUAE CUM DOGMATE COHAERENT.

(C indicat canonem Codicis Iuris Canonici.)

REVELATIO.

Revelationis natura et indoles.

Stricte dicta revelatio seu locutio Dei ad homines est possibilis I a et utilis *1706* 1807 sq, supernaturalis 1636 1787 *2020* sqq, quoad veritates religiosas naturales moraliter, quoad supernaturales absolute necessaria 1786 1808; signis externis credibilis fieri potest 1622 sqq 1627 1638 sq 1651 1790 1793 1812; non est imperfecta *1705*, neque ut talis per progressu perficienda 1637 sq 1656 1705 1800; neque ullo modo in alium sensum mutanda est 1818.

Revelationis obiecta praecipua (Mysteria).

Praeter veritates etiam rationi pervias revelatio christiana continet I b Mysteria tum *late dicta* ut aeterna Dei decreta 1785, tum *stricte dicta*, quae rationi omnino impervia sunt 1616 sq 1642 sqq 1655 *1662* 1668 sq 1682 *1709* 1795 1816 *1915*, immo etiam angelicam intelligentiam transscendunt 1673, quae cum progressu scientiae intelligi aut demonstrari non possunt 1642 sqq 1668 sq 1671 sqq *1704 1709* 1796 1816 1818; tamen rationi non contradicunt 1634 sq 1649 *1706*, sed eam superant 1671 1795, et semper obscura manent 442 1796; non sunt inventa hominum communi bono adversantia 1634 *1707*.

Mysteria Trinitatis et Incarnationis semel credidisse non sufficit *1215*.

Revelationis acceptatio (Fides).

Revelatio divina exigit fidem internam 1637 1681 1789, eamque I c divinam (i. e. ob auctoritatem Dei revelantis praestitam) 1789 sq 1811 sq C 1323 § 1, quae supponit revelationem prius factam 1622 1650, et usu rationis cognitam 1626 1651 1670 2146.

Non tamen sufficit cognitio solum probabilis *1171*, nedum minus probabilis *1154*, neque mere subiectiva (Pseudo-Mysticorum) *1273*, nec sola interna experientia aut inspiratio privata 1812; sed requiritur notitia certa de facto revelationis 1623 sqq 1634 sqq *1639 1715* 1790 1812 2106 sq. Ad fidem amplexandam nemo invitus cogendus est 1875; at revelatio sub Ecclesiae magisterio semel acceptata assensu suspenso in dubium vocari nequit 1794 1815; hinc dubium positivum non est basis theologicae inquisitionis (Hermes) 1619 sqq 1815; reprobandus est Indifferentismus omnis vel Latitudinarismus 1613 sq 1646 sq 1677 1689 *1715* sqq 1815 1874 1932, vel forma status a religione aliena 1615 1688 sqq *1757 1777* sqq.

Rationis vires, officia, limites.

I d Non omnis certitudo soli fidei innititur *558*, sed ratio sine revelatione et gratia quasdam veritates religiosas cognoscere potest etiam ante susceptam fidem *1022 1391* 1616 sqq 1626 1650 1652 1670 1785 **1795** 1806 2072, ut Dei exsistentiam et infinitatem 1622, animae spiritualitatem et immortalitatem 1627, divinitatem revelationis Mosaicae 1623, et christianae 1624.

Ante fidei acceptationem ratio potest et debet certo cognoscere factum revelationis et motiva credibilitatis (praeambula fidei) *1171 1273* 1623 sqq 1634 sq 1637 sqq 1651 **1790** sqq 1799 1812 2145; inter quae eminent vaticinia et miracula Christi *1707* 1790 1813, et Ecclesiae mirabilis propagatio 1794

Post susceptam fidem ratio potest aliquam mysteriorum intelligentiam assequi 1796; non tamen omnes veritates revelatas perspicere aut argumentis evidentibus probare 282 442 *578* sq 1616 1636 sq 1642 1655 sq 1668 sq 1671 sqq 1682 1709 *1714* 1796 1816 *1915* 2120; sic lumine naturali attingere nequit finem suum supernaturalem eiusque media 1668 sq 1671 sqq 1791.

Humana ratio non est ab omni errore immunis *580* 1618, quare ipsi non nimis fidendum est 1679; non est autonoma, sed increatae veritati subiecta 1789 1810; neque unica norma est, qua veritates ad salutem necessariae cognoscantur 1616 sq 1619 sqq 1634 sq 1636 1639 *1704* sq 1786 1793 1808; non est aequiparanda religioni 1642 *1708*.

Homo non habet sentiendi, dicendi, scribendi libertatem immoderatam 1613 sq 1666 sqq 1674 1679, 1690 *1779* 1877, sed limitatam 1932.

Mutua inter revelationem et rationem relatio.

I e Revelatio et ratio sibi invicem contradicere non possunt 738 1634 sq 1797 sqq 2109 2146.

Ratio revelatas veritates explicat, tuetur, defendit 1634 sq 1652 1799.

Revelatio vero rationem ab erroribus liberat, illustrat, confirmat 195 788 1616 1634 sq 1642 sqq 1786 1799 1807, certitudinem et puritatem cognitionis naturalis fovet 1786; est Philosophiae rectrix infallibilis 1656 1681, et norma eius negativa *1714*; nec tantum Philosophus sed Philosophia ipsa magisterio fidei subest 1674 sqq 1682 sq *1710 1714* 2073 2085 sq; et Theologiae ancillari debet 442 sq 1656 *1710* 2087 2120; hinc errores rationis recte et utiliter proscribuntur ab Ecclesia 1674 sqq *1711* 1798 1817 2093; cuius iudicio acquiescendum est etiam quoad res nondum definitas 1684 *1712 2008* 2113 sq C 1324.

Theologia aliter tractanda est atque scientia naturalis 442 sq 1642
1656 1666 sq 1670 sqq 1681 *1708* 1795 1808 2104; methodus
et principia theologiae scholasticae reicienda non sunt 1680 *1713*;
omnis speculatio de veritatibus revelatis inniti debet doctrinae
Ecclesiae et Patrum 320 323 325 1616 sq 1619 sqq 1657 2086
2120; atque etiam in verbis sana forma retinenda et terminologia
communiter recepta servanda est 442 sq 1658 1800.

Revelationis fontes.

Fons revelationis scriptus sunt *libri canonici utriusque Testa-* I f
menti 32 84 92 96 162 245 706 sq 783 sq 2001 sqq 2116 sqq
C 1323 § 1, quorum habetur versio authentica in Vulgata 785
1787.

Hi libri int gri cum omnibus suis partibus ut sacri et canonici suscipiendi sunt 784, tanquam a Deo, qui utriusque Testamenti auctor
est 28 348 421 464 706 sq 1952 *2009* sqq, inspirati atque ut
tales Ecclesiae traditi 783 sq 1787 1809 *2010* sq *2061* 2090 2115
2179 sq; et ad unanimem consensum Patrum et sensum Ecclesiae 785
995 1788 1944 secundum sana principia diiudicandi et interpretandi
sunt 1946 sqq *2012* sqq *2061* 2100 sqq 2146 2186 sqq; in specie
libri, qui pro historicis habentur 1979 sq 2186 sq, Pentateuchus
1997 sqq eiusque priora capita 2121 sqq; liber Isaiae 2115 sqq;
liber Psalmorum 2129 sqq; Evangelia secundum Matthaeum 2148 sqq
2164 sqq, Marcum et Lucam 2155 sqq 2164 sqq, Ioannem 2110 sqq;
Actus Apostolorum 2166 sqq; epistulae pastorales S. Pauli 2172 sqq;
epistula ad Hebraeos 2176 sqq.

Lectio s. Scripturae non omnibus necessaria est *1429* 1567,
neque omnibus convenit *1439* sqq; attamen non omnino inter-
dicitur 1630 sqq; versiones autem vernaculae non quaelibet
permittuntur 1607 sq, nec sine notis et approbatione 1630 sqq
C 1391.

Fons revelationis alter est *traditio ecclesiastica* 125 164 173 212
302 sq 308 336 349 442 783 sq 786 995 1469 sqq 1787 1792
2083 2095 C 1323 § 1; Patrum auctoritas in rebus fidei
et morum summa est 270 sqq 302 303 320 336 *1320* 1657 1788
1948 2083 2145 sqq; theologorum etiam doctrinae communes
tenendae *609 1576 1579* 1652 1657 1680 sqq; moderni auctores
non temere praeferendi sunt *1127*; Ecclesiae usus sunt norma
credendi 140 995; «ut legem credendi lex statuat supplicandi» 139.

ECCLESIA.

Essentia.

Ecclesia est *Societas* a Christo Deo instituta 1821 sqq 1959 II a
2052 sqq 2088 2091 sqq 2145 C 100 § 1, constituens unum corpus
mysticum sub Christo capite 468, formata e latere Christi 480.

Est Societas supernaturalis 1959, perfecta et independens 330 sqq
498 1698 *1719* sq 1841 sq 1847 1867 1869; visibilis et
cognoscibilis ex *notis* ipsi inhaerentibus eamque ab aliis

religiosis coetibus distinguentibus 86 223 247 347 430 sq 464
468 998 1686 1793 sq 1821 sqq 1955 sq; est h i e r a r c h i c a 42 45
150 272 361 424 426 434 *498* 675 687 853 960 966 sq 2145
C 107 C 108 C 329 § 1 C 948, m o n a r c h i c a i. e. sub uno capite supremam potestatem habente constituta *633 654* sq *1325*
1500 *1503* 1698 sq 1821 2091 2104 C 218 sq; est ergo u n a,
s a n c t a, c a t h o l i c a, a p o s t o l i c a 86 423 468 1686; est
omnibus a d s a l u t e m n e c e s s a r i a, «extra quam nulla salus»
nec remissio peccatorum 2 sqq 14 39 sq 246 sq 423 430 468 sq
714 999 sq 1085 1473 1613 sq 1646 sqq 1677 *1716* sq 1954 sqq
3009 C 731 § 2 C 1322 § 2; est perpetua 1793 1821 1955; ipsi
traditus est thesaurus meritorum Christi infinitus 550 757 C 912.

II b Ecclesiae *Membra* sunt et esse debent (saltem voto) q u i c u n q u e
s a l v a r i v o l u n t 388 468 *575* sq *629* C 1322 § 2; non soli
praedestinati aut fideles *627 629 631* sq *647* 838 *1422 1515*, sed
perfecti et peccatores *473 1413* sqq, principes et reges 1688 *1754*,
orientales et occidentales *1738*.

Ecclesia non est bipartita in carnalem et spiritualem *485*, neque in
tres ramos divisa scl. Romano-Catholicam, Graeco-Schismaticam,
Anglicanam 1685 sq.

Non-baptizati non pertinent ad corpus Ecclesiae 895.

Potestas.

Potestas docendi (Infallibilitas).

II c *Factum* infallibilitatis. Ecclesia habet iure divino ius et officium
doctrinam revelatam custodiendi et exponendi C 1322 § 1, et in
hoc munere est infallibilis 160 *767 1444* 1617 1793 1967 sq
1969 2147, per inhabitantem Spiritum Sanctum 302, quo iuvante
deposi³um fidei inviolabiliter servat 159 sq *1445 1501*, et infallibiliter explicat 1797 sq 1800 C 1322.

II d *Subiectum* infallibilitatis: *Papa* est infallibilis etiam sine consensu
Ecclesiae *1325* C 1323 § 2; cf. III f.

Concilia oecumenica simul cum Papa ea confirmante 164 173 212 226 sq
250 * *768 1723* C 222 § 2 C 227 sq, quae universam Ecclesiam
repraesentant 270 sqq *349 657* sqq *769* sq 999 sq 1085 sq, docentur
a Spiritu Sancto 930 C 1322 sq; quare nunquam erraverunt in
rebus fidei aut morum *1723*; constituuntur episcopis 340 et aliis
ad normam C 223; non pendent a praesentia principum 331
340; convocanda, transferenda, dissolvenda sunt a Papa 740
C 222 C 229.

Concilia p a r t i c u l a r i a et n a t i o n a l i a non sunt infallibilia
1593 1736 C 1326; hinc in rebus fidei vel morum non ferunt
irrefragabile iudicium *1511 1539 1736*; porro d i o e c e s a n a
non iudicant de decretis sedium superiorum *1511*

Ecclesia per orbem dispersa infallibilis est in proponenda doctrina
Christi tradita 1683 1792 C 1323 § 1.

Episcopi singuli, quamvis in docendo non infallibiles, fidelium tamen
suis curis commissorum sub auctoritate Romani Pontificis, veri
doctores seu magistri sunt *1506* C 1326.

Obiectum infallibilitatis: Sunt res ad **fidem** et **mores** pertinentes **II e**
767 786 1449 sq 1792 1797 sq 1800, non vero ordinationes dispensa-
toriae 333; sunt interpretatio veri sensus sacrae Scripturae 32 786
995 1788, damnatio errorum circa fidem et ˙mores 161 2146, atque
etiam facta dogmatica 224 sqq 1098 sq 1350 *1513* sq.

Exercitium infallibilitatis: Ecclesia infallibilitatem suam exercet sive **II f**
sollemni iudicio sive **ordinario magisterio** universali
1683 1792 C 1323 § 1, definiendo veritatem revelatam *1721*, in-
vigilando fidei subditorum *1444* C 247, idque iure et officio
1797 sq; non potest negligere veritatem *1449*, neque eam impugnare
1450, neque permittere obscurationem veritatum graviorum fidei
aut morum *489 1445* sq *1449 1501 1552* sq *1567 1576* sq 1821
1967; nec potest constituere disciplinam nocivam *1578*; hinc eius
iudicio acquiescendum est etiam in rebus nondum definitis 1683 sq
1722 1819 sq C 1324; nec sufficit silentium obsequiosum 1350.

In iure et officio **docendi** omnes gentes Ecclesia a qualibet potestate
civili est **independens** C 1322 § 2.

Potestas regendi (Iurisdictio).

Natura iurisdictionis: Ecclesia habet iurisdictionem omnimodam et **II g**
directam in rebus religiosis *1285* sqq *1502 1505* 1841 1847
C 1553, et saltem **indirectam** in temporalibus *1724*, eamque
perpetuam 287 *1577* 1688 1696 2093; quare ei competit potestas
legifera, iudicialis, coactiva 411 *499* sq *1504* 1697 *1724*;
punit speciatim censuris ecclesiasticis 357 *499* sq *591* sqq *610 645*
681 sqq *763* sq *1440* sq *1546* sqq C 2214 § 1; non tamen de se ultione
cruenta 401; et haec iurisdictio non pendet a probitate vel praedestinatione subiecti *486 545 588 595 637 646 648 650 656* 661.

Obiecta et *functiones* iurisdictionis ecclesiasticae praecipue haec sunt: **II h**
Administratio sacramentorum 437 *491* sqq 931 *1744*
C 731; in specie causae matrimoniales 973 sq 978 982 1454
1559 sq *1640 1768* sqq 1865 1991 sqq 2066 sqq C 1016 C 1960;
praedicatio verbi divini 434 *449* sqq 687 sq C 1327 sq; electio et
ordinatio episcoporum 339 363 *1750* sq 1842 C 109, et
clericorum 960 967 C 109 C 1352; cura religiosorum et monialium
1752 sq C 487 sqq; concessio indulgentiarum 467 550 *622 676 729*
989 998 1471 C 911; institutio festorum *1573* C 1247; **directio**
studii theologici 442 1666 sqq *1733 1746* 1843 sqq C 589
C 1365, lectionis et interpretationis S. Scripturae
1567 1602 sqq 1630 sqq 1941 sqq 1979 sq 1997 sqq 2001 sqq,
institutionis religiosae (in **scholis**) 1695 *1745* sqq C 1372 sq
C 1381; generatim **cura rerum sacrarum** omnium et aliquatenus etiam temporalium et externarum 361 *455 495* 685 sq
1286 sq *1504 1696* sq *1724* sqq 1841 C 1495 sq C 1499.

Relationes.

Ad ***Statum:*** Ecclesia in rebus suis **independens** est a potestate **II i**
civili 305 333 361 *1575* 1697 sq *1719* sq *1730* sqq *1741* sqq 1847
1867 1869 C 1556 C 1597 C 2198 C 2214, speciatim in causis

matrimonialibus cf. II h; non est arcenda a s c h o l i s 1615 *1755*
1867 1870 1995 cf. II h; quarum optimum est fundamentum 1850;
non obest civitatum saluti temporali 19 ;6; neque invidet «recentiori
civitatum disciplinaê» 1878 sq.

Iurisdictio eius extenditur etiam super principes et reges *1754*
C 1557 § 1 C 2227 et nationes 1688, super vitam publicam, familiam, educationem (in scholis christianis) *1745* sqq 1995 C 1372
ad 1383; quare potest leges iniustas irritare 1842, et brachium
saeculare invocare 401 468 sq *640* 682 *773* 1689 sqq C 2198.

Ecclesiae n a t i o n a l e s a Papa independentes non sunt tolerandae
1324 1737.

Ecclesia non est a statu s e p a r a n d a 1615 *1755* 1995 2092 sq.

II k *Ad Scientias :* Ecclesia auc oritatem habet in Philosophos et Philosophiam 1682 *1710*, etiam in rebus nondum definitis 1683 sq;
quare e r r o r e s p h i l o s o p h i c o s tolerare non debet 1674 sqq
1711; errores in fide non possunt esse legitimae conclusiones
scientificae 1797 sq; a propriis autem methodis Ecclesia scientias
non arcet 1799, neque reprobat studia scientifica 1878 sq.

III l *Ad Culturam :* Ecclesia p r o d e s t c u l t u r a e humanae *1740* 1799
1878 1936; non obest verae libertati 1873 1876 sq 1932 1936;
potest in rebus disciplinaribus temporum variis condicionibus se
accommodare 1931 1968, quin tamen doctrinae capita quaedam
omittat aut molliat 1967.

ROMANUS PONTIFEX.

S. PETRUS Apostolorum Princeps.

III a Christus promisit et contulit beato PETRO primatum iurisdictionis in
u n i v e r s a m Ecclesiam 163 1822 sq; hinc PETRUS est P r i n c e p s
Apostolorum 351 *496* 694 1823 sq, et maior Sancto Paulo *1091
3035*; est Vicarius Christi 673, Ecclesiae fundamentum 351 1821
1824 1976 et caput *633* et p r i n c i p i u m u n i t a t i s visibile 247
1821 1960 sq.

PETRUS habet s u c c e s s o r e s 468 sq *766*, et iure quidem divino
p e r p e t u o s 1824 sq; quae successio invenitur in episcopo Urbis
R o m a e 1824 C 218. •

Tres sedes S. PETRI exhibentur 163.

Ipse f u n d a v i t E c c l e s i a m R o m a n a m 1824, et simul cum Paulo
a Nerone interfectus esse traditur 163.

Romanus Pontifex Successor S. PETRI.

Primatus Iurisdictionis.

III b *Exsistentia* Primatus: Romanus Pontifex tenet (et semper tenuit)
p r i m a t u m i n u n i v e r s a m E c c l e s i a m 41 44 87 100 109 sq
112 149 163 230 247 298 326 332 350 sq 357 436 *466* 468 *484
674 694 730 740 765* sqq 999 sq *1319* sq *1322* sqq 1473 1500
1734 1826 sqq 1831 sqq 1960 sq *2055* sqq 3003 3004 sqq 3008 sqq
3035; hic primatus est s u m m u s et p l e n u s *466 694* C 218;

non est introductus per Ecclesiam *1503*, neque ab Imperatore
(Rom.) *635*, sed immediate a C h r i s t o i n s t i t u t u s *765* sq,
qui in persona PETRI episcopum Romanum caput totius Ecclesiae
fecit *765* 999 1824 3010 sqq, idque u n i c u m 468 sq *653 1091*,
nec solum ministeriale *1503*. ita ut iure divino habeat supremam
potestatem 466 694 1500 1825 sq 1831 C 109 C 219, et privilegia
immutabilia *332*, quamvis forte sit malus *588*, vel non praedestinatus
637 646 648.

Est ergo Romanus Pontifex P E T R I s u c c e s s o r 87 109 112 466
617 674 694 998 1677 1824 sqq 1832 sqq 3004 C 218 § 1, et
v i c a r i u s C h r i s t i *617* 679 694 *765* 998 1500 1826.

Extensio Primatus: Romanus Pontifex auctoritatem habet super **III c**
C o n c i l i a 717 740 *768 1319 1323* sq *1506* sqq *1574 1598* sq
C 2332; iurisdictionem habet in e p i s c o p o s 1500 1506 sqq
1823 *1904* sq 1961; quare est superior ordinarius dioecesium 1500
C 218 § 2, quod tamen non nocet iurisdictioni episcoporum, sed
eam roborat 466 1828 1962; aliquam potestatem habet in principes
et res publicas *1322 1754* C 1557; et generatim o m n i s bapti-
zatus ei subiectus est quoad res sacras 468 sq *1734* 1827 1831
C 87; et qui renuit subesse Romano Pontifici aut cum membris
Ecclesiae ei subiectis communicare recusat, s c h i s m a t i c u s est
C 1325 § 2.

Functiones Primatus: Romanus Pontifex p a s c i t, r e g i t, g u b e r n a t **III d**
totam Ecclesiam 109 sq 468 sq 694 1500 1698 sq 1826 1831
C 218; habet plenam potestatem rerum spiritualium *1323* sq; hinc
disponit de thesauro Ecclesiae 551 C 912, concedit indulgentias
622 729 757 C 912; indicit, transfert, dissolvit C o n c i l i a 740
C 222 § 2; constituit e p i s c o p o s 968 C 329 § 2; dispensat in
legibus Ecclesiae *491* sqq *731* C 81; est summus iudex 331 352
1440 1830 C 1569, a q u o n u l l a d a t u r a p p e l l a t i o 54 330 sq
333 341 352 469 717 1830 3014 C 1880; potest statuere casus
reservatos 903 C 893, eosque pro tota Ecclesia *1545* C 895 C 2245.

Consequentiae: Romanus Pontifex est Pater omnium Christianorum **III e**
694; est r a d i x u n i t a t i s E c c l e s i a e 1686; hinc: «Ubi Papa,
ibi Ecclesia» 1500 1686; oboedientia ei praestari debet quoad iura
Ecclesiae 998 1698 sq C 2231; ipse nullius iudicio subest 330
353 1812 3014 C 1556 C 1558, neque subiacet Imperatori
(Romano) *497*; libere agit in universa Ecclesia *1734*; quare etiam
invito gubernio civili commercium exercere potest cum episcopis
et omnibus fidelibus *1749* 1829 C 2333; quibus forum eius semper
patet 466 C 1569; litterae eius valent et promulgari possunt etiam
sine gubernii civilis venia seu «regio placito» *1728* 1829 1847,
sine qua etiam gratiae eius valent *1729*; non debet se adaptare
liberalismo moderno *1780*.

Infallibilitas Romani Pontificis.

Romanus Pontifex est i n f a l l i b i l i s 100 109 sq 129 139 142 160 **III f**
171 sq 351 *730* 1000 *1319*, quando «e x c a t h e d r a l o q u i t u r»
1839 sq C 1323 § 2; hinc est supremus Doctor Ecclesiae 694

1832 sqq C 218, cuius definita s e n t e n t i a i r r e t r a c t a b i l i s est
109 sq 159 1830 1880, et irreformabilis etiam ante consensum
Ecclesiae (docentis) *1325*, vel Concilii universalis *768* 1839 C 1332 § 2.

Romanus Pontifex n u n q u a m e r r a v i t in rebus f i d e i aut m o r u m
171 sqq 273 *1723* 1836; quare recte dicitur fidei propugnator 129,
cuius munus est fidei veritates definire et defendere 466, quod
nunquam fit in detrimentum scientiae 1679 *1712*.

Principatus civilis Romani Pontificis.

III g Regnum spirituale Romani Pontificis cum temporali principatu c o m-
p a t i b i l e est *1775*; a b r o g a t i o huius principatus non prodest
Ecclesiae *1776*; quare non est privandus omni dominio et cura
temporali *1727*

Electio et persona.

III h Romanus Pontifex iure a C a r d i n a l i b u s e l i g i t u r *620* C 160;
rite electus, etsi malus, est verus Ecclesiae Pastor *646 648 650*
674 C 219, eiusque caput, quamvis forte non sit praedestinatus
588 637 sqq.

Ratione officii recte vocatur Sanctissimus *649*.

Sedes Romana.

III i Sedes R o m a n a est sedes S. PETRI 163 298 351 694 1824, quae
(invito Papa) transferri nequit *1735*; quare Ecclesia Urbis Romae
est m a t e r et m a g i s t r a omnium fidelium 433 436 460 *617*
2056, et omnium ecclesiarum 859 946 999 sq, quibus est prae-
stantior 163 *621*, super quas tenet principatum potestatis 436.

DEUS UNUS.

Dei exsistentia et cognoscibilitas.

IV a E x s i s t i t Deus 2 sq 6 sq 9 sqq 13 15 17 19 39 54 86 703 994 1782
1801; quod rationis lumine c e r t o c o g n o s c i potest 1622 1650
1670 sqq 1785 1806 2072 2145 necnon demonstrari 2145, etiam
sine gratia *1391*; insuper Deus s e i p s u m r e v e l a v i t 1785 sqq;
hinc eius exsistentia etiam c r e d i potest et debet 1782; immediata
autem Dei v i s i o animae non est naturalis *475*, multo minus illi
essentialis aut congenita aut cum ipso lumine intellectus identica est
1659 1662 sq *1927*; neque Deus immediate in rebus manifestatur
1891 sqq; «Deus est» et «Deus non est» non significat idem 555.

Dei essentia et attributa.

IV b Deus non est nisi u n u s 2 sq 6 sq 9 sqq 13 15 17 19 39 54 86 703
994 1782 1801, distinctus a mundo 433 *507 523 1660* sq *1664*
1701 1782 1803 sq *1891* sqq 2108 *2189*; non coepit simul cum
mundo *501*; Deus solus est ab a e t e r n o 391, super omnia excelsus et beatus 1782.

In Deo varia attributa distinguuntur 2 sq 39 389 428 sqq *505*
1782; nulla tamen est distinctio realis inter haec et naturam vel
inter ipsa 294 389 993; neque ideo omnis distinctio in Deo reici
debet *523* sq

Dei relationes ad extra.

Deus cognoscit ab aeterno omnia 1782, bona et mala 321, etiam IV c
libera futura 1784; in operando ad extra liber est 706
1655 1783 1805; habet potestatem infinitam 210; potuit aliter
facere quae fecit *374.*

Non exsistit duplex principium mundi, bonum et malum 19 sqq 29 54
86 237 343 421 461 706 sq 994 1783 1801; nam Deus est fons
omnis veritatis et potestatis 1649; est etiam unus idemque in Vetere et Novo Testamento 28 348 421 706.

DEUS TRINUS.

Unitas Naturae.

Sunt in Deo tres Personae, quae tamen sunt unus Deus 2 sqq V a
13 15 17 19 39 48 51 54 82 sq 201 213 231 254 275 278 sqq
294 296 343 389 428 431 sq 420 sq 461 691 703 sq 993 994
1595 sq *1915*; sunt scilicet una natura, una essentia seu coessen-
tiales, una substantia seu consubstantiales 19 59 66 74 83 86 213
254 275 277 sqq 343 420 428 431 sq 461 703 sq 708 993 sq;
sunt coaequales, coaeternae, coomnipotentes 13 19 39 54 68
70 75 78 sq 254 276 sqq 343 *368* 428 461 703 sq 708; aeque
omnipraesentes, adorabiles, omnisciae, immensae, vivificantes 39
75 79 sq 254 703 sq; inseparabiles in essendo 48 281, in
agendo (creando) 19 77 79 281 284 428 461; unum principium operationis ad extra 77 254 281 284 421 428 703,
speciatim in efficienda Incarnatione 284 429.

Trinitas Personarum.

Pater est substantia simplex et indivisibilis 432; non est V b
factus, non creatus, nec genitus, nec procedens 3 19 39 275 345 sq;
neque generando quidquam de sua substantia amittit 432; sed omnia
habet ex se, est principium sine principio 703 sq; est
omnipotens 2 6 9 13 15, invisibilis, impassibilis, immortalis, incomprehensibilis, immutabilis 3; cum Filio est causa (secundum Graecos)
vel (secundum Latinos) principium S. Spiritus 691; est creator
coeli et terrae 3 6, visibilium et invisibilium 9 13 54 86 994.

Filius est Deus 2 sqq 13 16 sqq 39 49 sqq 54 57 * 61 63 68 sqq V c
77 sqq 86 148 233 276 705 708 993 sq, consubstantialis Patri 54
86; non est extensio quaedam a Patre 66; non est creatus 13 39
48 61; sed genitus ex natura vel substantia Patris 13 19 sq
48 54 69 86 275 sq 281 344 sqq 432 462 703 sq 708 994, et
solius Patris 40 428 703 sq, idque ab aeterno 214; hinc est eius
Filius naturalis, non adoptivus 276.

Filius non est materia ex qua Deus creavit *1909*, sed per ipsum
omnia facta sunt 54 77 86; ipse regit omnia 422; ut Filius 'non
est praedestinatus 285, ipse solus incarnatus est 282 285
422; non melius dicitur Verbum quam Filius 1597.

[De Verbo incarnato v. VIII a sqq.]

V d *Spiritus Sanctus* est verus Deus 2 sqq 13 sqq 39 51 54 58 sqq
74 275 sqq 296 1084, a Patre Filioque procedens 83 86 277
345 428 460 463 691 703 994 1084 *3035*, ut ab uno principio 460
691 704; non est Pater Christi 282, neque anima mundi 370; est
inspirator non solum Legis et Prophetarum, sed utriusque
Testamenti 13 345 sq 706 sq 783 1787; est causa incarnationis
290 344 429, est vivificator 86; inhabitat in Ecclesia 302; mittitur apostolis et fidelibus et operatur in ipsis 13; docet Concilium universale 930; agit in sacramentis 424; accipitur cum
gratia sanctificante 799; dat septem dona 83; datur specialiter in confirmatione 697, et ordinatione 964.

Explicationes variae et modus loquendi.

V e Hae tres Personae sunt inter se realiter distinctae 39 231 281
523 sq 703 sqq; at unaquaeque est tota in aliis (circuminsessio)
703 sq; unaquaeque unus verus plenus Deus 279 343 420 461;
in iis nihil est prius aut posterius 39; deitas in singulis non minuitur, in tribus non augetur 279.

Sunt in Deo relationes 278—281 703.

Personae cum essentia non constituunt quaternitatem 431 sq;
neque ob Incarnationem fit quaternitas 283.

Realitas, idealitas, moralitas non sunt personae *1916*.

Deus non est dicendus triplex, sed trinus 278; non unus Deus in
tribus Personis distinctus, sed in tribus Personis distinctis 1596.

Non est statuenda realis distinctio naturam inter et personas (sub-
sistentias) 389 431; est tamen aliqua distinctio facienda *523* sq.

Formulae: Voluntas genuit voluntatem, sapientia genuit sapientiam,
recte intelligendae sunt 294 296.

Haec veritas revelata est mysterium 1655 *1915* sq.

CREATIO.

Creator.

VI a Deus trinus 48 79 281 421 mundum ex nihilo creavit 2 sqq
19 21 29 54 86 235 343 421 428 467 706 994 1782 sq 1801
1805, quando voluit 374 706. non ab aeterno 391 *501* sq,
sed ab initio temporis 428 1783, non necessario *501 503*. sed
libere ex bonitate sua *377 607* 706 1655 1783 1805 *1908*;
attamen Deus non est unica causa verorum effectuum *559* sqq.

Creationem falso explicant Origenistae 203 sqq, Ekardus *501* sqq, Ontologistae *1665*. Rosmini *1905* sqq, Pantheistae 1803 sq, Emanatia-
nistae 34 232 *1665* 1804.

- **Creaturae.**

Duplex creatura distinguenda est: visibilis et invisibilis, corpo- **VI b**
ralis et spiritualis 9 13 19 54 86 428 461 706 994 1783
1802 1804 sq; natura creata, etiam materia, de se est bona
37 236 sq 242 421 425 706 713, est mutabilis 706, non est idem
ac Verbum *1909*, neque est purum nihil 408 *1901* sqq, neque
onnia unum sunt *522*.

Angeli exsistunt et sunt spirituales 428 461 706 994 1783 1802 **VI c**
1804 sq, non propagantur *533*; ipse diabolus creatus est
bonus 237.

Homo non est Dei substantia 1701, sed est creatus 243 1783 1801 **VI d**
1806; constat ex duabus substantiis 295, scl. ex anima seu spiritu et corpore seu carne 285 1783; est ergo caro intellectualiter
animata 255.

Adam fuit primus homo neque ante eum in alio mundo homines fuere
3031.

Anima humana non est pars divinae substantiae aut unum quid cum
Verbo 20 31 235 348 *511* sqq *527* sqq; sed creatur a Deo 20
144 * 170 *527*, ex nihilo 348, non praeexistit 203 236; non gene-
ratur a parentibus *533 1910*; neque a sensitiva evolvitur ad
intellectivam *1910* sqq; est substantia 285 295, non una in omnibus
738, sed in singulis una 338; non est naturaliter aut bona aut
mala 236 243 *642*.

Anima est rationalis et intellectualis 148 216 255 290 338
344 393 422 429 480 738; sed non est ipsa unicum obiectum evi-
dentis cognitionis *557*; est immortalis 2 sqq 16 40 86 738;
unitur cum corpore non accidentaliter *1911* sq *1914*, sed est corporis forma vere per se et essentialiter 480 sq 738 1655; est praedita
libertate 129 sq 133 sqq 140 174 181 186 316 sq 322 325 348
376 776 793 797 1027 sq *1039 1065* sqq *1093* sqq *1291 1360*,
quae libertas probari potest tum ex Scriptura *1041*, tum ratione 1650.

[De anima separata v. XIV a et b.]

Homo natura sua est ens sociale 1856, unde omnes pares esse non **VI e**
possunt 1849 1851; non est independens 1789: nec potest se dispensare a lege divina *1421*, sed semper debet se Deo submittere *509*.

Finis Creationis et Providentia.

Finis, quem Deus in creando habuit, non est ipsius beatitudo 1783, sed **VI f**
eius gloria externa 1805 per manifestationem bonitatis suae 1783.

Homo in hac vita non est finaliter beatus *474* sq; nec potest circa
beatitudinem suam indifferenter aut passive se habere *1334*, neque
etiam iugi profectu ex se ipso ad eam pervenire *471* sqq.

Providentia sua Deus gubernat visibilia et invisibilia 421 **VI g**
1784, vere agendo in mundum et homines *1702*; ipse potest mala
impedire *378*; non vult mala sicut bona *514*; et peccata permittit
tantum 816; non debet oboedire diabolo *586*; neque omnipotentiam
suam nobis communicat aut subicit *1217* sq; homo non est sub
directione astrorum 35 239, nec fato regitur *377*.

ELEVATIO et LAPSUS.

Ordo supernaturalis.

VII a Deus elevavit creaturas rationales (Angelos et homines) ad
statum exigentiam naturalem excedentem *1001* sqq *1021* sqq *1079*
1671 sqq, qui non est transformatio in Deum *510*, aut in unigenitum Dei Filium *511* sq; neque identificatio cum humanitate Christi
520 sqq, neque manifestatio ipsius esse in plenitudine suae formae
realis *1926*;

sed est destinatio ad finem supernaturalem **1786**, qui
consistit in Dei visione et fruitione **530** 693; ad quem homo per
actus supernaturales tendere debet **180 190 198 714 809 842** *1002*
1004 sq *1011* sqq *1023 1027*; quare distinguendum est inter opus
naturaliter (moraliter) bonum et opus meritorium finis supernaturalis
190 *1008 1034 1036* sqq *1061* sq *1065 1289* sq *1394 1524.*

Homo primigenius.

(Status naturae integrae.)

VII b Primus homo conditus est sine peccato **316** 793; habuit liberum
arbitrium **133 186 316 793**, et dona supernaturalia *1008 1024*,
integritatis **192** *1026*, atque immortalitatis **101** *1006 1078 1517.*

Gratia (iustitia) primi hominis non erat sequela creationis neque ipsi naturae debita *1008 1023* sq *1026 1084* sqq; sed Deus
hominem creare potuit sine hac gratia supernaturali *1021 1023* sq
1079; etiam talem qualis nunc nascitur *1055 1516.*

Ad conservandum statum primigenium homo egebat gratia **192**
1001 sqq; et merita eius non erant mere humana et naturalia
1001 sqq *1007 1009 1384*

Peccatum originale.

VII c Adam per peccatum (originans) perdidit sanctitatem et iustitiam totus-
que secundum corpus et animam in deterius commutatus est
174 788.

Haec Adae praevaricatio non ipsi soli nocuit, sed tota propago
ex ea contraxit peccatum (originatum) **101 109 * 130 144* 175 316
348** *376 536* **711 789** sqq **793** 1643 sqq 3025; quod tamen non
consistit in concupiscentia, quae improprio sensu peccatum
appellatur **792.**

Peccatum originale non imitatione sed propagatione seu generatione ex semine Adae transfunditur **711 790** sq **795**; est verum
peccatum **101 174** sq **789** sqq, et reatus culpae *379*; est unicuique proprium **790 795**, quamvis non personale *532*; inest
ipsis parvulis **102 410** *532* **753 791** Christianorum aeque atque
infidelium *534*; est voluntarium, non habituali voluntate parvuli *1048*, sed ratione originis *1047*; et differt a peccato actuali
ratione consensus **410**, atque etiam ratione poenae, quae pro
peccato originali solo est carentia visionis Dei **410**, sed alio modo

atque in reliquis damnatis 321 410 464 693, cum parvuli non-
baptizati damnentur quidem (poena damni) neque tamen Deum actu
odio habent *1049*, nec poenam ignis (sensus) sustineant *1526*.
Deletur peccatum originale in baptismo regenerationis 101sq 329 348
790 sq *3026*, qui saltem voto suscipiendus est (bapt. flaminis) 388.
Homo non debet pro peccato originali poenitentiam agere per
totam vitam *1309*.
B. Maria V. peccatum originale omnino non contraxit 256 792 *1073*
1100 1641.

Homo lapsus.

(Sequelae peccati originalis. Status naturae lapsae.)

Homo per peccatum Adae mortalis factus est 101 175 793, et sub VIII d
potestate diaboli 788.
Intellectus eius obscuratus est 174 195 788 1616 1627 1634 sq
1643.
Libertas voluntatis seu capacitas ad bonum (supernaturale) plane
excidit 105 130 133 136 181 186 194 317 811; et quoad reliqua
(naturalia) liberum arbitrium destructum quidem non est 776 815
1065 1298 1388 3026, sed attenuatum 181 198 793; potest tamen
homo quaedam bona (naturalia) etiam sine gratia agere *1008*
1027 sqq *1036* sqq 1065 *1351* sqq *1372 1388 1414 1524*; etsi
sine speciali privilegio non omnia venialia peccata vitare potest
107 sq 471 804 833 *1275* sq *1282*.
Ergo· non omnia opera infidelium seu peccatorum sunt peccata
aut splendida vitia *1025 1035 1298*; neque in omnibus actibus
serviunt cupiditati dominanti *1040 1523*; et materialia peccata,
quae coacte seu ex ignorantia invincibili fiunt, non sunt formalia
propter voluntatem Adae *1291* sq.
Inest homini lapso fomes peccati, a quo penitus se liberare nequit
793 *1275*; quo tamen non impeditur ingressus in coelum *743*
792; nam concupiscentiae motus involuntarii non sunt
transgressio legis *1050* sq 1075.

REPARATIO.

CHRISTUS DEUS-HOMO REDEMPTOR.

Persona Christi.

(Incarnatio. Christologia.)

Verus Deus.

Christus est verus Deus 2 sqq 20 33 39 54 86 113 sq 116 sq 143 sq VIII a
148 220 224 283 288 290 344 393 422 480 993 994 *2027* sqq
2088 2096; unde recte dicitur Verbum Patris 118 sq 224;
idemque Patris Filius 1597, ipsi consubstantialis 54 86 148
220 708 993, aequalis Patri 118, Deus ex Deo 84, Deus de Deo
86, genitus non factus 39, unigenitus 86, unus de Trinitate
173 216 222 255 291 *375* 708.

Verus Homo.

VIII b Idem Christus est **verus homo** 13 25 33 39 52 114 143 sq 148 220
258 283 288 290 344 393 422 429 462 480 708 1463; vere
ex matre genitus 285 422 708 993; habet **animam** ratio-
n.lem 25 148 216 255 283 290 344 422 429 462 480 708 710,
vere humanam 65 *204*, intellectualem 216 223 255 480, quae
tamen non prius exstitit 204; et habet **corpus** 26 148 290 480
708 710, i. e. veram carnem humanam 20 216 255 393 422
429, non phantasticam 20 344 462, statim ab initio cum divinitate coniunctam 205; et eius anima est vere, per se et essentialiter
forma corporis 216 480.

Duae Naturae.

VIII c Sunt igitur in Christo **duae naturae** 33 52 143 sq 148 168 213 sqq
285 288 422 429 710 1463, quae substantialiter quidem differunt
260; tamen sunt indivisae 259, inseparabiles 283 288 290, in-
convertibiles 27 54 162 290, inconfusae 219 sq 259 288 290;
quare dicitur esse «ex duabus et in duabus naturis» 259 462 708.

Utraque natura retinet **proprietates** suas 262 288 290 708 et
facultates intelligendi et volendi 263 265 sqq 288 344; et habet
operationes duas 144 251 sq 264 sqq 288 sq 291 sq 302 344

Voluntates duae sibi invicem non sunt contrariae 251 sq 288 sqq;
operatio θεανδρική, quae dicitur, recte intelligenda est 268.

Una Persona.

(Unio hypostatica.)

VIII d Christus est **una tantum persona** 20 215 sqq 251 sq 269 283
337 422 429 1462; ita ut Deus et homo in eo sit **unus idemque** 215 sqq 257 259 288 sqq 708, totus Deus-homo et totus
homo-Deus 168; ipse consubstantialis Deo et homini 148 220
257.

Naturae autem unitae sunt non solum per homonymiam, gratiam, dignitatem, auctoritatem, operationem, relationem, confusionem, affectum
et virtutem 115 121 216 708, neque per solam nominationem vel
adorationem 216, neque per conversionem unius naturae in alteram 40;

sed **uniuntur secundum subsistentiam** (ὑπόστασιν), quae
dicitur **unio hypostatica** 13 115 sq 148 216 sqq 226 261 288
292 344 429 462 480 708 1463, quae facta est a primo momento
Incarnationis 224 250. Unio hypostatica falso explicatur a Rosmini *1917*.

Sequelae et modus loquendi.

VIII e Christus non est tantum dicendus θεοφόρος vel deificus 117 312, vel
habitatio Dei 123 708, neque una natura composita 288.

Ex unicitate personae sequitur **communicatio idiomatum** seu
praedicatio reciproca proprietatum et operationum 116 124 222
224 248 *372 1339*; hinc agnoëtae erraverunt 248.

Operationes naturae humanae dignificantur divinitate coniuncta
1919.

Ipsa humanitas Christi est adoranda 120 221; et quidem
directe ut unita cum divinitate 224 *1561*; adoratione una, non
duplici 221, et amanda est etiam a perfectis *1255*; qui cultus
latreuticus convenit speciatim etiam Christo eucharistico *478*
888 C 1255 § 1, et sacratissimo Cordi Iesu *1563*.

Homo Christus est Filius Dei unicus 2, est naturalis 143 333
1460; nullo modo adoptivus 299 309 sqq 344 462 3007;
servus nonnisi allegorice propter oboedientiam 310 313; non est
filius Spiritus Sancti 282; at vere hominis filius 20 422; potest
dici minor Patre et Spiritu Sancto, maior vel minor se ipso 285;
non potest dici innascibilis 26; immo habet duas nativitates,
aeternam ut Deus et temporalem ut homo 257 290 344.

Christus fuit sanctus et sine peccato conceptus, natus, mortuus VIII f
13 65 122 148 224 sq 251 258 286 290 320 711; immo impeccabilis etiam ante resurrectionem 224; quare non indigebat
purificatione *1314*; habuit septem dona Spiritus Sancti 83, in
specie etiam timorem Dei *378*; non fuit passionibus subiectus nec
profectu melioratus est 224; non pro se ipso sacrificium obtulit
122; fuit liber in passione 215 255 263; patravit miracula
215 1624 1790 1813 2084, propria virtute 121, et edidit prophetias 1790, et eius anima ab initio cognovit in Verbo omnia,
quae Deus scit scientia visionis *2183* sqq.

In Christo recte quidem distingui possunt tres substantiae: Verbum,
anima, caro 285 295; sed melius dicitur una persona et duae
substantiae Dei et hominis 148 312.

Christus qua Verbum est natus tantum, qua homo natus, factus,
praedestinatus 285; ut homo non est omnipraesens 307.

Christus ut Deus est impassibilis, immortalis, aeternus, ut homo est
passibilis, mortalis, temporalis 27 72 257 327 sq 344 422 429
462 708.

Haec veritas revelata Incarnationis est mysterium 1668 sq.

Opus Christi.

(Redemptio. Soteriologia.)

Cum neque per vires naturae neque per legem Mosaicam homo lapsus VIII g
reparari posset 793 811, sed solum per merita Christi 711 790
795 809 820 *1001*, Christus homo factus est propter
nostram salutem 9 sq 13 16 40 54 86 371 429; et mortuus
est, «ut natura per Adam perdita per illum repararetur» 194 794
800; per mortem crucis nos a peccatis redemit et Patri reconciliavit 286 993 sq, idque ob amorem generis humani, non e fato
3031; hinc est Redemptor et Mediator Dei et hominum
711 790 831; satisfecit pro peccatis totius mundi 122 sqq 286
319 323 462 794 sq 799 809 820 *1096 1294* sqq *1409*; quae
satisfactio est infinita 319 552 *1019*.

Mysteria vitae Christi.

VIII h Christus i n c a r n a t u s et c o n c e p t u s est de Spiritu Sancto ex
Maria Virgine 2 sqq 13 40 54 65 86 255 422 708 994;

deinde n a t u s est (de Spiritu Sancto) ex Maria Virgine 2 sqq 122
143 sq 148 173 233 344 422 709 sq 3029; non fuit filius Sancti
Ioseph 993; manducavit, bibit, dormivit, fatigatus est 422; esurivit,
sitivit, doluit, flevit 20; fuit pauper, sed non absolute *494 577*;

p a s s u s est 2 sqq 13 34 54 86 143 sq 173 422 480; pro omnibus
319 462 480 531, etiam pro damnatis 323;

c r u c i f i x u s sub Pontio Pilato 2 sqq 20 86 222 255;

m o r t u u s est 3 sqq 16 20 286 320 422 429 711; pro omnibus
hominibus 122 sqq 480 794 *1096 1294* sq *1382*, non pro dae-
monibus 209; pro nobis peccatum factus est 286, et sacrificium
obtulit 938 sq 951; ex cuius latere post mortem aperto vera fluxit
aqua, non phlegma 416 sq 480; (de sanguine sparso Ecclesia
nihil definivit 718);

s e p u l t u s est 2 sqq 20 86 344;

d e s c e n d i t a d i n f e r o s 3 6 40 462, in anima *385* 429; sed infernum non abrogavit *532*;

r e s u r r e x i t tertia die 2 sqq 13 16 20 40 54 86 255 994 *2036*
2084, propria virtute 286, vera carnis resurrectione 200 344 429,
animae ad corpus resumptione 422 462; et vere deinde, sed sine
indigentia, manducavit 344 422;

a s c e n d i t i n c o e l u m 2 sqq 13 20 54 86; cum carne et anima
13 344 429.

s e d e t a d d e x t e r a m P a t r i s 2 sqq 13 16 86, iuxta modum exsistendi naturalem 874;

r e g n a t i n a e t e r n u m 9 13 16 86;

i u d i c a b i t vivos et mortuos 2 sqq 13 40 54 86 287 344 422 427
429 462 994 3028, veniens in corpore suo 13 255.

MARIA MATER DEI ET VIRGO.

VIII i Maria est M a t e r C h r i s t i ideoque vere et proprie Dei g e n i t r i x
91 113 143 201 sq 214 218 256 sq 290 422 708 993 1462; sed
genuit tantum Filium, non Trinitatem 284.

VIII k Maria fuit V i r g o inviolata 20 91 113 143 sq 201 sq 214 255 sq 282
290 344 429 462 708 735 993 1462; et perpetuo r e m a n s i t
(ante partum et in partu et post partum) 91 256 282 993 3029;
quare purificatione non indigebat *1314*.

Concepta est i m m a c u l a t a i. e. sine labe originalis peccati 256
734 sq 792 *1073* 1100 1641 *3035*, sed non ob semen incorruptum
ad eam transfusum *1924*; neque passa aut mortua est ob peccatum originale *1073*.

Ex speciali privilegio erat l i b e r a a b o m n i p e c c a t o, etiam veniali
833; opera bona externa peregit *1260*; intercedit apud Deum pro
hominibus 734; quare Maria laude digna est *1316*, et etiam a
perfectis amanda *1255* sq.

Ipsa est gratiarum omnium mediatrix 3033 sq.

[De Assumptione B. M V. cf. 1641 notam.]

IUSTIFICATIO.

Iustificationis notio.

Iustificatio **n o n** consistit formaliter in sola remissione peccatorum 483 **IX a**
799 821, quae quidem semper cum ea coniuncta est *1031* sqq
1043, neque in oboedientia mandatorum *1042*, neque in favore Dei
externo 821, neque in iustitiae et meritorum Christi mere externa
i m p u t a t i o n e 820 sq, neque in eo quod peccata tantummodo
teguntur aut non imputantur *742* 792 804 *1925*;
sed est s a n c t i f i c a t i o e t r e n o v a t i o i n t e r n a, qua deletur reatus
peccati, supernaturalis exaltatio hominis ad statum adoptionis
filiorum Dei et consortium divinae naturae p e r g r a t i a m e t
i n h a b i t a n t è m S p i r i t u m S a n c t u m 197 *742* 792 795 sq
799 sq 809 sq *1018* *1021* *1031* sqq *1042* sq *1069*.
C a u s a iustificationis variae enumerantur 799 807.

Iustificationis via.

Quamvis **n i h i l** eorum quae ad iustificationem conducunt, eam m e r e a- **IX b**
t u r, sed o m n i a p e r g r a t i a m fiant 176 sqq 187 194 sq 790
798 sqq 811 813 *1042* et meritis Christi nitantur 103 sq 186
197 sq 790 794 sq 800 809 820 993, homo tamen potest et debet
se ad iustificationem d i s p o n e r e 797 sqq 814 819 823 897 915
1829 sq *1418*, actibus supernaturalibus 811 sqq *1042*, quibus cor-
respondet mensura iustificationis sequentis 799.
D i s p o s i t i o fit actibus f i d e i, s p e i, c a r i t a t i s, p o e n i t e n t i a e
798 894 897 sq 914; qui non sunt tantum fructus ac signa iam
acceptae iustitiae 834.
F i d e s est necessarium fundamentum et radix iustificationis 178 801
1789 1793; sed non est prima gratia *1376* sq *1522*.
Non sufficit tamen f i d e s s o l a *751* sq 798 800 sqq 819 822 sq 829 sq
839 902 914, nec sola cum precibus *1418*, nec fides «fiducialis»
802 822 sq 851 922, nec late dicta ex testimonio creaturarum
200 *1173*, nec fides unius Dei sine explicita fide remuneratoris
1172; ad iustificationem sacramentalem (i. e. absolutionem) requiritur insuper cognitio mysteriorum Trinitatis et Incarnationis *1214*.
P o e n i t e n t i a non consistit solum in terroribus conscientiae incussis
et fide (fiduciali) 896 sqq 914 919; sed est c o n t r i t i o seu «animi
dolor ac detestatio de peccato commisso cum proposito non peccandi de cetero» *747* *751* sq 897.
C o n t r i t i o d u p l e x esse potest: una caritate perfecta et altera
imperfecta seu attritio 898 915.
A t t r i t i o sine caritate non est mala *744* *746* sq 798 898 915; et
potest esse supernaturalis *1304* sq; et sufficit cum sacramento
poenitentiae ad iustificationem 798 898 1146 *1536*, modo ne sit
attritio mere naturalis *1207*.
C o n t r i t i o (caritate perfecta) cum voto sacramenti iustificat iam
ante huius susceptionem 898 *1033*, etiam extra casum necessitatis
vel martyrii *1071*.

Iustificatio non semper secum fert remissionem o m n i u m p o e n a r u m
t e m p o r a l i u m 807 840 904 922 925 ; nec quisquam certitudine
fidei potest neque debet scire se esse iustificatum 802 823 sq.
Recte distinguitur d u p l e x i u s t i t i a, inchoativa per inspirationem
et perfecta per inhabitationem Spiritus Sancti 898 *1063* sq.

Gratia actualis.

Natura gratiae (actualis).

X a Gratia (actualis) est a d i u t o r i u m D e i s u p e r n a t u r a l e, quo
homo aptus fit ad operandum prout oportet ad vitam aeternam
obtinendam 103 sqq 177 sqq 797 sqq ; non est auxilium externum
tantum 104 ; sed per gratiam Deus «operatur in nobis sine nobis»
193 ; quamvis non omnia per solam gratiam fiant *1352* sqq.
Gratia dat nobis non solum posse f a c i l i u s sed p o s s e s i m p l i-
c i t e r 105 812, sanando naturam peccato originali vitiatam et
restituendo libertatem (filiorum Dei) 105 130 181 317 325.

Appellationes et divisiones.

X b Datur gratia i l l u m i n a t i o n i s (in intellectu) et i n s p i r a t i o n i s
(in voluntate) 135 sqq 180 797 *1521* 1791 ; gratia e x c i t a n s
(vocans) et a d i u v a n s 179 200 317 *754* 797 sq 807 813 sq ;
antecedens, concomitans, subsequens 809, incipiens et perficiens 806,
p r a e v e n i e n s 177 187 191 196 317 348 797 813 ; o p e r a n s
(movens) 317 797 813 898 *1036* ; e x t e r n a e t i n t e r n a *1355* ;
elevans 130, sanans (medicinalis) 317 ; efficax, sufficiens, mere
sufficiens (1090 1097) *1296 1367* sq *1521*.

Necessitas gratiae.

X c Universe in negotio salutis gratia n e c e s s a r i a est 103 sqq 125
130 sqq 176 sqq 199 *376* 793 sqq 811 sqq 2103 ; non solum gratia
i n t e l l e c t u s sed et v o l u n t a t i s 104 136 180 797 ; et *absolute*
quidem (gratia e l e v a n s) ad salutariter operandum 105 135 178 sqq
186 190 193 sqq 198 sq 317 *376* 797 sqq 811 *1011 1521* 1789
1791 ; *non absolute* ad bene operandum naturaliter (opera bona
infidelium et peccatorum) *642 776 1027* sqq *1298 1351* sqq.
In specie gratia (medicinalis) necessaria est ad cognoscendum verum
104 180 182 195, ad evitandum peccatum 103 sq 132 sq 186 sqq,
ad bene operandum 184 190 sqq *376* 806 *1011* 1054, ad orandum
pro gratia 176 179 *1520*, ad d e s i d e r i u m s a l u t i s 139 177
198 798 *1520*, ad i n i t i u m f i d e i 140 178 199 797 sq *1376* sq
2103, ad p e r s e v e r a n d u m 132 183 192 806 826 832.

Gratuitas gratiae.

X d Gratia iustificationis non debetur orationi 176, neque aliis dispositionibus 179 *1518* ; nam h o m o v o c a t u r n u l l i s m e r i t i s p r a e-
c e d e n t i b u s 135 sqq 176 sqq 191 200 797 sq 801 *1518*, sed cum
accepta gratia potest mereri ulteriorem 803.

Efficacia gratiae.

Gratia non est omnipotens Dei vo untas, cui nunquam resistitur 797 X e
814 *1093 1095 1359* sqq *1386* sq; sed homo libere cooperari debet gratiae, «quam abicere potest» 134 140 196 200
317 319 348 793 sqq 814 819 *1059 1242 1352* sqq *1359* sq
1371 sqq *1419 1521* 1791; hinc Deus dicitur nobis cooperari
182 200

Non omnis gratia est efficax *1367*, neque tamen ideo inutilis aut perniciosa *1296.*

In quo praecise consistat gratiae efficacia, libere controvertitur 1090 1097.

Gratia habitualis (sanctificans).

Gratia habitualis est distincta a gratia actuali *1064* sq; est qualitas X f
animae infusa et inhaerens, qua homo formaliter iustificatur
483 792 795 799 sqq 809 821 898 *1042* 1063 sq; regeneratur
102 186, manet in Christo 197 698, induit novum hominem 792,
et heres fit vitae aeternae 792 799 sq; sed ipsa non est id, quo
Christianus a Non-Christiano discernitur *1358* sq.

Confertur gratia habitualis in baptismo 130 186 424 792 796 847
849, tam parvulis quam adultis 102 483 894, etiam non praedestinatis 827;

augeri potest imprimis per susceptionem sacramentorum 695 698
849, et bonis operibus 103 834 842 *1044*, non vero post
mortem *778*;

amittitur non solum peccato infidelitatis 808 837, sed quovis peccato mortali 324 805 sqq 808 833 837 862 *1393*;

reparatur in sacramento poenitentiae 424 430 *724* 807 894 911,
interdum in extrema unctione 909 927, vel contritione perfecta
cum voto sacramenti 898.

Distributio gratiarum.

(Praedestinatio. Reprobatio.)

Deus ab aeterno certo praescivit et immutabiliter praeordinavit X g
omnia futura 300 316 321 sq 1784; non tamen ideo omnia de
necessitate absoluta eveniunt 321 *607 3026*;

sed homo liber manet ad operandum cum gratia bonum vel ad
eligendum malum reiecta gratia 134 300 317 sqq 797 sq 1791,
cf. X e.

«Deus vult omnes homines salvos fieri» 318 794 sq *1362* sq
1380; et Christus pro omnibus mortuus est 319 795 *1096 3026*,
non pro solis praedestinatis *1096 1380* sqq, nec pro solis fidelibus
1294; licet non omnes redemptionis beneficium recipiant
323 sq 795.

Deus positive praedestinavit omnia opera bona 196
316 sqq 322 816, et gloriam salvandorum 316; sed neminem
praedestinavit ad malum 200 316 sqq 321 sq 333 *514* 816
827 *3026*; et sicut nemo invitus salvatur *1362* sq *1380*, ita, qui-

cunque periturus est, «ex merito propriae iniquitatis damnatur»
200 316 318 321; poenas autem impiorum Deus praescivit et
praedestinavit 316 322.

X h Deus «iustificatos non deserit nisi ab eis prius deseratur» 804
806 1794; sed recte petentibus dat gratiam nec patitur
nos supra id, quod possumus, tentari 979; hinc mandata Dei
nemini impossibilia sunt 200 804 828 *1092*; peccatoribus conversionis gratia offertur 444 807; et ne praescitis quidem (i. e. non-
praedestinatis) Deus denegat gratiam 319 827; ipsi possunt esse
Christiani et membra Ecclesiae *627* sqq 837 *1422 3031*; cum e
contra praedestinatus possit esse extra illam *628 631*.

Falsum est: orationem praesciti nulli valere *606*; aut: extra Ecclesiam
nullam dari gratiam *1295 1379* 1646; aut: primam gratiam esse
fidem *1376* sq *1522*, aut remissionem peccatorum *1378 1521*,
perinde ac si non iustificato nulla daretur gratia *1043* sq.

Sine speciali revelatione nemo certus esse potest, se esse de
numero praedestinatorum 805 sq 825 sq.

Doctrina catholica de iustificatione est sola vera 809; nec derogat
gloriae Dei aut meritis Christi 843.

Oeconomia salutis.

X i In statu Legis Naturae hominibus non defuit gratia sufficiens *1295*;
nec tamen propriis viribus gratiam desiderare poterant *1518*.

«Lex» seu Vetus Testamentum erat bonum et opus unius Dei
28 348 421 464 706; non habuit solum timorem *1413*, sed et
gratiam *1366* sqq *1519* sq; attamen ex se sola non iustificabat 189
194 793.

Post promulgationem Novi Testamenti «Legalia» V. T. mortifera
facta sunt 712; observatio vero mandatorum pertinet etiam ad N.T.
804 828 sqq 837 863; nam Christus non fuit solum Redemptor, sed
et Legislator 831. Lex nova non cessabit ante finem saeculi *3031*.

Virtutes.

Virtutes generatim spectatae.

XI a In iustificatione simul cum gratia sanctificante infunduntur habitus
virtutum 410 483 800 821, probabilius iam in baptismo parvulorum 410 483; distinguuntur virtutes theologicae et morales 410.
Actus virtutum theologicarum cadunt sub praeceptum *1101 1155* sq
1166 sq *1215 1289*; virtutes activae necessariae sunt in vita
spirituali *1251 1323* sqq, et conveniunt etiam perfectis *476*; virtutes
passivae activis non sunt postponendae 1972.

Fides.

De fide ut est acceptatio revelationis et de praeambulis fidei vide: I c d,
ut est fundamentum iustificationis: IX b.

XI b Fides est virtus theologica 530, supernaturalis 178 1789 1795, quae
infunditur in iustificatione 800 sq, probabilius iam in baptismo
parvulorum 410 483; non debetur meritis 200, sed tribuenda est

gratiae internae 178 442 1626 1791 1814; non tamen est prima
gratia *1376* sq *1522*; neque est sine usu liberi arbitrii *1242 1419*.

Fides non est sensus quidam religiosus 2074 sqq, sed est **assensus
intellectualis** 420 798; principium cognitionis supernaturale
1789 1795, a naturali scientia distinctum 1656 1811; non perspicit veritates ex rationibus internis 442 1789; nec tamen ideo
est assensus caecus 1625 1637 1790 sq 1812, aut **contra rationem**
1797 sqq *1915*; sed est **supra** rationem 1649 1671 sqq 1796 sq;
non necessario producitur argumentis rationis 1814; et ideo est
simul actus voluntatis imperantis 420 1789; quo homo
liberum obsequium praestat Deo *736* sq 1791 1814, qui fidem
etiam imperare potest 1810.

Est denique assensus **certus**, infallibilis, immutabilis ratione motivi,
quae est auctoritas Dei revelantis *723* 1637 sqq 1656 1789 sq 1794
1800 1811 sq 1815 1968 *2025* 2079 sq; et super omnia **firmus**
ratione adhaesionis 428 460 468 706 sqq 1637 1794 1815.

Fides **fiducialis**, quae vocatur, non est vera fides iustificans 802
822 sq 851 922.

Quamvis fides sit absolute **necessaria** ad iustificationem [v. IX b],
non tamen est necessaria ad omne opus naturaliter bonum *1022
1025 1301 1398*; neque infidelitas pure negativa peccatum est
1068

Actus fidei cadit sub praeceptum *1166*, et pluries in vita eliciendus
est *1101 1167*; occultatio fidei peccaminosa esse potest *1168*
C 1325 § 1.

Contra fidem praecipue peccat sive **haereticus**, i. e. baptizatus,
qui nomen retinens christianum pertinaciter aliquam ex veritatibus
fide divina et catholica credendis negat aut de ea dubitat, sive
apostata, i. e. baptizatus a fide christiana totaliter recedens
C 1325 § 2.

Fides non **amittitur** quolibet peccato 808 838 *1302*, sed sola infidelitate 808; hinc potest esse sine caritate *1302 1401* sq, et sine
spe *1407*; et sic est **mortua** quidem 800 838 *1401* sqq, attamen
Dei donum 1791.

Fides in altera vita evacuabitur 530.

Spes.

Habitus spei infunditur in iustificatione 800 sq, probabilius iam in **XI c**
baptismo parvulorum 410 483; potest esse sine caritate *1407*; et
in altera vita evacuabitur 530.

Actus spei aliquoties in vita elici debet *1101*.

Operari ex motivo spei bonum est 804 841 *1300 1303*, etiam pro
perfectis *1327* sq *1331* sqq *1337*.

Caritas.

Habitus caritatis infunditur in iustificatione 800 sq, probabilius iam **XI d**
in baptismo parvulorum 410 483, nunquam est sine gratia 198;
distinguenda est charitas ab amore Dei naturali *1034*.

Caritas perfecta destruit peccatum *1031* sqq *1070*; non excludit
  timorem et spem *1327* sq; non est unicum motivum actus boni *508*
  1349; neque unicum principium actionum christianarum *1403*; non
  est necessaria ad oboedientiam legis *1016*, neque ad attritionem
  1146, neque ad communionem *1313*; ea deficiente non omnia
  opera sunt peccata *1297 1394* sqq *1523* sq.

Caritas imperfecta non est inhonesta *744*.

Actus caritatis elici debet non semel tantum in vita *1155* sq, aut
  solum in casu necessitatis *1157*, sed pluries in vita *1289*, idque
  iure divino *1101*.

Religio et cultus.

XI e Religio falso explicatur a modernistis 2074 sqq; Deus coli debet
  etiam actibus externis et publicis *478* 943 954 956 *1253* sq
  1573; in specie humanitati Christi adoratio debetur 120
  221 224, item ss. Eucharistiae 878 888 C 1255 § 1, et sacratissmo
  Cordi Iesu *1359* sqq.

Laudabilis est cultus Sanctorum 342 984 C 1276, qui etiam a
  perfectis exhibendus est *1255* sq; praesertim B. Mariae V. laus
  debetur *1316* C 1276; pro Sanctis autem non orat Ecclesia 535.

Similiter licitus est cultus imaginum 250* 302 sqq 306 337 679
  986 sqq 998 1085 1994 C 1276, etiam Dei Patris et Trinitatis
  306 *1315 1569*, et cultus reliquiarum 303 342 440 679 985
  998 C 1276; uterque tamen non est nisi relativus 302 337 985 sq
  C 1255 § 2; non est vituperandus cultus specialis exhibitus quibusdam imaginibus *1570* sqq.

Ritus Ecclesiae in sollemni administratione sacramentorum non
  debent contemni, omitti, mutari 665 856 931 C 733; similia valent
  de canone et ceremoniis Missae 942 sq 953 sq C 818; de aqua
  vino admisceri solita 698 945 C 814; de benedictionibus, cantu,
  officiis 424 426 *1587*; de aqua baptismali et exorcismis 665 C 757;
  de precibus absolutioni additis 896 C 885; de benedictione matrimonii 981 C 1101; de unctione in conferendis ordinibus 965;
  item bene cogitandum de altarium pluralitate et ornatu *1531* sq;
  de magnificentia cultus et festorum institutione *1533 1573* sq; de
  applicatione et certo numero precum *599 1564*; de missionibus et
  exercitiis *1565* C 1349.

XI f Oratio non est idem ac resignatio *1245*; neque est quies animae
  absoluta *1241*; non excludit discursum *1240*; iuvatur imaginibus
  1238; impeditur cogitationibus impiis toleratis *1244*.

Oratio supponit gratiam 176; prodest specialiter iis, quibus applicatur *599*, imprimis animabus in purgatorio detentis 464
  535 693 983 998; convenit etiam perfectis *1234 1254*, sicut etiam
  actio gratiarum *1235*; in peccatore non est novum peccatum *1409*;
  praescito non est inutilis *606*; petitio alicuius rei non est Deo
  iniuriosa *507*; in precibus liturgicis usus linguae vernaculae
  non est inducendus 946 *1566*.

XI g Vota sunt bona C 1307 § 1 nec derogant promissioni in baptismo
  factae 865, neque impediunt perfectionem *1223*; votum castitatis
  est et manet impedimentum matrimonii 979 C 1058 C 1073.

Iuramenta sunt licita 425 487 623 662 sq, neque spiritui christiano
opposita 1451 1575; iurare sine animo iurandi non licet 1175
C 1316 § 1, neque cum restrictione pure mentali 1176 sqq; periurium peccaminosum est, etsi fiat in favorem fidei 664.

Simonia illicita est quoad ordines, munera ecclesiastica, sacramenta,
benedictiones, reliquias etc. 354 359 364 400 440 1195 sq C 727;
sed oratio pro benefactoribus oblata simoniaca non est 605.

Auferre bona ecclesiastica sacrilegium est 685 sq.

Assistere manifestationibus spiritisticis quibuscunque est illicitum
2182.

Sacramenta.

Sacramenta in genere.

Essentia: Sacramenta sunt media gratiae 139 844 sqq C 731 § 1, seu XII a
«symbola rei sacrae et invisibilis gratiae formae visibiles» 876.

Sacramenta Veteris Legis differebant a sacramentis Novae Legis
845 857, eo quod non causabant gratiam, sed figurabant 695,
praesignabant Messiam 711, quo adveniente cessabant 712.

Sacramenta Novae Legis gratiam significatam continent et conferunt 324 539 695 741 847 849 996 sq 2039 sq; dignitate inter
se differunt 846; non sine peccato contemnuntur 424 484 669.

Sunt a Christo instituta 844 996 sq 1470 3019 C 731 § 1,
non tantum ad fidem nutriendam 848 2041 2088, neque ut mera
signa acceptae iustitiae 849; non sunt plura vel pauciora quam
septem 402 424 465 695 844 996 sq 1470.

Perficiuntur materia et forma debita 98 672 695 895 C 742 § 1,
«cum intentione [ministri] faciendi quod facit Ecclesia» 672
695 854 1318 1488 sq; ceremoniae comitantes administrationem
salva substantia ab Ecclesia mutari possunt 931 3019 3035, non
vero a ministro 856 1963 sq C 733.

Effectus: Sacramenta N. T. non solum nutriunt fidem 848, sed
conferunt gratiam 410 849 2041 C 731 § 1, ex opere
operato 851, virtute Spiritus Sancti 424, omnibus non ponentibus
obicem 411 741 849, idque semper 850, et «cum quis illis utitur»
876; sed recipiens debet esse membrum Ecclesiae 714 C 731 § 2.

Tria sacramenta insuper imprimunt characterem et iterari nequeunt
411 695 852 996 sq 1470 C 732 § 1.

Quid significet «Sacramentum et res . . .» etc. 415.

Minister: Non quilibet christianus omnia sacramenta valide administrare XII b
potest 853; sed requiritur minister proprius singulis sacramentis,
etsi forte peccator sit 169 297 424 488 545 584 855; qui, licet
indignus, «vere conficit, absolvit» etc. 672 855; et est vera causa
(ministerialis) iustificationis 1058.

In collatione sacramentorum non licet sequi opinionem probabilem relicta
tutiore 1151, neque pro libitu omittere ritus sacramentales 856 C 733;
interdum vero sacramenta conditionate conferri debent 399 1527 C 746.

Subiectum est homo (adultus) volens 411.

Necessitas: Generatim sacramenta ad salutem necessaria sunt,
non tamen omnia singulis 729 847; actualis susceptio interdum
voto suppletur 388 729 1071 C 737 § 1.

Baptismus.

XII c *Essentia:* Baptismus est primum sacramentum 86 287 402 430 465
696 857 sqq 994 C737 §1, estque un(ic)us 140 347 464 482.

Materia remota est aqua naturalis 412 430 482 *542* 696 858
3024 C737 §1, cui in casu necessitatis admisceri potest hydrargyrum
bichloratum 1977; valida non est saliva 412, neque cerevisia 447;
materia proxima est ablutio trina 229 vel una 250* C737 §1,
seu immersio 398 413 C758.

Forma non est invocatio Angelorum 82, neque sola invocatio Trinitatis *1317*, sed verba: «Ego te baptizo in nomine P. et F. et Sp. S.»
82 97 229 249 297 335 398 413 430 482 *542* 696 3030, vel
(apud Graecos): «Baptizatur . . .» 696, cum conditione adiecta,
ubi opus est *1527* [«in nomine Christi» 47 94 97 229 335; «in
nomine Trinitatis» 82 97 335 430 3025; «et in Spiritum Sanctum»
11].

Effectus sunt: remissio peccatorum in genere 130 250* 287
324 464 483 *742* 792 895 *1057*, speciatim peccati originalis 102
329 348 *410* sq 3024 *3026*, et personalis 424 696 895 3024,
remissio *poenae temporalis* 464 696 807 *1057*, collatio gratiae
130 483 792 799 933, adoptio in filium Dei 712, regeneratio 140
696 933, infusio virtutum 410 483 800, applicatio meritorum Christi
cuius membrum fit baptizatus 696 790 933, liberatio a potestate diaboli
140, receptio in Ecclesiam 324 696 864 870 *1413* C87, aperitio
coeli 139 410 424 530 693 696 792, impressio characteris
411 695 852 960, obligatio servandi legem Christi 863 C87.

Sed baptismus non dat gratiam inamissibilem 862; neque tollit concupiscentiam 792 *1393*; neque reddit gratiam actualem superfluam
132; non solvit per se coniugia legitima (privil. Paulin.) 407
C1126; non impedit vota subsequentia 865; neque sola eius
recordatione peccata delentur 866.

XII d *Minister* debet esse diversus a baptizando 413, et in baptismo sollemni
sive sacerdos 696 C738 (etiam praesente episcopo 98), sive diaconus *520* C741; in baptismo privato quivis laicus, etiam mulier
712, immo peccator vel haereticus 46 sq 53 55 sq 88 94 97 249
297 3030 C742, dummodo habeat intentionem 90 860 *1310*
1488 sq 1848 sq C742 §1.

Subiectum: Omnis homo necessario baptismum recipere debet 482
696 712 796 799 861 870 1470 *2042* C737 §1, saltem voto
(bapt. flaminis) 388 796 C737 §1; etiam parvuli et amentes
baptizandi sunt 102 140 367 410 sq 424 430 482 712 869 *2043*
3024 C745; in quibusdam casibus licet baptizare pueros Iudaeorum
1480 sqq 1490 et acatholicorum C750 sq; adulti praeparare se
debent 798; susceptio ne differatur ad tempus mortis 868.

Administratio: Baptismus iterari nequit 46 53 88 97 435 695
852 867 869 895 996 sq 3024 C732 §2; aliqui tamen sunt
rebaptizandi ob invaliditatem 56 97, interdum saltem conditionate
399 *1527* 1848 C732 §2 C746 C752 §3; praecedant exorcismi
140; adsint patrini, personam baptizandi agentes 870 C762;
confirmatio et communio non requiruntur ad valorem baptismi *542*.

Confirmatio.

Essentia: Confirmatio est verum et proprium sacramentum 419 465 XII e
543 669 697 871 *2044.*

Materia remota est chrisma ex oleo et balsamo confectum 419
697 1458, ab episcopo benedictum 93* 98 571 697 1086 C 781
§ 1; proxima est manus impositio cum chrismatione 424 465
697 C 780 C 781 § 2.

Forma est: «Signo te . . .» 697.

Effectus est communicatio Spiritus Sancti ad robur 697 871 sq;
imprimitur animae character, unde hoc sacramentum iterari
nequit 695 852 960 996 C 732 § 1.

Minister ordinarius est solus episcopus 93* 98 250* 419 424
465 *543* 572 *608* 697 873 960 967 1458 *3035* C 782 § 1;
extraordinarius est sacerdos a Summo Pontifice facultatem habens
573 sq 697 C 782 § 2.

Subiectum est quivis baptizatus 465 871 C 786 (etiam infans 98),
non tamen tenetur necessitate medii ad salutem C 787.

Eucharistia.

Realis praesentia.

Praesentia Christi in Eucharistia est vera, realis, identica *583* 874 sqq XII f
883 sqq 890 3024 *3031* C 801; efficitur transsubstantiatione
355 416 424 430 465 *544 581* 666 698 706 sq 796 877 884
1469 *1529 1919*, quae non est impanatio *1845*; substantia
panis et vini cessant *581* sq 877 884; item natura panis cum
elementis suis 1845 sq, manentibus speciebus (accidentibus)
sine subiecto 416 *582* 884, atque vi verborum sub diversis
speciebus corpus et sanguis Christi exsistunt, reliqua con-
comitanter 876 885, idque non tantum in usu 715 876 886, sed
quamdiu manent species *578* sqq. ita ut Christus sit totus sub
utraque specie 626 667 698 932 936 996 sq 1469, et separatione facta sub qualibet parte 698 *1921*; qui modus
exsistendi sacramentalis est, non naturalis 874; hanc transsubstantiationem, de qua fideles omnino edocendi sunt *1529*, non
recte explicant Rosmini et alii *1843* sqq *1919* sqq.

Essentia: Eucharistia verum sacramentum est 367 402 430 437
465 *542* 626 666 698, a Christo in ultima coena institutum 874 sq
2045, et symbolum unionis mysticae 875.

Materia est panis triticeus 692 698 715 C 815 § 1, sive azymus
(apud Latinos) 350 465 692, sive fermentatus (apud Graecos)
692 C 816, et vinum de vite 414 416 430 698 C 815 § 2
(quod, ubi opus est, ebullire licet ad 65⁰ 1937, et roborare
alcoholo ad 12 %/ vel 18 %/ 1938); cui modicum aquae admisceri
debet 416 441 698 C 814 ob mysticam significationem 945 956.

Forma sunt verba Christi 414 698 715, non vero epiclesis *3035*.

Minister: Sacerdos rite ordinatus habens debitam intentionem valide
consecrat 424 430 715 3024 C 802, non autem diaconus 53*
C 802; ad liceitatem requiritur status gratiae 418 880 C 807.

Cultus: Eucharistia asservanda est 879 886 889 C 1265, et cultu
latriae honoranda 878 888 C 1255, etiam a perfectis *478*.

Communio.

XII g *Sumptio* Eucharistiae triplex distinguitur: sacramentalis, spiritualis,
utraque simul 881 890 944 C 863; Christus sumitur totus sub
qualibet specie 932 936; hinc fieri potest communio sub altera
tantum specie 931 935, cum sumptio calicis non sit praecepti
divini pro non-sacrificantibus 930 934 sqq; quare c o m m u n i o
s u b u n a s p e c i e servanda est 626 668 *756* C 852, quae distri-
buenda est fidelibus ordinarie a sacerdote 881 sq 892 C 845 § 1,
extraordinarie a diacono C 845 § 2.

Subiectum: Parvuli non obligantur ad communionem sumendam 933
937 C 854 § 1; sed qui ad annos discretionis pervenerunt,
s i n g u l i s a n n i s, saltem in P a s c h a t e, ad communicandum
tenentur 437 891 *1922* 2137 C 859; sed huic praecepto non
satisfit communione sacrilega *1205* C 861.

Ad licitam susceptionem non sufficit sola fides, sed requiritur s t a t u s
g r a t i a e, qui c o n f e s s i o n e acquirendus est, non contritione
tantum 880 893 C 856; insuper suscipiens debet esse i e i u n u s
626 C 858, debite praeparatus (actibus positivis) 880 *1252*; sed
poenitentia non necessario impleta nec charitas purissima obtenta
esse debet *1312* sq; i n f i r m i s Eucharistia honorifice deferenda
est 879 889 C 847.

In mortis periculo Viaticum suscipi debet C 864.

Communio f r e q u e n s atque etiam q u o t i d i a n a o m n i b u s, qui
cum recta mente accedunt, commendatur 881 sq 944 955 1147 sqq
1978 1981 sqq C 863; etiam p u e r i s 2137 sqq C 863.

Effectus non est alimentatio corporalis *546*, neque praecipue remissio
peccatorum 887; sed u n i o c u m C h r i s t o atque augmentum
gratiae et virtutum 698; peccatorum venialium et poenarum remissio *546*; communio est a n i m a e c i b u s s p i r i t u a l i s et
pignus futurae gloriae 875 882 887; qui effectus non pendent a
sola fiducia *755*; frequens communio ex se sola non est nota
praedestinationis *1206*.

Sacrificium Missae.

XII h *Essentia:* Missa est sacrificium verum et proprium praefiguratum sacrificiis naturae et Legis 424 430 435 441 464 938 sqq 948 996 sq
1045 1469, visibile 957; in ultima coena a C h r i s t o i n s t i t u t u m
585 938 sq 949 957 961 963; quo sacrificium c r u c i s repraesentatur et applicatur 938 940; unde ipsi non derogatur 940 951.

Sacrificium hoc non consistit in sola communione 948; neque requiritur praesentia fidelium aut adstantium (ne spiritualis quidem)
communio 944 955 *1528*; quae tamen (etiam sacramentalis) commendatur 944 1981 sqq C 863.

Missa est sacrificium l a t r e u t i c u m 950; unde soli Deo offertur,
non Sanctis 941, in quorum honorem tamen offerri potest 952;
est e u c h a r i s t i c u m 950; est i m p e t r a t o r i u m et pro-

pitiatorium 940 950 996 sq 1085 1469, cui etiam peccator
licite assistit *1439*.

Effectus: Hoc saerificio peccata (etiam gravia) remittuntur indirecte
940, poenae autem temporales poenitentibus contritis etiam
directe 940 950; offerri potest etiam pro fidelibus defunctis
427 464 693 940 944 950 983 996 C809; prodest ergo non
soli sumenti 950, sed specialiter illi, cui fructus applicatur
1530 C828.

Modus offerendi: Ecclesia recte ceremonias varias in oblatione servandas instituit et linguam latinam retinet 943 946 956 *1436 1506
1560* C818 sq; in specie canon Missae venerandus est 414
942; vino admisceri debet modicum aquae 416 sq 698 C814;
celebratio simulata illicita est 418; celebratio sub altera tantum
specie nunquam licita C817.

Poenitentia.

Essentia: Poenitentia est verum N. T. sacramentum 146 402 465 XII i
699 807 sqq 894 sq 911 sqq *2046*; a baptismo diversum et
iterabile 807 839 895 912, «secunda post naufragium tabula»
807; a Christo institutum (Io 20, 23) *732* sq, in modum
iudicii 895 899 902 919 *2047*; cuius dignitati non obsunt usus
ab Ecclesia introducti *1534*.

Forma sacramentalis sunt verba sacerdotis: «Ego te absolvo . . .» 699
807 896 914, quae in praesentem proferri debent *1088* sq.

Materia vel quasi-materia sunt actus poenitentis 699 896 914,
contritio, confessio, satisfactio, quae etiam partes
appellantur 146 671 745 896 914.

Contritio «animi dolor ac detestatio est de peccato commisso cum
proposito non peccandi de cetero» *514* sq *747* 897 904 sq 924;
dividitur secundum motiva in naturalem, quae non sufficit ad
iustificationem *1207*, et supernaturalem, quae necessaria est
ad absolutionem 699 *751* sq 897 *1536*.

Alia est perfecta procedens ex caritate 898, quae sine voto sacramenti est inefficax *724*, cum voto eius semper iustificat 898 *1071*;
hinc non reddit confessionem superfluam *587*.

Alia est imperfecta (attritio) procedens «ex turpitudinis peccati
consideratione vel ex gehennae et poenarum metu» 898 *1305*.

Attritio non necessario includit dilectionem Dei *1146*; est tamen
motus bonus, actus liber et voluntarius, disponens ad gratiam, attamen sine sacramento non iustificans *746* 898 *1305 1410*, sed
cum sacramento sufficiens ad iustificationem 898 *1536*.

Confessio complecti debet peccata gravia post baptismum
commissa 146 430 437 699 *725* 807 894 sq 911 C901, quae mani-
festari debent integre *1111 1209* 3024, secundum speciem in-
fimam *1124* C901, integritate vel materiali vel saltem formali
900 sq *1111*; quare accusari debent peccata tam mere interna
quam manifesta *726* sq, atque etiam circumstantiae speciem
mutantes 899 917; malae consuetudines non negandae *1208*;

et haec quidem integritas formalis iuris divini est 699 *752* **899**
917; neque ab ea excusat confluxus populi *1209*.

Peccata venialia vel gravia iam priore confessione remissa non
necessario, sed laudabiliter accusantur *748* sq *1539* C 902.

Confessio debet esse externa et oralis *587* 699; sufficit autem secreta soli sacerdoti facta 145 900 sq 916, et potest etiam signis
fieri 147, vel per interpretem C 903.

Satisfactio salutaris et conveniens imponenda 146 699 899 904 sqq
925 C 887, et a poenitente (ipso) implenda est 437 807 *1115*
C 887, non tamen necessario et iure divino ante ab-olutionem *728*
1306 *1308* *1437* *1535*, neque ante communionem *1312*; consistit
non in fide fiduciali 922, sed in bonis operibus 699, quibus
Deus vere colitur 924; quae vim habent ex meritis Christi 904 sq
923, eamque sacramentalem *1535*, et meritoriam de condigno *1077*.

XII k *Effectus* huius sacramenti est reconciliatio cum Deo seu remissio peccatorum post baptisma commissorum 424 430
699 718 840 896 *1057* sq C 870, quae omnia hoc sacramento
remitti possunt 43 167; remissio poenae imprimis aeternae
807 840 *1057* sq; non vero semper totius poenae temporalis *535*
liberatio a censuris *1144* C 2247 sqq.

Minister poenitentiae non est homo laicus 670, sed solus sacerdos
146 807 902 C 871, qui debet habere iurisdictionem 437 699
903 919 921 *1537* C 872, etiam pro absolutione venialium 1149 sq
C 872, insuper sincere agat necesse est *752* 902 919.

Sigillum sacramentale stricte servandum est 438 *1220* C 889 sq,
et nomen complicis minime exquirendum 1474 C 888.

Subiectum est homo baptizatus lapsus 146 430 807 894 sq 899 911
916 sq C 901; qui praesens esse debet *1088* sq; absolutio poenitentibus morituris deneganda non est 57 88* 95 111
1538, nec sensibus destitutis, si constat de voto habito 147 *1089*,
neque usurariis recte dispositis 1612, nec relapsis aut recidivis
1538, nec fornicariis aut moechis 43; ne differenda quidem est
disposito *1437* sq C 886, sed consuetudinariis et occasionariis in-
dispositis neganda vel differenda est *1210* sqq.

Confessio facienda est saltem semel in anno 437 900 sq 918 C 906,
non necessario proprio parocho *492* C 905, sed fieri potest regulari *491*; sacrilega confessione non satisfit praecepto Ecclesiae
1114 C 907.

Indulgentiae.

XII l *Essentia:* Non sunt piae fraudes fidelium *758*, sed applicatio thesauri meritorum Christi et Sanctorum 550 sqq *757* 1471 *1541*
C 911, vivis per modum absolutionis, defunctis per modum suffragii
C 911, facta per Romanum Pontificem 551 676 *729* 3017 C 912,
praesertim tempore iubilaei 467, vel per episcopos pro suis subditis 678 C 349 § 2, ex causis rationabilibus 551 676; ab antiquis
temporibus in usu erant 989; indulgentiae supponunt rectam dispositionem 551, et tunc sunt salutares et utiles *622* 758 *76*
762 989 *1236* 1471 C 911.

Effectus: delentur poenae temporales *1060* C 911, etiam pro peccatis
occultis debitae *761* sq, et canonicae *1540*, et quidem coram Deo
759 1540; possunt defunctis applicari *729 1542* 3032
C 911 sq, quibus vere prosunt *762.*

Effectus pendet a baptismo recepto, libertate ab excommunicatione (a
statu gratiae C 925), ab impletione operis praescripti 677 C 925;
tabellae indulgentiarum laudabiliter institutae sunt *1543*; cavendum
est a falsis poenitentiis 366.

Extrema unctio.

Essentia: Est verum sacramentum a Christo institutum et a S. Iacobo **XII m**
promulgatum 99 315 424 465 669 **700** 907 sqq **926** sqq *2048*;
hinc non est ritus a Patribus institutus 926, nec idem ac gratia
curationum 927.

M a t e r i a est unctio cum oleo infirmorum benedicto ab episcopo 99
424 **700** 1628 C 937 C 945, non a sacerdote simplici 1629, nisi
cum apostolica facultate C 945.

F o r m a est vel ordinaria longior **700** 908, vel extraordinaria brevissima 1996 C 947 § 1.

Effectus est alleviatio et sanatio mentis a reliquiis peccati, interdum
etiam sanatio corporis 314 **700 909** 927.

Minister est sacerdos 99 **700 908 910** 929, omnis et solus C 938 § 1.

Subiectum est homo graviter aegrotans **700 908 910** C 940, quoties
etiam post reconvalescentiam reincidit in periculum viae 910 C 940
§ 2; per se supponitur esse in statu gratiae 99 315.

Necessitas per se non est medii C 944.

R i t u s ab Ecclesia adhiberi soliti servandi sunt **910** 922.

Ordo.

Essentia: Est verum sacramentum 367 465 **701** 957 sq **959** sqq **961** sq **XII n**
963 sqq, a Christo institutum 937 sqq 949 963; quod non
consistit in mero ritu eligendi ministros verbi Dei 963; distinguuntur ordines m a i o r e s et m i n o r e s 150 sqq 958 962 C 949,
constituentes h i e r a r c h i a m ecclesiasticam 42 45 89 150 sqq
305 360 **960** 966 C 109; Episcopatus, Presbyteratus
et D i a c o n a t u s sunt divinae institutionis 42 305 356 958 966
C 108 § 3; sed etiam S u b d i a c o n a t u s est ordo maior 45 153
305 958 C 949.

Praeter hos sunt ordines m i n o r e s: Acolythatus, Exorcistatus, Lecto-
ratus, Ostiariatus 45 154 sqq 426 *547* 958 *1555* C 949 C 111
§ 2; Tonsura est signum status clericalis 958 C 108.

F o r m a ordinum sacramentalium sunt verba (oratio) ordinantis varia
pro variis 445 **701** 959 964 1963 sqq.

M a t e r i a est impositio manuum 150 sqq 305 445 910 **959**, cui accedit
traditio instrumentorum 150 sqq 701, unctio et aliae ceremoniae 965.

Effectus est g r a t i a et communicatio Spiritus Sancti 701 959 964,
c h a r a c t e r sacramentalis 695 852 **960** 964 996 sq C 732 § 1,
quare i t e r a r i n e q u i t 695 C 732, et p o t e s t a t e s variae in
variis ordinibus 960:

in Episcopatu: potestas ordinandi 150 sqq 424 701 960 967, confirmandi 419 424 465 697 873 960 967 C 951, benedicendi
chrisma confirmationis 98 697 1452 C 734 § 1 C 781 § 1, et oleum
infirmorum 99 700 908 1452 1628 C 734 § 1 C 945;
in Presbyteratu: potestas celebrandi Missam et absolvendi 957
961 *2049* sq C 802 C 871, conferendi unct'onem 99 910 C 938 § 1,
manus imponendi presbyteris ordinandis 151, baptizandi (etiam
coram episcopo), non vero confirmandi 98 C 738 C 782 § 1, nisi
specialiter delegetur a Summo Pontifice 697 C 782 § 2.
In ordinibus maioribus constituti non possunt laici fieri 960 964
C 211 § 1, debent servare coelibatum 89 360 979 2104
3001 sq C 132, et obligantur ad officium divinum *1121 1134* sq
1204 C 135.
Minister ordinarius est solus episcopus 150 sqq 424 *608* 675
960 967 C 951; hinc presbyter non potest conferre Diaconatum
548, qui est ordo sacramentalis 356.
Ordinationes ab episcopis haereticis vel schismaticis collatae
validae sunt 169 249 358 1087 C 951, Anglicanae autem invalidae
ob defectum formae 196 ⅜ sqq.
Subiectum est solus vir baptizatus 56 C 968 § 1, etsi forte lapsus *1553*,
examinatus 301, et rite electus 305 *1552*; initiatus ordinibus praeviis
et titulo debito instructus *1551 1553* C 968 § 1 C 973 sqq ; monachi
etiam ordinari possunt 90 C 964; simonia in ordinationibus repro-
batur 354 358 sq C 729.

Matrimonium.

ΣΙΙ 0 *Essentia*. Est viri et mulieris consociatio 1853, quae a Christo
elevata est in statum veri sacramenti 144* 158* 367 402 406
465 *490* 702 969 sqq 971 1640 *1765* 1853 *2051*, ita ut ipse
contractus sit sacramentum *1766* 1854 C 1012; unde invalidatur
conditione contra eius substantiam adiecta, dum conditio turpis censetur non adiecta 446 C 1092.
Forma huius sacramenti non est benedictio nuptialis *1766*, sed ipse
et solus consensus expressus 334 397 404 702 C 1081; qui
regulariter fit verbis de praesenti 702 C 1088 § 2, sed potest fieri
signis 404 C 1086 § 1 C 1088 § 2.
Matrimonium christianum est vel ratum vel consummatum 976 C 1015.
Effectus est gratia unionem maritalem sanctificans 969 sqq C 1110,
et triplex bonum: prolis, fidei, indivisibilitatis 702 C 1013;
unde sequitur matrimonii unicitas ex lege divina excludens tum
polyandriam tum polygyniam 408 465 969 sq 972 1853 C 1110,
et indissolubilitas 250* 395 sq 424 702 969 sq 975 1470
1865 C 1110.
Divortium imperfectum ab Ecclesia interdum decerni potest
702 978, non vero a sola civili potestate 1640 *1767* 1865 C 1129;
perfectum possibile est in matrimonio rato tantum 395, et fit
speciatim professione sollemni 396 409 976 C 1119, et dispensatione pontificia C 1119; in consummato nullo modo fieri potest
406 702 969 975 977 1470 C 1118, nisi forte vi privilegii Pau-
lini 405 408 C 1120.

Subiectum: Vir et mulier habiles seu liberi ab **impedimentis** 388
1853 C 1035, quae sunt vel impedientia vel dirimentia 973 sq
C 1036 sqq.

Talia impedimenta statui vel tolli non possunt a potestate civili *1560*
1770 sq, sed a sola Ecclesia 973 sq *1559 1768* sq C 1016 C 1038,
ad cuius forum spectant causae matrimoniales v. II h.

Coniugia rite inita ex se **bona** et **licita** sunt 36 241 424 430 537,
etiam plura successive 55 424 465 *541* C 1142; matrimonium
civile reprobandum 1637.

Sacramentalia.

Sunt res aut actiones, quibus Ecclesia, in aliquam sacramentorum imi- **XII p**
tationem, uti solet ad obtinendos ex sua impetratione effectus
praesertim spirituales C 1144; sunt consecrationes, benedictiones
sive constitutivae sive invocativae C 1148 § 2, exorcismi 140
C 1151.

Sacramentalium *minister* est clericus debita potestate instructus C 1146;
subiectum sunt catholici, catechumeni, et quadamtenus etiam acatholici C 1149 C 1152. Adhiberi *debent,* quae in Missa et administratione sacramentorum praescribuntur 931 965 981; spernenda sunt
nulla 665 965, neque simoniace acquirenda 364.

Opera bona (meritum) et mala.

Natura operum.

Hominis opera **non sunt indifferentia** 804 828 sqq 834, ne **XIII a**
externa quidem *386 516* sqq, neque quae fiunt a perfectis *472* sq
476 478 1260; neque opus bonum et malum aequaliter Deum
glorificat *504 514* sq.

Opera hominis non immediate dividuntur in **virtuosa** et **vitiosa**,
sed sunt etiam opera **naturaliter bona**, quae tamen beatitudinem non merentur 642 817 *1002* sqq *1012 1037 1300,* quae fieri
possunt sine gratia *1025 1352* sq *1388* sqq *1392 1395* sqq.

Bonitas operum non pendet a sola convenientia cum ratione sine
respectu ad Deum *1299.*

Opera ante iustificationem facta non omnia sunt peccata
817 898 915 *1063 1523*; quare infideles non peccant in omnibus
operibus suis *1022 1025 1035 1040 1065 1068 1298 1375 1401* sq
1523; neque impii in omnibus male agunt *642 1035 1040 1395
1523*; neque hi semper vitiosae concupiscentiae serviunt *1038
1297* sqq *1394* sqq *1523.*

Homo iustus non peccat in omni opere bono 771 775 sq 835, ne
venialiter quidem 772 804 835; neque peccatum est reicere malum
ob turpitudinem sine respectu ad Deum offensum *1299*; neque
malum est respicere ad mercedem 804 841 *1300 1303.*

Timor poenarum est bonus et utilis 744 798 818 *1411* sqq, et
potest esse supernaturalis *1304 1525.*

Observatio mandatorum non est impossibilis 200 804 828
1054 1092 1519.

Meritum.

XIII b Opera bona iustorum vere m e r e n t u r augmentum gratiae et gloriae
191 *517* sqq 714 803 809 834 836 842 1044 1260.

Simul iusti operibus bonis vel poenis a Deo inflictis, si patienter tolerantur, s a t i s f a c i u n t pro poenis temporalibus 807 904 sqq 923 sq
1059; quae vis derivatur a g r a t i a, qua homo fit filius Dei et
membrum Christi 134 140 191 287 309 708 809 812 842 904 sq
1008 1011 sqq *1015 1017* sq *1031* sqq *1062 1070 1077*, cooperante
fide 287 430 714 809 *1008 1062*; tamen merita et satisfactiones
aliquatenus vere n o s t r a sunt *1008 1010 1419*.

Peccatum.

XIII c Ad peccatum (actuale) supponitur c o g n i t i o l e g i s, quare non fit
cum ignorantia invincibili *775 1068 1292*, sed tamen cum vin-
cibili *380*; insuper debet esse ac us v o l u n t a r i u s 410 *775 1046*,
voluntate personali *1291*; positus cum vera l i b e r t a t e non solum
a coactione *1094*, sed a necessitate *1039 1041 1066* sq *1291*.

Peccato (actuali) contrahitur r e a t u s c u l p a e (pecc. habituale), qui
non est sola obligatio ad poenam *1056* sq; peccata autem personalia non propagantur sicut peccatum originale *1052* sq.

Etiam iustificatus mortaliter peccare potest 805 835

Praeter peccata m o r t a l i a, quibus Deus semper offenditur *1290*,
quibus gratia iustificationis amittitur 808 837 862, et damnatio
aeterna incurritur 410 464 531 693, dantur etiam peccata ex natura sua v e n i a l i a 804 833 *1020*, quibus non tollitur iustitia 804
899, quae sunt commune malum 809, et sine speciali privilegio
omnino devitari non possunt 833.

Peccata m o r t a l i a omnia remitti possunt 43 167, et d e l e n t u r
caritate perfecta cum voto sacramenti 898, etiam ante bapt smum
1033, vel sacramento poenitentiae (etiam sine carita:e) 159 430 *724
726* sq 798 898 1146 *1536*, interdum etiam extrema unctione 909.

Peccata v e n i a l i a multis modis deleri possunt 805 835, sed in confessione accusantur laudabiliter *748* sq 899 *1539* C 902.

CONSUMMATIO.

Novissima singulorum hominum.

XIV a *Mors* est poena peccati 101 175 793; post eam statim sequitur
Iudicium (particulare) 464 530 sq 693, in quo Deus «reddet
unicuique secundum opera sua» 809

Qui post baptismum sine culpa personali moriuntur, statim in *Coelum*
perveniunt 464 530 693, ad cuius ingressum requiritur status
gratiae 800 809 842 *1011*; coelum seu b e a t i t u d o non est
transformatio substantialis in Deum *510*, sed homo elevatur ad
beatitudinem supernaturalem 1808, quae neque sola ratione investigari 1669, neque in hac vita haberi potest *474* sq, sed in
futura 287, et consistit in v i s i o n e D e i immediata, intuitiva,
faciali eiusque fruitione 530 693 *1928* sqq, in qua fides et spes

evacuantur 530; sed timor castus non excluditur *382*; quae fit per lumen gloriae *475 1928* sqq, habetur sine intermissione 530, et est aeterna 40 347 429 464 *1716* 1793 3028; est merces bonorum operum 714 809 836 842; admittit gradus 693 842; est autem maior operibus (sensu Baiano) *1014*.

Eorum animae, qui in statu gratiae, sed culpis venialibus vel temporalibus poenis nondum plene expiatis decedunt, detinentur in *Purgatorio* 3035, de cuius exsistentia ex Scriptura constat 777; quod non consistit in solis timoribus morituri *744*; sed in poenis satisfactoriis quas animae luunt 464 530 693 840 983, securae illae quidem de sua salute, sed extra statum merendi *778*; non peccant quaerendo requiem aut horrendo poenas *779*; iuvantur vivorum suffragiis, satisfactionibus, eleemosynis 464 *535* 693 *780* 983 998, indulgentiis *729 1542* C911, praesertim sacrificio Missae 983; purgatae mox in coelum intrant 530 693.

Qui vero in peccato originali vel gravi personali decedunt, mox descendunt in *Infernum* 40 321 410 429 464 531 693 *1290 1525*, qui per Christum non est destructus *536*, ubi poenis disparibus puniuntur scl. damni seu carentiae visionis Dei pro peccato tam originali quam personali 321 410 464 693, et sensus seu cruciatuum (ignis) quibus puniuntur ii, «qui mala egerunt» 40 410 429 531 3028.

Inferni poena aeterna est 40 410 429 3028; sed poenam ignis non sustinent parvuli (in Limbo) qui sine baptismo mortui sunt *1526*; qui tamen non vadunt ad paradisum terrestrem *534*.

Anima defuncti in statu naturali non careret omni operatione *1913*.

Finis saeculi.

Mundus non debet naturaliter consumi *3031*. XIV b

In consummatione saeculi erit *resurrectio mortuorum* 2 sqq 13 16 20 30 86 242 347, et quidem omnium 40 287, etiam damnatorum 531 3028, cum propriis corporibus 20 40 347 427 429 464 531, quae non erunt pure spiritualia vel orbicularia 207 287; hinc non peribit omnis materia in apocatastasi universali 211.

Deinde sequetur *Iudicium universale* 54 86 531 994, quod non per Patrem exercebitur 384, sed per Christum 13 40 86 255 287 422 427 462 464, qui reddet unicuique secundum opera sua 287 314 429 462 693 3028; quo facto demum Ecclesia cum ipso in perpetuum regnabit 287.

INDEX ALPHABETICUS

NOMINUM ET RERUM.

(NB. Littera n numero adiecta indicatur nota.)

Malus minister sacramentorum v.
Ind. syst. XII b.
Mandatorum observatio 200 804
824 *1045 1092 1519*
Manichaei 234 sqq 707 710.
Marcelliani 85
Marcellus Ancyranus 4.
Marcion 48 234 710.
Marcus, S., fundator sedis Alexan-
drinae 163; evangelium 2155
ad 2165; v. Canon.
Maria, Mater Dei et Virgo v. Ind.
syst. VIII i sq.
Maritus *1119* sq.
Maronitarum professio fidei 1459
sqq.
Marsilius Patavinus *495* sqq.
Martinus V, Papa *581* sqq 716 n;
cf. p. XVIII.
Martinus Bracarensis 4.
Martyrum acta 165.
Massa perditionis 316.
Massaliani (Pelagiani) 125.
Massones *1718* a 1859 sq.
Materia sacramentorum v. Ind.
syst. XII a.
— corporalis *1701* 1802.
Materialismus *1758* 1802
Mathesis (Astrologia) 35.
Matrimoniales causae v. Ind. syst.
II h.
Matrimonium v. Ind. syst. XII o;
matrimonia mixta 1452 sqq 1496
sqq cum nota ad n. 1499.
Matthaeus, S. 2155—2165; v.
Canon.
Maximus, S. 4.
Mechitritz (Armenus) 533.
Mediator v. Ind. syst. VIII g.
Medicus (in duello) 1813.
Meditatio discursiva *1341* sq.
Melchisedech 333 938.
Melitius 57*.
Membra Ecclesiae v. Ind. syst. II b.
Menda in libris sacris 1948 sqq
Mendicantes *449* sqq *614 781 1311*
1581.
Mennas, Patr. Cstpl. 171 n.
Merita Christi v. Ind. syst. VIII g;
— operum bonorum ib. XIII b.

Metus gehennae *746* 898 1146; —
gravis *1201* 1940
Michael Palaeologus 343 n 461 sqq.
Milevitanum concilium II (a. 416)
101 sqq 325
Minister sacramentorum v. Ind.
syst. XII b et singula sacra-
menta.
Miracula 121 1624 *1707* 1790
1813
Mirandula, Ioannes P. de *736* sq.
Missae sacrificium v. Ind. syst.
XII h.
Missio canonica 426 434 *594* 688.
Missiones *1565*.
Modernismus, modernistae *2001* sq
2071 sqq 2145 sqq
Modus loquendi 442 sq 1658 1800.
Moechia 43 *3031*.
Mohatra *1190*.
Molinismus 1090 1097.
Molinistae 1090 n.
Molinos, Michael de *1221* sqq.
Mollities *1124 1199 3031*.
Monachi 90 400 *1581 1588*; cf.
Mendicantes
Monarchica constitutio Ecclesiae
v. Ind. syst II a.
Monasteria 304 *1583* sqq.
Moniales 1149 sq *1592*.
Monogamia v. Ind syst. XII o.
Monophysitae, Monophysitismus
148 1463.
Monotheletae, Monotheletismus
251 sq 289 sqq 1465.
Montanistae 88 n.
Montenses 94.
Montes pietatis 739.
Moribundi 57 95 111 146 *1089*
1484.
Mors 1001 175 793; cf. Ind. syst.
XIV a.
Mortificationes *1258* sq.
Morum leges *1756* sqq.
Motiva credibilitatis v. Ind. syst. I d.
Motus pravi *1075 1267* sq.
Moyses (Lex) 713 793 811
1997 sqq *3031*
Mundus 29 134 370 391 *501* sqq
1805 *3031*; cf. Ind. syst VI a.

Mysteria fidei v. Ind. syst. I b;
— vitae Christi ib. VIII h.
Mythus in s. Scriptura *1707*.

N.

Narbonense conc. (a. 1609) 1499 n.
Narrationes s. Scripturae 1980
2186 sqq.
Natalis Christi 234
Nationale concilium *1593*.
Nativitas Christi v. Ind. syst. VIII h.
Natura integra, lapsa etc cf. Iusti-
ficatio (in Ind. syst. IX a sqq).
Naturae Christi v. Ind syst. VIII c.
Naturalismus 1652 1688 sqq *1701*
sqq 1885
Necessitas *607 1939* sqq *1186*;
— sacramentorum v. Ind. syst.
XII b et singula sacramenta.
Neo-Aristotelici 738.
Nestorius Nestoriani 113 sqq 125
127 168 171 sq 202 216 sq 223
226 sq 271 299 710 1462
Nicaenum conc. universale I (a 325)
54 sqq 58 85 93 97 171 246·
274 305 349 782 1459 sq
1538 *2031*; — II (a. 787)
298 n 302 sqq 349 986 1466.
Nicephorus, Patr. Cstpl. 3029.
Nicetas Romatianensis 4.
Nicolaus I, Papa 326 sqq 1499 n
3030.
Nicolaus II, Papa 354 355 n
358 n 359 n 362 n.
Nicolaus III, Papa 494 n.
Nihilismus 1857.
Nomen complicis 1474.
Nomina Personarum Ss. Trini-
tatis *278*.
«Non-interventus» *1762*.
Norma ethicae et legis civilis *1757*
1885 sqq.
Notae Ecclesiae v. Ind. syst. II a.
Novatiani 55 88 94 97 894.
Novissima hominis v. Ind. syst.
XIV a; — saeculi ib. XIV b.
Numerus in Ss. Trinitate 280; —
sacramentorum v. Ind. syst. XII a;
— ordinum v. Ind. syst. XII n.

Nuptiae v. Matrimonium (in Ind.
syst. XII o).

O.

Obex (sacramenti) 411 849.
Oboedientia *473 641 1016 1285*
1841.
Obsessio daemoniaca *1923*.
Occasio peccandi 366 *1141*
1211 sqq.
Occisio *1102 1117* sqq *1180* sqq
1491 sqq *1889* sqq *1939* sq.
Odium Dei *1049*; — peccati
1299; cf. Attritio, Contritio (in
Ind. syst. IX b XII i)
Oeconomia salutis v. Ind. syst. X i.
Oecumenica concilia v. Concilia
universalia.
Officia viri catholici 1870 sqq 1935
Olea sacra 98 sq 700 908.
Oligarchia 1855.
Olivi, Petrus Ioannes 480 sqq.
Omnipotentia Dei 2 sqq 21 *368*
1217 sq 1790
Ontologismus, Ontologistae *1659*
sqq.
Opera bona et mala v. Ind. syst.
XIII a.
Operationes duae in Christo v
Ind. syst. VIII c.
Oratio v Ind. syst. XI f.
Ordinatio clericorum v Ind. syst.
II b.
Ordines religiosi *1582* 1697 1973;
cf. Mendicantes.
Ordo (sacramentum) v. Ind. syst.
XII n.
Orientales 1459 sqq *1738 3035*.
Origenes, Origenistae 203 sqq 223
271; cf. etiam 1 sqq.
Osculum *477 1140*.
Osius 3004 3006.
Osma, Petrus de *724* sqq *1535*
1542.
Ostiariatus 45 157 958.

P.

Paderbornense concil. (a. 1658)
1499 n.

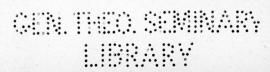